L'ANNUEL DE L'AUTOMOBILE 2002

Pour Josée

Pour faciliter votre magasinage

Bonne lecture

Benoît [illegible]

Ce tout premier volume de L'*Annuel de l'automobile*
est dédié à la mémoire de Ghislaine Crépault

L'ANNUEL DE L'AUTOMOBILE 2002

L'Annuel de l'automobile **2002**

Chroniqueurs automobiles (le « J8 ») : Amyot Bachand, Benoit Charette, Michel Crépault, Éric Descarries, Luc Gagné, Gabriel Gélinas, Philippe Laguë, Alain Mckenna
Rédacteur en chef : Benoit Charette
Rédacteurs associés : Hugues Gonnot et Michel Gou
Conception graphique : Caroline Ferguson
Directeur du graphisme : Jules Alexandre Obry
Traitement de l'image : Mathieu Sauvé
Infographistes : Mireille Bastien, Patrick Charpentier, France Mercier et Sylvain Mondou
Photographie : L'équipe du « J8 », Bernard Brault, Brenda Priddy et les constructeurs
Révision et correction : Bernard Downs, Guy Raymond et Richard Roch
Directeur des ventes : Jean Malboeuf
Représentants : Hélène Crépault et Marie-Claude Savard
Secrétariat : Denise Allard
Comptabilité : Patricia Petit
Affaires juridiques : Me Sylvie Bourdeau

L'équipe de *L'Annuel de l'automobile 2002* tient à remercier :
Dr Jean Langevin, pour une pré-lecture constructive
Nos conjoint(e)s, pour leur patience infinie
Yves Laguë, pour son aide précieuse
Jean-François Veilleux, pour ses conseils de pilotage
Gilles Ducharme, Sylvio Dubois, Jean-Paul Lalonde et Claude Lefebvre, pour leurs véhicules d'essai
Jules Lacasse, pour avoir été là un samedi…

Imprimerie : Solisco

Distribution :
Messageries de Presse Benjamin
9600, Jean-Milot
Ville LaSalle (Québec) H8R 1X7
Tél. : (514) 364-1780

et

JDM Géo (pour Canadian Tire)
5790, Donahue
Ville Saint-Laurent (Québec) H4S 1C1
Tél. : (514) 956-8505

Maison d'édition :
L'annuel inc.
2312, chemin Herron
Dorval (Québec) H9S 1C5
Tél. : (514) 631-6550
Téléc. : (514) 631-0591
info@annuelauto.com
www.annuelauto.com

Président du conseil : Pierre Crépault
Éditeurs : Benoit Charette et Michel Crépault

ISBN 2-9807312-0-X

(Dépôt Légal - Bibliothèque nationale du Québec, 2001)
(Dépôt Légal - Bibliothèque nationale du Canada, 2001)

« Huit journalistes dans un roadster... C'est vous dire à quel point nous avons pu en concentrer de l'information dans 528 pages ! »

L'union fait la force

On ne pouvait souhaiter un meilleur moment pour introduire *L'Annuel de l'automobile.* Un astrologue pourrait même dire qu'il y avait trop de planètes parfaitement alignées pour que ce projet ne devienne pas réalité. Jugez-en vous-même :

Un autre bouquin du même acabit revient année après année. Bien fait, d'ailleurs. Mais comment savoir si la barre a été placée assez haute si l'auteur fait cavalier seul. Les élections par acclamation laissent le public indifférent. *L'Annuel de l'automobile* devient la concurrence, forcément, et avec nous viendront les émotions et les comparaisons.

C'est le rêve de n'importe quel chroniqueur de l'automobile sérieux de participer, un jour, à l'élaboration d'un annuel de l'automobile. Imaginez quand huit chroniqueurs, qui se connaissent depuis des années, décident d'unir leur rêve respectif pour n'en faire plus qu'un, solide, complet, original.

Le Québec est une terre de prédilection pour un livre comme *L'Annuel de l'automobile.* Pour commencer, nous sommes des fans de la chose à quatre roues. Nos goûts sont précis et distincts. Certains constructeurs doivent leurs bons bilans à la fidélité des Québécois et des Québécoises. Un, nous aimons conduire. Deux, nous aimons que notre voiture nous ressemble. Trois, jamais nous ne voulons être dupe. Nous prenons donc le temps de nous informer avant d'acquérir le véhicule qui convient à nos besoins.

Cette soif de renseignements, *L'Annuel de l'automobile* s'en vient l'épancher. Notre démarche est inédite : huit chroniqueurs au lieu d'un seul. Huit expériences à vous faire partager, des points de vue divergents, et même des générations qui se chevauchent (notre groupe va de 23 à 53 ans). Le tout agrémenté d'une présentation qui se veut à la fois pertinente et agréable. *L'Annuel de l'automobile,* pour sa première année, arbore le sceau de la diversité et de la qualité.
Mais ne nous croyez pas sur parole. Lisez! On s'en reparlera ensuite. Nous vous encourageons à nous faire parvenir vos critiques, vos souhaits et vos propres expériences (nos coordonnées postales et électroniques figurent à la page précédente).
Nous sommes fiers de *L'Annuel de l'automobile,* bien sûr. Mais il s'agit du premier d'une longue série. Au fil des ans, cette belle aventure ira en s'améliorant. Ensemble, nous verrons grandir **votre** *Annuel de l'automobile.*
C'est un départ!

L'ANNUEL DE L'AUTOMOBILE 2002

MICHEL CRÉPAULT
Chroniqueur de l'industrie automobile depuis 1985, qui a collaboré à plusieurs magazines, Michel a fondé le groupe Auto Journal inc. en 1997. Il édite les publications *Auto Journal, Auto Passion, Auto pour moi, My Car* et *Motomag*, sans oublier la Revue officielle du Salon International de l'Auto de Montréal et du Salon de l'Auto de Québec.

AMYOT BACHAND
Président de l'Association des pilotes Solo pendant deux ans, il a organisé des sessions de course et prodigué des cours de conduite avancée. En plus de son rôle de journaliste, Amyot agit à titre de directeur des essais comparatifs du magazine *Auto Passion* et assume la chronique « Formation » dans la revue *Auto Journal*.

LUC GAGNÉ
Chroniqueur du monde automobile dans les médias depuis bientôt 25 ans, Luc est rédacteur en chef du mensuel *Auto Journal*, qui décrit et analyse l'actualité dans l'industrie, et de *Auto Passion*, un trimestriel destiné aux professionnels. Il a aussi dirigé d'autres périodiques, dont *Le Monde de l'Auto, Formula 2000* et *L'Auto Ancienne*.

ALAIN McKENNA
Issu du milieu universitaire, très à l'aise dans les technologies de l'information, (adjoint au rédacteur en chef à la revue *Québec Micro!*), Alain Mckenna est l'adjoint au rédacteur en chef pour *Auto Journal*, un mensuel d'actualité sur l'industrie automobile au Canada, et d'*Auto Passion*, un magazine automobile ayant un tirage de 130 000 exemplaires.

Un journaliste de l'automobile c'est bien... Huit, c'est mieux!

BENOÎT CHARETTE
Depuis six ans, Benoit anime *Station-Service*, la plus populaire des émissions de radio consacrées à l'automobile, diffusée sur l'ensemble du réseau Radiomédia. Il signe en plus une chronique pour plusieurs hebdos membres du groupe Transcontinental. Il fait partie de l'équipe d'*Auto Journal, Auto Passion* et *Auto pour moi* depuis les tous débuts.

GABRIEL GÉLINAS
Gabriel, pilote et instructeur de course, est bien connu des téléspectateurs qui apprécient ses commentaires à TVA (*Salut bonjour!*), Global (*This Morning Live*) et Le Canal Nouvelles (courses de Cart et de F1). Il trouve aussi le temps d'écrire pour *Auto Journal, Auto Passion* et *Les Affaires*, en plus d'être le rédacteur en chef du magazine *Motomag*.

PHILIPPE LAGUË
Philippe Laguë est journaliste et chroniqueur automobile depuis 1991. Il a collaboré à des publications aussi variées que *La Presse, L'actualité* et *Le Guide de l'auto*.
Il fait partie de l'équipe d'Auto Journal inc. (éditeur des magazines *Auto Journal* et *Auto Passion*) depuis 1997 et occupe le poste de rédacteur en chef de l'émission Le Grand test, diffusée au Canal Z.

ÉRIC DESCARRIES
Un expert des camions et camionnettes, Éric a collaboré pendant 15 ans à *L'Almanach de l'auto* du regretté Jacques Rainville. Aussi à l'aise en français qu'en anglais, il écrit dans maintes publications, dont *Performance Racing News, Auto Journal, Auto Passion, Cam Auto Plus, L'Écho du Transport*, en plus d'être analyste en course automobile à RDS.

TABLE DES MATIÈRES

REPORTAGES

AUTOUR DU MONDE

COMMANDITAIRES

LES CONSTRUCTEURS (PAR MARQUES)

MANUEL DU PROPRIÉTAIRE

Nouveauté
Un modèle tout nouveau pour 2002. *L'Annuel* en contient pas moins de 37, dont 26 nouveautés qui ont chacune mérité 4 pages. Les autres nouveautés (11) ont dû se contenter de 2 pages faute d'avoir pu les tester sur la route avant la sortie de *L'Annuel*.

Évolution
Un modèle déjà connu qui a subi quelques retouches pour 2002.

Jumeaux
Un modèle dérivé d'un autre, lui-même décrit plus en détails dans les pages précédentes (puisque les modèles sont classés par ordre alphabétique).

Prix de base
Au premier coup d'œil, vous savez si ce modèle convient à votre budget. Pour le prix de toutes les versions, consultez la *Liste des prix 2002* des pages 30 à 33. Cette dernière ayant été préparée en dernier, les prix qu'on y trouve sont les plus récents de *L'Annuel*.

Entrevue
Dès qu'il s'agit d'une nouveauté 2002 (étalée sur 4 pages), un porte-parole du constructeur répond à nos questions.

Fiche d'identité
Des données qui expliquent à priori à quel genre de véhicule on a affaire.

ford **Thunderbird** ford ford ford

FORD

fiche d'identité

Modèle : Thunderbird
Version : unique
Segment : de luxe entre 50 000 $ et 100 000 $
Roues motrices : arrière
Portières : 2
Places : 2
Sacs gonflables : 2 frontaux et 2 latéraux
Concurrence : Audi TT cabriolet, BMW Z3, Mercedes Benz SLK, Porsche Boxster, Toyota Camry Solara cab, Volvo C70 cabriolet

au quotidien

Prime d'assurance moyenne : nd
Garantie générale : 3 ans/60 000 km
Garantie contre la corrosion : 5 ans/kilométrage illimité
Garantie contre la perforation : 5 ans/kilométrage illimité
Collision frontale : nd
Collision latérale : nd
Ventes du modèle l'an dernier au Québec : nouveau modèle
Dépréciation : nouveau modèle

Nouveauté

prix de base • 51 550 $

Un classique en devenir

Quand un modèle de voiture se retrouve en page couverture de la quasi-totalité des magazines spécialisés du continent, on peut à coup sûr parler d'événement. Ce privilège est habituellement réservé à des marques de prestige comme Porsche ou Ferrari, lorsqu'elles lancent un nouveau modèle. Ford vient pourtant de réaliser cet exploit avec sa nouvelle Thunderbird.

Il est vrai que la Ford Thunderbird est une véritable icône de l'industrie automobile américaine, au même titre que la Mustang et la Chevrolet Corvette. Comme ces deux modèles, la T-Bird a connu une carrière en montagnes russes, ponctuée de quelques descentes vertigineuses. Il fallut attendre la 9e génération, en 1983, pour que l'oiseau se remette à voler. Il lui manquait encore la foudre, mais elle revint progressivement, d'abord avec la Turbo Coupe (de 1983 à 1988), puis la Super Coupe (de 1989 à 1995). La Thunderbird tirait sa révérence à la fin de 1996.

CARROSSERIE Comme le phénix, l'oiseau du tonnerre renaît de ses cendres, après une éclipse qui aura duré cinq ans. Avec ses deux places, ses roues arrière motrices et un V8 sous le capot, la Thunderbird 2002 s'inspire de son ancêtre, c'est l'évidence même. Ce l'est encore plus si on la regarde : la calandre chromée et la prise d'air sur le capot sont autant de clins d'oeil à la première Thunderbird. Sans oublier les lunettes arrière en forme de hublot, qui s'ajoutèrent lors de la deuxième année d'existence de la T-Bird. L'acheteur pourra choisir entre un toit souple ou rigide, comme à l'époque.

À l'origine, la Thunderbird se voulait la réponse de Ford à la Corvette de Chevrolet, apparue deux ans plus tôt, en 1953. Mais cela n'en faisait pas une rivale de la sportive de GM pour autant - pas dans l'esprit, du moins. Alors que le roadster de Chevrolet mettait l'accent sur la performance et le comportement routier, celui de Ford proposait un luxe et un confort supérieurs, avec des accessoires comme la direction assistée, les fauteuils et les vitres électriques, ainsi que la boîte automatique, qui équipait la quasi-totalité des 16 155 T-Bird produites la première année. Mise en vente le 22 octobre 1954, la première Thunderbird, millésimée 1955, allait rapidement devenir un classique, au sens véritable de ce terme trop souvent galvaudé. Les Beach Boys en firent la vedette d'une de leurs chansons (*Fun, fun, fun*) ; le réalisateur George Lucas, d'un de ses films (*American Graffiti*).

MÉCANIQUE La T-Bird « ressuscitée » repose sur la même plate-forme que la Jaguar S-Type. En fait, elles sont trois à se la partager, puisque la Lincoln LS reprend également cette plate-forme.

Les emprunts à la Lincoln LS sont nombreux puisque cette berline de luxe fournit également ses organes mécaniques ainsi que des composants de l'habitacle. L'empattement a toutefois été raccourci de 15 centimètres, ce qui n'empêche pas la Thunderbird 2002 d'être plus longue que celle de 1955, de près de 30 centimètres. Qui l'eût cru ?

Comme son aïeule, la petite nouvelle se défend bien de jouer les sportives. N'y voyez pas une future rivale de la Corvette ou de la Viper ; la Thunderbird serait plutôt le pendant américain de la BMW Série 3 cabriolet o Mercedes SLK et CLK. voiture de croisière et non une voiture de course. Comme ces cabriolets allemands, elle incarne le parfait compromis entre une véritable sportive et une boulevardière. Cet équilibre, elle le doit, dans un premier temps, à son excellent châssis, qui a valu à la Lincoln LS une pluie d'éloges. Il en va de même de son V8 de 3,9 litres à double arbre à cames en tête, dont les 252 chevaux parviennent sans peine à déplacer ce roadster qui n'a rien d'un poids plume, avec 1716 kilos bien sentis. C'était le prix à payer pour augmenter la rigidité du châssis, cabriolet oblige. Et encore, on s'est efforcé de sauver des kilos en utilisant des matériaux plus légers, comme le plastique pour certains panneaux de carrosserie et l'aluminium pour des éléments de suspension et de freinage.

entrevue

Christine Hollander
directrice des Relations avec les médias, région du Québec

Comment décrivez-vous cette nouveauté ? La Thunderbird a fait couler beaucoup d'encre. Elle nous revient en version 2 places après 44 ans. Dessinée par un canadien, Mark Comforzee, cette nouvelle Thunderbird est belle à regarder avec ses lignes classiques et gracieuses. Elle attire les regards partout où elle passe et s'arrête. Le V-8 est enfin de retour avec ses 3,5 litres et ses 252 chevaux. Développée à partir du nouveau concept C3P d'élaboration des véhicules, cette Thunderbird profite de la toute dernière technologie tout en respectant l'esprit de ses origines, dont les 5 couleurs originales.

Où situez-vous ce modèle ?
C'est un modèle unique, une voiture de collection. La nouvelle Thunderbird représente l'image de Ford, une des icônes de notre entreprise.

Quelle est la clientèle cible ?
D'une part, ceux qui en ont déjà possédé une, et, d'autre part, des professionnels jeunes d'esprit et de cœur entre 35 et 55 ans.

Combien de ventes en 2002 ?
Environ 2000 au Canada sur les 25 000 produites, et environ 300 au Québec.

1 nouveautés 2002 1

• Nouveau modèle pour 2002

Annuel de l'automobile 2002 Annuel de l'automobile 2002

de L'Annuel de l'automobile

Au quotidien

Des données qui ont trait à l'utilisation courante du véhicule.

Onglet de couleur

Chaque marque a sa couleur pour un repérage visuel facile.

Marque

L'Annuel a compilé les essais de 42 marques d'automobiles disponibles chez nous!

Modèle

L'Annuel a analysé pour vous 226 modèles. C'est ce qu'on appelle l'embarras du choix...

Fiche technique

Des données sur à peu près tout ce qui est mesurable sur un véhicule!

2e Opinion

À l'aide de quelques mots bien sentis, un deuxième chroniqueur appuie ou contredit ce que son collègue vient tout juste de raconter...

ford **Thunderbird** ford ford ford ford ford ford ford ford ford ford ford

FORD

galerie

1 • La base mécanique de la Thunderbird possède le même ADN que la Lincoln LS et la Jaguar S-Type.

2 • L'intérieur harmonisé à la couleur du véhicule offert en option, ne manquera pas d'épater la galerie.

3 • Pour rester fidèle à la tradition, un V8 3,9 litres de 252 chevaux est logé sous le capot.

4 • L'ensemble suspension-différentiel est monté sur un berceau qui isole le châssis des bruits de la route.

Nouveauté

5 • Le célèbre Lockheed Martin F-16C/D de l'escadron «Thunderbird» de l'armée de l'air américaine et la Ford du même nom.

COMPORTEMENT Sans être électrisant, le V8 assure des performances de haut niveau. À bas régime, il répond bien, mais il s'essouffle à moyen régime pour ensuite retrouver sa fougue à haut régime. Ce roadster n'a pas de prétentions sportives, on l'a dit. On sent le roulis dans les courbes et le flottement de la suspension à haute vitesse. Cela n'empêche pas la Thunderbird d'afficher une tenue de route des plus rassurantes ; elle sous-vire, certes, mais seulement si l'on conduit plus agressivement et encore, ses réactions sont prévisibles. La direction accomplit un boulot exemplaire : elle est aussi fluide que précise et communique très bien. Cet équilibre dans le comportement routier est aussi redevable à la qualité de la monte pneumatique, dont la compatibilité avec cette voiture est remarquable.

HABITACLE On claironne, chez Ford, que 60 % des pièces de la Thunderbird sont déjà utilisés sur d'autres véhicules de ce constructeur. Si le résultat est heureux sur le plan de la mécanique, il l'est moins en ce qui concerne la finition.
Au premier coup d'oeil, on est charmé par l'originalité de la présentation intérieure, mais on déchante vite lorsqu'on examine le tout de près. L'utilisation d'un plastique bon marché s'explique mal dans une automobile de prestige, et les nombreux emprunts à la gamme Ford pourraient être plus discrets. La console centrale est un bon exemple : elle a beau venir de la Lincoln LS, son allure terne jure avec le reste de l'habitacle. Dommage, car celui-ci est joliment décoré, avec ses fauteuils bicolores offerts en équipement facultatif, son tableau de bord rétro et ses appliques d'aluminium brossé, qui évoquent la T-Bird originale.

CONCLUSION Comme sa devancière, la Thunderbird brille par son style incomparable, qui fait tourner toutes les têtes. On ne roule pas en T-Bird ; on parade. Ce cabriolet possède la grâce et l'élégance d'un classique. Du classique qu'il fut, du classique qu'il est appelé à redevenir.

Thunderbird ford

fiche technique

FORD

Moteur : V8 DACT 3,9 L
Puissance : 252 ch à 6100 tr/min et 267 lb-pi à 4300 tr/min
Transmission de série : BVA 5
Transmission optionnelle : aucune
Freins avant : disques
Freins arrière : disques
Sécurité active de série : ABS, antipatinage
Suspension avant : indépendante
Suspension arrière : indépendante
Empattement : 272,4 cm
Longueur : 473,3 cm
Largeur : 182,9 cm
Hauteur : 132,3 cm
Poids : 1699 kg ; 1738 kg (avec toit rigide)
0-100 km/h : 7,2 s
Vitesse maximale : nd
Diamètre de braquage : 11,3 m
Capacité du coffre : 190 L
Capacité du réservoir d'essence : 68,4 L
Consommation d'essence moyenne : 11,5 L/100 km
Pneus d'origine : 235/50R17
Pneus optionnels : aucun

2e opinion

Gabriel Gélinas — La conception du tableau de bord et la présentation intérieure ne cadrent absolume[...] le style élancé et unique de cette boulevardière qui rechigne un peu lorsque conduite sportivement. Quant au confort, on pourrai[...]t l'améliorer par l'ajout d'un déflecteur qui protégerait conducteur et passagers du refoulement d'air dans l'habitacle.

2 forces
• Style unique
• Plaisir de conduire
• Performances à la hauteur

faiblesses
• Finition qui laisse à désirer
• Coffre étroit
• Suspension un peu souple

Par Philippe Laguë 2

Annuel de l'automobile **2002** **Annuel** de l'automobile **2002**

Fusions: ça chauffe!!!

Depuis 3 ans et demi, le monde de l'automobile a a connu une série de fusions et d'achats sans précédents dans toute son histoire.

Un chiffre : plus de 20 achats, fusions ou prises de participation significatives depuis le début de 1998. On n'avait jamais vu ca! A ce mouvement, deux facteurs déclenchants majeurs : la fusion Daimler Chrysler et la crise asiatique.

La fusion Daimler Chrysler (en fait le rachat du second par le premier) a littéralement mis le feu aux poudres. Normalement, le but d'une fusion ou d'un rachat est qu'une compagnic en difficulté se fasse racheter pour survivre ou bien qu'une petite société se fasse manger par une plus grosse. Dans le cas présent, ce n'est ni l'un ni l'autre. Ces deux constructeurs se sont associés dans le simple but de grossir pour dépasser la taille critique des quatre millions d'exemplaires et ainsi réaliser de substantielles économies d'échelle. Dès lors, partout à travers le monde, les constructeurs qui étaient soit en pourparlers soit en attente d'une bonne opportunité, ont été forcés de négocier au pas de charge et de conclure des alliances afin de dépasser cette fameuse taille critique. Aussi violente que soudaine, la crise asiatique a mis à terre les industries coréennes et japonaises, pourtant conquérantes jusqu'au début des années 90. Elle a balayé les constructeurs qui vivaient au dessus de leurs moyens et il ne reste plus aujourd'hui que trois grands indépendants dans cette région : Toyota et Honda au Japon, Hyundai en Corée.

RÉSULTAT DES COURSES Comme nous l'avons vu, le grand perdant de l'histoire est l'Asie, au profit de l'Europe et de l'Amérique. GM, dont la dernière acquisition est Daewoo, a racheté à tout va et intégré ses nouvelles filiales tambour battant. Reste à savoir si la digestion ne sera pas douloureuse. Douloureuse, la digestion de Chrysler et Mitsubishi l'est pour Daimler, pour cause de marché en baisse et de mauvaise communication interne. Pour Nissan, le drastique plan de remise à flot mis en place par Renault à d'ores et déjà permis au Japonais de réaliser des bénéfices historiques. De leurs côtés, Ford et Volkswagen ont consolidé leurs opérations dans le lucratif secteur du haut de gamme.

A QUI LE TOUR? Même si elle sont moins nombreuses, il reste encore des possibilités de rachats; à commencer par les pays de l'ex- URSS, l'Inde ou la Malaisie.

Parmi les grands constructeurs, il y a BMW, redevenue la compagnie automobile la plus rentable du monde depuis la revente de Rover, mais qui reste sous le million de véhicules. De nouveau seul, MG-Rover lutte pour sa survie en mettant en avant la marque MG. Rentable, mais manquant de stature mondiale, le groupe PSA-Peugeot-Citroen se refuse au jeu des alliances en privilégiant des coopérations techniques ponctuelles. Situation similaire pour Honda, affaibli en Europe. Enfin, gageons que Ferdinand Piëch, président du groupe Volkswagen, ne détesterai pas mettre la main sur Porsche.

Il n'est plus si loin le temps ou les 6 premiers conglomérats contrôleront le marché mondial de l'automobile.

TOYOTA
• Daihatsu (1998, 51%)

PEUGEOT
• Citroën (1974)
• Chrysler Europe (1979)

RENAULT
• Nissan (1999, 36,8%)
• Dacia (1998)
• Samsung (2000)
• Moskvich (1997, 60%)

FORD
• Lincoln (1922)
• Aston Martin (1987)
• Jaguar (1989)
• Daimler (1989)
• Volvo (1999)
• Mazda (1994, 33,4%)
• Th!nk (1999)
• Land Rover (2000)

NAVISTAR
(2001)

PORSCHE

MG-Rover Group
• MG (2000)
• Rover (2000)

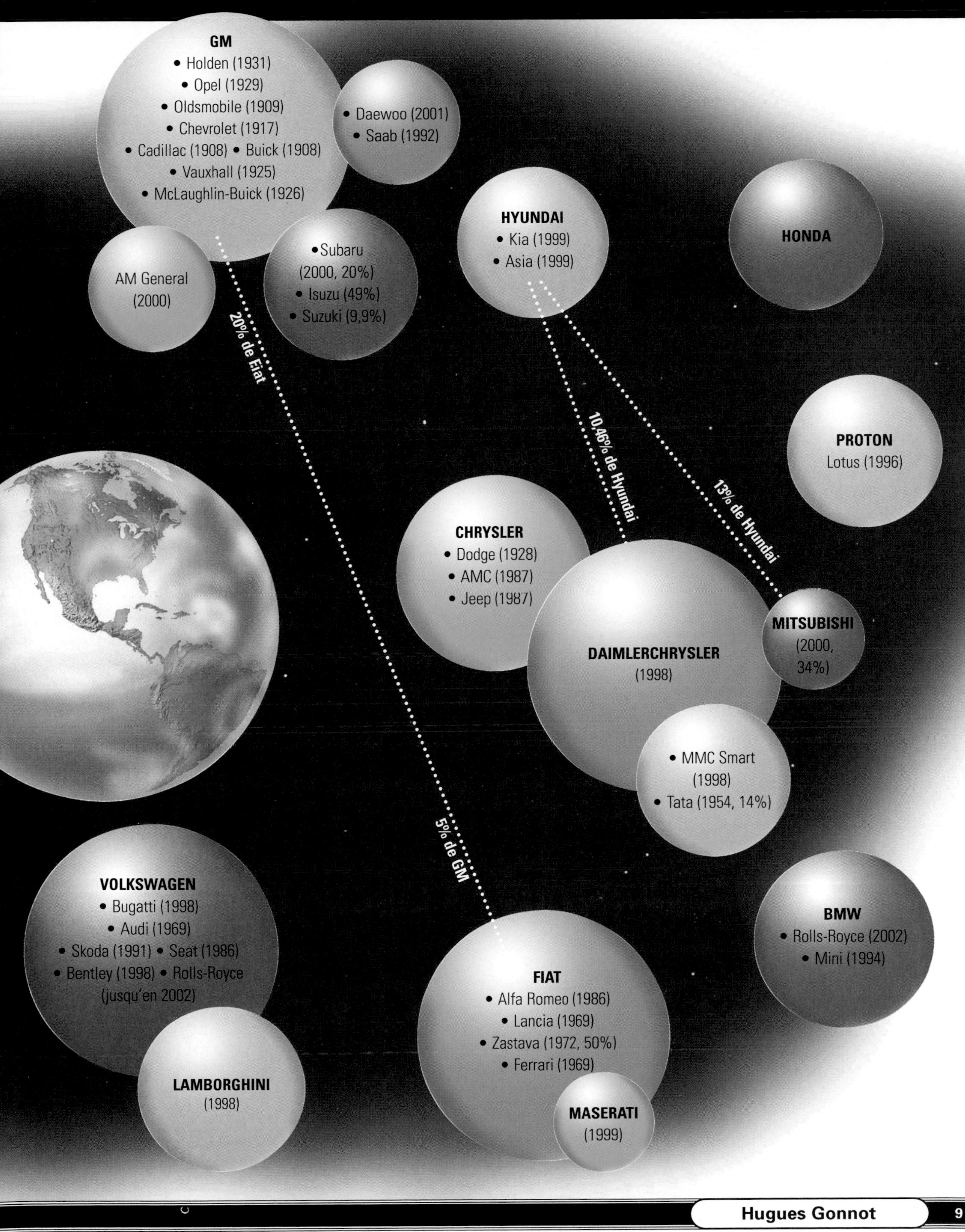
GM
• Holden (1931)
• Opel (1929)
• Oldsmobile (1909)
• Chevrolet (1917)
• Cadillac (1908) • Buick (1908)
• Vauxhall (1925)
• McLaughlin-Buick (1926)
• Daewoo (2001)
• Saab (1992)
AM General (2000)
•Subaru (2000, 20%)
• Isuzu (49%)
• Suzuki (9,9%)
20% de Fiat
HYUNDAI
• Kia (1999)
• Asia (1999)
HONDA
10,46% de Hyundai
13% de Hyundai
PROTON
Lotus (1996)
CHRYSLER
• Dodge (1928)
• AMC (1987)
• Jeep (1987)
DAIMLERCHRYSLER (1998)
MITSUBISHI (2000, 34%)
• MMC Smart (1998)
• Tata (1954, 14%)
5% de GM
VOLKSWAGEN
• Bugatti (1998)
• Audi (1969)
• Skoda (1991) • Seat (1986)
• Bentley (1998) • Rolls-Royce (jusqu'en 2002)
LAMBORGHINI (1998)
FIAT
• Alfa Romeo (1986)
• Lancia (1969)
• Zastava (1972, 50%)
• Ferrari (1969)
MASERATI (1999)
BMW
• Rolls-Royce (2002)
• Mini (1994)

ALLEMAGNE

Audi A2

Monovolume compact typé haut de gamme, l'A2 se distingue en faisant largement appel à l'aluminium pour sa carrosserie et sa structure. Même si son format est réduit, sa qualité de construction est typiquement Audi... ses prix aussi, d'ailleurs! Dotée de deux motorisations essence et TDI de 75 chevaux chacune, elle peut aussi recevoir un 1,2 L TDI, couplé à une boîte robotisée, dont le but est d'atteindre une consommation normalisée moyenne de 3 litres au 100 kilomètres.

Mercedes-Benz Classe A

Lorsque Mercedes a décidé de « démocratiser » sa gamme, la marque a pris le parti de la différence en proposant un monospace compact mesurant 3,61 m de long. Sa version haut de gamme est équipée d'un 1,9 L de 125 chevaux qui lui permet de taper le 100 km/h en moins de 9 secondes. Cet été, Mercedes a présenté une version allongée de 17 cm au bénéfice des passagers arrière. A noter qu'une originale version équipée de deux moteurs de 1,9 L (soit 250 chevaux) a été fabriquée à 5 exemplaires par AMG. Une version allongée de la Classe A arrivera chez nous en 2005.

Smart

Voici une véritable curiosité pour un Américain du Nord! Conçue en commun par Mercedes et Swatch (oui, oui, les montres!), la Smart se veut une réponse à l'engorgement des grands centres urbains. Longue de 2,50 mètres, elle est dotée de moteurs 3 cylindres développant de 41 à 62 chevaux et d'une boîte à 6 vitesses robotisée. Après des débuts très difficiles, Smart a revu sa politique commerciale, révisé ses prix à la baisse et présenté de nouvelles versions diesel et cabriolet. Les ventes ont dès lors décollé.

La nuit, tous les chevreuils sont gris... mais pas avec le système *Night Vision* de Cadillac!

Les détec d'objets sur le pare-c arrière sont aujou chose cou

LA VOITURE TOU

C'est fou ce que peuvent réaliser quelques électrons et quelques transistors! La révolution de l'électronique, commencée dans les années 80, continue de plus belle. Attendez-vous à des surprises!

La première voiture que j'ai achetée, en 1966, était une Austin 850. Cette voiture, un peu comme toutes les autres anglaises de cette époque, offrait des composants électriques de piètre qualité. Comme je ne disposais même pas d'une radio, on peut dire que le flux d'électrons est très restreint dans cette voiture ; on en notait un dans le système d'allumage et dans la pompe électrique sur laquelle, à l'occasion, je devais frapper pour décoller les rupteurs. Pour assurer l'éclairage et les autres fonctions de ma Austin, le fabricant avait prévu moins de 75 mètres de fil électrique. Comment je le sais ? Un beau jour, j'ai eu un début d'incendie à l'intérieur de ma voiture et j'ai dû refaire tout le câblage électrique.

Aujourd'hui, ma nouvelle voiture, l'Électra 2004 (oui, elle est fictive), est toute électronique. Par comparaison avec les véhicules de l'époque de ma Austin, la charge électrique a tellement augmenté qu'il est impossible de tout faire fonctionner au moyen d'une batterie de 12 volts sans la décharger. C'est la raison pour laquelle mon Électra utilise une batterie de 42 volts. D'un maximum d'environ 500 watts qu'elle était en 1970, on prévoit que la charge atteindra 10 000 watts en 2010. L'Électra 2004 n'est même pas une voiture à traction électrique ; pourtant ses harnais électriques s'étendent sur plus de 2 kilomètres et pèsent 35 kilos.

Au cours des dix dernières années, le nombre de composants électroniques installés dans les voitures a augmenté à un rythme moyen de 6 % par an, et l'on estime que ce rythme ira en s'accroissant. Au fur et à mesure que des pièces électroniques remplacent des pièces mécaniques, la proportion du coût des composants électroniques augmente ; elle représente maintenant 40 % du prix d'un véhicule haut de gamme. Même le démarreur et l'alternateur ont disparu, remplacés par un démarreur-alternateur intégré au volant-moteur. Pourtant, il s'agissait là de deux pièces que les bricoleurs du dimanche pouvaient remplacer facilement. Que feront-ils maintenant de leur temps libre ?

Dans mon Electra 2004, on distingue quatre réseaux électriques différents, chacun de ces réseaux utilisant un certain nombre d'ordinateurs spécifiques :

1 Le réseau de distribution : puissance pour le générateur, le démarreur et la batterie, les fusibles, les boîtes de raccords, etc. ;

2 Le réseau du châssis : la direction, le rouage d'entraînement, le contrôle du châssis ;

3 Le réseau de la caisse : l'éclairage, l'affichage et les systèmes de

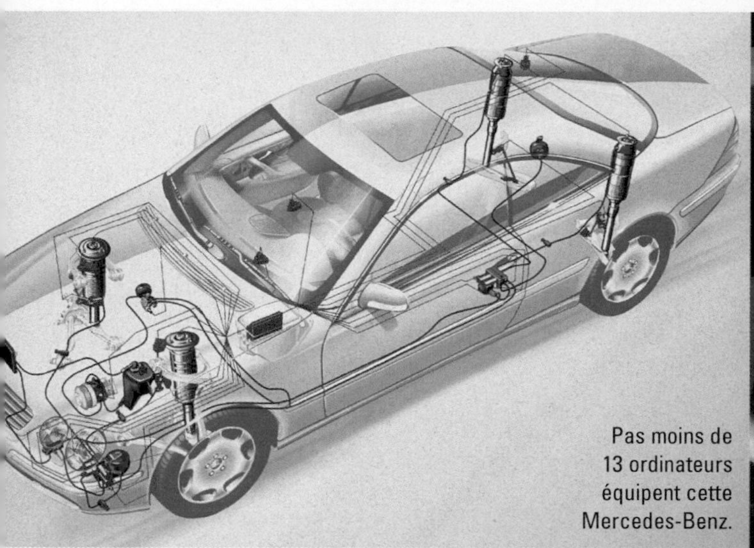

Pas moins de 13 ordinateurs équipent cette Mercedes-Benz.

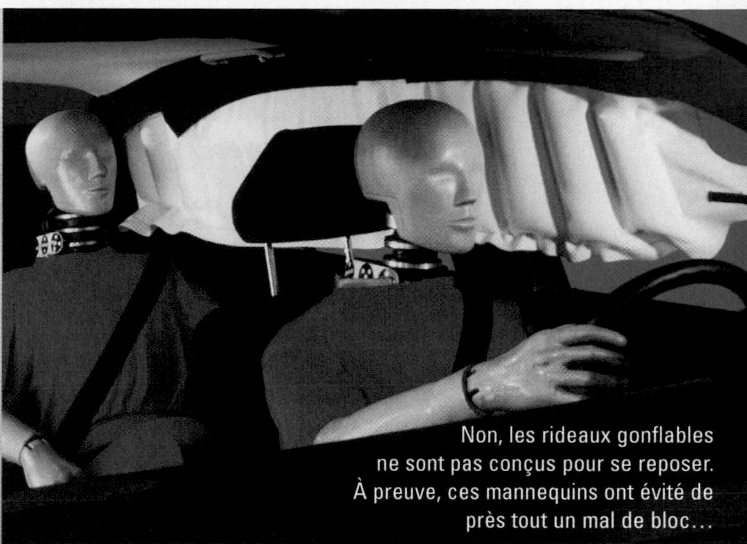

Non, les rideaux gonflables ne sont pas conçus pour se reposer. À preuve, ces mannequins ont évité de près tout un mal de bloc…

ÉLECTRONIQUE

puissance (lève-glaces, fauteuils électriques, etc.) ;

4 Le réseau de renseignements et de divertissements : la vidéo, le lien Internet, les renseignements sur les conditions de la circulation, y compris les travaux et les détours à effectuer.

Et que faisons-nous avec tous ces réseaux et toute cette puissance électrique ? On assure, évidemment, toutes les fonctions traditionnelles de l'éclairage et du confort, mais, surtout, on dispose de moyens qui favorisent la performance, la sécurité, le divertissement et les communications. Tout cela, grâce à des ordinateurs dont le nombre ne cesse d'augmenter.

J'ai conduit au milieu des années 70 ce que je pense être la première voiture dans laquelle était installé un ordinateur. Il s'agissait d'une Lincoln Continental fabriquée à la fin des années 60 sur laquelle Kelsey Hayes, fournisseur de systèmes de freinage pour Ford, avait installé son système de contrôle électronique du freinage : un des premiers ABS. Depuis, on est inondé d'ordinateurs qui assurent le bon fonctionnement des injecteurs du moteur et des autres fonctions du rouage d'entraînement, comme le choix de l'avance à l'allumage, la distribution des soupapes et les changements de rapports de la transmission ; tous ces systèmes électroniques de contrôle ont pour but de réduire la consommation d'essence qui ne cesse d'augmenter avec le nombre de voitures, leur taille et leur masse qui croissent sans arrêt.

Mais ce n'est que dans les années 90 que la miniaturisation électronique a offert aux concepteurs l'occasion de laisser aller leur imagination. Tout est passé à l'électronique : le système de diagnostic des moteurs et des transmissions ainsi que les autres principaux systèmes d'une voiture. Même la servo-direction hydraulique a été remplacée par une direction à assistance électrique. Ma voiture m'indique même si le niveau du lubrifiant est approprié et quand il est temps de faire la vidange d'huile du moteur en mesurant sa résistance diélectrique. Vous avez un problème ? Après avoir raccordé son ordinateur à celui de votre voiture, le mécanicien est en mesure de vous dire qu'il faut remplacer la deuxième bougie du cinquième cylindre du moteur.

Les systèmes de sécurité ont également profité de l'avènement de l'électronique, puisqu'un ordinateur contrôle le déploiement des 24 coussins gonflables lorsque le système ABS ne vous a pas permis de vous sortir d'une situation dangereuse. Non seulement ces coussins se déploient-ils là où il le faut, mais encore, ils le font à une vitesse qui varie en fonction de l'impact et des blessures que cela pourrait vous infliger. Enfin, si jamais vous êtes sur un lit d'hôpital en train de méditer sur votre façon de conduire, le responsable de l'enquête sur votre accident peut lire, toujours sur ce même ordinateur, la vitesse à laquelle vous circuliez avant de freiner.

Bientôt, vous recevrez votre contravention pour excès de vitesse par courrier électronique et vous effectuerez le paiement par virement électronique, le tout à bord de votre nouvelle voiture qu'il aura bien fallu remplacer étant donné les frais de réparation des coussins gonflables, de l'ordinateur et des capteurs qu'il faut tous remplacer à la suite de l'impact. En effet, le réseau de renseignements et de

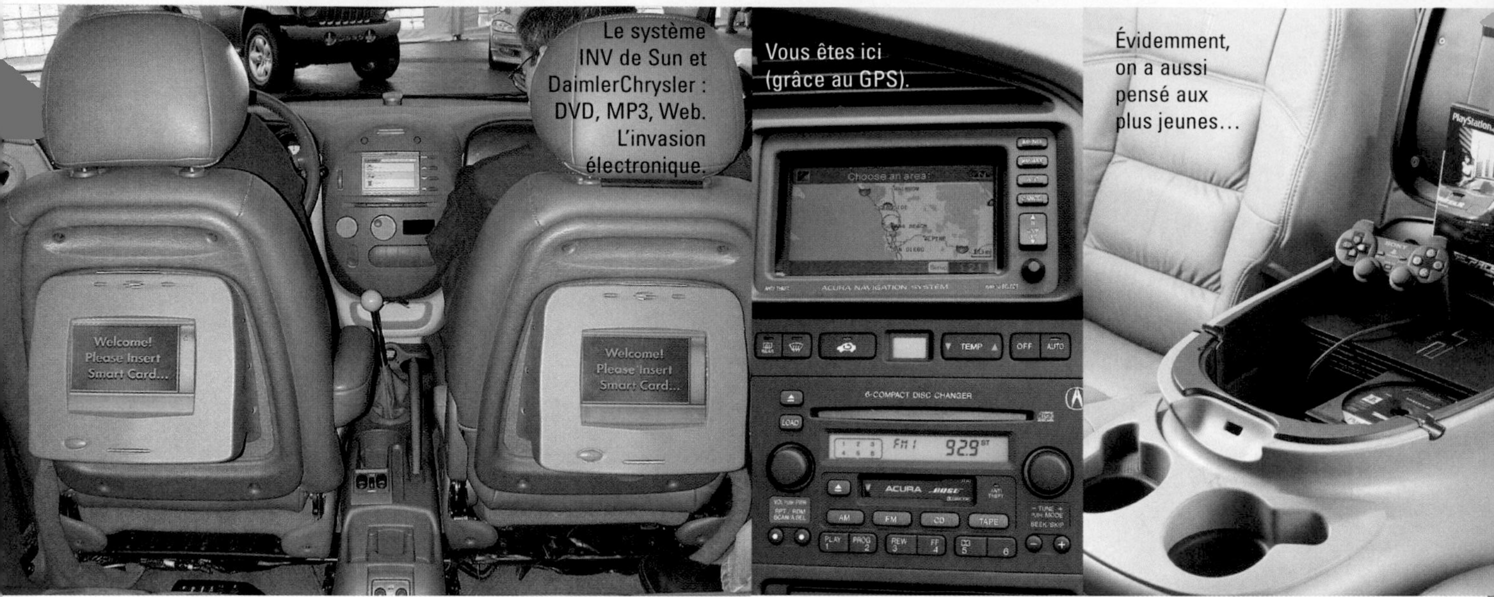

Le système INV de Sun et DaimlerChrysler : DVD, MP3, Web. L'invasion électronique.

Vous êtes ici (grâce au GPS).

Évidemment, on a aussi pensé aux plus jeunes…

divertissements de votre voiture est maintenant à la hauteur de celui de votre bureau. Non seulement votre système de GPS intégré vous permet-il de retracer votre véhicule lorsque vous avez oublié les clefs sur le contact dans le stationnement d'un centre commercial, mais, à tout moment, un système central est averti du déclenchement de vos coussins gonflables et vous appelle sur votre sans-fil pour vous demander si vous avez besoin d'aide. Si vous ne répondez pas, ne vous inquiétez pas, les secours se mettent en route.

En 1999, pour me rendre à la piste et assister à la course des 24 heures du Mans, j'ai loué une Renault Safrane équipée d'un système intégré de navigation routière qui permettait de choisir sa destination à l'écran. Une voix féminine indiquait alors le chemin le plus court ou, au choix, le parcours panoramique idéal pour s'y rendre. La carte routière grande échelle apparaissait sur l'écran et indiquait, au moyen de flèches, la direction à prendre. Lorsqu'on empruntait un tronçon où la circulation était trop dense ou carrément bouchonnée, la radio nous prévenait, et l'écran montrait un nouvel itinéraire. Enfin, on pouvait l'utiliser pour trouver les hôtels, les restaurants, les stations-services et les points d'intérêt touristique. L'un de mes collègues de l'Université d'Alsace avait développé un système encore plus sophistiqué : il utilisait des fréquences militaires, ce qui augmente la précision du GPS intégré, et utilisait son système dans les montagnes pour commencer à dépasser lorsqu'il voyait sur son écran qu'il allait sortir d'un virage pour entrer sur une ligne droite. Dans mon Électra 2004, je peux même réserver ma place au restaurant, préparer mon menu, réserver ma chambre d'hôtel et voir la confirmation arriver dans mon pare-brise ; pare-brise qui, d'ailleurs, me permet de voir dans toutes les conditions puisqu'on y projette une image des objets qui ne seraient normalement pas visibles en raison d'un manque de contraste la nuit, du brouillard ou de la fumée.

L'an dernier, j'ai eu l'occasion, dans le cadre du congrès de la SAE, de mettre à l'épreuve, avec les instructeurs du Skip Barber Racing School, une cinquantaine de voitures équipées des derniers systèmes d'aide à la conduite : ABS évidemment, gestion de la stabilité et système PAX pour les pneus crevés.

J'ai déjà parlé des systèmes ABS. Personnellement, je ne les apprécie pas beaucoup, car ils augmentent la distance de freinage sur des surfaces déformables comme la neige et le gravier. C'est la raison pour laquelle j'ai débranché le mien depuis longtemps. Toutefois, j'ai été fortement impressionné par une Volvo dont les pneus laissaient des traces brunâtres sur le sol, preuve d'une adhérence maximale, alors que je freinais à fond sur l'asphalte sèche tout en braquant fortement vers la droite. J'ai fait quelques mesures et je ne crois pas que personne soit capable de freiner avec autant d'efficacité.

La gestion électronique de la stabilité, en retardant la perte de contrôle du véhicule, pourrait être un atout majeur en sécurité active. Actuellement, ces systèmes, qui ne sont pas tous de la même qualité, détectent la perte d'adhérence sur une ou plusieurs roues et décident, selon les conditions, d'appliquer un ou plusieurs freins ou de couper les gaz afin que la voiture se maintienne sur la chaussée. La seule fois où j'ai perdu le contrôle lors de ces essais, c'était au volant d'une Corvette alors que je prenais à pleins gaz une courbe détrempée ; le moteur, commandé par le système de gestion de la stabilité, a soudainement coupé parce que la voiture commençait à déraper. C'est un contrôle similaire qui me permet, toujours sur la Corvette, d'enfoncer l'accélérateur à fond lorsque les roues de droite sont dans le gravier et celles de gauche, sur l'asphalte sèche. Cette fois le système fonctionne très bien. Évidemment, il y a toujours une limite à ce que ces systèmes peuvent faire ; et ce n'est pas demain que vous pourrez négocier à 200 km/h une bretelle d'autoroute glacée. Mais, si vous roulez juste un peu trop vite pour les conditions, alors vous serez peut-être sauvé.

L'électronique va jusque dans les endroits les plus inusités : par exemple ce papillon des gaz tout électronique de GM.

Attention ! Ah et puis, reculez donc sur ces clous. Après tout, vous avez des pneus à roulement à plat.

Les quatre roues directionnelles sur cette camionnette réduisent de beaucoup son rayon de braquage.

Lorsque je négocie un virage avec mon Électra 2004, ses roues arrière, directionnelles et commandées électroniquement, commencent à tourner avant même que la voiture s'engage dans le virage. De plus, la caisse s'incline vers l'intérieur du virage grâce à sa suspension active, afin que les pneus restent bien droits et offrent une performance maximale.

L'électronique me permet également de savoir qu'un de mes pneus vient de crever. En effet, un capteur de pression monté dans le pneu et émettant vers un récepteur fixe installé dans l'aile adjacente m'évite même la tâche de vérifier la pression des pneus et me dit qu'un pneu est mal gonflé. Et si je conduisais un Hummer avec un système central de gonflage des pneus, je n'aurais même pas besoin de descendre de ma voiture pour les gonfler ni de traîner un pneu de secours devenu inutile.

Pour la sécurité active, mon Électra 2004 est aussi équipée d'un système intelligent de régulation de la vitesse, basé sur la logique floue, qui se règle continuellement en fonction de la circulation environnante. Ainsi, en adaptant automatiquement la vitesse régulée pour conserver une distance sûre et constante avec le véhicule qui précède, les risques d'accident sont diminués. Et si jamais le véhicule en avant s'arrête, l'ordinateur anticollision appliquera les freins et me permettra d'éviter l'accident. Lorsque je recule, mon radar anticollision arrière me prévient s'il y a des obstacles.

Alors, avons-nous suffisamment d'ordinateurs à bord de nos voitures ? Sans doute pas, et je vais en ajouter un autre bientôt. En effet, je suis en train d'inventer un ordinateur permettant d'éviter les trous dans la chaussée. J'ai eu cette idée après avoir lu que le camion de relevés des dommages de la chaussée soit tombé dans l'un de ces trous au printemps dernier. Alors je crois que je peux déjà commander ma Porsche double turbo quatre roues motrices, car je vais faire fortune sous peu.

Par Michel Gou, ing.

LES PROT

La présentation d'un prototype ressemble plus aujourd'hui à un test clinique grandeur nature qu'à une démonstration du savoir faire d'un constructeur. D'ailleurs, plusieurs des modèles que vous verrez dans ces pages sont promis à la grande série sous peu. Heureusement, certains sont encore réalisés pour faire rêver.

←Seat Tango

Seat est la filière espagnole de Volkswagen. Ce petit roadster baptisé Tango est équipé du 1,8L Turbo de 180 ch qui anime plusieurs véhicules du groupe VW. Malgré un certain dépouillement, le Tango n'oublie pas les innovations inhérentes à tout véhicule concept. À titre d'exemple, sachez que le Tango oriente ses phares au xénon en suivant les mouvements de la direction. Pour mieux danser avec l'asphalte. Olé!

Cadillac Cien→

Pour célébrer les 100 ans de Cadillac en 2002, les dirigeants se sont fait un petit cadeau. La Cien, terme espagnol qui se traduit par «cent» en français, est en réalité un avion furtif sur roues. Nourri par un moteur central baptisé Northstar XV12, ce concept produit 750 chevaux sans consommer plus que le V8 de la Seville. L'harmonie de l'art et de la science.

OTYPES

←Opel Signum 2

Le Signum 2 joue à fond la carte de la modularité, avec notamment des sièges pivotants vers l'extérieur pour faciliter l'accès à bord. Un grand toit panoramique allant jusqu'au pare-brise permet une grande luminosité pour les occupants. Et, comble du raffinement, une véritable cafetière est mise au service des passagers. Sous le capot du Signum 2 se loge un V8 4,3 litres de 300 chevaux.

←Land Rover Defender Tomb Raider

Vous avez sûrement remarqué à quel point les compagnies automobiles profitent des productions cinématographiques pour se mettre en valeur. Après James Bond, qui va revenir aux Aston Martin dans son prochain film, voilà que la reine des jeux videos, Lara Croft, a fait une brève apparition dans un Land Rover Defender très spécial dans le film Tomb Raider.

↑Nissan Crossbow

Il semble que Nissan ait puisé son inspiration chez Hummer pour créer le Crossbow. L'intérieur raffiné offre quant à lui un contraste saisissant avec cette rudesse extérieure. Tout comme le concept Alpha T, Nissan veut démontrer son savoir-faire dans la grosse pointure. Verra-t-on bientôt une division grand format au sein de la compagnie franco-nipponne ? Rien n'est moins sûr.

←Volvo SCC

Probablement la voiture-concept la plus « intelligente », la Volvo Safety Concept Car intègre plusieurs nouvelles technologies axées sur la sécurité dont certaines pourraient facilement être intégrées à des véhicules actuels; du nombre, les piliers de toit ajourés qui permettent une meilleure visibilité, de même que l'agencement des commandes et de l'habitacle en fonction de la taille du conducteur.

Jaguar→ R-Coupe

Ian Callum a conçu le Coupé R, présenté à Francfort, non pas pour éventuellement le lancer sur le marché, mais plutôt pour avancer certains thèmes et idées qui influeront sur la production d'éventuels modèles de série.

Renault Talisman

Lorsque les portes papillons se déploient grâce à un mécanisme électrohydraulique, elles révèlent un habitacle très dépouillé, technique qui évoque l'univers de l'ameublement avec ses nuances de couleurs. La montre de bord TAG HEUER ajoute au design techno. Un V8 de 4,5 litres repose sous le capot.

↙

Oldsmobile O4

La O4 (O pour oxygène et 4 pour le nombre de passagers) est un cabriolet à barre de toit amovible. Etudié en collaboration avec Bertone, il est réalisé sur une plate-forme d'Opel Astra. Le moteur est un 4 cylindres turbo. Côté style, on retrouve une nouvelle interprétation des phares effilés typiques des dernières Oldsmobile.

↑Chrysler P/T Cruiser cabriolet

Il semble que nous soyons très prêts de voir sur nos routes des modèles de production d'un P/T Cruiser cabriolet. Chrysler va augmenter de 255 000 à 310 000 sa capacité de production pour ajouter sur le marché d'ici juin 2002 un cabriolet et une version à cabine fermée, tous deux très attendus du public.

↑Saab 9X

Les Suédois en sont maintenant à suivre la mode américaine des véhicules à vocation hybride. La Saab 9X se veut la synthèse de quatre types différents de voitures : coupé, roadster, familiale et même pick-up. Cette voiture annonce une offensive majeure du constructeur suédois, avec au moins un nouveau produit ou concept chaque année au cours des six prochaines années.

←Buick Bengal

Avec une calandre très près du Buick LaCrosse, ce roadster, avec sièges repliables et espace cargo transformable, est activé par la voix. Sous le capot se trouve un V6 de 3,4 L de 250 chevaux avec transmission manuelle à 6 rapports. Bob Lutz l'a adorée.

Matra M72→

À mi-chemin entre le dune-buggy et le cart de golf, cet amusant véhicule de loisir est doté d'un moteur bicylindre de 750 cc. La puissance de cette mécanique placée à l'arrière du véhicule est de 20 chevaux. Couplée à une transmission à variation continue et avec seulement 380 kilos à traîner, la petite Matra peut atteindre les 110 km/h. Lancement prévu en Europe pour 2002. Prix : environ 10 000 dollars.

Lincoln MK9

Suite logique après la disparition du Mark 8 il y a quelques années, le MK9 souligne l'héritage de la marque et des lignes qui donnent une vision de l'avenir. Si on retire de l'équation les jantes de 22 pouces, ce véhicule est d'une banalité consommée. Et Lincoln ne fait rien pour rajeunir sa clientèle avec ce concept. ↓

↑Ford Explorer Sportsman

Le Sportsman est le véhicule de rêve de tous les pêcheurs. Il s'agit d'un Explorer spécialement préparé pour la pêche avec un vivier de 30 gallons, pour garder le poisson frais, et des caches intégrées au marchepied pour les cannes à pêche. Malheureusement, pas de production pour ce véhicule.

Daewoo Kalos

La Kalos Dream, selon Daewoo, représente la vision des prochaines générations de voitures citadines. Malgré la ligne haute proche d'une minifourgonnette, la Kalos se contente d'un intérieur traditionnel avec banquette rabattable 1/3, 2/3. Cette future voiture de ville proposera trois petites motorisations à essence, selon le marché : 1,2 litre de 71 ch, 1,4 litre de 80 ch ou 1,6 litre de 106 ch. ↓

↑Nissan Alpha T

Cet essai de style démontre sous ses traits futuristes que Nissan peut également concevoir des camionnettes pleine grandeur. Avec des roues de 22 1/2 pouces et un V8 de 4,5 L de 340 chevaux emprunté à l'Infiniti Q45, ce concept annonce peut-être la venue prochaine de Nissan dans le terrain de jeux des Américains avec un gros « pick-up ».

Smart Tridion4→

La compagnie Smart, qui appartient au groupe DaimlerChrysler, connaît un succès relatif en Europe. Nombre de ses détracteurs déplorent le fait qu'elle n'offre que des véhicules deux places. Avec le concept Tridion4, DaimlerChrysler prétend démontrer qu'il est possible de fabriquer des voitures à 4 places et à 5 portes offrant toutes les caractéristiques propres à la marque Smart.

↑Mazda MX Sport Tourer

La MX Sport Tourer préfigure la Mazda de demain. Un nouveau système hybride basé sur un petit moteur à essence à 4 cylindres 2 litres, de plus de 200 chevaux, et un second moteur électrique. Sur la route, le moteur à essence entraîne la MX par l'intermédiaire d'un nouveau système de traction intégrale. En ville, le moteur électrique prend la relève et entraîne uniquement les roues arrière, et ce, sans émissions polluantes.

←Citroën C-Crosser

Lors du salon de Francfort 2001, Citroën a illustré sa vision d'un véhicule utilitaire sport. Le C-Crosser offre une modularité de carrosserie qui lui permet d'un seul geste de se transformer en camionnette. Une simple action sur la commande électrique permet d'abaisser le volet arrière et le toit dans le plancher. Comme Superman, il se transforme en moins de deux.

←Volvo ACC

Le Adventure Concept Car (ACC) offre tout le confort d'une voiture enrobée dans une tenue d'utilitaire. Construit sur la plate-forme du S80, l'ACC sera vraisemblablement introduit comme modèle de production dans deux ans.

↑Cadillac Vizon

Après l'Evoq et l'Imaj, la Vizon est la version utilitaire d'un design qui reveut l'image de futur chez Cadillac. Truffés de gadgets électroniques, tels la vision de nuit et la suspension réglable en hauteur, la Vizon est propulsée par un moteur Northstar V8 de 4,2 L. On dit qu'elle viendra concurrencer les Mercedes ML et BMW X5 dès 2003, et surtout le Navigator.

Honda Model X→

Une boîte sur 4 roues sans véritable stylisme et sans attrait, le Model X de Honda se veut le véhicule de la jeune génération d'aujourd'hui qui ne fait pourtant plus du « surf » sur les vagues de l'océan, mais plutôt sur Internet. Concept décevant et exécution simpliste.

Chevrolet Borrego→

Si la SSR représente bien la camionnette sportive de route, le Borrego s'inspire de la course du Baja. Haut sur pattes, ce véhicule transpire la testostérone! Si vous n'êtes pas sur les sentiers à vous envoyer en l'air, le Borrego dispose d'une cloison arrière mobile, qui permet d'agrandir l'habitacle pour accueillir deux passagers supplémentaires. Concept réalisé entre Subaru et GM, un H4 turbo Subaru règne sous le capot.

Toyota ES3

Après les Prius, Previa et Highlander à mode de propulsion hybride, Toyota présente l'ES3 à moteur 1,4 L diesel à rampe commune censé consommer moins de 2,7 litres aux 100 km! Un record d'économie que détient présentement la VW Lupo (3 L/100 km). L'ES3 bi-énergie est secondé par un moteur électrique. Son poids plume de 700 kilos contribue également à ce record d'économie. ↓

←Peugeot Moonster

Présenté au salon international de Francfort, le Moonster est le résultat d'un concours de design lancé par Peugeot à l'intention des internautes. Des 2000 propositions reçues, celle de Marko Lukovic, un jeune designer yougoslave, a séduit le jury par son originalité et son pouvoir imaginaire... « Ground control to Major Tom... ».

←Ford Fusion

Vous rappelez-vous de la Ford Fiesta ? Ce modèle a continué son évolution en Europe. Et au dernier salon de Francfort, un dérivé de loisirs à deux roues motrices et à garde au sol surélevée a notamment été aperçu en essais. On parle de commercialiser ce petit 3 cylindres turbo de 110 ch pour 2003.

Corvette Commemorative Edition

Ne sous-estimez pas le poids de la Nostalgie. Cette version peu banale de Corvette a été réalisée par le groupe canadien Magna Steyr pour souligner le 50e anniversaire de la Corvette en 2003. La grille originale d'un modèle 53 a été utilisée pour l'avant de la voiture. Tout le reste a été harmonisé à la C5. Une nouvelle génération de Corvette est également attendue pour 2004. ↓

↑Chrysler Crossfire

Jamais à court d'idées nouvelles pour ses voitures concept, voici que Chrysler s'inspire fortement de la Audi TT en présentant la Crossfire. Ce n'est d'ailleurs pas une coïncidence puisqu'elle a été réalisée par le designer Freeman Thomas qui se retrouve chez Chrysler, après avoir justement conçu la TT pour Audi.

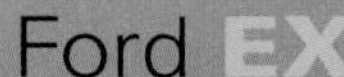

Ford EX

Véritable « dune-buggy » à la moderne, le Ford EX est habillé de panneaux de carrosserie en composites, fixés à un chassis résistant à la corrosion. Certains organes mécaniques, comme le radiateur et la boîte de transfert, ont été localisés à l'arrière afin d'optimiser la répartition de poids du EX qui est animé par un V6 de 4,0 litres.

↑Saturn Sky

La plupart des voitures concepts servent à tester la réaction du public. Dans le cas du Sky, c'est tout le contraire. C'est suite à la demande de la jeune génération qui demandait un véhicule plaisant et fonctionnel que le Sky a vu le jour. Son concept modulable, qui passe de 2 à 4 places en un instant, et son toit ouvert au ciel ne devraient pas plaire seulement aux jeunes.

↑ Audi Avantissimo

L'Avantissimo illustre le savoir-faire de la marque dans le domaine des familiales hautes performances. Il est équipé d'un V8 biturbo de 4,2 litres qui développe ici plus de 430 ch. La puissance est transmise par le système Quattro. Dans l'habitacle particulièrement confortable, on trouve une interface multimédia qui présente un tableau de bord avec fonctions simplifiées. Signe avant-coureur de l'aménagement à venir chez Audi.

BMW Coupé X↑

Énergie et tension sont les mots-clés qui caractérisent le Coupé X selon son designer Chris Bangle. Typique d'une tendance amorcée récemment, le Coupé X est un croisement entre une voiture sport et un véhicule utilitaire, animé par un moteur turbodiesel de 184 chevaux. Ce qui n'est pas banal.

←Mitsubishi RPM 7000

Tout droit sortie d'un film de science-fiction, la RPM 7000 tire son nom du régime de son moteur. Sous le capot, un moteur de la Lancer Evo 6 qui participe aux championnats du monde rallye. Quatre cylindres 2,0 litres turbo et 315 chevaux. Son style extrêmement agressif fait paraître une Pontiac Aztek comme conservatrice.

Opel **Frogster**

Synthèse d'une grenouille et de la Coccinelle, le Frogster est truffé d'idées originales. En lieu et place de la capote classique, on trouve un volet roulant à commande électrique qui protège des intempéries. Grâce aux quatre sièges rabattables séparément, le conducteur peut transformer le Frogster en un roadster, en un cabriolet ou en une camionnette, et ce, d'une simple pression sur un bouton. Au moment de se garer, le volet roulant coulisse vers l'avant pour se fermer à la base du pare-brise. ↓

↑Daewoo **Vada**

Voici peut-être de quoi aura l'air le premier sport utilitaire de Daewoo en Amérique du Nord. La Vada n'est rien de plus qu'une maquette pour le moment, donc difficile de visiter l'intérieur. Mais l'extérieur macho ne laisse pas de doutes. On semble même reconnaître le design New Edge de Ford. Sous le capot, un moteur 2 litres de 140 chevaux.

←Nissan **Chappo**

Vous connaissez l'expression «Si le chapeau vous fait»? Nissan a peut-être une Chappo qui vous fait. Ce petit cube néo-rétro est très compact. Petite astuce pour libérer un peu d'espace, la porte du côté passager s'ouvre indifféremment vers l'avant ou vers l'arrière. La plate-forme de la Chappo servira de base à la prochaine génération de Nissan Micra et Renault Clio en Europe.

Dodge **Power Box**

Ce véhicule, plus proche d'une semi-remorque que d'une camionnette, fait un sérieux clin d'oeil aux camionnettes des années 40. Sa finition bois et acier brossé est d'une franche simplicité. Les pneus de 35 pouces et le moteur diesel 6 cylindres de 7,2 litres développent 780 lb-pi de couple grâce au turbo. Un simple essai de style. ↓

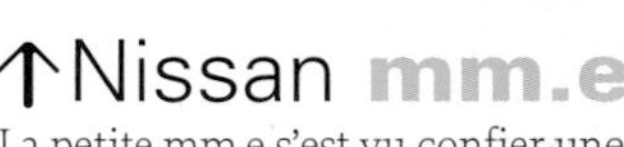

↑Nissan **mm.e**

La petite mm.e s'est vu confier une mission : faire patienter tous les Européeens désireux de remplacer leur vicillissante Micra. Selon plusieurs sources, la mm.e préfigure fidèlement la future Micra. Son style rondouillard est réhaussé d'une «moustache» de calandre et d'un intérieur qui reprend des formes très «organiques». On revient bio design.

GMC Terracross

On aime ou on déteste, mais la mode du design de précision industrielle semble faire son petit bonhomme de chemin dans le monde des camions. Rejeton du Terradyne, le Terracross montre les possibilités des voitures à vocation hybride. ↓

Jeep Willys ↑

La carrosserie plastique entièrement recyclable est 50 % plus légère que son équivalente en acier. Le moteur 1,6 L turbo de 160 ch devrait en tirer un bon parti et suffire à mener l'engin. Les aptitudes tout terrain ont été soignées, héritage oblige(!), grâce à des angles d'attaque très favorables (garantis par les porte-à-faux réduits). Aucun plan de production n'a été arrêté pour ce magnifique concept.

Hyundai HCD6

Hyundai promène depuis plusieurs années le HCD6. Au plus récent salon de Genève, le public a eu droit à la version cabriolet réalisée au studio de design californien. Les éléments-clés de la ligne, ce sont les boucliers avant et arrière qui semblent se détacher du reste de la carrosserie. Le moteur central apparent sous sa coiffe vitrée est un V6 de 2,7 litres de 240 chevaux avec boîte manuelle à 6 rapports.

Infiniti FX45 ↗

Le FX45 suit la grande tendance actuelle de mélanger les genres: avec un V8 de 300 chevaux, une allure de coupé et une garde au sol surélevée, il combine les avantages d'une berline de luxe et d'un sport utilitaire.

Volkswagen Microbus

S'il était encore parmi nous, Jerry Garcia des « Grateful Dead » trouverait que les temps ont bien changé depuis l'époque « Peace and Love » de Woodstock. À en juger par les accessoires intégrés au Microbus, les « baby-boomers » exigent maintenant un environnement haut de gamme pour le « cocooning » sur quatre roues.

Dodge Super 8 Hemi ↑

La Dodge Super 8 Hemi, qui doit son nom à son moteur V8 353 à culasses hémisphériques, évoque les glorieux « Muscle Cars » des années 60. Dodge, poursuivant la mode du design rétro, tente en effet de remettre au goût du jour une innovation stylistique majeure des années 50 : le fameux pare-brise panoramique.

←Citroën Osmose

Ce petit véhicule très convivial propose un système de rétrovision par caméra qui transmet les images sur écran au centre du volant. L'Osmose peut amener trois personnes avec bagages dans la partie avant, et peut , dans la partie arrière, se tranformer en espace d'accueil pour deux personnes. Mû à l'électricité, l'Osmose dispose en outre d'un filtre fonctionnant à l'énergie solaire qui regénère l'air qu'il aspire : un vrai poumon mobile.

Mitsubishi ASX↑

Le Mitsubishi ASX existe déjà sur le marché japonais depuis juin 2001. Il n'y a pas de plan de commercialisation ailleurs dans le monde. Dommage pour cette compagnie qui arrive au Canada pour 2002. Avec une ligne classique, une garde au sol de 20 cm et une mécanique 4 cylindres de 2,4 litres, l'ASX ferait un bon concurrent aux Toyota RAV4 et Honda CRV.

↑Ford 49

Retour en arrière pour Ford qui présente un prototype basé sur le design d'après-guerre. La 49, comme son nom l'indique, est une interprétation moderne des voitures des années 40 et 50. Sous cette robe très rétro, on retrouve la plate-forme et le moteur de la nouvelle T-Bird. Il serait donc facile de commercialiser cette voiture néo-rétro. «Tout cela dépend de la réaction des consommateurs», s'empressent de dire les gens de Ford, qui ajoutent : «Nous sommes prêts à toutes les éventualités».

←Pontiac REV

Le REV est un coupé au style inspiré des performances des engins de rallye. Les roues de 19 pouces à l'avant et de 20 pouces à l'arrière procurent une belle garde-au-sol qui peut être encore augmentée en réglant la suspension depuis le poste de conduite. Le toit se dispense de pied milieu et les portes arrière coulissent par-dessus les ailes. Le moteur est un V6 3 litres de 245 chevaux.

←Volvo PCC

Le Volvo PCC est en définitive un V70 comme pourrait le concevoir la division M de BMW. Le cinq cylindres turbo bien connu porte sa puissance à 300 chevaux. Le système 4 roues motrices associé à des pneus de 19 pouces et une transmission manuelle à six rapports assurent une liaison au sol sans failles. Le châssis à contrôle continu qui envoie des renseignements à la suspension tous les 2 millièmes de seconde garantit une stabilité à toutes épreuves.

LE VÉHICULE DE

Pourquoi conduisons-nous encore des voitures mues par un moteur à explosion malgré tous les inconvénients que cela représente en termes de pollution et de difficultés d'approvisionnement ?

Les hybrides: Honda Insight

Toyota Prius

Et voici les piles...

Toyota Estima

Sans doute parce que le pétrole est encore la moins coûteuse des sources d'énergie qu'on peut se procurer et, surtout, parce qu'il dispose d'un réseau de distribution sans pareil. Le remplacer par un autre carburant coûterait certainement des centaines de millions de dollars. Alors, notre civilisation est-elle condamnée à mourir lentement, étouffée par les gaz d'échappement des véhicules automobiles ? Il semble bien que non, car les fabricants de véhicules automobiles ont déjà commencé à réagir pour proposer aux consommateurs de la planète des solutions de remplacement. En effet, quelques fabricants offrent maintenant des véhicules hybrides, une sorte de transition entre les véhicules à essence et les véhicules purement électriques qui diminueront sensiblement la pollution. De toutes façons, tous ces véhicules utilisent la traction électrique.

LA TRACTION ÉLECTRIQUE

Mais pourquoi la traction électrique ? Eh bien, en plus de promettre une réduction des émissions toxiques (il ne faut toutefois pas oublier la pollution émise par les centrales nucléaires, thermiques et même hydrauliques), le moteur électrique offre de grands avantages en comparaison du moteur à combustion interne. En premier lieu, le rendement passe de 25 % pour le moteur thermique à près de 80 % pour le moteur électrique. De plus, les caractéristiques du moteur électrique sont directement compatibles avec les besoins d'un véhicule. À titre d'exemple, avec des moteurs-roues, on n'a pas besoin de la transmission et du différentiel. Enfin, le freinage régénératif et la récupération de l'électricité au freinage permettent de réduire encore plus la consommation.

Toutefois, la traction électrique ne présente pas que des avantages. En effet, le problème fondamental du véhicule électrique en est un de stockage de l'énergie utilisée pour la propulsion. Les piles habituelle-

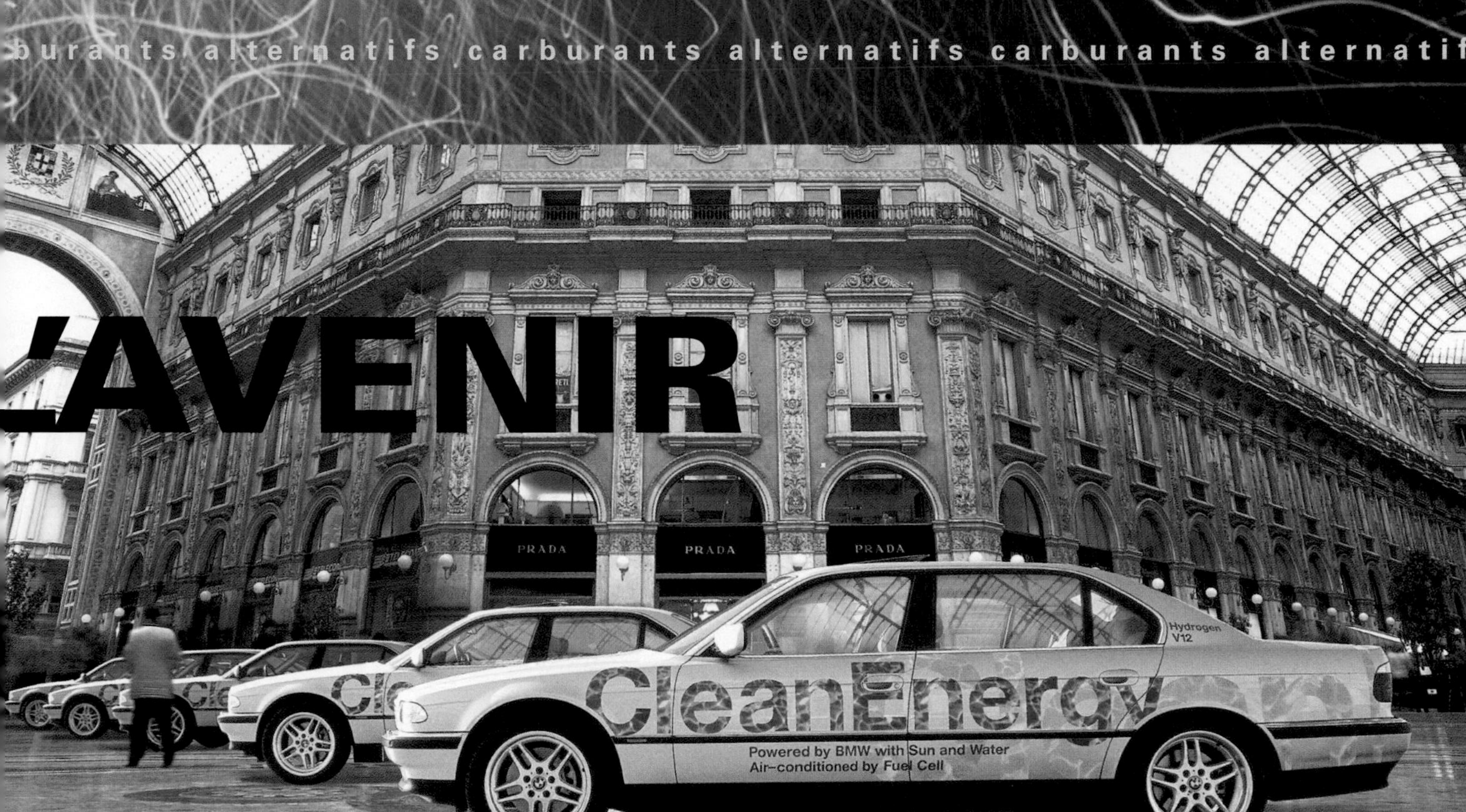

La voiture à hydrogène de BMW

ment utilisées pour la traction électrique offrent en effet une autonomie réduite en raison de leur faible énergie spécifique, environ 1% de celle de l'essence, du temps de recharge relativement long, d'une vie utile relativement courte et d'une utilisation peu efficace de leur énergie pour chauffer ou climatiser. De nouvelles piles (nickel-cadmium, sodium-soufre, nickel-métal-hydrogène, sodium-nickel-chlorure et lithium-polymère) semblent prometteuses. Et d'autres dispositifs sont à l'étude pour emmagasiner l'énergie, comme les volants et les super condensateurs, mais leur technologie est toutefois loin d'être à maturité.

Ford offre sa camionnette Ranger, tandis que Solectria propose ses Force et Citivan, qui sont des véhicules tout électriques. Dans certaines régions, surtout en Californie, DaimlerChysler offre sa minifourgonnette EPIC, General Motors, son EV1, Nissan, son Altra et Toyota, sa RAV4. Le prix d'achat de ces véhicules est toutefois environ le double du prix d'un véhicule similaire fonctionnant à l'essence, ce qui n'est pas très encourageant.

Dans d'autres pays, c'est différent, sans doute en raison des distances moindres. À titre d'exemple, la France et le Japon sont sans doute près d'atteindre les objectifs qu'ils s'étaient fixés pour le début du 22e siècle (Note du réviseur : 22e ou 21e siècle ?), soit de mettre respectivement 100 000 et 200 000 véhicules électriques sur la route. De même, en Suisse, on prévoit qu'il y aura 200 000 véhicules électriques en l'an 2010. Enfin, plusieurs autres pays européens et asiatiques prennent des mesures financières favorables à l'introduction des véhicules électriques.

En attendant le tout électrique à grand rayon d'action, le véhicule hybride offre des avantages sur la voiture traditionnelle en permettant une réduction importante de la pollution générée par le moteur thermique.

LES VÉHICULES HYBRIDES

Traditionnellement, un véhicule hybride combine le moteur à combustion interne à la pile et au moteur électrique. Donc, moitié électrique, moitié essence. Bien qu'elle soit relativement récente, cette technologie de compromis semble, en attendant l'avènement de meilleures technologies de stockage de l'énergie, la plus prometteuse à court terme pour réduire les émissions toxiques tout en conservant les avantages de la voiture traditionnelle.

Quatre systèmes composent le groupe de motorisation d'un véhicule hybride : un système de stockage d'énergie, un moteur électrique, un moteur à combustion interne et une génératrice. Le moteur à combustion interne à deux fonctions : propulser la voiture et fournir l'énergie à la génératrice afin de recharger les piles. Le moteur électrique peut servir d'appoint au moteur à combustion interne ou assurer à lui seul la propulsion de la voiture. Pour ce qui est de la génératrice, elle recharge les piles de la voiture en utilisant l'énergie du moteur à combustion ou l'énergie cinétique accumulée par le véhicule au freinage. Le rendement d'un véhicule hybride et la quantité des émissions polluantes qu'il produit sont directement liés à la configuration et à l'interaction des deux types de motorisations. En général, la solution hybride permet d'obtenir des avantages intéressants : à titre d'exemple, les piles ne requièrent aucune recharge, alors que le rendement énergétique est grandement amélioré. Par contre, les inconvénients sont familiers puisqu'ils découlent de l'utilisation des moteurs à combustion interne. De plus, l'encombrement des piles ou des accumulateurs reste un problème à résoudre, mais Toyota, avec sa Prius, fait la démonstration de ce qu'un véhicule hybride doit être en attendant le véhicule à pile à combustible.

La Prius est mue par un moteur à essence de quatre cylindres de 1,5 litres et d'un moteur électrique d'appoint. Elle ne consomme que 3,9 litres au 100 km. Selon Honda, sa Insight, équipée d'un moteur à essence de trois cylindres de 1 litre couplé à un moteur électrique, permettrait une consommation moyenne de 3,5 litres au 100 km, ce qui est entre deux et trois fois moins que la consommation d'un véhicule similaire fonctionnant à l'essence. En comparaison des voitures traditionnelles du même gabarit, les véhicules hybrides se vendent actuellement un peu plus cher, mais pour des raisons promotionnelles, Honda et Toyota vendraient leurs véhicules hybrides sous le prix coûtant !

LES VÉHICULES À PILE À COMBUSTIBLE

L'hydrogène est utilisé depuis de nombreuses années comme carburant dans les fusées, mais ce n'est que récemment que l'industrie de l'automobile a commencé à le considérer comme carburant alternatif. Au cours des dix dernières années, plusieurs avenues ont été explorées. Parmi celles-là, il faut noter l'addition d'hydrogène au carburant de base (essence, éthanol, méthanol, gaz naturel), ce qui permet au moteur de fonctionner à un taux de compression plus élevé et diminue les émissions d'oxyde d'azote (NOx) de 30 à 40 %. Mais l'hydrogène peut aussi être utilisé comme carburant dans un moteur à combustion interne. Toutefois, c'est son application dans la pile à combustible qui semble la plus prometteuse.

Inventée il y a 150 ans, la pile à combustible convertit l'énergie chimique en électricité grâce à un procédé modifié d'oxydation, comme toute pile traditionnelle d 'ailleurs. Qu'est-ce qui les différencie alors ? Les éléments actifs de la pile traditionnelle sont progressivement consommés alors que la pile à combustible en est continuellement alimentée.

Dans une pile à combustible, l'hydrogène et l'oxydant (oxygène ou air) traversent des plaques métalliques poreuses séparées par un électrolyte. Ces plaques, qui servent d'électrodes, dirigent le courant électrique vers une charge extérieure à la pile. Un moteur, par exemple. La plaque au travers de laquelle l'hydrogène circule agit comme anode en séparant la molécule d'hydrogène en ions d'hydrogène et en électrons. Les électrons circulent ensuite dans le conducteur relié à la plaque cathodique pendant que les ions d'hydrogène migrent dans l'électrolyte. Du côté de la plaque cathodique, l'oxygène se combine avec les ions d'hydrogène et les électrons pour créer de l'eau et de la chaleur qui sont alors expulsées de l'électrolyte.

En attendant la solution au problème d'approvisionnement et de stockage de l'hydrogène, un reformeur embarqué est nécessaire à la pro-

La Caravan de Dodge peut également jouer les voitures vertes...

Tableau comparatif des technologies électriques actuelles

	Pile	Hybride	Pile à combustible
Avantages	Réduction des émissions toxiques Rendement grandement amélioré Meilleures caractéristiques de traction Freinage regénératif	Carburant traditionnel Aucune recharge des piles nécessaire Rendement amélioré Freinage regénératif	Pollution presque nulle Versatilité du carburant Longue durée Freinage regénératif
Inconvénients	Faible autonomie Temps de recharge long Vie courte des piles Coût élevé	Encombrement des piles	Coût de fabrication élevé Technologie en émergence Difficulté de stockage de l'hydrogène

La Th!nk: pensez-y!

duction de l'hydrogène qui fait fonctionner la pile. Ce reformeur permet d'obtenir l'hydrogène à partir de l'essence ou de tout autre carburant alternatif, comme le méthanol, l'éthanol ou le gaz naturel. De cette façon, il est toujours possible de se ravitailler à sa station-service habituelle.

Dès 1993, la compagnie canadienne Ballard Power Systema fait rouler le tout premier autobus motorisé par une pile à combustible. Comme elle est à l'avant-garde du développement de la pile à combustible, Ford et Daimler-Benz s'y sont associées. En travaillant de concert avec Ballard, Daimler-Benz (maintenant DaimlerChrysler) a mis au point quatre générations d'automobiles motorisées par une pile à combustible. La dernière génération, conçue sur la plate-forme de la sous-compacte de classe A de Mercedes-Benz, la NECAR 4 (New Electric Car), fut présentée au mois de mars 1999. DaimlerChrysler prévoit sa mise en production pour l'année 2004. De même, en 1999, Ford a présenté la berline P2000 et le sport utilitaire P2000, puis en janvier 2000, la Th!nk FC5 qui fonctionnent tous grâce à des piles à combustible de la compagnie Ballard.

Plusieurs fabricants, comme Renault, avec un modèle conçu à partir de sa Laguna Estate, Toyota, avec un RAV4 modifié, Mazda, avec un modèle conçu à partir du Demio, GM, avec une variante de sa EV1 et, maintenant, une camionnette utilisant de l'essence dans sa pile à combustible, sont dans la course pour être les premiers à commercialiser un véhicule propulsé par une pile à combustible. En attendant la traction électrique, Renault veut que la pile à combustible fournisse l'énergie requise par le moteur électrique de son véhicule hybride, alors que BMW prévoit installer une petite pile à combustible dans ses grosses berlines pour satisfaire les besoins électriques autres que la traction.

Malgré toutes ces promesses, il est difficile de croire, même si DaimlerChrysler s'y est engagée, que des véhicules à pile à combustible soient offerts aux consommateurs avant une dizaine d'années. C'est quand même pour bientôt, et ainsi l'aventure du moteur à combustion interne, qui a débuté il y a plus de cent ans, semble s'achever. On peut croire que le moteur électrique aura bientôt repris le haut du pavé, comme c'était déjà le cas en 1834.

Un Dodge Ram hybride qui passe incognito...

L'usine de la NECAR de Mercedes-Benz

La EV1 de GM

Tableau comparatif **des véhicules électriques offerts en Amérique du Nord**

	Pile (accumulateur)	Hybride	Pile à combustible (prototypes uniquement)
Vélos, scooters	BiKit, Th!nk, Currie, Zap, Ebike	——	——
Voitures urbaines	Corbin Motors Sparrow, Think City, GEM, Dynasty, City Pal de Honda, Hypermini de Nissan	——	TH!NK
Voitures	EV1 de GM, RAV4 de Toyota, EPIC de Daimler-Benz, Altra de Nissan, Force de Solectria et EV+ de Honda	Prius de Toyota, Insight de Honda	A et NECAR4 de Daimler-Benz, P2000 de Ford, Laguna de Renault, Demio de Mazda, RAV4 de Toyota
Camionnettes	Ranger de Ford, Citivan et Flash de Solectria, S-10 de GM	——	P2000 de Ford, GEN-III de GM
Camions/autobus	AVS, Evi, RTS, Ballard, ISE REsearch	Nabibus, NewFlyer, Orion	Ballard, Daimler-Benz, NovaBus

Par Michel Gou, ing.

LISTE DE PRIX

MARQUES Modèles/livrées	Prix P.D.S.F.
ACURA	
1.7EL Touring	21 500 $
1.7EL Premium	23 500 $
3.2CL*	36 000 $
3.2CL Type S*	40 000 $
3.2TL	37 000 $
3.2TL Type S	41 000 $
3,5RL	54 000 $
NSX-T*	140 000 $
RS-X	24 000 $
RS-X Premium	27 000 $
RS-X Type S	31 000 $
ACURA • Camions	
MDX	48 000 $
AM GENERAL	
Hummer H1	150 000 $
Hummer H2	n.d.
ASTON MARTIN	
DB7 Vantage*	206 700 $
DB7 Vantage Volante*	207 760 $
Vanquish	333 000 $
AUDI	
A4 1.8T quattro	37 225 $
A4 3.0 quattro	44 495 $
A4 Avant 1.8T quattro	38 675 $
A4 Avant 3.0 quattro	45 945 $
A6 2.7T	58 830 $
A6 3.0 quattro	54 235 $
A6 4.2	71 175 $
A6 Avant	55 900 $
A8	86 500 $
A8L	96 450 $
Allroad	58 800 $
TT coupé 1.8	50 400 $
TT coupé 1.8T quattro	54 900 $
TT roadster 1.8	50 500 $
TT roadster 1.8T Quattro	59 000 $
S4	57 200 $
S6	88 500 $
S8	102 500 $
BENTLEY	
Arnage Red Label	317 675 $
Arnage LWB	387 490 $
Azure	520 695 $
Azure Mulliner	551 995 $
Continental R	408 575 $
Continental R Le Mans Series	477 275 $
Continental R Mulliner	459 995 $
Continental T	439 285 $
Continental T Mulliner	470 195 $
BMW	
320i	34 500 $
325i	38 900 $
325Ci	41 200 $
325Ci cabriolet	52 800 $
325Xi	42 100 $
325Xi Touring	40 400 $
330i	46 500 $
330Xi	49 700 $
330Ci	48 500 $
330Ci cabriolet	62 900 $
525i	55 200 $
525iA	56 400 $
525iT familiale	57 600 $
525iAT familiale	58 800 $
530i	63 200 $
530iA	64 400 $
540i	74 400 $
540iA	74 400 $
540iT familiale	76 800 $
745i	n.d.
745Li	n.d.
M Coupé	67 900 $
M Roadster	67 900 $
M3 coupé	73 500 $
M3 cabriolet	83 500 $
M5	105 500 $
Z3 2.5i	47 200 $
Z3 3.0i	56 200 $
Z8	195 000 $
BMW • Camions	
X5 3.0	56 900 $
X5 4.4	68 900 $
X5 4,6is	93 300 $
BUICK	
Century Custom	25 325 $
Century Limited	28 045 $
LeSabre Custom	32 960 $
LeSabre Limited	38 580 $
Park Avenue	43 700 $
Park Avenue Ultra	48 820 $
Regal LS	29 080 $
Regal GS	32 970 $
Rendezvous CX Value	30 995 $
Rendezvous CX Security	32 995 $
Rendezvous CX Versatility	33 695 $
Rendezvous CX Luxury	35 295 $
Rendezvous CX Value AWD	34 995 $
Rendezvous CX Security AWD	36 995 $
Rendezvous CXL Security AWD	40 095 $
Rendezvous CXL Versatility AWD	40 495 $
Rendezvous CXL Luxury AWD	40 995 $
CADILLAC	
CTS	n.d
DeVille	52 555 $
DeVille DHS	62 025 $
DeVille DTS	63 575 $
Eldorado Touring Coupe	57 450 $
Eldorado Collector's Series	n.d.
Seville SLS	59 450 $
Seville STS	67 015 $
CADILLAC • Camions	
Escalade	72 700 $
Escalade EXT	65 900 $
CAMPAGNA	
T-Rex	43 000 $
CHEVROLET	
Camaro	26 995 $
Camaro Z28	30 785 $
Camaro Z28 SS	35 375 $
Camaro Z28 SS 35e anniv.	40 095 $
Camaro cabrio.	35 070 $
Camaro Z28 cabrio.	39 225 $
Camaro Z28 SS cabrio.	44 220 $
Camaro Z28 35e anniv. cabrio.	47 595 $
Cavalier VL	14 500 $
Cavalier VLX	17 500 $
Cavalier LS	21 275 $
Cavalier Z24	22 475 $
Cavalier coupé VL	15 100 $
Cavalier coupé VLX	17 825 $
Cavalier coupé Z24	22 575 $
Corvette Z06 Hatchback	62 400 $
Corvette Z06 Hardtop	70 780 $
Corvette cabriolet	69 665 $
Impala	24 875 $
Impala LS	29 410 $
Malibu	22 760 $
Malibu LS	25 215 $
Monte Carlo LS	26 525 $
Monte Carlo SS	29 220 $
CHEVROLET • Camions	
Astro (passagers)	26 940 $
Astro LS (passagers)	28 110 $
Astro LT (passagers)	33 000 $
Astro AWD (passagers)	29 870 $
Astro AWD LS (passagers)	31 045 $
Astro AWD LT (passagers)	35 930 $
Avalanche 1500 2RM	38 960 $
Avalanche 1500 4x4	42 205 $
Avalanche 1500 4x4 North Face	46 680 $
Avalanche 2500 2RM	41 405 $
Avalanche 2500 4x4	44 650 $
Blazer 2p. 4x4	28 455 $
Blazer 2p. LS 4x4	30 465 $
Blazer 4p. LS 4x4	34 585 $
Blazer 4p. LS Cuir 4x4	37 690 $
Express 1/2T (passagers)	28 905 $
Express 3/4T (passagers)	31 855 $
Express 1T (passagers)	32 325 $
Express 1/2T Cargo	25 025 $
Express 3/4T Cargo allongé	27 155 $
S-10	17 060 $
S-10 LS	17 700 $
S-10 cabine all.	19 200 $
S-10 LS cabine all.	20 150 $
S-10 cabine all. 4x4	24 775 $
S-10 LS cabine all. 4x4	25 600 $
S-10 LS Crew Cab 4x4	32 730 $
Silverado 1/2T	22 410 $
Silverado 1/2T LS	28 400 $
Silverado 1/2T 4x4	25 915 $
Silverado 1/2T LS 4x4	32 240 $
Silverado 1/2T cab. allon.	28 270 $
Silverado 1/2T LS cab. allon.	31 980 $
Silverado 1/2T cab. allon. 4x4	32 640 $
Silverado 1/2T LS cab. allon. 4x4	35 815 $
Silverado 3/4T	36 765 $
Silverado 3/4T LS	30 660 $
Silverado 3/4T 4x4	35 835 $
Silverado 3/4T LS 4x4	38 995 $
Silverado HD 1T cab. all.	33 490 $
Silverado HD LS 1T cab. all.	35 775 $
Silverado HD 1T 4x4	32 295 $
Suburban LS 1/2T	45 875 $
Suburban LT 1/2T	51 030 $
Suburban LS 1/2T 4x4	49 505 $
Suburban LT 1/2T 4x4	54 655 $
Suburban LS 3/4T	47 650 $
Suburban LT 3/4T	52 555 $
Suburban LS 3/4T 4x4	51 535 $
Suburban LT 3/4T 4x4	56 185 $
Tahoe LS	41 685 $
Tahoe LT	48 000 $
Tahoe LS 4x4	45 315 $
Tahoe LT 4x4	51 625 $
Tracker 2p. décapotable	20 575 $
Tracker 4p.	22 250 $
TrailBlazer LS	34 600 $
TrailBlazer LT	37 455 $
TrailBlazer LTZ	42 235 $
TrailBlazer LS 4x4	38 170 $
TrailBlazer LT 4x4	40 775 $
TrailBlazer LTZ 4x4	45 555 $
Venture Value Van	25 195 $
Venture	27 280 $
Venture LS	30 155 $
Venture emp. long	29 370 $
Venture LS emp. long	32 050 $
Venture LT emp. long	34 620 $
Venture Warner Bros. Ed.	37 865 $

Légende: * = prix 2001. Cette rubrique ayant été réalisée à la toute fin du projet, les prix qu'on y trouve sont les plus récents de l'Annuel.

MARQUES Modèles/livrées	Prix P.D.S.F.
Venture LS AWD emp. long	36 440 $
Venture LT AWD emp. long	38 480 $
Venture Warner Bros. Ed. AWD	41 705 $
CHRYSLER	
300M	39 900 $
300M Special	43 305 $
Concorde LX	29 690 $
Concorde LXi	31 200 $
Concorde Limited	37 360 $
Intrepid SE	25 765 $
Intrepid ES	27 210 $
Intrepid R/T	31 970 $
Neon LE	18 505 $
Neon LX	20 530 $
Neon RT	23 140 $
Prowler	64 170 $
PT Cruiser	23 850 $
PT Cruiser Touring	26 440 $
PT Cruiser Limited	27 305 $
Sebring LX	23 320 $
Sebring LXi	27 380 $
Sebring LX cabriolet	33 580 $
Sebring LXi cabriolet	34 915 $
Sebring LXi Limited cabriolet	37 505 $
CHRYSLER • Camions	
Town & Country LXi	40 815 $
Town & Country Limited	47 005 $
Town & Country Limited AWD	50 015 $
DAEWOO	
Lanos S hatchback*	13 100 $
Lanos S*	13 900 $
Nubira SX	17 000 $
Nubira SX familiale	18 100 $
Leganza SX	21 000 $
Leganza CDX	25 300 $
DODGE	
Viper GTS	110 715 $
Viper cabrio RT 10	106 945 $
DODGE • Camions	
Caravan SE	25 430 $
Caravan Sport	28 030 $
Dakota Sport	20 280 $
Dakota Sport Quad Cab	25 255 $
Dakota Sport 4x4	25 670 $
Dakota Sport Quad Cab 4x4	28 965 $
Durango SLT	40 375 $
Durango SLT Plus	43 550 $
Durango SXT	38 060 $
Durango R/T	45 410 $
Grand Caravan ES	37 270 $
Grand Caravan Sport	28 875 $
Grand Caravan Sport AWD	38 685 $
Grand Caravan ES AWD	42 085 $
Ram 1500	23 255 $
Ram 1500 emp. long	23 575 $
Ram 1500 Quad Cab	26 960 $
Ram 1500 Quad Cab emp. long	27 275 $
Ram 1500 4x4	27 395 $
Ram 1500 4x4 emp. long	28 010 $
Ram 1500 Quad Cab 4x4	30 365 $
Ram 1500 Quad Cab 4x4 emp. long	30 970 $
Ram 2500	27 155 $
Ram 2500 4x4	30 400 $
Ram 2500 Quad Cab	30 120 $
Ram 2500 Quad Cab 4x4	33 330 $
Ram 2500 châssis-cabine	26 250 $
Ram 3500*	31 315 $
Ram 3500 4x4*	35 130 $
Ram 3500 châssis-cabine	32 090 $
FERRARI	
360 F1	236 737 $
360 Modena	220 950 $
360 Spyder	247 564 $
360 Spyder F1	262 960 $
456 GT	350 161 $
456 GTA	356 699 $
550 Barchetta	n/d
550 Maranello	329 293 $
FORD	
Cougar	26 995 $
Focus LX	15 970 $
Focus SE	17 995 $
Focus SE Sport	19 370 $
Focus ZTS	20 780 $
Focus ZX3 hatchback	17 390 $
Focus ZX3 Premium hatchback	18 395 $
Focus ZX5 hatchback	20 780 $
Focus SE familiale	18 955 $
Focus SE Sport familiale	20 165 $
Focus ZTW familiale	21 780 $
Grand Marquis GS	35 120 $
Grand Marquis LS	37 910 $
Grand Marquis LSE	40 060 $
Mustang	22 795 $
Mustang GT	31 055 $
Mustang SVT Cobra*	38 695 $
Mustang cabriolet	27 465 $
Mustang GT cabriolet	35 020 $
Mustang SVT Cobra cabriolet *	42 695 $
Mustang Bullitt	n.d.
Taurus LX	24 550 $
Taurus SE	26 175 $
Taurus SE Deluxe	27 790 $
Taurus SEL	27 520 $
Taurus SEL Deluxe	29 135 $
Taurus SE familiale	27 285 $
Taurus SE Deluxe familiale	28 900 $
Taurus SEL familiale	28 690 $
Taurus SEL Deluxe familiale	30 305 $
Thunderbird	51 550 $
Thunderbird (avec toit rigide)	56 550 $
FORD • Camions	
E-150 XL	28 890 $
E-150 XLT	32 500 $
Escape XLS Base	21 510 $
Escape XLS Sport	23 465 $
Escape XLS Duratec	24 600 $
Escape XLS AWD	24 160 $
Escape XLS Sport AWD	26 160 $
Escape XLS Duratec AWD	27 325 $
Escape XLT AWD	30 010 $
Escape XLT Sport AWD	31 520 $
Escape XLT Cuir AWD	30 845 $
Excursion XLT 5.4	41 315 $
Excursion XLT 6.8	42 610 $
Excursion XLT 7.3	48 590 $
Excursion XLT 6.8 4x4	46 095 $
Excursion XLT 7.3 4x4	52 065 $
Excursion Limited 6.8 4x4	56 460 $
Excursion Limited 7.3 4x4	62 440 $
Expedition XLT 4x4	41 255 $
Expedition Eddie Bauer 4x4	50 865 $
Explorer XLS 4x4	37 370 $
Explorer XLT 4x4	39 105 $
Explorer Eddie Bauer 4x4	45 060 $
Explorer Limited 4x4	46 810 $
Explorer XLT AWD*	39 805 $
Explorer Eddie Bauer AWD*	43 720 $
Explorer Limited AWD*	45 090 $
Explorer Sport 4x4	30 280 $
Explorer Sport Convenience 4x4	33 300 $
Explorer Sport Comfort 4x4	34 445 $
Explorer Sport Trac	28 440 $
Explorer Sport Trac Convenience	30 405 $
Explorer Sport Trac Comfort	32 380 $
Explorer Sport Trac 4x4	32 330 $
Explorer Sport Trac 4x4 Convenience	34 295 $
Explorer Sport Trac 4x4 Comfort	36 270 $
F-150 XL	22 440 $
F-150 XL 4x4	26 200 $
Ranger XL	15 995 $
Ranger XLT 4x4	24 640 $
Ranger Super Cab 4x4	26 135 $
Windstar LX	25 995 $
Windstar Sport	31 400 $
Windstar SEL	33 685 $
GMC	
Envoy SLE	37 955 $
Envoy SLT	42 345 $
Envoy SLE 4x4	41 275 $
Envoy SLT 4x4	45 670 $
Jimmy SLS 2p. 4x4	28 455 $
Jimmy SLS 4p. 4x4	34 585 $
Safari SL	26 940 $
Safari SLE	28 110 $
Safari SLT	33 000 $
Safari SL AWD	29 870 $
Safari SLE AWD	31 045 $
Safari SLT AWD	35 930 $
Savana SL 1/2T	28 905 $
Savana SLE 1/2T	31 255 $
Savana SLT 1/2T	45 255 $
Sierra Denali	55 440 $
Sierra SL 1/2T	22 565 $
Sierra SLE 1/2T	28 650 $
Sierra SL 1/2T 4x4	26 020 $
Sierra SLE 1/2T 4x4	32 440 $
Sierra SL 1/2T cab. all.	28 425 $
Sierra SLE 1/2T cab. all.	32 230 $
Sierra SLT 1/2T cab. all.	37 935 $
Sierra SL 1/2T 4x4 cab. all	32 745 $
Sierra SLE 1/2T 4x4 cab. all	36 015 $
Sierra SLE Crew Cab 1/2T	35 705 $
Sierra SLT Crew Cab 1/2T	40 205 $
Sierra SLE Crew Cab 1/2T 4x4	39 840 $
Sierra SL 3/4T	26 920 $
Sierra SLE 3/4T	30 910 $
Sierra SL 3/4T cab. all. 4x4	35 940 $
Sierra SLE 3/4T cab. all. 4x4	39 195 $
Sierra SLT 3/4T cab. all. 4x4	44 065 $
Sonoma SL	17 060 $
Sonoma SL cab. all.	19 200 $
Sonoma SLS	17 700 $
Sonoma SLS cab. all.	20 150 $
Sonoma SL cab. all. 4x4	24 775 $
Sonoma SLS cab. all. 4x4	25 600 $
Sonoma SLS Crew Cab 4x4	32 730 $
Yukon Denali	60 850 $
Yukon SLE	42 210 $
Yukon SLT	48 395 $
Yukon SLE 4x4	45 790 $
Yukon SLT 4x4	51 970 $
Yukon XL Denali	62 780 $
Yukon XL SLE	46 400 $
Yukon XL SLT	51 280 $
Yukon XL SLE 4x4	49 980 $
Yukon XL SLT 4x4	54 860 $
HONDA	
Accord LX	23 000 $
Accord Special Edition	24 800 $
Accord EX Cuir	27 300 $
Accord Special Edition V6	28 300 $
Accord EX V6	31 100 $
Accord coupé Special Edition	24 800 $
Accord coupé EX-L	27 300 $
Accord coupé EX V6	31 100 $
Civic DX	15 900 $

MARQUES Modèles/livrées	**Prix** P.D.S.F.
Civic DX-G	17 500 $
Civic LX-G	19 100 $
Civic coupé DX	15 900 $
Civic coupé LX	18 100 $
Civic coupé Si	19 900 $
Civic coupé Si-G	21 400 $
Insight*	26 000 $
Prelude*	28 300 $
Prelude SE*	28 800 $
S2000*	48 000 $
HONDA • Camions	
CR-V LX*	26 300 $
CR-V EX*	28 300 $
CR-V LE*	29 800 $
Odyssey LX	31 900 $
Odyssey EX	34 900 $
Odyssey EX Cuir	36 900 $
HYUNDAI	
Accent GL berline	13 795 $
Accent GS hatchback	12 395 $
Accent GSi hatchback	14 495 $
Elantra GL	15 295 $
Elantra VE	16 995 $
Elantra GT	18 495 $
Elantra GT Premium	20 495 $
Sonata GL	21 195 $
Sonata GL V6	22 695 $
Sonata GLX	25 695 $
Tiburon 2003	n.d.
XG 350	n.d.
HYUNDAI • Camions	
Santa Fe GL 2RM	21 050 $
Santa Fe GL 4RM	26 795 $
Santa Fe GLS 4RM	29 250 $
INFINITI	
G20 Luxury	29 900 $
G20 Sport	30 100 $
I35 Luxury base	39 500 $
I35 Touring	42 500 $
Q45 Luxury Base	73 000 $
Q45 Privilege	78 000 $
INFINITI • Camions	
QX4	48 000 $
ISUZU	
Rodeo S	31 935 $
Rodeo SE	34 465 $
Rodeo LS	36 900 $
Rodeo LSE	41 835 $
Trooper S	35 695 $
Trooper LS	40 325 $
Trooper Limited	44 565 $
JAGUAR	
S-Type 3,0	59 960 $
S-Type 4,0	70 950 $
X-Type 2,5	42 950 $
X-Type 3,0	49 950 $
XJ8	82 950 $
Vanden Plas	91 500 $
Super 8	104 950 $
XJR	97 950 $
XK8	95 950 $
XKR	107 950 $
XKR 100	137 950 $
XK8 décapotable	104 950 $
XKR décapotable	116 950 $
XKR 100 décapotable	144 950 $
JEEP	
Liberty Sport	22 880 $
Liberty Limited	28 680 $
Grand Cherokee Laredo	39 005 $
Grand Cherokee Limited	44 885 $
Grand Xcherokee Overland	51 850 $
TJ SE	19 975 $
TJ Sport	23 675 $
TJ Sahara	28 120 $
KIA	
Rio	12 095 $
Rio RS	13 095 $
Rio RX-V Sport	14 695 $
Rio RX-V	15 095 $
Spectra	14 595 $
Spectra LS	16 595 $
Spectra GS-X hatchback	17 595 $
Magentis LX	21 295 $
Magentis LX V6	24 295 $
Magentis LX V6 Sport	26 995 $
Magentis SE V6	29 095 $
KIA • Camions	
Sedona LX	24 595 $
Sedona EX	27 595 $
Sedona EX Luxury	29 595 $
Sportage	22 095 $
Sportage EX	24 095 $
LAMBORGHINI	
Diablo VT*	389 000 $
Murciélago	n.d.
LAND ROVER	
Freelander S	34 800 $
Freelander SE	38 800 $
Freelander HSE	n.d.
Discovery Series II SD	47 000 $
Discovery Series II SE	52 000 $
Discovery Series II HSE	n.d.
Range Rover 4.6 HSE	98 000 $
LEXUS	
ES 300 2001*	44 000 $
IS 300	37 820 $
IS 300 SportCross	49 450 $
GS 300	61 600 $
GS 430	68 800 $
LS 430	81 900 $
SC 430	84 000 $
LEXUS • Camions	
RX 300	48 000 $
LX 470	90 600 $
LINCOLN	
Continental*	52 200 $
LS V6	42 300 $
LS V8	47 355 $
Town Car Executive	51 555 $
Town Car Executive L	58 230 $
Town Car Signature	53 445 $
Town Car Cartier	54 820 $
Town Car Cartier L	61 745 $
LINCOLN • Camions	
Navigator	66 415 $
LOTUS	
Esprit Turbo*	145 000 $
MAZDA	
Protegé SE	15 795 $
Protegé LX	16 695 $
Protegé ES	17 995 $
Protegé MP3	23 795 $
Protegé5 ES	19 895 $
626 LX	23 470 $
626 LX V6	25 885 $
626 ES	31 165 $
Millenia	42 150 $
Miata MX-5	27 695 $
MAZDA • Camions	
Série B SX 2,3L	16 765 $
Série B SX 3,0L	17 765 $
Série B SX 3,0L cab. all.	20 955 $
Série B SX 4,0L cab. all.	23 785 $
Série B SE 3,0L cab. all.	22 215 $
Série B SE 3,0L cab. all. 4x4	27 880 $
MPV DX*	25 505 $
MPV LX*	29 450 $
MPV ES*	33 855 $
Tribute DX 2RM	22 415 $
Tribute DX V6 2RM	24 525 $
Tribute LX V6 2RM	27 560 $
Tribute DX 4RM	25 065 $
Tribute DX V6 4RM	27 175 $
Tribute LX V6 4RM	30 210 $
Tribute ES V6 4RM	33 870 $
MERCEDES-BENZ	
C240 Classic	39 450 $
C240 Elegance	44 450 $
C240 Sport	49 000 $
C320	50 600 $
C320 Sport	55 150 $
C32 AMG	65 900 $
C320 familiale	52 850 $
C320 Sport familiale	57 400 $
Classe C Kompressor Coupé Sport	33 950 $
CL500	132 500 $
CL55 AMG	148 900 $
CL600	174 850 $
CLK320	59 900 $
CLK320 cabriolet	70 550 $
CLK430	71 350 $
CLK430 cabriolet	79 250 $
CLK55 AMG	96 400 $
CLK55 AMG cabriolet	107 500 $
E320	68 350 $
E320 4Matic	72 200 $
E320 familiale	69 200 $
E320 4Matic familiale	73 250 $
E430	76 150 $
E430 4Matic	79 950 $
E55 AMG	101 600 $
S430	95 350 $
S430 emp. long	101 850 $
S500	116 950 $
S55 AMG	140 500 $
S600	171 100 $
SL500	116 500 $
SL600	169 000 $
SLK230 Kompressor	55 100 $
SLK320	61 050 $
SLK32 AMG	76 900 $
MERCEDES-BENZ • Camions	
G500	n.d.
ML320 Classic	48 600 $
ML320 Elegance	54 850 $
ML430	61 350 $
ML55 AMG	91 650 $
NISSAN	
Altima S	23 498 $
Altima SL	28 998 $
Altima SE	27 698 $
Maxima GXE	32 900 $
Maxima GLE	36 900 $
Maxima SE	33 900 $
Sentra XE	15 598 $
Sentra GXE	17 998 $
Sentra Se-R	n.d.
Sentra Se-R Spec V	n.d.
NISSAN • Camions	
Frontier XE King Cab	22 998 $
Frontier XE King Cab V6 4x4	23 998 $
Frontier XE Crew Cab V6	26 298 $
Frontier SE Crew Cab V6	29 498 $
Frontier XE Crew Cab V6 4x4	29 298 $
Frontier SE Crew Cab V6 4x4	32 698 $
Frontier SC Crew Cab V6 4x4	35 398 $
Pathfinder XE	34 700 $
Pathfinder SE	38 200 $
Pathfinder LE	44 500 $
Xterra XE	29 498 $
Xterra SE	33 298 $
Xterra SE-SC	33 298 $

Légende: * = prix 2001. Cette rubrique ayant été réalisée à la toute fin du projet, les prix qu'on y trouve sont les plus récents de l'Annuel.

MARQUES Modèles/livrées	Prix P.D.S.F.
OLDSMOBILE	
Alero GX	21 480 $
Alero GL	23 100 $
Alero GLS	27 670 $
Alero GX coupé	21 745 $
Alero GL coupé	23 345 $
Alero GLS coupé	27 670 $
Aurora 3.5	40 030 $
Aurora 4.0	46 570 $
Intrigue GX	28 365 $
Intrigue GL	30 165 $
Intrigue GLS	33 680 $
OLDSMOBILE • Camions	
Silhouette GL	33 060 $
Silhouette GLS	37 025 $
Silhouette Premier Edition	41 020 $
Silhouette GLS AWD	41 045 $
Silhouette Premier Edition AWD	44 135 $
PONTIAC	
Bonneville SE	32 365 $
Bonneville SLE	36 530 $
Bonneville SSEi	41 805 $
Firebird	27 695 $
Firebird Formula	33 895 $
Firebird cabriolet	35 930 $
Trans Am	36 365 $
Trans Am Ram Air	41 020 $
Trans Am Ram Air Coll. Ed.	45 070 $
Trans Am cabriolet	41 935 $
Trans Am Ram Air cabriolet	46 590 $
Trans Am Ram Air Coll. Ed. cabrio.	50 640 $
Grand Am SE berline et coupé	21 405 $
Grand Am SE1 berline et coupé	23 055 $
Grand Am GT berline et coupé	26 595 $
Grand Am GT1 berline et coupé	27 830 $
Grand Prix SE	26 385 $
Grand Prix GT berline et coupé	28 275 $
Grand Prix GTP berline et coupé	32 400 $
Sunfire SL	14 790 $
Sunfire SLX	18 090 $
Sunfire GTX	21 950 $
Sunfire SL coupé	15 390 $
Sunfire SLX coupé	18 235 $
Sunfire GT coupé	22 975 $
PONTIAC • Camions	
Aztek	27 295 $
Aztek AWD	30 230 $
Montana	27 870 $
Montana SE	30 835 $
Montana GT	33 665 $
Montana emp. long	30 040 $
Montana SE emp. long	31 570 $
Montana GT emp. long	32 675 $
Montana Vision emp. long	38 090 $
Montana Thunder emp. long	38 775 $
Montana SE AWD emp. long	37 010 $
Montana GT AWD emp. long	39 210 $
Montana Vision AWD emp. long	41 555 $
Montana Thunder AWD emp. long	42 415 $
PORSCHE	
Boxster	60 500 $
Boxster S	73 300 $
911 Carrera	99 300 $
911 Carrera cabriolet	113 400 $
911 Carrera 4 cabriolet	121 900 $
911 Turbo	168 400 $
911 GT2	253 000 $
ROLLS ROYCE	
Corniche	541 995 $
Park Ward	387 175 $
Silver Seraph *Last of Line*	340 990 $
SAAB	
9-3 5p. hatchback	32 000 $
9-3 SE Turbo Anniv. 5p. hatchback	36 500 $
9-3 décapotable	52 000 $
9-3 SE décapotable	58 000 $
9-3 Viggen 3p. hatchback	51 300 $
9-3 Viggen 5p. hatchback	51 300 $
9-3 Viggen décapotable	65 000 $
9-5 Linear	41 500 $
9-5 Arc	52 000 $
9-5 Aero	54 900 $
9-5 Linear familiale	43 000 $
9-5 Arc familiale	53 500 $
9-5 Aero familiale	56 400 $
SATURN	
L100	21 125 $
L200	23 325 $
L300	26 580 $
LW200	25 200 $
LW300	29 400 $
SC1	16 765 $
SC2	22 045 $
SL	14 245 $
SL1	15 215 $
SL2 Touring	18 125 $
SATURN • Camions	
VUE	n.d.
SUBARU	
Impreza RS	26 995 $
Impreza TS	21 995 $
WRX	34 995 $
WRX familiale	34 995 $
Outback Sport	26 395 $
Legacy L*	27 395 $
Legacy GT*	30 395 $
Legacy GT Limited*	34 395 $
Legacy Brighton familiale*	24 295 $
Legacy L familiale *	26 995 $
Legacy GT familiale *	32 495 $
Outback Limited berline*	35 195 $
Outback familiale*	31 995 $
Outback Limited familiale*	36 995 $
Outback H6 familiale*	39 995 $
Outback H6 VDC familiale*	43 995 $
SUBARU • Camions	
Forester L	27 095 $
Forester S	31 795 $
Forester Sport	33 495 $
Forester S Limited	35 195 $
SUZUKI	
Esteem GL familiale	16 195 $
Esteem GLX familiale	19 795 $
SUZUKI • Camions	
Grand Vitara JX	23 995 $
Grand Vitara JLX	28 995 $
Grand Vitara Limited	31 995 $
Vitara JX 4p.	20 995 $
Vitara JA 1.6L cabriolet	18 695 $
Vitara JX 2.0L cabriolet	19 795 $
XL-7 JX	26 495 $
XL-7 JLX	30 995 $
XL-7 Limited	34 995 $
TOYOTA	
Avalon XL	38 365 $
Avalon XLS	45 135 $
Camry LE	23 755 $
Camry LE V6	26 995 $
Camry SE V6	30 715 $
Camry XLE	30 440 $
Camry XLE V6	32 570 $
Camry Solara SE*	27 265 $
Camry Solara SE V6*	29 170 $
Camry Solara SLE cabriolet *	39 505 $
Celica GT	24 645 $
Celica GT-S	30 860 $
Corolla CE	15 765 $
Corolla Sport	20 640 $
Corolla XLE	21 365 $
Echo 2p.*	14 085 $
Echo 4p.	14 420 $
Prius	29 990 $
TOYOTA • Camions	
4Runner V6	36 250 $
4Runner SR5 V6	38 955 $
4Runner Limited	49 465 $
Highlander 2RM	31 990 $
Highlander AWD V6	36 190 $
RAV4	23 265 $
Sequoia Limited	45 570 $
Sequoia SR5	58 205 $
Sienna CE	29 335 $
Sienna LE	32 985 $
Tacoma	21 920 $
Tacoma Xtracab	23 795 $
Tacoma PreRunner Double Cab	30 775 $
Tacoma PreRunner Xtracab V6	29 085 $
Tacoma Xtracab 4x4	27 335 $
Tacoma Xtracab V6 4x4	30 780 $
Tundra 2p. 4x2 V6	23 110 $
Tundra 2p. 4x2 V6	28 600 $
Tundra V6	23 520 $
Tundra Access Cab V8	30 595 $
Tundra V8 4x4	29 270 $
Tundra Access Cab V8	34 385 $
Tundra Limited V8 4x4	41 395 $
VOLKSWAGEN	
Cabrio GL	28 530 $
Cabrio GLS	29 750 $
Cabrio GLX	32 250 $
Golf GL 2p.	19 230 $
Golf GL TDI 2p.	21 110 $
Golf GL 4p.	19 530 $
Golf GL TDI 4p.	21 410 $
Golf GLS 4p.	22 280 $
Golf GLS TDI 4p.	23 800 $
GTI 1.8T	25 895 $
GTI VR6	27 530 $
Jetta GL	21 490 $
Jetta GL TDI	23 450 $
Jetta GLS	23 850 $
Jetta GLS 1.8T	25 930 $
Jetta GLS V6	26 840 $
Jetta GLS TDI	25 425 $
Jetta GLX V6	33 775 $
New Beetle GL	21 950 $
New Beetle GLS	22 770 $
New Beetle GLS TDI	24 300 $
New Beetle GLS 1.8T	26 875 $
New Beetle GLX 1.8T	29 665 $
Passat GLS 1.8T	29 550 $
Passat GLS V6	33 050 $
Passat GLS V6 4Motion	37 180 $
Passat GLX V6	39 175 $
Passat GLX V6 4Motion	43 305 $
Passat GLS 1.8T familiale	30 725 $
Passat GLS V6 familiale	34 225 $
Passat GLS V6 4Motion fam	38 355 $
Passat GLX familiale	40 350 $
Passat GLX 4Motion familiale	44 480 $
VOLKSWAGEN • Camions	
EuroVan GLS	41 795 $
EuroVan MV	44 190 $
VOLVO	
S40	31 495 $
V40	32 495 $
S60 2.4	36 395 $
S60 2.4T	41 395 $
S60 2.4T AWD	43 995 $
S60 T5	46 495 $
C70 SE	49 995 $
C70 LT A cabriolet	59 595 $
C70 HT M CV cabriolet	63 995 $
V70 2.4	37 920 $
V70 2.4T A	43 970 $
V70 2,4T AWD	46 470 $
V70 T5	49 315 $
V70 XC	49 470 $
S80 2.9	54 895 $
S80 T6	62 895 $

AUSTRALIE

Ford Falcon

Ford Australie continue d'utiliser des noms aujourd'hui disparus chez nous, mais qui sont devenus là-bas de véritables institutions. La Falcon constitue la berline traditionnelle de base. Longue de presque 5 mètres, elle propose des moteurs 6 ou 8 cylindres. Dans sa version la plus méchante, la XR8 Rebel, son V8 crache 300 chevaux. Elle peut être déclinée dans une variante Futura. Il y a aussi des dérivés plus luxueux et plus longs comme la Fairmont, la Fairlane ou la LTD. Des noms évocateurs, n'est-ce pas ?

Ford Falcon Ute

Sur une base de Falcon, Ford fabrique cette camionnette unique à l'Australie. Il fait revivre la tradition du Ranchero, et comme lui, il peut être décliné en plusieurs versions. Un peu plus long que 5 mètres, il peut tracter jusqu'à 2,3 tonnes. Le plus petit moteur, un 6 cylindres 4 L offre déjà 195 chevaux. Mais il devient vraiment intéressant dans sa version XR8 où, équipé d'un V8 5 L de 272 chevaux, il offre des performances décoiffantes. Idéal pour aller surfer !

Holden Ute

Souvenez-vous des El Camino 454 SS. Ce type de véhicules n'est pas mort, il survit en Australie et plutôt bien. Basé sur une plateforme de Commodore, il offre des moteurs de 4 L à 5,7 L. Dans cette dernière configuration, pas moins de 306 chevaux passent par les roues arrières via une boîte 4 auto ou bien, et c'est le meilleur, via une boîte 6 manuelle. Un véhicule qui ne déparerait pas en Amérique. Dis GM, quand est-ce que tu l'importes ?

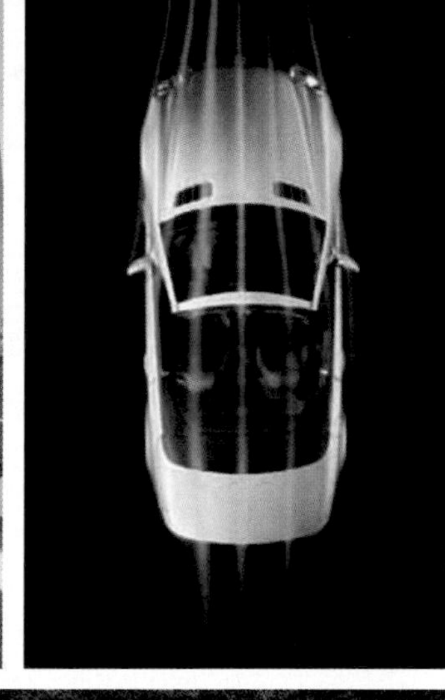

M WZ 3925

évolution

ACURA

fiche d'identité

Modèle : 3.2 CL
Versions : de base ; Type S
Segment : de luxe, moins de 50 000 $
Roues motrices : avant
Portières : 2
Places : avant, 2 ; arrière, 3
Sacs gonflables : 4, frontaux et latéraux
Concurrence : BMW Série 3 coupé, Mercedes-Benz CLK 320, Volvo C70

au quotidien

Prime d'assurance moyenne : 1015 $
Garantie générale : 3 ans/60 000 km
Garantie groupe motopropulseur : 5 ans/100 000 km
Garantie contre la corrosion : 3 ans/60 000 km
Garantie contre la perforation : 5 ans/100 000 km
Collision frontale : 4/5
Collision latérale : 4/5
Ventes du modèle l'an dernier au Québec : 1188
Dépréciation : 32,8 %

prix de base • 36 000 $

Le **meilleur** des deux **mondes**

Vous vous souvenez des *voitures personnelles*? Il s'agissait de grosses autos luxueuses à deux portes qui, malgré de vagues prétentions sportives, misaient plutôt sur le confort. Aujourd'hui, on parle plutôt de «coupés de luxe» et les Américains semblent avoir déserté ce créneau, au profit des constructeurs européens et japonais. Acura est du nombre, avec le coupé 3.2 CL, qui a subi sa première refonte l'an dernier.

CARROSSERIE La première génération du coupé CL fut introduite en 1996, sous sa forme actuelle, soit un modèle plus bourgeois que sportif, pouvant accueillir confortablement quatre passagers. Il s'agissait en fait d'une version plus cossue du coupé Honda Accord, avec lequel il partageait plateforme et organes mécaniques. Ce n'est plus le cas avec le CL de deuxième génération, qui est devenu une version deux portes de la berline 3.2 TL. Autant le design de cette dernière est d'une banalité consommée, autant celui du 3.2 CL, sans être spectaculaire, possède une élégance qui lui est propre. Soulignons la présence de miroirs extérieurs grand format, qui contribuent à l'excellente visibilité sans dépareiller la ligne épurée de ce coupé.

MÉCANIQUE Le 3.2 CL se décline en deux versions dont la principale différence est la puissance. Il reprend les deux motorisations de la berline TL, ainsi que la boîte automatique bimodale SportShift et la suspension à double levier triangulé. Son appellation indique la cylindrée de ses deux moteurs, des V6 munis du système de calage variable des soupapes VTEC. De 225 chevaux sur la version de base, la puissance grimpe à 260 chevaux sur le Type S, en raison des modifications apportées aux systèmes d'admission et d'échappement.
Seule transmission à la gamme, la boîte automatique à 5 rapports n'exploite pas au mieux cette mécanique sophistiquée. En mode automatique, un délai persiste entre les changements de rapports. Comprenons-nous bien : ce n'est rien de dramatique, d'autant plus qu'on peut corriger la situation en passant en mode manuel. La boîte SportShift montre alors qu'elle

nouveautés 2002
• Aucun changement majeur

figure parmi les meilleures boîtes séquentielles à l'heure actuelle. N'empêche qu'on ne peut faire autrement que de regretter la présence d'une véritable boîte manuelle, surtout quand on connaît le savoir-faire de ce constructeur dans ce domaine.

COMPORTEMENT Si la suspension avant vient de la berline TL, sa géométrie a cependant été modifiée, et la fermeté des ressorts, augmentée. Quant à la suspension arrière multibras, exclusive au coupé 3.2 CL, elle est munie de barres stabilisatrices plus grosses. Le Type S se distingue également par son système d'assistance à la stabilité (VSA), ainsi que par son freinage plus puissant.
Le CL est plus qu'une TL deux portes : il possède sa propre personnalité, encore plus affirmée dans le Type S. Trop lourd pour jouer les sportifs, il est cependant moins sous-vireur que la TL. Son comportement est rassurant en tout temps, tandis que son aplomb dans les virages n'est pas à dédaigner. La direction? Précise et bien dosée.

HABITACLE Aussi spacieux que cossu, l'habitacle remplit tous les critères d'une voiture de luxe. La présentation intérieure se distingue par son cachet sportif, avec le cuir perforé qui recouvre les fauteuils, le volant et le pommeau du levier de vitesses, ainsi que son tableau de bord dominé par trois gros cadrans sur fond argenté. Néanmoins, certains détails de finition détonnent dans cet environnement, comme les petits leviers de plastique qui servent à actionner les clignotants et les essuie-glaces, empruntés à la Honda Civic... Bonjour le prestige!
Mis à part cette anicroche, il est très difficile de trouver un vice de conception sur cette voiture. L'habitacle brille par son côté pratique, tandis que l'équipement de série est ultra-complet. Chose rare, ce coupé propose quatre vraies places. Mieux, on est aussi bien assis à l'arrière qu'à l'avant! Pour couronner le tout, le coffre est immense et facile d'accès, grâce à sa grande ouverture.

CONCLUSION Conçu et assemblé en Amérique du Nord, ce coupé de luxe combine le meilleur des deux mondes. De cette collaboration américano-japonaise résulte un coupé plus luxueux que sportif, mais agréable à conduire. Non seulement l'Acura 3.2 CL redonne ses lettres de noblesse au concept de la voiture personnelle, mais ses deux livrées lui permettent de jouer sur deux terrains à la fois.

fiche technique

Moteur : V6 3,2 L SACT
Puissance : 225 ch à 5600 tr/min et 216 lb-pi à 4700 tr/min
Autres moteurs : 260 ch à 6100 tr/min et 232 lb-pi de 3500 à 5500 tr/min
Cote : LEV
Transmission de série : automatique à 5 rapports avec Sportshift
Transmission facultative : aucune
Freins avant : disques
Freins arrière : disques
Sécurité active de série : ABS, VSA (système à la stabilité du véhicule), TCS (système de contrôle de la traction)
Suspension avant : indépendante
Suspension arrière : indépendante
Empattement : 271 cm
Longueur : 488,9 cm
Largeur : 179,5 cm
Hauteur : 136,5 cm
Poids : 158,4 kg
0-100 km/h : 8 s ; autres moteurs : 7,2 s
Vitesse maximale : 225 km/h
Diamètre de braquage : 11,2 m
Capacité du coffre : 385 L
Capacité du réservoir d'essence : 65 L
Consommation d'essence moyenne : 10,25 L/100 km
Pneus d'origine : 205/60R16
Pneus optionnels : 215/50R17 (sur Type S)

2e opinion

Michel Crépault — En traversant les Rocheuses de Banff à Vancouver, j'ai conduit un 3.2 CL Type S. Confort relaxant, tableau de bord invitant, transmission *SportShift* efficace, consommation raisonnable, et une cavalerie de 260 chevaux qui n'a jamais été inquiétée par les pics. Seul bémol: une visibilité arrière appauvrie par la hauteur du coffre.

forces

- Mécanique raffinée
- Habitacle cossu et spacieux
- Comportement sûr
- Fiabilité assurée

faiblesses

- Boîte automatique lente
- Absence de boîte manuelle
- Détails de finition agaçants

Par Philippe Laguë

ACURA

fiche d'identité

Modèle : 1.7 EL
Versions : Touring et Premium
Segment : compactes
Roues motrices : avant
Portières : 4
Places : avant, 2; arrière, 3
Sacs gonflables : 4 (avant et latéraux)
Concurrence : Chrysler Neon, Ford Focus ZTS, Mazda Protegé, Nissan Sentra, Subaru Impreza, Toyota Corolla

au quotidien

Prime d'assurance moyenne : 800 $
Garantie générale : 3 ans/60 000 km
Garantie groupe motopropulseur : 5 ans/100 000 km
Garantie contre la corrosion : 3 ans/60 000 km
Garantie contre la perforation : 5 ans/100 000 km
Collision frontale : 5/5
Collision latérale : 5/5
Ventes du modèle l'an dernier au Québec : 2725
Dépréciation : 47,4 %

évolution

prix de base • 21 500 $

Le **monde** à **l'envers**

À l'origine, l'Acura EL se voulait une Honda Civic embourgeoisée : c'est pourtant l'inverse qui est en train de se produire.

De génération en génération, la Civic s'est assagie de sorte qu'il faut désormais aller du côté de son clone de luxe pour obtenir un minimum d'agrément de conduite. En clair, plus la Civic devient ennuyante, plus l'Acura est amusante. Pour 2002, la EL nous revient donc pratiquement inchangée.

CARROSSERIE Modèle d'entrée de la gamme Acura, la 1.6 EL subissait, en 2000, la première refonte de sa courte histoire ; le modèle revu et corrigé reprenant la plate-forme, la caisse et la mécanique de sa génitrice. La cylindrée de son moteur est toutefois passée de 1,6 à 1,7 litre, d'où sa nouvelle appellation, 1.7 EL.

MÉCANIQUE Comme sa devancière, la 1.7 EL reçoit le moteur le plus performant de la gamme Civic, soit la version VTEC, munie du système de calage variable des soupapes. Malgré l'augmentation de la cylindrée, la puissance demeure la même, soit 127 chevaux. On s'est plutôt attardé, chez Acura, à lui donner un peu plus de couple et, surtout, à mieux le répartir.

Même si l'exercice est concluant, la boîte manuelle est de mise pour en tirer le maximum. Cette boîte de vitesses a aussi fait l'objet d'une révision ; or, c'était déjà ce qu'il y avait de mieux dans cette catégorie. Ça l'est toujours.

Par ailleurs, même si la boîte de vitesses manuelle permet d'en utiliser toute la puissance, précisons que le nouveau moteur s'accommode mieux que son prédécesseur de la boîte automatique.

COMPORTEMENT Si la conduite de la Civic s'apparente désormais à celle de ses ternes rivales nippones (Nissan Sentra, Toyota Corolla, etc.), l'Acura propose une conduite beaucoup plus inspirée. Il suffit de peu de choses : une direction plus ferme, des jantes de 15 pouces (au lieu de 14), et le tour est joué !

Mais on pourrait obtenir un rendement de loin supérieur avec des pneus de meilleure qualité; en effet, les Firestone quatre saisons qui équipaient

nouveautés 2002

• Aucun changement majeur

nos véhicules d'essai se sont montrés nuls dans la neige et à peine mieux sur le pavé totalement sec.

HABITACLE La petite berline est devenue grande ! Enfin, disons plus spacieuse, puisque son empattement et sa longueur hors-tout n'ont pas bougé d'un millimètre. On a cependant reconfiguré l'intérieur afin d'en augmenter l'habitabilité et d'en rehausser le confort.

À l'avant, les baquets impressionnent par leur rembourrage ferme, mais confortable, façon allemande, et par leur maintien irréprochable. On s'y sent sanglé, d'attaque. Pour ce qui est des fauteuils, leur revêtement respire la qualité, particulièrement le cuir de la version Premium; une agréable surprise pour une voiture de ce prix.

À l'arrière, le dégagement pour la tête et les jambes place la 1.7 EL dans le peloton de tête de sa catégorie au chapitre de l'habitabilité.

CONCLUSION Plus cossue, plus spacieuse et plus agréable à conduire que sa devancière, la 1.7 EL sait aussi se différencier de la Honda Civic pour les mêmes raisons. Assemblée à l'usine ontarienne d'Alliston, elle est réservée exclusivement au marché canadien. On ne s'en plaindra pas.

La EL est idéale comme second véhicule pour les familles qui désirent davantage et préféreraient plutôt obtenir un véhicule relativement abordable, compact mais tout de même haut de gamme.

Tandis que la Civic s'embourgeoise et que cela nourrit l'opprobre de l'opinion populaire, elle qui se veut un modèle d'entrée bas de gamme, on ne peut au contraire que féliciter les améliorations apportées à la EL.

fiche technique

ACURA

Moteur : 4 cyl. VTEC SACT 1,7 L
Puissance : 127 ch à 6300 tr/min et 114 lb-pi à 4800 tr/min
Transmission de série : manuelle à 5 rapports
Transmission facultative : automatique à 4 rapports
Freins avant : disques
Freins arrière : disques
Sécurité active de série : ABS
Suspension avant : indépendante
Suspension arrière : indépendante
Longueur : 448,8 cm
Largeur : 171,5 cm
Hauteur : 144 cm
Poids : 1155 kg
0-100 km/h : 9 s
Vitesse maximale : 175 km/h
Diamètre de braquage : 10,4 m
Capacité du coffre : 365 L
Capacité du réservoir d'essence : 50 L
Consommation d'essence moyenne : 6,3 L/100 km
Pneus d'origine : 185/65R15
Pneus optionnels : aucun

2e opinion

Benoit Charette — Somme toute, l'Acura EL, est la meilleure Civic sur le marché. Elle offre la même fiabilité légendaire, mais un habitacle plus silencieux et mieux équipé. Elle offre aussi un comportement plus sain, et ce, à un prix plus réaliste. Un petit luxe qui ne videra pas votre portefeuille.

forces

- Conduite plus inspirée
- Habitacle cossu et spacieux
- Équipement de série relevé

faiblesses

- Moteur bruyant à haut régime
- Boîte automatique lente
- Pneus de série déficients

Par Philippe Laguë

ACURA

f i c h e
d'i d e n t i t é

Modèle : MDX
Segment : utilitaires intermédiaires
Roues motrices : traction intégrale
Portières : 4 avec hayon
Places : avant, 2; arrière, 5
Sacs gonflables : 4 (avant et latéraux)
Concurrence : BMW X5, Chevrolet Trailblazer, Dodge Durango, Ford Explorer, GMC Envoy, Infiniti QX4, Jeep Grand Cherokee, Land Rover Discovery, Lexus RX 300, Mercedez-Benz Classe M, Nissan Pathfinder, Oldsmobile Bravada, Suzuki XL7, Toyota 4Runner et Highlander

a u q u o t i d i e n

Prime d'assurance moyenne : 1100 $
Garantie générale : 3 ans/60 000 km
Garantie groupe motopropulseur : 5 ans/100 000 km
Garantie contre la corrosion : 3 ans/60 000 km
Garantie contre la perforation : 5 ans/100 000 km
Collision frontale : nd
Collision latérale : nd
Ventes du modèle l'an dernier au Québec : 174
Dépréciation : nouveau en 2001

Évolution

prix de base • 47 000 $

La nouvelle référence?

Le moins qu'on puisse dire, c'est que la branche de prestige de Honda en Amérique du Nord a réussi sa première incursion dans le lucratif créneau des véhicules utilitaires sport (VUS). Il faut dire qu'à moins de 50 000 $, il représente une sacrée affaire si on le compare à ses rivaux, auxquels il n'a rien à envier. En fait, ce serait plutôt le contraire...

CARROSSERIE Le MDX repose sur le châssis de la Honda Odyssey, dont il reprend également le moteur. Il est lui aussi assemblé à l'usine ontarienne d'Alliston. Par son gabarit, il fait bande à part dans ce créneau. En fait, il se rapproche davantage, par son format, du Ford Explorer. Son design est cependant plus original que celui de ses adversaires.

MÉCANIQUE Le V6 de 3,5 litres s'enrichit d'une trentaine de chevaux lorsqu'il se retrouve sous le capot du MDX. Cet influx de puissance, ainsi que l'excellente répartition du couple et sa capacité de remorquage en font un moteur fort bien adapté à l'usage d'un véhicule utilitaire sport. La douceur et la grande discrétion du V6 impressionnent. Cette mécanique sophistiquée pourrait cependant être mieux servie par la boîte automatique à 5 rapports. Sa lenteur lors des changements de rapport ne fait qu'accentuer l'impression de mollesse du moteur. Une boîte manuelle permettrait d'améliorer la si-tuation, mais le MDX, à l'instar de ses concurrents, ne peut en recevoir une telle transmission. Dommage.

Le système de traction intégrale VTM-4, à gestion variable du couple, se distingue en anticipant le patinage des roues. Sur un revêtement sec, le véhicule est moins sujet à l'effet de couple et, en virage, on obtient une meilleure adhérence des pneus avant. Ce système s'adapte également aux conditions extrêmes (fortes précipitations, verglas, etc.) et il est muni d'une fonction de verrouillage si le véhicule est enlisé.

COMPORTEMENT Les véhicules japonais n'ont pas que des qualités. On leur reproche souvent leur conduite aseptisée, et le MDX ne fait pas exception. Ce VUS pèche par son amortissement trop souple et l'assistance excessive de sa direction. Pour

n o u v e a u t é s 2 0 0 2

- Essuie-glaces arrière intermittents • Rétroviseurs extérieurs remodelés
- Réduction du bruit améliorée • Nouvelle couleur vert cyprès

être honnête, c'est d'un ennui mortel à conduire. Certes, la douceur de roulement est exceptionnelle, surtout pour ce type de véhicule, mais elle rehausse également le côté soporifique du MDX.

S'ils contribuent à rehausser le confort, les pneus de série n'impressionnent guère. Lorsqu'il pleut, l'aquaplanage n'est jamais bien loin tandis que dans la neige, on a déjà vu mieux. Le rouage intégral, c'est bien beau, mais il ne peut tout faire seul. De toutes façons, le MDX est un 4x4 de salon. Sauf que son comportement reste celui d'un camion (tout comme son gabarit). Il n'y a pas de miracle là.

HABITACLE Plus long, plus large et plus haut que la plupart de ses rivaux, le MDX n'est pas le plus spacieux pour autant.

À l'arrière, par exemple, le dégagement pour les jambes est correct, sans plus. On pourrait dire la même chose de la banquette arrière qui, bien que confortable, ne procure aucun soutien à ses occupants. Quant à l'ingénieuse troisième banquette, qui s'insère dans le plancher, son (in)confort rappelle que sa mission première est de dépanner. Une fois repliée, elle libère beaucoup d'espace dans la soute, au demeurant très vaste.

Du reste, ce sont là les seuls reproches qu'on peut adresser à cet habitacle qui, autrement, brille par ses nombreuses qualités : finition irréprochable, ergonomie sans failles, insonorisation soignée et confort de limousine. Quant à l'équipement de série, il n'est rien de moins que pléthorique. La preuve : il n'y a aucune option.

CONCLUSION Bien que conçu et fabriqué en Amérique du Nord, l'Acura MDX est un véhicule typiquement japonais, avec les bons et les moins bons côtés que cela implique.

Heureusement, les bons l'emportent : sa fiche technique étoffée, son équipement bien garni et son confort digne d'une berline de luxe permettent d'occulter sa conduite aseptisée. De plus, la fiabilité des Acura aide à rouler la tête tranquille.

fiche technique

Moteur : V6 3,5 L VTEC SACT
Puissance : 240 ch à 5300 tr/min et 245 lb-pi de 3000 à 5500 tr/min
Transmission de série : automatique à 5 rapports
Transmission optionnelle : aucune
Freins avant : disques
Freins arrière : disques
Sécurité active de série : ABS, EBD (répartition électronique du freinage)
Suspension avant : indépendante
Suspension arrière : indépendante
Empattement : 270 cm
Longueur : 478,9 cm
Largeur : 195,5 cm
Hauteur : 174,4 cm
Garde au sol : 20,3 cm
Poids : 1992 kg
0-100 km/h : 9,1 s
Vitesse maximale : 190 km/h
Diamètre de braquage : 11,6 m
Capacité de remorquage : 1575 kg (2025 pour un bateau)
Capacité du coffre : 419 L ; 1405 L (sièges abaissés)
Capacité du réservoir d'essence : 72,7 L
Consommation d'essence moyenne : 12 L/100 km
Pneus d'origine : 235/65R17
Pneus optionnels : aucun

2e opinion

Benoit Charette — Pour bien présenter le MDX, on pourrait dire qu'il s'agit de l'amalgame de ce qu'Acura fait de mieux, servi sous forme d'utilitaire. Agile, silencieux, spacieux et modulaire, il est très difficile de prendre ce véhicule en défaut. Une belle réussite à tous points de vue.

forces

- Équipement de série très complet
- Finition soignée
- Habitacle cossu et bien insonorisé
- Douceur de roulement

faiblesses

- Boîte automatique mal adaptée
- Agrément de conduite mitigé
- Direction surassistée
- Dimensions encombrantes

Par Philippe Laguë

ACURA

fiche d'identité

Modèle : NSX-T
Segment : sportives de plus de 100 000 $
Roues motrices : arrière
Portières : 2
Places : avant, 2 ; arrière, 0
Sacs gonflables : 2
Concurrence : BMW M3, Chevrolet Corvette, Ferrari F360 Modena, Jaguar XKR, Porsche 911

au quotidien

Prime d'assurance moyenne : 2450 $
Garantie générale : 3 ans/60 000 km
Garantie groupe motopropulseur : 5 ans/100 000 km
Garantie contre la corrosion : 3 ans/60 000 km
Garantie contre la perforation : 5 ans/100 000 km
Collision frontale : nd
Collision latérale : nd
Ventes du modèle l'an dernier au Québec : 1
Dépréciation : 36 %

évolution

prix de base • 140 000 $

De **nouveaux phares**, en attendant **2003**...

Depuis l'avènement de la NSX, il y a plus de douze ans, cette voiture n'a pas vraiment évolué. Et c'est pourquoi l'arrivée imminente d'une nouvelle génération intéresse autant les amateurs de voitures sport. D'autant plus que son prix devrait être inférieur à celui du modèle actuel. Je tiens à préciser, toutefois, que les renseignements sur ce modèle 2003 ne sont que purement spéculatifs, mais ont fait l'objet d'une recherche exhaustive auprès de plusieurs sources autorisées et très fiables.

CARROSSERIE Avec sa construction monocoque réalisée en alliage d'aluminium afin de privilégier la légèreté de la voiture, la NSX fait encore et toujours figure d'exception dans le paysage automobile actuel. Cette méthode de construction a nécessité le développement de nouvelles approches de fabrication ; c'est ce qui explique, en partie, pourquoi la NSX a été considérée à l'époque comme un véritable tour de force sur le plan technique. L'actuelle NSX (photo à droite) subit quelques retouches esthétiques pour 2002, en offrant notamment une si-gnature visuelle semblable à celle du nouveau coupé RSX, par ses phares fixes et appa-rents plutôt que par l'agencement de phares rétractables. De l'éventuel modèle 2003, on sait très peu de choses si ce n'est que l'aluminium sera encore retenu pour la construction de la structure monocoque et que la partie avant conservera le style de phares adopté sur le modèle 2002.

MÉCANIQUE Si les premières rumeurs entourant la NSX 2003 faisaient état de l'utilisation possible d'un V8, les dernières parlent plutôt d'un moteur V6 de 3,4 litres — par ailleurs équipé du système de calage variable des soupapes développé par Honda—, qui se retrouvera à nouveau en position centrale et sera en mesure de produire 350 chevaux, soit 70 de plus que le modèle 2002. Il y a fort à parier que cette nouvelle génération sera équipée d'une boîte manuelle à six rapports. Une version plus avancée de la boîte semi-automatique Sportshift, déjà offerte en option, est par ailleurs à déconseiller vivement parce que moins bien adaptée à la per-

nouveautés 2002

• Retouches esthétiques sur le modèle 2002 • Tout nouveau modèle 2003 à venir

sonnalité très typée de cette sportive.

COMPORTEMENT Mon premier contact avec la NSX m'avait permis de constater jusqu'à quel point les réactions de cette voiture étaient aussi rapides et incisives que celles d'une formule 2000 sur circuit, tout en demeurant parfaitement «civilisée» pour la conduite normale en étant aussi facile à conduire qu'une simple Honda Accord. Sachant que le modèle 2003 conservera la même disposition à moteur central, il nous est permis d'espérer que la tenue de route sera encore plus performante, résultante directe des avances de la technologie en matière de dynamique des suspensions, des freins et des pneumatiques.

HABITACLE Seul le réglage limité de la position au volant, principalement du côté de la colonne de direction, peut rendre la conduite de la NSX un peu moins confortable pour certains conducteurs. Soulignons ici que la présentation intérieure de la NSX actuelle ne cadre absolument pas avec le style de la carosserie de la voiture, et encore moins avec ses performances exceptionnelles.

CONCLUSION Si le passé est garant de l'avenir, la prochaine NSX 2003 pourrait de nouveau redéfinir les normes de la catégorie, à moins que Honda ne décide de jouer de prudence, n'ayant peut-être plus les moyens de concevoir une voiture à la fine pointe de la technologie, strictement pour l'image de marque et sans véritable espoir qu'elle génère des profits.

fiche technique

ACURA

Moteur : V6 DACT de 3 L VTEC
Autre moteur : V6 DACT de 3,2 L VTEC (manuelle)
Puissance : 252 ch à 6600 tr/min et 210 lb-pi à 5300 tr/min
Autre moteur : 280 ch à 7100 tr/min et 224 lb-pi à 5500 tr/min
Transmission de série : manuelle à 6 rapports
Transmission optionnelle : automatique à 4 rapports
Freins avant : disques ventilés
Freins arrière : disques ventilés
Sécurité active de série : ABS, antipatinage
Suspension avant : indépendante
Suspension arrière : indépendante
Empattement : 253 cm
Longueur : 442,5 cm
Largeur : 181 cm
Hauteur : 117 cm
Poids : 1370 kg
0-100 km/h : 5,3 s
Vitesse maximale : 270 km/h
Diamètre de braquage : 11,6 m
Capacité du coffre : 141 L
Capacité du réservoir d'essence : 70 L
Consommation d'essence moyenne : 13,2 L
Pneus d'origine : 215/45ZR16 (avant), 245/40ZR17 (arrière)
Pneus optionnels : aucun

2e opinion

Benoît Charette — La NSX-T est une voiture mal aimée. L'origine modeste de sa mécanique n'a jamais enthousiasmé les puristes et les collectionneurs qui constituent la véritable clientèle des voitures exotiques. Dommage, car la NSX constitue sans doute l'une des GT les plus civilisées sur le marché.

forces

- Tenue de route impressionnante
- Construction en aluminium et technologie avancée

faiblesses

- Prix trop élevé
- Présentation intérieure incolore et sans saveur

Par Gabriel Gélinas

ACURA

fiche d'identité

Modèle: Acura
Version: RL
Segment: berlines de luxe
Roues motrices : avant
Portières : 4
Places: avant, 2; arrière, 3
Sacs gonflables: 2 frontaux et 2 latéraux
Concurrence: Audi A6, BMW Série-5, Cadillac Seville, Jaguar Type S, Lexus GS, Lincoln Continental, Mercedes-Benz Classe-E, Saab 9-5, Volvo S80.

au quotidien

Prime d'assurance moyenne : 1400 $
Garantie générale : 3 ans/60 000 km
Garantie groupe motopropulseur : 5 ans/100 000 km
Garantie contre la corrosion : 3 ans/60 000 km
Garantie contre la perforation : 5 ans/100 000 km
Collision frontale : -
Collision latérale : -
Ventes du modèle l'an dernier au Québec : 111
Dépréciation : 50 %

évolution

prix de base • 54 000 $

Soporifique!

L'Acura RL a fait ses premiers tours de roue sous l'appellation «Legend». Spacieuse, mais sans âme, elle est un véritable somnifère roulant; elle offre toutefois une qualité de fabrication sans reproche et une fiabilité à toutes épreuves, mais elle n'est pas et n'a jamais été un véhicule très excitant.

CARROSSERIE L'extérieur de la RL a été légèrement retouché pour 2002. Des garde-boue anti-éclaboussures, des moulures de toit et des bas de caisse de couleur assortie à la carrosserie. En bref, ce n'est pas cette année encore que les acheteurs feront la file devant les concessionnaires Acura pour admirer les courbes extraordinaires de la RL.

MÉCANIQUE On trouve une seule mécanique sous le capot de la RL. Il s'agit d'un V6 de 3,5 litres qui développe 225 chevaux cette année, 15 de plus que l'an dernier. De toute évidence, c'est le nouvel échappement à débit variable qui permet ce gain de puissance. Les performances sont honnêtes, le moteur répond bien aux sollicitations et peut naviguer jusqu'à 200 km/h sans coup férir. Et, comme tous les moteurs de la famille, il répond aux normes LEV («Low Emission Vehicule»). La suspension indépendante à double levier triangulé aux quatre roues reste inchangée. Cette suspension a été revue pour offrir une sensation plus sportive; et on le ressent au volant de la voiture qui a un meilleur comportement. Les freins sont à disque aux quatre roues; par comparaison avec l'an dernier, ils sont plus épais, et le diamètre des disques avant a augmenté. Autre détail intéressant: la largeur des jantes a également augmenté, et la RL est maintenant chaussée de pneus Michelin MXV4-plus pour une meilleure adhérence.

COMPORTEMENT C'est derrière le volant que les ingénieurs de Honda ont pris la mauvaise direction avec la RL. La tenue de route ne pose aucun problème, la voiture tient le cap même à des vitesses hautement illégale, mais on ne ressent rien; le conducteur a l'impression d'être coupé de la route. Le désir de faire une voiture aux caractéristiques « paquebot d'autoroute » pour plaire aux conducteurs d'Amérique du Nord,

nouveautés 2002

• Puissance du moteur qui passe de 210 à 225 chevaux. • Suspension plus ferme
• Quelques retouches esthétiques

transforme ce qui pourrait être une voiture fort intéressante à conduire en un véhicule des plus mornes.

HABITACLE La présentation intérieure laisse pantois ; tout y est, mais cela manque de classe. Le plastique bon marché semble avoir été fabriqué dans le même moule que celui de la Civic. Les appliqués de bois de camphre ont également un aspect de plastique qui n'est pas digne d'une voiture de 55 000 $. Le cuir offre un bon confort, mais sa texture est un peu raide. Le tableau de bord est fade, les commandes sont bien en vue, mais il semble que les ingénieurs aient complètement manqué d'imagination quand est venu le temps de disposer l'instrumentation et qu'ils aient simplement bouché les trous. La chaîne Bose de 225 watts avec lecteur DC est de très bonne qualité. Le confort demeure sans contredit le meilleur élément de vente de la RL, il est impressionnant à tous les niveaux. D'abord, les fauteuils électriques réglables en huit directions permettent à des conducteurs de tous les

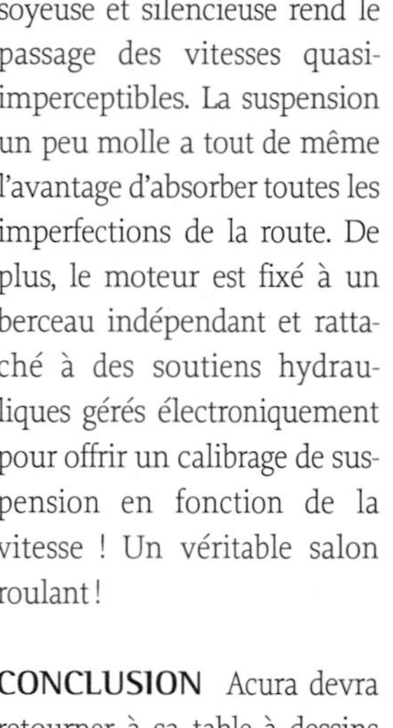

gabarits de trouver la position idéale. Ensuite, la transmission soyeuse et silencieuse rend le passage des vitesses quasi-imperceptibles. La suspension un peu molle a tout de même l'avantage d'absorber toutes les imperfections de la route. De plus, le moteur est fixé à un berceau indépendant et rattaché à des soutiens hydrauliques gérés électroniquement pour offrir un calibrage de suspension en fonction de la vitesse ! Un véritable salon roulant !

CONCLUSION Acura devra retourner à sa table à dessins pour que la RL demeure concurrentielle; en effet, le créneau dans lequel elle se trouve bouge très vite, et les ventes plus que modestes risquent de signer son arrêt de mort, à moins que...

fiche technique

Moteurs : V6 3,5 L SACT,
Puissance : 225 ch à 5200 tr/min et 231 lb-pi à 2800 tr/min
Transmission de série : automatique à 4 rapports
Transmission facultative : aucune
Freins avant : disques
Freins arrière : disques
Sécurité active de série : ABS-TCS (traction asservie) et VSA (assistance à la stabilité du véhicule)
Suspension avant : indépendante
Suspension arrière : indépendante
Empattement : 291 cm
Longueur : 499,5 cm
Largeur : 182 cm
Hauteur : 143,5 cm
Poids : 1655 kg
0 - 100 km/h : 8,3 s
Vitesse maximale : 200 km/h
Rayon de braquage : 11,8 m
Capacité du coffre : 420 L
Capacité du réservoir d'essence : 68 L
Consommation : 12,7 L/100 km
Pneus d'origine : 225/55R16
Pneus optionnels : aucun

ACURA

2e opinion

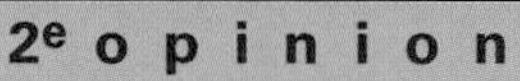

Philippe Laguë — La RL est le navire amiral d'une marque qui se voulait l'égale de BMW et Mercedes. Pourtant, elle est aussi excitante à conduire qu'une Buick. C'est ce qui s'appelle passer à côté, et pas qu'un peu!

forces

- Habitacle vaste et confortable
- Qualité de l'assemblage et de la finition
- Moteur propre et peu gourmand

faiblesses

- Conduite soporifique
- Direction ankylosée
- Certains matériaux bon marché

Par Benoit Charette

ACURA

f i c h e d ' i d e n t i t é

Modèle : RSX
Versions : de base, Premium et Type S
Segment : sportives de moins de 50 000 $
Roues motrices : avant
Portières : 2
Places : avant, 2 ; arrière, 2
Sacs gonflables : 4, frontaux et latéraux
Concurrence : Ford Mustang, Toyota Celica, Hyundai Tiburon, Mazda Miata, Chevrolet Camaro, Mercury Cougar

prix de base • 24 000$

a u q u o t i d i e n

Prime d'assurance moyenne : 1050 $
Garantie générale : 3 ans/60 000 km
Garantie groupe motopropulseur : 5 ans/100 000 km
Garantie contre la corrosion : 3 ans/60 000 km
Garantie contre la perforation : 5 ans/100 000 km
Collision frontale : nd
Collision latérale : nd
Ventes du modèle l'an dernier au Québec : nouveau modèle
Dépréciation : nouveau modèle

Les **attentes** sont **comblées**

J'avoue que j'ai toujours eu un faible pour l'Acura Integra, un coupé dont les prétentions sportives étaient vraiment fondées. Les deux dernières générations d'Integra furent particulièrement réussies, méritant l'estime de la presse spécialisée et des consommateurs. L'Integra a grandement contribué à asseoir les bases de cette jeune marque, créée de toutes pièces pour le lucratif marché d'Amérique du Nord, à la fin des années 80.

CARROSSERIE Sa remplaçante, l'Acura RSX, avait donc de gros souliers à chausser mais les honneurs passés de l'Integra condamnaient la RSX au succès. Acura n'a toutefois pas lésiné sur les moyens, tant aux plans du design que de la technique. Dans le premier cas, il n'était pas difficile de faire mieux, sauf que les stylistes, cette fois, semblent avoir été frappés par la grâce. En effet, les photos ne lui rendent pas justice. Peu importe l'angle, la RSX a une sacrée gueule.

La RSX se présente sous la forme d'un coupé sport à quatre places, muni d'un hayon à l'arrière. Il s'agit de la seule configuration offerte, mais elle se décline en trois versions (de base, Premium et Type S) qui varient en fonction de l'équipement et des combinaisons moteur-transmission.

MÉCANIQUE Avec des lignes aussi racées, la RSX méritait une mécanique à la hauteur. Encore une fois, chez Acura, on a mis le paquet, notamment au chapitre des motorisations, des boîtes de vitesses et des trains roulants.

La pièce-maîtresse se trouve sous le capot : il s'agit d'un tout nouveau quatre cylindres de 2 litres à double arbre à cames en tête pourvu du système de commande des soupapes i-VTEC. On a pris bien soin de préciser, chez Acura, qu'il ne s'agissait pas là d'une évolution du moteur de l'Integra, mais bien plutôt d'une nouveauté à 100 %. Même si la cylindrée reste la même, il délivre 160 ou 200 chevaux, selon la version. Dans le premier cas, on constate un gain d'une vingtaine de chevaux par comparaison avec les versions de base et intermédiaire de l'Integra, tandis que la Type S affiche la même puissance que la défunte Type R.

•Nouveau modèle pour 2002.

Acura offre trois boîtes de vitesses à sa clientèle. La RSX de base et la Premium peuvent recevoir une boîte manuelle ou automatique, toutes deux à cinq rapports. La boîte automatique est également munie du mode séquentiel « SportShift », qui permet de passer les vitesses manuellement. La Type S a droit, pour sa part, à une boîte manuelle à six rapports, mais son moteur à haut rendement ne peut être jumelé à une boîte automatique.

À l'avant, la RSX hérite d'une nouvelle suspension indépendante à jambes de force, dotée d'un bras de contrôle du pincement. L'abandon de la configuration à double levier triangulé, si chère à Honda, reste une surprise; toutefois, il en va de même pour la Civic, dont la RSX utilise la plate-forme. Par ailleurs, la nouvelle suspension arrière fait encore appel à cette configuration. Enfin, la Type S, qui se veut la plus sportive des trois versions proposées, a droit à des amortisseurs et à des ressorts plus fermes.

COMPORTEMENT Un trop bref bout d'essai dans les Rocheuses nous a permis de découvrir le parfait équilibre de la version de base. Cette voiture repose sur un châssis ultra rigide, qui rehausse la tenue de route au point d'en faire la référence dans le créneau des coupés sport. Cette caisse est saine, c'est l'évidence même; elle affiche une rare neutralité en virage, pas même un soupçon de roulis. Bien qu'il s'agisse d'une traction, le sous-virage est à peine perceptible, et, plus le parcours est sinueux, plus on s'en donne à coeur joie.

Malgré sa puissance additionnelle, la performance améliorée de ses pneus et la fermeté accrue de sa suspension, la Type S ne m'a pas impressionné. Certes, le freinage est éloquent, assuré par des disques plus gros à l'avant; mais la plainte stridente et constante de son moteur m'a plutôt agacé. Pour ce qui est de la boîte à six rapports, elle ne permet pas de tirer le maximum de cette petite cylindrée.

entrevue

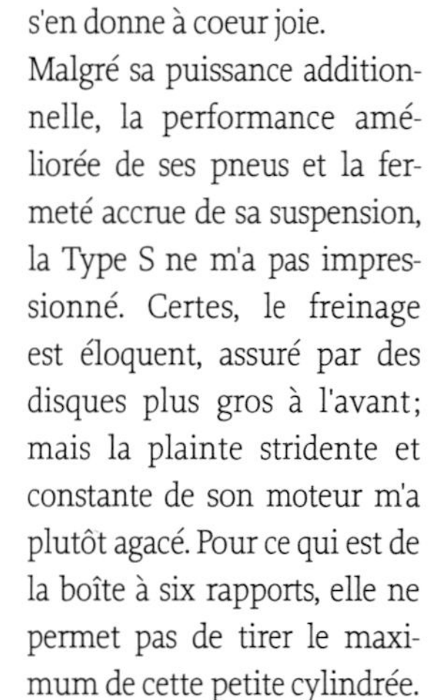

Richard Jacobs
directeur des Relations publiques

Comment décrire cette nouveauté en quelques mots?
La RSX est un coupé sport très design conçu pour renforcer l'image « performance » d'Acura; un produit destiné aux gens qui aiment les voitures avec du caractère.

Quels en sont les points forts?
Elle a du muscle, mais ce n'est pas tout. Il y a son équilibre, le plaisir qu'elle procure. La RSX excelle dans les facettes qui rendent un coupé agréable. C'est une voiture de pilote.

Où situer ce modèle dans votre gamme et par rapport à la concurrence?
Chez Acura, la RSX forme un pont naturel entre notre modèle d'entrée, la EL, et les sportives intermédiaires comme les TL et CL. Ce trio rivalise directement avec la Volkswagen GTI et la Toyota Celica. Je pense aussi aux acheteurs de BMW Série 3 et de Audi TT. Je ne compare pas les voitures, mais bien les états d'esprit...

Quelle est votre clientèle cible?
Le modèle Premium plaira à une majorité d'hommes (55 %) dans la jeune trentaine. En fait, la RSX évolue dans un segment où l'acheteur potentiel est jeune, comme l'Integra. Je ne dis pas cependant que les 40 ans n'achèteront pas la RSX. Dans le cas de la Type S, on verra encore plus d'hommes (60 %) en vertu de l'orientation sportive de l'auto. Enfin, ceux qui choisiront le modèle de base se donneront ainsi la possibilité de le personnaliser avec des kits.

Combien de ventes en 2002?
Notre objectif est de 6000 ventes au Canada en 2002, dans des proportions de 25 %-50 %-25 %, selon le modèle. Les Québécois devraient accaparer 30 % de ces unités.

ACURA

galerie

1 • Des places arrière plutôt restreintes, mais un coffre généreux.

2 • À l'image des TL et CL, la version S vous promet une poussée d'adrénaline additionnelle.

3 • La RSX Type S : la voiture la plus performante de la gamme. Sans doute le meilleur rapport qualité/prix.

4 • Un intérieur bien dessiné avec une qualité de finition irréprochable.

5 • Avec 100 chevaux par cylindre, la Type S est une des petites sportives les plus musclées sur la route.

forces
- Équipement de série complet
- Comportement sportif
- Version de base équilibrée

faiblesses
- Moteur bruyant (Type S)
- Faible couple (Type S)
- Boîte à 6 rapports mal adaptée (Type S)

HABITACLE L'habitacle de la RSX est à la hauteur de la pureté de ses lignes. Encore une fois, on s'est efforcé d'en donner au client plus qu'il n'en demandait. Les amateurs de sportives apprécieront les superbes fauteuils à l'avant, sculptés comme des baquets de course; le petit volant à trois branches gainé de cuir; et le tableau de bord muni de cadrans à fond blanc, dont les chiffres prennent une teinte orangée le soir venu. La présentation intérieure est la même dans les trois versions proposées, à peu de choses près. Les modèles Premium et Type S se distinguent par leur sellerie de cuir et le pommeau du levier de vitesses de couleur argent.

À l'instar des deux autres versions, la RSX de base est plutôt bien garnie en équipement de série : un système de climatisation automatique, des lève-glaces électriques avec fonction de remontée automatique de la vitre du conducteur, des rétroviseurs extérieurs à commande électrique, un système d'accès sans clé avec fonctions d'antivol et d'urgence, une chaîne stéréo à six haut-parleurs avec un lecteur de disques au laser. En raison de sa place au sommet de la gamme, la Type S a le privilège de recevoir une chaîne stéréo Acura/Bose pouvant contenir six disques compacts ainsi qu'un lecteur de cassettes et une enceinte d'infragraves.

La RSX se défend d'être une 2+2, mais elle n'est pas une véritable quatre places non plus. Les places arrière sont celles d'un coupé, avec un dégagement limité pour les jambes. De plus, un adulte qui prend place à l'arrière se retrouve avec la tête collée sur la vitre du hayon. Mais si l'habitabilité est votre priorité, oubliez les sportives, ce n'est pas pour vous.

CONCLUSION

Si j'avais à choisir, j'opterais pour une RSX de base munie d'une boîte manuelle, il va sans dire. Mis à part les pneus, je ne changerais rien, tant ce coupé sport, faut-il le répéter, brille par son équilibre. Et comme c'est la moins chère des trois, cela ne fait que rendre le rapport qualité/prix encore plus alléchant. Avec une échelle de prix variant entre 25 000 et 30 000 $, la concurrence risque de trouver le temps long!

fiche technique

ACURA

Moteur : 4 cyl. 2 L DACT
Puissance : 160 ch à 6500 tr/min et 141 lb-pi à 4000 tr/min
Autres moteurs : 200 ch à 7400 tr/min et 142 lb-pi à 6000 tr/min (sur Type S)
Transmission de série : manuelle à 5 rapports, manuelle à 6 rapports (sur Type S seulement)
Transmissions optionnelles : automatique à 5 rapports avec Sportshift (sauf pour Type S)
Freins avant : disques ventilés
Freins arrière : disques
Sécurité active de série : ABS
Suspension avant : indépendante
Suspension arrière : indépendante
Empattement : 222 cm
Longueur : 437,5 cm
Largeur : 172,5 cm
Hauteur : 140 cm
Poids : 1197 kg
0-100 km/h : 6,7 s (Type S)
Vitesse maximale : 210 km/h
Autre moteur : 232 km/h (Type S)
Diamètre de braquage : 11,4 m
Capacité du coffre : 504 L
Capacité du réservoir d'essence : 50 L
Consommation d'essence moyenne : 7,85 L/100 km
Autre moteur : 8,7 L/100 km (Type S)
Pneus d'origine : 195/65R15
Pneus optionnels : 205/55R16 (sur Premium et Type S)

2e opinion

Gabriel Gélinas — La version de 160 chevaux m'a semblé anémique, alors que la Type S, avec ses 200 chevaux, est résolument plus agréable à conduire. Dommage que cette voiture performante ne se distingue pas sur le plan visuel avec un look tout à fait conservateur et générique, voire anonyme.

Par Philippe Laguë

évolution

fiche d'identité

Modèle : 3.2 TL
Versions : TL et Type S
Segment : de luxe de moins de 50 000$
Roues motrices : avant
Portières : 4
Places : avant 2 ; arrière 3
Sacs gonflables : 4 (avant et latéraux)
Concurrence : Audi A4, BMW Série 3, Cadillac CTS, Lexus ES300 et IS300, Mazda Millenia, Hyundai XG350, Infiniti I35, Oldsmobile Aurora, Mercedez-Benz Classe C, Saab 9-3, Volvo S60 et S40

au quotidien

Prime d'assurance moyenne : 1015$
Garantie générale : 3 ans/60 000 km
Garantie groupe motopropulseur : 5 ans/100 000 km
Garantie contre la corrosion : 3 ans/60 000 km
Garantie contre la perforation : 5 ans/100 000 km
Collision frontale : 4/5
Collision latérale : 4/5
Ventes du modèle l'an dernier au Québec : 1188
Dépréciation : 32,8%

prix de base • 37 000$

Plus **luxueuse** que **sportive**

Acura vante les mérites de la 3.2TL pratiquement comme si c'était un véhicule de course. «Si vous anticipez chaque virage, chaque obstacle et chaque route en épingle avant de vous en approcher, si vous exécutez chaque manœuvre, aussi insignifiante qu'elle soit, comme si c'était le test ultime de votre habileté et si vous pensez que la vie sans la conduite haute performance est une vie banale, permettez-nous de vous présenter l'Acura TL Type S 2002. C'est une berline sport qui vous offre haute performance sur demande et à la lettre.» Tout cela est bien beau, presque poétique. Mais, concrètement, qu'en est-il?

CARROSSERIE Acura emprunte la même philosophie que la maison-mère - Honda - lorsque vient le temps de concevoir un véhicule : ne pas se casser la tête. À l'exception des RSX et NSX, les voitures du constructeur nippon ne font définitivement pas dans le tape-à-l'œil. La 3.2TL offre ces mêmes lignes droites et définies, ainsi que la calandre trapézoïdale, qui parent également la EL, la CL et la RL. Ne vous méprenez pas, ceci n'est pas un reproche; les amateurs de voitures plus cossues savent également apprécier le conservatisme. De bon goût, s'entend.
N'empêche, un brin d'originalité n'a jamais tué personne...

MÉCANIQUE Le V6 en alliage d'aluminium qui loge dans la TL génère 225 chevaux dans la version de base et 260 dans la Type-S. Jumelé à la boîte automatique SportShift de série sur les deux versions, ce moteur livre des performances plus qu'adéquates pour l'autoroute. Très (trop?) souple, la suspension est conforme à ce que l'on attend d'une japonaise, c'est à dire un confort et une douceur de roulement exemplaires. La direction pourrait être plus précise, une remarque qui vaut encore plus pour la Type S, compte-tenu de ses prétentions sportives. Les freins semblent également manquer de puissance, peut-être en raison du poids élevé de la voiture.

COMPORTEMENT Tentant de trouver un objet de comparaison valable pour bien saisir le comportement de la TL Type S, j'ai cru bon me

nouveautés 2002

- La Type S avec moteur de 260 chevaux

rabattre sur sa petite cousine, la Honda Accord LX, motorisée par un V6 de 3 litres. Contrairement à celle-ci, la Type S tend à sous-virer très tôt dans les courbes. Son freinage est très progressif mais néanmoins laborieux. Par contre, son accélération est à la fois plus douce et plus puissante (évidemment), tandis que, à haute vitesse, l'Acura semble mieux adhérer à la route. Mais ce n'est définitivement pas l'agrément de conduite promis. Peu agile, la TL souffre d'embonpoint, ne freine pas avec suffisament de mordant et sa tenue de route n'a rien à voir avec ce que proposent les berlines européennes de même catégorie.

HABITACLE Tout de cuir vêtus, les sièges de l'Acura sont amples à volonté. Très spacieuses, les places arrières peuvent aisément accueillir deux adultes; trois, c'est moins sûr... C'est même déconseillé, car la place centrale, même si elle est pourvue d'une ceinture de sécurité, est surélevée et étroite. L'habitacle est parfaitement insonorisé malgré la présence du toit ouvrant. Enfin, le volant gainé d'un cuir perforé est plus qu'agréable à manier.

CONCLUSION En somme, Acura pourrait rajuster son tir en insistant un peu moins sur les qualités sportives de la TL. Bonne routière idéale pour les longs trajets, la version de base devrait être suffisante pour plaire à tout amateur de voitures de luxe. Par contre, la Type S nous laisse sur notre appétit : sa fiche technique laissait entrevoir de bien belles choses. À l'image des promesses faites par ce constructeur dans sa documentation de presse et dans sa publicité. Parler de fausse représentation serait un peu fort mais chose certaine, les attentes des conducteurs sportifs sont loin d'être comblées.

fiche technique

ACURA

Moteur : V6 3,2 L SACT
Puissance : 225 ch à 5600 tr/min et 216 lb-pi à 4700 tr/min
Autre moteur : 260 ch à 6100 tr/min et 232 lb-pi de 3500 à 5500 tr/min
Transmission de série : automatique 5 rapports avec Sportshift
Transmission optionnelle : aucune
Freins avant : disques
Freins arrière : disques
Sécurité active de série : ABS, VSA (système d'assistance à la stabilité du véhicule), TCS (système de contrôle de la traction)
Suspension avant : indépendante
Suspension arrière : indépendante
Empattement : 271 cm
Longueur : 488,9 cm
Largeur : 179,5 cm
Hauteur : 136, 5 cm
Poids : 158,4 kg
0-100 km/h : 8 s
Autre moteur : 7,2 s
Vitesse maximale : 225 km/h
Diamètre de braquage : 11,2 m
Capacité du coffre : 385 L
Capacité du réservoir à essence : 65 L
Consommation d'essence moyenne : 10,25 l/100 km
Pneus d'origine : 205/60R16
Pneus optionnels : 215/50R17 (sur Type S)

2e opinion

Benoit Charette — Acura offre beaucoup pour moins, sans faire de compromis sur la qualité et la finition. La 3.2 TL et la Type S ne sont pas seulement moins chères que la majorité des concurrentes, mais elles possèdent aussi la plus grande liste d'équipement de série et la meilleure finition, sans oublier la puissance de la Type-S. Difficile de demander mieux!

forces

- Confort
- Bonne insonorisation
- Douceur de la suspension

faiblesses

- Type S plus luxueuse que sportive
- Freins manquant de puissance
- Sous-virage important

Par Alain Mckenna

ASTON MARTIN

évolution

prix de base • 206 700 $

La renaissance d'Aston Martin

fiche d'identité

Modèle : DB7 Vantage
Versions : Coupe et Volante
Segment : sportives de plus de 100 000 $
Roues motrices : arrière
Portières : 2
Places : avant, 2 ; arrière, 2
Sacs gonflables : 2 frontaux ; 2 latéraux
Concurrence : BMW Z8, Ferrari 456M GT, Maserati Spyder, Porsche 911 Turbo, Jaguar XKR, Mercedes CLK 55 AMG

au quotidien

Garantie générale : 2 ans/kilométrage illimité ; assistance 24 heures
Collision frontale : nd
Collision latérale : nd
Ventes du modèle l'an dernier au Québec : nd
Dépréciation : nd

La gamme comprend la DB7 Vantage, la DB7 Volante, et la toute nouvelle V12 Vanquish (voir les pages qui suivent). Une gamme dont le code génétique remonte aux années 50, quand est sortie d'atelier, en 1950, la toute première DB2 (D et B, initiales de [Sir] David Brown, nouveau propriétaire de la compagnie en 1946). L'Aston Martin a acquis une notoriété mondiale quand James Bond, alors incarné par Sean Connery, s'est amusé à piloter une DB5 dans le film Goldfinger. En vertu de ses 4000 unités produites depuis 1994, l'actuelle DB7 s'avère le plus gros succès d'Aston Martin.

CARROSSERIE Ian Callum a dessiné la DB7 : grille en forme de bouche moqueuse, phares qui lorgnent le ciel, ouïes latérales; ce sont là des éléments qui confèrent à la DB une signature unique. Quoique d'aucuns n'y voient une trop grande ressemblance entre la DB7 et la Jaguar XK8. Phénomène guère surprenant puisque le sieur Callum supervisait les créations de ces deux divisons de Ford. Le géant américain vient toutefois de subtiliser Henrik Kisker à BMW, le designer à qui l'on doit notamment l'extérieur de la Z8, pour l'installer à la tête de l'équipe de design d'Aston Martin, permettant ainsi à Ian Callum de se dédier à Jaguar. Dans le cas de la Volante, les ingénieurs auraient pu concevoir un toit d'aluminium rétractable, comme les nouvelles Mercedes-Benz SL ou la Lexus SC 430, mais ils ont préféré ne pas empiéter sur le dégagement du coffre à bagages et, surtout, de la banquette arrière.

MÉCANIQUE La DB7 est équipée d'un V12 de 6 litres à quatre arbres à cames en tête et 48 soupapes qui fournit la bagatelle de 420 chevaux. Le dernier cabriolet d'Aston Martin (en 1998) était animé par un six en ligne de 3,2 litres qui, doté d'un compresseur, pouvait libérer 335 chevaux. La DB7 est la plus puissante des DB jamais sorties d'Angleterre, sa vitesse de pointe excédant 290 km/h. Remarquablement, l'actuel V12 est plus léger que l'ancien 3,2 litres. L'emploi de 12 cylindres représente de plus une première dans l'histoire d'Aston Martin. L'éventuel acheteur a le choix d'une trans-

nouveautés 2002

• Aucun changement majeur

mission manuelle à 6 rapports ou automatique à 5 rapports, sans oublier la boîte optionnelle Touchtronic, dont les basculeurs sont enchâssés sur le volant.

COMPORTEMENT Le moteur de la DB7 Volante dans laquelle je prends place n'est pas indûment bruyant. Mais en accélération, la sportivité s'impose. Au démarrage, le conducteur doit tourner la clef, puis enfoncer un bouton rouge pour faire rugir le V12 (comme à bord de la Honda S2000). Voilà un bolide à la tenue de route agressive, certes, mais aussi confortable, dans lequel on a envie de voyager. L'hiver ? Avec les pneus de 18 pouces appropriés, sa conduite se compare à celle des autres voitures à propulsion. De plus, le pare-brise est chauffé et la lunette arrière est vitrée. D'impressionnants disques ventilés et l'ABS immobilisent la bête, tandis qu'un différentiel à glissement limité et un système de contrôle de la traction (qui se charge de réduire la puissance et/ou d'appliquer un freinage arrière sélectif) concourent à la dompter.

HABITACLE L'intérieur de la Aston Martin est entièrement assemblé de manière artisanale. Chaque pièce de cuir a été cousue à la main. La banquette arrière du coupé et du cabriolet peut accommoder deux enfants tandis que le coffre arrière est assez spacieux pour accommoder deux sacs de golf.

CONCLUSION En 86 ans d'histoire, le fabricant a totalisé 16 000 voitures, soit l'équivalent de ce que produit Porsche en quatre mois! En 1992, Aston Martin a vendu... 42 voitures. En 2000, la compagnie a dépassé le cap des 1000 ventes pour la première fois de son histoire. D'ici 2005, elle prévoit atteindre 5000 ventes. Ford n'entend donc pas garder Aston Martin dans la pénombre. Personnellement, si mon banquier approuvait, je ferais ma part...

fiche technique

Moteur : V12 DACT 6 L
Puissance : 420 ch à 6000 tr/min et 400 lb-pi à 5000 tr/min
Transmission de série : manuelle à 6 rapports
Transmission optionnelle : automatique à 5 rapports avec Touchtronic
Freins avant : disques ventilés
Freins arrière : disques ventilés
Sécurité active de série : ABS, contrôle de la traction électronique
Suspension avant : indépendante
Suspension arrière : indépendante
Longueur : 469,2 cm
Largeur : 183 cm
Hauteur : 124,3 cm
Poids : 1875 kg
0-100 km/h : coupé: 5 s (man.), 5,1 s (auto.); Volante: 5,1 s (man.), 5,2 s (auto.)
Vitesse maximale : 296 km/h (coupé); 265 km/h (cab.); limitée électroniquement
Diamètre de braquage : 13 m
Capacité du coffre : 150 L
Capacité du réservoir d'essence : 89 L (coupé) 82 L (cab.)
Consommation d'essence moyenne : 16 L/100 km
Pneus d'origine : 245/40ZR18 avant 265/35ZR18 (arrière)
Pneus optionnels : non

ASTON MARTIN

2e opinion

Benoit Charette — Le passage du six au douze cylindres a procuré le panache qui manquait à cette grande britannique. Depuis ses débuts en 1993, la DB7 n'a pris aucune ride. Oeuvre d'art mobile, la DB7 intéresse et attire les amateurs de pièces de valeur tout autant que les vrais fanatiques de voitures sport qui se réfugient chez Ferrari. Ici, c'est la classe avant tout.

forces

- Sportivité docile
- Baquets seyants
- Exclusivité

faiblesses

- Look semblable à la XK8
- Visibilité réduite (avec capote)
- Prix rébarbatif

Par Michel Crépault

nouveauté

ASTON MARTIN

fiche d'identité

Modèle : Vanquish
Version : unique
Segment : sportives de plus de 100 000$
Roues motrices : arrière
Portières : 2
Places : avant, 2; arrière, 0 ou 2
Sacs gonflables : 2 frontaux ; 2 latéraux
Concurrence : Ferrari F550 Maranello, Lamborghini Murciélago, Porsche 911 Turbo

prix de base • 333 000$

La **voiture** de **Bond**

au quotidien

Garantie générale : 2 ans/illimité assistance 24 heures
Collision frontale : nd
Collision latérale : nd
Ventes du modèle l'an dernier au Québec : nouveau modèle
Dépréciation : nouveau modèle

La Vanquish a été dévoilée au Salon de l'auto de Genève 2001. Aston Martin n'en construira que 200 unités d'ici la fin de l'année, et un autre lot de 300 en 2002. Bien entendu, la liste de clients en attente déborde jusqu'en 2003. En fait, plus de 700 Vanquish ont déjà été pré-vendues dans le monde, malgré le prix annoncé de 333 000 $. Au plan de l'histoire automobile, la Vanquish, la plus agressive et la plus sophistiquée des Aston Martin jamais construites, souhaite établir un pont entre l'époque moderne et la DB4GT Zagato, dont seulement 19 exemplaires furent assemblés en 1959.

CARROSSERIE La Vanquish est offerte en configuration deux places ou 2+2 (petite banquette arrière). Sa coque marie l'aluminium, le plastique et la fibre de carbone afin d'atteindre deux buts distincts: garder la voiture légère et créer pour le pilote une cellule de survie quasiment indestructible. Son designer, Ian Callum (à qui l'on doit aussi la DB7), se targue d'avoir créé les premières esquisses de la Vanquish avec seulement quatre coups de crayon. Il voulait ainsi capturer la pureté et l'essence de la voiture sport. Les photos qui accompagnent ce texte semblent lui donner raison.

MÉCANIQUE Le V12 de 460 chevaux de la Vanquish est en fait une version spéciale du V12 de 6 litres et 48 soupapes qui équipe la série DB7 (420 chevaux). La Vanquish fait appel à une boîte séquentielle à 6 rapports dérivée de la F1 et contrôlée par des doubles basculeurs montés sur le volant. Elle bénéficie en plus d'un mode «Hiver» qui réduit le couple afin d'éviter le patinage des roues motrices arrière (mais, entre nous, qui sera assez fou pour sortir pareil bijou en février?). La fiche technique comprend aussi des disques Brembo, une direction à assistance variable, une suspension indépendante à double fourchette et des Yokohama cotés ZR de 19 pouces.

COMPORTEMENT On parle ici d'un chrono de moins de 5 secondes au test du 0-100 km/h et d'une vitesse maximale prévue de...306 km/h! Je ne connais personne qui peut me certifier avoir obtenu ces résultats, mais rien qu'à relu-

nouveautés 2002

• Nouveau modèle

quer la Vanquish, on voit bien qu'elle n'a pas été conçue pour lambiner dans une voie de droite.

HABITACLE Fidèle à la tradition Aston Martin, chaque Vanquish est construite à la main et équipée sur mesure de l'équipement souhaité par le client fortuné. Ce dernier pourra sélectionner la teinte de cuir Connolly de son choix, tandis que ses pieds fouleront 12 mètres carrés de tapis Wilton épais comme ça. Du changeur de disques compacts au pare-brise équipé d'un détecteur de pluie, aucun gadget moderne ne fera défaut. Retenez qu'on doit compter huit bonnes semaines pour fabriquer une seule Vanquish.

Dans la prochaine aventure de James Bond (la 20e en 40 ans) et dont la sortie en salle est prévue pour 2002, l'agent 007 (Pierce Brosnan) délaissera les BMW de ses trois dernières missions pour plutôt agripper le volant d'une V12 Vanquish. Un retour aux sources britanniques puisque, dans le film Goldfinger, James Bond pilotait une DB5 équipée de quelques intéressantes options; qu'il suffise de mentionner le lance-missiles et le siège éjectable. Aux dernières nouvelles, la Vanquish, aussi novatrice soit-elle, n'allait pas offrir ces petites gâteries...

CONCLUSION Depuis l'arrivée de Ford en 1987 à la barre de la compagnie que Sir David Brown acheta en 1947 (et que préside actuellement le Dr Ulrich Bez), Aston Martin vit aujourd'hui ses plus importants changements. Car s'il est louable d'assembler des voitures à la main, il faut pouvoir compter sur des ordinateurs et des logiciels dernier cri pour façonner des voitures dignes du 21e siècle. Les prototypes de la Vanquish ont subi plus de tests et parcouru plus de kilomètres que n'importe quelle autre Aston Martin avant elle. Il s'agit d'une voiture d'exception, mais tout de même appelée à sortir au grand jour sous le chapiteau du Premier Automotive Group, la nouvelle créature de Ford en Amérique du Nord qui fusionne les forces d'Aston Martin avec celles de Jaguar et Land Rover.

fiche technique

Moteur : V12 DACT 6 L
Puissance : 460 ch à 6500 tr/min et 400 lb-pi à 5500 tr/min
Transmission de série : manuelle à 6 rapports
Transmission optionnelle : automatique à 5 rapports avec Touchtronic
Freins avant : disques
Freins arrière : disques
Sécurité active de série : ABS, antipatinage, contrôle de stabilité, répartition de freinage électronique
Suspension avant : indépendante
Suspension arrière : indépendante
Empattement : 259 cm
Longueur : 466,5 cm
Largeur : 192,3 cm
Hauteur : 131,8 cm
Poids : 1 838 kg
0-100 km/h : 5 s
Vitesse maximale : 306 km/h
Diamètre de braquage : nd
Capacité du coffre : nd
Capacité du réservoir d'essence : 80 L
Consommation d'essence moyenne : 19 L/100 km
Pneus d'origine : avant: 255/40ZR19; arrière: 285/40ZR19

ASTON MARTIN

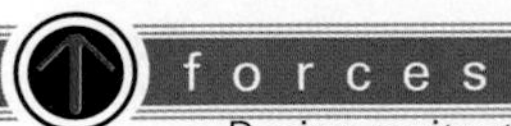

forces
- Design excitant
- Marque prestigieuse
- Exclusivité

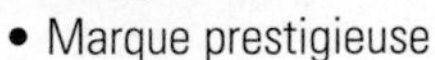

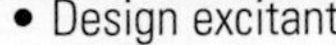

faiblesses
- À voir sur la route...

Par Michel Crépault

CANADA

Catvee

Non, ceci n'est pas un Hummer! La société Canadian All-Terrain Vehicules, installée en Alberta, propose un kit à monter qui en reprend l'esthétique. Basé sur des châssis Chevrolet ou Ford, il reçoit un V8 GM 350 qui développe de 235 à 350 chevaux. A condition de fournir tout le soubassement et la mécanique, la version 2 portes hardtop est disponible à partir de 16 000 $. Comptez alors environ 150 heures de montage, si vous êtes bricoleur. Bien sûr, le véhicule peut être fourni déjà plus ou moins pré monté. Une façon originale d'affronter l'hiver!

Allard

Le Québécois Roger Allard a fait renaître la marque portant son nom. Après tout, il lui aura fallu tomber par hasard sur le livre de *Tom Lush Allard-The inside story* pour connaître cette petite firme britannique, qui produisit 1900 voitures de haute performance entre 1936 et 1960. La Allard est désormais assemblée avec soin dans les ateliers montréalais de Zeke's. On retrouve sous le capot un Chevrolet V8 5,7 litres Et le prix ? L'acheteur doit allonger 60 000 $... US.

Campagna T-Rex

Tout pour le plaisir de conduire! L'engin (peut-on vraiment l'appeler voiture?) utilise une technologie issue du monde de la moto pour procurer le maximum de sensations à son conducteur (pilote?). Avec un moteur Kawasaki 1100 cm3 de 147 chevaux, une boîte 6 vitesses, un centre de gravité au ras du sol et un poids plume de 410 kg, le pari est réussi. Pur produit du Québec, elle y a été conçue par Daniel Campagna, dessinée par le Montréalais Paul Deutschmann et elle est fabriquée à Plessisville, au cœur de la région des Bois-Francs.

nouveauté

AUDI

fiche d'identité

Modèle : A4
Versions : 1.8T, 3.0 et S4
Segment : de luxe de moins de 50 000 $
Roues motrices : avant; traction intégrale
Portières : 4 portes
Places : avant, 2; arrière, 3
Sacs gonflables : 6 (avant et latéraux) et rideau gonflable; coussins arrière optionnels
Concurrence : Acura 3,2TL, BMW Série 3, Cadillac CTS, Lexus IS300, Infiniti G35, Mercedez-Benz Classe C, Saab 9-3, Volvo S60, Jaguar X-Type

prix de base • 37 225 $

Juste ce qu'il fallait

au quotidien

Prime d'assurance moyenne : 1200 $
Garantie générale : 4 ans/80 000 km assistance routière 4 ans
Garantie contre la perforation : 12 ans
Collision frontale : 4/5
Collision latérale : 4/5
Ventes du modèle l'an dernier au Québec : 990
Dépréciation : 39,6 %

On ne change pas une formule gagnante. Pour un constructeur, renouveler un modèle qui fait l'unanimité est toujours une opération délicate; le plus simple pour y arriver, c'est de l'améliorer. Voilà le défi que doit relever Audi, qui vient tout juste de procéder à la première refonte de la populaire A4.

Introduite en 1995, cette berline a redoré le blason de la firme d'Ingolstadt. Non seulement a-t-elle accumulé les honneurs, et ce, jusqu'à tout récemment, mais elle a grandement contribué à rétablir la réputation de ce constructeur germanique en Amérique du Nord.

Il n'est pas exagéré de dire qu'Audi s'est métamorphosée depuis une dizaine d'années; elle s'est forgé une identité propre qui repose sur le rouage intégral Quattro et la haute technologie. Qui plus est, les Audi sont devenues des parangons de fiabilité; qui l'eût cru ?

CARROSSERIE La petite A4, principale actrice de ce revirement de la part d'Audi, est issue d'une lignéequi en est à sa sixième génération et qui a commencé en 1971 avec la petite Fox. Elle est devenue la 4000, puis la 80 et la 90.

On ne reprochait pas grand chose à l'ancienne A4 : des places arrière étriquées, des amortisseurs trop souples et la puissance un peu juste de ses deux moteurs. Et devinez sur quoi ont porté les principales améliorations apportées à l'A4 de deuxième génération ? Vous y êtes !

Même si elle a été redessinée à l'intérieur comme à l'extérieur, on reste en terrain connu. Par contre, la nouvelle venue n'affiche pas la même élégance que sa devancière. La caisse, bien que typiquement Audi, manque singulièrement d'éclat. À priori, on dirait une A6 diminuée; un oeil profane aura tôt fait de confondre l'une et l'autre. Voilà qui apporte de l'eau au moulin du docteur Ferdinand Piëch, le grand vizir du groupe Volkswagen, qui a reproché aux dirigeants de la division Audi leur manque d'imagination.

MÉCANIQUE Comme sa devancière, l'A4 nouvelle cuvée propose deux motorisations : la première, un quatre cylindres turbocompressé

nouveautés 2002

• Version familiale au printemps 2002 • Moteur V6 de 3 litres • Système de communications Audi OnStar en option • Transmission automatique CVT de 1,8 litre dont la puissance a été portée à 170 chevaux l'an dernier; la seconde, un nouveau V6 de 3 litres pour remplacer l'ancien 2,8 litres. Avec 27 chevaux additionnels, la puissance de ce V6 atteint maintenant les 220 chevaux.

Mais la principale différence réside dans le couple à bas régime et dans la courbe de puissance plus linéaire. Encore une fois, l'objectif a été atteint pour les deux moteurs.

Dernière nouveauté, une boîte de vitesses à variation continue vient s'ajouter aux boîtes manuelles (à cinq rapports pour la 1.8T et à six rapports pour le V6) et à l'automatique bimodale Tiptronic à cinq rapports. Baptisée Multitronic, cette nouvelle boîte de vitesses vise à offrir le meilleur des deux mondes. De ce premier contact, nous avons retenu sa fluidité. Attendons de faire un essai plus long avant de prononcer le verdict final.

COMPORTEMENT Si les nouvelles lignes de cette berline manquent de caractère, il en va tout autrement de son comportement sur la route. Il convient cependant de préciser que nous avons parcouru environ 300 kilomètres au volant des nouvelles A4, et ce, dans des conditions idéales (sur des routes aussi lisses qu'une table de billard) et perturbantes (une pluie intermittente).

Des modifications apportées aux trains roulants réduisent le débattement et permettent de mieux supporter la conduite musclée. Audi a retravaillé la suspension avant (à bras multiples) et conçu une nouvelle suspension indépendante à l'arrière.

Ceux qui en veulent plus peuvent se tourner vers la fougueuse S4, sans doute le modèle qui se rapprocherait le plus d'une Porsche quatre portes, si cela devait exister. Il s'agit cependant de la S4 de première génération, qui demeure inchangée en 2002. Pour la nouvelle S4, élaborée à partir de l'A4 de deuxième génération, il faudra patienter jusqu'à l'an prochain.

Jack Viney
directeur des Ventes & Marketing
Audi Canada

AUDI

Comment décrire cette nouveauté en quelques mots?
La A4 est le modèle d'entrée de la gamme de luxe de la famille Audi. Le nouveau moteur 3,0L amène encore plus de caractère à la conduite et le légendaire système Quattro assure un contôle de tous les instants.

Quels sont les points forts?
Les performances rehaussées avec les moteurs 1,8 L et les 220 chevaux du moteur V6 3,0L jumelées aux suspensions sport et aux roues de 17 pouces procurent une expérience de conduite hors du commun.

Où situer ce modèle dans votre gamme et face à la concurrence ?
En Amérique, la A4 est le modèle d'entrée de gamme et la concurrence inclut la BMW Série 3, la Lexus IS 300 et la Mercedes-Benz de Classe C

Quelle est votre clientèle cible ?
C'est une voiture qui plaît aux professionnels et aux gens dynamiques qui recherchent l'authentique expérience de conduite d'une berline sport allemande.

Combien de ventes en 2002 ?
Audi vise 4000 ventes au Canada pour 2002. De ce nombre, 30 % seront faites au Québec.

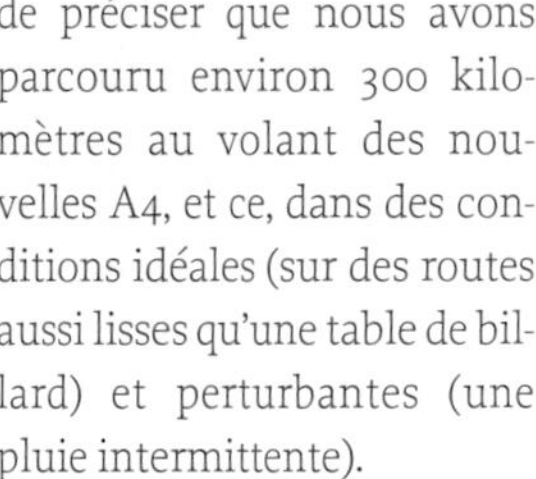

AUDI

galerie

1 • Moteur 4 cyl. en ligne turbo de 1,8 L DACT.

2 • Les 220 chevaux du nouveau moteur V6 procurent un surplus de puissance apprécié.

3 • Dans la tradition Audi, le recarrossage se fait discret. La berline conserve une ligne toute en courbes.

4 • Le nouveau châssis 45 % plus rigide offre une tenue de route exceptionnelle.

5 • Une vue fantôme de la suspension de la A4.

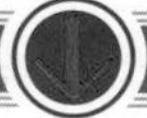

forces
- Places arrière plus spacieuses
- V6 mieux adapté
- Fiabilité en net progrès

faiblesses
- Restylage timide
- Comportement bourgeois

HABITACLE Malgré sa silhouette irrésistible et sa solide réputation, la première A4 a rebuté plus d'un acheteur en raison de son manque d'espace flagrant à l'intérieur, particulièrement à l'arrière. La tendance étant aux voitures plus grosses, Audi a emboîté le pas et allongé l'empattement tout en augmentant la largeur et la longueur hors-tout. On en a même profité pour améliorer l'insonorisation.

Notre premier contact avec la nouvelle A4 nous a permis de constater qu'Audi était sérieuse. Les changements promis sont palpables, évidents même. L'auteur de ces lignes s'est empressé de s'asseoir derrière le conducteur, un collègue qui venait de régler son fauteuil en fonction de sa grande taille; disons que le dégagement pour les jambes est un peu juste, mais il aurait été inexistant dans l'ancienne A4!

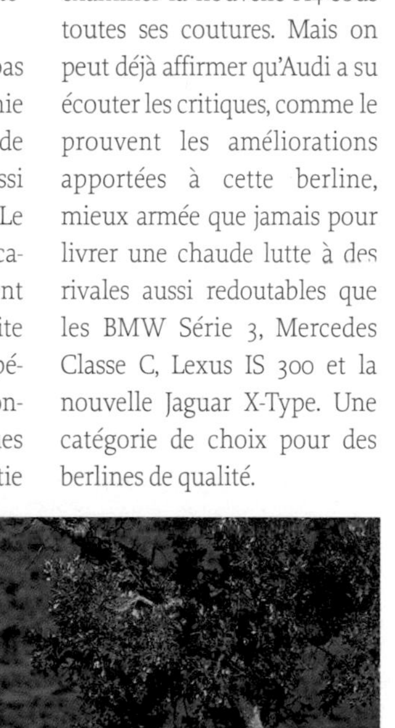

Même si l'habitacle a été redessiné, les habitués de la marque ne seront pas dépaysés. Ce n'est pas un reproche, car les Audi possèdent une réputation enviable, tant pour leur présentation intérieure que pour leur finition rigoureuse et la qualité des matériaux employés.

L'aspect fonctionnel n'est pas en reste, avec une ergonomie sans failles et la présence de nombreux rangements, aussi vastes que bien disposés. Le coffre à gants, pour un, est caverneux, et son aménagement est ingénieux, avec une petite tablette dans la partie supérieure. En terminant, mentionnons que le lecteur de disques compacts fait désormais partie de l'équipement de série.

CONCLUSION Pour le reste, un essai d'une semaine, comme le veut la norme, sur notre réseau routier tiers-mondiste, se révélera un baromètre plus approprié pour examiner la nouvelle A4 sous toutes ses coutures. Mais on peut déjà affirmer qu'Audi a su écouter les critiques, comme le prouvent les améliorations apportées à cette berline, mieux armée que jamais pour livrer une chaude lutte à des rivales aussi redoutables que les BMW Série 3, Mercedes Classe C, Lexus IS 300 et la nouvelle Jaguar X-Type. Une catégorie de choix pour des berlines de qualité.

fiche technique

Moteur : 4 cyl. en ligne turbo 1,8 L DACT
Autre moteur : V6 3 L DACT; V6 biturbo 2,7 L DACT
Puissance : 170 ch à 5900 tr/min et 166 lb-pi à1950-5000 tr/min,
Autre moteur : 220 ch à 6000 tr/min et 210 lb-pi à 3200 tr/min; 250 ch à 5800 tr/min et 258 lb-pi à 1850 tr/min
Transmission de série : manuelle à 5 rapports (6 rapports sur la S4)
Transmission optionnelle : automatique à 5 rapports (avec Tiptronic) automatique Multitronic CVT
Freins avant : disques ventilés
Freins arrière : disques
Sécurité active de série : ABS, ESP (Stabilisation électronique), ASR (antipatinage) sur traction
Suspension avant : indépendante
Suspension arrière : indépendante
Empattement : 261 cm
Longueur : 447,8 cm
Largeur : 173,3 cm
Hauteur : 141,5 cm
Poids : 1360 kg
0-100 km/h : 7,5 s (man.); 8,2 s (auto) 3 L : 7,3 s (auto) et S4 : 5,7 s (man.)
Vitesse maximale : 209 km/h limitée électroniquement
Diamètre de braquage : 11,1 m
Capacité du coffre : 440 L;
Capacité du réservoir d'essence : 63 L (62 L Quattro)
Consommation d'essence moyenne : 8,6 L/100 km
Autres moteurs : 10,8 L/100 km
Pneus d'origine : 205/65R15; 225/45ZR17 (S4)
Pneus optionnels : 215/55R16; 235/45ZR17

2e opinion

Gabriel Gélinas — La nouvelle A4 corrige essentiellement les défauts du modèle précédent (espace à l'arrière) mais demeure assez bourgeoise pour ce qui est du comportement routier. Les amateurs de performances doivent maintenant considérer la BMW 330xi à traction intégrale.

Par Philippe Laguë

Nouveauté

AUDI

fiche d'identité

Modèle : A6
Versions : 3.0, 2.7T, 4.2 et S6
Segment : de luxe entre 50 000 $ et 100 000 $
Roues motrices : avant, traction intégrale
Portières : 4
Places : avant, 2 ; arrière, 3
Sacs gonflables : 8 coussins : frontaux, latéraux, rideaux gonflables et coussins arrière
Concurrence : Acura 3.5RL, BMW série 5, Cadillac Seville, Chrysler 300M, Infiniti I35, Jaguar S-Type, Lexus GS, Lincoln LS, Saab 9-5, Volvo S80, Mercedes-Benz Classe E

au quotidien

Prime d'assurance moyenne : 1500 $
Garantie générale : 4 ans/80 000 km assistance routière 4 ans
Garantie contre la perforation : 12 ans
Collision frontale : 3/5
Collision latérale : 3/5
Ventes du modèle l'an dernier au Québec : 528
Dépréciation : 34,3 %

prix de base • 54 235 $

Un **brin** de **toilette**

Quatre ans après sa sortie, l'Audi A6 se poudre le nez. Elle respecte fidèlement la tradition de la maison en prônant l'efficacité et la discrétion. Les véritables changements sont sous le capot. Audi revient également avec un modèle qui a sévi sur nos routes entre 1994 et 1998.

La S6, qui, à ses débuts était alimentée par un moteur 5 cylindres de 2,2 litres produisant 227 chevaux, revient sous la robe de la A6 4,2 litres avec un impressionnant total de 340 chevaux sous le capot. Mais ne cherchez pas une berline, cette nouvelle S6 prendra uniquement la forme d'une familiale.

CARROSSERIE Pour ce qui est de la A6, la marque aux anneaux se contente d'adopter la calandre élargie par le bas jusque-là réservée à la version 4,2 litres. Les plus attentifs remarqueront aussi la sortie d'échappement chromée plus voyante.

Le dessin des phares avant a aussi subi quelques changements. La S6 se distingue par ses boucliers et ses bas de caisse entièrement teints de la couleur de la carrosserie. Les boîtiers de rétroviseurs extérieurs, les baguettes de seuil en aluminium et les emblèmes S6 à l'avant comme à l'arrière sont les signes de sa lignée. Les jantes Avus de 17 pouces qui équipent les voitures en Europe vont selon toute vraisemblance traverser l'Atlantique.

Si Audi refuse délibérément tout caractère trop tape-à-l'œil à ses modèles sportifs, la S6 s'offre tout de même une petite entorse à ce principe : à l'arrière, on découvre deux embouts d'échappement en acier inoxydable, bien visibles de part et d'autre du véhicule.

MÉCANIQUE L'évolution majeure se retrouve sous le capot. *Exit* le moteur V6 de 2,8 litres qui, aux yeux de la grande majorité des spécialistes, suffisait à peine à la tâche. Place au nouveau V6 de 3 litres et à ses 220 chevaux. Maintenant, plus de honte à acheter le modèle de base.

En plus de cet ajout de puissance, le châssis a perdu 5 kilos, et la A6 reçoit de nouveaux amortisseurs assurant une meilleure liaison avec le sol. Pour ce qui est des autres moteurs, c'est le statu quo : le V6 2,7 T que l'on retrouve aussi dans l'allroad crache

nouveautés 2002

- Nouveau moteur 3 litres V6 • Transmission Multitronic CVT
- Système de communication Audi OnStar® • Nouvelle version S6

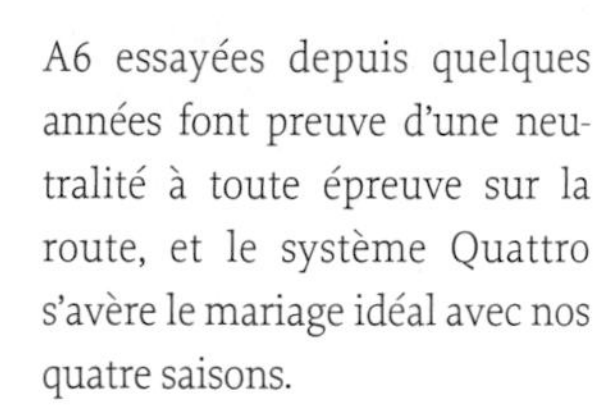

250 chevaux et le 4,2 litres, 50 de plus. Au sommet de la gamme se trouve la S6 avec 340 chevaux pour exciter votre système nerveux central. La base mécanique est la même que celle de la version 4,2 litres. Les ingénieurs d'Ingolstadt ont simplement un peu plus tripoté la mécanique et le système d'échappement pour extirper 40 chevaux supplémentaires tout en réduisant le poids, avec des résultats pour le moins impressionnants. En prime, vous profitez d'un espace cargo très généreux.

COMPORTEMENT Toutes les A6 essayées depuis quelques années font preuve d'une neutralité à toute épreuve sur la route, et le système Quattro s'avère le mariage idéal avec nos quatre saisons.

Le moteur 3 litres que j'ai pu essayer sur la version A4 offre un bien meilleur couple que l'ancien 2,8 litres et une courbe de puissance plus progressive, qui élimine pratiquement le temps mort entre le passage des vitesses.

La version 3 litres, tout comme la 4,2 litres et la S6, n'est offerte qu'avec une boîte automatique à 5 rapports. La 2.7 T offre une boîte manuelle à 6 rapports et une à 5 rapports auto-matique. La S6 fait partie d'une classe à part.

Si la 4,2 litres était déjà plus basse qu'une A6 traditionnelle, la S6 verra son assiette abaissée de 10 millimètres supplémentaires. Les suspensions et les réglages d'amortissement lui sont également spécifiques. On se doute que les ingénieurs d'Audi se sont attachés à fignoler la sonorité de ce V8. Rien que sur ce point, déjà, la S6 parvient à se démarquer assez nettement de l'A6 4,2 litres, plus discrète dans ses trémolos.

À la moindre pression sur l'accélérateur, la S6 bondit littéralement. Compte tenu de son gabarit, elle se révèle d'une belle agilité, accentuée par une direction plus incisive que sur les autres modèles.

L'acheteur de ce genre de bolides apprécie habituellement les boîtes automatiques. Celle de la S6 est une Tiptronic

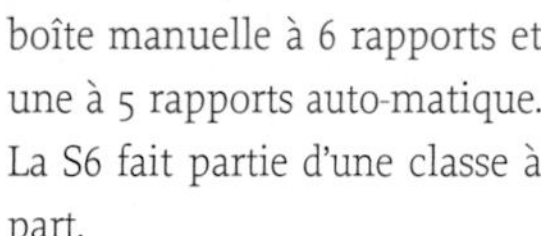

entrevue

Pierre Frégault

Directeur régional-Est du Canada

Comment décrire cette nouveauté en quelques mots?
La A6 ouvre une nouvelle voie dans la gamme des berlines et familiales sport. Spécialement la nouvelle S6 avec son V8 de 340 chevaux. Une voiture qui allie haute performance et convivialité d'une familiale.

Quels sont les points forts?
La force de la S6 réside dans la gamme de voitures disponibles. De la 3 litres de base à la 2,7T sans oublier les deux versions des V8 4,2 litres. Tout comme la A4, l'utilisation du système Quattro assure une conduite en toute sécurité.

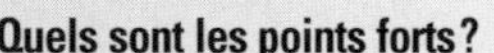

Où situer ce modèle face à la concurrence?
La A6 entre en concurrence avec la Série 5 de BMW, la Lexus GS 430, Mercedes-Benz E430 et la Jaguar S-Type, des voitures qui offrent aussi des finitions de luxe et un prix concurrentiel.

Quelle est votre clientèle cible?
Nous nous adressons à une clientèle de gens d'affaires et professionnels qui recherchent la performance et une technologie de pointe dans le luxe et le confort.

Combien de ventes en 2002?
Notre objectif est de vendre 1550 A6 au Canada en 2002. De ce nombre, environ 125 trouveront un propriétaire au Québec.

AUDI

galerie

1 • Le V6 2,8 L jugé par plusieurs comme anémique fait place à un moteur 3,0 L mieux adapté.

2 • Toutes les A6 adoptent une carrosserie avec flanc élargie jusque-là réservé à la version 4,2 L.

3 • La version Avant offre l'avantage d'une conduite sportive et le côté pratique d'une familiale.

4 • L'harmonie dans les formes est le trait de caractère le plus distinctif de la A6.

5 • Pour 2002, la version avant offre une variante S6 avec échappement double et un V8 de 340 chevaux.

1

2

3

4

5

forces

- Traction intégrale
- Qualité de fabrication
- Confort général
- Indice de sécurité très élevé

faiblesses

- La direction un peu floue au centre
- Les commandes qui demandent une certaine habitude.

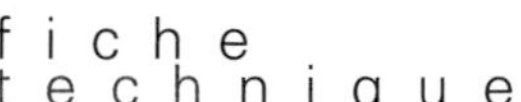

à 5 rapports, à commandes au volant et à étagement court. Même si cette variante est obligée de composer avec un rapport de moins que la version manuelle, le couple et la disponibilité de ce V8 atmosphérique sont tels qu'il ne s'agit pas d'une lacune.

HABITACLE À l'intérieur, on retrouve un peu plus d'aluminium et l'on bénéficie d'une nouvelle climatisation avec détecteur de pollution. Aussi, le chargeur de six DC fait maintenant partie de l'équipement de série sur tous les modèles.

La S6, pour bien se démarquer et pour justifier sa facture plutôt salée, offre un habitacle qui se distingue. Les fauteuils constituent le principal changement.

La S6 de série est équipée de superbes baquets Recaro, surtout lorsqu'ils sont tendus de cuir et d'alcantara. Ils offrent un maintien idéal, une caractéristique assez essentielle pour une sportive de cette trempe capable d'enfiler les virages à des vitesses vertigineuses. Un modèle «tout cuir» est également proposé en option. Pour le reste, seul un volant sport gainé de cuir et les appliques de carbone viennent modifier l'ambiance à l'intérieur. Mais le client peut préférer la ronce de noyer. Comme il se doit chez les Allemands, les listes d'équipements de sécurité et de confort sont complètes. Aux quatre coussins gonflables avant (deux frontaux et deux latéraux) s'ajoutent les rideaux venant protéger la tête des passagers avant et arrière.

Ces derniers peuvent aussi disposer de coussins gonflables latéraux, mais en équi-pement facultatif.

Côté sécurité active, le contrôle dynamique de stabilité ESP est de série, tout comme l'amplificateur de freinage, dispositif qui libère automatiquement la pression maximale lors des freinages d'urgence.

CONCLUSION La famille de la A6 en offre littéralement pour tous les goûts. Du sobre V6 au véloce V8, sans oublier la familiale et même l'Allroad qui dérive directement de la A6 Avant. Il s'agit de la gamme de véhicules la plus complète chez Audi.

L'avantage de posséder une traction intégrale Quattro ne se dément pas; même si le système en est à sa 21e année d'existence, la concurrence n'a pas encore trouvé mieux.

AUDI

fiche technique

Moteur : V6 3 L DACT
Autres moteurs : V6 biturbo 2,7 L DACT, V8 4,2 L DACT
Puissance : 220 ch à 6000 tr/min et 210 lb-pi à 3200 tr/min
Autres moteurs : 250 ch à 5800 tr/min et 258 lb-pi à 1850 tr/min; 300 ch à 6200 tr/min et 295 lb-pi de 3000 tr/min; 340 ch à 7000 tr/min et 305 lb-pi de 3400 tr/min (S6)
Transmission de série : automatique à 5 rapports avec Tiptronic
Transmission facultative : manuelle à 6 rapports (sur 2,7T seulement)
Freins avant : disques ventilés
Freins arrière : disques
Sécurité active de série : ABS, ESP (stabilisation électronique), ASR (antipatinage) sur traction avant
Suspension avant : indépendante
Suspension arrière : indépendante
Empattement : 276 cm
Longueur : 487,8 cm
Largeur : 181 cm
Hauteur : 145,5 cm
Poids : 1615 kg
0-100 km/h : 8,8 s
Autres moteurs : 6 s (2.7T) 6,7 s (4.2)
Vitesse maximale : 209 km/h (limitée électroniquement)
Autre moteur : 250 km/h (4.2 et S6)
Diamètre de braquage : 11,7 m
Capacité du coffre : 551 L
Capacité du réservoir d'essence : 70 L
Consommation d'essence moyenne : 11,5 L/100 km
Pneus d'origine : 205/55R16; 215/55R16 (2,7T); 255/40ZR17 (4,2 et S6)
Pneus optionnels : aucun

2e opinion

Michel Crépault — Vrai qu'il s'agit de la plus versatile des gammes Audi : «petit» V6, bon turbo, gros V8, S6 aux stéroïdes et modèle AllRoad qui comble le parent-encore-fringant. Elles sont toutes jolies. Leur fermeté est à prendre ou à laisser. Leur système Quattro devrait être mis en musique par Gilles Vigneault. Si seulement leur fiabilité était sans faille...

Par Benoit Charette

évolution

AUDI

fiche d'identité

Modèles : A8 et S8
Segment : voitures de luxe, de plus de 100 000 $
Roues motrices : traction intégrale
Portières : 4
Places : avant, 2 ; arrière, 3
Sacs gonflables : 2 frontaux, 2 latéraux, rideau avant et arrière
Concurrence : BMW Série 7, Jaguar XJ8, Lexus LS 430, Mercedes-Benz Classe S

prix de base • 86 500 $

Au **royaume** de **l'aluminium**

au quotidien

Prime d'assurance moyenne : 2000 $
Garantie générale : 4 ans/80 000 km, entretien sans frais et assistance routière 24 heures
Garantie contre la perforation : 12 ans/kilométrage illimité
Collision frontale : 5/5
Collision latérale : 5/5
Ventes du modèle l'an dernier au Québec : 38
Dépréciation : 41 %

Dès son apparition en Amérique du Nord en 1996, la A8 s'est imposée comme l'Audi suprême. En 2000, elle a accueilli une grande sœur à l'empattement allongé de 12,5 centimètres, la A8 L. Cette année, enfin, la version sportive S8 a pour la première fois traversé l'Atlantique jusqu'à nos rives.

CARROSSERIE La grande originalité des A8/A8 L/S8 repose sur leur châssis en aluminium (le Space Frame) et leurs panneaux de coque en alliage d'aluminium conçus avec Alcoa, le grand rival d'Alcan. Une structure plus légère, certes, mais également si robuste que la A8 est la seule des grandes voitures de luxe à décrocher une cote cinq étoiles pour la protection du conducteur et du passager avant. La S8 s'illustre grâce à des roues Avus de 18 po, une coque surbaissée de 20 millimètres, un tuyau d'échappement double et un son à l'avenant. Ce que, malgré tout, Audi appelle une « élégance discrète ».

MÉCANIQUE Le V8 de 4,2 litres en alliage léger (aluminium, magnésium et plastique) fait appel à cinq soupapes par cylindre (dont trois d'admission), une technologie offerte sur toutes les Audi vendues au Canada. Des arbres à cames et une tubulure d'admission à action variable conjuguent leur modernité à celle d'un accélérateur électronique pour assurer une puissance linéaire, douce bien qu'imposante, homologuée à 310 chevaux (et 302 livres-pied de couple dès 3 000 tours-minute). Sous le capot de la S8 repose aussi ce 4,2 litres, théoriquement le même, mais en réalité enrichi de 50 chevaux supplémentaires. La boîte automatique à 5 rapports, munie de basculeurs Tiptronic (oui, ceux de Porsche) sur le volant, est commune à la gamme. Suspension raffermie, freins Brembo et barres stabilisatrices épaissies caractérisent la S8.

COMPORTEMENT Le programme de stabilité électronique (ESP) est depuis cette année un attribut standard des A8, rejoignant l'ABS, le répartiteur de freinage (qui, par exemple, retiendra une roue arrière pour rétablir le cap idéal dans un virage pris trop vite), le verrouillage électro-

nouveautés 2002

- Chargeur de DC dans la console
- Mode Sport pour Tiptronic
- Système OnStar® optionnel

nique du différentiel et la fameuse traction intégrale Quattro (ces deux systèmes visant à acheminer la puissance aux roues présentant la meilleure adhérence).
L'espace généreux, la douceur des cuirs, le vernis des boiseries et l'impeccable finition m'ont souhaité la bienvenue de la manière la plus amicale qui soit. Sur la route et la piste de course, la A8 obéit au doigt et à l'œil alors que c'était pourtant moi l'invité. La puissance est sidérante, surtout de la part d'un tel mastodonte, et la tenue de route est radieuse. Quant à la S8, elle prodigue le même luxe, mais avec, en prime, une surdose d'adrénaline qui comblera le pilote vraiment pressé ou en manque de sensations fortes.

HABITACLE Un intérieur spacieux, élégant et très sûr. Rien d'osé ou de farfelu. Plutôt, des matériaux classiques, nobles, comme les appliques en ronce de noyer ou platane clair, et le cuir Valcona. Seule la A8 L a l'option des fauteuils habillés de cuir et de suède bien que les portières de la S8 peuvent être garnies d'Alcantara. Les interrupteurs du volant télescopique commandent notamment au système audio Bose (avec chargeur encastré dans le tableau de bord), au téléphone et à la Tiptronic. Ce même volant, en option, peut être chauffant. L'écran couleur du système de navigation sert aussi à afficher une pléiade de renseignements utiles pour le conducteur. Les passagers arrière jouissent, outre d'un dégagement excellent (exceptionnel dans le cas de la A8 allongée), de commandes de climatisation individuelles et de réglages électriques pour le soutien lombaire et l'appuie-tête. Le coffre, tout bonnement caverneux, est muni d'un filet à bagages. La plus novatrice option de la A8 L est sans contredit son toit ouvrant solaire qui active de lui-même le système de ventilation pour rafraîchir l'habitacle quand le véhicule est à l'arrêt en plein soleil...

CONCLUSION Pluie, grêle ou neige, la A8 donne l'impression de se moquer de tout, mais sans s'en vanter. À l'heureux propriétaire d'en faire la plaisante découverte.

fiche technique

Moteur : V8 DACT 4,2 L
Puissance : 310 ch à 6200 tr/ min et 302 lb-pi à 4000 tr/min (A8) ; 360 ch à 7000 tr/min et 317 lb-pi à 3400 tr/min (S8)
Transmission de série : automatique à 5 rapports
Transmission optionnelle : aucune
Freins avant : disques ventilés
Freins arrière : disques
Sécurité active de série : ABS, traction intégrale, stabilisation électronique, aide au freinage (EDL)
Suspension avant : indépendante
Suspension arrière : indépendante
Empattement : 288 cm (A8,S8) ; 301 cm (A8L)
Longueur : 503,4 cm (A8,S8) ; 516,4 cm (A8L)
Largeur : 200,7 cm
Hauteur : 143,8 cm (A8) ; 141,8 cm (S8)
Poids : 1845 kg (A8, S8) 1885 kg (A8L)
0-100 km/h : 6,7 s (A8) 6,3 s (S8)
Vitesse maximale : 210 km/h (limitée électroniquement)
Diamètre de braquage : 12,25 m (A8,S8) 12,7 m (A8L)
Capacité du coffre : 498 L
Capacité du réservoir d'essence : 90 L (A8,S8) 92 L (A8L)
Consommation d'essence moyenne : 11,2 L/100 km (A8), 13,5 L/100 km (S8)
Pneus d'origine : P225/60R16 ; P245/45ZR18 (S8)
Pneus optionnels : P225/55HR17 ; P245/45ZR18

2e opinion

Benoit Charette — Une véritable limousine à 4 roues motrices, l'A8 est ce qu'il y a de plus proche de la voiture parfaite à condition d'avoir les moyens de se la procurer. Spacieuse, rapide et mue par un rouage intégral qui se moque des saisons, la S8 offre de surcroît des accélérations capables de faire disparaître votre permis en une seule contravention. Exceptionnelle (la voiture) !

forces

- Châssis avant-gardiste
- Puissance subtile
- Luxe raffiné

faiblesses

- Coque coûteuse à réparer
- Appétit à la pompe
- Bateau à stationner

Par Michel Crépault

AUDI

fiche d'identité

Modèle : Allroad
Segment : de luxe entre 50 000 $ et 100 000 $
Roues motrices : traction intégrale
Portières : 4
Places : avant, 2; arrière, 3
Sacs gonflables : 8 coussins : frontaux, latéraux, rideau gonflable et coussins arrières
Concurrence : Saab 9-5 Aero familiale, Volvo V70 XC

évolution

prix de base • 58 800$

20 ans, ça se fête!

au quotidien

Prime d'assurance moyenne : 1500 $
Garantie générale : 4 ans/80 000 km, entretien sans frais et assistance routière 24 heures
Garantie contre la perforation : 12 ans/kilométrage illimité
Collision frontale : -
Collision latérale : -
Vente du modèle l'an dernier : nouveau modèle
Dépréciation : nouveau modèle

Pour célébrer le 20e anniversaire de l'introduction de son système de traction intégrale Quattro, Audi a conçu et mis sur le marché la nouvelle Allroad. Paradoxalement, durant toutes ces années, Audi n'avait jamais appliqué le système Quattro à un véhicule tout terrain. Avec l'avènement de l'Allroad, c'est chose faite.

CARROSSERIE C'est la familiale A6 qui a servi de base à l'Allroad. La panoplie sport extrême se compose ici de grands boucliers noirs et de passages de roues élargis, noirs également. À l'avant comme à l'arrière, son carénage nervuré est en acier inoxydable. De plus, l'Allroad présente deux sorties d'échappement peu discrètes. Elle est offerte en deux teintes métallisées, vert Highlander et gris Atlas, avec quelques touches de noir brillant et de gris argent. Ce véhicule roule sur des jantes en alliage de 17 pouces de diamètre au dessin spécifique se déclinant en deux versions à cinq branches, simples ou doubles.

MÉCANIQUE Audi a retenu le V6 biturbo de 2,7 litres qui anime déjà la S4 et l'A6 2.7T et qui affiche 250 chevaux. Cette mécanique est couplée aux deux modes de transmission classiques d'Audi, c'est-à-dire la boîte manuelle à six rapports et l'automatique Tiptronic à cinq rapports. Le moteur est nerveux, mais le biturbo met quelques secondes à réagir à une sollicitation du pied droit et agit sèchement en accélération. Par comparaison avec les autres Quattro, l'Allroad bénéficie cependant de deux atouts importants : une suspension pneumatique à quatre niveaux de garde au sol (entre 142 et 208 millimètres) et, en équipement facultatif, un réducteur permettant de disposer d'une gamme de rapports courts (un peu comme une boîte de transfert) pour les excursions en terrains difficiles.

COMPORTEMENT Sur la route, cette voiture affiche une aisance, une douceur de roulement et un comportement auxquels ne peut prétendre aucun vrai 4x4. Elle tient le cap sans broncher jusqu'à des vitesses très élevées; la précision de la direction, surtout dans les courbes, est sans

nouveautés 2002

• Suspension à air à mode unique • Système de communication OnStar® en option
• Fini intérieur en aluminium brossé

failles. Les mouvements de caisse sont légèrement plus prononcés, et le sous-virage, plus marqué dans les courbes serrées que la A6.

HABITACLE Les coloris intérieurs (vert steppe, vert fougère, noir ou gris) sont assortis aux couleurs de la carrosserie qui, soit dit en passant, manquent de vivacité. La chaîne audio Bose, la même qu'on retrouve dans tous les autres modèles de la gamme Audi, est offerte en équipement facultatif. Tous les passagers, à l'avant comme à l'arrière, profitent des fauteuils chauffants. Avec les années, tous les journalistes ont fini par s'habituer au tableau de bord de l'Audi avec ses commandes peu traditionnelles. Son éclairage orangé, très agréable le soir, est cependant difficile à lire quand le soleil inonde l'habitacle. Les fauteuils deux tons de cuir et suède viennent donner une définition très germanique du confort.

Plus ferme que la moyenne, cette sellerie haut de gamme fournit un soutien parfait, n'en déplaise aux amateurs du confort moelleux à l'américaine. Il faut tout de même admettre que, dans le style «je suis une voiture qui se prend pour un tout-terrain» l'Allroad est tout à fait réussie. Elle combine à la fois un côté sportif fort intéressant et de réelles aptitudes hors-route.

CONCLUSION L'Allroad n'est certes pas économique, mais elle constitue la plus intéressante des 4x4 familiales sur le marché. Elle offre à la fois la performance et la tenue de route d'une vraie sportive et, grâce à la hauteur de caisse variable, des aptitudes hors-route impressionnantes. Deux traits de caractère qui n'entrent pas en conflit d'intérêts et qui obligent les autres fabricants à faire des compromis qu'Audi a su éviter de brillantes manières.

Coûteuse, certes, mais très bien pensée.

fiche technique

Moteur : V6 biturbo DACT 2,7 L
Puissance : 250 ch à 5800 tr/min et 258 lb-pi à 1850 tr/min
Transmission de série : manuelle à 6 rapports
Transmission facultative : automatique à 5 rapports avec Tiptronic
Freins avant : disques
Freins arrière : disques
Sécurité active de série : ABS et ESP (stabilisation électronique)
Suspension avant : indépendante
Suspension arrière : indépendante
Empattement : 276 cm
Longueur : 481 cm
Largeur : 193,2 cm
Hauteur : 152,6 cm (suspension réglée au niveau 1)
Garde au sol : 15,26 cm à 15,92 cm
Poids : 1795 kg
0-100 km/h : 6,8 s (manuelle) 7,3 s (automatique)
Vitesse maximale : 234 km/h
Diamètre de braquage : 11,9 m
Capacité du coffre : 455 L; 1590 L (sièges abaissés)
Capacité du réservoir d'essence : 70 L
Consommation d'essence moyenne : 12,6 L/100 km
Pneus d'origine : 225/55R17
Pneus optionnels : aucun

AUDI

2e opinion

Philippe Laguë — Le concept Outback revu et corrigé par Audi. Cela se traduit par une conduite plus sportive et une motorisation de très fort calibre - en puissance comme en raffinement. Le meilleur des deux mondes? *You bet!*

forces

- Très haute qualité du produit
- Performances du moteur de 2,7 litres
- Technologie très sophistiquée

faiblesses

- Cadrans numériques difficiles à lire le jour
- Certains positionnements de commande difficiles à trouver

Par Benoit Charette

AUDI

évolution

fiche d'identité

Modèle : TT
Versions : Coupé et Roadster
Segment : sportives entre 50 000 $ et 100 000 $
Roues motrices : avant (Coupé); traction intégrale
Portières : 2
Places : avant, 2; arrière, 2 (aucune sur le roadster)
Sacs gonflables : 4 (avant et latéraux)
Concurrence : BMW Z3, Honda S2000, Mercedes-Benz SLK, Porsche Boxster

au quotidien

Prime d'assurance moyenne : 1550 $
Garantie générale : 4 ans/80 000 km, entretien sans frais et assistance routière 24 heures
Garantie contre la perforation : 12 ans/kilométrage illimité
Collision frontale : nd
Collision latérale : 5/5
Ventes du modèle l'an dernier au Québec : 205 voitures
Dépréciation : 19 % (un an)

prix de base • 50 400 $

Je t'aime, moi non plus

Inchangées pour 2002, les Audi TT trouveront preneurs chez les amateurs qui privilégient le comportement d'une traction intégrale. Pour les amateurs de conduite sportive, voyez notre compte-rendu d'une autre sportive allemande en provenance de Stuttgart...

CARROSSERIE Dès son lancement, j'ai été séduit par l'allure unique du coupé TT, comme beaucoup de gens d'ailleurs. La conjonction du style d'inspiration Bauhaus et d'éléments visuels rappelant les anciennes voitures de course Auto Union (de même que le prototype Avus) ont eu sur moi l'effet d'un coup de foudre qui dure toujours. Quant à la version roadster, je le considère nettement moins réussi, en raison de la perte de cette ligne *fastback* qui caractérise le coupé et son hayon arrière. Évidemment, ces considérations sont purement subjectives, et vos critères personnels vous rendront peut-être de toutes autres notions quant au style de ce tandem germanique.

MÉCANIQUE Fidèles à la tradition Audi, les TT sont caractérisées par la traction intégrale, qui en constitue sans aucun doute leur aspect le plus réussi, et par la motorisation avec turbocompresseur qui l'est nettement moins. Pour équiper décemment une voiture sport, on doit requérir un moteur capable de livrer la marchandise, ce qui n'est malheureusement pas le cas de la version à 180 chevaux du 4 cylindres turbo : il manque cruellement de *punch*. La version de 225 chevaux offre de meilleures performances. Cependant il ne faut pas oublier que le rouage intégral entraîne une importante augmentation de poids d'une part, et que, d'autre part, le rapport de la première vitesse est trop court pour permettre des accélérations aussi intenses que les rivales de la catégorie. « There is no free lunch » comme disent les Américains...

COMPORTEMENT Autant le rouage intégral pénalise l'accélération, autant il rend la voiture agréable à conduire sous la pluie. Dans ces conditions particulières, la TT s'accroche littéralement à la route, et l'on prend pleinement con-

nouveautés 2002

• Nouveau système de son avec lecteur CD intégré • Nouvelles couleurs bleu Morro et blanc brillant • Toit souple de couleur bleue sur certains modèles du roadster

science de la supériorité technique du système Quattro, qui demeure la référence en matière de rouage intégral. Seul un galop d'essai en piste le prendra en défaut pour sa lenteur d'éxécution lors d'une enfilade rapide de virages serrés, mais sur la route, aucune inquiétude à y avoir de ce côté-là. La direction séduit par sa précision, et le freinage demeure performant bien qu'il ne soit pas à la hauteur des décélérations livrées par la Porsche Boxster, qui est une sportive beaucoup plus accomplie.

HABITACLE Aucun autre constructeur ne réussit la présentation intérieure de ses véhicules comme Audi, et l'attention portée au moindre détail devrait servir d'exemple à tous les concurrents. On peut cependant relever quelques bémols, notamment le fait que les semelles mouillées glissent sur les pédales et que sur le coupé, les places arrière symboliques font que l'on doit obligatoirement le considérer comme un véhicule à deux places avec un volume d'espace cargo considérable une fois les dossiers arrière abaissés. La Roadster propose en équipement facultatif des fauteuils en cuir dont les coutures sont réalisées selon le style des lanières d'un gant de baseball, ce qui est du plus bel effet.

CONCLUSION Si le coupé séduit par l'élégance et la pureté de ses lignes de même que par sa traction intégrale, qui en fait une voiture au comportement assuré dans à peu près toutes les conditions de conduite, le concept d'un cabriolet deux places à traction intégrale demeure quant à lui tout à fait dénué d'intérêt.

fiche technique

Moteur : 4 cyl. en ligne turbo 1,8 DACT
Autres moteurs : 4 cyl. en ligne turbo 1,8 DACT
Puissance : 180 ch à 5500 tr/min et 173 lb-pi à 1950-4700 tr/min
Autres moteurs : 225 ch à 5900 tr/min et 207 lb-pi à 2200-5500 tr/min
Transmission de série : manuelle à 5 rapports (6 rapports sur la 225 ch)
Transmission optionnelle : automatique à 5 rapports (180 ch)
Freins avant : disques ventilés
Freins arrière : disques
Sécurité active de série : ABS, ESP (stabilisation électronique), ASR (antipatinage) tract. avant seulement)
Suspension avant : indépendante
Suspension arrière : indépendante
Empattement : 243 cm
Longueur : 404,1 cm
Largeur : 185,6 cm
Hauteur : 134,6 cm
Poids : 1325 kg
0-100 km/h : 7,6 s
Autres moteurs : 6,3 s (225 ch)
Vitesse maximale : 209 km/h (limitée électroniquement)
Autres moteurs : 230 km/h (limitée électroniquement)
Diamètre de braquage : 10,5 m
Capacité du coffre : 180 L
Capacité du réservoir à essence : 62 L
Consommation d'essence moyenne : 9,6 L/100km
Autre moteur : 11 L/100km
Pneus d'origine : 205/55R16; 225/45ZR17 (225 ch)
Pneus optionnels : aucun

2e opinion

Michel Crépault — Les premières fois, notre crâne percute le toit tant la voiture est basse, et la visibilité est limitée à cause de ce même toit qui descend jusqu'aux sourcils. En plus, le coffre est symbolique, des cliquetis assaillent le roadster et le turbo accuse un délai. En revanche, on apprécie le design digne d'un musée, la stabilité Quattro, des baquets confortables, et ce dans un tout hautement original.

forces

- Style unique
- Traction intégrale
- Présentation de l'habitacle

faiblesses

- Accélérations et reprises décevantes
- Poids relativement élevé
- Modèle roadster à traction intégrale dénué d'intérêt

Par Gabriel Gélinas

évolution

BENTLEY

fiche d'identité

Modèles : Arnage, Azure, Continental

Versions : Red Label, Mulliner, Continental R et T

Segment : de luxe de plus de 100 000 $

Roues motrices : arrière

Portières : 2 et 4

Places : avant, 2; arrière, 2

Sacs gonflables : 4

Concurrence : Jaguar XJR et XKR, Mercedez-Benz Classe S et CL, Audi A8/S8, Rolls Royce Silver Seraph, Corniche, Park Ward, Aston Martin DB7et Vanquish, BMW Série 7

prix de base • 304 400$

Le muscle en robe longue

au quotidien

Garantie générale : 3 ans/kilométrage illimité

Collision frontale : -

Collision latérale : -

Ventes du modèle l'an dernier au Québec : nd

Dépréciation : nouveau modèle

Comprendre la gamme Bentley, aujourd'hui propriété du groupe Volkswagen, est moins simple que chez Rolls-Royce. Il y a d'abord les coupés deux portes Continental R et la Continental T ainsi que le cabriolet Azure. La production du coupé Continental SC (Sedanca Coupé), surtout vendu en Californie, a été annulée. Les modèles Arnage Red Label (introduits en 1999) et Arnage LWB (à empattement allongé), sont des berlines. Enfin, comme Motorsport pour BMW ou AMG pour Mercedes-Benz, la division Mulliner peut métamorphoser les trois coupés. Sans oublier la Continental R Le Mans Series, en édition très limitée.

CARROSSERIE La Continental T, la rebelle de la famille, a un empattement raccourci, une suspension abaissée et une voie élargie. Tout ce qu'il faut pour concentrer la puissance de ses 420 chevaux au bon endroit, c'est-à-dire sur la chaussée. La Benley Azure s'inspire de la Rolls-Royce Corniche, à quelques différences près. De son côté, une Continental R qui sort de l'atelier Mulliner se retrouve avec des ailes subtilement revues pour accueillir les plus grosses roues. L'emblème Mulliner et le tuyau d'échappement plus menaçant mettent également la puce à l'oreille de l'admirateur averti.

MÉCANIQUE La Arnage Red Label s'offre un V8 de 6,75 litres turbocompressé développant 400 chevaux, construit à la main à l'usine de Crewe. La vitesse maximale est réglée à 249 km/h, comme dans le cas de l'Azure et de la Continental R. Sous le capot de la R, les ingénieurs ont extrait 20 chevaux de plus, lui permettant d'atteindre une vitesse maximale de 273 km/h. Toutes les Bentley revues par Mulliner sont propulsées par le même V8 turbocompressé de 426 chevaux. Avec l'aide des sorciers de Cosworth et Zytek, l'engin procure un impressionnant couple à bas régime.

COMPORTEMENT À bord d'une Bentley Red Label de 329 000 $, je n'entends aucun bruit de l'extérieur si ce n'est le bruissement du moteur quand j'accélère. Dans une courbe, la taille du véhicule s'impose. Heureusement, on distingue

nouveautés 2002

• Aucun changement majeur

parfaitement le bout du capot. Et les ailes couchées du logo me servent de collimateur. La direction est très fluide malgré le poids exagéré. L'accélération aussi surprend, davantage quand on choisit le mode «Sport» disponible en enfonçant le bouton situé au-dessus du sélecteur de rapports au plancher. La pédale de frein est spongieuse, mais le résultat final est rassurant. Avec les retouches Mulliner, l'agressivité est au rendez-vous, grâce à des barres antiroulis renforcées, une direction plus incisive et des pneus de 18 pouces à profil bas.

HABITACLE Chez Bentley, le bois est massif. Quant au cuir Connolly, le constructeur ne tolère que les meilleures peaux. On assiste à un heureux mariage du traditionnel et du moderne. Par exemple, la cabine d'une Bentley est truffée de rondeurs, comme les cinq petits hublots qui trouent l'océan de bois. Tous ces cadrans sont cerclés de chrome, et leur graphisme est vraiment révolutionnaire. La sono est très sobre. On fait varier le débit d'air en tirant sur des chevillettes, geste archaïque qui n'est pourtant pas déplacé à bord de ce type de voiture. La Bentley est pourvue de porte-gobelets escamotables, vraisemblablement conçus pour des tasses de thé miniatures. Le coffre dispose du seuil d'accès le plus bas de l'industrie : ouverture béante au ras du pare-chocs avec évasement jusqu'aux ailes.

CONCLUSION Conduire une Bentley tient toujours du paradoxe. S'étrangler dans un bouchon de circulation peut devenir une expérience plaisante en raison du confort, mais le coût des réparations qu'occasionne une simple égratignure peut facilement pousser à la panique le meilleur des esprits bien pensants. Bien sûr, tout esprit bien pensant capable de se payer une Bentley a déjà réfléchi aux moyens d'écarter ce genre de situations stressantes.

BENTLEY

fiche technique

Moteur : V8 6,75 L turbochargé
Puissance : 400 ch à 4000 tr/min et 616 lb-pi à 2100 tr/min; 426 ch à 4000 tr/min et 656 lb-pi à 2200 tr/min (Mulliner et Continental T)
Transmission de série : automatique à 4 rapports
Transmission optionnelle : aucune
Freins avant : disques ventilés
Freins arrière : disques
Sécurité active de série : ABS, contrôle de la traction, contrôle de la stabilité électronique,
Suspension avant : indépendante
Suspension arrière : indépendante
Empattement : 296 cm; 306 cm (allongée); 312 cm (Arnage)
Longueur : 522 cm; 535 cm (allongée); 539 cm (Arnage)
Largeur : 187 cm (Azure); 206 cm (Continental) ; 212 cm (Arnage)
Hauteur : 146 cm; 152 cm (Arnage)
Poids : 2450 kg; 2520 kg (Arnage)
0-100 km/h : 6,3 s (Arnage, Azure); 6 s (Continental R et T)
Vitesse maximale : 249 km/h limitée électroniquement; 270 (R et T)
Diamètre de braquage : 12,4 m
Capacité du coffre : 350 L; 374 L (Arnage)
Capacité du réservoir d'essence : 100 L (Arnage); 108 L
Consommation d'essence moyenne : 18,7 L/100 km; 19,2 L/100 km (Arnage)
Pneus d'origine : 255/50R18; 285/45ZR18 (Continental R et T)
Pneus optionnels : aucun

forces
- Assemblage manuel
- Luxe extra-terrestre
- Puissance fluide

faiblesses
- Dépense indécente
- Boutons trop plastifiés
- Réseau inexistant

Par Michel Crépault

BMW

nouveauté

fiche d'identité

Modèle : M3
Versions : coupé et cabriolet
Segment : sportives entre 50 000$ et 100 000$
Roues motrices : arrière
Portières : 2
Places : avant, 2; arrière, 2
Sacs gonflables : 2 frontaux, 2 latéraux, rideau gonflable
Concurrence : Audi S4, Mercedes-Benz C32 AMG et CLK 55, Jaguar XKR, Porsche 911, Saab 9-3 Viggen

au quotidien

Prime d'assurance moyenne : 2800$
Garantie générale : 4 ans/80 000km
Garantie contre la corrosion : 6 ans/kilométrage illimité
Garantie antipollution : 8 ans/130 000 km
Collision frontale : -
Collision latérale : -
Ventes du modèle l'an dernier au Québec : nouveau modèle
Dépréciation : nouveau modèle

prix de base • 73 500$

Authentique sportive

Enfin nous avons accès à la vraie M3, celle qui est offerte en Europe, et non pas à la version édulcorée qui était proposée en Amérique du Nord avec son moteur dégonflé de 240 chevaux. Entrée en scène remarquable et remarquée pour ce tandem composé d'un coupé et d'un cabriolet qui fait la démonstration sans équivoque des prouesses techniques du constructeur bavarois.

CARROSSERIE Quelle gueule! Au premier coup d'œil, le M3 séduit par l'élégance classique des lignes de la Série 3 et par l'intégration de plusieurs éléments qui feront figure de détails pour les non-initiés, mais qui sont on ne peut plus éloquents pour les fans de la marque. Du nombre : le gonflement du capot moteur, les roues de 18 pouces en alliage, les ouvertures pratiquées sur les ailes avant et les quatre tuyaux d'échappement. Juste ce qu'il faut pour commencer à épater la galerie.

MÉCANIQUE Le moteur du M3 est un véritable tour de force technologique avec ses 333 chevaux pour 3,2 litres, ce qui donne 103 chevaux par litre.
Seules deux autres voitures sont en mesure de rivaliser à ce chapitre, soit la Honda S2000 (120 chevaux par litre) et la Ferrari 360 Modena (110 chevaux par litre). Cependant, il faut préciser que, si le moteur de la M3 se classe au troisième rang pour ce qui est de la puissance au litre, il obtient le premier rang pour ce qui est du couple livré par litre de cylindrée. Ajoutez à cela une zone rouge qui débute à 8000 tours/minute et vous aurez tôt fait de comprendre que la M3 décolle assez furieusement merci, avec en prime un crescendo absolument envoûtant. La boîte de vitesses est une manuelle à six combinaisons d'engrenages, comme il se doit, et elle est parfaitement adaptée à la personnalité résolument sportive de la M3.

COMPORTEMENT Incisif, agile et rapide. Voilà le trio de qualificatifs qui résume le mieux le comportement rou-tier de la M3. Son allure vous fait carrément oublier que vous êtes au volant d'une voiture à quatre places; et

nouveautés 2002

• Tout nouveau modèle

vous rend tout le feedback d'une authentique sportive. La direction est d'une précision extrême. Le seul bémol que l'on peut émettre consiste en une tendance un peu trop marquée au sous-virage lors de la conduite sur circuit, ce que j'ai été à même de constater à l'autodrome Saint-Eustache. Un court galop d'essai dans les Laurentides, sur la route 364 entre Saint-Sauveur et Huberdeau, m'a également permis de réaliser que le M3 s'accommodait plutôt mal d'une chaussée trop souvent défoncée. Ce n'est pas la voiture qui est en cause, mais plutôt l'état lamentable de la majorité des routes québécoises, comme quoi il faut vraiment avoir confiance en son bolide pour conduire une M3 dans des conditions aussi mauvaises.

HABITACLE La disposition des instruments et des commandes présente une ordonnance presque parfaite. Les fauteuils offrent assez de soutien latéral en virages, et le système audio propose enfin un lecteur DC de série ! Merci aux gens de BMW d'avoir finalement compris le message!

Si l'aménagement est sans reproches, il faut toutefois souligner que l'agencement de certains coloris laisse à désirer. C'était le cas de notre voiture d'essai dont le bleu retenu pour les fauteuils en cuir m'a semblé très mal assorti sinon très discutable.

CONCLUSION La M3 excelle dans toutes les situations. Seules nos routes en mauvais état se révèlent un réel handicap à une expérience de conduite hors du commun.

fiche technique

Moteur : 6 cyl. en ligne DACT 3,2 L
Puissance : 333 ch à 7900 tr/min et 274 lb-pi à 4900 tr/min
Transmission de série : manuelle à 6 rapports
Transmission optionnelle : aucune
Freins avant : disques
Freins arrière : disques
Sécurité active de série : ABS, traction asservie, ASC+T, DSC, assistance au freinage
Suspension avant : indépendante
Suspension arrière : indépendante
Empattement : 273 cm
Longueur : 449 cm
Largeur : 178 cm
Hauteur : 137 cm (coupé)
Poids : 1495 kg (coupé)
0-100 km/h : 5,2 s
Vitesse maximale : 250 km/h (limitée électroniquement)
Diamètre de braquage : nd
Capacité du coffre : 410 L
Capacité du réservoir d'essence : 63 L
Consommation d'essence moyenne : 12,0 L/100 km
Pneus d'origine : 225/45ZR18 (avant) 255/40ZR18 (arrière)
Pneus optionnels : pneus de 19 po.

2e opinion

Alain Mckenna — La M3 est à la conduite automobile de tous les jours ce que les lecteurs DVD sont au phonographe : incomparable et sans faille. Puissante, stable et raffinée, c'est un jouet dangereux s'il est laissé entre les mains de gens imprudents ou insouciants.

forces

- Moteur fabuleux
- Tenue de route exemplaire
- Ergonomie sans failles
- Allure à la fois sportive et élégante

faiblesses

- Diffusion limitée
- Échelle de prix
- Voiture trois saisons

Par Gabriel Gélinas

BMW

fiche d'identité

Modèle : Série 5
Version : M5
Segment : sportives de plus de 100 000 $
Roues motrices : arrière
Portières : 4
Places : avant, 2 ; arrière, 2
Sacs gonflables : 2 frontaux, 2 latéraux et rideaux gonflables
Concurrence : Mercedes-Benz E55 AMG, Jaguar XJR

au quotidien

Prime d'assurance moyenne : 3000 $
Garantie générale : 4 ans/80 000 km
Garantie contre la corrosion : 6 ans/kilométrage illimité
Garantie antipollution : 8 ans/130 000 km
Collision frontale : 4/5
Collision latérale : 4/5
Ventes du modèle l'an dernier au Québec : nouveau
Dépréciation : 25 % (1 an)

évolution

prix de base • 105 500 $

GT 4 portes

La performance dans l'élégance et la discrétion : c'est ainsi que l'on pourrait résumer la philosophie de BMW. Jusqu'à tout récemment, même la division M adoptait un profil bas. Souvenez-vous de la dernière M5 : mises à part les roues de 18 po, elle était bien tranquille. Les sorciers de la division M se sont payé une joyeuse session de défoulement au moment de mettre en marché la nouvelle M5 il y a deux ans. Tellement que certains dirigeants du siège social de Munich la trouvaient trop dévergondée. Mais les sorciers ont eu raison d'insister. La M5, malgré son prix, a connu un succès instantané.

CARROSSERIE Extérieurement, on note peu de différence par rapport à une Série 5 «normale», hormis l'impressionnant becquet avant serti de projecteurs antibrouillard, le très discret petit becquet arrière, les quatre grosses sorties d'échappement et des jantes de 18 po au regard menaçant. La partie châssis, empruntée à la 540i, a naturellement subi de profondes modifications afin d'être compatible avec l'accroissement spectaculaire des performances.

MÉCANIQUE Développé sur la base du V8 de 4,4 litres, le moteur de la M5 fait bande à part. Au chapitre de ses principales spécificités, on retiendra notamment qu'il possède une distribution à quatre soupapes par cylindre avec gestion variable (Vanos) à l'admission comme à l'échappement. Raffinement parmi d'autres, lors des démarrages à froid, le système de gestion électronique veille à allumer sur le compte-tours des témoins lumineux qui s'éteignent progressivement au fur et à mesure que l'huile du moteur monte en température. Cela, naturellement, afin d'indiquer au conducteur le moment où il est possible d'écraser la pédale sans risque d'usure pour la mécanique. Au total, ce moteur développe la bagatelle de 400 chevaux. À en croire les ingénieurs de Munich, ce V8 est capable de beaucoup plus, mais on a estimé qu'une puissance de 400 chevaux était suffisante... pour l'instant. Et comment !

COMPORTEMENT Ne tournons pas autour du pot : la M5 présente une qualité de com-

nouveautés 2002

• Pas de changement majeur

portement inouïe, qu'elle doit en bonne partie à son contrôle dynamique de stabilité DSC III. Ce système constitue un atout appréciable pour le comportement, surtout lorsque les conditions d'adhérence ne sont pas optimales. Pas besoin de vous dire que les accélérations sont foudroyantes, mais les reprises, si la chose est possible, sont encore plus impressionnantes! L'abondance de couple entre le 3e et le 4e rapport impose le respect, et la voiture pousse toujours très fort en 6e. BMW a limité à 250 km/h la vitesse maximale de ce missile routier. Sans limitation, elle pourrait atteindre les 280. Une bonne note pour le confort remarquable de la suspension, compte tenu de la nature hyper sportive et des pneus à profil bas.

HABITACLE On peut sans conteste affirmer que la M5 dispose d'un équipement particulièrement complet, voire inusité, comme le contrôle de pression des pneus, la banquette rabattable ou l'aide au stationnement. L'instrumentation est elle aussi complète, grâce notamment à la présence d'un ordinateur de bord. La finition ne mérite pas la moindre critique. Le seul bémol concerne le chargeur de DC situé dans le coffre. Plusieurs fabricants l'installent maintenant directement dans le tableau de bord, ce qui est beaucoup plus pratique

CONCLUSION On ne peut qu'envier les rares élus qui peuvent s'offrir une M5. Son prix est certes élevé, mais il s'agit là d'un engin qui ne connaît pas beaucoup d'équivalents dans la production actuelle. La M5 ne craint aucune comparaison en termes de performances, offre un plaisir de conduite inouï, sait rester relativement discrète sur le plan esthétique et permet même éventuellement d'emmener la petite famille.

fiche technique

Moteur : V8 DACT 5 L
Puissance : 400 ch à 6600 tr/min et 368 lb-pi à 3800 tr/min (330)
Transmission de série : manuelle à 6 rapports
Transmission optionnelle : aucune
Freins avant : disques ventilés
Freins arrière : disques ventilés
Sécurité active de série : ABS, traction asservie, ASC+T, DSC, assistance au freinage
Empattement : 283 cm
Longueur : 477,5 cm
Largeur : 180 cm
Hauteur : 144 cm
Poids : 1720 kg
0-100 km/h : 5,4 s
Vitesse maximale : 250 km/h (limitée électroniquement)
Rayon de braquage : 11,3 m
Capacité du coffre : 460 L
Capacité du réservoir d'essence : 70 L
Consommation d'essence moyenne : 14,0 L/100 km (525)
Pneus d'origine : P245/40ZR18 (avant); P265/35ZR18 (arrière)
Pneus optionnels : aucun

2e opinion

Philippe Laguë — Si Ferrari décidait de produire une 4 portes, ça ressemblerait sûrement à cette diabolique berline. Les montées en régime ont quelque chose d'orgasmique et le mot n'est pas trop fort, croyez-moi ! Quant à la mécanique, c'est du grand art. En dix ans de carrière, je n'en ai pas conduit souvent des comme celle-là.

forces

- Performances hallucinantes
- Confort surprenant
- Tenue de route irréprochable

faiblesses

- Prix élevé
- Consommation élevée

Par Benoit Charette

BMW

fiche d'identité

Modèle : Mini
Version : unique
Segment : petites voitures
Roues motrices : avant
Portières : 2
Places : avant, 2 ; arrière, 3
Sacs gonflables : 6
frontaux, latéraux, rideaux gonflables
Concurrence : Volkswagen
New Beetle

au quotidien

Prime d'assurance moyenne : nd
Garantie générale : 4 ans / 80 000 km
et assistance routière 24 heures
Garantie groupe motopropulseur :
6 ans/kilométrage illimité
Garantie anti-pollution :
8 ans/130 000 km
Collision frontale : nd
Collision latérale : nd
Ventes du modèle l'an dernier au Québec : nouveau modèle
Dépréciation : nouveau modèle

nouveauté

prix de base • nd

Dans les petits pots...

Née en 1959, la célèbre Mini, un peu à l'image de la Beetle, aura fasciné l'imagination de toute une génération. Plus grande et plus cossue, la nouvelle, signée par BMW, a su en reprendre la forme et l'esprit. Mais à quel prix!

CARROSSERIE Mini est la seule marque que le constructeur allemand a conservée de l'épisode Rover avant de s'en défaire. Alors, allemande ou anglaise, la nouvelle Mini ? Sa carrosserie demeure fidèle au génial coup de crayon de sir Alec Issigonis, son créateur : de grosses optiques rondes, une large calandre, un pavillon plat, un arrière tronqué et quatre roues aux extrémités. Voilà pour le côté anglais. La rigueur au niveau de l'assemblage et de la finition est tout à fait germanique.

MÉCANIQUE Le petit 1300 cc avec carburateurs qui sentait l'huile chaude dès qu'on le sollicitait un peu trop a fait place à un gros 1600 cc construit au Brésil. Ce projet conjoint BMW-DaimlerChrysler offre une mécanique de 115 chevaux.
Hélas, handicapés par une transmission désespérément longue (60 km/h en 1re, 110 km/h en 2e et... 160 km/h en 3e) et un poids de 1125 kg, soit 400 (!) de plus que l'ancienne Mini, les 115 ch de cette version Cooper suffisent tout juste à lui procurer des performances décentes.
La Cooper S, qui sera lancée au courant de l'année 2002, disposera de 163 chevaux et offrira des performances plus mordantes.

COMPORTEMENT Les sensations de conduite rendent un bel hommage au modèle original, mais pas toujours pour le mieux. Comme son ancêtre en minuscules, la MINI que BMW (nom écrit en majuscules pour la distinguer de l'originale) vire « sec » et parfaitement à plat grâce à une direction très directe, un train avant incisif et une suspension ferme. Un hommage qui va jusqu'à certains défauts typiques, décelables à plus haut régime. Le train avant sautille et cause de brèves pertes de motricité qui rappellent son aïeule. Heureusement, les jantes de 10 ou 12 pouces ont été supplantées par des 15 pouces, voire, en

• Nouveau modèle pour 2002

option, par des 16 ou 17 pouces pour une meilleure efficacité!

Les jantes de 16 pouces optionnelles et les énormes pneus (195/50 R 16) «mangent» une belle partie de la puissance. On se consolera toutefois avec un excellent freinage ABS et une stabilité sur autoroute qui fait passer l'ancienne Mini pour une boîte à savon. Sans oublier une insonorisation très soignée que vient renforcer un honorable confort de suspension.

HABITACLE L'ambiance est rendue nostalgique par un pare-brise quasi vertical, une planche de bord très sobre intégrant en son centre le grand compteur de vitesse, des bouches d'aération rondes, des interrupteurs à bascule façon aviation sur la console centrale, sans oublier un petit volant cuir lui aussi très vertical. Qualité des matériaux, finition et ergonomie, avec siège et volant réglables en hauteur respectent les standards BMW, à savoir impeccables. Sur ces points, personne ne regrettera l'originale qui pliait son homme en quatre et le tordait avec son pédalier décalé à droite. Quant à l'habitabilité, il y a tout lieu de reconnaître que si les passagers avant sont fort bien installés, ceux de l'arrière sont à peine moins à l'étroit qu'à bord de l'ancienne Mini.

CONCLUSION Faut-il qualifier cette MINI de petite voiture trop dispensieuse ou simplement comme la plus abordable des BMW? Si la nostalgie opère son charme au niveau de l'ambiance, les performances nous laissent sur notre appétit. Nous vous donnons rendez-vous l'an prochain pour les premiers tours de roues de la Cooper S qui promet de plus belles accélérations.

fiche technique

Moteur : 4 cyl. 1,6 L
Autre moteur : aucun
Puissance : 115 ch à 6000 tr/min et 149 lb-pi à 4500 tr/min
Transmission de série : manuelle à 5 rapports
Transmission optionnelle : automatique à 4 rapports
Freins avant : disques
Freins arrière : disques
Sécurité active de série : ABS
Suspension avant : indépendante
Suspension arrière : indépendante
Empattement : 247 cm
Longueur : 362,6 cm
Largeur : 168,8 cm
Hauteur : 141,6 cm
Poids : 1050 kg
0-100 km/h : 9,2 s
Vitesse maximale : 200 km/h
Diamètre de braquage : nd
Capacité du coffre : 160 L
Capacité du réservoir d'essence : 50 L
Consommation d'essence moyenne : 6,7 L
Pneus d'origine : 175/65VR15
Pneus optionnels : aucun

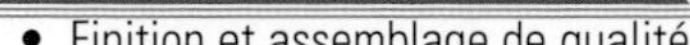

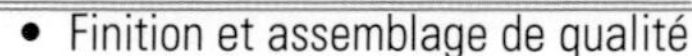

forces
- Finition et assemblage de qualité
- Ligne réussie
- Habitacle bien dessiné

faiblesses
- Performances décevantes
- Train avant sautillant
- Places arrière trop restreintes

Par Benoît Charette

BMW

fiche d'identité

Modèle : Série 3
Versions : 320, 325, 330
Segment : de luxe de moins de 50,000$
Roues motrices : arrière, traction intégrale
Portières : 2 ou 4
Places : avant, 2; arrière, 2
Sacs gonflables : 2 frontaux, 2 latéraux et rideaux gonflables
Concurrence : Acura 3,2TL, Audi A4, Cadillac CTS, Infiniti I35, Lexus IS 300, Mazda Millenia, Mercedes-Benz Classe C, Saab 9-3, Volvo S60

au quotidien

Prime d'assurance moyenne : 1550$
Garantie générale : 4 ans/80 000 km
Garantie contre la corrosion : 6 ans/kilométrage illimité
Garantie antipollution : 8 ans/130 000 km
Collision frontale : nd
Collision latérale : nd
Ventes du modèle l'an dernier au Québec : 1318
Dépréciation : 27 %

évolution

prix de base • 34 500$

La **meilleure** berline **au monde ?**

Quelques changements surviennent en 2002 pour la Série 3 de Bayerische Motoren Werke, dont un nouveau look et un nouveau moteur. Et comme si ce n'était pas assez, un nouveau rouage intégral, inspiré de celui du X5, est désormais disponible sur la 325 et la 330 depuis l'année dernière.
Et ce, afin de permettre aux jeunes yuppies propriétaires de «Béhème» de rouler dans des conditions difficiles sans que cela se termine de façon regrettable.

CARROSSERIE Rafraîchies pour l'année-modèle 2002, les carrosseries de la berline et du modèle familial offrent des phares avant plus stylisés et un arrière-train qui a tout de même du charme grâce à un savant mélange de courbes et d'angles qui parviennent à s'harmoniser.
Avec un coupé, deux berlines, une familiale et un cabriolet, on peut dire que la série 3 à elle seule pourrait faire l'affaire de bien des fabricants...

MÉCANIQUE Le 6 cylindres en ligne introduit l'année dernière est toujours aussi en forme.
Malgré le poids accru et les performances améliorées, il faut savoir que ces moteurs sont sensés être plus économiques et moins polluants que leurs prédécesseurs, tout en étant plus silencieux. Ce qui n'est pas sans prétention. Ils ne vous écraseront pas dans votre fauteuil en accélération, mais cette mécanique est l'âme d'une grande routière.

COMPORTEMENT La Série 3 ne peut renier ses origines : elle a été conçue pour rouler sur l'Autobahn, c'est évident. Avec une douceur de roulement et un comportement routier optimisés pour des vitesses bien au-delà de nos limites locales, on ne peut avoir qu'une mince idée de ce que peut offrir l'auto ; c'est tout le contraire d'une sportive américaine, qui nous écrase à l'accélération, mais qui s'essouffle avant d'avoir atteint le cinquième rapport. Dans le cas de la Série 3, on sent plutôt une volonté d'aller toujours un peu plus haut, un peu plus loin, pour citer un pilier de la chanson québécoise. De plus, la tenue de route tire profit du châssis rigide et de la propulsion, si ce n'est du rouage intégral mordant.

nouveautés 2002

• Aucun changement majeur

HABITACLE À l'intérieur, il est préférable, pour des raisons de confort, d'opter pour la place du pilote ou du copilote. Les places arrière souffrent d'un espace restreint pour les pieds (mais pas les genoux) et la tête (si vous mesurez 1,80 m ou plus). Pour les enfants, la situation ne sera pas aussi critique, on s'en doute.

À l'avant, vous reconnaîtrez l'instrumentation toute allemande des BMW. Le pommeau de la transmission manuelle est accessible plus facilement si l'on relève l'appuie-coude; dans le cas contraire, il gêne un peu.

Par ailleurs, la visibilité n'est pas précisément le point fort de la Série 3. Heureusement pour les amateurs du stationnement en parallèle, des indicateurs sonores se font entendre lorsque vous reculez trop près d'un objet quelconque.

CONCLUSION Pour le prix, on pourrait toutefois s'attendre à un peu mieux de la part de BMW. Nombreuses sont les critiques à l'égard de la série 3, qui n'y voient qu'un effort moyen de la part du constructeur bavarois. Mais ceux qui ont le logo bleu et blanc tatoué sur le cœur ne seront pas déçus des sensations que peut offrir ce modèle d'entrée. Avec le rouage intégral et le 3 litres, les possibilités sont infinies... ou presque.

fiche technique

Moteur : 6 cyl. en ligne DACT 2,1 L;
Autres moteurs: 6 cyl. en ligne DACT 2,5 L; 6 cyl. en ligne DACT 3 L
Puissance : 168 ch à 6250 tr/ min et 155 lb-pi à 3500 tr/min
Autres moteurs: 184 ch à 6000 tr/min et 175 lb-pi à 3500 tr/min; 225 ch à 5900 tr/min et 214 lb-pi à 3500 tr/min
Transmission de série : manuelle à 5 rapports
Transmission facultative : automatique à 5 rapports
Freins avant : disques ventilés
Freins arrière : disques ventilés
Sécurité active de série : ABS, traction asservie, ASC+T, DSC
Suspension avant : indépendante
Suspension arrière : indépendante
Empattement : 272,5 cm
Longueur : 447,1 cm ; 448,8 cm (330)
Largeur : 173,9 cm ; 175,7 cm (330)
Hauteur : 141,5 cm ;136,9 cm (330)
Poids : 1440 kg (320); 1470 (325); 1520 kg (330)
0-100 km/h : 8,7 s (320); 7.6 s (325) ; 7,5 s (330)
Vitesse maximale : 206 km/h (limitée électroniquement)
Diamètre de braquage : 10,5 m
Capacité du coffre : 440 L ; 410 L (330)
Capacité du réservoir d'essence : 63 L
Consommation d'essence moyenne : 10 L/100km (320); 10,4 L/100km (325); 10,4 L/100km (320)
Pneus d'origine : 195/65R15 (320); 205/55R16 (325) 205/50R17 (330)
Pneus optionnels : 205/55R16 (320); P 225/45ZR17 (325); 225/45ZR17 (330) avant; 245/40ZR17 (330) arrière

2e opinion

Philippe Laguë — À chaque fois que je conduis une 325 ou une 330, je me demande s'il ne s'agit pas de la meilleure voiture au monde. Ai-je vraiment besoin d'en dire plus? Chose certaine, elle se classe dans le top 5 de la production automobile mondiale.

forces

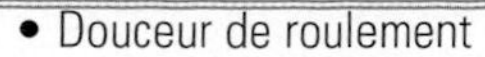

- Douceur de roulement
- Rouage intégral efficace
- Bonne tenue de route

faiblesses

- Point d'embrayage flou
- Places arrière peu confortables

Par Alain Mckenna

évolution

BMW

fiche d'identité

Modèle : Série 5
Versions : 525, 530, 540
Segment : voitures de luxe
Roues motrices : arrière
Portières : 4 et 5 (Touring)
Places : avant, 2; arrière, 2
Sacs gonflables : 2 frontaux, 2 latéraux et rideaux gonflables
Concurrence : Acura 3,5RL, Audi A6, Cadillac Seville, Infiniti G35, Jaguar S-Type, Lexus GS, Lincoln LS, Mercedes-Benz Classe E, Saab 9-5, Volvo S80

au quotidien

Prime d'assurance moyenne : 1600 $
Garantie générale : 4 ans/80 000 km
Garantie contre la corrosion : 6 ans/kilométrage illimité
Garantie antipollution : 8 ans/130 000 km
Collision frontale : 4/5
Collision latérale : 4/5
Ventes du modèle l'an dernier au Québec : 364
Dépréciation : 37 %

prix de base • 55 200 $

À l'aube d'un nouveau changement

BMW ne manque pas de restyler constamment sa Série 5. Ainsi les versions 2001 ont toutes subi quelques modifications à la calandre, aux phares avant et aux custodes.

Mais ces récentes retouches seront les dernières, car la berline, dans sa forme actuelle, tirera sa révérence à la fin de 2002. Quant à la version Touring, sa remplaçante est attendue pour l'automne 2003.

CARROSSERIE Pas de changement majeur sur le plan du style : la plupart des versions ont reçu quelques légères retouches l'an dernier pour mieux cadrer avec la ligne familière que prennent la majorité des modèles de la famille. BMW prône le statu quo jusqu'à l'an prochain pour l'arrivée de la nouvelle cuvée de berlines. C'est à ce moment qu'auront lieu les véritables changements sur l'allure de la Série 5.

MÉCANIQUE Pas facile de s'y retrouver, les ingénieurs bavarois ont la bougeotte en ce qui concerne les moteurs. Il semble que BMW en ajoute et en enlève chaque année. Au Canada, il y a trois motorisations différentes, quatre si on inclut la M5.

La mécanique de base est un 6 cylindres en ligne de 2,5 litres et 184 chevaux qui se retrouve dans la berline et la familiale 525. Ensuite vient le 6 cylindres en ligne de 3 litres et 225 chevaux qui fait son nid sous le capot de la berline 530i. Enfin, le V8 de 4,4 litres et ses 282 chevaux donnent des ailes à la 540 en version berline et familiale. Pour tous les modèles, une transmission manuelle (à 5 rapports pour les 525 et 530 et 6 rapports pour la 540) est offerte en équipement de série.

La transmission automatique (4 rapports pour la 525 et 5 rapports pour les 530 et 540) est disponible en option.

COMPORTEMENT Tout comme la Série 3 dans sa catégorie, la Série 5 est une référence en matière d'expérience au volant. BMW a su mieux que quiconque effectuer la symbiose entre la route et le conducteur. Plusieurs autres ont tenté de l'imiter, mais personne n'a vraiment réussi à l'égaler.

Pour ce qui est du taux d'adré-

nouveautés 2002

• Nouveau modèle au printemps 2002

naline au volant, il est directement proportionnel à la taille de votre compte en banque. La 525 vous donne entière satisfaction sur le plan de la conduite tout en demeurant sobre au chapitre des performances. La 530 vous amène au septième ciel, avec des reprises plus franches.

La 540 vous donne un avant-goût du paradis des conducteurs, spécialement si vous optez pour la boîte manuelle. La M5 vous garantit un rendez-vous avec Saint Pierre, c'est le summum en matière de conduite.

HABITACLE En refermant les portières de la voiture, vous avez ce sentiment — typique de certaines voitures allemandes — de prendre place dans la voûte d'une banque. La voiture semble coulée en un seul morceau tellement la rigidité est omniprésente.

La liste d'équipements de série est assez complète, et si vous ne voulez pas avoir de mauvaises surprises, tenez-vous-en au minimum, car les accessoires offerts en option sont nombreux et très coûteux. Voici quelques exemples : un système de navigation à 3900 $, des sièges en cuir à 2500 $, un système audio de luxe à 1750 $, le groupe sport avec les roues de 17 pouces, une suspension plus ferme et quelques gadgets supplémentaires à 2900 $. Alors réfléchissez bien avant de céder pour quelques accessoires additionnels, car la facture grimpe rapidement.

CONCLUSION Peu de voitures sur le marché offrent une expérience au volant aussi enrichissante. Toutefois, ce privilège a un prix.

Mais si votre budget vous le permet, il ne faut pas hésiter une seconde car dans la catégorie des voitures de luxe intermédiaires, la Série 5 occupe le haut du pavé. Malgré un prix élevé, l'investissement est justifié.

2e opinion

Michel Crépault — la Série 5 représente une des berlines de luxe les plus équilibrées sur le marché. Son seul reproche: les passagers arrières sont à l'étroit. BMW promet de régler le problème avec sa nouvelle version au courant de l'année 2002.

fiche technique

Moteur : 6 cyl. en ligne DACT 2,5 L
Autres moteurs: 6 cyl. en ligne DACT 3 L; V8 DACT 4,4 L
Puissance : 184 ch à 6000 tr/min et 175 lb-pi à 3500 tr/min
Autres moteurs: 225 ch à 5900 tr/min et 214 lb-pi à 3500 tr/min; 282 ch à 5400 tr/min et 324 lb-pi à 3600 tr/min
Transmission de série : manuelle à 5 rapports; manuelle à 6 rapports (540)
Transmission optionnelle : automatique à 5 rapports
Freins avant : disques ventilés
Freins arrière : disques ventilés
Sécurité active de série : ABS, antipatinage, ASC+T, DSC, assistance au freinage
Suspension avant : indépendante
Suspension arrière : indépendante
Empattement : 283 cm
Longueur : 477,5 cm (berline); 480,5 cm (familiale)
Largeur : 180 cm
Hauteur : 143,5 cm (berline); 144 cm (familiale)
Poids : 1565 kg (525i); 1585 kg (530i); 1700 kg (540i)
0-100 km/h : 8,5 s (525); 7,7 s (530); 6 s (540)
Vitesse maximale : 206 km/h (limitée électroniquement); 250 km/h (540) (limitée électroniquement)
Diamètre de braquage : 11,3 m ; 11,4 m (Touring)
Capacité du coffre : 460 L; 1525 L (Touring)
Capacité du réservoir d'essence : 70 L
Consommation d'essence moyenne : 10 L/100 km (525, 530) ; 14 L/100 km (540)
Pneus d'origine : P225/60R16 (525); P225/55R16 (530, 540)
Pneus optionnels : P235/45R17 (525, 530 et 540 Touring); P235/45R17 avant (540i); P255/40R17 arrière (540i)

forces

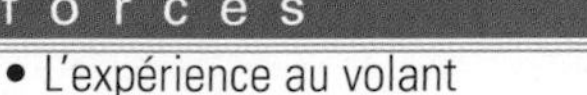

- L'expérience au volant
- La direction ultraprécise
- Les performances toujours au rendez-vous

faiblesses

- L'entretien onéreux
- L'habitabilité un peu juste pour une intermédiaire
- La consommation (540)

Par Benoit Charette

BMW

fiche d'identité

Modèle : Série 7
Version : 745
Segment : de luxe de plus de 100 000 $
Roues motrices : arrière
Portières : 4
Places : avant, 2; arrière, 3
Sacs gonflables : 2
Concurrence : Jaguar XJ8, Lexus LS 430, Infiniti Q45, Cadillac DeVille, Mercedes-Benz Classe S, Audi A8 et S8

au quotidien

Prime d'assurance moyenne : 2700 $
Garantie générale : 4 ans/80 000 km et assistance routière 24 heures
Garantie groupe motopropulseur : 6 ans/kilométrage illimité
Garantie antipollution : 8 ans/130 000 km
Collision frontale : nd
Collision latérale : 4/5
Ventes du modèle l'an dernier au Québec : 122
Dépréciation : 42 %

Nouveauté

prix de base • nd

Nouveaux sommets techniques

Dernière heure. Bien que la Série 7 ne figure ici que sur deux pages, traitement réservé aux nouveautés tardives que nous n'avons pu conduire, voici le compte-rendu de mon essai de la dernière-née des berlines de luxe avec laquelle BMW entend redéfinir les normes de la catégorie, rien de moins. Ce premier contact a eu lieu en septembre 2001, à l'occasion du lancement international de la Série 7 dans la région de Fiuggi en Italie. La 745i fera son entrée au pays en janvier 2002, suivie en mars de la 745Li à empattement allongé, de même que d'une version à moteur V12 un peu plus tard.

CARROSSERIE La nouvelle Série 7 intègre plusieurs éléments de style propres à la marque, mais son allure fortement inspirée des voitures-concepts Z9 et X Coupé marque un clivage évident avec la génération précédente, et en fait la moins BMW des BMW. D'ailleurs, la partie arrière est éloquente à cet égard et ne manquera pas de semer la controverse. Le constructeur bavarois parle ici d'un look «en trois dimensions», mais on dirait que deux croupes, provenant de deux voitures distinctes, ont été fondues l'une dans l'autre. Pas sûr, pas sûr...

MÉCANIQUE C'est la grande force de BMW, et le moteur de la 745i est tout simplement fabuleux. Avec la nouvelle technologie Valvetronic, le V8 de 4,4 litres livre 333 chevaux et 332 livres-pied de couple. Comme ce nouveau moteur est jumelé à la première boîte automatique à six rapports de toute l'industrie automobile, les accélérations sont phénoménales pour la catégorie, et déjà la 745i déclare ses intentions de porter la sophistication technique à un niveau supérieur. Sur l'Autostrada, j'ai vu plus de 230 kilomètres-heure au compteur; la vie à bord demeurait d'un confort remarquable et n'était troublée que par un léger bruit de vent. Sur les routes montagneuses, avec la sélection manuelle des rapports au moyen de boutons localisés sur le volant, la 745i affichait une personnalité résolument sportive, surtout lors des rétrogradages; ce qui est généralement le point faible de ce type de transmission.

nouveautés 2002

• Tout nouveau modèle

COMPORTEMENT Malgré son poids élevé et son gabarit plutôt imposant pour les routes européennes, la 745i se comporte comme une authentique sportive, surtout avec l'option « Dynamic Drive » qui agit sur les barres antiroulis en les contrôlant au moyen d'un système hydraulique. Avec ce système, le roulis est presque inexistant en virages, et la tenue de route est carrément surprenante. Ce n'est que lorsque l'on atteint 0,6 G d'accélération latérale en virage que le roulis commence à se faire sentir et qu'un léger sous-virage se manifeste pour avertir le conducteur qu'il s'approche de la limite.

HABITACLE S'il a été question de « clivage » au sujet des formes de la Série 7, ce terme est tout aussi approprié pour ce qui est de l'habitacle et surtout du nouveau système de contrôle i-Drive qui est, à mon avis, inutilement complexe. Avec ses 270 commandes, son écran qui jouxte la nacelle des intsruments et son contrôleur intégré à la partie avant de l'accoudoir central, le système i-Drive permet une variation infinie de configurations pour la climatisation, le système audio, la navigation assistée, le téléphone cellulaire, le réglage de la fermeté des suspensions...et j'en passe. Avant même de démarrer le moteur (au moyen d'un bouton, tout comme sur la Z8) et de prendre la route, mon collègue et moi-même avons reçu un cours technique de 20 minutes sur le fonctionnement de ce système... Voilà qui pourrait être déroutant au point de devenir un irritant pour le nouvel acheteur qui ne sera peut-être pas séduit par la complexité du i-Drive et de ses multiples fonctions. À cocher au catalogue des options, celle des sièges ventilés qui procure un confort inégalé.

CONCLUSION La Série 7 devient la nouvelle référence de la catégorie par sa sophistication technique inégalée. On y retrouve tout ce qui fait la force de BMW, soit le comportement routier inspiré et la puissance moteur. Seul le stylisme de même que le système i-Drive nécessiteront une certaine adaptation de la clientèle, et il reste à voir si les richissimes de ce monde accepteront de s'y conformer.

fiche technique

Moteur : V8 DACT de 4,4 L
Puissance : 333 ch à 5400 tr/min et 324 lb-pi à 3600 tr/min
Transmission de série : automatique à 6 rapports
Transmission optionnelle : aucune
Freins avant : disques ventilés
Freins arrière : disques ventilés
Sécurité active de série : ABS, antipatinage, DSC, répartiteur de freinage électronique
Suspension avant : indépendante
Suspension arrière : indépendante
Empattement : 299 cm
Longueur : 502,9 cm
Largeur : 190,2 cm
Hauteur : 149,2 cm
Poids : 1945 kg
0-100 km/h : 6,3 s
Vitesse maximale : 250 km/h
Diamètre de braquage : 12,1 m
Capacité du coffre : 500 L
Capacité du réservoir d'essence : 88 L
Consommation d'essence moyenne : 13,5 L/100 km approx.
Pneus d'origine : 245/55R17
Pneus optionnels : aucun

forces

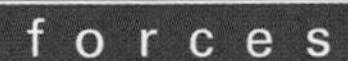

- Puissance et souplesse du moteur
- Boîte automatique à six rapports
- Comportement routier sportif
- Confort inégalé

faiblesses

- Allure controversée
- Présentation intérieure ne fait pas l'unanimité
- Système i-Drive inutilement complexe

Par Gabriel Gélinas

évolution

prix de base • 56 900 $

Le Schumacher des 4x4

fiche d'identité

Modèle : X5

Versions : 3.0i ; 4.4i ; 4.6i

Segment : utilitaires intermédiaires

Roues motrices : traction intégrale

Portières : 4

Places : avant, 2 ; arrière, 3

Sacs gonflables : 2 frontaux, 2 latéraux et rideaux gonflables

Concurrence : Acura MDX, Jeep Grand Cherokee, Mercedes-Benz Classe M, Infiniti QX4, Land Rover Discovery, Lexus RX300

au quotidien

Prime d'assurance moyenne : 1750 $

Garantie générale : 4 ans/80 000 km et assistance routière 24 heures

Garantie groupe motopropulseur : 6 ans/kilométrage illimité

Garantie pour le système anti-pollution : 8 ans/130 000 km

Collision frontale : 5/5

Collision latérale : 5/5

Ventes du modèle l'an dernier au Québec : 361

Dépréciation : nouveau modèle

En se lançant dans le développement et la production d'un véhicule utilitaire sport, BMW a choisi de rester fidèle à ses objectifs : qualité, performance et tenue de route. Le X5 dépasse ses collègues haut la main. D'ailleurs, BMW définit le X5 comme un véhicule d'activités sportives et non comme un utilitaire sport. Sa popularité continue de croître, puisque le 100 000e X5 sortait de l'usine le 23 août 2001. En 2002, BMW se prépare à affronter de nouveaux concurrents, et la version 4.6i sera lancée à la fin de l'année au Canada.

CARROSSERIE BMW offrira trois versions du X5 : le 3.0i, le 4.4i et une toute nouvelle version, le 4.6i, que l'on décrit comme plus puissante et aérodynamique. On accède assez facilement et sans grimper à l'habitacle grâce à son centre de gravité assez bas pour ce type de véhicule. La rigidité de la coque du X5 lui a permis d'obtenir une cote d'excellence en matière de collisions frontales et latérales, dépassant ainsi non seulement les meilleures notes chez les utilitaires, mais celles de bien des voitures dites sûres. BMW prêche par l'exemple en créant des véhicules rapides, mais les équipe en conséquence.

Le coffre vous donne accès à amplement de place pour y loger les bagages de quatre passagers et, au besoin, vous pouvez profiter des sièges rabattables 60/40 pour charger de plus gros objets.

MÉCANIQUE Tous les X5 profitent d'un système de traction intégrale avec moteur avant.

Le X5 3.0i, à moteur 6 cylindres en ligne, est le seul à offrir une boîte manuelle à 5 rapports ; les versions V8 sont couplées à une transmission automatique à 5 rapports, à mode automatique ou manuel. Chaque X5 profite d'un excellent système de contrôle de traction qui vous aide à garder le cap de votre véhicule sur des surfaces glissantes. La capacité de remorquage du X5 4.4i se situe à 1700 kilos, soit dans la bonne moyenne du groupe.

N'oubliez pas que les X5 sont voraces en carburant, et exigent du super, s'il vous plaît. Nous avons noté une consommation moyenne de près de 22 litres aux 100 km. C'est le revers de ses qualités...

nouveautés 2002

• Une version 4.6i disponible vers la fin de l'automne 2001

COMPORTEMENT Bien que les descriptions technique et mécanique des X5 impressionnent, c'est sur la route que l'on découvre leurs qualités. Nous avons pu essayer la version 4.4i pendant une semaine, et nous avons été à même de constater à quel point ce véhicule se conduit et se comporte comme une voiture sport. Malgré son rouage intégral, la direction demeure sensible et précise. Les accélérations laisseront les autres utilitaires sur place, et ses reprises de 80 à 120 km/h en 6,32 secondes offrent une marge suffisante pour effectuer des dépassements en sécurité. Grâce à son centre de gravité plus bas que ses concurrents, le X5 4.4i colle à la route. Il ne donne pas un faux sentiment de sécurité, car il rappelle au besoin les limites d'adhérence et son statut apparenté de camion.

Bien que doté de quatre puissants freins à disque, notre X5 n'a pas battu l'excellente distance de freinage de 30 mètres du Toyota Sequoia de 100 à 0 km/h : nous avons mesuré 32 mètres.

HABITACLE Une des grandes qualités que nous avons constatées fut la facilité avec laquelle des personnes de gabarits différents ont pu trouver une très bonne position de conduite. À l'avant, on compte sur un bon soutien, tandis qu'à l'arrière, deux personnes peuvent s'asseoir confortablement (trois, à l'occasion). La fermeté de la suspension se fait ressentir à l'arrière. Le tableau de bord est facile à lire, mais il faut toujours prendre le temps de s'adapter aux icônes particulières à BMW.

CONCLUSION Les BMW X5 allient la robustesse, la puissance et la souplesse d'un véhicule sport utilitaire avec l'agilité et la nervosité d'une BMW. La version 4.6i devrait relever d'un cran ce plaisir de conduire.

fiche technique

Moteurs : 6 cyl. en ligne DACT 3 L
Autres moteurs : V8 DACT 4,4 L ; V8 DACT 4,6 L
Puissance : 225 ch à 5900 tr/min et 214 lb-pi à 3500 tr/min
Autres moteurs : 282 ch à 5400 tr/min ; 324 lb-pi à 3600 tr/min (4,4 L) ; 347 ch (4,6 L)
Transmission de série : manuelle à 5 rapports (3.0i); automatique à 5 rapports (4.4i et 4.6i)
Transmission optionnelle : automatique à 5 rapports (3.0i)
Freins avant : disques ventilés
Freins arrière : disques
Sécurité active de série : ABS, ASC+T, DSC
Suspension avant : indépendante
Suspension arrière : indépendante
Empattement : 282 cm
Longueur : 466,7 cm
Largeur : 187,2 cm
Hauteur : 170,7 cm
Poids : 1990 kg (3 L); 2095 kg (4,4 L)
0-100 km/h : 8,5 secondes (3 L), 7,5 secondes (4,4 L)
Vitesse maximale : 202 km/h (3 L); 206 (4,4 L)
Diamètre de braquage : 12,2 m
Capacité de remorquage : 1700 kg
Capacité du coffre : 455 L
Capacité du réservoir d'essence : 93 L
Consommation d'essence moyenne : 13 (3 L); 14 (4,4 L)
Pneus d'origine : 235/65R17 ; P255/55R18
Pneus optionnels : 255/50ZR19 (avant); 285/45ZR19 (arrière)

2e opinion

Benoit Charette — Premier utilitaire réellement plaisant à conduire, le X5 offre des sensations au volant qui se rapprochent de celles que nous procurent les berlines de la famille. Sans surprise, le prix est à l'avenant. Le 3 litres plus abordable sera aussi moins gourmand en carburant. Un utilitaire pour les amateurs de conduite. C'est plus que du bonbon!

forces

- Tenue de route
- Performance

faiblesses

- Consommation gargantuesque

Par Amyot Bachand

BMW

fiche d'identité

Modèle : Z3
Versions : 2,5 ; 3,0 ; M Roadster et M coupé
Segment : sportives entre 50 000 $ et 100 000 $
Roues motrices : arrières
Portières : 2
Places : avant, 2; arrière, 0
Sacs gonflables : 4
Concurrence : Audi TT, Honda S2000, Mercedes-Benz SLK, Porsche Boxster

Prime d'assurance moyenne : 1400 $
Garantie générale : 4 ans/80 000 km et assistance routière 24 heures
Garantie groupe motopropulseur : 6 ans/kilométrage illimité
Garantie antipollution : 8 ans/130 000 km
Collision frontale : 4/5
Collision latérale : nd
Ventes du modèle l'an dernier au Québec : 1318 (Série 3)
Dépréciation : 36 %

évolution

prix de base • 47 200 $

Refonte **imminente**

Ayant pris d'assaut les écrans de cinéma aux mains d'un certain James Bond dans le film *Golden Eye* en 1995, la Z3 a rapidement conquis un public séduit par la promesse de performances sportives et l'allure unique de cette bavaroise dans le vent. Une série de moteurs à six cylindres a depuis remplacé l'anémique 4 cylindres du modèle original. Mais la fin est proche pour la Z3 sous sa forme actuelle : la deuxième génération, qui portera le millésime 2003, est attendue au cours de la prochaine année.

CARROSSERIE La Z3 cuvée 2002 se décline en plusieurs variantes : soit le roadster, qui peut être animé par trois moteurs différents, soit l'excentrique coupé, qui fait tourner les têtes tout en proposant une tenue de route bonifiée en raison de sa rigidité structurelle accrue. Si ce dernier ne plaît pas à tout le monde, je salue l'audace de BMW en me rangeant résolument dans la minorité qui en apprécie le style à la fois unique et controversé, qui n'est pas sans rappeler la célèbre Volvo P1800 à ses dernières années. Quant à la prochaine Z3, elle exagérera encore plus les proportions du modèle actuel, en adoptant un capot avant plus long et une partie arrière qui demeurera courte.

MÉCANIQUE Des trois moteurs qui peuvent équiper le roadster, retenons le 3 litres et le 3,2 litres (qui équipe l'actuelle M3), les seuls, à mon avis, qui rendent justice à la voiture en développant assez de puissance pour la rendre intéressante. Quant au coupé, ce dernier ne retient comme seule motorisation que le plus puissant des moteurs de la gamme, soit le 3,2 litres, qui développe la bagatelle de 315 chevaux. Au Salon de l'Auto de Francfort, BMW a annoncé que la transmission SMG (*Sequential Manual Gearbox*) avec commande semi-automatique du passage des vitesses au moyen de paliers localisés au volant (comme sur une F1 actuelle), serait proposée sur les versions M Roadster et M Coupé. Cette transmission présente l'avantage de permettre le passage des vitesses en 150 millisecondes sans que le conducteur n'ait à relâcher l'accélérateur, tout en auto-

nouveautés 2002

• Modèles M roadster et M coupé équipés du moteur 3,2 litres • Commande de changements de vitesses au volant (SMG) offerte sur les modèles M • Toute nouvelle génération de la Z3 à venir en 2003

risant le démarrage le plus rapide qui soit. Le conducteur n'a qu'à enfoncer l'accélérateur au maximum et le système SMG fera grimper le moteur jusqu'à 4000 tours/minute avant d'engager l'embrayage, ce qui permettra à n'importe quel conducteur de réussir des temps canon pour le sprint de 0 à 100 kilomètres/heure.

COMPORTEMENT Si la tenue de route de la Z3 peut être qualifiée d'excellente, elle n'égale toutefois pas celle de la Porsche Boxster, qui est plus équilibrée. Même sur les versions M, munies de pneus surdimensionnés et de suspensions raffermies, il faut combattre l'inertie et déplacer latéralement l'avant de la voiture lorsque l'on inscrit celle-ci en virage. Ce phénomène ne sera toutefois apparent qu'aux vitesses supérieures autorisées par la conduite sur piste. Sinon, la Z3 se comporte de façon sportive, tout en procurant un confort appréciable. Trop, même, aux goût des puristes, qui lui préfèreront la Boxster ou encore la Honda S2000, en raison de leur tempérament plus agressif.

HABITACLE La présentation intérieure est nettement plus réussie sur les versions M, les plus sportives de la gamme, avec une présentation en harmonie avec leurs prétentions. Il ne suffit pourtant pas de grand chose : des cadrans cerclés de chrome et un agencement des coloris des cuirs du meilleur effet.

CONCLUSION Si la Z3 demeure un choix judicieux dans cette catégorie, il sera toutefois intéressant de suivre les transformations qui lui seront apportées lors de sa refonte imminente. Les premières indications font état d'une voiture plus pratique, parce que plus spacieuse et dotée d'un coffre de plus grandes dimensions ainsi que d'un toit souple revu et corrigé. On promet également un confort rehaussé, sans que cela n'entrave les améliorations apportées au comportement. C'est à suivre.

fiche technique

BMW

Moteur : 6 cyl. en ligne DACT 2,5 L
Autres moteurs : 6 cyl. en ligne DACT de 3 L; 6 cyl. en ligne DACT de 3,2 L
Puissance : 184 ch à 6000 tr/min et 175 lb-pi à 3500 tr/min
Autres moteurs : 225 ch à 5500 tr/min et 214 lb-pi à 3500 tr/min/ 315 ch à 7400 tr/min et 251 lb-pi à 4900 tr/min (M)
Transmission de série : manuelle à 5 rapports; manuelle à 6 rapports (M Coupé)
Transmission optionnelle : automatique à 4 rapports
Freins avant : disques
Freins arrière : disques
Sécurité active de série : ABS, antipatinage
Suspension avant : indépendante
Suspension arrière : indépendante
Empattement : 245 cm
Longueur : 405 cm
Largeur : 174 cm
Hauteur : 129,3 cm
Poids : 1315 kg
0-100 km/h : 7,5 s
Vitesse maximale : 206 km/h (limitée électroniquement); 220 km/h (M)
Diamètre de braquage : 10 m
Capacité du coffre : 165 L
Capacité du réservoir d'essence : 51 L
Consommation d'essence moyenne : 11,8 L/100 km
Pneus d'origine : 225/50R16

2e opinion

Benoît Charette — La plus britannique des allemandes évoque à merveille les belles d'hier et joue sur les cordes émotionnelles des amateurs.
Michel Crépault — Pour ce qui est du M Coupé, il faut admettre que nous avons la quintessence de la puissance et de la maniabilité munichoise dans une voiture format de poche.

forces

- Lignes d'un roadster classique
- Excellente tenue de route
- Freinage performant

faiblesses

- Côté pratique très limité
- Esthétique controversée du modèle coupé

Par Gabriel Gélinas

BMW

fiche d'identité

Modèle : Z8
Segment : sportives de plus de 100 000 $
Roues motrices : arrière
Portières : 2
Places : avant, 2 ; arrière, 0
Sacs gonflables : 2 frontaux, 2 arrière
Concurrence : Porsche 911 Turbo, Aston Martin DB7 Volante, Ferrari F 360 Spider et Mercedes-Benz CLK 55 AMG Cabriolet

au quotidien

Prime d'assurance moyenne : 3 500 $
Garantie générale : 4 ans/80 000 km et assistance routière 24 heures
Garantie groupe motopropulseur : 6 ans/kilométrage illimité
Garantie antipollution : 8 ans/130 000 km
Collision frontale : 4/5
Collision latérale : 4/5
Ventes du modèle l'an dernier au Québec : 9
Dépréciation : nouveau modèle

évolution

prix de base • 195 000 $

L'«ex» de James

C'est mon fantasme : me pointer au bar, commander un « Vodka Martini Shaken, Not Stirred», rencontrer une superbe et mystérieuse espionne et avoir une relation explosive avec elle dans la chambre d'un palace... Et puis, s'il faut vivre comme James Bond, aussi bien conduire sa BMW Z8, surtout qu'il n'en a plus besoin, l'ayant récemment délaissée pour la Aston Martin Vanquish.

CAROSSERIE Inspirée de la célèbre, très belle et très rare BMW 507 (seulement 252 exemplaires produits), la Z8 représente l'interprétation moderne du roadster classique selon Chris Bangle, chef styliste de BMW, qui évoque sans retenue les proportions «érotiques» de cette supervoiture sport. La Z8 représente aussi, sans équivoque, la démonstration des capacités techniques du constructeur bavarois, comme en fait foi son cadre treillis autoporteur entièrement réalisé en aluminium, que nos cousins français appellent Space Frame. Par cette architecture, BMW a réalisé une voiture extrêmement rigide qui transmet remarquablement bien les sensations de la route au conducteur.

MÉCANIQUE La Z8 retient la motorisation de la berline sport M5, soit une cavalerie de 400 chevaux, jumelée à une transmission manuelle à six rapports, avec la promesse d'un sprint de 0 à 100 km/h en 4,7 secondes. Exploiter la pleine puissance de ce moteur fabu-leux devient encore plus agréable lorsque le système DSC (*Dynamic Stability Control*) est désactivé; celui-ci étant un peu trop intrusif en conduite sportive. Une conversation avec l'un des ingénieurs de la Z8 nous confirme, d'ailleurs, que le système a été calibré en fonction de conducteurs qui n'ont pas nécessairement d'aptitudes ou d'expérience de la conduite de performance. Bref, on ne veut pas que le richissime client prenne le décor avec son nouveau jouet. Autre détail, l'accélérateur électronique peut être contrôlé en mode «sport», ce qui donne au conducteur une réponse instantanée de la commande des gaz.

COMPORTEMENT De Los Angeles à Thousand Oaks,

nouveautés 2002

- Aucun changement majeur

notre parcours nous amène sur les lacets serrés de Mulholland Highway, où la Z8 se montre superbement agile grâce à la répartition optimale de ses masses de 50 % à l'avant et 50 % à l'arrière. Elle colle littéralement à la route, et la précision de la direction me permet de la placer au millimètre près sur la trajectoire idéale, ou encore d'éviter les rochers qui se sont détachés de la falaise escarpée.

HABITACLE Le retour vers Los Angeles se faisant par les autoroutes 5 et 210, cela me permet de faire le point sur cet essai et de relever certains bémols. Premièrement, le toit souple est à commande semi-automatique (il faut effectuer une opération manuelle pour le fermer complètement) et la lunette arrière est en plastique, ce qui détonne un peu sur une voiture de près de 200 000 $. Deuxièmement, les instruments sont placés au centre de la planche de bord, et le tachymètre est le cadran le plus éloigné du conducteur. Il aurait été préférable, à mon humble avis, d'inverser la position de l'indicateur de vitesse et du tachymètre. Troisièmement, les rétroviseurs extérieurs sont chromés, ce qui n'est pas nécessairement du plus bel effet surtout sur les voitures dont la couleur est autre qu'argent. Ces quelques détails servent à illustrer que rien n'est absolument parfait en ce bas monde, même si la Z8 frise la perfection à presque tous les égards.

CONCLUSION En cette époque de compressions et de rationalisation, il est rassurant de constater que certains constructeurs, comme BMW, se souviennent de leur héritage et qu'ils aient les moyens de leurs ambitions en créant des voitures aussi exceptionnelles que la Z8.

fiche technique

Moteur : V8 DACT 5 L
Puissance : 400 ch à 6600 tr/min et 369 lb-pi à 3800 tr/min
Transmission de série : manuelle à 6 rapports
Transmission facultative : aucune
Freins avant : disques ventilés
Freins arrière : disques ventilés
Sécurité active de série : ABS, antipatinage, contrôle de stabilité, répartition électronique du freinage
Suspension avant : indépendante
Suspension arrière : indépendante
Empattement : 251 cm
Longueur : 440 cm
Largeur : 183 cm
Hauteur : 131,7 cm
Poids : 1 585 kg
0-100 km/h : 4,9 s
Vitesse maximale : 250 km/h (limitée électroniquement)
Diamètre de braquage : 11,6 mm
Capacité du coffre : 195 L
Capacité du réservoir d'essence : 73 L
Consommation d'essence moyenne : 14,5 L/100 km
Pneus d'origine : 245/45ZR18 (avant), 275/40ZR18 (arrière)
Pneus optionnels : aucun

2e opinion

Michel Crépault — Vu le prix demandé, mon premier réflexe serait d'exiger un bolide davantage exhibitionniste. Et puis, non. La discrétion et la subtilité ont du bon, notamment en ne choquant point les voisins et le percepteur. Telle une exceptionnelle bouteille de vin, la Z8 cible les connaisseurs.

forces

- Moteur de 400 chevaux
- Tenue de route superbe
- Confort de roulement
- Tour de force technique

faiblesses

- Diffusion limitée
- Prix stratosphérique
- Toit souple semi-automatique et lunette arrière en plastique

Par Gabriel Gélinas

BUICK

fiche d'identité

Modèle : Century
Versions : Custom, Limited
Segment : intermédiaires
Jumeau : Buick Regal
Roues motrices : avant
Portières : 4
Places : avant, 2 ; arrière, 3
Sacs gonflables : 2
Concurrence : Kia Magentis, Pontiac Grand Prix, Saturn Série L, Subaru Legacy, Toyota Avalon et Camry, Hyundai Sonata, Chrysler Sebring, Ford Taurus, Honda Accord, Daewoo Leganza, Nissan Altima, Mazda 626

au quotidien

Prime d'assurance moyenne : 775 $
Garantie générale : 3 ans/60 000 km
Garantie groupe motopropulseur : 5 ans/100 000 km
Garantie contre la corrosion : 3 ans/60 000 km
Garantie contre la perforation : 6 ans/160 000 km
Garantie antipollution : 5 ans/100 000 km
Collision frontale : 4/5
Collision latérale : 3/5
Ventes du modèle l'an dernier au Québec : 1917
Dépréciation : 53,9 %

évolution

prix de base • 25 325 $

Valeur sûre chez GM

La Buick Century représente pour GM une valeur sûre pour une clientèle plus âgée et pour les parcs d'automobiles.

CARROSSERIE On remarque davantage une Buick Century qu'une Taurus ou une Malibu. Pourtant, les lignes de la Century demeurent classiques et très sobres. La calandre attire peut-être davantage l'attention parce qu'elle a su rester fidèle à ses origines.

On peut se procurer deux versions de la Century : la Custom et la Limited, cette dernière jouissant d'accessoires et de commodités plus luxueux comme la sellerie de cuir et la climatisation automatisée.

On remarquera que Buick tient compte de sa clientèle actuelle en intégrant à la Century des détails de protection et de sécurité particuliers : des phares de virage pour faciliter les changements de direction, un pare-brise et une lunette arrière teintés Solar-Ray, une climatisation séparée, des rétroviseurs repliables en cas de heurt et des moulures latérales protectrices. Pour une personne d'un certain âge, un représentant de commerce ou le gestionnaire d'une compagnie de location, ces petits détails comptent.

Le coffre facile d'accès offre assez de place pour vos sacs de golf et vos valises. Au besoin, vous pourrez rabattre les sièges pour y glisser de longs objets. La capacité de remorquage est limitée à 907 kilos. Sa vocation est celle d'une routière.

MÉCANIQUE Fidèle au poste, le V6 de 3,1 litres et la transmission automatique à 4 rapports offrent une combinaison éprouvée. Le système antipatinage se joint à elle pour assurer une meilleure traction. Le freinage est assuré par des freins à disque à l'avant et à tambour à l'arrière, aidés par un système ABS. La Century profite d'une suspension indépendante aux quatre roues, du type MacPherson à l'avant, et à ressorts à boudins à l'arrière. Sa direction à crémaillère est variable en fonction de la vitesse du véhicule.

nouveautés 2002

- Nouvelles couleurs de carosserie : bronze argenté et vert rivière
- Nouveau groupe sport avec sièges baquets à l'avant

COMPORTEMENT Après avoir roulé 1500 km dans les Rocheuses avec une Century Custom, nous pouvons affirmer que sa tenue de route s'avère sûre ; bien que sa vocation ne soit pas sportive, elle se tire très bien d'affaire. En courbe serrée, on ressent du roulis, et ses pneus ne tardent pas à nous informer que nous atteignons la limite.
Son moteur donne suffisamment de puissance pour dépasser en sécurité. Le freinage s'avère efficace, mais on a noté une surchauffe occasionnelle des plaquettes. Malgré sa taille, la Century se faufile dans la circulation.

HABITACLE L'habitacle est confortable et bien aménagé à l'avant, avec son accoudoir central permettant d'y loger café et téléphone. Même après huit heures de route, nous n'étions pas du tout courbaturés. Les sièges avant gagneraient toutefois à offrir un meilleur soutien latéral. Le double système de climatisation permet au conducteur et à son passager de trouver le confort souhaité. Le tableau de bord simple permet une lecture adéquate des indicateurs et des cadrans. On apprécie les commandes de la chaîne audio logées sur le volant. Les tissus et les plastiques sont honnêtes, sans plus.

CONCLUSION Avec une cote de fiabilité au-dessus de la moyenne, la Century surpasse ses consœurs chez GM. Son prix de base la place en concurrence directe avec les autres intermédiaires tant américaines que japonaises. On comprend qu'elle conserve aisément une place dominante dans les parcs automobiles, car elle offre plus que la concurrence à prix égal ou inférieur. Il ne s'agit pas d'une voiture enivrante destinée aux amateurs de conduite. Mais pour ceux qui désirent un moyen de transport honnête, la Century fera le travail.

fiche technique

BUICK

Moteur : V6 3,1 L
Puissance : 175 ch à 5200 tr/min et 195 lb-pi à 4000 tr/min
Transmission de série : automatique à 4 rapports
Transmission optionnelle : aucune
Freins avant : disques
Freins arrière : tambours
Sécurité active de série : ABS
Suspension avant : indépendante
Suspension arrière : indépendante
Empattement : 277 cm
Longueur : 494,2 cm
Largeur : 184,5 cm
Hauteur : 143,8 cm
Poids : 1530 kg
0-100 km/h : 11,2 s
Vitesse maximale : 170 km/h
Diamètre de braquage : 11,4 m
Capacité du coffre : 473 L
Capacité du réservoir d'essence : 64 L
Consommation d'essence moyenne : 11,3 L/ 100 km
Pneus d'origine : 205/70R15
Pneus optionnels : aucun

2e opinion

Éric Descarries — J'ai utilisé cette berline pour un voyage à New York avec ma famille. Curieusement, malgré son manque de puissance et son comportement routier peu sportif, ce fut un véhicule très agréable à conduire sur une longue distance. Et la consommation d'essence était plus que raisonnable. Pas si mauvaise, après tout !

forces

- Prix intéressant
- Habitabilité
- Bonne fiabilité

faiblesses

- Son freinage manque d'endurance
- Suspension trop molle
- Pneus de piètre qualité (Custom)

Par Amyot Bachand

Évolution

BUICK

fiche d'identité

Modèle : Park Avenue
Versions : de base, Ultra
Segment : grandes voitures
Roues motrices : avant
Portières : 4
Places : avant, 2 ou 3; arrière, 3
Sacs gonflables : 4
Concurrence : Chrysler Intrepid et Concorde, Chevrolet Impala, Ford Taurus, Pontiac Bonneville, Mercury Grand Marquis

au quotidien

Prime d'assurance moyenne : 890$
Garantie générale : 3 ans/60 000 km
Garantie groupe motopropulseur : 5 ans/100 000 km
Garantie contre la corrosion : 3 ans/60 000 km
Garantie contre la perforation : 6 ans/160 000 km
Garantie antipollution : 5 ans/100 000 km
Collision frontale : 4/5
Collision latérale : 4/5
Ventes du modèle l'an dernier au Québec : 135
Dépréciation : 43,5 %

prix de base • 43 700$

Injustement **méconnue**

De l'injustice, il y en a partout en ce bas monde, et celui de l'automobile ne fait pas exception. Victime de son appartenance à la famille Buick et de l'image «pépère» que traîne cette marque comme un boulet, la Park Avenue évolue dans un anonymat qu'elle ne mérite aucunement.

CARROSSERIE Les dimensions de cette grosse berline américaine datent d'une autre époque, ce qui n'aide en rien à améliorer son image. Pourtant, ses rivales ne sont guère plus sveltes. De plus, il convient de saluer les efforts des stylistes, qui ont doté la Park Avenue d'un physique agréable.

MÉCANIQUE Sous le capot, on retrouve l'increvable V6 3800. Dans la version de base, il s'essouffle rapidement dès qu'on dépasse le régime des 3000 tours-minute. 205 chevaux, c'est bien beau, mais pour traîner cette lourde carcasse, c'est un peu juste. Vitaminé par un compresseur dans la version Ultra, il se métamorphose : cette injection de stéroïdes lui confère 35 chevaux de plus et surtout, un couple phénoménal. Dans ce dernier cas, l'architecture du moteur, que d'aucuns qualifient de désuète, y contribue directement : on ne retrouve pas cette mollesse à bas régime des motorisations à 4 soupapes par cylindre. Comme quoi les vieilles recettes peuvent encore être efficaces; il suffit de bien les apprêter.
Même si la Park Avenue est une traction, l'effet de couple que laisse craindre cet ajout de puissance est superbement maîtrisé. La boîte automatique à 4 rapports effectue elle aussi un boulot impeccable, tout comme le freinage. Ce qui, à bien y penser, ne constitue pas une surprise puisqu'il s'agit de deux domaines dans lesquels GM excelle, il faut bien le dire.

COMPORTEMENT Si surprise il y a, c'est dans le comportement de cette volumineuse berline. C'est l'Ultra qui impressionne le plus, grâce à sa direction à assistance variable et sa suspension Gran Touring. Dire qu'elle est agile serait un peu fort, mais sa maniabilité sur un trajet particulièrement tortueux surprend agréablement. De plus, on sent les réactions de la voiture; rien à voir avec la conduite aseptisée des grosses

nouveautés 2002

• Dispositif manuel de sortie d'urgence du coffre • Sièges avant chauffants maintenant de série sur tous les modèles

Acura, Lexus et Infiniti. Pour ajouter l'insulte à l'injure, la Buick propose une douceur de roulement comparable. Ce n'est pas rien.

HABITACLE Oubliez les Buick d'il y a dix ans et leur décoration intérieure d'un kitsch navrant; la situation a été corrigée depuis. Ce qui signifie que l'ère des affreux panneaux de similibois, des rangements inexistants et des tableaux de bord à l'instrumentation minimaliste est bel et bien révolue. Qui s'en plaindra?

La seule lacune qui persiste est l'éloignement de la planche de bord, car il faut avoir de grands bras pour rejoindre les commandes de la climatisation et de la chaîne stéréo (par ailleurs d'excellente qualité). Sinon, la présentation intérieure est relevée et la finition, soignée.

Les multiples rangements du bloc central sont aussi utiles qu'appréciés. Il faut toutefois préciser que ce bloc loge entre les sièges baquets, à l'avant, et que ceux-ci sont optionnels dans la version de base, qui doit se contenter d'une banquette en équipement de série. Celle-ci est par ailleurs atroce, il n'y a pas d'autres mots. On s'y enfonce comme dans des sables mouvants et le support latéral demeure une notion abstraite. Un vestige des années 60 et 70, quoi. Pour les places arrière, passe encore; mais pour la conduite, oubliez ça. Les baquets sont à peine mieux : ils offrent un maintien symbolique. Avec le revêtement en cuir, c'est encore pire parce que ça glisse, de telle sorte qu'il est facile d'adopter une mauvaise posture. Bonjour les maux de dos!

CONCLUSION Au sein de la grande famille GM, Buick affiche année après année le plus haut taux de satisfaction des propriétaires de toute l'industrie automobile. Aussi fiable que ses rivales nippones, cette berline typiquement américaine est beaucoup moins chère que ces dernières. Même s'il est difficile de parler d'aubaine à environ 50 000 dollars la copie, il n'en demeure pas moins qu'une Park Avenue Ultra coûte quelque dizaines de milliers de dollars de moins qu'une Lexus LS 430 ou une Infiniti Q45. Si vous croyez que je compare des pommes avec des oranges, je vous signale que ses dimensions, sa puissance et le luxe qu'elle propose lui permettent de jouer les trouble-fête dans ce créneau.

fiche technique

Moteurs : V6 3,8 L; V6 3,8 L compressé
Puissance : 205 ch à 5200 tr/min et 230 lb-pi à 4000 tr/min
Autres moteurs : 240 ch à 5200 tr/min et 280 lb-pi à 3600 tr/min
Transmission de série : automatique à 4 rapports
Transmission optionnelle : aucune
Freins avant : disques
Freins arrière : disques
Sécurité active de série : ABS, antipatinage
Suspension avant : indépendante
Suspension arrière : indépendante
Empattement : 289 cm
Longueur : 525,3 cm
Largeur : 189,7 cm
Hauteur : 147,6 cm
Poids : 1725 kg (de base); 1790 kg (Ultra)
0-100 km/h : 10,8 s (base); 9,3 s (Ultra)
Vitesse maximale : 180 km/h
Diamètre de braquage : 12 m
Capacité du coffre : 541 L
Capacité du réservoir d'essence : 70 L
Consommation d'essence moyenne : 12,2 L/100 km (base); 12,8 L (Ultra)
Pneus d'origine : 225/60R16
Pneus optionnels : aucun

2e opinion

Benoit Charette — La Park Avenue est en soi un paradoxe : elle offre une habitabilité hors de l'ordinaire mais une conduite déplorable. Son format, qui peut plaire aux passagers, relève cependant d'une autre époque. Il est clair que cette grande berline vit sur du temps emprunté. Comme tous les dinosaures qui sillonnent nos routes, la fin est pour bientôt.

forces

- Finition soignée
- Mécanique éprouvée et compétente
- Habitacle spacieux

faiblesses

- Dimensions d'une autre époque
- Banquette à éviter
- Sièges baquets inconfortables

Par Philippe Laguë

BUICK

fiche d'identité

Modèle : Le Sabre
Versions : Custom, Limited
Segment : grandes voitures
Roues motrices : avant
Portières : 4
Places : avant, 2 ou 3; arrière, 3
Sacs gonflables : 4
Concurrence : Chrysler Intrepid, Chevrolet Impala, Ford Taurus, Pontiac Bonneville, Mercury Grand Marquis

au quotidien

Prime d'assurance moyenne : 890 $
Garantie générale : 3 ans/60 000 km
Garantie groupe motopropulseur : 5 ans/100 000 km
Garantie contre la corrosion : 3 ans/60 000 km
Garantie contre la perforation : 6 ans/160 000 km
Garantie antipollution : 5 ans/100 000 km
Collision frontale : 4/5
Collision latérale : 4/5
Ventes du modèle l'an dernier au Québec : 804
Dépréciation : 47,4 %

évolution

prix de base • 30 465 $

Conduire sur un **nuage**

Les Américains appellent *cloud riders* ces quelques rares voitures qui évoquent ces années où une voiture de moins de 25 pieds était une compacte. La Buick Le Sabre constitue l'un des derniers refuges des amateurs de conduite d'après-guerre. Et GM tient à ce qu'il en soit ainsi, car cette Buick détient le titre de voiture pleine grandeur la plus vendue aux États-Unis depuis 10 ans; et sa clientèle, qui continue de vieillir, demeure la plus fidèle de toute l'industrie. Alors, même si les concepteurs font preuve d'avant-gardisme, les responsables de Buick préfèrent l'immobilisme, car une clientèle satisfaite est une clientèle qui revient.

CARROSSERIE Comment transformer un véhicule le plus discrètement possible ? En le montant sur une nouvelle plate-forme ! C'est donc sur le châssis de la Oldsmobile Aurora et de l'ancienne Riviera qu'on monte cette Buick depuis deux ans. En termes de rigidité de la caisse, les résultats sont positifs. Pour ce qui est de l'extérieur du véhicule, seules de nouvelles roues en aluminium de 15 pouces, sur la version Custom, et de 16 pouces chromées, sur la version Limited, viennent changer l'aspect visuel en 2002. Pour le reste, c'est le statu quo.

MÉCANIQUE Peu importe la version, Buick n'offre à sa clientèle qu'une seule mécanique, et cela, depuis plusieurs années déjà. Il s'agit d'un V6 d'une cylindrée de 3,8 litres de deuxième génération. Autre vestige des années 70, ce moteur à culbuteurs et à tiges-poussoirs a maintes fois démontré sa fiabilité et forme un excellent duo avec la transmission automatique à quatre rapports. De plus, la consommation d'essence est étonnante pour une mécanique qui produit 205 chevaux. Si la recette est bonne, pourquoi la changer ?

COMPORTEMENT La rigidité accrue de la caisse est rapidement annihilée par une suspension d'une souplesse gênante. On a l'impression de conduire une guimauve. La direction surassistée ne donne aucune sensation du revêtement. On peut comprendre qu'une compagnie puisse vouloir conserver sa clientèle

nouveautés 2002

• Roues de 15 pouces en aluminium (Custom) • Roues de 16 pouces chromées (Limited) • Console centrale redessinée • Nouveau tissu de garniture (Custom) • Nouvelle couleur de carrosserie (bleu Ming foncé)

avec un format de voiture d'une autre époque. Mais est-il nécessaire de l'accompagner d'un style de conduite aussi rétrograde ? Il est dommage que l'expérience au volant soit décevante, car, visuellement, cette Le Sabre a bien traversé l'épreuve du temps.

HABITACLE Il n'y a pas que la conduite qui est rétro ; les années 70 sont toujours présentes dans l'habitacle. Le design du tableau de bord, malgré quelques retouches en 2002, n'a pas beaucoup évolué depuis dix ans. La version Custom est toujours offerte avec une banquette 55/45 à l'avant, dont le siège et le dossier n'offrent aucun soutien ; pour ce qui est des sièges baquets, ils ne sont guère mieux, malheureusement. Le fabricant essaie de plaire à la majorité des conducteurs en leur offrant des fauteuils de forme évasive. Certaines touches modernes, comme le système « OnStar », sont offertes en équipement de série pour un an sur la version Limited, tout comme les fauteuils électriques et chauffants (en option sur la Custom). L'espace disponible pour les passagers et leurs bagages ne pose aucun problème. Le nombre de décibels est réduit au minimum, et la nouvelle gamme de chaînes audio vous promet de longues randonnées empreintes de calme.

CONCLUSION De plus en plus, on voit les *baby-boomers* s'adonner au patin à roues alignés, à la planche à neige ou à d'autres activités du genre. Il serait peut-être temps que Buick entreprenne le virage et joue d'un peu plus d'audace dans le design. Le concept ne manque pas de charme, mais comme toute chose dans la vie, il faut évoluer si l'on ne veut pas être dépassé et sombrer dans l'oubli.

fiche technique

Moteur : V6 3,8 L
Puissance : 205 ch à 5200 tr/min et 230 lb-pi à 4000 tr/min
Transmission de série : automatique à 4 rapports
Transmission optionnelle : aucune
Freins avant : disques ventilés
Freins arrière : disques ventilés
Sécurité active de série : ABS, antipatinage
Suspension avant : indépendante
Suspension arrière : indépendante
Empattement : 285 cm
Longueur : 508 cm
Largeur : 186,7 cm
Hauteur : 144,8 cm
Poids : 1615 kg
0-100 km/h : 9,6 s
Vitesse maximale : 180 km/h
Diamètre de braquage : 12,03 m
Capacité du coffre : 510 L
Capacité du réservoir d'essence : 70 L
Consommation d'essence moyenne : 12,2 L/100 km
Pneus d'origine : 215/70R15
Pneus optionnels : aucun

BUICK

2e opinion

Philippe Laguë — Zzzzzz... Hum... Hein ? Quoi ? Ah oui, la Le Sabre... Une bonne voiture, ma foi. Spacieuse, confortable et fiable. Mais les Buick sont perçues comme des voitures pour les retraités, et ce n'est pas celle-ci qui modifiera cette perception. Au fait, mon père est lui-même retraité, et il trouve cette grosse berline rétrograde et ennuyante à mourir...

forces

- Lignes intemporelles
- Mécanique fiable et silencieuse
- Plate-forme plus rigide
- Freinage grandement amélioré

faiblesses

- Tableau de bord rétro
- Banquette avant anachronique
- Manque de soutien des sièges baquets
- Suspension d'une souplesse gênante

Par Benoit Charette

CORÉE DU SUD

Daewoo Musso

Le Musso est né sous la marque Ssangyong. Celui-ci arbore maintenant la calandre Daewoo après le rachat par ce dernier de Ssangyong en 2000, suite aux ravages de la crise asiatique. Ce 4 x 4 reçoit des moteurs Mercedes fabriqués sous licence en Corée, soit essence 3,2 L (220 chevaux) soit turbodiesel 2,3 L (101 chevaux) ou 2,9 L (120 chevaux). Le Musso serait bien intéressant dans la gamme de Daewoo qui ne propose pas de sport utilitaire au Canada.

Daewoo Matiz

La plus petite Daewoo n'est pas la Lanos. Longue de 3,50 mètres, la Matiz est faite pour la ville. Mieux vaut d'ailleurs ne pas trop s'aventurer en dehors, car son 0,8 L de 51 chevaux serait alors un peu juste ! Dessinée par l'Italien Giugiaro, elle offre de la place pour 5 personnes (pas tous basketteurs quand même...). Elle a subi un léger restylage début 2001.

Samsung SM5

Samsung est surtout connu pour ses produits d'électronique grand public. Pourtant, ce grand conglomérat coréen a choisi de se lancer dans la construction d'automobiles en s'alliant à Nissan. Grand mal lui a pris car la crise asiatique a commencé peu après le début de la production. Depuis, Samsung Motors appartient à 70 % à Renault. Si vous trouvez que la SM5 ressemble à l'ancienne Nissan Maxima, vous avez raison : Samsung avait racheté sa licence de fabrication. La gamme devrait maintenant se déployer autour de produits d'origine Nissan... aussi partenaire de Renault.

BUICK

fiche d'identité

Modèle : Regal
Versions : LS, GS
Segment : intermédiaires
Jumeau : Buick Century
Roues motrices : avant
Portières : 4
Places : avant, 2; arrière, 3
Sacs gonflables : 2
Concurrence : Chrysler Sebring, Ford Taurus, Chevrolet Impala et Malibu, Honda Accord, Nissan Altima, Mazda 626, Oldsmobile Intrigue, Pontiac Grand Prix, Toyota Avalon et Camry

prix de base • 29 080 $

Anonyme, mais efficace

On pourrait décrire la Regal comme une Century avec de la personnalité. Plus que des clones, ces deux voitures sont des jumelles. La nuance est importante, car elle implique qu'elles se distinguent l'une de l'autre, sous des dehors très semblables. Oh, rien de radical; juste ce qu'il faut.

CARROSSERIE Comme sa jumelle, la Regal n'est offerte qu'en une seule configuration, soit une berline à quatre portes pouvant accueillir cinq occupants. Cette discrète Buick (pléonasme ?) se démarque néanmoins par sa partie arrière, reconnaissable entre mille, et ses formes harmonieuses. On est bien loin de l'allure ésotérique de certaines japonaises, et c'est très bien ainsi.

MÉCANIQUE Excusez le cliché, mais les deux moteurs de la Regal la font passer de Dr. Jekyll à Mr. Hyde. Increvable et fiable, le vénérable V6 3800, qui motorise la version de base (LS), n'a pas à rougir devant qui que ce soit avec son rendement impeccable et ses 200 chevaux. L'ajout d'un compresseur Eaton se traduit par une quarantaine de chevaux supplémentaires, ce qui fait de la Regal GS une digne descendante des *muscle cars* américains. Mais on peut toujours compter sur les cerveaux (sic) de GM pour trouver une façon de gâter la sauce. En bridant, par exemple, la vitesse maximale à 180 km/h, à l'aide d'un limiteur électronique. Vous avez dit anachronique ?

COMPORTEMENT Peu importe la version, le comportement est tout sauf sportif. Dans le cas de la LS, cela se justifie par la vocation intrinsèque de cette placide routière. Mais pour la GS, ils auraient pu se forcer un peu. Si on adopte une conduite un peu plus agressive, ça sous-vire et ça penche au premier virage venu. Mais pour être confortable, c'est confortable. Et fort bien insonorisé. Bref, c'est une Buick.

CONCLUSION La Regal évolue dans un anonymat qu'elle ne mérite pas. Si elle n'est guère excitante à conduire, on peut certes en dire autant de ses rivales, peu importe leur nationalité. En revanche, elle brille par sa douceur et son silence de roulement, ainsi que par une qualité d'assemblage et une finition supérieures aux autres divisions de GM. De plus, elle n'a rien à envier - ou si peu - aux berlines japonaises de même catégorie au chapitre de la fiabilité.

au quotidien

Prime d'assurance moyenne : 800 $
Garantie générale : 3 ans/60 000 km
Garantie groupe motopropulseur : 5 ans/100 000 km
Garantie contre la corrosion : 3 ans/60 000 km
Garantie contre la perforation : 6 ans/160 000 km
Collision frontale : 4
Collision latérale : 3
Ventes du modèle l'an dernier au Québec : 929
Dépréciation : 43,6 %

nouveautés 2002

Aucun changement en 2002

forces

- Accélérations musclées (GS)
- Routière confortable
- Assemblage et finition soignés
- Fiabilité sans histoire

faiblesses

- Moteurs qui prennent de l'âge
- Version GS pas assez sportive
- Image de marque

Par Philippe Laguë

BUICK

Nouveauté

fiche d'identité

Modèle : Rendezvous
Versions : CX ; CXL
Segment : utilitaires intermédiaires
Roues motrices : traction avant et intégrale
Portières : 4
Places : avant, 2 ; arrière, 5
Sacs gonflables : 2 frontaux ; 2 latéraux
Concurrence : Toyota Highlander, Acura MDX, Lexus RX 300

au quotidien

Prime d'assurance moyenne : 900 $
Garantie générale : 3 ans/60 000 km
Garantie groupe motopropulseur : 5 ans/100 000 km
Garantie contre la corrosion : 3 ans/60 000 km
Garantie contre la perforation : 6 ans/160 000 km
Garantie antipollution : 5 ans/100 000 km
Collision frontale : nd
Collision latérale : nd
Ventes du modèle l'an dernier au Québec : nouveau modèle
Dépréciation : nouveau modèle

prix de base • 30 995 $

Mélange des **genres**

General Motors du Canada vise avec le Buick Rendezvous à offrir le meilleur de trois mondes : le confort de la voiture intermédiaire, l'espace d'une minifourgonnette et la traction aux quatre roues d'un VUS. Avec les deux versions à rouage intégral Versatrak, GM offre tout ça. Avec le modèle de base à traction, Buick offre le meilleur de deux mondes en se rapprochant du troisième. GM s'attaque à plusieurs concurrents avec le Rendezvous, dont le Highlander, de Toyota, le MDX, d'Acura et le Lexus RX 300.
GM veut qu'on l'associe aux véhicules utilitaires pour des raisons commerciales, économiques et de normes antipollution. Malgré cela, nous considérons que le Rendezvous est plus près de la voiture que du camion. Disons qu'il s'agit d'une fourgonnette stylisée et bien adaptée pour satisfaire tout le monde.

CARROSSERIE Liz Wetzel, la styliste en chef du projet, a expliqué que son équipe devait respecter l'héritage des Buick : le style différent, la puissance, le confort et le sens de sécurité. Comme ce nouveau véhicule se rapproche d'un camion utilitaire, il leur a fallu ajouter une image de durabilité et de polyvalence.

CALANDRE Vous remarquerez que la calandre du Rendezvous est résolument Buick. De plus, on a porté une attention particulière à l'arrière du véhicule pour adoucir ses lignes carrées avec des glaces fumées très foncées, une ligne descendante du pilier C et des feux enveloppants. Les stylistes ont favorisé l'utilisation de deux couleurs, l'une pour les bas de caisse et l'autre pour la carrosserie : le résultat est particulièrement réussi avec les teintes foncées.
Buick offre trois versions de son Rendezvous. D'abord le CX, une traction, comporte un équipement de série que l'on retrouve dans les intermédiaires de luxe ; ensuite, deux versions à traction intégrale, le CX et le CLX, le plus luxueux. Ce dernier compte tout l'équipement du CX, en plus de la sellerie de cuir, du système OnStar, des miroirs chauffants, du système d'information de gestion du véhicule, d'un système de mémorisation de la position des rétroviseurs, des

nouveautés 2002

• Nouveau modèle

sièges, de la radio et des portes en fonction des conducteurs.

MÉCANIQUE GM a imposé à Buick la plate-forme des fourgonnettes et le V6 de 3,4 litres avec la transmission automatique à 4 vitesses. C'est un bon choix si on considère que ce moteur, bien que vieillot, est économique, développe 185 chevaux et possède un bon couple de 210 livres-pied. Le système de contrôle de traction est offert en série au Canada avec la version CX.
Les versions à traction intégrale profitent du système Versatrak léger et compact, assurant une traction constante à l'avant; dès que le système en décèle la nécessité, il transmet la traction aux roues arrière. La suspension est indépendante aux quatre roues, et on a pris soin de bien l'isoler de la carrosserie. Des roues de 16 pouces équipent le Rendezvous, et le freinage est assuré par quatre freins à disque assistés par un système ABS.

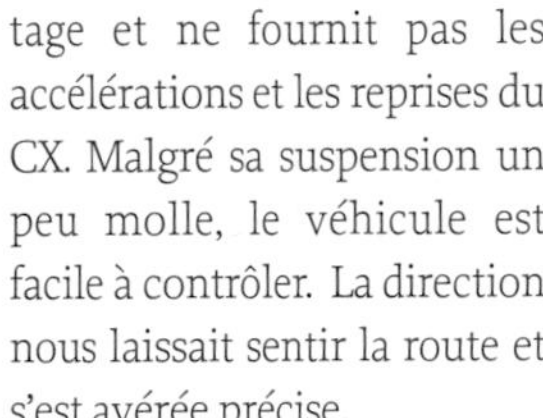

COMPORTEMENT Après avoir essayé les versions CX et CXL, nous avons préféré le CX à cause de son agilité sur les routes secondaires. Le CXL est plus lourd et assure une bonne traction, mais il tangue davantage et ne fournit pas les accélérations et les reprises du CX. Malgré sa suspension un peu molle, le véhicule est facile à contrôler. La direction nous laissait sentir la route et s'est avérée précise.
Le poids et le système de traction affectent nettement les performances que nous avons notées : 0-100 km/h = 13,7 s (CX), 15,7 s (CXL) ; 80-120 km/h = 9,3 s (CX), 10,8 s (CXL). Nous n'avons pu mesurer les distances de freinage, mais nous avons remarqué que le Rendezvous freinait en ligne droite et assez aisément, même après plusieurs essais.

HABITACLE L'aménagement intérieur est joli et bien pensé, avec une bonne qualité de finition. Les stylistes ont poursuivi ce qu'ils avaient entrepris à l'extérieur : mélanger deux coloris. Le résultat est agréable au regard et au toucher, grâce aux tissus et plastiques de bonne qualité.
Que l'on soit en position de conduite, passager à l'avant ou

entrevue

Mike Speranzini

Directeur de marque pour le Canada

Comment pourriez-vous décrire ce véhicule en quelques mots?
Le Buick Rendezvous 2002 combine trois mondes : les capacités d'un utilitaire, l'espace intérieur d'une minifourgonnette et le confort d'une berline. Un véhicule qui peut faire face à toutes les situations.

Selon vous, quels sont les points forts du Rendezvous?
Contrairement aux autres utilitaires, le Rendezvous offre de l'espace pour 7 passagers avec une 3e banquette optionnelle. Ou, si vous le désirez, vous pouvez littéralement tranformer l'intérieur en camion de livraison. De plus, le système 4 roues motrices Versatrak ajoute toute l'adhérence voulue. Il élimine les compromis des autres catégories de véhicules.

Comment situez-vous ce modèle dans votre gamme, et face à la concurrence?
Le Rendezvous est à la croisée de différentes catégories. Il se situe entre le Pontiac Montana, le GMC Envoy et le Buick Regal. La concurrence a pour nom Honda Odyssey, Ford Explorer et Chrysler 300M; ce sont les trois véhicules que Rendezvous va compétitionner.

Quelle est la clientèle cible?
Comme la plupart des nouveautés GM, nous visons un marché nouveau, donc une clientèle nouvelle. Les baby-boomers qui en ont assez des utilitaires constituent un marché de choix. Les jeunes couples qui veulent aller au-delà d'une simple minifourgonnette font également partie de notre marché cible.

galerie

1 • Le propriétaire a le choix d'utiliser l'espace arrière comme troisième banquette ou comme espace cargo.

2 • les passagers arrière bénéficient de commandes audio et de climatisation indépendante.

3 • Le Rendezvous démontre son côté utilitaire en multipliant les possibilités de l'aménagement intérieur.

4 • La calandre du Rendezvous est résolument Buick, les lignes verticales plus larges, et son emblème, plus évident, souligne son caractère robuste.

5 • L'aménagement intérieur joli et bien pensé offre une bonne qualité de finition.

1

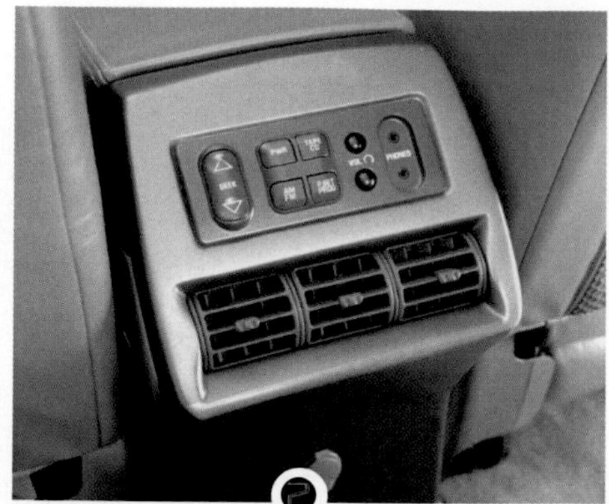

2

3

4

5

forces

- Aménagement intérieur
- Version CX plus intéressante

faiblesses

- Performances limitées
- Poids excessif

à l'arrière, on trouve une bonne position assise avec un soutien confortable des sièges. On peut même ajouter des repose-pieds pour les passagers de la deuxième rangée.

Les représentants de GM ont vanté la console centrale entre les sièges avant avec raison : enfin, une console utile et pratique! On peut y déposer un ordinateur portable ou des livres et y placer des breuvages sans danger. Sous cette tablette, une vaste ouverture est accessible des deux côtés pour y glisser un sac à main. Comme dans une fourgonnette, six personnes peuvent prendre place dans le Rendezvous avec la troisième banquette. Mais sur un plan pratique, quatre personnes et leurs bagages jouiront d'un très bon espace. La finesse, toutefois, réside en la possibilité de personnaliser l'aménagement en repliant un siège du milieu ou en l'enlevant carrément. En rabattant la troisième banquette et en enlevant les deux sièges, on peut transporter une grande quantité de matériaux.

Bien pensée, l'illumination bleue sur fond blanc des cadrans permet une lecture rapide. De plus, on peut se procurer en option un système de lecture de la vitesse, des clignotants et des données du système audio, projetés à la base du tableau de bord sur le parebrise : un gadget utile et plaisant, appelé « visualisation tête haute ».

CONCLUSION Le Rendezvous ne peut pas prétendre être un camion. GM veut offrir confort et espace avant tout. De l'avis de plusieurs journalistes présents lors de la présentation à la presse canadienne à Muskoka, le modèle CX représentait le meilleur achat à cause de son équipement complet, de son agilité sur les routes secondaires et de son prix. Au Québec, GM prévoit vendre davantage de CX. Le Rendezvous constitue un bon véhicule de parc automobile en offrant un heureux compromis entre le Pontiac Montana et la Buick Century et en permettant de concilier travail sur la route et activités familiales.

Le Rendezvous sera-t-il populaire ? Si le style plaît et si les acheteurs potentiels l'essaient...

fiche technique

Moteur : V6 SET 3,4 L
Puissance : 185 ch à 5200 tr/ min et 210 lb-pi à 4000 tr/min
Transmission de série : automatique à 4 rapports
Transmission optionnelle : aucune
Freins avant : disques ventilés
Freins arrière : disques
Sécurité active de série : ABS, traction asservie (traction avant), Versatrak (traction intégrale)
Suspension avant : indépendante
Suspension arrière : indépendante
Empattement : 285,1 cm
Longueur : 473,4 cm
Largeur : 187,1 cm
Hauteur : 182,7 cm
Garde au sol : 17,7 cm
Poids : 1792 kg (traction avant); 1890 kg (intégrale)
0-100 km/h : 13,7 s
Vitesse maximale : 170 km/h
Rayon de braquage : 11,33 m
Capacité de remorquage : 908 kg ou 1600 kg (avec option remorquage)
Capacité du coffre : 283 L (derrière 3e banquette); 1543 L (derrière 2e banquette); 3084 L (sans banquette)
Capacité du réservoir d'essence : 70 L
Consommation d'essence moyenne : 13 L/100 km
Pneus d'origine : P215/70R16
Pneus optionnels : aucun

BUICK

2e opinion

Benoit Charette — Nouvelle race de véhicules génétiquement modifiés, le Rendezvous a tous les airs d'une minifourgonnette. Les responsables de Buick nous vantent toutefois ses prouesses d'utilitaire. Le rouage intégral offert en option procure certes une sécurité accrue derrière le volant, mais à mes yeux le Rendezvous n'est rien d'autre qu'une jolie minifourgonnette sous-motorisée.

Par Amyot Bachand

Nouveauté

CADILLAC

fiche d'identité

Modèle : CTS
Version : unique
Segment : de luxe entre 50 000 $ et 100 000 $
Roues motrices : propulsion
Portières : 4
Places : avant, 2 ; arrière, 3
Sacs gonflables : 2 frontaux, 2 latéraux, rideaux gonflables
Concurrence : BMW Série 3, Audi A4, Mercedes Classe C, Volvo S60, Saab 9-3, Lexus IS 300

prix de base • nd

Cette fois sera-t-elle la bonne ?

au quotidien

Prime d'assurance moyenne : 1300 $
Garantie générale : 4 ans/80 000 km
Garantie groupe motopropulseur : 5 ans/100 000 km
Garantie contre la corrosion : 3 ans/60 000 km
Garantie contre la perforation : 6 ans/160 000 km
Collision frontale : nd
Collision latérale : nd
Ventes du modèle l'an dernier au Québec : 137 (Catera)
Dépréciation : nouveau modèle

General Motors a un problème ! Sa marque de prestige, Cadillac, doit représenter GM dans le créneau des voitures de luxe, mais beaucoup d'eau a passé sous les ponts depuis l'époque des longues ailes de 1959. Les amateurs de voitures de luxe d'aujourd'hui ne veulent pas nécessairement d'un gros paquebot d'autoroute.

Cadillac a déjà tenté de courtiser les amateurs de berlines de luxe européennes au début des années 80 avec la petite Cimarron. Cadillac a cru pouvoir se reprendre avec la Catera, une petite berline utilisant la plate-forme de l'Opel Omega. Malheureusement, elle est encore une fois passée à côté de l'essentiel.

CARROSSERIE Cette fois, Cadillac s'apprête à nous lancer la CTS (Cadillac Touring Sedan), la troisième génération des petites Cadillac. Jamais deux sans trois ? Peut-être pas, car cette fois-ci, la glorieuse marque américaine n'a pas utilisé une plate-forme connue. La CTS est un tout nouveau véhicule, le premier de la génération Sigma qui servira maintenant de base à la Seville à venir et à un petit utilitaire sport.

La CTS affiche une calandre typique de la marque et de gros blocs optiques qui forment le coin des ailes avant. Les côtés de la berline sont plats, avec à peine quelques lignes de sculpture. Le pavillon est plutôt classique avec une lunette arrière fuyante. Les feux arrière reprennent le thème des phares et forment le coin des ailes.

MÉCANIQUE Le seul moteur qui sera offert dans la CTS est un V6 de 3,2 litres (même si la plate-forme Sigma a été conçue pour accepter des V8 ou des V12). Il s'agit d'une version poussée de l'ancien 3 litres de la Catera. Ce V6 à 24 soupapes ouvert à 54 degrés développera 220 chevaux et produira 218 livres-pied de couple.

UN CHÂSSIS RAFFINÉ La nouvelle plate-forme Sigma n'a rien à voir avec l'ancien châssis de la Catera. Les suspensions avant et arrière indépendantes utilisent des bras plus longs dont le débattement procurera plus de confort sur la route. La direction à crémaillère sera rattachée au berceau avant pour plus de précision. Évidemment,

nouveautés 2002

• Une toute nouvelle voiture

le freinage à quatre disques sera appuyé de l'antiblocage et, sans surprise, Cadillac ajoutera le système Stabilitrak à cet ensemble. Ce système permet au conducteur de ne pas perdre le contrôle de son véhicule dans des courbes où il se sera mal engagé. Cadillac proposera deux boîtes de vitesses sur la CTS : une Getrag manuelle à cinq rapports et une automatique Hydramatic Des jantes de 16 pouces seront montées en série, tandis que les versions Premium et Sport recevront des jantes plus larges, entourées de pneus 225/50 VR 17 haute performance.

COMPORTEMENT D'entrée de jeu, disons que le nouveau V6 de 3,2 litres produira beaucoup moins de vibrations que l'ancien 3 litres. Il sera capable de lancer l'auto de 0 à 100 km/h en moins de huit secondes, et sa vitesse maximale avec les pneus de série sera de 206 km/h; avec les pneus de la version Sport, elle sera de 237 km/h.

HABITACLE Pour la CTS, le design de l'intérieur est très original, mais de bon goût. On y voit des lignes plutôt droites et certains angles prononcés, mais bien agencés. Le tout fait très chic. Le tableau de bord présente une instrumentation aux cadrans ronds lisibles, mais d'un dessin original agréable. Quatre personnes peuvent aisément prendre place à bord, cinq à la rigueur.

CONCLUSION La voiture est construite à Lansing au Michigan, et Cadillac en produira entre 20 000 et 60 000 par année, selon la demande. Certaines rumeurs veulent que les ingénieurs de Cadillac pensent à une version plus performante de la CTS et même à une version à compresseur mécanique. Cadillac a vraiment intérêt à bien établir d'abord la réputation de cette « petite » berline.

fiche technique

Moteur: V6 3,2 L DACT
Puissance : 220 ch à 6000 tr/min et 218 lb-pi à 3400 tr/min
Transmission standard : manuelle à 5 rapports
Transmission optionnelle : automatique à 5 rapports
Freins avant : disques ventilés
Freins arrière : disques
Sécurité active : ABS
Suspension avant : indépendante
Suspension arrière : indépendante
Empattement : 288 cm
Longueur : 482,8 cm
Largeur : 179,5 cm
Hauteur : 144 cm
Garde au sol : nd
Poids : 1591 kg
0-100 kmh : 8 approx.
Vitesse maximale : 210 km/h approx.
Rayon de braquage : 10,8 m
Capacité de remorquage : nd
Capacité du coffre : nd
Capacité du réservoir d'essence : 68 L
Consommation : 13 L/100 km

CADILLAC

forces
- Moteur plus doux
- Voiture plus élaborée que la Catera

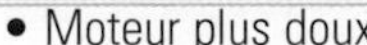

faiblesses
- Lignes un peu torturées
- Réputation à bâtir

Par Éric Descarries

CADILLAC

évolution

fiche d'identité

Modèle : DeVille
Versions : de base, DHS, DTS
Segment : de luxe entre 50 000 $ et 100 000 $
Roues motrices : avant
Portières : 4
Places : avant, 2 ; arrière, 3
Sacs gonflables : 4, frontaux et latéraux
Concurrence : Acura 3,5 RL, Audi A6, BMW Série-5, Infiniti Q45, Lexus GS 430, Jaguar S-Type, Lincoln Town Car, Jaguar XJ8, Lexus LS 430, Lincoln Continental

au quotidien

Prime d'assurance moyenne : 1500 $
Garantie générale : 4 ans/80 000 km
Garantie groupe motopropulseur : 5 ans/100 000 km
Garantie contre la corrosion : 3 ans/60 000 km
Garantie contre la perforation : 6 ans/160 000 km
Collision frontale : 3/5
Collision latérale : 4/5
Ventes du modèle l'an dernier au Québec : 585
Dépréciation : 47 %

prix de base • 52 555 $

Mi-figue, mi-raisin

Elle est bien loin l'époque où le summum de la réussite sociale consistait à posséder sa Cadillac de l'année. Cette marque de prestige de GM a vu sa clientèle fondre comme neige au soleil. La génération des baby-boomers, qui dicte le marché de cette catégorie de véhicules, a boudé Cadillac au profit des belles germaniques et des nipponnes de luxe. La DeVille veut reconquérir cette génération d'acheteurs qui voient maintenant Cadillac comme un véhicule du troisième âge.

CARROSSERIE Les lignes de la nouvelle DeVille restent toujours un sujet de conversation. Ses angles droits et les phares verticaux, tranchant radicalement avec le reste de la voiture, rappellent étrangement certains éléments de style de la Evoq qui représente le futur de la marque. Chez Cadillac, le chrome a toujours sa place, question de ne pas trop dérouter la clientèle traditionnelle. Une chose est claire, cependant, ses lignes découpées au couteau font de la DeVille un modèle qu'on reconnaît instantanément sur la route.

MÉCANIQUE Les trois versions offertes par le fabricant se partagent deux variantes du moteur Northstar. Ce V8 de 4,6 litres produit 275 chevaux dans les versions de base et DHS. Le DTS produit, pour sa part, 300 chevaux; en accélération, on a vraiment l'impression de conduire une Corvette réincarnée en Cadillac. En effet, le moteur de cette voiture de luxe émet un grondement semblable à celui des voitures de sport puissantes; mais cela ne remet pas son rendement en cause. La mécanique Northstar est souple, puissante et ne s'essouffle jamais; elle montre tout juste un peu d'enthousiasme en accélération, c'est tout!

COMPORTEMENT Si l'on a rajeuni la ligne, on ne peut malheureusement pas en dire autant de la conduite. L'impression de lourdeur et cette mollesse de la suspension rappellent quelque peu l'époque des «paquebots de l'autoroute». Cadillac veut vraiment ménager la chèvre et le chou. Elle se met en quête d'une nouvelle clientèle en proposant une ligne plus dynamique, sans toutefois perdre sa clientèle traditionnelle en conser-

nouveautés 2002

• Nouvel écusson et lauriers Cadillac • Système de navigation avec DVD • Sacs gonflables arrière de série (DTS) • Prise d'alimentation auxiliaire ajoutée à la console • Sacs gonflables à déploiement adapté • Glaces avant à fermeture rapide • Nouvelle couleur de carrosserie : bleu Ming métallisé

vant une conduite très typique à Cadillac. Dans ce segment de marché, il n'y a pas de place pour les compromis; la ligne risque de déplaire à la clientèle traditionnelle, tandis que la conduite fera déchanter la jeune génération d'acheteurs.

INSTRUMENTS La Cadillac DeVille est la première voiture du monde à offrir en équipement facultatif le système Night Vision; ce système, qui fonctionne à l'infrarouge, permet de voir des objets la nuit grâce à la détection thermique. Notez également que le système de positionnement par satellite «OnStar» est offert gratuitement par Cadillac pour un an. De plus, cette voiture comporte des capteurs de proximité qui vous avertissent qu'un objet s'approche de votre pare-chocs arrière. Et, pour 2002, les Seville et les DeVille seront équipées d'un système de navigation DVD (au prix de 2725$) qui peut aussi se transformer en un cinéma auto (lorsque la voiture ne roule pas, naturellement). Cadillac offrira également pour 295$ US une radio XM par satellite qui permet d'écouter de la musique sans interruption commerciale avec une qualité de son CD.

CONFORT Toutes les grandes routières américaines ont toujours mis l'accent sur le confort, et la DeVille ne fait pas exception. Par exemple, le fauteuil du conducteur est équipé de 20 petits rouleaux qui peuvent, d'une simple pression du doigt, vous masser le dos dans la région lombaire pendant 10 minutes. La DTS possède également un fauteuil qui, grâce à dix poches d'air, épouse parfaitement votre silhouette pour un meilleur confort. Un petit reproche toutefois : le fauteuil du conducteur manque de soutien latéral. Pour les mélomanes, le système audio Bose est de grande qualité.

CONCLUSION Cadillac veut se tailler une place dans le très lucratif marché des berlines de sport. Il faudra convaincre la clientèle cible toutefois que les américaines peuvent lutter à armes égales avec les européennes, qui tiennent actuellement le haut du pavé dans cette catégorie.

fiche technique

Moteur : V8 DACT 4,6 L
Puissance : 275 ch à 5600 tr/min et 300 lb-pi à 4000 tr/min
Autres moteurs : 300 ch à 6000 tr/min et 295 ch à 4400 tr/min
Transmission de série : automatique à 4 rapports
Transmission optionnelle : aucune
Freins avant : disques ventilés
Freins arrière : disques
Sécurité active de série : ABS, antipatinage, Stabilitrak
Suspension avant : indépendante
Suspension arrière : indépendante
Empattement : 292,9 cm
Longueur : 525,8 cm
Largeur : 189,1 cm
Hauteur : 143,9 cm
Poids : 1805 kg
0-100 km/h : 7,1 s
Vitesse maximale : 210 km/h (limitée électroniquement)
Diamètre de braquage : 11,8 m
Capacité du coffre : 507 L
Capacité du réservoir d'essence : 66 L
Consommation d'essence moyenne : 13,7 L/100 km
Pneus d'origine : 225/60HR16
Pneus optionnels : 235/55HR17

2e opinion

Éric Descarries — La DeVille est la voiture la plus sophistiquée en Amérique avec sa *Night Vision*, son système de contrôle de stabilité et son V8 très puissant. Cadillac devrait l'améliorer encore plus et lui donner le même statut que bien des européennes qui sont deux fois plus chères ! Malheureusement, elle ne semble destinée qu'à une clientèle très âgée qui ne sait pas toujours quoi faire avec ces 300 chevaux !

forces

- Avancement technologique
- Présentation soignée
- Confort général
- Équipement très complet

faiblesses

- Direction trop lourde
- Suspension molle
- Fauteuils évasés

Par Benoît Charette

CADILLAC

fiche d'identité

Modèle : Eldorado
Version : Touring coupé, Édition Collection
Segment : de luxe entre 50 000 $ et 100 000 $
Roues motrices : avant
Portières : 2
Places : avant, 2 ; arrière, 3
Sacs gonflables : 2
Concurrence : Mercedes CLK 430, Volvo C 70, Acura 3,2CL, Ford Thunderbird

au quotidien

Prime d'assurance moyenne : 1400 $
Garantie générale : 4 ans/80 000 km
Garantie groupe motopropulseur : 5 ans/100 000 km
Garantie contre la corrosion : 3 ans/60 000 km
Garantie contre la perforation : 6 ans/160 000 km
Collision frontale : 4/5
Collision latérale : nd
Ventes du modèle l'an dernier au Québec : 19
Dépréciation : 37 %

évolution

prix de base • 57 450 $

Le **chant** du cygne

Un autre nom célèbre va quitter la famille Cadillac en 2002. En effet l'Eldorado en sera à ses derniers tours de roues. Ce coupé dont l'histoire remonte à l'époque des ailes démesurées et des calandres inondées de chrome n'a plus la cote des acheteurs. Seulement 19 voitures ont trouvé preneur en 2000 au Québec. GM offre deux réponses pour motiver le départ de l'Eldorado : le manque d'intérêt des acheteurs traditionnels, qui ont délaissé les gros coupés pour des utilitaires, et la seconde raison, plus pratique, concerne l'usine de fabrication de l'Eldorado, qui a été choisie pour construire la Chevrolet SSR qui arrivera sur le marché en 2002. GM, qui veut également rajeunir l'image de Cadillac, en profite du même coup pour se débarrasser d'un modèle qui rappelle un passé que Cadillac veut effacer de la mémoire collective.

CARROSSERIE Apparue quelques mois seulement après la Seville de la quatrième génération, l'Eldorado est en réalité une version coupé de cette dernière. Sa partie avant et sa planche de bord y sont identiques à quelques détails près, et seule la partie arrière s'en distingue par son imposant montant arrière et par les feux verticaux qui encadrent le coffre, typiques de la marque.

MÉCANIQUE La seule mécanique offerte est la version 300 chevaux du V8 Northstar associé à la boîte à 4 rapports automatique. Cadillac ajoute toutefois à la version ETC un modèle Special Edition avec des roues de 16 pouces chromées, des éléments décoratifs en fibre de carbone, un échappement avec une sonorité plus agressive, une plaque millésime et une peinture rouge flamme.

COMPORTEMENT L'Eldorado a un moteur aussi puissant que celui d'une BMW 540, mais on ne lui demandera jamais de surpasser la BMW sur une petite route, car même avec le correcteur de trajectoire Stabilitrak, la suspension est beaucoup trop molle pour les routes en lacets. La force de l'Eldorado est le démarrage, quand le bruit du V8 réchauffe les entrailles du conducteur, et

nouveautés 2002

- Modèle Édition Collection pour souligner la dernière année de production.

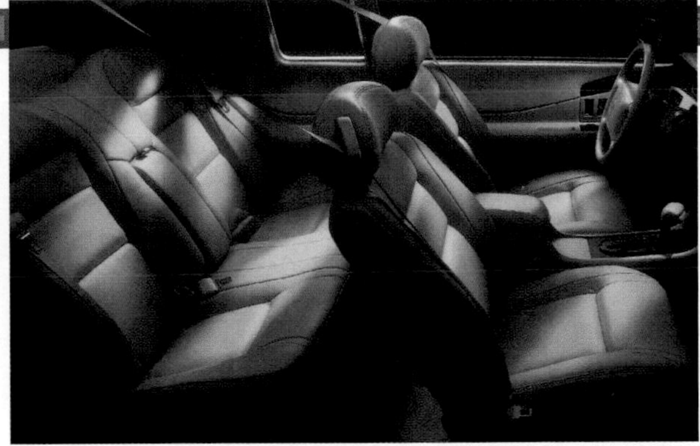

surtout en reprise. À 100 km/h sur l'autoroute, le V8 ronronne à 2000 tours/minute et le silence est princier. Le pied droit enfoncé à fond, la boîte automatique descend de deux rapports, vous écrase dans votre fauteuil et fait accélérer la voiture jusqu'à 140 km/h, le temps d'un dépassement éclair qui laisse conducteur et passagers du véhicule doublé à se demander s'ils ont rêvé. On relâche le tout, et la bête recommence à ronronner.

HABITACLE L'intérieur affirme bien sa nationalité : le confort douillet est doublé d'une suspension un peu mollasse. On apprécie toutefois les fauteuils moelleux et bien galbés et, en prime, le silence de roulement sans tache. L'équipement s'enrichit des dernières nouveautés de la gamme Cadillac. On retrouve ainsi le contrôle de stabilité Stabilitrak ainsi que la dernière version du système OnStar. Pour un léger supplément (comme disent tous les concessionnaires), l'heureux propriétaire bénéficie en plus d'un changeur de disques compacts monté dans le coffre et d'un toit ouvrant à commande électrique en équipement de série.

CONCLUSION Si vous êtes un amateur de coupés américains qui offrent quatre véritables places, il faut en profiter, car les Lincoln Continental Mark VIII et Buick Riviera, déjà disparues, seule l'Eldorado demeure. Mais il faut faire vite, car la race s'éteindra à l'été 2002. De toutes façons, à en juger par les chiffres de vente, il n'y aura pas foule chez les concessionnaires Cadillac pour profiter d'une éventuelle vente de feu.

fiche technique

Moteur : V8 DACT 4,6 L
Puissance : 300 ch à 6000 tr/min et 295 lb-pi à 4400 tr/min
Transmission de série : automatique à 4 rapports
Transmission optionnelle : aucune
Freins avant : disques ventilés
Freins arrière : disques
Sécurité active de série : ABS, Stabilitrak
Suspension avant : indépendante
Suspension arrière : indépendante
Empattement : 274,3 cm
Longueur : 509,5 cm
Largeur : 191,8 cm
Hauteur : 136,2 cm
Poids : 1760 kg
0-100 km/h : 7,7 s
Vitesse maximale : 240 km/h
Diamètre de braquage : 12,3 m
Capacité du coffre : 445 L
Capacité du réservoir d'essence : 72 L
Consommation d'essence moyenne : 12,5 L / 100 km
Pneus d'origine : 225/60R16
Pneus optionnel : 225/60ZR16

2e opinion

Éric Descarries — C'est la dernière année pour l'Eldorado. Et avec elle s'en va un style de voiture qui a autrefois fait la fortune des fabricants américains. J'ose espérer qu'elle sera remplacée avec brio, car il y a certes de la place pour ce genre d'auto. Il me semble que l'on va s'ennuyer des grandes Eldorado. Que voulez-vous, c'est l'évolution !

forces

- Moteur performant
- Silence de roulement impeccable
- Confort à l'intérieur

faiblesses

- Suspension trop molle
- Consommation élevée
- Pneus de base peu performants

Par Benoit Charette

CADILLAC

fiche d'identité

Modèles : Escalade / Escalade EXT
Version : unique
Segment : utilitaires grand format
Jumeaux : Chevrolet Tahoe, GMC Yukon et Denali
Roues motrices : 4
Portières : 4
Places : avant, 2; arrière, 3 et 5
Sacs gonflables : 4, frontaux et latéraux
Concurrence : Lexus LX470, Lincoln Navigator, Mercedes-Benz Classe G, Toyota Sequoia,Range Rover, Hummer H2

au quotidien

Prime d'assurance moyenne : 1400 $
Garantie générale : 4 ans/80 000 km
Garantie groupe motopropulseur : 5 ans/100 000 km
Garantie contre la corrosion : 3 ans/60 000 km
Garantie contre la perforation : 6 ans/160 000 km
Collision frontale : nd
Collision latérale : nd
Ventes du modèle l'an dernier au Québec : 81
Dépréciation : nouveau modèle

nouveauté

prix de base • 65 900 $

Le **luxe** envahit les **camionnettes**

Il y a quelques années à peine, l'industrie de l'automobile ne comptait que quelques marques de camionnettes de luxe. Le géant américain Ford prit le monde de l'automobile par surprise en dévoilant son utilitaire sport Lincoln Navigator, basé sur la caisse du tout récent Ford Expedition. Ce fut un éclat de rire général chez la concurrence, surtout chez Cadillac, l'éternel adversaire de la marque de luxe de Ford. Mais on n'a pas ri longtemps! Cadillac a dû lancer un utilitaire sport basé sur le luxueux GMC Denali de 1999, le Cadillac Escalade. Même si les consommateurs n'y voyaient qu'un Denali équipé par Cadillac, l'Escalade connut un succès inespéré.

CARROSSERIE Cette fois, Cadillac avait compris la leçon. Il lui fallait concevoir un Escalade plus original permettant de répondre à cette nouvelle demande des acheteurs d'utilitaires sport de luxe. Voilà pourquoi la nouvelle version 2002 du Cadillac Escalade est unique; elle présente une ligne distinctive et offre une motorisation puissante. Au lieu de simplement signer la nouvelle version du GMC Denali, Cadillac a créé un tout nouveau véhicule à partir de la caisse du Denali. L'Escalade est en fait une grande familiale à quatre portes dont on reconnaîtra l'avant à ses énormes phares carrés et à sa calandre chromée massive affichant le nouvel emblème de la marque. Mais outre la grille et l'emblème de la marque, l'Escalade présente peu de chrome sauf pour les poignées de portes et le porte-bagage. À l'arrière, les feux de type bijou sont très clairs et très visibles.

MÉCANIQUE Lorsque Cadillac nous a dévoilé son nouvel Escalade, ses dirigeants nous ont rapidement signalé qu'il s'agissait ici du plus puissant utilitaire sport du monde, surclassant le Mercedes-Benz ML55 de quelques chevaux. Sa mécanique comporte un V8 Vortec de 6 litres produisant 345 chevaux ainsi qu'une boîte automatique à quatre rapports et une traction intégrale.

COMPORTEMENT Notons que Cadillac a ajouté le système de contrôle « Stabili-

nouveautés 2002

- Tout nouveau véhicule pour 2002

Trak» à ce gros utilitaire, ce qui lui donne un net avantage sur route glissante, surtout en hiver. Le freinage à quatre disques et ABS est nettement supérieur à celui de l'ancienne version, alors que la pédale est plus ferme qu'auparavant. La direction à assistance variable est relativement précise, même si elle est un peu douce. Le seul équipement que l'Escalade n'a pas, c'est le système «Night Vision», qui permet au conducteur de voir les obstacles la nuit. L'Escalade offre des performances intéressantes pour un véhicule de son gabarit; le 100 km/h en moins de neuf secondes. Pour ce qui est des gros pneus P265/70R17, ils procurent une douceur de roulement incroyable. La traction intégrale devrait aider l'Escalade en situation hivernale. Malgré son puissant V8, l'Escalade demeure silencieux et permet de voyager sur de longues distances sans problème. Incidemment, sa capacité de remorquage est de 8500 livres (3856 kilos), ce qui en fait un bon tracteur de roulottes.

HABITACLE Cadillac a voulu lui donner une personnalité propre. Même si le tableau de bord et la configuration générale sont semblables à ceux de la GMC de luxe, la finition y est supérieure avec une instrumentation rétro avec des cadrans à cercles chromés. La console centrale est plus évoluée, et on y trouve même un centre d'information pour le conducteur. Évidemment, le système «On Star» y est inclus. Pour ceux qui aiment la belle musique, Cadillac a demandé à Bose de créer une chaîne stéréo unique à onze haut-parleurs pour son Escalade. Le qualité du son y est exceptionnelle. L'accès arrière est facile malgré une certaine étroitesse des portières, et les passagers de la deuxième banquette jouiront d'autant de confort que les autres. Il y a également une troisième rangée de fauteuils donnant une capacité de huit passagers à l'Escalade. Ces fauteuils sont séparés 50/50 et s'enlèvent facilement, ne pesant que 38 livres chacun. Ces places ne sont pas conçues que pour une courte ballade, si l'on réussit à y accéder après un peu d'effort. L'espace cargo est suffisant, et on l'atteint en ouvrant un hayon facile à soulever.

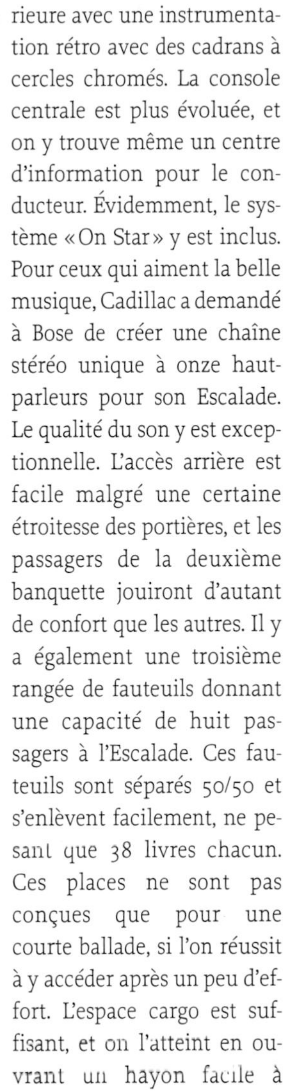

Robert Pagé

Représentant aux Relations publiques

CADILLAC

Comment pourriez-vous décrire ce véhicule en quelques mots?
L'Escalade EXT est un croisement de luxe entre un utilitaire et une camionnette. Le meilleur des deux, sans compromis sur le confort.

Selon vous, quels sont les points forts de l'Escalade EXT?
L'Escalade EXT, tout comme l'Avalanche de Chevrolet, offre une boîte modulable, la puissance du moteur Northstar et le système Stabilitrak couplé à une suspension sensible à la route (RSS). Vous pouvez amener 5 passagers ou 8 pieds de cargo sous clé; la transformation se fait en un tournemain.

Comment situez-vous ce modèle dans votre gamme, et face à la concurrence?
Tout comme l'Avalanche encore une fois, l'EXT innove dans un nouveau créneau et ne possède pas de concurrence directe.

Quelle est la clientèle cible?
Nos recherches à l'interne ont démontré que 23 % des propriétaires de Cadillac et 20 % des propriétaires de voitures de luxe possèdent également une camionnette pleine grandeur. Comme la plupart achètent une camionnette haut de gamme, nous avions un signal clair que l'EXT avait sa place sur le marché.

Combien de ventes en 2002?
Pour le moment, nous souhaitons seulement un bon départ pour ce nouveau modèle.

galerie

1 • L'habitacle de l'Escalade est un véritable salon roulant capable d'accueillir 7 passagers en tout confort.

2 • Les touches de raffinement abondent, comme ces rétroviseurs à lampes qui éclairent le marche pied

3 • Suite à l'arrivée tardive de l'Escalade sur le marché, et après un succès inespéré, les dirigeants de GM n'ont pas tardé à mettre en marché l'EXT

4 • Ne pesant que 17 kilos chacune, les banquettes se manipulent facilement.

5 • Même l'horloge fait chic !

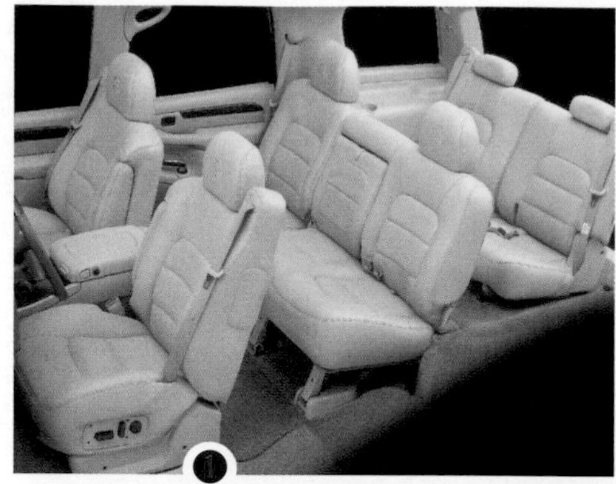

forces
- Version plus originale
- Sécurité accrue («Stabilitrak»)
- Puissance évidente

faiblesses
- Consommation notable
- Design un peu forcé
- Portes arrière étroites

L'ESCALADE EXT La gamme Escalade de Cadillac vient de s'enrichir d'un autre modèle, l'Escalade EXT. Face à la camionnette Blackwood de Lincoln, Cadillac a choisi la nouvelle Chevrolet Avalanche à traction intégrale comme base pour son Escalade EXT.

Affichant un air de famille avec l'Escalade, l'EXT en partage le V8 Vortec de 6 litres et la traction intégrale (des éléments non offerts sur l'Avalanche). Voici donc la camionnette la plus spectaculaire et la plus évoluée du monde.

Elle possède aussi le système de contrôle « StabiliTrak » et la finition intérieure supérieure. Combinant le meilleur de deux mondes, l'Escalade EXT reprend l'une des caractéristiques les plus intéressantes de l'Avalanche, la partition démontable « Midgate » qui permet au véhicule d'agrandir sa capacité de charge. Consultez les pages consacrées à la Chevrolet Avalanche pour plus de renseignements sur cet aspect. Curieusement, l'EXT n'a pas besoin de carénages de bas de caisse pour mettre ses lignes en valeur.

C'est un témoignage de l'excellent travail des concepteurs de Cadillac.

CONCLUSION

Si Lincoln met de l'avant son projet de petit utilitaire sport basé sur le Ford Explorer, Cadillac emboîtera-t-elle le pas ? Parions que oui ! Et nous pouvons déjà spéculer sur une version élaborée des nouveaux utilitaires moyens de GM comme l'Oldsmobile Bravada, ce qui en garantirait la survie après la disparition du nom Oldsmobile. Rendez-vous en 2004...

CADILLAC

fiche technique

Moteur : V8 Vortec à SET de 6 L
Puissance : 345 ch à 5200 tr/min et 380 lb-pi à 4000 tr/min
Transmission de série : automatique à 4 rapports
Transmission facultative : aucune
Freins avant : disques ventilés
Freins arrière : disques ventilés
Sécurité active de série : ABS, Stabilitrak
Suspension avant : indépendante
Suspension arrière : semi-indépendante
Empattement : 294,6 cm ; 330,2 cm (EXT)
Longueur : 505,2 cm ; 562,3 cm (EXT)
Largeur : 200,4 cm ; 201,8 cm (EXT)
Hauteur : 188,5 cm ; 192,1 cm (EXT)
Poids : 2635 kg ; 2519 kg (EXT)
0-100 km/h : 8,7 s
Vitesse maximale : 175 km/h
Diamètre de braquage : 12,7 m
Capacité de remorquage : 3856 kg
Capacité du coffre : 1801 à 2962 L
Capacité du réservoir d'essence : 98 L ; 117,3 L (EXT)
Consommation d'essence moyenne : 15,9 L/100 km
Pneus d'origine : P265/70R17
Pneus optionnels : aucun

2e opinion

Michel Crépault — Le riche camion a mûri depuis son lancement hâtif. La nouvelle carrosserie impressionne, le chrome en prime. On ne montrera pas à Cadillac comment jouer la carte du luxe; et, de fait, l'Escalade est un océan de cuir joufflu. Mais la palme va à la panoplie de gadgets électroniques : l'utilitaire favori du Jedi !

Par Éric Descarries

CADILLAC

évolution

fiche d'identité

Modèle : Seville
Versions : SLS, STS
Segment : de luxe entre 50 000$ et 100 000$
Roues motrices : avant
Portières : 4
Places : avant, 2 ; arrière, 3
Sacs gonflables : 4, frontaux et latéraux
Concurrence : Audi A6, BMW Série 5, Acura 3.5RL, Chrysler 300M, Infiniti Q45, Jaguar S-Type , Lexus GS300/GS430 et LS430, Mercedes-Benz Classe E430

au quotidien

Prime d'assurance moyenne : 1400$
Garantie générale : 4 ans/80 000 km
Garantie groupe motopropulseur : 5 ans/100 000 km
Garantie contre la corrosion : 3 ans/60 000 km
Garantie contre la perforation : 6 ans/160 000 km
Collision frontale : 3/5
Collision latérale : nd
Ventes du modèle l'an dernier au Québec : 267
Dépréciation : 45 %

prix de base • 58 710$

À saveur Internationale

La cinquième génération de Cadillac Seville, apparue en 1998, est le seul membre de la famille qui a franchi l'Atlantique pour se retrouver en démonstration chez les concessionnaires européens. Il s'agit, en quelque sorte, de la responsable des relations étrangères chez Cadillac.

CARROSSERIE Le design de la Seville montre bien la vocation internationale de la voiture. Plus compacte et moins encombrante que les autres membres de la famille, elle présente des proportions comparables à la BMW Série 7 et la Mercedes Classe S, ses concurrentes principales en Europe. L'empattement et les voies avant et arrière prennent un peu d'ampleur au profit de l'équilibre dynamique et de l'habitabilité. Pour 2002, Cadillac offre de nouvelles roues, une nouvelle couleur (bleu Ming métallisé) et, comme le reste de la famille, un nouvel écusson assorti de nouveaux lauriers

MÉCANIQUE Si Cadillac ne possède ni la touche de Jaguar côté style, ni le sens de la perfection des Allemands, ni la rigueur des Japonais, il reste que la mécanique V8 Northstar tout aluminium n'a reçu que des éloges depuis son entrée sur le marché. Avec ses 275 chevaux pour la version SLS et ses 300 chevaux pour la version STS, cette Cadillac est la traction la plus puissante du monde. Cette puissance musclée, dont la sonorité n'est pas aussi raffinée que celle de certaines concurrentes germaniques, apporte un sentiment d'invincibilité au volant et une pointe de jouissance quand on écrase l'accélérateur. Cette Cadillac pourrait obtenir la fluidité des allemandes si seulement elle était équipée d'une transmission automatique à cinq rapports.

COMPORTEMENT Il est difficile de prendre la Seville en défaut. La suspension indépendante aux quatre roues, inspirée d'une géométrie Opel, tient la voiture bien au sol. Les diverses aides à la conduite électronique, comme la traction asservie et le système «Stabilitrak» ajoutent à la sensation de sécurité. Une remarque toutefois : les pneus Eagle LS, qui équipent la voiture, sont certes conforta-

nouveautés 2002

• Nouvel écusson et nouveaux lauriers • Nouvelles roues • Radar de stationnement arrière de série sur tous les modèles • Système de navigation DVD • Nouvelle couleur de carrosserie, bleu Ming métallisé

bles, mais deviennent dangereux à haute vitesse. Il est inconcevable d'installer des pneus quatre saisons non conçus pour la performance sur un véhicule qui fait 300 chevaux. Si vous voulez vraiment tirer le maximum de ce véhicule, demandez le groupe d'équipements facultatifs « Autobahn ».

HABITACLE La dernière fois que j'ai pris le volant d'une Seville, je me suis vite rendu compte que je ne cherchais pas les commandes; tout me tombait sous la main. Et tout à coup, cela m'a frappé! Mes habitudes de conduite des voitures japonaises me servaient bien ici : j'avais l'impression d'être assis devant une planche de bord Lexus. Tout m'y faisait penser : son dessin, sa lisibilité (aiguilles et graduations luminescentes), la disposition des cadrans, son caractère sobre et fonctionnel et, même, la logique du panneau audio/climatisation. On s'y sent tout à fait à l'aise. Un bon mot aussi pour l'extraordinaire chaîne audio, le système de navigation avec DVD et le radar de stationnement arrière de série sur tous les modèles.

CONCLUSION La Seville est vraiment ce que Cadillac fait de mieux en matière d'automobile. L'avenir est appelé à jouer d'audace si l'on regarde les nouveaux modèles qui arriveront sur le marché dans les prochaines années.
Mais avec une présence accrue en compétition et une implication active dans le renouveau de la gamme, les dirigeants de Cadillac semblent prendre les mesures nécessaires pour sortir la marque de sa torpeur et lui redonner son lustre d'autrefois.

fiche technique

Moteur : V8 DACT 4,6 L
Puissance : 275 ch à 5600 tr/min et 300 lb-pi à 4000 tr/min (SLS)
Autres moteurs : 300 ch à 6000 tr/min et 295 lb-pi à 4400 tr/min (STS)
Transmission de série : automatique à 4 rapports
Transmission optionnelle : aucune
Freins avant : disques ventilés
Freins arrière : disques
Sécurité active de série : ABS, Stabilitrak, antipatinage
Suspension avant : indépendante
Suspension arrière : indépendante
Empattement : 285 cm
Longueur : 510,5 cm
Largeur : 190,4 cm
Hauteur : 141,4 cm
Poids : 1800 kg
0-100 km/h : 7,7 s ; 8,2 s (SLS)
Vitesse maximale : 240 km/h
Diamètre de braquage : 12,3 m
Capacité du coffre : 445 L
Capacité du réservoir d'essence : 70,7 L
Consommation d'essence moyenne : 12,5 L/100 km
Pneus d'origine : 235/60R16
Pneus optionnels : 235/55R17

2e opinion

Michel Crépault — Depuis sa renaissance, la Seville symbolise l'avenir de Cadillac. Enterrer la réputation – voiture longue et pompeuse – et clamer la nouvelle, où technologie dernier cri et tenue de route solide se disputent les honneurs, voilà la mission qu'accomplit à merveille la Seville. Sauf que la majorité des *baby-boomers* ne l'ont pas encore compris.

forces

- Style accrocheur
- Performances
- Confort général

faiblesses

- Consommation élevée
- Bruits de vent
- Qualité de fabrication inégale

Par Benoit Charette

ESPAGNE

Seat Arosa

Cousine de la Volkswagen Lupo, l'Arosa est une voiture de ville. Basée sur un châssis raccourci de VW Polo, elle offre une habitabilité limitée, un coffre minuscule et des prix plutôt coquets. Voilà qui explique le peu de succès qu'elle remporte en Europe. De plus, elle ne bénéficie pas des versions de pointe de sa cousine, soit la 1,2 L TDI de 61 chevaux avec une boîte revendiquant une consommation moyenne de 3 litres/100 km, soit la GTI recevant un 1,6 L de 125 chevaux.

Seat León Cupra 4

Issue d'un accord entre le gouvernement espagnol et Fiat dans les années 50, Seat a pris son autonomie au début des années 80 avant de tomber dans le giron de Volkswagen en 1986. Aujourd'hui, Seat puise abondamment dans la banque d'organes de VW. La León (prononcez Lé-Honne à l'espagnol) est basée sur une plate-forme de Golf IV. Toute la mécanique en est issue et l'ambiance intérieure est très VW. Finalement, on pourrait penser qu'il n'y a que la carrosserie qui soit différente. Et non! Très homogène, la voiture offre une tenue de route plus enjouée qu'une Golf. Dans sa version Cupra 4, elle reçoit au choix un VR6 204 chevaux ou un 1,9 L TDI 150 chevaux, le tout couplé à une transmission intégrale. La facture devient alors 10% moins élevée que celle d'une Golf équivalente. La vraie voiture du peuple! (euh, presque...)

CHEVROLET

fiche d'identité

Modèles : LS, LT
Segment : minifourgonnettes
Jumeau : GMC Safari
Roues motrices : arrière ; 4 RM
Portières : 3
Places : avant, 2 ; arrière, 5 à 6
Sacs gonflables : 2 frontaux
Concurrence : GMC Safari, Chrysler Town and Contry, Dodge Caravan/Grand Caravan, Ford Windstar, Honda Odyssey, Kia Sedona, Mazda MPV, Pontiac Montana, Oldsmobile Silhouette, Toyota Sienna, VW EuroVan

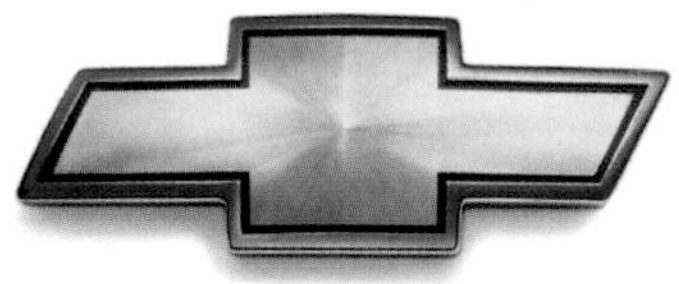

au quotidien

Prime d'assurance moyenne : 800 $
Garantie générale : 3 ans/60 000 km
Garantie groupe motopropulseur : 5 ans/100 000 km
Garantie contre la corrosion : 3 ans/60 000 km
Garantie contre la perforation : 6 ans/160 000 km
Collision frontale : nd
Collision latérale : nd
Ventes du modèle l'an dernier au Québec : 1872
Dépréciation : 52 %

évolution

prix de base • 26 940 $

Les derniers chevaux de trait...

La Chevrolet Astro et sa jumelle, la GMC Safari, fait partie des minifourgonnettes en raison de son gabarit très apparenté. Elles s'adressent particulièrement aux amateurs de plein air qui tirent une caravane ou une grosse embarcation. Avec la disparition de la Ford Aerostar en 1998, l'Astro et la Safari demeurent les seules minifourgonnettes à propulsion.

CARROSSERIE Vous trouverez deux modèles de Chevrolet Astro : la propulsion et la traction intégrale. Elles peuvent être livrées en trois versions : de base, LS et LT. Ces deux dernières versions sont les plus recommandables et devraient vous permettre d'équiper votre Astro selon vos besoins et vos goûts personnels. On note que le système de porte à hayon et à deux battants arrière, offert de série sur la LT et en option sur la LS, facilite le chargement, mais a été conçu avant tout pour permettre l'utilisation d'un essuie-glace, ce que les versions à deux portières arrière ne permettent pas.

Les différentes configurations de sièges et de banquettes pourraient vous permettre d'asseoir jusqu'à 8 personnes, mais nous recommandons de choisir des ensembles des sièges baquets qui permettraient assurer une plus grande polyvalence de l'habitacle.

GM offre en équipement facultatif l'attelage de remorquage avec répartiteur de charge et le faisceau à 8 fils convenant au châssis et au groupe-moteur.

MÉCANIQUE En 2002, le V6 Vortec de 4,3 litres profite d'un nouveau système d'injection multipoint. Ce moteur développe 190 chevaux et 250 livres-pied de couple. Comme la vocation principale du véhicule est le remorquage, GM a choisi d'offrir deux ponts arrière et une transmission automatique avec dispositif de démarrage sur le 2e rapport et surtout un mode électronique de remorquage/charge lourde allouant un changement adapté des rapports lors de ces situations. On suggère de choisir le pont approprié selon les charges à tirer : on recommande le pont 3,73 car il faut tenir compte du poids du véhicule et des bagages. De plus, vous pouvez opter pour un rouage intégral.

nouveautés 2002

- Système d'injection multipoint au lieu de séquentiel

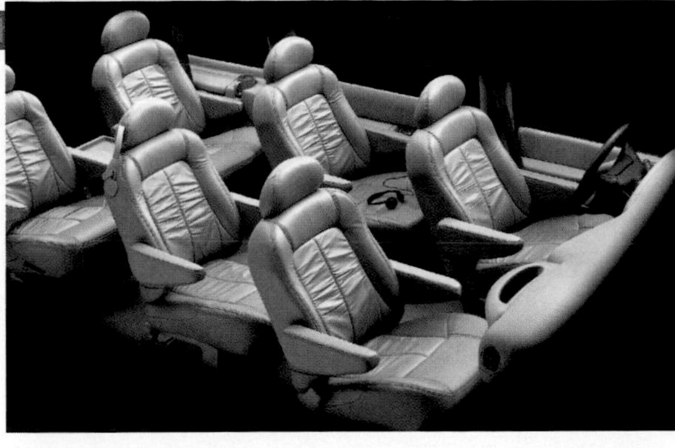

La capacité de remorquage de l'Astro varie de 2132 kilos à 2495 kilos selon les combi-nai-sons de pont et de traction choisies. Le système de freinage combinant disques et tambours compte sur un système ABS aux 4 roues.

COMPORTEMENT En mode remorquage et chargé, l'Astro démontre une bonne stabilité. Avec ses grandes surfaces, elle demeure sensible aux vents latéraux et fait aussi preuve de roulis dans les courbes serrées. Grâce à son excellente combinaison moteur/transmission, l'Astro grimpe les côtes sans s'essouffler.

HABITACLE Si GM a apporté avec les années une amélioration de l'espace pour la position de conduite, elle a dû le faire au détriment du dégagement des jambes pour le passager avant en raison du passage de roue. C'est là une des plus grandes critiques de ce design.
L'Astro vous permet, en enlevant les banquettes et les sièges, de varier votre charge inté-rieure. Cette dernière peut atteindre 4825 litres et permettre à l'Astro de servir alors de minifourgonnette de livraison...
L'aspect intéressant ré-side dans la capacité de varier la longueur du plancher pour y glisser des matériaux ou des meubles : l'espace de plancher peut ainsi varier entre 72 et 321 centimètres.
Attention, les fauteuils et les banquettes sont lourds et demandent deux personnes pour les déplacer.
À vide, on remarquera la fermeté de la suspension du véhicule alors qu'à pleine charge, on jouira d'un bon confort.

CONCLUSION Critiquée sévèrement pour sa fiabilité, nous avons noté que l'Astro s'améliore depuis 1999 au point de perdre cette très mauvaise réputation. Il faut également noter la rareté du modèle chez les concessionnaires. Comme ce véhicule a une vocation spécifique, les concessionnaires préfèrent prendre des commandes pour répondre aux goûts variés de la clientèle, notamment en raison des innombrables possibilités d'aménagement intérieur.

fiche technique

Moteur : V6 Vortec de 4,3 L
Puissance : 190 ch à 4400 tr/min et 250 lb-pi à 2800 tr/min
Transmission de série : automatique à 4 rapports
Transmission optionnelle : aucune
Freins avant : disques
Freins arrière : tambours
Sécurité active de série : ABS aux quatre roues
Suspension avant : indépendante
Suspension arrière : indépendante
Empattement : 283,4 cm
Longueur : 482,1 cm
Largeur : 196,9 cm
Hauteur : 193 cm
Poids : 1970 kg (2 X 4) ; 2090 kg (4 x 4)
0-100 km/h : 12,5 s
Vitesse maximale : 165 km/h
Diamètre de braquage : 13 m (2X4) ; 12,9 m (4 x 4)
Capacité de remorquage : 2449 kg (4 x 2) et 2360 (4 x 4)
Capacité du coffre : 1169 L
Capacité du réservoir d'essence : 102,2 L
Consommation d'essence moyenne : 14 L/100 km
Pneus d'origine : P215/75R15
Pneus optionnels : aucun

CHEVROLET

2e opinion

Éric Descarries — L'Astro n'avait qu'une seule concurrente sérieuse : la Ford Aerostar. Mais celle-ci est disparue depuis longtemps. Elle demeure donc seule dans son créneau, et elle a sa raison d'être sur le marché, surtout pour les commerçants. Quant aux particuliers, je suis certain qu'ils apprécieraient plus d'espace pour les pieds du passager de droite.

forces

- Capacité de remorquage
- Habitabilité

faiblesses

- Suspension ferme à vide
- Design vieillot

Par Amyot Bachand

CHEVROLET

Nouveauté

f i c h e d ' i d e n t i t é

Modèle : Avalanche
Versions : 1500-2500
Segment : camionnettes pleine grandeur
Roues motrices : 2 ou 4
Portières : 4
Places : avant, 2 ; arrière, 3
Sacs gonflables : 2 frontaux, 2 latéraux
Concurrence : Dodge Ram Quad Cab et Dakota Quad Cab, Ford F-150 SuperCrew, Ford Explorer Sportrac

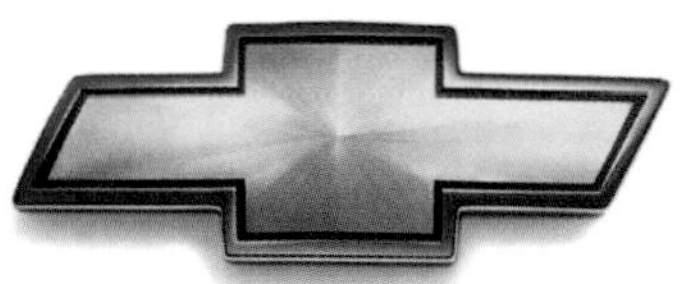

prix de base • 38 960 $

Un tout **nouveau créneau** est né

a u   q u o t i d i e n

Prime d'assurance moyenne : 1500 $
Garantie générale : 3 ans/60 000 km
Garantie contre la perforation : 6 ans/160 000 km
Garantie antipollution : 8 ans/130 000 km
Collision frontale : nd
Collision latérale : nd
Ventes du modèle l'an dernier au Québec : nouveau modèle
Dépréciation : nouveau modèle

Le véhicule utilitaire sans luxe et sans artifices s'est énormément raffiné avec le temps et est en train de se tailler une place importante au sein de l'industrie de l'automobile, particulièrement en Amérique du Nord. De fait, près de 50 % des véhicules vendus entre le Nord du Canada et le Sud du Mexique sont des camions ou des camionnettes de tous ordres. Et ce marché se divise en plusieurs créneaux, dont certains sont tout nouveaux.

UN PUBLIC CONSOMMATEUR DIFFÉRENT Si le marché de la camionnette a évolué aussi rapidement, c'est sans doute parce que la situation socio-culturelle des consommateurs a changé de même que leurs besoins. Autrefois, les adultes réduisaient systématiquement leurs activités au fur et à mesure qu'ils prenaient de l'âge ; aujourd'hui, par contre, on en profite pour faire toutes sortes d'activités, surtout à l'extérieur. Mais les petites voitures économiques et aérodynamiques modernes ne sont pas conçues pour transporter tous les accessoires nécessaires permettant de faire des activités extérieures. Voilà pourquoi les consommateurs se tournent vers les camionnettes de tous gabarits. Ajoutez à ce besoin l'impression de sécurité qu'on éprouve au volant d'un gros véhicule, et vous comprendrez pourquoi ces camionnettes sont si populaires.
Aujourd'hui, beaucoup de consommateurs troquent leur minifourgonnette pour un utilitaire sport. Mais bien souvent, ce type de véhicule ne répond pas tout à fait aux besoins en raison de sa configuration qui en limite l'utilisation. En fait, ce que les gens semblent vouloir, c'est un utilitaire combiné à une camionnette. Quelques constructeurs ont tenté de répondre à cette demande en créant des camionnettes à caisse courte et à cabine multiplace à quatre portes. Mais la véritable solution, c'est Chevrolet qui l'a découverte avec sa nouvelle Avalanche.

CARROSSERIE Quand Chevrolet a mis en oeuvre son projet Avalanche, elle a pris pour base son populaire Suburban et en a modifié quelque peu la caisse. On a redessiné l'avant du véhicule pour

n o u v e a u t é s   2 0 0 2
• Tout nouveau véhicule

lui donner des lignes plus agressives. Les passages de roues sont maintenant plus carrés. Le toit conserve la ligne du Suburban, et la caisse, les quatre portes. Les bas de caisse sont recouverts d'un carénage original. Mais là s'arrête la comparaison. L'arrière n'est pas celui d'une grande familiale comme le Suburban ; il s'agit plutôt de celui d'une camionnette avec une caisse courte non traditionnelle.

L'Avalanche est un véhicule très polyvalent. D'abord, il vient avec trois panneaux arrière détachables qui recouvrent la caisse. Pouvant soutenir environ 250 livres chacun, ces panneaux détachables permettent de transformer l'Avalanche en camionnette. Incidemment, le panneau vertical arrière se verrouille de sorte qu'il est possible d'utiliser la caisse de façon aussi sûre qu'un coffre d'auto. Ajoutons que les murs de la caisse offrent des compartiments verticaux de chaque côté du véhicule; légèrement ajourés pour permettre à l'eau de s'égoutter, ils peuvent servir à transporter de menus objets. On y accède grâce à des marches sculptées dans le pare-chocs. La caisse elle-même a une coquille de plastique avec des voies sculptées pour y faciliter le chargement d'un VTT. Mais la configuration ne s'arrête pas là ! Comme le plancher de la caisse ne fait que 63 pouces de longueur, il est donc trop court pour y charger des objets plus encombrants. Qu'à cela ne tienne, les ingénieurs de Chevrolet ont mis au point un incroyable système appelé «Convert-A-Cab» qui permet d'allonger cette caisse à plus de 97 pouces, soit le plancher d'une grande camionnette traditionnelle. Pour ce faire, l'utilisateur n'a qu'à ouvrir les portières arrière, abaisser les dossiers de la banquette, détacher la lunette arrière de la partition et l'agrafer au mur intérieur puis rabattre cette partition ! Voilà le long plancher désiré !

MÉCANIQUE Pour ce qui est de la mécanique, aucune surprise, étant donné que le véhicule tient sa base du Suburban. L'Avalanche 1500 repose sur un châssis en partie

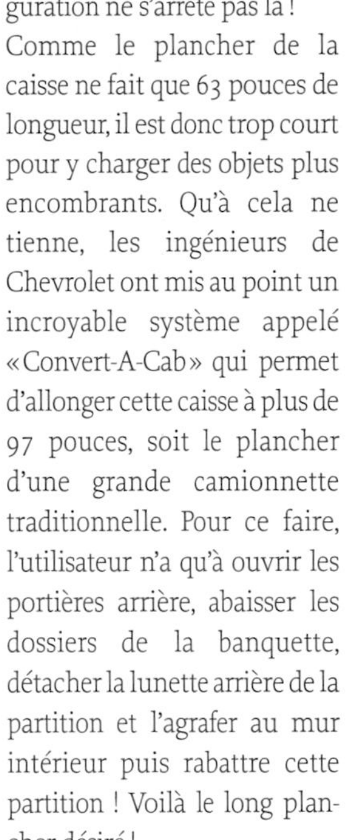

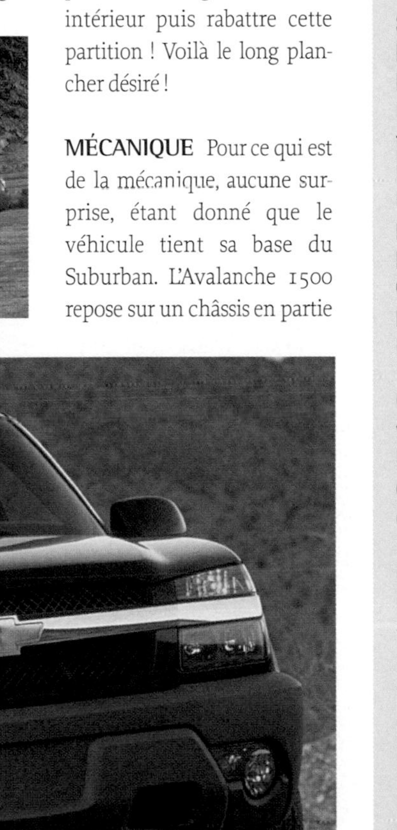

entrevue

Joe Aiello

directeur de marque pour l'Avalanche

Comment pourriez-vous décrire ce véhicule en quelques mots?
Grâce à son style unique et à une foule de petites trouvailles très pratiques, l'Avalanche 2002 va au-delà de l'image traditionnelle. Cette Chevrolet exclusive offre le confort et l'espace d'un utilitaire pleine grandeur avec, en prime, l'avantage d'une camionnette jouissant d'une boîte modulable.

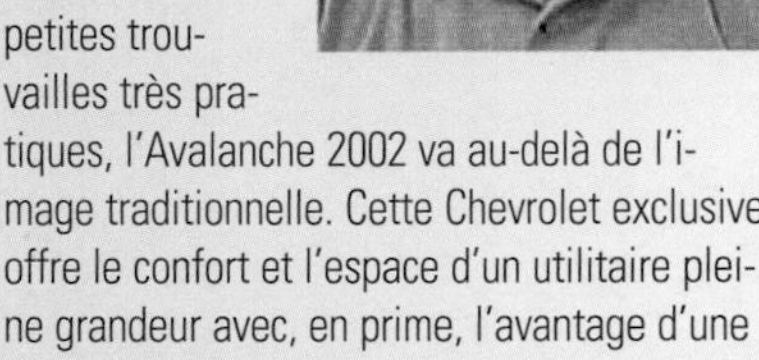

Selon vous, quels sont les points forts de l'Avalanche?
Le consommateur achète deux véhicules pour le prix d'un. En quelques secondes, sans outils spéciaux, une personne peut reconfigurer l'Avalanche en un utilitaire, ou en une camionnette dotée d'une boîte de plus de huit pieds. La couverture rigide de la boîte en trois parties permet de mettre les objets sous clé comme dans un coffret de sûreté, et il y a plusieurs espaces de rangement avec serrures pour loger différents objets.

Comment situez-vous ce modèle dans votre gamme, et face à la concurrence?
L'Avalanche a créé sa niche, celle des VUU (véhicules utilitaires ultimes). Il n'y a pas de concurrence directe.

Quelle est la clientèle cible ?
Ce véhicule va amener une nouvelle clientèle chez les hommes de 35 à 45 ans. Une majorité d'entre eux seront déjà propriétaires d'une camionnette pleine grandeur, d'autres de gros utilitaires. Ils seront attirés par ce nouveau créneau et par les possibilités hybrides d'un tel véhicule.

Quels sont vos objectifs de vente pour le Québec et le Canada?
Il est encore trop tôt pour donner des chiffres, mais à l'heure actuelle, on peut dire que la réponse du marché est excellente.

CHEVROLET

galerie

1 • L'instrumentation est fortement inspirée du Chevrolet Suburban à l'exception des cadrans à fond blanc.

2 • La version Z71 profite d'une sellerie de cuir et de beaucoup d'espace pour les jambes.

3 • Les 3 panneaux arrière détachables peuvent soutenir environ 115 kilos chacun et permettent de transformer l'Avalanche en camionnette en moins de deux.

4 • Le système *Convert-A-Cab* permet d'allonger la caisse de 63 à 97 pouces.

5 • Avec la banquette arrière rabattue, le plancher de la caisse est de la même grandeur que celui d'une camionnette traditionnelle.

forces

- Silence de roulement
- Configuration modulable
- Mécanique connue

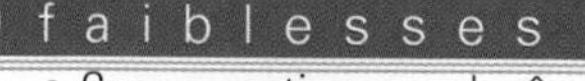

faiblesses

- Consommation quand même importante
- Encombrement imposant en ville
- Lignes discutables

hydroformé et est offert en versions deux ou quatre roues motrices. Le seul moteur qu'on peut y trouver est le V8 Vortec 5300 développant 285 chevaux et faisant 325 livres-pied de couple, ce qui est nettement suffisant pour tirer des remorques allant jusqu'à 8300 livres (8100 livres avec le 4 x 2). La seule transmission possible est l'automatique à quatre rapports avec la fonction «Tow/Haul» pour faciliter le remorquage (en «Tow/Haul», les rapports sont étirés pour mieux profiter du couple du moteur). La version à quatre roues motrices est, en fait, le système «Autotrac» qui permet de rouler en deux roues motrices, en traction intégrale gérée par électronique, en quatre roues motrices de haut rapport, en quatre roues motrices de bas rapport ou au point neutre. Une simple commande électrique au tableau de bord enclenche ces systèmes. La direction assistée est un peu légère alors que le freinage est à quatre disques et antiblocage ABS de série. Une version plus robuste 2500 a été ajoutée à la gamme. Elle offre un moteur V8 Vortec 8100 et un plus gros réservoir d'essence. Grâce au moteur plus puissant, l'Avalanche 2500 peut tirer des remorques allant jusqu'à 12 000 livres!

COMPORTEMENT Dès mes premiers moments au volant de cette grande camionnette, j'ai découvert sa première grande qualité. Il s'agit d'un véhicule aussi doux et aussi silencieux qu'une automobile. Le V8 de 5,3 litres suffit pleinement à déplacer cette masse impressionnante. Le premier véhicule d'essai mis à ma disposition en Californie avait la lunette et la division arrière démontées, et les gens de GM y avaient chargé une grosse machine à fendre les bûches. Curieusement, les bruits de la route n'étaient pas si envahissants que je l'avais appréhendé! La température en montagne était plutôt froide, ce qui m'a permis de constater que le chauffage était plus que suffisant malgré la partition ouverte! Le moteur ne travaillait pas outre mesure dans les côtes, et les dépassements étaient faciles et rassurants. La direction, un peu légère, était relativement précise. J'ai particulièrement apprécié la pédale de frein moins spongieuse que celle des anciennes camionnettes GM. Le freinage m'a paru adéquat, et la visibilité, très bonne, malgré des ajouts décoratifs autour de la caisse.

HABITACLE L'intérieur de ce révolutionnaire utilitaire sport ressemble à celui d'un Suburban. Le tableau de bord est presque identique, sauf pour l'instrumentation à fond blanc. Les fauteuils avant sont des baquets, alors que la banquette arrière se plie 40/60 pour plus de souplesse. Mentionnons que ce véhicule offre les mêmes qualités qu'une Suburban avec une grande visibilité et beaucoup d'espace pour les jambes. Ajoutons enfin qu'on trouve le système de communication «On Star» à bord.

CONCLUSION Il est évident que GM a eu le nez fin en mettant l'Avalanche sur le marché bien avant la concurrence. Pour le moment, elle est seule dans un créneau que GM vient de créer. Ses lignes ne sont certes pas désagréables, et si les automobilistes d'Amérique du Nord continuent de ne pas se soucier du prix du pétrole, ce genre de camionnette sera très en demande. Le meilleur des deux mondes, au prix de plusieurs gallons d'essence.

fiche technique

Moteur : V8 Vortec 5,3 L
Autre moteur : V8 Vortec 8,1 L
Puissance : 285 ch à 5200 tr/ min et 325 lb-pi à 4000 tr/min
Autre moteur : 340 ch à 4200 tr/min et 455 lb-pi à 3200 tr/min
Transmission de série : automatique à 4 rapports
Transmission optionnelle : aucune
Freins avant : disques
Freins arrière : disques
Sécurité active de série : ABS, traction asservie
Suspension avant : indépendante
Suspension arrière : semi-rigide
Empattement : 330,2 cm
Longueur : 562,8 cm
Largeur : 201,2 cm
Hauteur : 186,2 cm (roues de 16 po); 186,9 cm (roues de 17 po)
Garde au sol : 218 mm (roues de 16 pouces); 224 mm (roues de 17 po)
Poids : 2466 kg (2RM), 2575 kg (4RM) et 2886 kg (2 500)
0-100 km/h : nd
Vitesse maximale : nd
Rayon de braquage : 13,2 m
Capacité de remorquage : 3774 kg
Capacité du réservoir d'essence : 117,3 L
Consommation d'essence moyenne : 16,5 L/100 km
Pneus d'origine : P265/75R16
Pneus optionnels : P265/70R17

CHEVROLET

2e opinion

Alain Mckenna — Vous aimeriez posséder une camionnette pour vos sorties de pêche l'été et un utilitaire pour la famille l'hiver? L'achat d'une Avalanche comblera tous vos désirs. C'est ce qu'on s'est dit chez General Motors, en tout cas. Résultat : un hybride gros et massif qui se conduit comme un utilitaire intermédiaire malgré ses dimensions démesurées.

Par Éric Descarries

CHEVROLET

fiche d'identité

Modèle : Blazer
Versions : LS, Sport
Segment : utilitaires intermédiaires
Jumeau : GMC Jimmy
Roues motrices: 4 x 2, 4 x 4
Portières : 2 et 4
Places : avant, 2; arrière, 3
Sacs gonflables : 2
Concurrence : Jeep Grand Cherokee, Nissan Pathfinder, Suzuki XL7, Toyota 4Runner et Highlander, Isuzu Rodeo, Dodge Durango, Ford Explorer

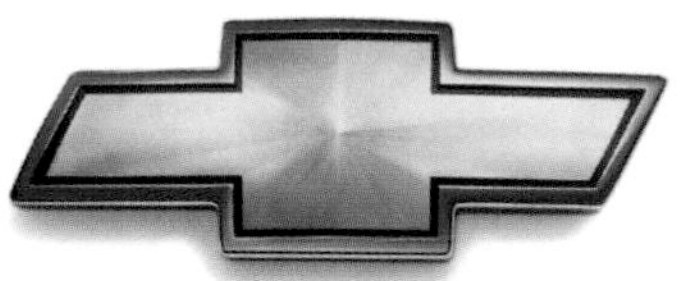

au quotidien

Prime d'assurance moyenne : 1000 $
Garantie générale : 3 ans/60 000 km
Garantie groupe motopropulseur : 5 ans/100 000 km
Garantie contre la corrosion : 3 ans/60 000 km
Garantie contre la perforation : 6 ans/160 000 km
Collision frontale : 3/5
Collision latérale : 5/5
Ventes du modèle l'an dernier au Québec : 3937
Dépréciation : 49 %

évolution

prix de base • 28 455 $

Encore là pour un petit bout de temps

Chevrolet n'a pas pris la chance de laisser son nouveau TrailBlazer supporter à lui seul la demande pour les plus petits utilitaires sport de GM. Par conséquent, c'est avec prudence que Chevrolet nous reconduit son ancienne gamme de Blazer, qu'on a toutefois quelque peu diluée pour les circonstances.

Pour 2002, il n'y a plus que deux finitions au catalogue : le LS à quatre roues motrices, offert en caisse à deux et quatre portes, et le Wide Stance Sport, un quatre roues motrices à deux portes seulement. Pour ce faire, quelques ornementations et finitions ont été redessinées. Évidemment, le Blazer est légèrement plus petit que le nouveau TrailBlazer, mais il demeure tout aussi moderne qu'auparavant.

MÉCANIQUE Pas de surprise sous le capot. Le même moteur V6 Vortec animera la version 2002 du Blazer reconduit. Avec ses 190 chevaux et ses 250 livres-pied de couple, le moteur suffit très bien à déplacer cet utilitaire avec aisance. Deux boîtes de vitesses sont au catalogue : la manuelle à cinq rapports et l'automatique à quatre rapports. Vu que ce véhicule est à quatre roues motrices sur commande, on y verra un boîtier de transfert; dans ce cas, il sera activé par une commande électronique au tableau de bord comprenant la caractéristique Autotrac qui n'est ni plus ni moins qu'une forme de traction intégrale automatique.

Si l'on se penche pour regarder la suspension, on y verra le traditionnel système de GM y compris les barres de torsion à l'avant et les bonnes vieilles lames multiples à l'arrière. Si la suspension avant est indépendante, celle de l'arrière est toujours à pont rigide. Le freinage, lui, se fait par quatre disques avec l'antiblocage en équipement standard.

HABITACLE Même si Chevrolet a éliminé les belles finitions LT et TrailBlazer (ancienne version de luxe) du catalogue des Blazer, il n'en reste pas moins qu'on y trouve un intérieur accueillant et bien fini. Le tableau de bord n'a subi aucun changement, mais il est bien aménagé même si ses lignes sont un peu torturées. Parmi les points les plus critiquables, il nous faut mentionner encore une fois ce bras de gauche qui retient tant de fonc-

nouveautés 2002

- Modèle quatre portes LT et TrailBlazer supprimés
- Ajout du groupe garniture cuir de luxe LS sur les modèles quatre portes
- Retouches esthétiques aux parties avant et arrière

tions, y compris les clignotants et le régulateur de vitesse que l'on confond si souvent. Cinq passagers peuvent monter à bord où l'on y verra une sellerie de tissu ou de cuir. Évidemment, la version à quatre portes présente un accès arrière plus facile que celle à deux portes. Quant à l'espace cargo, il est un peu juste pour la version à deux portes et à peine plus grand pour la quatre portes.

COMPORTEMENT Quand Chevrolet a lancé ce Blazer, l'accueil du public ne fut pas aussi enthousiaste que prévu. Ford a rapidement pris le dessus avec son populaire Explorer. La suspension peut être ferme par moment, surtout avec la version sportive à deux portes. Le moteur V6 est bien adapté, mais il ne peut aider le Blazer à passer à 100 km/h en moins de 11 secondes! Les reprises ne sont pas mauvaises, mais le moteur gronde beaucoup, surtout si on le compare au nouveau six en ligne du TrailBlazer. Il faut se méfier du comportement routier de la Blazer, cet utilitaire un peu ancien. Sans être dangereux, il tient beaucoup plus du camion que son nouveau rival, le TrailBlazer. Par contre, en sentier exigeant, un Blazer à deux portes sera plus à l'aise, car son empattement court lui donne plus d'agilité. Quant à la direction, elle manque un peu de précision étant d'une génération plus ancienne. Mais encore une fois, on ne devrait pas s'en méfier outre mesure.

CONCLUSION Il est évident que Chevrolet n'aura pas tous les TrailBlazer disponibles pour répondre aux demandes des consommateurs. Cependant, avec son prix plus raisonnable, l'ancien Blazer sera une alternative intéressante au nouveau TrailBlazer. D'ailleurs, sa version à deux portes, exclusive à ce modèle, continuera d'attirer certains acheteurs qui préfèrent cette configuration. Et ils sont nombreux, croyez-moi! Mais ils devront faire vite avant qu'il ne soit trop tard.

fiche technique

Moteur : V6 4,3 L
Puissance : 190 ch à 4400 tr/min et 250 lb-pi à 2800 tr/min
Transmission de série : manuelle à 5 rapports
Transmission optionnelle : automatique à 4 rapports
Freins avant : disques
Freins arrière : disques
Sécurité active de série : ABS
Suspension avant : indépendante
Suspension arrière : essieu rigide
Empattement : 255,3 cm
Longueur : 449,1 cm
Largeur : 172,2 cm
Hauteur : 163,8 cm
Poids : 1745 kg (2 portes) 1835 kg (4 portes)
0-100 km/h : 9,8 s
Vitesse maximale : 175 km/h
Diamètre de braquage : 11 m (2 portes) 13 m (4 portes)
Capacité de remorquage : 2270 kg (2 portes); 2425 kg (4portes)
Capacité du coffre : 855 L; 1894 L (siège arrière abaissés.)
Capacité du réservoir d'essence : 71 L
Consommation d'essence moyenne: 12,8 L/100 km
Pneus d'origine : 235/70R15 ;
Pneus optionnels : aucun

CHEVROLET

forces

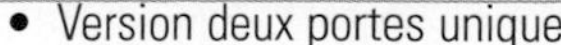

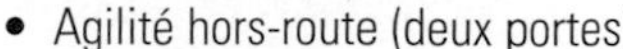

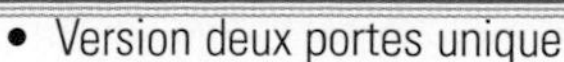

- Version deux portes unique
- Agilité hors-route (deux portes)
- Fiabilité maintenant établie

faiblesses

- Visibilité arrière difficile (deux portes)
- Accès arrière difficile (deux portes)
- Moteur un peu bruyant

Par Éric Descarries

CHEVROLET

fiche d'identité

Modèle : Camaro
Versions : de base, Z28, SS
Segment : sportives de moins de 50 000 $
Jumeaux : Pontiac Firebird/Trans Am
Roues motrices : arrière
Portières : 2
Places : avant, 2 ; arrière, 2
Sacs gonflables : 2
Concurrence : Ford Mustang

évolution

prix de base • 26 995 $

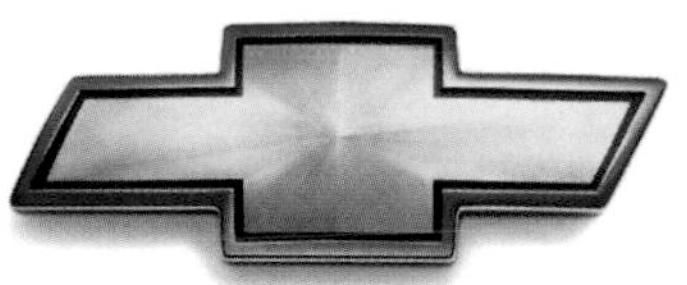

au quotidien

Prime d'assurance moyenne : 1300 $
Garantie générale : 3 ans/60 000 km
Garantie groupe motopropulseur : 5 ans/100 000 km
Garantie contre la corrosion : 3 ans/60 000 km
Garantie contre la perforation : 6 ans/160 000 km
Collision frontale : 4/5
Collision latérale : 3/5
Ventes du modèle l'an dernier au Québec : 42
Dépréciation : 51 %

Bon **débarras !**

Introduite en 1967, en guise de réplique à la Ford Mustang, la Camaro en est à sa dernière année d'existence. Il ne s'agit pas d'une retraite, mais bien d'une mise à mort, tant ce vestige d'une époque révolue était en perte de vitesse, voire à l'agonie. Voilà bien une triste fin pour cette sportive au passé glorieux ; mais les cerveaux (sic) de General Motors n'ont qu'eux à blâmer, car ils sont les principaux artisans du déclin de cette voiture.

CARROSSERIE Cela dit, la Camaro aura été fidèle jusqu'à la fin à sa vocation de *muscle car*, un concept tout ce qu'il y a de plus américain. Comme sa rivale de toujours, la Mustang, elle se décline en deux configurations, soit un coupé du type 2 + 2, avec deux places d'appoint à l'arrière, et un cabriolet.

MÉCANIQUE Le sempiternel V6 de 3,8 litres, dont la conception remonte à l'ère précambrienne, constitue la motorisation de base. Mais il est possible de se procurer les versions plus musclées que sont la Z28 et l'exclusive SS, auxquelles s'ajoute cette année l'édition spéciale 35e anniversaire (photo de droite). Dopées par leurs gros V8 (305 et 320 chevaux), elles sont dotées d'une suspension plus ferme et de pneus plus performants. Elles conservent cependant la boîte manuelle de série, l'exécrable transmission « Skipshift » qui, en conduite normale, passe directement du premier au quatrième rapport afin de diminuer la consommation.

COMPORTEMENT Handicapée par son format géant et son rayon de braquage trop important, la Camaro n'est pas, on s'en doute, une référence sur le plan de la maniabilité. Dommage, car elle repose sur un châssis très sain. À vrai dire, depuis ses débuts, il y a 35 ans, elle n'a jamais si bien tenu la route. Enfin, tant que le revêtement est dépourvu de toute imperfection (lire : ailleurs qu'au Québec). Sinon, l'adhérence devient rapidement précaire : quand le train arrière décide, sans avertissement, de décrocher, il est déjà trop tard pour réagir. Si vous possédez quelques notions de pilotage, elles vous seront d'un grand secours.
Quant au freinage, il se montre à la hauteur : qu'il s'agisse de la

nouveautés 2002

• Boîte automatique de série sur cabriolet V6 • Groupe 35e anniversaire (Camaro Z28 SS)

version de base ou de la plus musclée, il brille par sa promptitude, sa puissance et son endurance.

HABITACLE Le ratage est complet, tellement qu'on ne sait pas par où commencer dans l'énumération des anomalies et autres irritants. Allons-y par le plus aberrant : le manque d'espace dans la cabine comme dans le coffre. Les places arrière ne peuvent accueillir deux adultes normalement constitués; et ce n'est pas mieux à l'avant où le passager doit composer avec la bosse protubérante du convertisseur catalytique. Vous en voulez encore ? Le fauteuil du conducteur ne se recule pas suffisamment, ce qui fera pester les grandes personnes. La visibilité vers l'arrière est nulle sous tous les angles, tandis qu'à l'avant, le conducteur doit composer avec un capot interminable. Pour mesurer à la fois votre habileté et votre patience, essayez le stationnement en parallèle. Si la piètre visibilité et la longueur démesurée du véhicule ne vous font pas perdre votre calme, c'est le trop grand rayon de braquage qui vous achèvera.

CONCLUSION La Camaro est restée fidèle à son ancêtre de la glorieuse époque des « pony cars ». Tellement fidèle qu'elle en a conservé tous les défauts, ou presque. Elle tient mieux la route, c'est vrai, et freine avec plus d'autorité. Sa direction a gagné en précision au fil des années. Mais face aux sportives japonaises et européennes, elle accuse un retard de 20 ans. Les nostalgiques des «gros cubes» devraient plutôt se tourner vers la Mustang, qui a su s'adapter à son époque tout en conservant sa touche rétro. L'une a bien vieilli, l'autre pas.

fiche technique

Moteur : V6 3,8 L
Autre moteur : V8 5,7 L
Puissance : 200 ch à 5200 tr/min et 225 lb-pi à 4000 tr/min, (Z28)
Autres moteurs : 305 ch à 5200 tr/min et 335 lb-pi à 4000 tr/min, 320 ch à 5200 tr/min et 345 lb-pi à 4400 tr/min (SS)
Transmission de série : manuelle à 5 ou 6 rapports (Z28, SS)
Transmission optionnelle : automatique à 4 rapports
Freins avant : disques ventilés
Freins arrière : disques ventilés
Sécurité active de série : ABS et antipatinage
Suspension avant : indépendante
Suspension arrière : indépendante
Longueur : 491,4 cm
Largeur : 188,1 cm
Hauteur : 130 cm
Poids : 1510 kg (V6) ; 1545 kg (V8)
0-100 km/h : 5,5 s (SS) ; 8,2 s (V6)
Vitesse maximale : 260 km/h
Diamètre de braquage : 11,5 m
Capacité du coffre : 215 L
Capacité du réservoir d'essence : 63,5 L
Consommation d'essence moyenne : 18,5 L/100 km; 12 L/100 km (V6)
Pneus d'origine : 235/55R16, 245/50R16 (Z28), 275/40ZR17 (SS)
Pneus optionnels : 275/40ZR17

2e opinion

Éric Descarries — On aime ou on n'aime pas le duo Camaro-Firebird. Il est dommage qu'elles doivent disparaître. Cette voiture est devenue légendaire dans l'industrie automobile américaine. Avec tout son potentiel industriel, je me demande pourquoi GM n'a pas importé ses plates-formes australiennes pour construire une nouvelle Camaro ou Firebird.

forces

- V8 électrisant
- Tenue de route sportive
- Freinage puissant

faiblesses

- Habitacle raté
- Confort sommaire
- Poids et format excessifs
- Boîte manuelle «agricole»

Par Philippe Laguë

CHEVROLET

évolution

fiche d'identité

Modèle : Cavalier
Versions : Z24, VL, VLX, LS
Segment : petites
Jumeau : Pontiac Sunfire
Roues motrices : avant
Portières : 2 ; 4
Places : avant, 2 ; arrière, 3
Sacs gonflables : 2
Concurrence : Chrysler Neon, Daewoo Nubira, Ford Focus, Honda Civic, Hyundai Elantra, Kia Spectra, Mazda Protegé, Nissan Sentra, Saturn SL, Suzuki Esteem, Toyota Corolla, VW Golf

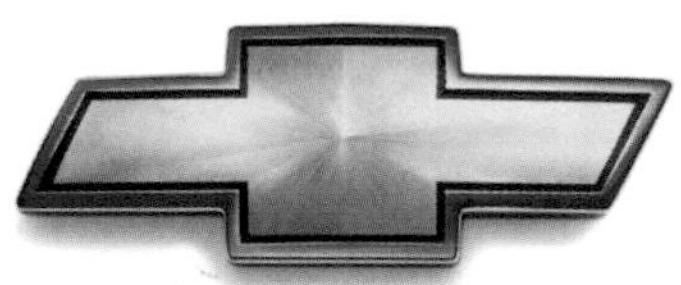

au quotidien

Prime d'assurance moyenne : 700 $
Garantie générale : 3 ans/60 000 km
Garantie groupe motopropulseur : 5 ans/100 000 km
Garantie contre la corrosion : 3 ans/60 000 km
Garantie contre la perforation : 6 ans/160 000 km
Collision frontale : 4/5
Collision latérale : 4/5
Ventes du modèle l'an dernier au Québec : 12 688
Dépréciation : 58 %

prix de base • 14 500 $

Une popularité qui dure

La Chevrolet Cavalier fait partie de notre décor depuis près de vingt ans et le modèle actuel, depuis 1995. Cette voiture à tout faire de qualité moyenne remporte un grand succès au Québec en raison de prix raisonnables, d'une fiabilité éprouvée et d'un équipement raisonnablement complet.

CARROSSERIE Offerte sous forme de berline et de coupé, c'est la première qui a l'habitacle le plus pratique. La berline peut accueillir deux adultes devant et deux adolescents derrière (pas trop grands, svp!). Les sièges baquets sont moulants et confortables, mais l'assise est plutôt basse. Idem pour la banquette arrière, où l'on ne trouve pas beaucoup d'espace pour les jambes et les pieds. Dans le coupé, c'est pire : difficiles d'accès et peu spacieuses, mieux vaut réserver les places arrière à des personnes de petite taille.

Le coffre de la berline a un volume utile satisfaisant (385 litres). Il est plus spacieux que celui du coupé (373 litres) et même que celui d'une berline Chrysler Neon (371 litres)! La banquette arrière dotée d'un dossier rabattable permet, en outre, de prolonger à l'intérieur la surface de chargement. Mais l'ouverture entre le coffre et l'habitacle est petite.

Le tableau de bord, très plastique, place les commandes à proximité du conducteur. Le volant avec son gros boudin est massif et le levier de transmission ne se manie pas très bien, à cause de sa forme irrégulière.

MÉCANIQUE Pour entraîner les roues avant motrices, GM aura recours à trois moteurs, dont un disparaîtra en cours d'année. Pour les Cavalier VL et VLX, les modèles de base, le quatre cylindres 2200 à soupapes en tête poursuit sa vénérable carrière. Ses 115 chevaux procurent des performances très moyennes et une consommation retenue. La berline LS et les deux Z24 (berline et coupé) recevront le DACT de 2,4 litres plus pimpant, fort de ses 150 chevaux, jusqu'à ce que soit disponible le nouveau moteur Ecotec, un quatre cylindres de 2,2 litres et 140 chevaux. Malgré une cylindrée inférieure et 10 chevaux en moins, ce moteur tout aluminium à double arbre à cames assure des performances équivalentes à celles du DACT et,

nouveautés 2002

• Berline Z24 • Nouvelles appellations VL et VLX pour les modèles bas de gamme • Carrosserie du coupé Z24 retouchée • Nouveau moteur 2,2 litres Ecotec pour LS et Z24 • Nouvelles jantes d'alliage de 16 pouces pour les Z24 • Dispositif manuel intérieur d'ouverture du coffre • Prise électrique pour accessoires • Nouvelles garnitures pour les sièges des LS et Z24

surtout, une consommation légèrement inférieure.
La boîte manuelle provient toujours de Getrag. Le passage de ses vitesses s'effectue sans difficultés et l'embrayage est plutôt souple. L'automatique, par ailleurs, mise davantage sur le confort des occupants et, à ce chapitre, remplit bien son mandat.

COMPORTEMENT Le comportement routier de la Cavalier s'aligne largement sur la version considérée. Les modèles de base, par exemple, conviendront à une utilisation urbaine, mais sur l'autoroute, leur précision directionnelle souffrira de la qualité moyenne des pneus de 14 pouces et d'une suspension peu raffinée. L'absence d'une barre antiroulis à l'avant y contribue. Les LS et Z24, par contre, bénéficient de meilleurs pneus (15 pouces pour la LS et 16 pouces pour les Z24) et d'une suspension offrant un roulement plus ferme et un roulis plus contrôlé.
La servodirection cependant est précise et le freinage, adéquat.

CONCLUSION La popularité de la Cavalier, il faut l'admettre, est également liée aux ventes importantes aux compagnies de location. Sans elles, face à des rivales qui se modernisent et deviennent de plus en plus sophistiquées (Ford Focus, Mazda Protegé, Nissan Sentra), la compacte de Chevrolet ne ferait sans doute pas aussi bonne figure au chapitre des ventes. On l'a constaté au Québec, où la Honda Civic et la Mazda Protegé lui ont ravi le titre d'automobile la plus vendue.
Heureusement, GM l'a compris et propose de nouvelles versions plus stimulantes (la berline Z24 par exemple) qui mettent en valeur ce modèle... En attendant l'arrivée d'une Cavalier entièrement repensée, prévue pour 2004.
Partisans des autos *Made in USA*, tenez-vous bien : il s'agira d'un clone d'une compacte développée par Opel, la filiale allemande de GM.

fiche technique

Moteur : 4 cyl. en ligne 2,2 L SACT
Autre moteur : 4 cyl. en ligne 2,4 L DACT
Puissance : 115 ch à 5000 tr/min et 135 lb-pi à 3600 tr/min
Autre moteur : 150 ch à 5600 tr/min et 155 lb-pi à 4400 tr/min (Z24)
Transmission de série : manuelle à 5 rapports
Transmission optionnelle : automatique à 4 rapports
Freins avant : disques ventilés
Freins arrière : tambours
Sécurité active de série : ABS
Suspension avant : indépendante
Suspension arrière : essieu rigide
Empattement : 264 cm
Longueur : 459,5 cm
Largeur : 174,4 cm
Hauteur : 134,7 cm
Poids : 1190 kg (coupé) ; 1215 kg (berline)
0-100 km/h : 12,4 s ; 9,1 s (Z24)
Vitesse maximale : 160 km/h
Diamètre de braquage : 10,9 m
Capacité du coffre : 373 L (coupé) 385 L (berline)
Capacité du réservoir d'essence : 54 L
Consommation d'essence moyenne : 8,5 L/100 km ; 9 L/100 km (Z24)
Pneus d'origine : 195/70R14
Pneus optionnels : 195/65R15, 205/55R16

CHEVROLET

2e opinion

Philippe Laguë — Les améliorations, ça ne suffit pas; c'est d'une refonte dont elle a besoin! Disons- le clairement, la Cavalier souffre d'un retard de dix ans sur ses rivales. Pour inciter les gens à se tourner vers le transport en commun, il ne se fait pas mieux.

forces

- Fiabilité éprouvée
- Mécanique convenable
- Gamme très diversifiée
- Équipement complet

faiblesses

- Freinage moyen
- Habitabilité moyenne
- Coffre difficile d'accès (coupé)

Par Luc Gagné

CHEVROLET

fiche d'identité

Modèle : Corvette
Versions : coupé, cabriolet, Z06
Segment : sportives entre 50 000 $ et 100 000 $
Roues motrices : arrière
Portières : 2
Places : 2
Sacs gonflables : 2
Concurrence : Acura NSX, BMW M3, Audi TT, Chrysler Prowler, Dodge Viper, Ferrari F360 Mondena, Honda S2000, Jaguar XKR, Lotus Esprit, Mercedes-Benz SLK et CLK, Porsche Boxter et 911, Volvo C70

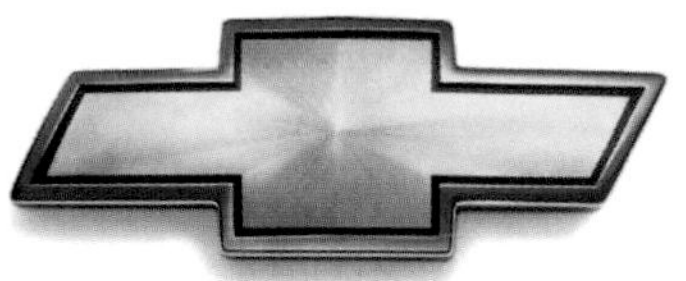

au quotidien

Prime d'assurance moyenne : 2000 $
Garantie générale : 3 ans/60 000 km
Garantie groupe motopropulseur : 5 ans/100 000 km
Garantie contre la corrosion : 3 ans/60 000 km
Garantie contre la perforation : 6 ans/160 000 km
Collision frontale : nd
Collision latérale : nd
Ventes du modèle l'an dernier au Québec : 165
Dépréciation : 38,3 %

évolution

prix de base • 62 400 $

405 chevaux, à l'**américaine**...

Voiture mythique du paysage automobile, la Corvette célébrera son 50e anniversaire en 2003. Pour l'année-modèle 2002, elle demeure relativement inchangée par rapport à sa devancière, et seul le modèle Z06 connaît une augmentation de puissance.

CARROSSERIE Personne ne reste insensible à l'allure politiquement incorrecte de la Corvette qui ne cache aucunement son jeu. Il est dommage que cette voiture ne soit pas appréciée à sa juste valeur sur le plan technique, car elle est tout de même l'une des voitures les plus aérodynamiques du monde. Toutefois, ses dimensions extérieures n'en font pas une citadine modèle, en plus de compliquer les choses en conduite résolument sportive. Avec le modèle Z06, les ingénieurs, qui étaient déjà carrément obsédés par son poids au point d'utiliser du titane pour la confection des silencieux, sont allés encore plus loin en réduisant l'épaisseur même du pare-brise et en adoptant de nouvelles roues en aluminium coulé plus légères de 0,15 kilo ! Voilà ce qui arrive lorsque l'approche « course » est retenue...

MÉCANIQUE Comme si les 385 chevaux de la Z06 n'étaient pas suffisants, les ingénieurs de Chevrolet en ont remis cette année avec une augmentation de la puissance du moteur LS6 qui a été portée à 405 chevaux par l'entremise de nouveaux arbres à cames, d'un filtre à air moins restrictif et de la suppression de l'un des deux convertisseurs catalytiques, ce qui heureusement n'affecte pas l'efficacité du système antipollution. Les modèles coupé et cabriolet de base demeurent inchangés sur le plan technique et la puissance du moteur LS1 reste à 350 chevaux. L'accélération brutale de la Z06 est une expérience aussi physique qu'auditive, le moteur LS6 développant un couple phénoménal de 400 livres-pied, ce qui a pour effet immédiat de vous caler dans le siège et de vous procurer une sensation aussi forte que celle que vous éprouvez au décollage d'un avion de ligne. Sur circuit, je me suis amusé à désactiver le système antipatinage de la Z06; et même si cette dernière est équipée d'immenses pneus

nouveautés 2002

• Puissance-moteur de la Z06 portée à 405 chevaux • Refroidisseur du liquide de boîte automatique maintenant de série • Nouvelle couleur bleu métallisé • Dispositif de visualisation « tête-haute » (Z06) • Roues en aluminium coulé plus légères (Z06) • Nouvelles plaquettes de freins plus performantes (Z06) • Pare-brise plus mince et plus léger (Z06)

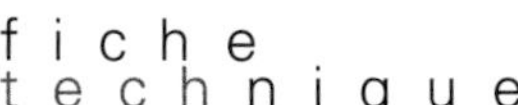

arrière de série 295, c'est un jeu d'enfant de les faire patiner à volonté.

COMPORTEMENT Et c'est justement sur circuit que la Z06 est la plus délicate à piloter. Sur papier, tous les éléments sont réunis pour une performance hors du commun que la Z06 est en mesure de livrer, mais seulement entre les mains d'un conducteur qui a beaucoup d'expérience en piste, car il est parfois possible de se faire prendre en défaut en raison de son gabarit et de sa répartition des masses. En effet, le moteur étant logé à l'avant de la voiture, les transitions latérales deviennent plus délicates à gérer lorsque la voiture est poussée à sa limite. Toutefois, il faut préciser que sur un long parcours, la Z06 livrera une tenue de route très fiable tant et aussi longtemps que la chaussée sera en bonne condition. La liaison au sol demeure idéale seulement dans ces conditions et le conducteur aura peine à percevoir les limites d'adhérence. Je dois également souligner la remarquable force de freinage de la Z06 qui, par ses freins ultra performants et ses pneus avant très larges, est en mesure de s'immobiliser sur des distances record tout en vous donnant l'impression que vos yeux vont sortir de leurs orbites, à la manière d'un personnage de dessins animés. Tout simplement phénoménal !

HABITACLE Les plus jeunes n'auront aucun problème à se laisser glisser dans les sièges de la Corvette, alors que la majorité de la clientèle, recrutée parmi les hommes de 45 ans et plus, éprouvera peut-être un certain inconfort dans la gymnastique requise pour prendre place à bord. Cette année, le modèle Z06 est équipé de série d'un dispositif de projection des instruments sur le pare-brise, ce qui constitue un retour pour cette technologie développée lors des années quatre-vingt.

CONCLUSION La génération actuelle représente la meilleure évolution de la Corvette au point de se demander ce que les concepteurs de Chevrolet seront en mesure de livrer comme amélioration, non seulement pour le 50e anniversaire l'an prochain, mais aussi pour la nouvelle génération de la Corvette (surnommée C6) qui devrait nous arriver en 2004. Histoire à suivre.

fiche technique

Moteur : V8 5,7 L (LS1)
Autre moteur : V8 5,7 L (LS6) ; (Z06)
Puissance : 350 ch à 5600 tr/min et 360 lb-pi à 4400 tr/min
Autre moteur : 405 ch à 6000 tr/min et 400 lb-pi à 4800 tr/min (Z06)
Transmission de série : automatique à 4 rapports
Transmission optionnelle : manuelle à 6 rapports
Freins avant : disques ventilés
Freins arrière : disques ventilés
Sécurité active de série : ABS, antipatinage
Suspension avant : indépendante
Suspension arrière : indépendante
Empattement : 265,6 cm
Longueur : 456,6 cm
Largeur : 186,9 cm
Hauteur : 121,2 cm ; 121,5 (cab.)
Poids : 1460 kg (coupé); 1455 kg (cab.); 1415 kg (Z06)
0-100 km/h : 5,6 s ; 4,4 s (Z06)
Vitesse maximale : 275 km/h
Diamètre de braquage : 12 m (coupé et cab.); 12,9 m (Z06)
Capacité du coffre : 377 L (Z06); 394 L (cab.); 702 L (coupé)
Capacité du réservoir d'essence : 72,3 L
Consommation d'essence moyenne : 12,8 L/100 km
Pneus d'origine : P245/45R17 (avant) ; P275/40R18 (arrière)
Pneus optionnels : P265/40R17 (avant) P295/35R18 (arrière)

CHEVROLET

2e opinion

Éric Descarries — La Corvette demeure l'icône américaine de la voiture de grand tourisme. Et elle le mérite bien. Chevrolet est capable de produire une voiture de calibre mondial deux fois moins coûteuse que ses concurrentes. On vante les mérites de la Corvette dans les revues étrangères et elle gagne des courses internationales. Que voulez-vous de plus?

forces

- Puissance-moteur explosive (Z06)
- Freinage impressionnant
- Prix alléchant

faiblesses

- Délicate en conduite sportive
- Encombrement et maniabilité
- Confort et adhérence sur routes dégradées

Par Gabriel Gélinas

CHEVROLET

fiche d'identité

Modèles : 1500, 2500, 3500
Versions : LS, LT, utilitaire
Segment : fourgonnettes
Roues motrices : arrière
Portières : 4
Places : avant, 2; arrière, 5/7
Sacs gonflables : 2, frontaux
Concurrence : Dodge Ram Van, Ford Econoline

prix de base • 25 025 $

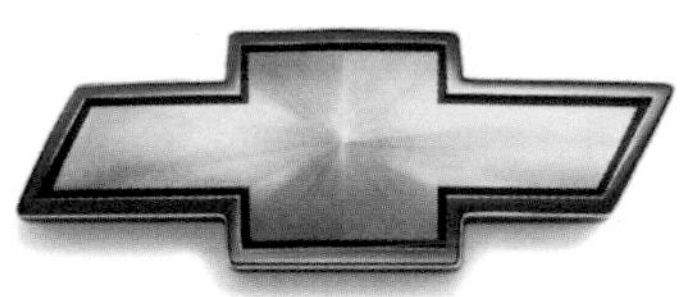

Un look moderne

au quotidien

Prime d'assurance moyenne : 1350 $
Garantie générale : 3 ans/60 000 km
Garantie groupe motopropulseur : 5 ans/100 000 km
Garantie contre la corrosion : 3 ans/60 000 km
Garantie contre la perforation : 6 ans/160 000 km
Collision frontale : nd
Collision latérale : nd
Ventes du modèle l'an dernier au Québec : 3007
Dépréciation : 40 %

La concurrence est rare dans le créneau des grandes fourgonnettes en Amérique. Ford détient la plus grande part du marché au chapitre des ventes avec sa légendaire Econoline. Pour ce qui est de DaimlerChrysler, elle prolonge la vie de sa bonne vieille Ram Van/ Wagon encore quelques années en attendant l'arrivée de la Sprinter allemande qui sera commercialisée sous la marque Freightliner en Amérique. Le seul autre joueur d'importance dans ce créneau est General Motors qui y commercialise deux véhicules jumeaux : la Chevrolet Express, pour le consommateur avide de tourisme et la Chevy Van, pour le consommateur commercial ainsi que la GMC Savana (voir commentaires à la page 239). L'avantage que détient GM dans ce créneau, c'est que ses produits sont les plus récents du groupe !

CARROSSERIE D'un seul coup d'oeil, on voit tout de suite que General Motors a su donner des lignes modernes à sa Chevrolet Express et à sa Chevy Van qui reprennent la calandre des camionnettes de la marque. Le pare-brise est grand et incliné, puis la carrosserie a une allure plus basse et plus aérodynamique. La Chevrolet Express/Chevy Van est offerte en versions régulière et allongée. Notons que la version régulière est plus longue que celle de la Ford Econoline. La version 3500, la plus longue, peut asseoir jusqu'à 15 personnes ; il est toutefois intéressant de noter que son conducteur devra détenir un permis spécial pour la conduire au Québec. Les consommateurs commerciaux seront heureux de constater que les portières arrière à battants s'ouvrent très grand pour faciliter le chargement.

MÉCANIQUE GM propose plusieurs motorisations sous le capot des Express/Chevy Van, du modeste V6 de 4,3 litres, légèrement anémique, au V8 turbodiesel de 6,5 litres pour les versions commerciales en passant par les fiables V8 Vortec 5000, 5700 et 8100. Précisons que le 8100 remplace avec brio l'ancien V8 de 7,4 litres (454 pouces cubes). Par contre, seule la transmission automatique à quatre rapports est

nouveautés 2002

• Climatisation avant et arrière de série pour empattement long

offerte par GM dans ce véhicule.

COMPORTEMENT Si les camionnettes de ce type sont appréciées des livreurs en raison de leur capacité de charge, leur conduite en ville ne sera pas facile pour les consommateurs qui les utilisent comme véhicules de tourisme. Mais une fois sur la route, cette Chevrolet se révélera facile et agréable à utiliser. Ses performances seront impressionnantes malgré son fort gabarit et son poids important. Pour les grands voyageurs, GM offre en équipement facultatif un lecteur vidéo et un téléviseur pour les passagers arrière ; ce type de gadget incitera certains acheteurs à pencher du côté des Chevrolet, surtout s'ils prévoient explorer quelques recoins du continent.

HABITACLE L'intérieur de ces fourgonnettes est très moderne. Le tableau de bord suit la tendance actuelle, et toutes les commandes sont à portée de main du conducteur. La position de conduite est agréable, et cette Chevrolet est facile à conduire sur la route. GM propose plusieurs configurations pour ce type de véhicule. Certains artisans, la société Par Nado de Beauce, à titre d'exemple, l'utilisent comme base de maison motorisée.
Il s'agit sans doute du véhicule idéal pour tous les gens qui souffrent de claustrophobie.

fiche technique

Moteurs : V6 4,3 L ; V8 5 L ; V8 5,7 L ; V8 8,1 L ; V8 6,5 L TDi

Puissance : 200 ch à 4400 tr/min et 250 lb-pi à 2800 tr/min (4,3) ; 220 ch à 4600 tr/min et 280 lb-pi à 2800 tr/min (5 L) ; 245 ch à 4600 tr/min et 325 lb-pi à 2800 tr/min (5,7) ; 340 ch à 4200 tr/min et 460 lb-pi à 3200 tr/min (8,1) ; 195 ch à 3400 tr/min et 385 lb-pi à 1800 tr/min (6,5 D)

Transmission de série : automatique à 4 rapports

Transmission optionnelle : aucune

Freins avant : disques

Freins arrière : tambours

Sécurité active de série : ABS, quatre roues

Suspension avant : indépendante

Suspension arrière : essieu rigide

Empattement : 342,9 cm ; 393,7 cm (allongé)

Longueur : 555,8 cm 606,3 cm (allongé)

Largeur : 201,8 cm 201,2 cm (allongé)

Hauteur : 202,2 cm 206 cm (allongé)

Poids : 2105 kg (1500) ; 2180 kg (2500) ; 2440 kg (3500)

0-100 km/h : 12,5 s

Vitesse maximale : 155 km/h

Diamètre de braquage : 13,8 m

Capacité de remorquage : 2950 kg (1500) ; 3630 kg (2500) ; 4540 kg (3500)

Volume utilitaire : 7569 L 8971 L (allongé)

Capacité du réservoir d'essence : 117 L

Consommation d'essence moyenne : 12,5 L/100 km (4,3 L) 18,5 L/100 km (8,1 L)

Pneus d'origine : 235/75R15 (1500) LT225/75R16 (2500) ; LT245/75R16 (3500)

Pneus optionnels : aucun

CHEVROLET

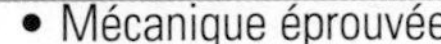

forces
- Mécanique éprouvée
- Lignes modernes
- Polyvalence

faiblesses
- Encombrement en situation urbaine
- Consommation importante
- Bruits de caisse

Par Éric Descarries

CHEVROLET

fiche d'identité

Modèle : Impala
Versions : de base et LS
Segment : intermédiaires
Roues motrices : avant
Portières : 4
Places : avant, 2 ; arrière, 3
Sacs gonflables : 2
Concurrence : Buick Le Sabre, Chrysler Intrepid, Ford Taurus, Pontiac Bonneville

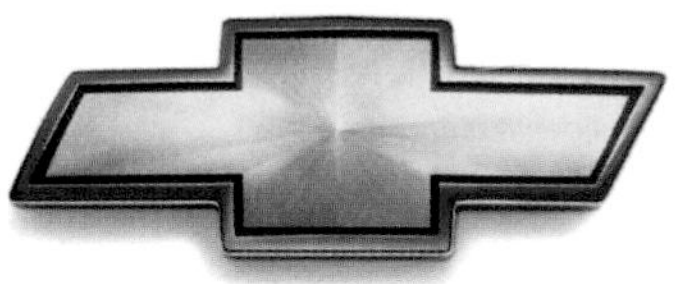

au quotidien

Prime d'assurance moyenne : 850 $
Garantie générale : 3 ans/60 000 km
Garantie groupe motopropulseur : 5 ans/100 000 km
Garantie contre la corrosion : 3 ans/60 000 km
Garantie contre la perforation : 6 ans/160 000 km
Collision frontale : 5/5
Collision latérale : 4/5
Ventes du modèle l'an dernier au Québec : 2316
Dépréciation : 52 %

évolution

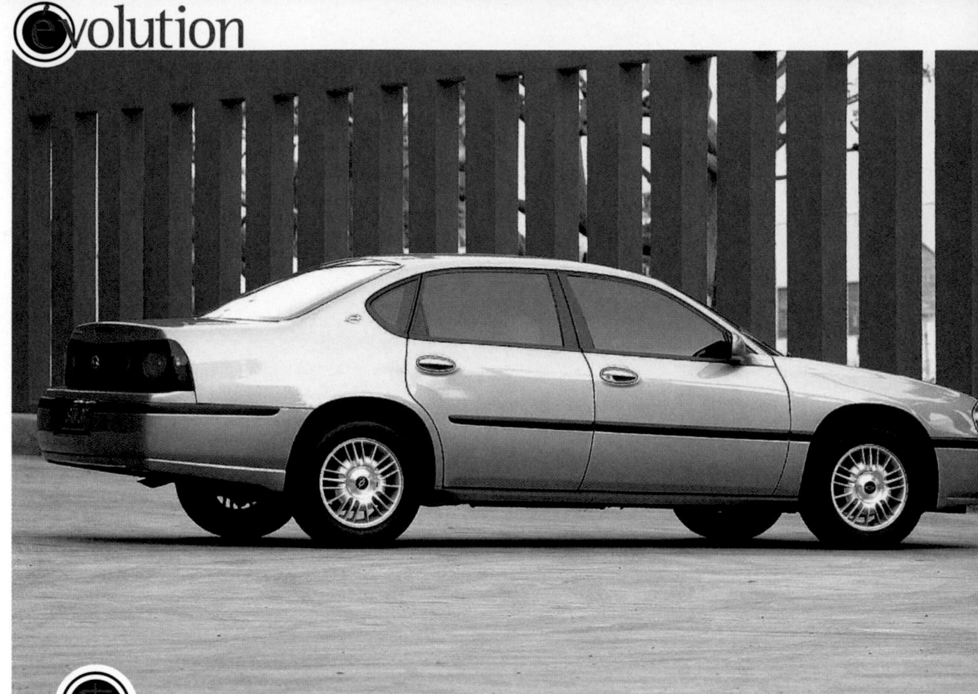

prix de base • 24 495 $

Routière par excellence

Aussi étonnant que cela puisse paraître, la Chevrolet Impala est née en 1958, et General Motors en a vendu plus de 13 millions d'exemplaires en moins de 20 ans de production (dont un million en 1965 seulement). De tous les modèles, Impala est le nom le plus reconnu de la compagnie; elle a un taux de reconnaissance de 96 % dans le public.

CARROSSERIE L'idée derrière le retour de l'Impala était simple. Avec la disparition de la Chevrolet Caprice, l'Impala allait devenir la plus grosse berline chez Chevrolet. Il fallait, d'une part, concevoir un véhicule qui offrirait beaucoup d'espace intérieur pour répondre aux besoins des corps policiers, des compagnies de location et des divers ministères qui utilisaient la Caprice pour son vaste espace intérieur. Cependant, il ne fallait pas oublier les consommateurs de Lumina qui ne cherchaient pas nécessairement à conduire un véhicule aussi gros que la Caprice. Résultat : beaucoup d'espace intérieur enveloppé dans un emballage pas trop encombrant. Des lignes génériques, mais intemporelles qui resteront jeunes pour des années. Pour ajouter un peu de piquant en 2002, un groupe d'équipements sport sera offert avec des feux différents à l'arrière, une calandre retravaillée, un tableau de bord plus sophistiqué et des roues de 16 pouces qui donnent à l'Impala une allure plus agressive.

MÉCANIQUE L'Impala est offerte en deux versions, la de base et la LS. La version de base est équipée d'un V6 de 3,4 litres produisant 180 chevaux, tandis que la LS est alimentée par le plus fiable, et l'un des plus anciens moteurs de GM, le V6 de 3,8 litres développant 200 chevaux. Pour les deux modèles, seule la transmission automatique à quatre rapports est offerte. Ces mécaniques sont fiables avant d'être performantes.

CONDUITE Sur la route, les deux versions de l'Impala se distinguent par leur comportement respectif. Le modèle de base possède une suspension mieux calibrée pour les longues randonnées tranquilles ; sans être molle, elle

nouveautés 2002

- Groupe d'équipements sport qui comprend des feux arrière différents, une calandre retravaillée, des cadrans et un tableau de bord rehaussés ainsi que des roues de 16 pouces.
- Rouge et vert perle comme nouvelles couleurs • Système OnStar offert dans la version LS

est douce et axée plutôt vers le confort que vers la performance. De même, le 3,4 litres manque un peu de puissance à bas régime et travaille un peu plus fort pour déplacer les 1538 kilos de la voiture. Par contre, une fois lancé, le moteur est silencieux et très docile. La version LS jouit d'une suspension plus ferme sans être désagréable. Les pneus de mêmes dimensions sur les deux modèles (225/60R16) présentent une configuration plus sportive sur la LS. Enfin, le moteur de 3,8 litres de 200 chevaux offre un surplus de puissance suffisant pour faire disparaître ce moment d'hésitation qui caractérise le modèle de base lors des départs arrêtés. Autre détail intéressant, particulièrement pour une voiture américaine, le freinage à disque aux quatre roues est puissant et très efficace. Le système ABS est livré sur les deux modèles.

HABITACLE Pour ce qui est de l'aménagement intérieur, les nostalgiques des soirées de cinéma en plein air seront heureux d'apprendre que Chevrolet offre encore une banquette pleine grandeur à l'avant sur le modèle de base ; idéal pour les rapprochements, mais pas très confortable pour la conduite. Si cette configuration offre l'avantage de pouvoir asseoir six personnes à bord, le conducteur, en contrepartie, n'a pas de soutien pour le dos ; le siège baquet est de loin recommandé, et si vous voulez vous coller, l'espace derrière est très généreux, et l'air climatisé est inclus si la soirée devient trop torride.

CONCLUSION Pratique sans être trop encombrante, l'Impala est taillée sur mesure pour les nostalgiques des grosses berlines américaines et présentée dans une facture moderne et très fiable. Malgré son dépouillement, le confort et l'espace sont très appréciés pour rouler plusieurs années sans soucis.

fiche technique

Moteur : V6 3,4 L
Autre moteur : V6 3,8 L
Puissance : 180 ch à 5200 tr/min et 205 lb-pi à 4000 tr/min
Autre moteur : 200 ch à 5200 tr/min et 225 lb-pi à 4000 tr/min
Transmission de série : automatique à 4 rapports
Transmission optionnelle : aucune
Freins avant : disques
Freins arrière : disques
Sécurité active de série : ABS, antipatinage (optionnel version de base)
Suspension avant : indépendante
Suspension arrière : indépendante
Empattement : 280 cm
Longueur : 508 cm
Largeur : 185,4 cm
Hauteur : 145,6 cm
Poids : 1540 kg
0-100 km/h : 11,4 s
Vitesse maximale : 170 km/h (limitée)
Diamètre de braquage : 11,6 m
Capacité du coffre : 498 L
Capacité du réservoir d'essence : 64,3 L
Consommation d'essence moyenne : 12,6 L/100 km
Pneus d'origine : 225/60R16
Pneus optionnels : aucun

CHEVROLET

2e opinion

Éric Descarries — Malgré une ligne plutôt controversés, l'Impala fait son petit bout de chemin. Cependant, il est évident que Chevrolet s'en sert plutôt comme concurrente aux Ford Crown Victoria, surtout au point de vue commercial et gouvernemental (police). Sa traction avant lui donne un avantage sur la Ford, mais son moteur V6 n'affiche pas le même potentiel.

forces

- Habitacle spacieux
- Rapport prix/équipement intéressant
- Freinage efficace
- Bonnes performances (moteur 3,8 L)

faiblesses

- Esthétique discutable
- Agrément de conduite mitigé
- Pneus d'origine médiocres
- Performances moyennes (V6 3,4 L)

Par Benoit Charette

CHEVROLET

fiche d'identité

Modèle : Malibu
Versions : de base et LS
Segment : compactes
Roues motrices : avant
Portières : 4
Places : avant, 2; arrière, 3
Sacs gonflables : 2
Concurrence: Chrysler Sebring, Ford Focus ZTS, Daewoo Leganza, Honda Accord, Hyundai Sonata, Kia Magentis, Mazda 626, Nissan Altima, Oldsmobile Alero, Pontiac Grand Am, VW Jetta

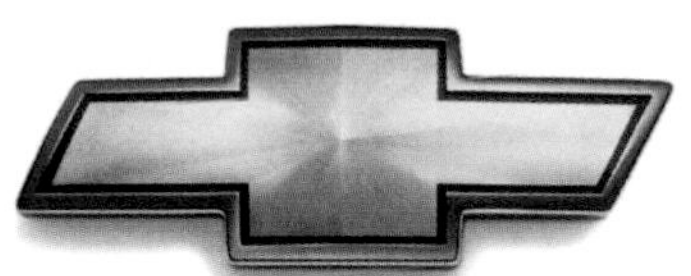

au quotidien

Prime d'assurance moyenne : 760 $
Garantie générale : 3 ans/60 000 km
Garantie groupe motopropulseur : 5 ans/100 000 km
Garantie contre la corrosion : 3 ans/60 000 km
Garantie contre la perforation : 6 ans/160 000 km
Collision frontale : 4/5
Collision latérale : 2/5
Ventes du modèle l'an dernier au Québec : 5559
Dépréciation : 42 %

évolution

prix de base • 22 760 $

Une **intermédiaire** américaine de **valeur**

La Malibu, de Chevrolet, constitue une belle surprise de la part du géant américain GM. Malgré sa configuration très traditionnelle, elle offre une douceur de roulement et une efficacité de rendement très concurrentielle.

CARROSSERIE La Malibu ne gagnera pas de concours d'élégance, mais sa ligne classique plaît. Elle est offerte en deux versions, la Malibu et la Malibu LS, et cette dernière possède un équipement complet pour une intermédiaire. Elle offre aussi le volume de coffre le plus grand dans sa catégorie : on peut y loger 16 sacs d'épicerie. Les charnières pourraient toutefois écraser vos œufs... Vous pourrez également profiter des dossiers rabattables 60/40 pour augmenter la capacité de charge à l'occasion.

MÉCANIQUE La Malibu possède une excellente combinaison moteur-transmission. Son V6 de 3,1 litres, jumelé à une transmission automatique à 4 rapports fournit de bonnes performances pour sa catégorie et, surtout, une douceur de fonctionnement agréable. Si les accélérations se font en douceur, le moteur, lui, grogne à l'effort. La Malibu met 7,2 secondes pour passer de 80 à 120 km/h. Fait à noter, le système antipollution est garanti pour huit ans.

COMPORTEMENT Sa bonne tenue de route en a étonné plusieurs. Prévisible et stable, la Malibu se tire très bien d'affaire dans toutes les conditions routières. Sa direction, bien qu'assez précise, transmet une sensation de lourdeur.
La combinaison disques-tambours des freins arrête cette voiture en 38 mètres avec l'appui du système ABS. La pédale de freins est toutefois trop sensible en situation urbaine, ce qui provoque d'inutiles arrêts brusques. La visibilité est généralement bonne, mais on doit porter une attention particulière aux manœuvres de marche arrière.

HABITACLE Quatre adultes peuvent s'y asseoir confortablement, et grâce à une très bonne insonorisation, on peut se parler sans hausser le ton. Cette année, Chevrolet a amélioré la qualité du sys-

nouveautés 2002

• Nouvelles roues en alliage • Système de son haut de gamme dans la LS
• Trois nouvelles teintes

tème audio de la Malibu.
Le tableau de bord offre une lecture facile et un accès aisé aux commandes. Les rétroviseurs chauffants sont toutefois difficiles à ajuster. Un petit détail bien apprécié : on localise rapidement la serrure pour la clef de contact sur le tableau de bord, que plusieurs ont jugé pratique et plaisant. L'aménagement du levier de transmission plaît moins, et on déplore l'absence au tableau de bord d'un indicateur de sélection des vitesses, ce qui oblige le conducteur à baisser les yeux lors de certaines manœuvres.
La climatisation s'avère efficace. La suspension offre un bon confort aux occupants. Un meilleur soutien latéral améliorerait toutefois le confort en position de conduite. Notons enfin que la Malibu offre de nombreux espaces de rangement à l'avant comme à l'arrière. On regrette le système de frein de stationnement à pédale, inutile en hiver et encombrant l'été.

CONCLUSION La Malibu LS prouve que GM peut offrir une rivale intéressante aux japonaises, avec un équipement complet et un prix concurrentiel. La qualité de sa finition a été améliorée. Sa cote de fiabilité, quant à elle, demeure moyenne. Elle obtient de bonnes notes quant à sa résistance aux collisions frontales, mais réussit moins bien dans les collisions latérales. À sa décharge, il faut reconnaître que la plate-forme de la Malibu remonte à plusieurs années. Finalement, considérons qu'elle constitue un bon achat.

fiche technique

Moteur : V6 3,1 L
Puissance : 170 ch à 5200 tr/min et 190 lb-pi à 4000 tr/min
Transmission de série : automatique à 4 rapports
Transmission optionnelle : aucune
Freins avant : disques
Freins arrière : tambours
Sécurité active de série : ABS
Suspension avant : indépendante
Suspension arrière : indépendante
Empattement : 272 cm
Longueur : 483,6 cm
Largeur : 176,3 cm
Hauteur : 143,3 cm
Poids : 1385 kg
0-100 km/h : 10,6 s
Vitesse maximale : 170 km/h (limitée électroniquement)
Diamètre de braquage : 11 m
Capacité du coffre : 464 L
Capacité du réservoir d'essence : 54 L
Consommation d'essence moyenne : 10,5 L/100 km
Pneus d'origine : 215/60R15
Pneus optionnels : aucun

2e opinion

Philippe Laguë — La Malibu, c'est comme les patates : ça ne goûte rien, mais c'est nourrissant. Elle possède tout le charme et le bagoût d'un notaire de village. Bref, c'est un moyen de transport, et rien d'autre. Fiable et sans histoire, mais totalement dénuée d'attrait. Très peu pour moi.

forces

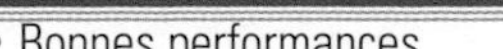
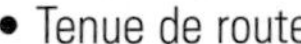

- Bonnes performances
- Tenue de route
- Équipement complet

faiblesses

- Levier de transmission mal conçu

Par Amyot Bachand

CHEVROLET

fiche d'identité

Modèle : Monte Carlo
Versions : LS, SS
Segment : intermédiaires
Roues motrices : avant
Portières : 2
Places : avant, 2 ; arrière, 3
Sacs gonflables : 2, frontaux
Concurrence : Toyota Camry Solara, Pontiac Grand Prix

évolution

prix de base • 26 525 $

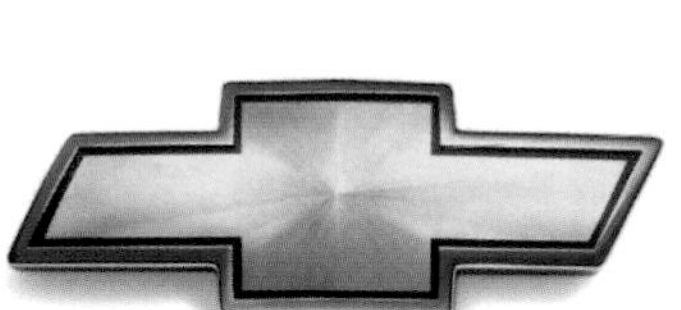

Tous les **goûts** sont dans la **nature...**

au quotidien

Prime d'assurance moyenne : 950 $
Garantie générale : 3 ans/60 000 km
Garantie groupe motopropulseur : 5 ans/100 000 km
Garantie contre la corrosion : 3 ans/60 000 km
Garantie contre la perforation : 6 ans/160 000 km
Collision frontale : 5/5
Collision latérale : 3/5
Ventes du modèle l'an dernier au Québec : 582
Dépréciation : 47 %

Il y avait longtemps que nous avions essayé cette intermédiaire. Ces retrouvailles nous ont permis de découvrir une bonne routière confortable, dotée d'une bonne tenue de route prévisible. Annonçons d'emblée qu'on n'y retrouve pas les performances des modèles des années 1960 qui ont établi la renommée de la SS.

CARROSSERIE Le coupé Monte Carlo est offert en deux versions : le LS et le SS. Les lignes simples et élancées du SS nous ont plu. Le volume du coffre permet de loger facilement deux sacs de golf et des valises ou des sacs de voyage ; mais attention, la hauteur du coffre limite leur taille. Le large seuil élevé et éloigné du coffre demande qu'on s'étire pour y loger ou en sortir des bagages. Rabattez au besoin les banquettes pour atteindre les objets logés au fond. L'accès mécanique est facile une fois que l'on a trouvé le loquet extérieur.

MÉCANIQUE La version SS que nous avons essayée, profitait du V6 de 3,8 litres et d'une transmission automatique à 4 rapports. Cette combinaison donne des performances honnêtes dans cette catégorie de voitures : le temps de dépassement de 80 à 120 km/h se situe sous les 8 secondes. Pas de quoi participer à une course du circuit NASCAR... mais c'est suffisant pour un usage quotidien. En forte accélération, cette combinaison moteur-transmission émet un sifflement d'effort notable. On aimerait toutefois une bonne vingtaine de chevaux de plus, sinon un moteur suralimenté comme on en retrouve dans les coupés Pontiac Grand Prix. Comme cette Chevrolet connaît beaucoup de succès en compétition, il est bizarre que la marque ne lui ait pas ajouté une boîte manuelle à cinq rapports pour l'image et le plaisir de conduire.

COMPORTEMENT Le coupé Monte Carlo SS offre une bonne tenue de route en virage, grâce entre autres au bon travail des Goodyear Eagle RS-A. Malgré une pédale trop haute, on obtient un freinage sûr et efficace grâce aux freins à disque appuyés par le système ABS. Le débattement limité de la suspen-

nouveautés 2002

• Édition spéciale en jaune • Filtre antipollen et climatisation à deux zones de série sur le LS • Haut-parleurs haut de gamme • Deux nouvelles couleurs

sion évite les rebondissements et garde cette voiture collée à la route de façon raisonnable.

HABITACLE Spacieux à l'avant, le coupé Monte Carlo offre une bonne visibilité extérieure à l'avant, mais plus restreinte du côté droit en raison de l'appuie-tête et du petit hublot arrière. Le tableau de bord, partiellement tourné vers le conducteur, facilite l'accès aux commandes. À l'avant, la position de conduite et le confort sont agréables. À l'arrière, toutefois, l'accès aux sièges est difficile. Un système automatisé de glissières du fauteuil avant simplifierait cet exercice. Une fois assis, le passager adulte a les jambes suffisamment dégagées grâce à l'assise courte du coussin de la banquette. Puisque le fauteuil est bas, un enfant s'y sentira plus à l'aise qu'un adulte. Comme la lunette arrière rejoint l'habitacle, les rayons du soleil vous chaufferont le cou et la tête, malgré l'ajout par GM de lignes thermoréfléchissantes. Un écran supplémentaire atténuera ce problème. Malgré les 34 °C lors de notre essai, la climatisation séparée suffisait à refroidir l'habitacle.

CONCLUSION Le coupé Monte Carlo est une voiture de style rétro/moderne, agréable à conduire tous les jours sur toutes les routes du Québec. Sa cote de fiabilité est moyenne. Avec la Monte Carlo SS, Chevrolet a relancé la mode des gros coupés. La concurrence peut-elle y répondre ?

fiche technique

CHEVROLET

Moteur : V6 3,4 L
Autre moteur : V6 3,8 L
Puissance : 180 ch à 5200 tr/min et 205 lb-pi à 4000 tr/min
Autre moteur : 200 ch à 5200 tr/min et 225 lb-pi à 4000 tr/min
Transmission de série : automatique à 4 rapports
Transmission optionnelle : aucune
Freins avant : disques
Freins arrière : disques
Sécurité active de série : ABS, antipatinage
Suspension avant : indépendante
Suspension arrière : indépendante
Empattement : 280,7 cm
Longueur : 502,6 cm
Largeur : 183,6 cm
Hauteur : 140,3 cm
Poids : 1515 kg ; 1535 kg (SS)
0-100 km/h : 9,6 s
Vitesse maximale : 190 km/h
Diamètre de braquage : 11,6 m
Capacité du coffre : 447 L
Capacité du réservoir d'essence : 64,3 L
Consommation d'essence moyenne : 12,6 L/100 km
Pneus d'origine : 225/60R16
Pneus optionnels : 225/60R16 de performance (SS)

2e opinion

Éric Descarries — Si c'est la voiture qui représente Chevrolet dans les courses de NASCAR et qu'elle remporte tant de victoires, pourquoi n'est-elle pas équipée d'un V6 à compresseur mécanique ou encore d'un des nombreux V8 de GM ? Si elle doit être une image de puissance, donnons-lui les outils nécessaires.

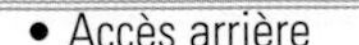

forces

- Confort
- Lignes classiques
- Freinage

faiblesses

- Accès arrière

Par Amyot Bachand

CHEVROLET

fiche d'identité

Modèle : S-10
Versions : de base, LS (2RM seulement ; cabine classique à caisse courte et longue, 4RM et 2RM ; 2 et 3 portes avec cabine allongée et caisse courte)
Segment : camionnettes compactes
Roues motrices : arrière ou 4 x 4
Portières : 2 ou 4
Places : avant, 2 ou 3 ; arrière, 2 ou 3
Sacs gonflables : 2
Concurrence : Toyota Tacoma, Nissan Frontier, Ford Ranger, Mazda Série B, Dodge Dakota, GMC Sonama

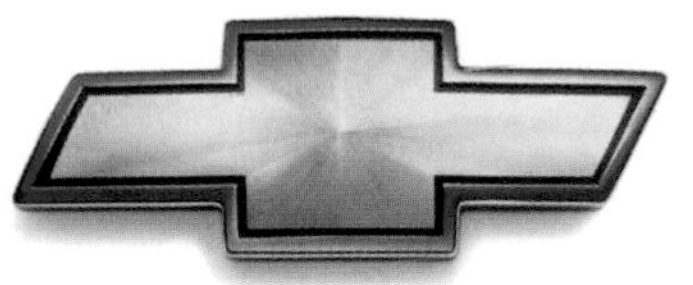

au quotidien

Prime d'assurance moyenne : 625 $
Garantie générale : 3 ans/60 000 km
Garantie groupe motopropulseur : 5 ans/100 000 km
Garantie contre la corrosion : 3 ans/60 000 km
Garantie contre la perforation : 6 ans/160 000 km
Collision frontale : 3/5
Collision latérale : 3/5
Ventes du modèle l'an dernier au Québec : 2422
Dépréciation : 48,9 %

prix de base • 17 060 $

Deux portes de plus

Malgré ses lignes modernes et sa popularité quand même appréciable, on constate que la camionnette S-10 de Chevrolet accuse son âge (elle est née en 1995) ; il serait peut-être temps qu'on pense à la redessiner. Mais, selon les renseignements qui nous viennent de Détroit, cette refonte ne se fera pas avant 2003 ou 2004, même si, dans certaines revues spécialisées, on commence à voir des prototypes camouflés des versions à venir.

CARROSSERIE Lorsque la S-10 nous est arrivée dans sa forme actuelle, il y a quelques années, on félicitait Chevrolet pour ce design aussi évolué. Malheureusement, les acheteurs de camionnettes semblent lui préférer des lignes plus robustes et, surtout, des dimensions plus généreuses. Donc, pour 2002, il ne faut pas s'attendre à d'énormes changements en ce sens. Les S-10 seront donc reconduites, sauf pour la cabine multiplace à quatre portes. Elles seront toujours offertes avec la cabine régulière ou allongée, cette dernière ayant le panneau ouvrant à gauche, derrière la portière du conducteur. Avec cette configuration, on y perd l'un des deux sièges arrière, et la S-10 devient une camionnette à trois ou à quatre places. Et l'on pourra enfin se procurer la version à quatre vraies portières commercialisée aux États-Unis. L'unique caisse (1849 millimètres ou 72,8 pouces) est livrable avec des ailes galbées d'allure plus sportive qui la font perdre en largeur. Malgré tout, il est toujours impossible d'y glisser un contreplaqué classique de 4 sur 8 à plat entre les ailes. Avec la cabine à quatre portes, la caisse sera légèrement écourtée.

MÉCANIQUE Encore une fois, du point de vue de la mécanique, on constate qu'il est temps de revoir certains éléments. Le moteur de base demeure le petit quatre cylindres de 2,2 litres Vortec de 120 chevaux qui n'est pas mauvais en condition urbaine, mais qui s'essouffle rapidement sur la route. Le V6 Vortec 4300 offert en équipement facultatif est grandement plus efficace, même si on peut lui reprocher d'être un peu rugueux. Avec la propulsion, il fait 180 chevaux, mais si l'on

nouveautés 2002

• Calandre et carénage avant retouchés • Nouvelle version à quatre portes • Modèles à cabine régulière et à caisse longue éliminés

choisit la version à quatre roues motrices, il gagne 10 chevaux. L'acheteur a le choix entre la boîte manuelle à cinq rapports ou l'automatique à quatre rapports.

HABITACLE La S-10 présente un intérieur qui montre son âge. Son tableau de bord aux lignes torturées inclut une instrumentation profondément installée dans son puits. Les cadrans ronds sont faciles à lire. La portion centrale ressort fortement en nous présentant des buses d'aération et la radio au-dessus des boutons rotatifs du chauffage et de la climatisation. À droite, le coffre à gants est plutôt bas, mais le passager peut profiter d'une barre de rétention placée devant lui. Avec la version allongée, on doit composer obligatoirement avec le panneau ouvrant, ce qui ne laisse qu'une petite place. Pratique pour y asseoir des enfants, elle ne peut servir que pour de courtes distances. Un adulte n'y sera certes pas confortable. La cabine à quatre vraies portières est nettement plus logeable.

COMPORTEMENT Selon le modèle choisi, la Chevrolet S-10 peut être une bonne routière, un véhicule de performance ou une 4 x 4 au comportement rigide. Le moteur V6 procure des performances intéressantes, et l'on appréciera la commande électrique «Insta-trac» à bouton poussoir dans la version à quatre roues motrices. Même si la direction est à billes, elle est relativement précise et, surtout, facile à manier.

CONCLUSION Espérons que la version à venir jouira des avantages du tout nouveau Trailblazer, surtout le nouveau moteur à six cylindres en ligne! Et s'il y avait une version Avalanche à venir?

fiche technique

CHEVROLET

Moteur : 4 cyl. en ligne VORTEC 2,2 L
Autre moteur : V6 VORTEC 4,3 L
Puissance : 120 ch à 5000 tr/min et 140 lb-pi à 3600 tr/min
Autres moteurs : 180 ch à 4400 tr/min et 245 lb-pi à 2800 tr/min (2RM) ; 190 ch à 4400 tr/min et 250 lb-pi à 2800 tr/min (4RM)
Transmission de série : manuelle à 5 rapports
Transmission optionnelle : automatique à 4 rapports
Freins avant : disques
Freins arrière : tambours (sur 2RM seulement)
Sécurité active de série : ABS
Suspension avant : indépendante
Suspension arrière : essieu semi-flottant
Empattement : 275 cm ; 312 cm (cabine allongée)
Longueur : 482,8 cm ; 520,1 cm (cabine allongée et multiplace)
Largeur : 172,5 cm
Hauteur : 157,5 cm à 161 cm
Poids : 1370 à 1685 kg
0-100 km/h : 11,3 s
Vitesse maximale : 175 km/h
Diamètre de braquage : 10,6 m
Capacité de remorquage : nd
Capacité du coffre : 1116 L à 1362 L (place arrière dans la cabine)
Capacité du réservoir d'essence : 69 L
Consommation d'essence moyenne : 12,2 L/100 km
Pneus d'origine : 205/75R15
Pneus optionnels : 235/70R15

forces

- Performances acceptables (V6)
- Grand réseau de concessionnaires
- Versions multiples

faiblesses

- Mécanique qui commence à vieillir
- Perte d'un siège avec la troisième portière

Par Éric Descarries

évolution

CHEVROLET

fiche d'identité

Modèle : Silverado
Versions : 1/2 tonne de base et LS, 3/4 tonne LS et LT, 3/4 tonne grande capacité LS et LT, 1 tonne LS et LT
Segment : camionnettes pleine grandeur
Roues motrices : arrière ou 4 x 4
Portières : 2
Places : avant, 2 ; arrière, 3
Sacs gonflables : 2
Concurrence : Toyota Tundra, Ford Série F, Dodge Ram

prix de base • 22 410 $

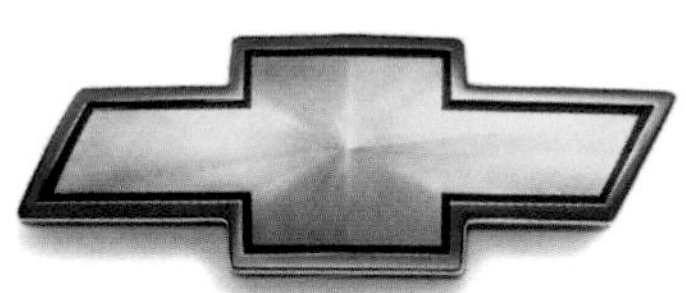

À l'**assaut** de **Ford**

Les camionnettes Chevrolet Silverado viennent en deuxième position au chapitre des ventes en Amérique du Nord, tout juste derrière les Ford de la série F. Cette situation perdure depuis des années, et Chevrolet a la ferme intention d'en changer l'ordre.

CARROSSERIE Les Silverado sont offertes dans un grand nombre de versions, et l'on pourrait leur consacrer tout un chapitre. En attendant, notons que ces camionnettes Chevrolet sont livrables avec une cabine régulière ou une cabine allongée à deux portes et deux battants ou encore avec une cabine multiplace à quatre portes. Il en est de même de la caisse : on a le choix entre la courte ou la longue. La plupart des consommateurs seront intéressés par la version 1500, plus légère, laissant les 1500 HD, 2500, 2500 HD et 3500 aux usagers commerciaux.

MÉCANIQUE Le moteur de base est un V6 Vortec de 4,3 litres. Il peut faire du bon boulot dans une version de base pas trop lourde qu'on n'utilise pas pour les gros travaux. Chevrolet offre plusieurs V8, dont les Vortec 4800 (270 chevaux) et 5300 (285 chevaux). Pour ce qui est de la série 2500, elle a droit au V8 Vortec de 6 litres. Tout récemment, Chevrolet dévoilait une version plus robuste de sa Silverado, la 1500 HD ; ce modèle possède une carrosserie de 1500 montée sur un châssis de 2500 HD. Sur ce modèle, on peut se procurer le moteur V8 turbodiesel Duramax.

COMPORTEMENT Sur la route, le Silverado de tourisme se comporte comme une camionnette confortable et rapide, surtout avec le V8 5300. La boîte automatique à quatre rapports peut être munie de la fonction « Tow/Haul » qui permet de mieux étager les rapports, surtout quand on tire une remorque. Depuis l'introduction de ce modèle, GM a effectué certaines corrections du côté des freins, et celle de la nouvelle Silverado est nettement plus rassurante. Notons que l'antiblocage des freins est offert en équipement standard sur les 1500. Les modèles à propulsion sont dotés d'une direction à crémaillère alors que les 4 x 4 gardent le boîtier

au quotidien

Prime d'assurance moyenne : 800 $
Garantie générale : 3 ans/60 000 km
Garantie groupe motopropulseur : 5 ans/100 000 km
Garantie contre la corrosion : 3 ans/60 000 km
Garantie contre la perforation : 6 ans/160 000 km
Collision frontale : 3/5
Collision latérale : nd
Ventes du modèle l'an dernier au Québec : 9116
Dépréciation : 41 %

nouveautés 2002

• Modèle 1500 HD

traditionnel. Le poste de pilotage offre une très bonne visibilité, et l'on s'y sent très à l'aise. Dans le cas de la motricité aux quatre roues, on peut commander le système Autotrac, qui facilite la traction automatique sur terrain difficile, dans la neige ou sur la glace.

HABITACLE L'aménagement intérieur de ces camionnettes Chevrolet est l'un des plus agréables de l'industrie. Son tableau de bord est très fonctionnel sans être extravagant. Les fauteuils sont confortables, surtout les baquets avant. La console centrale facultative des modèles plus luxueux permet l'entreposage d'une foule de petits accessoires et outils. Dans le cas de la cabine allongée avec deux panneaux ouvrants, la banquette arrière est relativement confortable, pour autant qu'on n'y fasse asseoir que des enfants ou de petites personnes. La version à quatre portes offre plus d'espace, il va sans dire. Pour ce qui est de l'espace de chargement, la caisse courte peut recevoir des objets aussi encombrants qu'un panneau de 4 sur 8 à plat entre les ailes. Mais le panneau arrière devra rester ouvert, ce qui ne serait pas nécessaire avec la grande caisse. Pour les travaux d'importance, la caisse de huit pieds est recommandée.

CONCLUSION Chevrolet a mis le paquet pour déloger Ford de sa première place avec sa gamme variée de camionnettes Silverado. Plus récemment, on a vu l'introduction des 2500 HD et 3500 commerciaux, des modèles pouvant être équipés du nouveau V8 8100 ou du turbodiesel V8 Duramax de 6,6 litres construit de concert avec Isuzu. Incidemment, on retrouve la plupart des modèles de Chevrolet dans la gamme GMC, sauf que celle-ci a quelques surprises qui lui sont propres.

fiche technique

CHEVROLET

Moteur : V6 Vortec 4,3 L
Autres moteurs : V8 Vortec 4,8 L, V8 Vortec 5,3 L, V8 Vortec 6 L, V8 Vortec 8,1 L, V8 Duramax 6,6 L diesel
Puissance : 200 ch à 4600 tr/min et 260 lb-pi à 2800 tr/min
Autres moteurs : 270 ch à 5200 tr/min et 285 lb-pi à 4000 tr/min, 285 ch à 5200 tr/min et 325 lb-pi à 4000 tr/min, 300 ch à 4400 tr/min et 360 lb-pi à 4000 tr/min, 340 ch à 4200 tr/min et 455 lb-pi à 3200 tr/min, 300 ch à 3100 tr/min et 520 lb-pi à 1800 tr/min
Transmission de série : manuelle à 5 rapports (6 rapports : diesel)
Transmission optionnelle : automatique à 4 ou 5 rapports
Freins avant : disques
Freins arrière : disques
Sécurité active de série : ABS
Suspension avant : indépendante
Suspension arrière : semi-elliptique
Empattement : 302,3 cm (cabine courte) 401 cm (cabine allongée, caisse longue)
Longueur : 515,8 cm à 626 cm
Largeur : 199,4 cm à 202,4 cm
Hauteur : 180,8 cm à 191,3 cm
Poids : 1980 kg (modèle de base)
0-100 km/h : 9,8 s (V8 5,3 L)
Vitesse maximale : 180 km/h
Diamètre de braquage : 13,8 m
Capacité de remorquage : 3901 kg à 5443 kg
Capacité du coffre : 1611 L à 2002 L
Capacité du réservoir d'essence : 95 L
Consommation d'essence moyenne : 13,4 L/100 km
Pneus d'origines : 235/75R16 (2RM) 245/75R16 (4RM)
Pneus optionnels : 225/75R16 ; 245/75R16 ; 215/85R16

2e opinion

Benoit Charette — Les Silverado et Sierra chez GMC sont au sommet de leur art et combinent ce qui se fait de mieux sur la route en ce moment. La qualité de roulement et de finition relègue au département des mauvais souvenirs tout ce qui s'est fait auparavant et place ces camionnettes au-dessus de la concurrence.

forces

- Grand choix de modèles
- Motorisation puissante
- Système Autotrac (facultatif)

faiblesses

- Consommation élevée
- Gabarit imposant
- Espace arrière limité (cabine allongée)

Par Éric Descarries

CHEVROLET

fiche d'identité

Modèle : SSR
Versions : unique
Segment : camionnettes
Roues motrices : arrière
Portières : 2
Places : 2
Sacs gonflables : 2
Concurrence : Ford F-150 Lightning, Chrysler Prowler

prix de base • nd

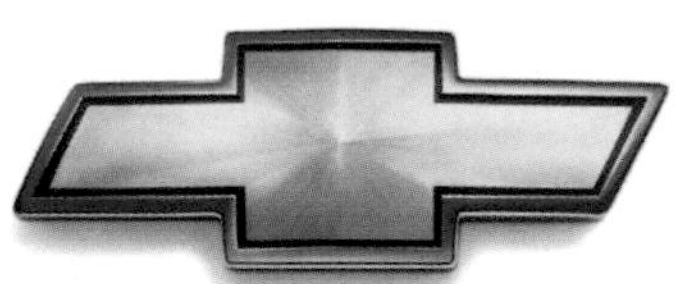

La camionnette rétro s'en vient

au quotidien

Prime d'assurance moyenne : -
Garantie générale : 3 ans/60 000 km
Garantie groupe motopropulseur : 5 ans/100 000 km
Garantie contre la corrosion : 3 ans/60 000 km
Garantie contre la perforation : 6 ans/160 000 km
Collision frontale : -
Collision latérale : -
Ventes du modèle l'an dernier au Québec : nouveau modèle
Dépréciation : nouveau modèle

Il fallait s'y attendre, la mode rétro du monde de l'automobile a fini par rejoindre le monde des camionnettes. Le premier exemplaire de cette configuration verra bientôt le jour sous la forme de la SSR de Chevrolet. SSR veut dire Super Sport Roadster. Dévoilée en étude de style au Salon de Detroit de janvier 2000 (que l'on reconnaît en bleu sur les photos, la jaune étant le modèle de présérie), la SSR a eu un impact plus grand que prévu par les administrateurs de General Motors. Le premier cri des journalistes et des visiteurs du salon fut : «Construisez-la!» Et c'est ce que GM a fait au cours des mois qui ont suivi.

CARROSSERIE L'apparence extérieure de la SSR est facile à identifier. On y reconnaît rapidement l'allure générale d'une camionnette Chevrolet de 1953. Mais un peu à la façon des «hot-rodders» californiens, les stylistes de GM ont réussi à en intégrer et remouler les formes dans une carrosserie aux lignes plus fluides. C'est vraiment du dessin américain à son meilleur. Les feux ovalisés sont bien placés dans les ailes avant, alors que la calandre reproduisant fidèlement celle de la camionnette de 1953 est traversée d'une baguette en aluminium brossé qui retient l'emblème Chevrolet. Le capot plongeant et arrondi reproduit aussi les lignes des anciennes camionnettes.
Malgré les ailes bombées mais plus effilées, la carrosserie est assez rectangulaire. Se voulant une camionnette, la SSR comporte une sorte de caisse à l'arrière, mais celle de l'étude de style était fermée... pour les besoins de la cause. L'arrière est assez traditionnel, avec un panneau rabattable rectangulaire et des feux ronds encastrés dans les ailes arrière. Encore une fois, une baguette en aluminium brossé vient traverser la carrosserie. Le pavillon de la SSR reprend également la forme du toit du modèle d'antan, mais dans le cas du prototype de Detroit, celui-ci se repliait et se cachait sous un panneau amovible devant la caisse. Son concepteur en chef, Ed Welburn, tenait tellement au toit escamotable que la première unité de préproduction que j'ai vue à Detroit l'avait! Enfin, la SSR se détache des

• Modèle 2003 à venir

nouvelles tendances de GM — qui semble vouloir donner des angles évidents à tous ses nouveaux modèles et prototypes — avec ses lignes arrondies et galbées.

MÉCANIQUE Vu que la SSR sera une camionnette, il ne faut pas se surprendre de trouver un V8 sous son capot. Le prototype dévoilé à Detroit avait un V8 Vortec à culbuteurs de 6 litres du genre que l'on peut trouver dans une Silverado 2500 ou une GMC Sierra Denali. Notons que cette mécanique est de la même famille que les 4,8 et 5,3 litres. Alors n'importe lequel de ces moteurs pourrait se retrouver dans une SSR de production. Peu importe quelle version sera choisie, tous ces moteurs sont puissants. On peut s'attendre à des performances respectables de la part de ce nouveau véhicule. Le prototype avait un couvercle décoratif sur le moteur même, ce qui ne serait pas désagréable sur la version de production, surtout si elle est de luxe. La SSR devrait demeurer une camionnette traditionnelle malgré ses lignes à la fois rétro et modernes. Encore une fois, si l'on se fie au prototype de Detroit, on constatera que le châssis a été extrapolé du Blazer courant à cinq portes. Le modèle de préproduction reposait sur le châssis du nouveau TrailBlazer. C'est un châssis moderne qui sied bien à ce véhicule. Par conséquent, il faudra comprendre que la SSR sera une propulsion seulement. On ne doit pas s'attendre à en voir une version à quatre roues motrices. La boîte de vitesses automatique proposée à 4 rapports est semblable à celle d'une Silverado. Les changements de vitesses sont faits à partir de boutons poussoirs au centre du volant, une technologie que j'ai essayée sur une autre camionnette expérimentale de GM l'été dernier. Je pense, par contre, que Chevrolet utilisera le levier traditionnel sur la version de production. Le prototype avait des roues surdimensionnées qui ont été

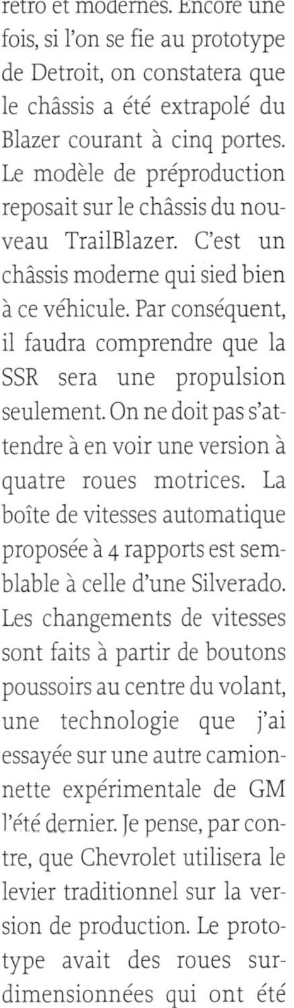

entrevue

Phil Kling
responsable des Communications et Produits

Comment pourriez-vous décrire ce véhicule en quelques mots?
La Chevrolet SSR (*Super Sport Roadster*) joint l'utile à l'excitant. Le côté pratique d'une camionnette et l'enivrement d'une décapotable avec les performances d'un V8 de 6 litres, c'est vraiment le plaisir à quatre roues.

Selon vous, quels sont les points forts de la SSR?
La particularité la plus intéressante de la SSR se trouve dans son toit rigide rétractable. Formé de deux pièces maîtresses, ce toit se plie à la verticale pour se ranger derrière le conducteur entre son siège et la boîte de la camionnette. Un camion et un cabriolet uniques.

Comment situez-vous ce modèle dans votre gamme, et face à la concurrence?
Il n'y a rien sur le marché en ce moment comme la SSR. Ce mi-roadster mi-camion est un pionnier dans son domaine, et la concurrence ne s'est pas encore manifestée.

Quelle est la clientèle cible?
La SSR ne répond à aucune convention. Nous croyons qu'il intéressera des amateurs de performances pures, des amateurs qui doivent aussi remorquer à l'occasion. Principalement des hommes de 35 à 45 ans.

Combien de ventes en 2002?
Comme il s'agit d'un modèle 2003, nous sommes encore à évaluer le potentiel et la capacité d'absorption du marché. Il est trop tôt pour faire des prévisions.

CHEVROLET

galerie

1 • La SSR était une des attractions principales au Woodward Dream Cruise 2001, qui réunit plus de 30 000 *«Hot Rod»*.

2 • Cette Chevrolet à toit rigide escamotable sera la Corvette des camionnettes. Reste à savoir si la légende survivra aussi longtemps.

3 • Le président-directeur général de General Motors, Rick Wagoner, affiche un air décontracté au volant.

4 • Après Chrysler, Volkswagen et Ford, Chevrolet joue à son tour la corde rétro.

5 • SSR, qui signifie «Super Sport Roadster» ramène l'époque des El Camino et des Ranchero avec une ligne beaucoup plus réussie.

1

2

3

4

5

forces

Lignes uniques
Mécanique connue
Performances assurées

faiblesses

Données insuffisantes

facilement imitées sur la version de production grâce aux nouvelles générations de pneus et de jantes. Le choix d'un pont arrière rigide ou d'une suspension indépendante n'a pas encore été fixé, mais il y a fort à parier que le pont rigide sera choisi, question d'économie. Quant à la suspension avant, elle devrait être indépendante.

COMPORTEMENT Évidemment, les seules personnes qui ont pu conduire les prototypes de SSR ont dû se contenter de rouler à très basse vitesse (contrairement au prototype Silverado SS que j'ai pu conduire sur les routes du Michigan). Il n'y a donc pas d'impressions de conduite à dévoiler. Par contre, il nous est permis d'en imaginer les performances. Avec un poids approximatif de 3500 livres et son V8 de quelque 300 chevaux, la SSR pourrait passer de 0 à 100 km/h en 6 ou 7 s. Quant à la tenue de route, si Chevrolet conserve le châssis du TrailBlazer, elle sera bonne si la suspension est calibrée en fonction des pneus performance de 19 et 20 pouces qui équiperont ce modèle.

HABITACLE Le thème rétro est aussi présent à l'intérieur de la SSR. Le tableau de bord du prototype ressemble de loin à celui d'une Chevrolet 1953. Il est arrondi, avec deux gros instruments ronds placés devant le conducteur. On note quatre bouches d'aération placées stratégiquement devant les passagers, alors qu'une autre barre d'aluminium brossé traverse la planche de bord d'un bout à l'autre. Le volant du prototype a trois branches en aluminium brossé. Les garnitures de portières sont sobres et, encore une fois, une barre d'aluminium brossé les traverse. Il n'y a que deux places dans le prototype SSR, et il semble bien certain que cette configuration sera reprise sur la version de production. À moins que Chevrolet n'opte pour une banquette 40/60.

CONCLUSION La SSR apparaîtra au début de 2002 à titre de modèle 2003. Chevrolet veut en faire la première camionnette roadster sportive sur le marché, et si le prix en est raisonnable (autour des 40 000 $?), la SSR connaîtra du succès. Cependant, il ne faut pas s'attendre à en voir beaucoup sur la route, car sa production pourrait être très limitée. Mais la SSR sera sûrement excitante !

Par Éric Descarries

CHEVROLET

fiche d'identité

Modèle : Suburban
Versions : LS et LT en 1/2 et 3/4 de tonne
Segment : utilitaires grand format
Jumeau : Yukon XL de GMC
Roues motrices : arrière et 4x4
Portières : 4
Places : avant, 2 ; arrière, 5
Sacs gonflables : 4, frontaux et latéraux
Concurrence : Lexus LX470, Lincoln Navigator, Mercedes-Benz Classe G, Toyota Sequoia, Ford Excursion et Expedition, Isuzu Trooper, Land Rover Range Rover, Cadillac Escalade, GMC Yukon, Denali et Yukon XL

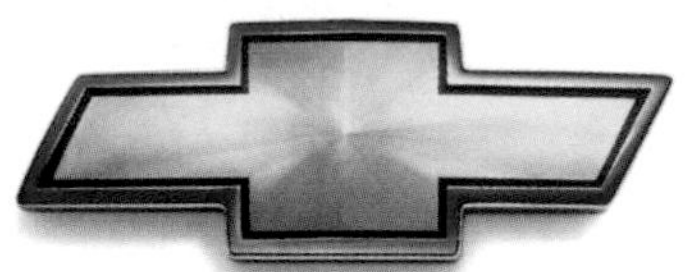

au quotidien

Prime d'assurance moyenne : 925 $
Garantie générale : 3 ans/60 000 km
Garantie groupe motopropulseur : 5 ans/100 000 km
Garantie contre la corrosion : 3 ans/60 000 km
Garantie contre la perforation : 6 ans/160 000 km
Collision frontale : 4/5
Collision latérale : 4/5
Ventes du modèle l'an dernier au Québec : 843
Dépréciation : 45 %

prix de base • 45 875 $

Le grand-père des utilitaires

Lorsque Chevrolet a mis le Tahoe sur le marché, ses ingénieurs ont avoué avoir pris le Suburban comme point de départ. Ce n'est donc pas surprenant de remarquer la même ligne dans la plus récente version remaniée des deux véhicules. Mais en plus d'une longueur ajoutée, le Suburban se distingue du Tahoe de bien des façons.

MÉCANIQUE D'abord, le Suburban est offert en deux capacités : le 1500, plus léger, et le 2500, plus robuste. Par conséquent, on y retrouve des moteurs plus puissants. Celui de base est le V8 de 5,3 litres et 285 chevaux alors que la version 2500 fait appel au V8 Vortec 6000 de 320 chevaux. Cette année, le V8 Vortec 8100 sera livrable dans la version 2500. Malheureusement, il n'y a plus de moteur turbodiesel dans la gamme du Suburban. Vu que le Suburban doit s'acquitter de tâches différentes, on y verra alors des composants différents. Avec la version 1500, la suspension avant est indépendante avec des barres de torsion. Le robuste 2500 utilise des ressorts hélicoïdaux avec la version à deux roues motrices, mais retourne aux barres de torsion avec le 4 x 4. Dans le cas de la direction, seule le 1500 à quatre roues motrices a droit à l'assistance variable. Mais pour le freinage, toutes les versions présentent des disques à l'avant et des tambours à l'arrière, avec l'ABS et la répartition dynamique du freinage.

COMPORTEMENT Le Suburban est un énorme utilitaire sport qui se conduit quand même assez bien. En fait, aux États-Unis, où l'essence est moins chère, plusieurs femmes, surnommées les « soccer moms » (car c'est à elles qu'incombe la tâche de conduire les enfants aux joutes de soccer), utilisent le Suburban familial comme véhicule de promenade (ou de « taxi »). D'ailleurs, le mot Suburban veut dire « banlieusard ». Le V8 5300 va très bien avec la version 1500, mais si l'on veut utiliser le Suburban comme tracteur de roulotte (ce que l'on voit le plus souvent), il est préférable de choisir la version 2500 avec son V8 Vortec 6000 plus puissant ou, mieux, le 8100 encore plus approprié. Si jamais vous

nouveautés 2002

• Disparition du modèle de base • Climatisation à contrôle électronique avec toit ouvrant de verre • Hayon relevable de série

choisissez la version à propulsion seulement, assurez-vous d'obtenir l'antipatinage offert en équipement facultatif pour vous aider dans vos déplacements hivernaux. Quant aux performances, on peut s'attendre à une accélération de 0 à 100 km/h en moins de 10 secondes avec le V8 5300 dans un Suburban 1500, ce qui est respectable. Le V8 6000 donnera des performances semblables dans la version 2500, alors que le 8100 devrait couper une seconde à ces performances. Rappelons que GMC a sa propre version du Suburban, la Yukon XL, et seule GMC en a la version Denali à traction intégrale plus «sportive». Les Denali sont couvertes sous la rubrique GMC.

HABITACLE Il y a différentes façons de choisir l'intérieur d'un Suburban. On peut en faire un utilitaire presque commercial avec des banquettes de vinyle et des carpettes de caoutchouc, comme on peut en faire un vrai palais roulant avec de confortables sièges avec sellerie de cuir. Neuf personnes peuvent prendre place dans un Suburban, mais la majorité des acheteurs opteront pour la version à sept passagers. C'est un peu comme un Tahoe avec un plus grand espace cargo qui accepte plus de bagages. Autrement, le Suburban a un tableau de bord pareil à celui des camionnettes Silverado et utilitaires sports Tahoe.

CONCLUSION Premier utilitaire de l'histoire, le Suburban a été introduit sur le marché en 1937. On pourrait le qualifier de véhicule officiel de l'Ouest américain. Il y a au Texas plus de Suburban que n'importe où ailleurs en Amérique, et la plupart sont ornés de cornes de taureau sur la calandre.

fiche technique

Moteur : V8 Vortec de 5,3 L
Autres moteurs : V8 Vortec de 6 L; V8 Vortec de 8,1 L
Puissance : 285 ch à 5200 tr/min et 325 lb-pi à 4000 tr/min
Autres moteurs : 320 ch à 5000 tr/min et 360 lb-pi à 4000 tr/min 340 ch à 4200 tr/min et 455 lb-pi à 3200 tr/min
Transmission de série : automatique à 4 rapports
Transmission optionnelle : aucune
Freins avant : disques
Freins arrière : tambours
Sécurité active de série : ABS aux quatre roues
Suspension avant : indépendante
Suspension arrière : essieu rigide
Empattement : 330,2 cm
Longueur : 557 cm
Largeur : 200,2 cm
Hauteur : 181,6 cm ; 189 cm (4x4)
Poids : 2082 kg ct 2325 kg (4x4)
0-100 km/h : 12,3 s
Vitesse maximale : 170 km/h
Diamètre de braquage : 13,1 m et 13,5 m (4x4)
Capacité de remorquage : 3992 kg (4x2 1/2 tonne) et 5443 (4x2 3/4 tonne)
Capacité du coffre : 1294 L; 3729 L (sièges abaissés)
Capacité du réservoir d'essence : 125 L
Consommation d'essence moyenne : 15 L/100 km 18 L/100 km (8,1 L)
Pneus d'origine : P265/70R16 (1/2 tonne), LT245/75R16 (3/4 tonne)
Pneus optionnels : aucun

CHEVROLET

2e opinion

Alain Mckenna — Si vous voulez mon avis, le Suburban est l'expression mécanique du courant artistique de l'absurde : réchauffement de la planète en raison de mastodontes qui consomment trop? Pas grave, la climatisation électronique du Suburban maintient l'habitacle à 16 degrés centigrades en tout temps...

forces

- Grand espace intérieur
- Bon choix de moteurs
- Excellente capacité de remorquage

faiblesses

- Gabarit peu pratique en ville
- Consommation notable
- Absence de moteur diesel

Par Éric Descarries

CHEVROLET

évolution

fiche d'identité

Modèle : Tahoe
Versions : de base, LS et LT
Segment : utilitaires intermédiaires
Jumeau : Yukon de GMC
Roues motrices : 4x2 et 4x4
Portières : 4
Places : avant, 2 ; arrière, 5
Sacs gonflables : 4
Concurrence : Lexus LX470, Lincoln Navigator, Toyota Sequoia, Ford Excursion et Expedition, Isuzu Trooper, Range Rover

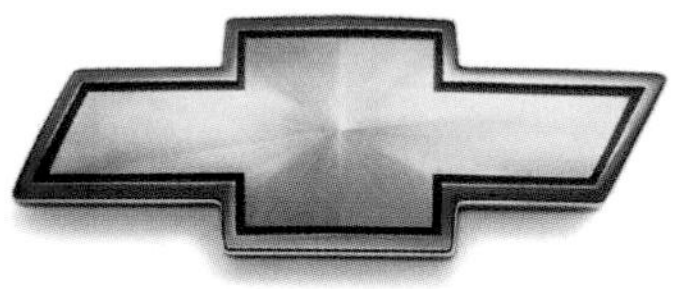

prix de base • 41 685 $

Le grand utilitaire sport par excellence

au quotidien

Prime d'assurance moyenne : 925 $
Garantie générale : 3 ans/60 000 km
Garantie groupe motopropulseur : 5 ans/100 000 km
Garantie contre la corrosion : 3 ans/60 000 km
Garantie contre la perforation : 6 ans/160 000 km
Collision frontale : 3/5
Collision latérale : 3/5
Ventes du modèle l'an dernier au Québec : 774
Dépréciation : 40%

Il est difficile de nier que le Chevrolet Tahoe est un des plus beaux utilitaires sport de grand format sur le marché. C'est aussi l'un des plus populaires. Lorsque Chevrolet l'a redessiné il y a deux ans, ses concepteurs ont réussi un coup de maître.

CARROSSERIE Le Tahoe est né de l'ancien grand Blazer. Il fut alors non seulement redessiné mais rebaptisé. Il s'agit visiblement de la version familiale d'une grande camionnette Chevrolet Silverado. On en reconnaît d'ailleurs l'avant avec la calandre chromée séparée par une bande horizontale. La seule caisse disponible est une version à quatre portes avec porte arrière en hayon à lunette relevable ou à battants. On voit que les glaces sont assez grandes pour procurer une bonne visibilité.

MÉCANIQUE La gamme de Chevrolet présente deux moteurs V8 à culbuteurs pour Tahoe, soit le Vortec 4800 et le Vortec 5300, de 275 et 285 chevaux respectivement. Le Vortec 4800 suffira largement aux déplacements de tous les jours, surtout avec la version à propulsion, alors que le 5300 sera plus utile si l'on compte tirer des roulottes. Outre les moteurs, le Tahoe reprend une grande partie des composants mécaniques des camionnettes Silverado, dont la boîte automatique à 4 rapports (la seule proposée), la propulsion avec essieu rigide (antipatinage offert en équipement facultatif) ou la motricité aux quatre roues avec la commande électrique Autotrac (qui inclut la position neutre, utile pour le remorquage). Une suspension plus rigide pour les excursions hors route est livrable.

HABITACLE Encore une fois, le Tahoe reprend plusieurs éléments de la camionnette Silverado, dont le tableau de bord bien dessiné et facile à lire. Tout est à la portée du conducteur, y compris les commandes de chauffage et de la radio. J'ai particulièrement apprécié les commandes rotatives du chauffage en hiver. On peut même les manipuler avec des gants. De plus, on y trouve le système OnStar, qui ajoute à la sécurité. Alors que les baquets sont de série à l'avant, il est possible de commander

nouveautés 2002

• Modèle de base supprimé • Suspension de base améliorée • Hayon relevable de série, portes arrière à battants offertes en option

une banquette à trois places divisée 40/20/40. Si l'on ajoute la troisième banquette 50/50 rabattable dans la troisième rangée, on donnera à la Tahoe une capacité de neuf passagers! Cependant, la dernière banquette n'est atteinte qu'au prix de certaines acrobaties.

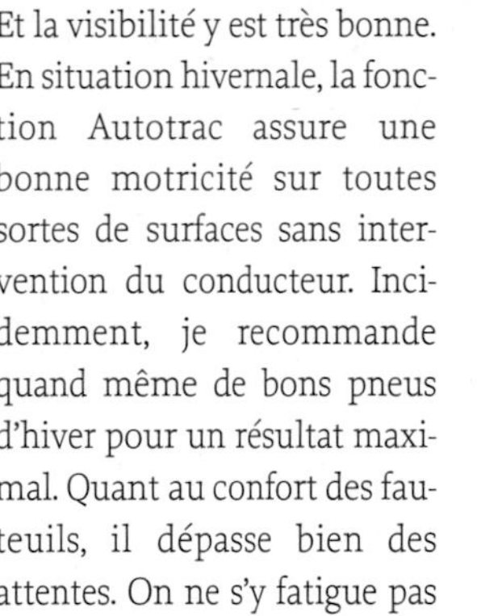

COMPORTEMENT Le Chevrolet Tahoe possède de belles qualités routières. Tous les modèles que j'ai essayés avaient quatre roues motrices, sauf une version de base à moteur 4800 et propulsion lors de la présentation du modèle à la presse. Dans tous les cas, ce qui impressionne le plus, c'est la position de conduite et l'environnement intérieur. Le Tahoe se conduit comme une auto et réagit presque comme une auto. On oublie parfois qu'il s'agit là d'un utilitaire sport. Le moteur 5300 est très à l'aise dans cette grande caisse, et je l'ai même essayé avec une remorque sans qu'il montre de la faiblesse. Le gabarit de la Tahoe est un peu imposant en ville, mais avec un peu de pratique, on réussit à bien manœuvrer cet impressionnant utilitaire. Et la visibilité y est très bonne. En situation hivernale, la fonction Autotrac assure une bonne motricité sur toutes sortes de surfaces sans intervention du conducteur. Incidemment, je recommande quand même de bons pneus d'hiver pour un résultat maximal. Quant au confort des fauteuils, il dépasse bien des attentes. On ne s'y fatigue pas facilement, ce qui fait du Tahoe un véhicule de voyage idéal. Incidemment, GMC a sa version du Tahoe, le Yukon. Cependant, seule GMC a la finition Denali, que l'on peut voir à la page 243.

CONCLUSION Excellent véhicule pour la famille active qui a les moyens de débourser 100 $ d'essence par semaine.

fiche technique

Moteur : V8 Vortec de 4,8 L
Autre moteur : V8 Vortec de 5,3 L
Puissance : 275 ch à 5200 tr/min et 290 lb-pi à 4000 tr/ min
Autre moteur : 285 ch à 5200 tr/min et 325 lb-pi à 4000 tr/ min
Transmission de série : automatique à 4 rapports
Transmission optionnelle : aucune
Freins avant : disques
Freins arrière : disques
Sécurité active de série : ABS
Suspension avant : indépendante
Suspension arrière : essieu rigide
Empattement : 294,6 cm
Longueur : 505,2 cm
Largeur : 200,4 cm
Hauteur : 194,8 cm
Poids : 2211 kg (2x4) et 2317 kg (4x4)
0-100 km/h : 12,2 s
Vitesse maximale : 175 km/h
Diamètre de braquage : 11,9 m et 12,2 m (4x4)
Capacité de remorquage : 3583 kg et 3946 (4x4)
Capacité du coffre : 461 L avec troisième banquette en place
Capacité du réservoir d'essence : 98 L
Consommation d'essence moyenne : 14,8 L/100 km
Pneus d'origine : P245/75R16 et P264/70R16 (4x4)
Pneus optionnels : aucun

2e opinion

Benoit Charette — Depuis que GM applique sa politique de châssis hydroformé pour une grande partie de son parc de véhicules, sa qualité de roulement et son comportement sont fortement à la hausse. La famille des tahoe/Yukon est un bon exemple; il s'agit d'un changement radical de la nouvelle génération qui place le véhicule parmi les meilleurs de sa catégorie.

forces

- Belle visibilité
- Intérieur confortable
- Moteur offert en équipement facultatif puissant

faiblesses

- Consommation élevée
- Gabarit imposant
- Accès à la troisième banquette difficile

Par Éric Descarries

ÉTATS-UNIS

Callaway

Lorsqu'il a commencé à modifier des moteurs de BMW au milieu des années 70, Reeves Callaway ne se doutait probablement pas que sa compagnie allait devenir l'une des plus réputées au monde en matière de préparation de la Corvette. En fait, la C12 est plus une nouvelle voiture basée sur des pièces de Corvette qu'une Corvette modifiée. Son esthétique est signée par le Québécois Paul Deutschmann. Le moteur est poussé à 440 chevaux, ce qui permet à la bête de dépasser le 300 km/h.

Shelby

Caroll Shelby, ancien vainqueur des 24 heures du Mans et créateur de la mythique AC Cobra, ne s'arrête jamais. Il a fondé une compagnie portant son nom pour fabriquer « sa » supercar, typiquement américaine. La Series 1 utilise un châssis en aluminium, une carrosserie en fibre de carbone et un moteur Oldsmobile Aurora porté à 320 chevaux. A la clé, le zéro à 160 km/h en 11 secondes. Les ventes de la Series 1 sont timides alors, pour faire rentrer de l'argent, Shelby produit aussi une réplique de la Cobra.

Saleen

Saleen s'est fait connaître en préparant des Ford Mustang. Des préparations sérieuses et parfois très poussées, comme la SR de 505 chevaux. Présentée il y a un an, la S7 est la première création originale de la marque. Elle utilise un 7,0L de 550 chevaux qui lui permet d'atteindre les 100 km/h en moins de 4 secondes. Si la structure fait appel à l'aluminium, les panneaux de carrosserie utilisent de la fibre de carbone. Si vous avez 375 000 $ US à dépenser, elle peut vous intéresser!

prix de base • 20 575$

Un clone du Vitara chez Chevrolet

GM profite de l'expertise de son partenaire Suzuki pour offrir à sa clientèle deux petits utilitaires compacts. L'un, amusant et pratique sur les plages de la Californie, l'autre, à l'aise dans la vie de tous les jours et capable d'affronter les hivers du Québec. Comme le Tracker est le jumeau du Vitara, voyez nos commentaires sous l'onglet Suzuki.

CARROSSERIE Chevrolet n'offre que deux modèles, tous deux avec traction à quatre roues motrices : le cabriolet à deux portes et le modèle à quatre portes à vocation familiale.

MÉCANIQUE Dans le Tracker, on trouve les mêmes cylindrées que dans le Vitara : 1,6 litre et 2 litres. À notre surprise, le système ABS n'est offert qu'en équipement facultatif sur ces modèles. GM a choisi également de monter des roues de 15 pouces sur les deux modèles.

COMPORTEMENT Bonnes citadines, ces deux versions se faufilent partout et offrent une bonne visibilité. Comme les Vitara, elles n'auront aucune difficulté à sortir des sentiers battus. Choisissez plutôt les boîtes de vitesses manuelles qui sont nettement mieux adaptées à la faible puissance des quatre cylindres, surtout du 1,6 litre.

HABITACLE La finition est honnête dans les deux cas ; le quatre portes offre une meilleure habitabilité et une plus grande capacité de rangement en raison de son empattement plus long. GM a amélioré le confort avant en ajoutant un soutien lombaire côté conducteur et des accoudoirs centraux. De même, le lecteur de disques compacts est offert en équipement de série.

CONCLUSION Le Tracker est un utilitaire compact à double vocation : le plaisir de se promener les cheveux au vent et le devoir pratique de père ou de mère de famille, avec une capacité hors route surprenante et rassurante pour les escapades. Comme le Vitara, le Tracker obtient une cote de fiabilité moyenne.

fiche d'identité

Modèle : Tracker
Versions : cabriolet et 4 portes
Segment : utilitaires compacts
Jumeau : Suzuki Vitara
Roues motrices : 4x4
Portières : 2 ou 4
Places : avant, 2 ; arrière, 2 ou 3
Sacs gonflables : 2
Concurrence : Honda CRV, Land Rover Freelander, Nissan X-Terra, Suzuki Vitara et Grand Vitara, Toyota Rav4, Kia Sportage, Mazda Tribute, Ford Escape, Hyundai Santa Fe

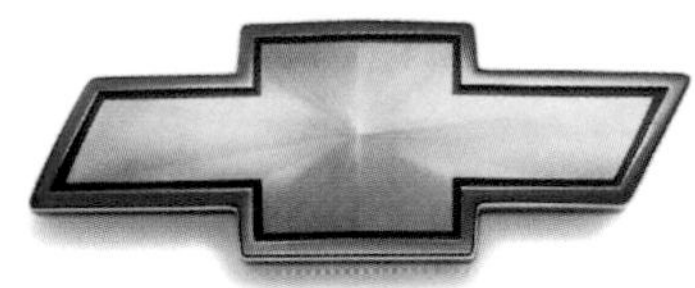

au quotidien

Prime d'assurance moyenne : 700$
Garantie générale : 3 ans/60 000 km
Garantie groupe motopropulseur : 5 ans/100 000 km
Garantie contre la corrosion : 3 ans/60 000 km
Garantie contre la perforation : 6 ans/160 000 km
Collision frontale : 4/5
Collision latérale : 4/5
Ventes du modèle l'an dernier au Québec : 1555
Dépréciation : 47%

forces

- Réelle capacité hors route
- Consommation d'essence raisonnable

faiblesses

- Montage et démontage compliqué pour le toit souple
- Moteur de base anémique

Par Amyot Bachand

CHEVROLET

nouveauté

fiche d'identité

Modèle : TrailBlazer
Versions : LS, LT et LTZ
Segment : utilitaires intermédiaires
Jumeaux : GMC Envoy, Oldsmobile Bravada
Roues motrices: 4 x 4
Portières : 4
Places : avant, 2 ; arrière, 3
Sacs gonflables : 2 frontaux, 2 latéraux
Concurrence : Jeep Grand Cherokee, Nissan Pathfinder, Suzuki XL7, Toyota 4Runner et Highlander, Isuzu Rodeo, Dodge Durango, Ford Explorer

prix de base • 34 600$

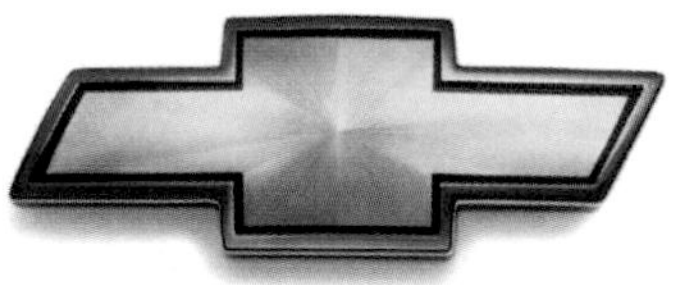

Du **sang neuf** chez **GM**

au quotidien

Prime d'assurance moyenne : 1200$
Garantie générale : 3 ans/60 000 km
Garantie groupe motopropulseur : 5 ans/100 000 km
Garantie contre la corrosion : 3 ans/60 000 km
Garantie contre la perforation : 6 ans/160 000 km
Collision frontale : 3/5
Collision latérale : 5/5
Ventes du modèle l'an dernier au Québec : 3937
Dépréciation : nouveau modèle

Nouveauté 2002 lancée au printemps dernier, le TrailBlazer a deux jumeaux : le GMC Envoy (commentaires à la page 236) et l'Oldsmobile Bravada (commentaires à la page 412). En créant un nouvel utilitaire sport, General Motors a dû se livrer à un exercice de marketing extrêmement complexe. Pourquoi créer un nouveau camion quand on en a déjà deux autres qui sont presque identiques ? Parce que le besoin interne est là, et que le marché du véhicule utilitaire sport (VUT) est très lucratif pour tous les fabricants.

GM vise deux grands objectifs avec ses trois nouveaux camions : fidéliser sa propre clientèle et attaquer la concurrence américaine, notamment le Ford Explorer, l'utilitaire sport le plus vendu ; non seulement GM essaie-t-elle de conserver sa part du marché, mais elle compte bien en soutirer à ses concurrents.

La structure interne de GM forçait l'entreprise à créer trois camions pour satisfaire les besoins de ses propres concessionnaires. Au sein même de la famille GM, il a fallu bien camper le rôle de chacun de ces trois nouveaux camions pour éviter qu'on se marche sur les pieds. Dans la division Chevrolet, par exemple, celle qui a le plus grand nombre de VUT, le TrailBlazer est un peu plus grand que le Blazer, qu'il remplacera d'ici deux ans, et que le Tracker, le benjamin du groupe. Il est cependant plus petit que ses grands frères, le Tahoe et le Suburban.

Comment faire pour leur donner une personnalité qui leur sera propre ? Grâce à des finitions extérieures et intérieures différentes. À l'extérieur, on remarquera les calandres, le renflement des ailes et les hayons pour constater leur distinction très nette. À l'intérieur, l'aménagement des tableaux de bord et la finition témoignent de leur classe différente. Leurs échelles de prix varieront également en fonction de ces différences. Pour les modèles à quatre roues motrices, l'échelle du TrailBlazer va de 38 170 $ à 45 555 $; les prix de l'Envoy et du Bravada sont fixés à 45 670 $ et à 46 455 $ respectivement. On peut se procurer un TrailBlazer à deux roues motrices pour aussi peu que 34 600 $.

Le TrailBlazer, c'est le tra-

nouveautés 2002

- Version sept places avec 3e banquette au printemps 2002

vailleur, le véhicule où le sens pratique domine, sans artifices. Il est également, à notre avis, le plus rapide des trois et celui qui tient le mieux la route.

CARROSSERIE On peut se procurer trois versions du TrailBlazer en deux modes de tractions : deux et quatre roues motrices ; ces trois versions sont le LS, le LT et le LTZ, le plus luxueux du groupe. Avec un poids de 2099 kilos et une longueur de 487,1 centimètres, le Trailblazer se place dans la catégorie des utilitaires sport intermédiaires. Les dessinateurs ont choisi des lignes et une calandre simples pour refléter les intentions de la marque : on ne le conduit pas pour une question de prestige, mais bien plutôt pour travailler. L'équipement de base, assez complet en soi, comprend le système complet de remorquage, GM reconnaissant d'emblée que leurs acheteurs les utilisent à cet effet. Le TrailBlazer a la capacité de remorquage la plus élevée (6400 livres), charge qu'il tire, d'ailleurs, sans grande difficulté.

MÉCANIQUE Grande nouveauté et retour aux sources pour GM : en principe, on revient aux six cylindres en ligne pour des raisons d'économie d'essence. Chez GM, on a mis quatre ans et demi pour concevoir et produire un tout nouveau moteur, le premier 6 en ligne en 35 ans. Ce nouveau moteur est aussi puissant et possède autant de couple qu'un V8. En effet, le nouveau six cylindres Vortec de 4,2 litres développe 270 chevaux et offre un couple de 275 livres-pied. GM a aussi porté une attention spéciale à sa durabilité : «Bien que les normes de l'industrie nous demandent de développer un moteur capable de rouler 150 000 milles, nous avons établi nos standards d'équipe à 300 000 milles (480 000 kilomètres)», nous affirmait l'ingénieur en chef du projet, Tom Sutter. Ce moteur est couplé à une transmission automatique à quatre rapports. Vous changerez vos bougies à 150 000 kilomètres et votre antigel, aux cinq ans.
GM conserve, mais améliore, l'approche carrosserie sur châssis en renforçant la rigidité du châssis. La suspension avant utilise des ressorts à boudins avec un amortisseur au centre et deux bras d'appui ; à l'arrière, on trouve une nou-

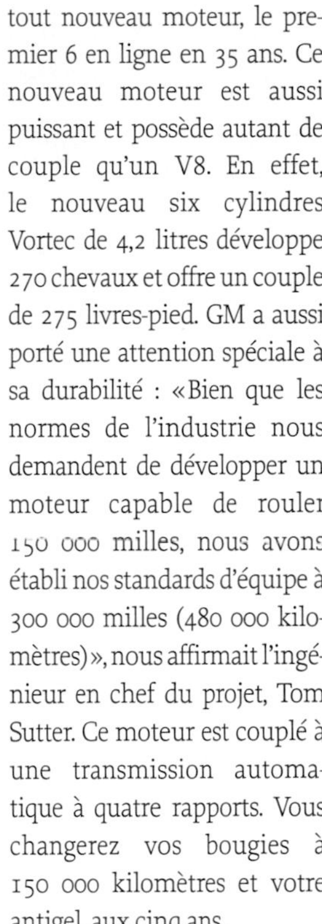
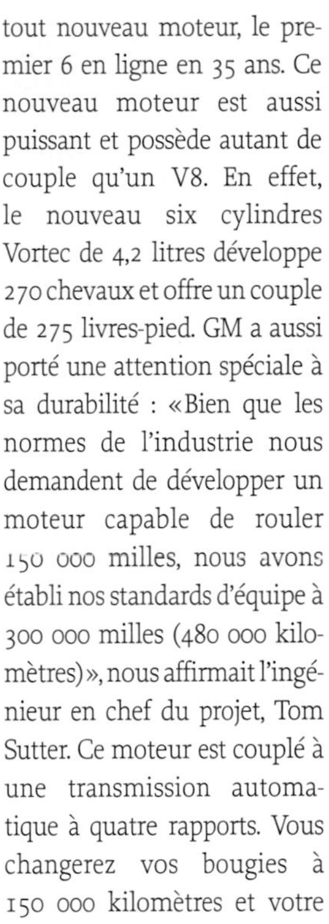

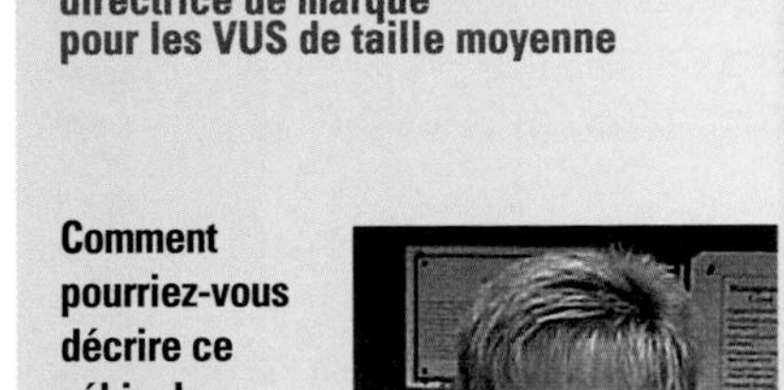
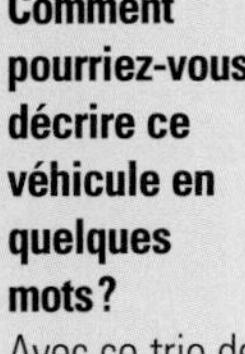

entrevue

Debbie Hadden
directrice de marque pour les VUS de taille moyenne

Comment pourriez-vous décrire ce véhicule en quelques mots?
Avec ce trio de nouveaux véhicules, nous avons voulu hausser la norme de qualité pour les utilitaires de classe moyenne en termes de puissance, de conduite, de tenue de route et de confort.

Selon vous, quels sont les points forts de ces utilitaires?
En se basant sur un concept unique, nous avons réussi à construire trois utilitaires pour une clientèle spécifique. Mais tous profitent du même châssis hydroformé et du nouveau moteur Vortec 4,2 litres de 270 chevaux. Les gens peuvent en plus profiter du premier centre de divertissement DVD dans un utilitaire qui peut fonctionner avec les CD et DVD.

Comment situez-vous ce modèle dans votre gamme, et face à la concurrence?
Ce trio d'utilitaires joue un rôle complémentaire face aux Jimmy et Blazer qui sont toujours sur le marché. Les nombreuses innovations nous permettent de mieux nous positionner face à la concurrence et faire mieux dans plusieurs domaines, comme la puissance et la capacité de remorquage.

Quelle est la clientèle cible?
Le TrailBlazer et Envoy s'adressent à ceux qui veulent un véhicule de travail aussi puissant que spacieux avec une forte capacité de remorquage. Le Bravada va rejoindre les gens qui veulent une conduite plus près de l'automobile.

Combien de ventes en 2002?
Nous anticipons simplement une bonne année.

galerie

1 • L'espace cargo permet d'engouffrer 4 à 5 sacs de golf, ou de l'équipement de camping pour les vacances d'été; un total de 2269 litres.

2 • L'instrumentation complète s'utilise aisément. Le tableau de bord est ergonomique, et les tissus de bonne qualité.

3 • Malgré son aspect robuste, les capacités hors-route du TrailBlazer sont limitées.

4 • La calandre à nœud papillon de Chevrolet permet de reconnaître le TrailBlazer au premier coup d'œil.

5 • Les dessinateurs ont choisi des lignes simples qui reflètent les intentions de la marque : travail avant prestige.

forces

- Tenue de route,
- Puissance et couple du moteur

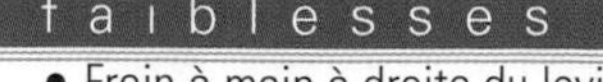

faiblesses

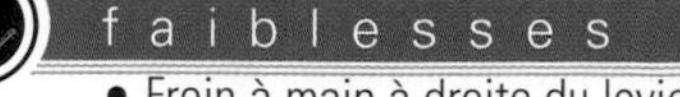

- Frein à main à droite du levier de vitesse
- Ne possède pas de réelle capacité

velle suspension à cinq bras pivotants avec boudins, éliminant les traditionnels ressorts à lames des camions. On peut aussi se procurer une suspension pneumatique sur laquelle on pourra trouver de plus amples renseignements à la page 412, où l'on parle du jumeau Oldsmobile Bravada. On passe à la direction à crémaillère, plus précise que la direction à billes.

GM équipe ses TrailBlazer de quatre freins à disque assistés d'un système ABS. Ce véhicule vient de série avec des pneus de 16 pouces : on pourra se procurer en équipement facultatif les roues de 17 pouces de la version LTZ.

COMPORTEMENT La tenue de route du TrailBlazer est prévisible et stable sans être trop ferme. En situation de remorquage, le couple du moteur permet de maintenir le cap et réduit la rétrogradation des rapports au minimum dans les côtes. À vide, ce Chevrolet présente des temps de dépassement sûrs, passant de 80 à 120 km/h en moins de 8 secondes. Sa capacité d'accélération (de 0 à 100 km/h) lui permettra de s'engager sur des autoroutes ou des voies principales aussi rapidement qu'une intermédiaire, soit en un peu plus de 10 secondes. Si les corps policiers du Québec choisissent ce modèle comme véhicule, respectez-le ; il peut suivre et rejoindre bien des véhicules à des vitesses illégales. En mode quatre roues motrices, la traction est sûre et constante même dans des conditions plus délicates. Le TrailBlazer a démontré un freinage progressif, bien dosé et sûr. Bien que précise, on aurait aimé que la direction transmette un peu mieux la route.

HABITACLE L'habitacle spacieux permettra à quatre adultes de voyager en tout confort ; cinq adultes seraient raisonnablement bien installés. Les fauteuils confortables procurent un bon appui dorsal et latéral. Le système de ventilation/chauffage efficace comprend des commandes séparées pour les deux côtés; génial pour le passager. La position de conduite est très bonne. L'instrumentation complète se lit aisément et les commandes tombent bien dans la main. On apprécie la qualité des tissus et des cuirs. On peut profiter d'une chaîne audio de bonne qualité grâce à une insonorisation efficace. L'espace cargo permet d'engouffrer de gros coffres à outils, quatre sacs de golf ou l'équipement de camping ou de pêche avec de bonnes glacières. La possibilité de rabattre la banquette 65/45 augmente sensiblement les agencements efficaces. Avec la banquette rabattue, on obtient 2,68 mètres cubes d'espace cargo.

CONCLUSION Ce véhicule nous a plu ! Nous croyons que GM vient de frapper juste avec ce véhicule et son nouveau moteur six cylindres. GM ne lésine pas sur la qualité de ces nouveaux triplets, car avant même qu'ils ne soient répandus sur le marché, on a découvert une faiblesse dans une pièce de suspension fournie par un sous-traitant. GM a procédé au rappel et aux modifications nécessaires.

Des trois jumeaux, c'est le TrailBlazer que nous avons trouvé le plus plaisant par sa simplicité et son efficacité.

fiche technique

Moteur : 6 cyl. en ligne 4, 2 L
Puissance : 270 ch à 6000 tr/min et 275 lb-pi à 3600 tr/min
Transmission de série : automatique à 4 rapports
Transmission optionnelle : aucune
Freins avant : disques ventilés
Freins arrière : disques ventilés
Sécurité active de série : ABS
Suspension avant : indépendante
Suspension arrière : essieu rigide
Empattement : 286,9 cm
Longueur : 487,1 cm
Largeur : 189,4 cm
Hauteur : 182,6 cm
Poids : 2015 kg
0-100 km/h : n/d
Vitesse maximale : 175 km/h (limitée électroniquement)
Diamètre de braquage : 12 m
Capacité de remorquage : 2903 kg (2RM); 2812 kg (4RM)
Capacité du coffre : 1162 L; 2069 L (siège arrière abaissés)
Capacité du réservoir d'essence : 70,8 L
Consommation d'essence moyenne : 14,6 L/100 km
Pneus d'origine : 245/70R16; 245/65R17 (LTZ)
Pneus optionnels : aucun

2e opinion

Éric Descarries — Le trio TrailBlazer, Envoy et Bravada de GM est une vraie réussite. Le moteur six cylindres en ligne rappellera de bons souvenirs aux lecteurs les plus âgés. GM a toujours construit de bons six en ligne. Et le look de ces camionnettes est tellement moderne. Envoy en aura d'abord une version allongée XL, puis Chevrolet devrait suivre avec une version semblable. Elles pourront accueillir sept personnes à leur bord. La Bravada ne devrait pas connaître cette configuration.

Par Amyot Bachand

CHEVROLET

fiche d'identité

Modèle : Venture
Versions : Value Van, Venture Empattement régulier/long, LS, LT, Warner Bros Edition
Segment : minifourgonettes
Jumeaux : Pontiac Montana, Oldsmobile Silhouette
Roues motrices : avant
Portières : 4
Places : avant, 2 ; arrière, 5
Sacs gonflables : 4
Concurrence: Toyota Sienna, Mazda MPV, Chevrolet Astro, GMC Safari, Dodge Caravan/ Grand Caravan, Ford Winstar, Honda Odyssey, Kia Sedona

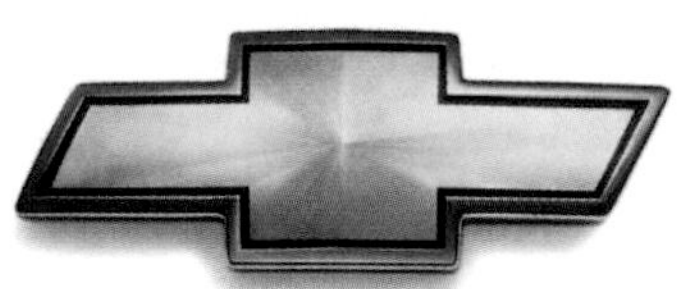

au quotidien

Prime d'assurance moyenne : 825 $
Garantie générale : 3 ans/60 000 km
Garantie groupe motopropulseur : 5 ans/100 000 km
Garantie contre la corrosion : 3 ans/60 000 km
Garantie contre la perforation : 6 ans/160 000 km
Collision frontale : 4/5
Collision latérale : 5/5
Ventes du modèle l'an dernier au Québec : 13 562
Dépréciation : 47 %

prix de base • 25 195 $

Économique et abordable

La Chevrolet Venture est une minifourgonnette bien pensée, économique et d'une très bonne habitabilité. Que pourrait-on demander de plus si ce n'est de la fiabilité, peut-être ? La Chevrolet Venture a deux sœurs jumelles : la Pontiac Montana et l'Oldsmobile Silhouette ; lisez nos comptes rendus aux pages xx et xx pour obtenir de plus amples renseignements.

CARROSSERIE Les lignes de la Venture n'ont pas beaucoup changé depuis son lancement, en 1997. Elle vieillit doucement.

Typique de ce qui se fait habituellement en Amérique du Nord, cette minifourgonnette est offerte en 14 versions différentes : trois modèles sont offerts avec empattement court (284,5 cm), soit la de base, la LS et la LX ; on propose également une version à traction intégrale à empattement court, la LT ; et, pour terminer, GM offre pas moins de 10 versions à empattement allongé (304,7 cm), dont quatre à traction intégrale (TI). Le haut de gamme est assuré par la version Warner Bros., qui offre un centre d'animation audiovisuel avec lecteur DVD. Sa capacité de remorquage nominale de 910 kilos, très satisfaisante pour les petites remorques, peut passer à 1588 kilos avec le groupe d'équipement facultatif prévu à cet effet. La Venture peut asseoir six passagers en version à empattement court et sept en version allongée avec les trois fauteuils du centre facultatifs.

MÉCANIQUE La mécanique constitue le point fort de cette minifourgonnette : le V6 de 3,4 litres demeure assez puissant, et son couple, jumelé à une très bonne transmission automatique, permet à son conducteur de grimper aisément les côtes. Côté consommation d'essence, la Venture est la championne parmi les minifourgonnettes essayées récemment. Son freinage comporte toujours un système ABS de série. Pour ce qui est des versions à traction intégrale, elles peuvent compter sur quatre freins à disque. Une nouveauté cette année : GM a opté pour le système « Versatrak » dans ses versions TI. Le système d'antipatinage n'est offert que sur les versions LT.

nouveautés 2002

- Système Versatrak offert en option
- Porte-bagages de série
- Lecteur DVD groupe centre de divertissement
- Écran DCL plus grand

COMPORTEMENT Bien qu'elle tienne la route de façon satisfaisante, la Venture de base a une forte tendance au roulis. Sans système d'antipatinage, elle tend à patiner sur route mouillée et en moyenne ou en forte accélération.

Avec le groupe de remorquage ou en version allongée, sa tenue de route s'améliore nettement. L'adhérence des pneus limite les performances de cette minifourgonnette en virage serré. Les dépassments sont honnêtes pour un véhicule de ce gabarit.

HABITACLE La Venture tire sa force de la polyvalence de son habitacle. L'an dernier, GM a remplacé les fauteuils arrière par une banquette escamotable dont les dossiers sont divisés 50/50 et rabattables. Grâce à un mécanisme simple, on peut également rabattre les dossiers ou carrément enlever les fauteuils du centre ; toutefois, leur poids de 21 kilos exige quand même un effort. Il est alors possible de glisser, grâce à son seuil bas, des panneaux de 4 x 8 et fermer le hayon.

La position de conduite est bonne, mais le soutien latéral des fauteuils avant est insuffisant : l'instrumentation minimale se lit aisément, et les boutons de commande se devinent et se manipulent facilement. L'accès aux deux rangées arrière s'avère assez facile, mais l'espace allouée aux jambes limite le confort de la banquette arrière aux adultes. Dans la version de base, la climatisation de série suffit à peine. Il faut passer à la version allongée pour obtenir le système arrière, en équipement de série sur les versions de base et LS. GM offre de série les coussins gonflables avant et latéraux. L'insonorisation, passable, s'améliore avec les versions LS, LT et Warner Bros.

CONCLUSION L'échelle de prix est intéressante, et chacun peut trouver une version qui répond à ses besoins. Que demander de plus ? Plus de fiabilité à moyen et à long terme.

fiche technique

CHEVROLET

Moteur : V6 3,4 L
Puissance : 185 ch à 5200 tr/min et 210 lb-pi à 4000 tr/min
Transmission de série : automatique à 4 rapports
Transmission optionnelle : aucune
Freins avant : disques ventilés
Freins arrière : tambours
Sécurité active de série : ABS
Suspension avant : indépendante
Suspension arrière : essieu rigide indépendante (version intégrale)
Empattement : 284,5 cm 304,7 cm (allongée)
Longueur : 474,7 cm 510,3 cm (allongée)
Largeur : 183 cm
Hauteur : 172,8 cm 173,2 cm (allongée)
Poids : 1710 kg 1767 kg (allongée) 1910 kg (intégrale)
0-100 km/h : 12,6 s
Vitesse maximale : 180 km/h
Diamètre de braquage : 11,8 m 12,1 m (allongée)
Capacité de remorquage : de 910 kg à 1590 kg
Capacité du coffre : 3392 L
Capacité du réservoir d'essence : 76 L ; 95 L (allongée)
Consommation d'essence moyenne : 13,2 L/100 km
Pneus d'origine : 215/70R15 225/60R16 (intégrale)
Pneus optionnels : aucun

2e opinion

Benoit Charette — GM, qui a toujours traîné de la patte, offre un produit plus concurrentiel avec le Venture. Une meilleure finition et une rigidité accrue de la caisse seraient quelques points à reconsidérer. Le centre de divertissement DVD est une option intéressante pour acheter le silence des enfants lors de longs trajets.

forces

- Prix,
- Habitabilité
- Puissance et économie

faiblesses

- Sièges avant
- Tenue de route
- Fiabilité

Par Amyot Bachand

FRANCE

Citroën C3

La nouvelle petite Citroën présente un faciès rondouillard bien sympathique qui rappelle à certains la 2 CV. Mais ne nous y trompons pas, la C3 est une voiture moderne. Bien que cousine de la Peugeot 206, elle étrenne une nouvelle plate-forme. Haute sur pattes (1,52 mètres), elle fait la part belle à l'habitabilité ainsi qu'à la luminosité puisqu'elle peut recevoir un immense toit ouvrant transparent. Un dérivé 3 portes à toit amovible, dans l'esprit des Jeep Wrangler, est attendu pour plus tard.

Citroën Picasso

Pour son monospace compact, Citroën a choisi le nom d'un peintre. Si ce n'est tout à fait une œuvre d'art, Le Picasso possède une esthétique très personnelle, mais les avis sont partagés quant à sa beauté. Si le châssis et la mécanique proviennent de la berline Xsara, le Picasso possède un intérieur qui lui est propre avec un bloc à instruments à cristaux liquides placé au centre de la planche de bord. Il remporte un énorme succès dans sa variante turbodiesel.

Peugeot 206 CC

Numéro un sur le marché français, la 206 propose une version coupé cabriolet (d'où le CC) absolument craquante. Lors de sa sortie, la 206 CC ne partageait sa technologie de toit rigide repliable électriquement dans le coffre qu'avec la Mercedes SLK. Belle référence! Elle peut recevoir un 2 litres de 137 chevaux qui permet à la voiture de distiller un très grand plaisir, car la réputation de Peugeot pour la qualité de ses châssis n'est plus à faire.

CHRYSLER

fiche d'identité

Modèle : 300M
Versions : de base, Special
Segment : de luxe de moins de 50 000 $
Roues motrices : avant
Portières : 4
Places : avant : 2; arrière : 3
Sacs gonflables : 2 frontaux, 2 latéraux (optionnels)
Concurrence : Acura 3.2 TL, Cadillac CTS, Infiniti I35, Lexus ES300, Lincoln LS, Mazda Millenia, Nissan Maxima, Saab 9-5, VW Passat V6, Volvo S60

au quotidien

Prime d'assurance moyenne : 900 $
Garantie générale : 3 ans/60 000 km
Garantie groupe motopropulseur : 5 ans/100 000 km
Garantie contre la perforation : 7 ans/160 000 km
Collision frontale : 3/5
Collision latérale : nd
Ventes du modèle l'an dernier au Québec : 872
Dépréciation : 25,9 % (1 an)

évolution

prix de base • 39 900 $

Digne héritière

Pour les historiens de l'automobile comme pour les fidèles de Chrysler, le chiffre 300 a une signification toute particulière. Synonyme de prestige et de performances, il évoque de superbes voitures qui sillonnèrent les routes de l'Amérique au cours des années 50 et 60, période faste s'il en fut une pour Chrysler. La renaissance de ce modèle, il y a trois ans, représentait un défi d'autant plus grand que cette berline avait des visées internationales.

CARROSSERIE C'est pourtant sur le marché américain qu'elle a obtenu le plus de succès, signant du coup le retrait prématuré de la LHS, avec laquelle elle partageait la plateforme. Il est vrai que la 300M a su faire honneur aux premières Chrysler 300, celles de la grande époque du légendaire chef-styliste Virgil Exner. Comme ses glorieuses aïeules, elle se démarque par des lignes qui allient originalité et élégance, tout en laissant entrevoir un certain tempérament. De la fougue, mais aussi de la classe.

MÉCANIQUE Comme ses ancêtres, la 300M reçoit la motorisation la plus puissante de la gamme Chrysler. Avec 253 chevaux sous le capot, on ne s'étonne guère des performances honorables de ce V6 de 3,5 litres. Il mériterait cependant d'être servi par un accélérateur moins spongieux qui accentue sa paresse à bas régime en plus d'altérer le plaisir de conduire. Les motoristes de Chrysler sont dans la bonne voie, mais il reste du travail à faire pour égaler le raffinement mécanique des concurrentes européennes et japonaises.

La boîte automatique bimodale « AutoStick » soutient cette affirmation. Cette transmission est exécrable, il n'y a pas d'autre mot; elle est lente, parfois brusque et le frein-moteur est à toutes fins utiles inexistant. Autre point faible des voitures de la marque, le freinage demeure perfectible; indigne d'une voiture de ce rang, aux prétentions sportives de surcroît.

COMPORTEMENT Par contre, son comportement se montre à la hauteur. À ce chapitre, la 300M surclasse même ses rivales nippones (Acura TL, Mazda Millenia, etc.) entraînées, comme elle, par des roues motrices à l'avant. La Chrysler est la moins sous-vireuse du lot,

nouveautés 2002

- Nouvelle version 300M Special • Roues de 18 pouces
- Freins haute performance • Suspension sport • Nouvelle calandre

et la mollesse de sa suspension est trompeuse : dans les grandes courbes comme dans les petits virages serrés, elle s'accroche au pavé avec une hargne surprenante. Elle surprend également par sa maniabilité, compte tenu de ses dimensions. La direction brille par sa précision, mais il y a là encore place à amélioration. Mais le malheur des uns fait le bonheur des autres; ainsi, ceux qui préfèrent une conduite plus paisible ne trouveront rien à redire. Tout comme ils apprécieront la douceur de roulement qui a fait la réputation des berlines de luxe américaines.

HABITACLE Un coup d'oeil à l'intérieur confirme que les stylistes de Chrysler ont été touchés par la grâce. Avec ses grands cadrans blancs (en guise de clin d'oeil à la première 300), le tableau de bord est particulièrement réussi, comme quoi rétro ne rime pas toujours avec «kitsch». Un examen approfondi révèle cependant la piètre qualité de certains matériaux, qui contraste avec cette décoration inspirée ainsi que le soin apporté à l'assemblage. Comme quoi il subsiste encore des relents d'un passé qui n'a pas toujours été glorieux pour cette marque. Force est d'admettre, par ailleurs, qu'il s'agit de la seule tache au dossier de l'habitacle. À l'avant, on prend place sur des baquets bien rembourrés, qui offrent un soutien latéral appréciable. La banquette arrière brille elle aussi par son confort, rehaussée par des appuie-tête bien intégrés et un dégagement généreux pour les jambes. Qui plus est, cette banquette peut se replier si l'on doit transporter des objets encombrants. Pour conclure le volet pratico-pratique, soulignons la présence de nombreux espaces de rangement ainsi que l'immensité du coffre arrière.

CONCLUSION L'argument ultime demeure toujours le prix. Bien tournée, richement équipée et plus puissante que la plupart de ses rivales, la 300M est pourtant l'une des moins chères dans le segment des berlines de luxe intermédiaires. Il ne reste qu'à la raffiner un peu pour qu'elle soit considérée comme une berline de classe internationale. Chose certaine, cette digne héritière de la série 300 est de celles qui ont contribué à redorer le blason de Chrysler.

fiche technique

Moteur : V6 SACT 3,5 L
Puissance : 250 ch à 6400 tr/min; couple et 250 lb-pi à 3950 tr/min
Autre moteur : 255 ch à 6400 tr/min et 258 lb-pi à 3900 tr/min (300M Special)
Transmission de série : automatique à 4 rapports avec AutoStick
Transmission optionnelle : aucune
Freins avant : disques ventilés
Freins arrière : disques
Sécurité active de série : ABS, et antipatinage
Suspension avant : indépendante
Suspension arrière : indépendante
Empattement : 287 cm
Longueur : 502,3 cm
Largeur : 189 cm
Hauteur : 142,2 cm
Poids : 1624 kg; 1656 kg (300M Special)
0-100 km/h : 7,8 s
Vitesse maximale : 190 km/h (limitée électroniquement)
Diamètre de braquage : 11,5 m
Capacité du coffre : 476 L
Capacité du réservoir d'essence : 64 L
Consommation d'essence moyenne : 12,5 L/100 km
Pneus d'origine : 225/55R17, 245/45ZR18 (300M Special)
Pneus optionnels : aucun

2e opinion

Éric Descarries — J'ai utilisé une 300M pour effectuer un voyage de plus de 3000 km, et j'en fus incroyablement étonné. Confortable, rapide, bien aménagée et capable d'asseoir quatre personnes dans un confort remarquable, je ne comprends pas pourquoi les gens iraient payer deux fois son prix pour une importée qui lui ressemblerait. Oh! J'oubliais. Sa consommation est également très raisonnable.

forces

- Habitacle spacieux et fonctionnel
- Douceur de roulement
- Rapport qualité/prix intéressant
- Comportement routier affûté

faiblesses

- Finition bon marché
- Freinage perfectible
- Boîte AutoStick excécrable
- Mécanique peu raffinée

Par Philippe Laguë

CHRYSLER

fiche d'identité

Modèle : Concorde
Versions : LX, LXi, Limited
Segment : grandes
Roues motrices : avant
Portières : 4
Places : avant, 2 ou 3; arrière, 3
Sacs gonflables : 2 frontaux et 2 latéraux
Concurrence : Buick LeSabre, Chevrolet Impala, Mercury Grand Marquis, Toyota Avalon

au quotidien

Prime d'assurance moyenne : 950 $
Garantie générale : 3 ans/60 000 km
Garantie groupe motopropulseur : 5 ans/100 000 km
Garantie contre la perforation : 7 ans/160 000 km
Collision frontale : 4/5
Collision latérale : 4/5
Ventes du modèle l'an dernier au Québec : 980
Dépréciation : 50%

évolution

prix de base • 29 690 $

Jolie, mais ignorée

La Concorde est l'essence même du style, de l'élégance et du raffinement chez Chrysler. Mais les ventes sont en chute libre depuis trois ans. Victime de son impopularité, la LHS est disparue de la gamme pour 2002. La Concorde est la dernière représentante du luxe moderne selon Chrysler, mais pour combien de temps?

CARROSSERIE C'est en janvier 98, au Salon de Détroit, que Chrysler a présenté une profonde refonte de la Concorde. Première impression dans la salle : l'avant de cette voiture ressemble beaucoup à une Aston Martin. D'abord la calandre à profil bas et large très en évidence et, surtout, le médaillon ailé de Chrysler (qui avait été utilisé sur la première voiture de Walter P. Chrysler en 1924) que la compagnie n'avait pas repris depuis 1960 sur une voiture de production. Ce logo ressemble à s'y méprendre à l'emblème ailé d'Aston Martin (n'en déplaise à James Bond). Les phares arrondis et la partie arrière de forme conique évoquent bien le mélange des styles classique et moderne avec une touche rétro. Très accrocheur!

MÉCANIQUE Depuis 1997, les Concorde sont mues par les premiers moteurs entièrement conçus par ordinateur chez Chrysler. Il s'agit de deux V6 de 2,7 et de 3,5 litres entièrement en aluminium. Dans la Concorde LX, le 2,7 litres de 200 chevaux remplace le 3,3 litres de 161 chevaux; pour ce qui est de la Lxi, le 3,5 litres de 234 chevaux remplace le 3,2 litres de 222 chevaux. L'avantage de l'aluminium dans la construction des moteurs réside dans le poids plus léger et dans l'encombrement moindre, ce qui donne une meilleure consommation d'essence et plus d'espace dans l'habitacle.

COMPORTEMENT La plateforme monocoque très rigide offre une liaison avec le sol étonnante pour une voiture de ce format, tandis que la suspension arrière a été renforcée grâce à des renforts transversaux en aluminium. Cela procure une conduite sûre et silencieuse, sans craquements ou bruits insolites. Le concept de cabine avancée chère à Chrysler place les roues aux extrémités du véhicule avec

nouveautés 2002

• Nouvelle version limitée qui remplace le LHS

des voies élargies ce qui améliore d'autant la tenue de route. Le freinage et l'éclairage des phares avant se sont grandement améliorés depuis la refonte de 1998. Le moteur de 2,7 litres à double arbre à cames en tête offre une meilleure souplesse et une sonorité plus élégante que le 3,3 litres à simple arbre à came. Toutefois, Chrysler a encore du chemin à faire avant de rejoindre les Allemands et les Japonais à ce chapitre. Une remarque intéressante, malgré la puissance supérieure des moteurs, la consommation est plus basse d'environ 10 %, ce qui fait que ces grosses voitures consomment à peine plus que les quatre cylindres des voitures compactes.

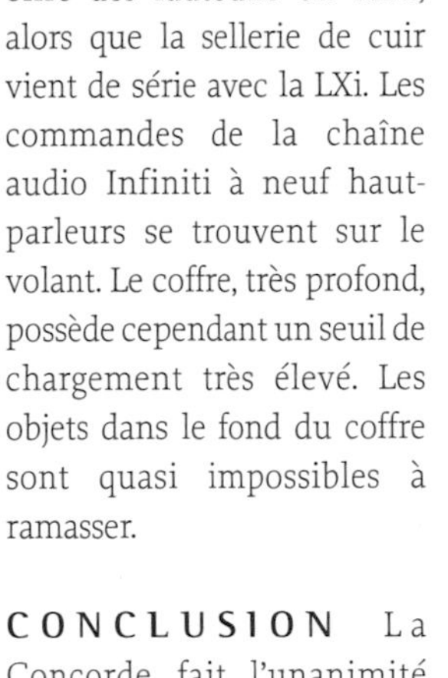

HABITACLE Le meilleur argument de vente de la Concorde réside dans son intérieur spacieux. La qualité des matériaux est de bonne facture, et les passagers ne se sentent jamais à l'étroit. Le conducteur bénéficie d'un fauteuil électrique réglable en huit directions. La version LX offre des fauteuils en tissu, alors que la sellerie de cuir vient de série avec la LXi. Les commandes de la chaîne audio Infiniti à neuf haut-parleurs se trouvent sur le volant. Le coffre, très profond, possède cependant un seuil de chargement très élevé. Les objets dans le fond du coffre sont quasi impossibles à ramasser.

CONCLUSION La Concorde fait l'unanimité pour sa ligne réussie, son comportement sans failles et son habitacle spacieux. Mais les « baby-boomers » ont encore la rage des utilitaires sport aux États-Unis. Aussi longtemps que cet engouement perdurera, l'avenir des voitures comme la Concorde demeurera incertain.

fiche technique

Moteur : V6 2,7 L
Autre moteur : V6 3,5 L
Puissance : 200 ch à 5800 tr/min et 190 lb-pi à 4850 tr/min (LX)
Autre moteur : 234 ch à 6000 tr/min et 241 lb-pi à 4400 tr/min (LXi) ; 250 ch à 6400 tr/min et 250 lb-pi à 3900 tr/min (Ltd)
Transmission de série : automatique à 4 rapports avec AutoStick
Transmission optionnelle : aucune
Freins avant : disques
Freins arrière : disques
Sécurité active de série : ABS et antipatinage
Suspension avant : indépendante
Suspension arrière : indépendante
Empattement : 287 cm
Longueur : 527,6 cm
Largeur : 189 cm
Hauteur : 142 cm
Poids : 1578 kg (LX) ; 1609 kg (LXi) 1618 kg (Ltd)
0-100 km/h : 8,2 s (V6 3,5 L); 10,3 s (2,7L)
Vitesse maximale : 210 km/h
Diamètre de braquage : 11,5 m
Capacité du coffre : 521 L
Capacité du réservoir d'essence : 64 L
Consommation d'essence moyenne : 12 L/100 km
Pneus d'origine : 225/60R16 (LX et LXi) 225/55R17 (ltd)
Pneus optionnels : 225/55R17 (LXi)

CHRYSLER

2e opinion

Alain Mckenna — Chrysler a déployé des efforts étonnants pour monter en grade dans l'estime des consommateurs américains. Et ceux-ci le lui rendent bien mal. La version 2002 du Concorde est un exemple flagrant de cet effort: mécanique intéressante et confort au-dessus de la moyenne, malgré une finition qui transpire l'économie des matériaux.

forces

- Lignes extérieures réussies
- Vaste espace intérieur
- Freinage de qualité
- Comportement routier sûr

faiblesses

- Direction un peu floue au centre
- Seuil du coffre élevé et étroit
- Manque de puissance du moteur à bas régime (2,7 litres)

Par Benoit Charette

CHRYSLER

évolution

fiche d'identité

Modèle : Intrepid
Versions : SE, ES, RT
Segment : grandes
Jumeau : Concorde
Roues motrices : avant
Portières : 4
Places : avant, 2 ou 3 : arrière, 3
Sacs gonflables : 2
Concurrence : Buick LeSabre, Chevrolet Impala, Mercury Grand Marquis, Toyota Avalon

au quotidien

Prime d'assurance moyenne : 800 $
Garantie générale : 3 ans/60 000 km
Garantie groupe motopropulseur : 5 ans/100 000 km
Garantie contre la perforation : 7 ans/160 000 km
Collision frontale : 4/5
Collision latérale : 4/5
Ventes du modèle l'an dernier au Québec : 4453
Dépréciation : 50 %

prix de base • 25 765 $

Un **heureux** compromis

L'Intrepid est une voiture familiale qui offre assez de performance pour ne pas ressentir le besoin d'absorber sa dose de caféine avant de prendre le volant. Il est aussi intéressant de constater qu'une famille de cinq n'est pas dans l'obligation d'acheter un véhicule qui se conduit comme un autobus. Cette berline, à mon avis, n'a pas la reconnaissance qu'elle mérite. De conception moderne, elle est une des rares voitures de sa catégorie à ne pas être affublée d'une conduite lourde et sans intérêt.

CARROSSERIE Complètement redessinée en 1998, l'Intrepid n'a pas vraiment changé depuis. Une version R/T s'est ajoutée à la famille en 2000. Sa silhouette élancée lui donne l'allure d'un coupé. Son pare-brise en plongée fait également paraître le véhicule plus petit qu'il ne l'est en réalité. Des lignes qui demeurent très contemporaines malgré les années qui passent.

MÉCANIQUE Trois choix s'offrent aux acheteurs. La version SE dont le V6 de 2,7 litres tout en aluminium développant 200 chevaux. Pour ceux qui cherchent plutôt un moyen de transport pratique et sans cérémonie, ce V6 leur donnera entière satisfaction. On peut se procurer ce même moteur de 2,7 litres dans la version ES. Si vous avez besoin d'un peu plus de puissance, le V6 de 3,2 litres vous donnera 22 chevaux additionnels. Si vous désirez transporter toute la famille sans perdre le plaisir de conduire une voiture à l'âme sportive, l'Intrepid vous propose la version R/T dont le V6 de 3,5 litres de 242 chevaux vous allumera un sourire. Conduire les enfants au parc, cela peut être plaisant !

COMPORTEMENT Sur la route, l'Intrepid est difficile à prendre en défaut. La suspension bien calibrée travaille en équipe avec les pneus de 16 pouces pour garder la voiture bien au sol. La version R/T profite d'une suspension sport plus ferme et d'une direction plus précise qui transmet mieux les réactions de la route au conducteur. Une partie du plaisir de conduire provient de la mécanique. Disons que, d'entrée de jeu, tous les modèles

nouveautés 2002

- Pas de changement majeur

sont plaisants à conduire. Même la version de base ne manque pas de «pep». La ES offre un excellent compromis sport/confort. Et pour ceux qui veulent se payer une petite route en lacets abandonnée par un beau dimanche matin quand toute la famille est encore au lit, la R/T peut faire monter votre taux d'adrénaline. La boîte « Autostick » offerte en équipement de série sur la R/T est inutile, car elle n'apporte rien de plus que la transmission automatique.

HABITACLE Commençons notre tournée de l'habitacle par les points positifs. L'espace ne manque pas; cinq adultes peuvent prendre place, et le coffre peut accueillir un bataillon de l'armée canadienne. Les contrôles sont faciles à localiser et à utiliser. Malheureusement, comme plusieurs produits Chrysler, l'extérieur est plus spectaculaire que l'intérieur. Le tableau de bord est d'un gris mélancolie et inondé de plastiques aux couleurs disparates. La version R/T fait quelques efforts pour personnaliser l'intérieur du véhicule. La qualité de finition est quelquefois inégale, mais Chrysler s'est améliorée sur ce point. Si vous envisagez de longs trajets, vous risquez de souffrir de crampes aux genoux et de courbatures au dos en raison de la forme trop évasive des banquettes qui n'offrent pas toujours le soutien et le maintien nécessaire. Il s'agit là d'un défaut typique de plusieurs berlines américaines qui veulent plaire aux gens de 50 à 250 kilos.

CONCLUSION Véhicule idéal pour ceux et celles qui ont le «blues» de la minifourgonnette et qui ont peine à se voir au volant d'un utilitaire. En prime, vous avez le bonheur de conduire une vraie voiture!

fiche technique

Moteur : V6 3,5 L
Autres moteurs : V6 3,2 L et V6 2,7 L
Puissance : 242 ch à 6400 tr/min et 248 lb-pi à 3950 tr/min;
Autres moteurs : 225 ch à 6300 tr/min et 225 lb-pi à 3800 tr/min; 200 ch à 5800 tr/min et 190 lb-pi à 4850 tr/min
Transmission de série : automatique à 4 rapports autostick
Transmission optionnelle : aucune
Freins avant : disques
Freins arrière : disques
Sécurité active de série : ABS, antipatinage
Suspension avant : indépendante
Suspension arrière : indépendante
Empattement : 287 cm
Longueur : 517,5 cm
Largeur : 189,8 cm
Hauteur : 142 cm
Poids : 1574 kg; 1582 kg (ES); 1610 kg (R/T)
0-100 km/h : 8,1 s (V6 3,5 L) 9,3 s (3,2 L) 10,5 s (2,7 L)
Vitesse maximale : 210 km/h
Diamètre de braquage : 11,5 m
Capacité du coffre : 521 L
Capacité du réservoir d'essence : 65 L
Consommation d'essence moyenne: 12 L/100 km
Pneus d'origine: 225/60R16, 225/55R17 (R/T)
Pneus optionnels: aucun

2e opinion

Luc Gagné — Si on m'imposait une voiture de «représentant», j'opterais pour la Chrysler Intrepid. Elle a de la gueule, ses performances sont satisfaisantes et son intérieur, gargantuesque. Par contre, le seuil du coffre est haut et la visibilité vers l'arrière, ben... vraiment pas terrible. Style oblige.

forces

- Silhouette
- Espace intérieur
- Tenue de route

faiblesses

- Le freinage manque de mordant.
- Qualité de certains plastiques
- Insonorisation quelque peu déficiente

Par Benoit Charette

CHRYSLER

évolution

fiche d'identité

Modèle : Neon
Versions : LE, LX et R/T
Segment : petites
Roues motrices : avant
Portières : 2 ou 4
Places : avant, 2; arrière, 3
Sacs gonflables : 2
Concurrence : Chevrolet Cavalier, Daewoo Nubira, Ford Focus, Honda Civic, Hyundai Elantra, Kia Spectra, Mazda Protegé, Nissan Sentra, Pontiac Sunfire, Saturn SL, Subaru Impreza, Suzuki Esteem, Toyota Corolla, VW Golf

au quotidien

Prime d'assurance moyenne : 625 $
Garantie générale : 3 ans/60 000 km
Garantie groupe motopropulseur : 5 ans/100 000 km
Garantie contre la perforation : 7 ans/160 000 km
Collision frontale : 4/5
Collision latérale : 3/5
Ventes du modèle l'an dernier au Québec : 7753
Dépréciation : 66 %

prix de base • 18 505 $

Sourire **ridé**

Souvenez-vous des premières Neon. C'était en 1995 et leur style audacieux faisait sourire d'admiration : une compacte d'allure moderne qui plaisait. Une mise au point inégale des premiers exemplaires allait pourtant ternir ce succès des premières heures.

Chrysler a corrigé les problèmes de jeunesse de la Neon et la seconde génération, lancée en 1999, affiche une feuille de route plus enviable. Ce qui n'empêche pas la Neon d'accuser un recul sur ses rivales asiatiques.

CARROSSERIE Toute en rondeurs, la Neon demeure parmi les compactes les plus spacieuses. Quatre adultes y prennent place confortablement. Par ailleurs, son équipement de série paraît attrayant. La Neon LE (modèle de base), par exemple, est livrée avec un combiné radio-lecteur de DC, un climatiseur et des essuie-glaces à balayage intermittent. La LX, une coche au-dessus, dispose d'un système de verrouillage central et de lève-vitres électriques — seulement pour les vitres des portières avant, cependant.

Si l'aménagement de l'habitacle s'avère pratique et esthétiquement agréable, la Neon perd des points pour sa finition moyenne et, surtout, pour la qualité des matériaux utilisés. Car le plastique — et pas le plus beau — règne en maître.La visibilité vers l'avant et sur les côtés ne pose aucun problème. Par contre, la forme en coin de la carrosserie limite le champ de vision arrière, ce qui complique les manœuvres de stationnement. Heureusement, les rétroviseurs latéraux sont de bonne taille.

MÉCANIQUE Depuis l'an dernier, DaimlerChrysler propose deux moteurs. Les Neon LE et LX sont livrées avec le sempiternel 2,0 litres de 132 chevaux, moteur robuste dont les performances sont dans la moyenne. La R/T, par contre, a une version à haut rendement de ce 2 litres, appelée Magnum, qui affiche 150 chevaux. Une puissance qu'on ne ressent pas à l'accélération, toutefois. À l'instar d'autres moteurs multisoupape, il est plus vif en reprise. Offert parmi les options de la Neon LX, ce Magnum ne développe guère plus de couple que l'autre 2 litres. La grande nouvelle pour 2002 figure au

nouveautés 2002

• Nouvelle boîte automatique à quatre rapports • Adoption de la calandre de la R/T 2001 sur les modèles LE et LX • Lecteur DC désormais de série sur les modèles LE et LX • Jantes d'alliage disponibles pour LE et LX

rayon des transmissions. DaimlerChrysler a enfin décidé d'offrir une boîte automatique à quatre rapports pour la Neon. Réservée aux LE et LX (la R/T est livrée uniquement avec la manuelle), cette transmission réduit le niveau sonore du moteur et apporte une quiétude particulièrement appréciée, surtout sur l'autoroute. Une transmission d'autant plus désirable que la boîte manuelle manque de raffinement, avec des rapports difficiles à enclencher.

COMPORTEMENT La servodirection des modèles LE/LX est précise. Pour la R/T, elle est plus directe et plus ferme, puisqu'elle adopte les réglages de la servodirection d'une Neon ACR, une version destinée à la compétition. Celle-là fait aussi moins de tours de volant d'une butée à l'autre.
Pour la R/T, modèle aux prétentions sportives, la suspension est plus ferme qu'elle ne l'est sur les deux autres modèles. Cependant, le roulement très ferme qu'on obtient fait qu'on ressent davantage les défauts du revêtement. À ce chapitre, les Neon LE et LX sont nettement plus confortables.
En matière de freinage, la R/T bénéficie d'un puissant système à quatre disques avec ABS et antipatinage, un système offert en option pour les deux autres Neon.

CONCLUSION Face à des rivales comme la Mazda Protegé et la Toyota Corolla, la Neon montre des signes de vieillissement. Pas tellement du point de vue esthétique, mais bien plus à cause de son insonorisation perfectible et d'un manque de rigidité de sa structure. Des prix relativement élevés ne la favorisent pas non plus. Il faudra toutefois attendre l'année-modèle 2004 pour découvrir sa remplaçante. Et elle aura une saveur nipponne, puisque cette prochaine Neon sera réalisée conjointement par Mitsubishi et DaimlerChrysler. La première sera responsable de l'ingénierie de la voiture alors que la seconde en signera le style. Ce qui jusqu'ici aura été une force de la Neon.

fiche technique

Moteur : 4 cyl. SACT 2 L
Autre moteur : 4 cyl. SACT 2 L Magnum
Puissance : 132 ch à 5600 tr/min et 130 lb-pi à 4600 tr/min
Autres moteur : 150 ch à 6500 tr/min et 135 lb-pi à 4400 tr/min
Transmission de série : manuelle à 5 rapports
Transmission optionnelle : automatique à 4 rapports
Freins avant : disques ventilés
Freins arrière : tambours (disques sur R/T)
Sécurité active de série : ABS (R/T)
Suspension avant : indépendante
Suspension arrière : indépendante
Empattement : 266,7 cm
Longueur : 439,6 cm
Largeur : 171 cm
Hauteur : 142,1 cm
Poids : 1 175 kg ; 1229 kg (R/T)
0-100 km/h : 10,5 s ; 9,6 s (R/T)
Vitesse maximale : 175 km/h
Diamètre de braquage : 10,9 m (LE et LX) 11,8 m (R/T)
Capacité du coffre : 371 L
Capacité du réservoir d'essence : 47,3 L
Consommation d'essence moyenne : 8,5 L/100 km
Pneus d'origine : 185/65R14 (LE); 185/60R15 (LX); 195/50R16 (R/T)
Pneus optionnels : aucun

CHRYSLER

2e opinion

Éric Descarries — Même si c'est une voiture très populaire, la Neon mérite d'être révisée à plusieurs points de vue. Elle ne fait plus le poids face à des adversaires aussi coriaces que la Ford Focus et toute la flambée des concurrentes japonaises. Quant à sa version R/T, j'ai été un peu déçu de ses performances. Où sont les anciennes ACR?

forces

- Habitacle spacieux
- Boîte automatique à quatre rapports... enfin !
- Coffre transformable

faiblesses

- Version R/T coûteuse et inconfortable
- Qualité moyenne des matériaux à bord
- Boîte manuelle perfective

Par Luc Gagné

CHRYSLER

fiche d'identité

Modèle : Prowler
Version : unique
Segment : sportives entre 50 000 $ et 100 000 $
Roues motrices : arrière
Portières : 2
Places : avant, 2 ; arrière, 0
Sacs gonflables : 2
Concurrence : Chevrolet Corvette, BMW Z3, Honda S2000, Porsche Boxster

au quotidien

Prime d'assurance moyenne :
Garantie générale : 3 ans/60 000 km
Garantie groupe motopropulseur : 5 ans/100 000 km
Garantie contre la perforation : 7 ans/160 000 km
Collision frontale : nd
Collision latérale: nd
Ventes du modèle l'an dernier au Québec : 9
Dépréciation : nd

évolution

prix de base • 64 170 $

Faire du bien à son **ego**

Seul? Vous avez besoin d'une amie ou d'un ami? Vous aimeriez que les gens s'agglutinent autour de vous? Vous désirez que de parfaits inconnus vous saluent en vous aspergeant de gestes d'admiration? Bref, vous voulez vous sentir bien dans votre peau? Il vous faut un Chrysler Prowler! Oubliez les livres sur la croissance personnelle. Ne pensez plus à vos kilos en trop. Le Prowler règle ces petits problèmes et redonne tout son lustre à votre ego.

CARROSSERIE Difficile de se cacher avec un Prowler. Ce Hot-Rod moderne avec ses pneus de 17 pouces à l'avant et de 20 pouces à l'arrière semble sortir tout droit du film « American Graffiti ».
Mais tout sur ce véhicule est moderne : de l'usage exhaustif de l'aluminium, qui le rend très léger, à la mécanique et aux trains de suspension. Sa calandre très typique et les roues complètement à découvert à l'avant ajoutent un charme sans pareil. Toutefois, si vous devez partir pour une fin de semaine, il faudra réfléchir sérieusement au contenu de vos bagages, car il n'y a pas de coffre (ou si peu) sur le Prowler.
Une petite roulotte que vous pouvez obtenir à l'achat et harmonisée à la couleur du véhicule est votre seule planche de salut.

MÉCANIQUE Oubliez les moteurs Rat Pack ou Hemi ou tout autre surnom que l'on donnait à ces rutilantes mécaniques des années 60 et 70. Le Prowler est propulsé par le V6 3,5 litres emprunté à la 300M. Ses 253 chevaux sont plus que suffisants pour pousser les 1290 kilos jusqu'à 100 km/h en sept secondes à peine. Si certains puristes ne jurent que par le son d'un gros V8, Chrysler, sans imiter parfaitement cette symphonie particulière, a tout de même accordé de l'importance au son de ce moteur qui ne chante pas faux.

COMPORTEMENT Le Prowler est sans l'ombre d'un doute la voiture la moins pratique sur le marché. Il s'agit de l'exemple parfait d'une voiture dont la seule utilité est de se faire plaisir au volant.
Les rangements sont inexistants, le confort précaire et la ceinture de caisse est telle-

nouveautés 2002
• Nouvelle couleur extérieure Inca Gold

ment haute qu'on a l'impression de conduire un sous-marin.

La tenue de route et le confort, sans parler de la visibilité inexistante, vont venir à bout des plus coriaces après quelques heures sur la route. Mais prendre place derrière le volant procure une sensation unique.

Les réactions de la direction sont précises et immédiates, les accélérations franches; et avec les cheveux dans le vent, ça, on ne peut qu'être d'accord, c'est le bonheur.

HABITACLE Le clin d'oeil rétro se poursuit à l'intérieur. Le compte-tours placé au centre de la colonne et l'instrumentation bien disposée dans le haut du tableau de bord donnent l'effet voulu. La qualité de l'assemblage ne fait l'objet d'aucune critique et l'utilisation de composantes déjà existantes ailleurs dans la famille Chrysler assure une bonne fiabilité.

Entrer et sortir du véhicule demande un certain effort, car l'assise est basse et les portes n'ouvrent qu'à moitié.

Pour ce qui est du toit, l'opération se fait en trois temps. Premièrement, il faut relâcher les deux crochets sur le haut du pare-brise.

Ensuite, il faut sortir de la voiture et libérer l'arrière du toit à l'aide d'un petit crochet derrière le siège du conducteur.

Dernière étape, vous relevez la partie postérieure du toit pour ensuite ouvrir le coffre arrière et replier le toit dans cet espace de rangement.

CONCLUSION D'abord et avant tout, le Chrysler Prowler est un objet pour flatter son ego durant la belle saison, mais c'est aussi une pièce de collection.

Une belle folie de Chrysler même si le rapport qualité/prix est tout à fait discutable en raison de la spéculation.

CHRYSLER

fiche technique

Moteur : V6 SACT 3,5 L

Puissance : 253 ch à 6400 tr/min et 255 lb-pi à 3950 tr/min

Transmission de série : automatique à 4 rapports avec AutoStick

Transmission optionnelle : aucune

Freins avant : disques ventilés

Freins arrière : disques

Sécurité active de série : aucune

Suspension avant : indépendante

Suspension arrière : indépendante

Empattement : 287,8 cm

Longueur : 419,9 cm

Largeur : 194,3 cm

Hauteur : 129,3 cm

Poids : 1299 kg

0-100 km/h : 6,5 s

Vitesse maximale : 195 km/h

Diamètre de braquage : 11,7 m

Capacité du coffre : 51 L

Capacité du réservoir d'essence : 46 L

Consommation d'essence moyenne : 14 L/100 km

Pneus d'origine : P225/45HR17 (avant); P295/40HR20 (arrière)

Pneus optionnels : aucun

2e opinion

Alain Mckenna — La nouvelle couleur pour 2002 se nomme Inca Gold, un orange brûlé qui provoque chez le conducteur un besoin pressant d'accélérer avant qu'on le reconnaisse. Heureusement, les sièges trop bas rendent la visibilité de ce dernier plutôt difficile; il peut alors apprécier les sensations au volant de ce sympathique roadster sans craindre d'être identifié...

forces

- Le style
- L'expérience de conduite
- Les performances

faiblesses

- La visibilité
- Le côté pratique inexistant
- Le confort précaire

Benoit Charette

CHRYSLER

fiche d'identité

Modèle : PT Cruiser
Versions : base, Touring, Limited
Segment : petites
Roues motrices : avant
Portières : 4
Places : avant, 2 ; arrière, 3
Sacs gonflables : 2
Concurrence : Daewoo Nubira, Ford Focus, Hyundai Elantra, Saturn SW, Suzuki Esteem

au quotidien

Prime d'assurance moyenne : 800 $
Garantie générale : 3 ans/60 000 km
Garantie groupe motopropulseur : 5 ans/100 000 km
Garantie contre la perforation : 7 ans/160 000 km
Collision frontale : 3/5
Collision latérale : 4/5
Ventes du modèle l'an dernier au Québec : 2257
Dépréciation : nouveau en 2001

évolution

prix de base • 23 850 $

Nostalgiamobile

Les gens de DaimlerChrysler pavoisent d'avoir rendu la voiture la plus *hot* de l'industrie encore plus *hot*, en décorant ses flancs de subtiles ondulations ton sur ton en forme de flammes! Comme si la PT Cruiser n'était pas assez distincte! Après tout, pas besoin de décorations kitsch pour aimer la PT Cruiser : telle quelle, on l'adore ou on la déteste. Rien de moins.

CARROSSERIE À l'instar de la New Beetle de Volkswagen, la Chrysler PT Cruiser mise sur ses allures rétro afin de séduire les nostalgiques. Elle est de cinq pouces moins longue qu'une Neon, et pourtant elle a un habitacle plus spacieux. Son volume de chargement, une fois la banquette arrière déposée (64,2 pi. cu.), n'est que de 229 litres moins important que celui d'une Jeep Grand Cherokee! Bref, à bord c'est grand. Un espace généreux qu'on perçoit dès qu'on y monte. D'autant plus que les quatre portières dégagent de grandes ouvertures.

Grâce à des sièges baquets très moulants, qui procurent une position de conduite élevée, le champ de vision vers l'avant est généreux. Des rétroviseurs de grande surface ajoutent un champ de vision latéral satisfaisant, mais il faut prendre garde au montant central de la carrosserie qui est plutôt massif. À l'intérieur, des appliques ovales sur le tableau de bord, de couleur harmonisée à celle de la carrosserie, vous rappelleront la Dodge Super Deluxe 1948 de votre grand-père. Les petits chiffres des cadrans sont difficiles à lire, toutefois. Est-ce pour rappeler à grand-père de mettre ses lunettes? Qu'on soit sexagénaire ou non, par contre, les commandes rotatives de la climatisation sont appréciées et très faciles à utiliser.

L'habitacle se transforme de multiples façons (le constructeur en propose 25) grâce à la banquette arrière dont les deux parties (65/35) peuvent être repliées, escamotées ou déposées indépendamment en un tournemain.

MÉCANIQUE La PT Cruiser partage le moteur multisoupape de 2,4 litres des berlines Sebring LX. Contrairement à ces dernières, la transmission de série qui entraîne les roues avant est une manuelle à cinq rapports. À

nouveautés 2002

• Accoudoir pour le siège du passager avant • Système audio AM/FM désormais avec lecteur de CD • Tiroir pour rangement sous le siège du passager avant • Commande intérieure d'ouverture du hayon • Trois nouvelles versions spéciales

moins que l'acheteur n'ait opté pour l'automatique, qui procure plus de confort aux occupants certes, mais au prix d'accélérations décevantes. La boîte manuelle, dont le maniement est agréable, constitue un choix plus attrayant à ce chapitre. Cela dit, l'habitacle est bien insonorisé, plus qu'on ne l'imaginerait d'un produit Chrysler. Même en accélération, l'effort du moteur reste discret. Seuls des bruits éoliens gêneront certains conducteurs à vitesse de croisière.

COMPORTEMENT Sur la route, la PT Cruiser donne une impression de solidité. La servodirection est précise et juste assez assistée. De plus, le tandem disques-tambours a une action progressive. Des freins à disque aux quatre roues, plus performants et jumelés d'un antiblocage et d'un antipatinage fonctionnel à basses vitesses, figurent parmi les options. La suspension est juste assez ferme. Elle convient à nos petites routes régionales et masque efficacement leur revêtement vieillissant.

CONCLUSION En attendant l'arrivée de deux nouvelles PT Cruiser en 2003 (un cabriolet et une minifourgonnette à moteur musclée), trois versions spéciales s'ajouteront aux trois versions de base, Touring et Limited. Elles se distinguent par leur habillage particulier : la Dream Cruiser Series 1 reprend la couleur Inca Gold du prototype Pronto Cruiser, dévoilé à Genève en 1998, et sera produite à seulement 7500 exemplaires; la PT Cruiser Woodie, avec ses appliqués de similibois, évoque les Chrysler Town and Country de 1941 à 1950; enfin la PT Cruiser Flame Decor est celle qui arbore ces fameuses « flammes » en vinyle. Plutôt kitsch, celle-là... Par ailleurs, la PT Cruiser aura des rivales cette année, ses premières : de nouvelles « mini-fourgonnettes » appelées Pontiac Vibe, Toyota Matrix et Suzuki Aerio (Mazda aussi en prépare une). Des véhicules aussi spacieux et polyvalents, l'allure rétro en moins.

CHRYSLER

fiche technique

Moteur : 4 cyl. DACT de 2,4 L
Puissance : 150 ch à 5500 tr/min; à 162 lb-pi à 4000 tr/min
Transmission de série : manuelle à 5 rapports
Transmission optionnelle : automatique à 4 rapports
Freins avant : disques ventilés
Frein arrière : tambours
Sécurité active de série : ABS (option)
Suspension avant : indépendante
Suspension arrière : indépendante
Empattement : 261,6 cm
Longueur : 428,8 cm
Largeur : 170,5 cm
Hauteur : 160,1 cm
Poids : 1411 kg (manuelle); 1448 Kg (automatique)
0-100 km/h : 10,5 s
Vitesse maximale : 175 km/h
Diamètre de braquage : 11,1 m (pneus 15 po.); 12,1 m (pneus 16 po.)
Capacité du coffre : 538 à 1812 L
Capacité du réservoir d'essence : 57 L
Consommation d'essence moyenne : 11 L/100 km
Pneus d'origine : 195/65R15
Pneus optionnels : 205/55R16

2e opinion

Benoit Charette — Audacieux à l'extérieur et plus conservateur à l'intérieur. L'excitation des premiers mois a fait place à une grande accalmie. Heureusement, Chrysler va commercialiser dès l'an prochain les versions décapotables et celles à cabines fermées pour donner un second souffle à cette voiture qui en a bien besoin.

forces

- Habitacle polyvalent et facile à transformer
- Excellente position de conduite
- Allure rétro sympathique

faiblesses

- Performances « justes » du moteur
- Visibilité arrière limitée

Par Luc Gagné

CHRYSLER

fiche d'identité

Modèle : Sebring
Versions : LX, LXi, Limited
Segment : intermédiaires
Roues motrices : avant
Portières : 4 ; 2 (cabriolet)
Places : avant, 2 ; arrière, 3
Sacs gonflables : 2
Concurrence : Chevrolet Malibu, Daewoo Leganza, Ford Focus ZTS, Honda Accord, Hyundai Sonata, Kia Magentis, Mazda 626, Nissan Altima, Oldsmobile Alero, Pontiac Grand Am, Toyota Camry

au quotidien

Prime d'assurance moyenne : 800 $
Garantie générale : 3 ans/60 000 km
Garantie groupe motopropulseur : 5 ans/100 000 km
Garantie contre la perforation : 7 ans/160 000 km
Collision frontale : convertible 3/5, sedan 5/5
Collision latérale : 3/5
Ventes du modèle l'an dernier au Québec : 1212
Dépréciation : 51 %

évolution

prix de base • berline 23 320 $ décapotable 33 580 $

Une berline **logeable** et **performante**

DaimlerChrysler n'a jamais eu la main très heureuse lorsqu'il s'agit de succès dans la catégorie des voitures compactes. LaSebring représente la meilleure chance de la compagnie de briser le moule. La version berline et décapotable se partagent cette année la tâche de conquérir le public suite à l'abandon du modèle coupé en 2002. Avec un restylage extérieur inspiré du Concorde, la Sebring n'a jamais eu aussi belle gueule.

CARROSSERIE Introduite en 2001, la Sebring demeure sensiblement la même en 2002 avec quelques changements cosmétiques. Elle se décline en deux modèles : la berline et le cabriolet. La berline compte aussi une version LX Plus. Une nouvelle version du cabriolet GTC s'ajoutera aux trois autres versions de ce modèle en mi-année seulement.
L'esthétique de la Sebring se démarque et plaît en se détachant de la catégorie des voitures intermédiaires. Les stylistes de Chrysler osent créer des formes uniques.

MÉCANIQUE Deux moteurs équipent les Sebring en 2002 : le 4 cylindres de 2,4 litres et 150 chevaux se retrouve dans la berline de base et le V6 2,7 litres de 200 chevaux est offert en option dans la berline et de série pour le cabriolet.
À part la nouvelle version GTC du cabriolet, qui verra son V6 jumelé à une transmission manuelle à 5 rapports, toutes les Sebring comptent sur une transmission automatique à 4 rapports; les versions LXi comportent l'accessoire AutoStick, facilitant une utilisation manuelle de la transmission automatique. Des roues de 16 pouces se retrouvent sur la berline et le coupé LXi ainsi que sur les cabriolets GTC, LXi et Limited.

COMPORTEMENT La tenue de route de la Sebring LX est bonne, mais les amortisseurs paraissent un peu trop fermes ou mal isolés, car le débattement de la suspension se répercute dans l'habitacle et affecte le confort des passagers. On obtient un rendement doux et efficace avec le moteur V6 et la transmission automatique.
La berline LX V6 automatique

nouveautés 2002

• Nouvelle berline LX Plus • Cabriolet Sebring GTC en mi-année • Nouvelles couleurs de carrosserie • Système Sentry Key • Nouveaux systèmes audio

que nous avons essayée a offert de bonnes performances sur le plan des dépassements, en passant de 80 à 120 km/h en 6,9 secondes. Cela en fait l'une des meilleures de sa catégorie. Par contre, Chrysler a encore beaucoup de chemin à faire en terme de raffinement mécanique pour espérer un jour être vraiment compétitif face aux berlines japonaises. Les moteurs émettent une cacophonie bon marché indigne d'une voiture moderne. La rigidité du cabriolet laisse aussi à désirer.

HABITACLE L'équipement de série des versions LX et LX Plus correspond aux demandes habituelles des acheteurs de voitures intermédiaires. Ainsi, il comporte un régulateur de vitesse, des rétroviseurs et des glaces à commande électrique, un climatiseur manuel, un système audio avec DC et le verrouillage électrique, entre autres. La berline offre un accès aisé et une bonne habitabilité avant et arrière pour quatre personnes. Avec son accès difficile et ses formes irrégulières, le coffre de la berline a une contenance plus limitée : on n'y a logé que 13 sacs d'épicerie. Le tableau de bord offre une instrumentation assez complète, quoique les touches soient petites. Pour ce qui est du cabriolet, il faut quand même souligner qu'il s'agit d'une des rares voitures à ciel ouvert qui offre quatre vraies places et une ligne attrayante, ce qui explique en grande partie son succès.

CONCLUSION Daimler Chrysler possède un bon cheval de bataille dans ce créneau des voitures compactes. Malheureusement, les problèmes chroniques de fiabilité et la qualité précaire de l'assemblage et de la finition jette encore beaucoup d'ombre sur un véhicule qui n'a pas beaucoup plus qu'une belle apparence.

fiche technique

Moteur : 4 cyl. DACT 2,4 L
Autre moteur : V6 DACT 2,7 L
Puissance : 150 ch à 5200 tr/min; couple : 167 lb-pi à 4000 tr/min
Autre moteur : 200 ch à 5800 tr/min et 190 lb-pi à 4850 tr/min
Transmission de série : automatique à 4 rapports
Transmission optionnelle : automatique à 4 rapports AutoStick
Freins avant : disques ventilés
Freins arrière : disques
Sécurité active de série : ABS
Suspension avant : indépendante
Suspension arrière : indépendante
Empattement : 274,3 cm ; 269,2 cm (cabriolet)
Longueur : 484,4 cm ; 492 cm (cabriolet)
Largeur : 179,3 c ; 176,3 cm (cabriolet)
Hauteur : 139,4 cm ; 139,7 cm (cabriolet)
Poids : 1479 kg ; 1 603 kg (cabriolet)
0-100 km/h : 9,9 s (L4); 9,1 s (V6)
Vitesse maximale : 180 km/h
Diamètre de braquage : 11,2 m ; 11 m (cabriolet)
Capacité du coffre : 453 L ; 320 L (cabriolet)
Capacité du réservoir d'essence : 61 L
Consommation d'essence moyenne : 11,5 L/100 km (L4); 12,3 L/100 km (V6)
Pneus d'origine : 205/65R15, 205/60R16 (cabriolet, LXi)
Pneus optionnels : aucun

2e opinion

Philippe Laguë — S'il existe une voiture décevante chez Chrysler, c'est bien elle. Spacieuse et fort bien tournée, elle manque cruellement de raffinement. La sonorité de son V6 évoque celle du « six penché » qui fit les beaux jours des voitures de ce constructeur jusqu'au début des années 80. Et ne parlons pas des insuffisances de la transmission et du freinage, de la finition bon marché... Ce n'est pas mêlant, j'ai eu l'impression de conduire un taxi !

forces

- Bonne performance du V6
- Bonne habitabilité
- Style ouvert

faiblesses

- Débattement de la suspension transféré à l'habitacle

Par Amyot Bachand

FRANCE

Renault Clio V6

De la Clio originale, elle ne récupère que le nom, quelques éléments de carrosserie et l'intérieur. Le reste lui est spécifique, à tel point qu'elle est fabriquée en Angleterre, chez TWR. Elle embarque un V6 de 230 chevaux monté en position centrale arrière, ce qui impose une profonde modification de la caisse. La boîte de vitesses à 6 rapports transmet logiquement la puissance aux roues arrière. Son allure spectaculaire rappelle la Renault 5 turbo du début des années 80, elle aussi à moteur central arrière.

Renault Vel Satis

Plutôt que d'aller se heurter aux spécialistes Audi, BMW et Mercedes, Renault a choisi une approche originale pour son nouveau haut de gamme en se démarquant ouvertement des habitudes du segment. Très haute (1,58 mètre), la Vel Satis mise sur son habitabilité. L'habitacle est moins original que l'extérieur, mais il respire le luxe et le confort. Pour ses versions hautes, et c'est une première pour une voiture française, elle recevra deux V6 japonais, un 3,5 L d'origine Nissan et un 3 L TDI d'origine Isuzu.

Renault Avantime

Question : que pourrait bien acheter le propriétaire d'une minifourgonnette une fois que les enfants sont partis de la maison ? Réponse : une minifourgonnette coupé ! En Europe, on appelle les minifourgonnette des monospaces, et Renault vient de commercialiser le premier monospace coupé, ou coupéspace. Pour accentuer l'effet coupé, l'Avantime n'a pas de montant central. L'habitacle très clair, en partie grâce à l'immense toit ouvrant, fait la part belle aux occupants. Les immenses portières inaugurent un original système à double charnière pour limiter leur encombrement une fois ouvertes.

Jumeaux

prix de base • 40 815 $

Le **haut de gamme** de **DaimlerChrysler**

Elle vise et réussit à être la riche sœur de la famille tant en qualité qu'en fiabilité. Elle roule le nez en l'air avec fierté.

CARROSSERIE Minifourgonnette à empattement long, la Town & Country a comme jumelle plus pauvre, si l'on peut dire, la Dodge Grand Caravan. Leur calandre distinctive et leur renflement protecteur sur les côtés leur donnent cet air de grandes dames. Les teintes proposées leur conviennent à merveille. On trouve trois versions : la LXi et la Limited à traction avant (TA) ainsi que la Limited à traction intégrale (TI). Les accessoires de luxe offerts en équipement facultatif distinguent davantage les LXi des Limited

MÉCANIQUE Les Town & Country sont mues par le V6 de 3,8 litres de 215 chevaux couplé à une transmission automatique à quatre rapports. Le groupe motopropulseur jouit d'une garantie prolongée de 5 ans/100 000 kilomètres. Les roues de 16 pouces viennent en équipement de série, et l'on peut compter sur un ensemble de quatre freins à disque avec ABS.

COMPORTEMENT Ces minifourgonnettes profitent d'une bonne tenue de route, même à pleine charge. Grâce à une suspension bien modulée, elles font preuve d'un roulis peu prononcé. La position de conduite tend à rendre les conducteurs amorphes en raison du confort qu'elle procure. L'instrumentation agréable rend la conduite en soirée aisée, mais on souhaiterait des commandes un peu plus rapprochées du volant.

HABITACLE Plusieurs conducteurs recherchent le confort avant l'habitabilité. Les chaînes audio de très bonne qualité rendent les déplacements agréables d'autant plus que l'insonorisation de l'habitacle est réussie. Si on a une petite famille, on pourra compter (en option) sur un système audiovisuel avec DVD et casques sans fil très pratiques. Mais si l'on doit privilégier l'aspect pratique pour le golf ou le ski, la Town & Country satisfera les besoins de quatre adultes.

CONCLUSION Haut de gamme capable de tenir tête aux concurrentes huppées avec un bon degré de fiabilité.

CHRYSLER

fiche d'identité

Modèle : Town & Country
Versions : LXi, Limited
Segment : minifourgonnettes
Roues motrices : avant ou 4RM
Portières : 5
Places : avant, 2; arrière, 5
Sacs gonflables : 2 frontaux et et deux latéraux (en option sur LXi et de série sur la Limited)
Concurrence : Toyota Sienna, Mazda MPV, Pontiac Montana, Ford Windstar, Honda Odyssey, Oldsmobile Silhouette et Kia Sedona

au quotidien

Prime d'assurance moyenne : 825 $
Garantie générale : 3 ans/60 000 km
Garantie groupe motopropulseur : 5 ans/100 000 km
Garantie contre la perforation : 7 ans/160 000 km
Collision frontale : 4/5
Collision latérale : 5/5
Ventes du modèle l'an dernier au Québec : 718
Dépréciation : 48,9%

nouveautés

• Nouvelles couleurs de carrosserie : amande perlée et vert onyx • Pédales à réglage électrique de série sur la Limited • Ensemble d'équipements électroniques comprenant centre d'affichage d'information et système de contrôle de pression des pneus.

forces

- Douceur de roulement
- Vaste habitacle
- Dessin de carosserie réussi

faiblesses

- Prix élevé
- Freinage médiocre
- Certaines commandes difficiles à atteindre

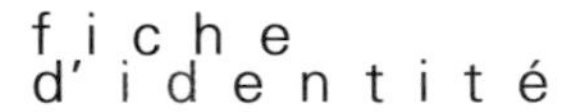

Par Amyot Bachand

évolution

DAEWOO

fiche d'identité

Modèle : Lanos
Versions : Hatchback S, Sedan S
Segment : petites
Roues motrices : avant
Portières : 2, 4
Places : avant, 2; arrière, 3
Sacs gonflables : 2
Concurrence : Hyundai Accent, Kia Rio, Toyota Echo

prix de base • 13 100 $

Avenir **incertain**

au quotidien

Prime d'assurance moyenne : 625 $
Garantie générale : 3 ans/60 000 km
Garantie groupe motopropulseur : 5 ans/100 000 km
Garantie contre la corrosion : 5 ans/kilométrage illimité
Garantie contre la perforation : 5 ans/kilométrage illimité
Collision frontale : nd
Collision latérale : nd
Ventes du modèle l'an dernier au Québec : 1389
Dépréciation : 53 % (2 ans)

Les «économinis», ces petites voitures vendues à des prix abordables, sont peu nombreuses. Jadis, elles étaient européennes, puis les «p'tites japonaises» sont arrivées. Aujourd'hui, les petites voitures européennes et japonaises sont devenues sophistiquées et, du même coup, plus chères. Les «économinis» contemporaines sont coréennes, comme la Daewoo Lanos.

CARROSSERIE La petite Lanos s'apparente aux Hyundai Accent et Toyota Echo, par sa taille et la qualité de sa finition. Elle affiche une esthétique plus conservatrice, surtout la berline, mais la petite hatchback plaît beaucoup aux jeunes. Comme à l'époque des premières Honda Civic...

L'habitacle convient à quatre personnes dont deux de petite taille derrière.
Le tableau de bord est élégant et bien aménagé. Les commandes rotatives du système de ventilation, par exemple, sont agréables à employer.
Le coffre a un volume légèrement supérieur à celui d'une Kia Rio, et sa banquette arrière a un dossier rabattable 60/40 que n'a pas la Rio. On peut donc empiéter sur l'espace arrière de l'habitacle pour charger des objets encombrants.
La chaîne audio, par ailleurs, a un bon rendement sonore, mais ses minuscules boutons exigent trop d'attention de la part du conducteur.

MÉCANIQUE Le moteur de la berline Lanos, un multisoupape de 1,6 litre qui produit 105 chevaux, calque celui de la Hyundai Accent. Pour déplacer cette puce de 1000 kilos à roues avant motrices, avec une consommation d'essence raisonnable, il s'avère convenable surtout dans un environnement urbain.
Pour la Lanos hatchback, par contre, c'est un petit moteur de 1,5 litre et 84 chevaux qui loge sous le capot. Un moteur de même cylindrée que celui de la Kia Rio, qui a 12 chevaux de plus. Le moteur de la Lanos hatchback, toutefois, développe son couple à plus bas régime, ce qui lui procure des performances égales.
Mais ces performances n'ont rien d'excitant. Avec le moteur de 1,6 litre, la berline à transmission manuelle nécessite 11 secondes pour passer de 0 à

nouveautés 2002
• Disparition de la version SX

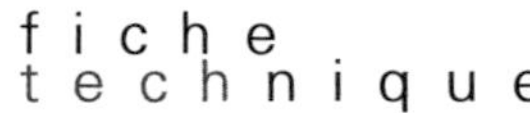

100 km/h. Mais encore, le moteur de 1,5 litre impose à la hatchback à boîte manuelle un temps de 12,5 secondes pour franchir 100 km/h; avec la boîte automatique, il en faut 15! Dans de pareilles conditions, mieux vaut regarder très loin devant si on veut effectuer un dépassement...

Qui plus est, les deux moteurs de la Lanos sont bruyants à l'effort et à vitesse de croisière.

La transmission de série, une manuelle à cinq rapports, manque de précision. En revanche, l'embrayage est souple. La boîte automatique optionnelle sera appréciée par ceux qui recherchent plus de confort.

COMPORTEMENT En condition urbaine, la Lanos est amusante à conduire. Sa servodirection n'est pas trop légère, et son rayon de braquage réduit lui permet de se faufiler dans un centre-ville congestionné.

La suspension indépendante tend à être molle, mais réussit bien à masquer les cahots sans imposer de roulis excessif. De plus, on ne note pas de bruits de caisse. Le freinage est assuré par un tandem disques-tambours d'action progressive, mais ne cherchez pas d'ABS parmi les options : il n'est plus offert sur la Lanos au Canada.

Les pneus, enfin, offrent une adhérence limitée sur pavé humide.

CONCLUSION Dans la petite catégorie des « économinis », la Lanos fait bonne figure. Moins chère qu'une Toyota Echo, elle se compare favorablement à ses deux rivales coréennes : l'Accent et la Rio. Il demeure difficile de priser ce produit, même si GM a récemment pris le contrôle de Daewoo. Le véhicule offre de belles qualités : il est bien construit, agréable à conduire et offert à bon prix, mais on ignore quel avenir le numéro Un américain réserve à cette marque au Canada. Il faut donc considérer l'achat d'une Lanos dans une perspective de court terme. Ce qui convient tout de même à un véhicule offert à bas prix. Malgré l'incertitude financière chez Daewoo, la Lanos est un excellent achat.

fiche technique

DAEWOO

Moteur : 4 cyl. 1,5 L
Autre moteur : 4 cyl. 1,6 L DOHC
Puissance : 85 ch à 5600 tr/min et 96 lb-pi à 3400 tr/min
Autre moteur : 105 ch à 5800 tr/min et 106 lb-pi à 3 400 tr/min
Transmission de série : manuelle à 5 rapports
Transmission optionnelle : automatique à 4 rapports
Freins avant : disques ventilés
Freins arrière : tambours
Sécurité active de série : aucune
Suspension avant : indépendante
Suspension arrière : multibras
Empattement : 252 cm
Longueur : 407,4 cm
Largeur : 167,8 cm
Hauteur : 143,2 cm
Poids : 1068 kg (hatchback manuelle); 1144 kg (berline manuelle)
0-100 km/h : 12,5 s (manuelle); 15 s (automatique)
Vitesse maximale : 165 km/h (manuelle); 158 km/h (automatique)
Diamètre de braquage : 9,8 m
Capacité du coffre : 322 L
Capacité du réservoir d'essence : 48 L
Consommation d'essence moyenne : 7,45 L/100 km
Pneus d'origine : 185/60R14
Pneus optionnels : aucun

2e opinion

Benoit Charette — Discrète mais efficace, la petite Lanos est moderne à tous points de vue. Sa ligne élégante et sa finition de qualité sont des éléments intéressants. Pas surprenant que cette sous-compacte représente 60 % des ventes totales de la compagnie.

forces

- Belle construction
- Version hatchback pratique
- Habitacle confortable

faiblesses

- Places arrière petites
- Transmission manuelle perfectible
- Petit coffre

Par Luc Gagné

DAEWOO

fiche d'identité

Modèle : Nubira
Versions : SX, berline et familiale
Segment : compactes
Roues motrices : avant
Portières : 4
Places : avant, 2; arrière, 3
Sacs gonflables : 2 frontaux
Concurrence : Chevrolet Cavalier, Pontiac Sunfire, Chrysler Neon, Ford Focus, Hyundai Elantra, Kia Spectra, Mazda Protegé, Saturn S, Toyota Corolla, Volkswagen Golf, Nissan Sentra

au quotidien

Prime d'assurance moyenne : 700 $
Garantie générale : 3 ans/60 000 km
Garantie groupe motopropulseur : 5 ans/100 000 km
Garantie contre la corrosion : 5 ans/kilométrage illimité
Garantie contre la perforation : 5 ans/kilométrage illimité
Collision frontale : nd
Collision latérale : nd
Ventes du modèle l'an dernier au Québec : 739
Dépréciation : 44 % (2 ans)

évolution

prix de base • 17 000 $

Surprenante!

La Daewoo Nubira fait partie du créneau des voitures compactes où l'offre est considérable. Elle dispose d'atouts attrayants pour se rendre désirable. Toutefois, son plus grand handicap demeure, pour l'instant, le nom de sa marque...

CARROSSERIE Au sein de la gamme Daewoo, la Nubira se situe entre la sous-compacte Lanos et l'intermédiaire Leganza.

Depuis l'an dernier, la berline et la familiale ne sont plus offertes qu'en version SX, avec un équipement très complet comprenant, entre autres, le climatiseur, les lève-glaces électriques et une chaîne audio à lecteur de DC.

L'esthétique de la carrosserie est très conservatrice, mais la finition de l'assemblage affiche une facture très soignée. Même les plastiques utilisés à l'intérieur ont une texture agréable à toucher — ce qui n'est pas le lot de plusieurs voitures américaines!

L'habitacle convient parfaitement à quatre adultes. Les sièges baquets ont des contours prononcés et des dossiers hauts. Très confortables, ils procurent un support apprécié en courbe. Le conducteur dispose même d'une assise ajustable en hauteur. Derrière, l'espace pour les jambes et les pieds est généreux, et le dégagement pour la tête, satisfaisant.

Les commandes du tableau de bord sont à la portée du conducteur et les buses de ventilation, logées dans sa partie supérieure, contribuent à rafraîchir les occupants des places avant en ces jours de canicule. Le système audio, par contre, a des boutons si petits qu'il n'est pas du tout fonctionnel. Qu'est-ce que ça doit être l'hiver, avec une main gantée?

MÉCANIQUE Le moteur multisoupape de 2,0 litres de la Nubira n'a rien à envier à celui d'une Toyota Corolla. Il est nerveux et donne à cette traction, avec la boîte manuelle, des accélérations adéquates et de bonnes reprises. Il se marie bien à la transmission automatique, offerte en option. Cette transmission bimodale passe les rapports avec plus de douceur en mode «Normal». Le mode «Power», qui «étire» le passage des rapports pour tirer le maximum du moteur, rend les

nouveautés 2002

• Version familiale SE

passages de rapports plus saccadés.
La boîte manuelle demeure le meilleur choix pour l'automobiliste qui recherche des performances optimales. Elle est bien étagée et le passage des rapports se fait bien.

COMPORTEMENT La servodirection est précise et, surtout, bien dosée. La suspension ferme procure un roulement tout de même feutré; son débattement est généreux et le roulis, très limité. Le comportement routier presque «européen» de cette voiture coréenne m'a beaucoup rappelé celui des Volkswagen Jetta et Golf vendues au Canada avant que le manufacturier allemand ne choisisse de changer les réglages de leur suspension pour plaire aux Américains...
Par ailleurs, un duo classique de freins à disque, à l'avant, et de tambours, à l'arrière, assure de bons freinages. L'antiblocage, toutefois, ne figure plus au catalogue depuis que Daewoo Canada a choisi de «rationaliser» sa gamme en raison de la vente de l'entreprise.

CONCLUSION La Nubira n'a vraiment rien à envier à ses nombreuses rivales, si ce n'est qu'une notoriété plus favorable. Elle est agréable à conduire et bien équipée. Actuellement, on peut également l'obtenir à des prix très favorables.
La familiale constitue d'ailleurs le modèle le plus désirable de la famille Nubira. Son habitacle confortable se transforme aisément pour offrir une aire de chargement très généreuse. De plus, son comportement routier est très agréable. Elle constitue une alternative attrayante (et particulièrement abordable) aux minifourgonnettes qui tendent à être gloutonnes et encombrantes. Et puis, à moins d'avoir une équipe de soccer à transporter régulièrement (et encore, il faudrait définir «régulièrement»), les conducteurs de minifourgonnettes se retrouvent souvent seuls à bord...
Reste à voir ce que GM fera de cette marque qu'elle vient d'ajouter à son portfolio de produits.

fiche technique

Moteur : L4 DACT 2 L
Puissance : 129 ch à 5 400 tr/min et 136 lb-pi à 4400 tr/min
Transmission de série : manuelle à 5 rapports
Transmission optionnelle : automatique à 4 rapports
Freins avant : disques
Freins arrière : tambours
Sécurité active de série : aucune
Suspension avant : indépendante
Suspension arrière : poutrelle de torsion
Empattement : 257 cm
Longueur : 449,5 cm (berline); 455 cm (familiale)
Largeur : 170 cm (berline); 172 cm (familiale)
Hauteur : 143 cm (berline); 147 cm (familiale)
Poids : 1242 kg (berline); 1272 kg (familiale)
0-100 km/h : 9,8 s
Vitesse maximale : 190 km/h
Diamètre de braquage : 10,6 m
Capacité de remorquage : 454 kg
Capacité du coffre : 370 L (berline) 550 L (familiale); siège abaissé 900 L (berline) 1840 L (familiale)
Capacité du réservoir d'essence : 52 L
Consommation d'essence moyenne : 9,6 L/100 km
Pneus d'origine : P185/65R15
Pneus optionnels : aucun

2e opinion

Michel Crépault — La Nubira fait mentir le dicton qui veut qu'on en ait pour notre argent: en réalité, on en a un peu plus. Le joli look (surtout la familiale), l'espace intérieur, les accessoires de série et une stabilité honnête compensent pour les défauts (suspension et direction perfectibles) qui finiront par agacer l'acheteur qui adore conduire. Le consommateur soucieux de son budget, lui, sera tout simplement content.

forces

- Comportement routier agréable
- Moteur performant
- Familiale attrayante

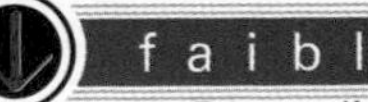

faiblesses

- Réseau limité de concessionnaires
- Avenir de la marque incertain

Par Luc Gagné

DAEWOO

fiche d'identité

Modèle : Leganza
Versions : SX et CDX
Segment : intermédiaires
Roues motrices : avant
Portières : 4
Places : avant, 2; arrière, 3
Sacs gonflables : 2 frontaux
Concurrence : Chevrolet Malibu, Chrysler Sebring, Honda Accord, Hyundai Sonata, Kia Magentis,Mazda 626, Nissan Altima, Oldsmobile Alero, Pontiac Grand Am, Toyota Camry, Volkswagen Jetta

au quotidien

Prime d'assurance moyenne : 800 $
Garantie générale : 3 ans/60 000 km
Garantie groupe motopropulseur : 5 ans/100 000 km
Garantie contre la corrosion : 5 ans/100 000 km
Collision frontale : 3/5
Collision latérale : 3/5
Ventes du modèle l'an dernier au Québec : 325
Dépréciation : 45 % (2 ans)

évolution

prix de base • 21 000 $

50 000 kilomètres de quiétude

Lorsqu'une nouvelle marque fait son apparition sur le marché, il est difficile, voire impossible, de se prononcer sur la fiabilité de ses modèles. Pour avoir l'heure juste avec Daewoo, nous avons soumis deux des trois modèles de la gamme, les berlines Leganza et Nubira, à des essais prolongés. Dans les deux cas, l'expérience a produit d'excellents résultats.

CARROSSERIE Pourquoi faire compliqué quand on peut faire simple? Poser la question, c'est y répondre, mais beaucoup de constructeurs s'évertuent pourtant à faire le contraire. Pas Daewoo, qui ne propose qu'une seule configuration de la Leganza, soit une berline quatre portes, et deux versions, SX (base) et CDX. Cette dernière est une version tout équipée dans le vrai sens du terme, car aucune option n'est offerte!
Le modèle actuel a vu le jour en mars 1997, mais il n'a pas pris une ride; la Leganza continue de se démarquer de ses ternes rivales japonaises par son physique agréable, gracieuseté du maître-styliste italien Giugiaro.

MÉCANIQUE C'est aussi simple du côté mécanique, avec une seule motorisation, qui ne peut être jumelée qu'à une boîte automatique à 4 rapports. Sous le capot niche un quatre cylindres de 2,2 litres, dont les 131 chevaux assurent des performances correctes. Nous n'avons pas affaire à un lièvre, mais pas à une tortue non plus. Le tandem moteur-transmission démontre une belle compatibilité et le rendement de l'un comme de l'autre s'est avéré impeccable. Après 13 mois d'usage, le moteur continue de briller par sa souplesse et sa discrétion, tandis que la transmission travaille toujours aussi bien. Pour tout vous dire, cette rigueur dans l'exécution mécanique évoque les voitures japonaises. De plus, aucune anomalie mécanique n'est venue perturber la bonne marche de cet essai long terme.

COMPORTEMENT L'élaboration des trains roulants a été confiée aux magiciens de Lotus, qui se sont montrés à la hauteur de leur réputation. Ils ont doté cette berline d'une douceur de roulement qui n'a rien à envier

nouveautés 2002

• Pas de changement majeur

à des rivales aussi réputées que l'Accord et la Camry, tout en lui conférant un comportement des plus sains. Même si la Leganza tient la route avec un aplomb étonnant. Et encore, la piètre adhérence des pneus ne permet pas d'exploiter son plein potentiel. Précise, directe et bien dosée, la direction devrait servir d'exemple à la concurrence. En entrée de virage, la Leganza se place exactement là où on veut; si on augmente le rythme, ses réactions sont prévisibles et on peut corriger aisément. Quant au roulis, il est fort bien maîtrisé. Pour couronner le tout, le châssis montre une belle rigidité. Tout cela est fort impressionnant, ma foi!

HABITACLE La Leganza accueille ses occupants dans des sièges dont le confort ne se dément pas au fil des kilomètres. À l'avant, les baquets sont rembourrés juste à point et ils procurent un bon maintien. À l'arrière, deux appuie-tête viennent rehausser le confort de la banquette. Qui plus est, celle-ci est rabattable.

Dans la colonne des moins, la sellerie cuir fait plutôt cuirette; tout comme les appliques de similibois, en plastique véritable... En revanche, tout est demeuré intact après 50 000 kilomètres, ce qui confirme la rigueur de l'assemblage, tout comme l'absence de bruits de caisse. Rassurant.

L'une des principales qualités de cette berline est son habitabilité, conjuguée à une ergonomie sans failles. À l'arrière, le dégagement pour la tête et les jambes place la Leganza parmi les plus spacieuses de sa catégorie. Logeables et bien disposés, les espaces de rangement abondent, tandis que les commandes sont faciles d'accès. Toutefois, les minuscules boutons de la radio en feront grogner plus d'un(e), mais on retrouvera sa sérénité en constatant la qualité sonore de l'ensemble, de loin supérieure à ce que propose la concurrence japonaise.

CONCLUSION Il n'est pas facile de s'imposer dans un segment de marché aussi compétitif. Avec un rapport qualité/prix alléchant, une fiabilité au rendez-vous, Daewoo mérite de s'imposer chez nous.

fiche technique

Moteur : L4 DACT 2,2 L
Puissance : 131 ch à 5200 tr/ min et 147 lb-pi à 2800 tr/min
Transmission de série : automatique à 4 rapports
Transmission optionnelle : aucune
Freins avant : disques
Freins arrière : disques
Sécurité active de série : ABS
Suspension avant : indépendante
Suspension arrière : indépendante
Empattement : 267 cm
Longueur : 467,1 cm
Largeur : 177,9 cm
Hauteur : 143,7 cm
Poids : 1432 kg
0-100 km/h : 11,1 s
Vitesse maximale : 198 km/h
Diamètre de braquage : 11,1 m
Capacité de remorquage : 454 kg
Capacité du coffre : 400 L
Capacité du réservoir d'essence : 60 L
Consommation d'essence moyenne : 10 L/100 km
Pneus d'origine : P205/60R15
Pneus optionnels : aucun

2e opinion

Benoit Charette — La Leganza offre un confort surprenant pour une voiture de ce prix. Dans un test à l'aveugle, elle pourrait facilement tenir la route face à des voitures de luxe beaucoup plus dispendieuses. Là où le bât blesse, c'est au niveau de l'historique de la compagnie qui est encore considérée comme jeune dans le monde automobile.

forces

- La présentation générale de qualité
- Lignes réussies
- Agrément de conduite

faiblesses

- Absence d'un V6
- Commandes radio incompréhensibles
- Pneus d'origine de piètre qualité

Par Philippe Laguë

DODGE

f i c h e
d' i d e n t i t é

Modèle : Caravan

Versions : Caravan SE, Caravan Sport, Grand Caravan Sport, Grand Caravan ES, Grand Caravan Sport AWD, Grand Caravan ES AWD

Segment : minifourgonnettes

Jumeau : Chrysler Town & Country

Roues motrices : avant ou traction intégrale (AWD)

Portières : 4

Places : avant, 2; arrière, 5

Sacs gonflables : 2 frontaux, 2 latéraux (en option)

Concurrence : Chevrolet Venture, Ford Windstar, Honda Odyssey, Kia Sedona, Mazda MPV, Oldsmobile Silhouette, Pontiac Montana, Toyota Sienna

a u   q u o t i d i e n

Prime d'assurance moyenne : 800$; 875$ (Grand Caravan)

Garantie générale : 3 ans/60 000 km

Garantie groupe motopropulseur : 5 ans/100 000 km

Garantie contre la perforation : 7 ans/160 000 km

Collision frontale : 4/5 (C & GC)

Collision latérale : 4/5 (C), 5/5 (GC)

Ventes du modèle l'an dernier au Québec : 20 411

Dépréciation : 43 %

évolution

prix de base • 25 430$

Livrer la marchandise

Toujours devant avec des idées nouvelles, la Dodge Caravan reste la meilleure vendeuse au Canada dans son créneau. Mais livre-t-elle la marchandise?

CARROSSERIE Dodge offre deux modèles distincts : la Caravan et la Grand Caravan. Vous aurez deviné que la Grand Caravan possède un empattement allongé (303 centimètres) alors que celui de son frérot mesure 287,8 centimètres. La différence permet une plus grande habitabilité au sein de la grande, et donc un espace de rangement vaste avec les banquettes relevées. D'ailleurs, on peut y ajouter un range-tout pratique pour diviser les paquets. Dodge a su penser aux mamans taxi en intégrant derrière la banquette arrière 7 crochets pour les sacs d'épicerie.
Si vous souhaitez une version à traction intégrale, vous devrez vous tourner vers la grande sœur. Le style classique de cette fourgonnette demeure au goût du jour. L'ensemble des coloris lui vont bien. La qualité d'assemblage est bonne ainsi que la finition extérieure. La garantie de base de 3 ans/ 60 000 kilomètres avec assistance routière est cependant appréciée, les petits pépins mécaniques étant encore le lot de ces minifourgonnettes.

MÉCANIQUE Le 3,3 litres de 185 chevaux constitue la motorisation de la Caravan tandis que l'on pourra opter pour le 3,8 litres de 215 chevaux dans les modèles haut de gamme de la Grand Caravan ES (TA et TI). Le 3,3 suffit à la tâche, mais peine un peu en pleine charge dans la Grand Caravan. Les roues de 15 pouces équipent la majorité des modèles offerts. Bien que l'ensemble disques/ tambours soit l'équipement de base, on peut passer aisément aux 4 freins à disque en optant pour des groupes sport ou ES. La Caravan est une des rares fourgonnettes à traction à se doter de 4 freins à disque. DaimlerChrysler couvre son groupe motopropulseur d'une garantie de 5 ans/100 000 kilomètres, équivalant à celles des concurrentes japonaises. Si vous souhaitez tirer une remorque, choisissez l'option remorquage.

n o u v e a u t é s   2 0 0 2

- Nouvelles teintes amande et vert perlé • Pédales à réglage électrique en option
- Système audio à 6 DC avec casques sans fil • Système audiovisuel avec DVD

COMPORTEMENT Les Dodge tiennent bien la route même avec leur pleine charge. Les versions Sport limitent le roulis et font preuve d'agilité. La direction rapide peut déconcerter parfois, mais elle est efficace. On aimerait cependant ressentir un peu mieux la route. Sur route cahoteuse ou de gravier, l'arrière peut vouloir se rebiffer, mais on garde aisément le contrôle. Avec les deux motorisations, il faut calculer ses distances pour les dépassements. Le freinage demande une bonne pression, mais demeure spongieux; il devient plus efficace avec les 4 freins à disque.

HABITACLE Attention au choix d'habitacle, surtout avec la Caravan. L'équipement de base de la SE vient avec une banquette à la deuxième rangée pour satisfaire les besoins de clients commerciaux. Pour une famille, oubliez cet équipement et optez plutôt pour les fauteuils séparés. Avec la banquette rabattable 50/50 de la troisième rangée, vous pourrez compter sur une polyvalence accrue... et la paix avec les enfants ! D'ailleurs, les ados ont jugé inconfortable la banquette du milieu. Une Grand Caravan offrira plus d'espace aux jambes à l'arrière et au milieu. L'insonorisation de la cabine vaut une mention. On a aimé l'instrumentation en conduisant le soir, mais on a jugé l'accès aux commandes trop loin des doigts. Les fauteuils se retirent assez bien quoique, pour les banquettes, il est préférable de demander l'aide d'une autre personne. Le système à roulettes n'est utile qu'une fois que ces dernières sont retirées des véhicules. La Grand Caravan logera aisément des contreplaqués 4 sur 8 avec le hayon fermé.

CONCLUSION Encore en tête avec ses idées, ces nouvelles Dodge Caravan doivent démontrer une fiabilité égale à leurs concurrentes japonaises pour ne pas perdre de terrain.

DODGE

fiche technique

Moteur : V6 3,3 L (Caravan)
Autre moteur : V6 3,8 L (Grand Caravan Sport et ES)
Puissance : 180 ch à 5200 tr/min; couple : 210 lb-pi à 4000 tr/min
Autres moteurs : 215 ch à 5000 tr/min; couple : 245 lb-pi à 4000 tr/min
Transmission de série : automatique à 4 rapports (AutoStick optionnel)
Transmission optionnelle : aucune
Freins avant : disques
Freins arrière : tambours; disques (Grand Caravan ES)
Sécurité active de série : ABS, antipatinage (Grand Caravan ES AWD)
Suspension avant : indépendante
Suspension arrière : essieu rigide
Empattement : 287,8 cm (Caravan); 303 cm (Grand Caravan)
Longueur : 480,3 cm (Caravan); 509,3 cm (Grand Caravan)
Largeur : 199,6 cm
Hauteur : 175 cm
Garde au sol : 14,2 cm
Poids : 1773 kg (Caravan); 1881 kg (Grand Caravan)
0-100 km/h : 11,2 s (3,3 L); 10,8 s (3,8 L)
Vitesse maximale : 175 km/h
Diamètre de braquage : 11,5 m (Caravan); 12,5 m (Grand Caravan)
Capacité du coffre : 428 L (Caravan); 572 L (Grand Caravan)
Capacité du réservoir d'essence : 76 L
Consommation d'essence moyenne : 12,9 L/100 km
Pneus d'origine : 215/70R15
Pneus optionnels : 215/65R16, 215/60R17

2e opinion

Alain Mckenna — Il fut une époque où la Caravan était la référence des autres constructeurs pour la conception de leur propre minifourgonnette. Force est de constater que les temps changent vite : sièges rabattables dans le plancher en un clin d'œil, système de divertissements pour occuper la marmaille, vitres latérales arrière qui s'ouvrent. Décidément, la concurrence a pris les devants sur le patriarche.

forces

- Bonne habitabilité
- Meilleure insonorisation

faiblesses

- Moteur 3,3 L encore un peu juste
- Freinage moyen
- Fiabilité moyenne

Par Amyot Bachand

évolution

fiche d'identité

Modèle : Dakota
Versions : de base, sport, SLT, R/T
Segment : camionettes compactes
Roues motrices : 4 x 2 et 4 x 4
Portières : 2 ou 4
Places : avant, 2; arrière, 0 à 3
Sacs gonflables : 2 frontaux
Concurrence : Chevrolet S-10, Ford Ranger, GMC Sonoma, Mazda Série B, Nissan Frontier, Toyota Tacoma

prix de base • 18 780$

Presque **seule** dans son **créneau**

au quotidien

Prime d'assurance moyenne: 900$
Garantie générale : 3 ans/60 000 km
Garantie groupe motopropulseur : 5 ans/100 000 km
Garantie contre la perforation : 7 ans/160 000 km
Collision frontale: 4/5
Collision latérale: 4/5
Ventes du modèle l'an dernier au Québec: 3075
Dépréciation: 44 %

Depuis sa venue sur le marché, la camionnette Dodge Dakota s'est distinguée des autres véhicules du genre par ses dimensions. En effet, on pourrait qualifier la Dakota de camionnette intermédiaire. Elle est un peu plus grosse que les camionnettes compactes comme la Ford Ranger et la Chevrolet S-10, mais plus petite que les grandes camionnettes traditionnelles.

CARROSSERIE La Dakota est offerte en version de base avec cabine courte ou Club Cab allongée, ou encore en version Quad Cab avec quatre vraies portes. Les deux premières ont une caisse régulière, alors que la Quad Cab a une caisse légèrement plus courte. Les finitions offertes sont celles de base, Sport et SLT. Le groupe R/T est toujours livrable.

MÉCANIQUE Encore une fois cette année, les acheteurs intéressés par la Dakota auront le choix entre un puissant moteur V6 de base ou l'un des deux V8 que propose DaimlerChrysler. Le V6 de 3,9 litres s'acquitte bien de sa tâche, surtout dans les versions de base. Mais pour un effort plus important, on peut compter sur le V8 de 4,7 litres à simple arbre à cames en tête. Ceux qui cherchent plus de couple opteront certes pour le V8 de 5,9 litres. Ce moteur est très fort, mais il est aussi glouton. Incidemment, la Dakota est toujours la seule camionnette de cette dimension à proposer un V8 sous son capot.

COMPORTEMENT On notera que la boîte manuelle à 5 rapports est offerte avec le V6 et le V8 de 4,7 litres, alors que la boîte automatique à 4 rapports peut accompagner le V6 ou le V8 de 5,9 litres (c'est d'ailleurs la seule possible avec ce gros moteur). Les Dakota sont d'abord à propulsion, mais il est possible d'obtenir ce véhicule avec la traction aux quatre roues sur commande. Dodge se fie encore au bon vieux levier pour activer le boîtier de transfert. La direction à crémaillère est plaisante à manier, même si elle semble trop assistée. Toutes les Dakota ont des freins à disque à l'avant et à tambour à l'arrière avec l'ABS de série aux roues arrière. L'ABS aux quatre roues est offert en option et recommandé.

nouveautés 2002

• Sellerie de cuir offerte avec les cabines allongées • Climatisation standard
• Amplificateur programmable

HABITACLE Peu importe la version choisie, la Dakota offre beaucoup d'espace intérieur. En fait, la Quad Cab vous surprendra en pouvant accueillir cinq passagers. On n'y voit pas de changement important pour 2002, sauf que la climatisation est offerte de série sur tous les modèles. Le tableau de bord a une allure plutôt traditionnelle, mais comme on s'en doute, toutes les commandes sont à la portée de la main. L'instrumentation très lisible est typique de plusieurs véhicules de Chrysler. Il est aussi possible d'obtenir la sellerie de cuir avec les cabines allongées Club Cab et Quad Cab. Quant aux caisses, elles font 1 mètre 60 centimètres (5 pieds 3 pouces) avec le Quad Cab et 1 mètre 83 centimètres (6 pieds) avec les autres modèles.

CONCLUSION Grâce à ses dimensions respectables, la Dakota se conduit aussi bien en ville que sur la grande route, et elle est facile à garer. La version à quatre roues motrices a une suspension plus sèche, mais quand même confortable. Par contre, le seuil est élevé pour accéder à l'intérieur. Le V8 de 4,7 litres semble être le meilleur choix, même s'il consomme beaucoup d'essence. La version R/T possède une tenue de route intéressante, mais on aurait cru le V8 de 5,9 litres plus puissant. Ses échappements bruyants amuseront les amateurs de sportives. Incidemment, une Dakota avec l'équipement approprié peut tirer des remorques jusqu'à 3039 kilos (6700 livres).

fiche technique

Moteur : V6 3.9 L; V8 4.7 L; V8 5.9 L

Puissance : 175 ch à 4800 tr/min et 225 lb-pi à 3200 tr/min (3,9) 230 ch à 4800 tr/min et 295 lb-pi à 3200 tr/min (4,7) 245 ch à 4400 tr/min et 335 lb-pi à 3200 tr/min (5,9) 250 ch à 4400 tr/min et 345 lb-pi à 3200 tr/min (R/T)

Transmission de série : manuelle à 5 rapports

Transmission optionnelle : automatique à 4 rapports

Freins avant : disques

Freins arrière : tambours

Sécurité active de série : ABS (optionnel)

Suspension avant : indépendante

Suspension arrière : essieu rigide

Empattement : 284,5 cm; 332,7 cm (Quad Cab)

Longueur : 497,8 cm; 546,4 cm (Quad Cab)

Largeur : 181,8 cm; 181,6 cm (Quad Cab)

Hauteur : 164,6 cm (rég); 171 cm (Club Cab); 174 cm Quad Cab)

Poids : 1540 kg (rég); 1644 kg (Club Cab) 1886 kg (Quad Cab)

0-100 km/h : 13,4 s (2,5L)12,2 s (3,9L) 8,1 s (4,7L) 7,5 s (5,9L)

Vitesse maximale : 160 à 185 km/h

Diamètre de braquage : 11,4 m; 12,6 m (4x4)

Capacité du réservoir d'essence : 83 L

Capacité de remorquage : 1180 kg à 3084 kg

Consommation d'essence moyenne : 13 L/100 km (3,9L); 15 L/100 km (4,7L) 16 L/100 km (5,9L)

Pneus d'origine : 215/75R15, 235/75R15

Pneus optionnel : 255/55R17

2e opinion

Benoit Charette — Avec plus de 40 % des ventes dans son créneau, la Dodge Dakota est le chef de file incontesté. Mais cette capacité d'exécuter de gros travaux ainsi que la disponibilité d'un moteur V8 habillé d'une carrosserie moins imposante que les camionnettes pleine grandeur sont en grande partie responsables de son succès.

forces

- Moteurs puissants
- Cabine Quad Cab spacieuse
- Bonne capacité de remorquage

faiblesses

- Consommation importante
- Moteur 5,9 litres décevant (R/T)
- Caisse étroite

Par Éric Descarries

évolution

DODGE

fiche d'identité

Modèle : Durango
Versions : sport, SLT, SLT Plus, R/T
Segment : utilitaires intermédiaires
Roues motrices : 4 x 2 et 4 x 4
Portières : 4
Places : avant, 2; arrière, 5/6
Sacs gonflables : 2 frontaux, 2 latéraux (optionnel)
Concurrence : Chevrolet TrailBlazer, Ford Explorer, GMC Envoy, Isuzu Rodeo, Nissan Pathfinder, Oldsmobile Bravada, Toyota Highlander et 4Runner

prix de base • 38 060 $

L'utilitaire au *look* sérieux

au quotidien

Prime d'assurance moyenne: 1200 $
Garantie générale : 3 ans/60 000 km
Garantie groupe motopropulseur : 5 ans/100 000 km
Garantie contre la perforation : 7 ans/160 000 km
Collision frontale: 4/5
Collision latérale: 4/5
Ventes du modèle l'an dernier au Québec: 1031
Dépréciation: 36 %

Dès son apparition sur le marché, l'utilitaire sport Durango a fait fureur. C'est une camionnette dans le vrai sens du mot, une camionnette qui affiche un look sérieux. Pas surprenant puisque la Durango reprend l'avant du pick-up Dakota, lui-même une réussite. Ces deux camionnettes se relancent en même temps

CARROSSERIE L'allure de camion poids lourd a été mise de l'avant par la camionnette grand format Ram en 1994. La Durango revient en 2002 sans changements notables. C'est toujours un utilitaire spacieux à quatre portes et cinq passagers (sept en option), disponible dans les livrées Sport, SLT, SLT Plus ou R/T.

MÉCANIQUE En 2002, le moteur de base est le V8 4,7 litres à double arbre à cames en tête que l'on retrouve dans la Grand Cherokee, la Dakota et la Ram. Il fait 235 chevaux et 295 livres-pied de couple. Le seul autre moteur disponible est l'ancien V8 5,9 litres, mais il vient en deux formats : le premier à 245 chevaux, le deuxième à 250 chevaux (R/T). Le freinage est à disques à l'avant et à tambours à l'arrière, l'antiblocage étant facultatif. Deux transmissions sont au catalogue, toutes deux automatiques. La première est la multispeed à cinq vitesses dont certaines sont différentes selon les besoins du moment alors qu'une quatre rapports traditionnelle est standard sur la R/T. Toutes les Durango vendues au Canada sont des quatre roues motrices. Deux boîtes de transfert sont au catalogue : la première sur demande, la deuxième à traction intégrale. La commande électrique est enfin disponible.

COMPORTEMENT La Durango est plutôt facile à conduire. Ses dimensions sont respectables, et sa manoeuvrabilité est même plaisante en ville. Le moteur V8 de base procure des performances raisonnables avec de bonnes accélérations et des reprises rassurantes quoique bruyantes. Le V8 5,9 litres optionnel n'est pas beaucoup plus vite, mais il est plus fort pour tirer des roulottes (jusqu'à 7 300 livres). Dans la version R/T, il donne l'impression d'être très vite; de fait, c'est surtout dû au son

nouveautés 2002

• Commande électrique du boîtier de transfert • Rideaux latéraux gonflables optionnels

vrombissant des échappements. J'ai conduit plusieurs Durango dont une à 5,9 litres pour un voyage de quelque 200 kilomètres. Sa consommation n'était pas des plus économique, mais le véhicule se comportait très bien en montagne. Tous mes passagers se sont sentis en confort et en sécurité dans cette Dodge.

La visibilité y était très bonne et la climatisation adéquate. Cependant, l'essieu arrière rigide n'est pas très à l'aise sur des routes cahoteuses, car l'arrière saute et se dérobe dans les courbes. C'est une camionnette robuste et un bon tracteur de roulottes; il devrait répondre aux besoins de bien des consommateurs. Cependant, importe-il de le rappeler, il faut prendre en considération sa grande consommation de carburant.

HABITACLE La Durango n'a pas été créée pour gagner des concours d'élégance. C'est un intérieur bien aménagé, mais plutôt fonctionnel. Le tableau de bord, le même que celui de la Dakota, a une planche bombée au-dessus des instruments. Ceux-ci sont bien lisibles et toutes les commandes au centre son facilement atteignables. La configuration des sièges peut accepter cinq personnes en équipement standard , et sept en option. Mais encore une fois, on doit se débrouiller avec une banquette supplémentaire difficile d'atteinte et dont le confort n'est pas d'une grande exemplarité. Sans cet équipement, on a un bon espace cargo à l'arrière. Il y a un compartiment de rangement dans le plancher arrière, mais il n'est malheureusement pas verrouillable. Toutefois, il y a des coussins gonflables à l'avant et les rideaux latéraux sont offerts en option.

CONCLUSION Malgré une apparence soignée et un format généreux, le Durango est mal positionné sur le marché. À l'ombre du populaire Grand Cherokee, il n'est pas arrivé à faire sa place au soleil. Cependant, ce manque d'intérêt n'enlève rien à ses qualités.

fiche technique

DODGE

Moteur : V8 4.7 L; V8 5.9 L
Puissance : 235 ch à 4800 tr/min et 295 lb-pi à 3200 tr/min (4,7) 245 ch à 4400 tr/min et 335 lb-pi à 3200 tr/min (5,9) 250 ch à 4400 tr/min et 345 lb-pi à 3200 tr/min (R/T)
Transmission de série : automatique à 4 rapports
Transmission optionnelle : aucune
Freins avant : disques
Freins arrière : tambours
Sécurité active de série : ABS
Suspension avant : indépendante
Suspension arrière : essieu rigide
Empattement : 295,1 cm
Longueur : 491,5 cm
Largeur : 181,9 cm
Hauteur : 182,9 cm
Poids : 1932 kg
0-100 km/h : 10,5 s (4,7) ; 9,5 s (5,9)
Vitesse maximale : 175 km/h
Diamètre de braquage : 11,9 m
Capacité du réservoir d'essence : 95 L
Capacité de remorquage : 3331 à 5530 kg
Consommation d'essence moyenne : 13 L/100 km (3,9L); 15 L/100 km (4,7L) 16 L/100 km (5,9L)
Pneus d'origine : 235/75R15 (sport), 265/70R16 (SLT), 275/60R17 (R/T)
Pneus optionnel : aucun

2e opinion

Philippe Laguë — Les gros VUS, ce n'est pas mon truc. Mais s'il m'en fallait absolument un, je considérerais assurément le Durango. Sur un parcours sinueux, il est moins pataud que bon nombre d'utilitaires, et sa conduite plus inspirée me parle. Et puis, je suis bien obligé d'admettre qu'il a une gueule d'enfer.

forces

- Robustesse
- Moteurs puissants
- Bonne capacité de remorquage

faiblesses

- Consommation notable
- Pont arrière rigide sans souplesse
- Aucun rangement verrouillable

Par Éric Descarries

Nouveauté

DODGE

f i c h e d ' i d e n t i t é

Modèle : Ram 1500
Versions : SLT, SLT, SLT Plus
Segment : camionnettes pleine garndeur
Roues motrices : 4 x 2, 4 x 4
Portières : 2 ou 4
Places : avant, 2 ou 3 ; arrière, 3
Sacs gonflables : 2 frontaux, 2 latéraux, rideau gonflable
Concurrence : Ford Série F, Chevrolet Silverado, GMC Sierra, Toyota Tundra

prix de base • 23 200$

Comme un **couteau suisse**

a u q u o t i d i e n

Prime d'assurance moyenne : 1000 $
Garantie générale : 3 ans/60 000 km
Garantie contre la corrosion : 3 ans/kilométrage illimité
Garantie contre la perforation : 7 ans/160 000 km
Collision frontale : 4/5
Collision latérale : 5/5
Ventes du modèle l'an dernier au Québec : 2857
Dépréciation : 44 %

Les camionnettes ne changent pas aussi régulièrement que les automobiles. Habituellement, la clientèle reste fidèle à la marque qu'elle favorise. Pendant des années, la lutte s'est faite entre Ford et GM; Dodge y jouait un rôle marginal. Comme Ford et GM avaient la plus grosse part du marché, les dirigeants de Chrysler, avec le légendaire Bob Lutz en tête, ont risqué en 1994 le tout pour le tout et complètement refait la grosse Dodge Ram en lui donnant des lignes extraordinaires qui s'inspiraient de celles des poids lourds. Lorsqu'on a dévoilé le produit au Salon de l'auto de Détroit, ce fut la surprise. La Dodge Ram de nouvelle génération connut un succès immense; elle faisait l'unanimité. D'ailleurs, elle figure maintenant parmi les dix véhicules les plus vendus en Amérique. La grande Ram a donc évolué au cours de ces années, innovant même avec des configurations à quatre portes (Quad Cab) et autres. Cependant, il vient un temps où il faut rafraîchir le produit. Ford et GM avaient déjà fait leurs devoirs. Le défi consistait à renouveler la Ram sans la défigurer. Rien de renversant cette fois-ci au niveau de ses lignes. Mais en y regardant de plus près, on constate que la Ram 1500 2002 est presque complètement nouvelle.

CARROSSERIE Tout a été redessiné sur la Ram. Le toit est différent, le pare-brise a un angle plus prononcé, la calandre typique de la Ram est encore plus grande, et les phares ronds sont encastrés dans un bloc optique original. La caisse voit ses renflements de passages de roues allongés, et le panneau arrière est légèrement sculpté. La nouvelle Ram est offerte avec une cabine régulière allongée de trois pouces pour permettre un espace de rangement intéressant derrière le siège. La caisse courte a été raccourcie de trois pouces, mais elle demeure très logeable. Notons qu'il est toujours possible de se procurer la grande caisse de 8 pieds. Dodge a pris soin d'y ajouter des points d'ancrage et quelques encavures permettant d'y placer des supports ou des divisions de bois; autrement, on y reconnaît la configuration traditionnelle. En équipement facultatif, Dodge propose la cabine Quad Cab avec deux

n o u v e a u t é s 2 0 0 2
• Nouveau modèle

portes arrière pleine grandeur, quoiqu'un peu plus étroites que les précédentes. Les concepteurs du véhicule ont tenu à conserver à la Ram son identité propre pour la distinguer de la concurrence.

MÉCANIQUE Toute la mécanique de la nouvelle Ram a été refaite. Le moteur de base est un nouveau V6 à SACT de 3,7 litres; il fait 215 chevaux et offre un couple de 235 livres-pied. Le premier moteur offert en équipement facultatif est le V8 de 4,7 litres de la Grand Cherokee, de la Dakota et de la Durango; il développe 235 chevaux et produit 295 livres-pied de couple. De plus, il est standard avec la cabine Quab Cab ou avec la Ram 4 x 4. L'autre moteur offert par Chrysler est l'ancien V8 de 5,9 litres de 245 chevaux et 335 livres-pied de couple. Tous sont livrables avec la boîte manuelle à cinq rapports, alors qu'on propose une nouvelle boîte automatique à quatre rapports. Le moteur de 5,9 litres recevra l'ancienne transmission automatique. Pour la version à quatre roues motrices, un nouveau boîtier de transfert permet enfin un engagement électronique. grâce à une commande au tableau de bord.

COMPORTEMENT La nouvelle direction à crémaillère vient raffiner la conduite, alors que les freins à quatre disques sont plus rassurants (l'ABS est standard aux roues arrière, mais facultatif aux quatre roues). Le moteur V6 est surtout destiné aux versions de base pour les travaux légers. Il peut être économique, mais on y perd en puissance. Le V8 de 4,7 litres est à l'aise dans un modèle plutôt régulier, mais la nouvelle transmission automatique est certes beaucoup plus douce que l'ancienne. Le gros 5,9 litres, permet de tirer des remorques ou effectuer des travaux lourds. Les changements de rapports de sa boîte automatique sont plus perceptibles.

HABITACLE Comme pour toute bonne camionnette

entrevue

Walter Mc Call

Directeur des communications — Produits

Comment décrire cette nouveauté en quelques lignes?
Chrysler a créé tout un phénomène il y a huit ans avec la Dodge Ram 1994 et son style « poids lourd », et les ensembles les plus avantageux de son créneau. La nouvelle Ram 1500 2002 attaque le marché avec un look encore plus osé et des ensembles qui la distinguent encore plus de ses concurrentes.

Quels en sont les points forts?
Les quatre portes de la cabine Quad Cab, une grande caisse et l'habitacle le plus spacieux de l'industrie. Son allure « poids lourd » avec des roues standard de 17 pouces et des jantes optionnelles de 20 pouces. Les plus gros freins de son créneau avec des disques aux quatre roues. Ajoutons-y les rideaux latéraux gonflables optionnels. Le châssis hydroformé est moins bruyant et la direction à crémaillère permet un meilleur comportement routier.

Où situer le modèle dans votre gamme et par rapport à la concurrence?
Bien en avance, c'est certain!

Quelle est votre clientèle cible?
Nous voulons augmenter notre part du marché. Nous visons donc les propriétaires des marques concurrentes. La nouvelle Ram Quad Cab devrait attirer les acheteurs et les familles qui pensent acheter un utilitaire sportif.

Combien de ventes en 2002?
La politique de Chrysler est de ne pas parler de tels objectifs. Cependant, je peux vous dire que nous voulons vendre tout ce que nous produirons.

galerie

1 • Dodge dessine ses camions à l'image de son logo; beaucoup de caractère.

2 • La Club Cab offre jusqu'à six places en cas de nécessité. De manière plus réaliste, quatre personnes seront confortables.

3 • À gauche, la Ram SLT, avec sa calandre à grille alvéolée chromée, et à droite la Ram Sport, avec une carrosserie monochrome.

4 • Dodge adopte cette année pour la première fois, le châssis hydroformé qui procure une plus grande rigidité.

5 • Sous les sièges escamotables arrière du Club Cab, des panneaux se déploient pour former un plancher uniforme.

forces

- Direction plus précise
- Identité conservée
- Commande électrique de la 4 x 4 offerte

faiblesses

- Moteur de 5,9 litres bruyant
- Portes arrière étroites (Quad Cab)
- Absence d'appuie-tête arrière (Quad Cab)

américaine, la nouvelle Ram est offerte avec une foule d'équipements facultatifs selon les multiples versions : de base, SLT et SLT Plus. Chacune est livrable avec l'ensemble Sport, qui se distingue par sa calandre aux couleurs de la carrosserie. La cabine régulière arrive avec une banquette avant qui se transforme en grand compartiment de rangement et dont l'appuie-bras est rabattable. Il y a même des divisions amovibles. Et, en première, le coussin du centre peut se relever, dévoilant un autre espace de rangement dans le plancher! Répétons le grand rangement derrière le siège (on peut y placer un baril de cinq gallons!) où il y a même un petit coffre escamotable.

Le tableau de bord demeure sobre avec une instrumentation traditionnelle très lisible. Cependant, il m'a paru plus agréable à l'oeil que l'ancien. Il y a un coussin gonflable au centre du volant et un autre devant le passager (il peut être désactivé). En équipement facultatif, Dodge offre des rideaux gonflables. La version Quad Cab a une banquette arrière supplémentaire avec trois jeux de ceintures. Il manque, par contre, des appuie-tête. Le coussin de la banquette se relève 60/40 et un plancher d'acier peut s'y déployer. Comme pour l'avant, il y a des porte-gobelets. Notons que la portière arrière est étroite, mais qu'elle ne nuit pas nécessairement à l'accès.

CONCLUSION Le reste de la gamme des Ram (les 2500 et 3500) est reconduite pour 2002. Il est possible de se procurer un V10 de 8 litres et un six cylindres en ligne Cummins turbodiesel. L'ancienne gamme de moteurs sera remplacée par la nouvelle gamme de l'an prochain. Et ne vous inquiétez pas, le moteur Cummins sera toujours offert, même si Dodge fait partie du groupe DaimlerChrysler dans lequel on retrouve Mercedes-Benz et ses moteurs diesel!

fiche technique

DODGE

Moteur : V6 3,7 L
Autres moteurs : V8 4,7 L, V8 5,9 L
Puissance : 215 ch à 5200 tr/min 235 lb-pi à 4000 tr/min (3,7 L);235 ch à 4800 tr/min et 295 lb-pi à 3200 tr/min (4,7 L) ; 245 ch à 4000 tr/min et 335 lb-pi à 3200 tr/min (5,9 L)
Transmission de série : manuelle à 5 rapports
Transmission optionnelle : automatique à 4 rapports
Freins avant : disques
Freins arrière : disques
Sécurité active de série : ABS aux 4 roues
Suspension avant : indépendante
Suspension arrière : essieu rigide
Empattement : 356,9 cm (cab. rég.); 407,7 cm (cab. all.)
Longueur : 527,6 cm (cab. rég.); 583,4 cm (cab, all.); 634,2 cm (Quad Cab)
Largeur : 201,7 cm
Hauteur : 189 cm (cab. rég.); 93 (cab. all.)
Poids : nd
0-100 km/h : 12 s (3,7 L) ; 11,2 (4,7 L)
Vitesse maximale : 170 km/h
Diamètre de braquage : 12,3 m (base) 14 m (long); 15,9 m (Maxi)
Capacité du réservoir à essence : 117 L (base); 132 L (long et Maxi)
Capacité de remorquage : 3350 kg à 8200 kg
Consommation d'essence moyenne : 13 L/100 km (3,7 L); 15 L/100 km (4,7 L); 16 L/100 km (5,9 L)
Pneus d'origine : 245/70R17, 265/70R17
Pneus optionnels : aucun

2e opinion

Luc Gagné — La nouvelle Ram confirme l'intérêt des consommateurs à l'égard de véhicules qui ont du style: ces véhicules qui deviennent l'extension de leur personnalité... ou de celle à laquelle ils aspirent! Imposante comme un Kenworth et pratique par-dessus tout, donnera-t-elle naissance à une nouvelle génération d'Elvis Gratton qui clameraient en conduisant : « *Think Big... Think Big...* »

Par Éric Descarries

DODGE

évolution

fiche d'identité

Modèle : Dodge Ram Van
Versions : 1500, 2500 et 3500
Segment : fourgonnettes
Roues motrices : arrière
Portières : 2 ou 3
Places : avant, 2; arrière: 4 ou utilisation commerciale
Sacs gonflables : 2 frontaux
Concurrence : Chevrolet Express, Ford Econoline, Freightliner Sprinter, GMC Savana

au quotidien

Prime d'assurance moyenne : 1000$
Garantie générale : 3 ans/60 000 km
Garantie contre la corrosion : 3 ans/kilométrage illimité
Garantie contre la perforation : 7 ans/160 000 km
Collision frontale : 4/5
Collision latérale : 4/5
Ventes du modèle l'an dernier au Québec : 798
Dépréciation : 54%

prix de base • 23 255$

La plus **rétro** des **fourgonnettes**

Les grandes fourgonnettes Ram Van et Ram Wagon sont sans doute les plus rétros de toutes les fourgonnettes. Quand on les regarde de près, on note que leur caisse est exactement la même depuis les années 70! Elle a vraiment fait son temps, et DaimlerChrysler en a annoncé l'abandon dès la fin de cette année; toutefois, elle pourrait bien être reconduite encore pour un temps, puisqu'elle est toujours en demande!

CARROSSERIE Même si DaimlerChrysler en a modifié la partie avant, les Dodge Ram Van (commerciale) et Wagon (tourisme) accusent de l'âge. D'abord, mentionnons que les glaces latérales des portières avant sont devenues trop petites. Une fois au volant, on découvre un pare-brise beaucoup plus bas que celui des véhicules équivalents de la concurrence. Cependant, cette même concurrence est si limitée (Ford Econoline, Chevrolet Express/Chevy Van et GMC Vandura) qu'il y a encore de la place pour la Ram. Éventuellement, elle devrait être remplacée par la Freightliner Sprinter, mais on n'en connaît pas encore assez sur la diffusion de cet autre produit de DaimlerChrysler pour établir des stratégies de vente. Trois carrosseries sont toujours offertes : la courte (la seule de son créneau), la régulière et l'allongée MaxiVan.

MÉCANIQUE Contrairement à la concurrence, la Ram Van et la Ram Wagon de Dodge n'offrent pas de moteur diesel à la clientèle commerciale. Les trois seuls moteurs que la clientèle peut se procurer sont le V6 de 3,9 litres (avec une boîte automatique à trois rapports, ce qui est encore plus archaïque), le V8 de 5,2 litres à culbuteurs (les Ram Van et Ram Wagon sont parmi de rares véhicules de DaimlerChrysler à être équipé de ce vieux moteur) et le puissant V8 de 5,9 litres. Le 5,2 et le 5,9 sont livrables avec une boîte automatique à quatre rapports. Notez également qu'on peut se procurer le 5,2 dans une version à gaz naturel.

COMPORTEMENT Daimler Chrysler a fait plusieurs modifications importantes à la mécanique de la RamVan/Wagon qui rendent sa con-

nouveautés 2002

• Aucune

duite quand même agréable. Même si j'ai critiqué ses glaces trop étroites qui limitent la visibilité, le véhicule n'est pas inconfortable. Dans sa version de tourisme, elle peut se révéler une bonne routière pour de longs trajets. Pour un usage commercial, elle présente certains avantages pratiques, ne serait-ce que sa porte arrière pleine grandeur, unique dans son créneau. Mes derniers essais ont été réalisés au volant d'une version 2500 à moteur 5,9 litres. J'en ai apprécié la puissance et la construction, en général, (sauf pour les bruits parfois agaçants des portières), mais je crois que l'absence d'un moteur diesel nuit encore à sa popularité dans le domaine commercial.

HABITACLE Évidemment, la Ram Van/Wagon n'a subi aucune transformation importante depuis les dernières années. Son tableau de bord est, en effet, aussi rétro que le véhicule lui-même. On peut toutefois apprécier la version de tourisme de cette camionnette, quoiqu'elle ne soit pas suffisamment poussée par le constructeur. Il est intéressant de noter la version Crew Van qui, dans sa configuration commerciale, ajoute une banquette derrière les baquets avant. La MaxiVan 3500 peut asseoir 15 personnes à son bord : vous devez cependant détenir un permis d'autobus pour la conduire. Il est intéressant de noter qu'il y a encore quelques entreprises qui modifient ces Dodge en voiture de camping et caravaning. Dans ce cas, le gros V8 5,9 litres est recommandé; il y est plus à l'aise.

CONCLUSION Réservé d'abord et avant tout pour une utilisation commerciale. Plusieurs combinaisons s'offrent aux propriétaires qui l'utilisent comme outil de travail. Par exemple, la version Tradesman qui offre des tablettes de rangement, des séparations de métal et un porte échelle sur le toit. Le tout installé en usine.

fiche technique

DODGE

Moteur : V6 3,9 L
Autres moteurs : V8 5,2 L, V8 5,9 L
Puissance : 175 ch à 4800 tr/min et 225 lb-pi à 3200 tr/min (3,9); 225 ch à 4400 tr/min et 295 lb-pi à 3200 tr/min (5,2); 245 ch à 4400 tr/min et 335 lb-pi à 3200 tr/min (5,9);
Transmission de série : manuelle à 3 ou 4 rapports
Transmission optionnelle : aucune
Freins avant : disques
Freins arrière : tambours
Sécurité active de série : ABS aux 4 roues
Suspension avant : indépendante
Suspension arrière : essieu rigide
Empattement : 277,6 cm 323,1 cm (long et Maxi)
Longueur : 489,2 cm 529,6 cm (long) 595,6 cm (Maxi)
Largeur : 200,2 cm
Hauteur : 202,4 cm 201,7 cm (Maxi)
Poids : nd
0-100 km/h : nd
Vitesse maximale : 160 km/h
Diamètre de braquage : 12,3 m (base) 14 m (long) 15,9 m (Maxi)
Capacité du réservoir d'essence : 118 L (base) 132 L (long et Maxi)
Capacité de remorquage : 1180 à 3084 kg
Consommation d'essence moyenne : 13 L/100 km (3,9 L) 15 L/100 km (5,2 L) 16 L/100 km (5,9 L)
Pneus d'origine : 235/75R15 (1500); LT225/75R16 (2500); LT245/75R16 (3500)
Pneus optionnels : aucun

forces

- Mécanique robuste
- Bon véhicule commercial
- Intéressante version de tourisme

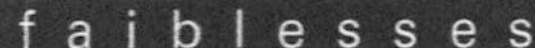

faiblesses

- Visibilité réduite
- Absence de moteur diesel
- Bruits de caisse

Par Éric Descarries

DODGE

f i c h e d'i d e n t i t é

Modèle : Viper
Versions : RT/10, GTS
Segment : sportives de plus de 100 000$
Roues motrices : arrière
Portières : 2
Places : 2
Sacs gonflables : 2
Concurrence : Acura NSX, BMW Z8, Chevrolet Corvette Z06, Ferrari 360 Modena et 550 Maranello, Lamborghini Murciélago, Lotus Esprit

a u q u o t i d i e n

Prime d'assurance moyenne : 2350$
Garantie générale : 3 ans/60 000 km
Garantie groupe motopropulseur : 5 ans/100 000 km
Garantie contre la perforation : 5 ans/160 000 km (extérieur)
Collision frontale : nd
Collision latérale : nd
Ventes du modèle l'an dernier au Québec : 26
Dépréciation : 25%

évolution

prix de base • 106 945$

Le **ministre** des Transports va **capoter!**

Le prototype de la Viper a vu le jour en janvier 1989 au Salon de l'Auto de Détroit. Depuis, cette super-voiture américaine a su redonner une image de performance à la division Dodge de même qu'à la marque Chrysler qui en avait bien besoin. Véritable brute au design assez simpliste, la Viper s'est enrichie d'une version à toit rigide au fil des ans et quelques modifications ont été apportées au design initial. Voici maintenant que Dodge s'apprête à lancer la toute nouvelle génération de la Viper (modèle 2003) qui sera remarquablement fidèle au prototype présenté en janvier 2001 au Salon de l'Auto de Détroit.

CAROSSERIE La prochaine Viper, qui ne sera offerte qu'en version roadster, à été réalisée en partie par le designer Raphaël Gilles, un natif de Montréal, qui a déjà créé les prototypes Jeep Jeepster, Intrepid ESX et Viper GTS-R. M. Gilles est responsable du design intérieur de la Viper 2003, et a collaboré au regard menaçant de la nouvelle silhouette, Le design de la présente version demeure agressif, quoique l'éxécution du concept soit plus raffinée sur ce tout nouveau modèle qui sera légèrement plus court tout en disposant d'un empattement allongé de 2,6 pouces par rapport à la version précédente, et qui sera également plus léger d'environ 67 livres. Le toit souple sera à commande électrique, et les concepteurs promettent déjà qu'il sera plus étanche et plus efficace que celui qui équipe les roadsters de la génération actuelle.

MÉCANIQUE Ce qui troublera notre aimable ministre des Transports ce sont les 500 chevaux et les 500 livres-pied de couple qui seront livrés par le V10 dont la cylindrée sera gonflée à 8,3 litres sur le modèle 2003. Incidemment, cette cylindrée représente l'équivalent de 505 pouces cubes, ce qui permet d'affirmer que la Viper 2003 atteindra le chiffre magique de 500 dans sa cylindrée, sa puissance et son couple. Il s'agit donc d'un gain de puissance de 50 chevaux et d'une augmentation de 10 livres-pied de couple par comparaison avec le modèle actuel, ce qui laisse entrevoir

n o u v e a u t é s 2 0 0 2

• Nouvelle couleur graphite métallique pour modèle actuel • Tout nouveau modèle 2003 à venir

des performances encore plus musclées que les 4 secondes et demie requises pour le sprint de 0 à 100 kilomètres-heure avec la Viper en livrée 2002.

COMPORTEMENT Les concepteurs nous annoncent que le chassis du modèle 2003 à été entièrement revu, que la Viper sera équipée d'une suspension indépendante aux quatre roues, de disques de freins sur-dimensionnés et d'une version améliorée du système antiblocage développée pour la Viper 2001.

HABITACLE Le tachymètre est placé au centre de la planche de bord, alors que les quatre cadrans servant à contrôler les «fonctions vitales» du moteur (température, pression d'huile, etc.) sont placés sur le côté droit, ce qui évoque une fois de plus la même disposition que celle retrouvée sur une véritable voiture de course. Pour continuer sur le même thème, la position de conduite très basse, jumelée à une ceinture de caisse élevée, donne l'impression d'être au volant d'un sous-marin. De plus, la forme oblongue du capot demande beaucoup de dextérité à haute vitesse, en raison de la faible visibilité.

CONCLUSION Le modèle 2003 de la Viper sera la réponse de Dodge à la version améliorée de la Corvette Z06, et son moteur de 405 chevaux. Il y a fort à parier que chez Dodge on sentait que Chevrolet s'approchait un peu trop, et que l'on ait décidé de se redonner une longueur d'avance. Encore et toujours, la Viper ne sera pas une voiture pour tout le monde. Cependant quelque 14 000 exemplaires de cette exotique américaine ont trouvé preneurs chez les amateurs de performance à l'américaine dans le monde justement en raison du fait que la Viper est une sportive «sans compromis».

fiche technique

Moteur : V10 de 8 L
Puissance : 450 ch à 5200 tr/min et 490 lb-pi à 3700 tr/min
Transmission de série : manuelle à 6 rapports
Transmission optionnelle : aucun
Freins avant : disques ventilés
Freins arrière: disques ventilés
Sécurité active de série : ABS
Suspension avant : indépendante
Suspension arrière : indépendante
Empattement : 244 cm
Longueur : 448,5 cm
Largeur : 192,4 cm
Hauteur : 111,7 cm (RT/10); 119,5 cm (GTS)
Poids : 1561 kg (RT/10); 1578 kg (GTS)
0-100 km/h : 4,4 s
Vitesse maximale : 305 km/h
Diamètre de braquage : 12,3 m
Capacité du coffre : 193 L (RT/10); 260 L (GTS)
Capacité du réservoir d'essence : 72 L
Consommation d'essence moyenne : 18 L/100 km
Pneus d'origine : avant; 275/35ZR18 arrière : 335/30ZR18
Pneus optionnels : aucun

2e opinion

Éric Descarries • Chrysler a rapidement réussi à s'implanter sur le marché mondial avec sa puisante Viper. Mais l'auto m'a paru plutôt difficile à conduire. Son impressionnant couple et son pédalier déporté vers la gauche demandent une certaine délicatesse. Le roadster est époustouflant, mais le coupé donne plus de confort. J' ai même essayé une version Venom 650 de plus de 675 chevaux. Quel monstre !

forces

- Puissance inépuisable
- Style plus moderne
- Toit souple plus efficace

faiblesses

- Performances difficilement exploitables
- Confort incertain
- Diffusion limitée

Par Gabriel Gélinas

GRANDE-BRETAGNE

Lotus Elise

Un retour aux sources pour la marque fondée par Colin Chapman et dont l'obsession était la chasse au poids. L'Elise bénéficie en effet d'un excellent rapport poids puissance bien que son moteur ne développe que 120 chevaux, ceci grâce à un châssis en aluminium très réussi. Résultat : avec un 100 km/h atteint en 5,7 secondes, elle accote une Porsche Boxster S, pourtant 2 fois plus puissante. Elle a subi un profond restylage en début d'année, la rendant encore plus désirable.

MG ZT 190

MG-Rover fait ce qu'il peut avec ce qu'il a depuis le départ de BMW. Alors, la très aristocratique Rover 75, rebaptisée MG ZT 190, se pare de l'écusson et du traitement qui l'accompagne. Disparus les chromes, les modifications extérieures flairent l'ambiance *tuning*. A l'intérieur, plus de bois pourtant si typique des voitures anglaises. Le V6 2,5 L gagne 13 chevaux à 190 chevaux. Mais ce qui fait son charme, c'est que la puissance passe par les roues avant sans béquilles électroniques du type antipatinage ou ESP. Un engin vivant donc!

Jensen S-V8

Pour sa renaissance, Jensen avait choisi de relancer la fabrication de son modèle fétiche l'Interceptor. Présentée en 1966 en version FF, elle était la seule voiture dotée d'une transmission intégrale permanente et d'un ABS. Aujourd'hui, Jensen a renouvelé sa gamme. Moins innovatrice, une simple propulsion pensez donc, mais toute aussi agressive que son ancêtre, la S-V8 embarque un moteur de Mustang Cobra de 330 chevaux et atteint le 100 km/h en 5 secondes. Il existe une version cabriolet nommée C-V8.

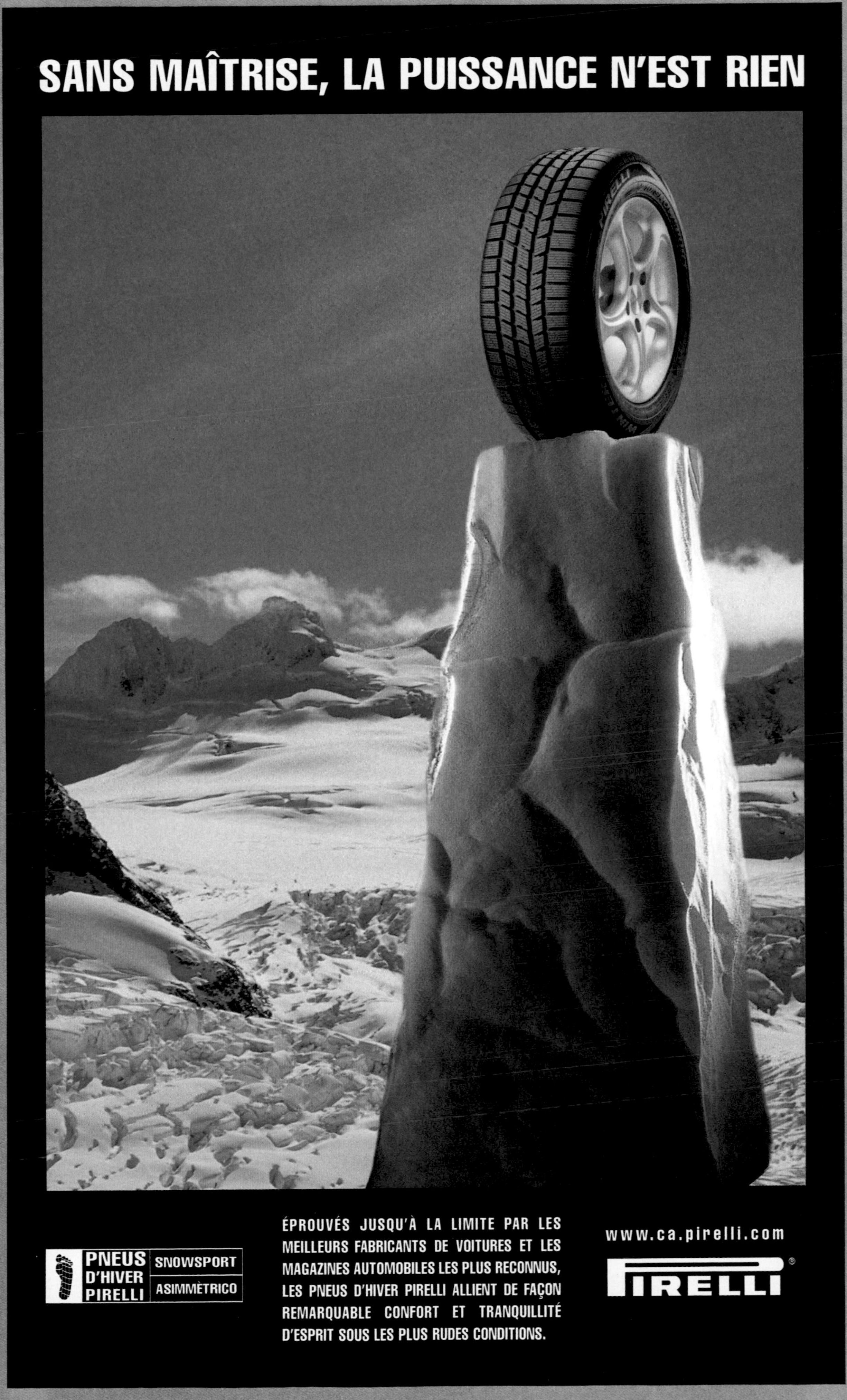
SANS MAÎTRISE, LA PUISSANCE N'EST RIEN
PNEUS D'HIVER PIRELLI
SNOWSPORT
ASIMMÈTRICO
ÉPROUVÉS JUSQU'À LA LIMITE PAR LES MEILLEURS FABRICANTS DE VOITURES ET LES MAGAZINES AUTOMOBILES LES PLUS RECONNUS, LES PNEUS D'HIVER PIRELLI ALLIENT DE FAÇON REMARQUABLE CONFORT ET TRANQUILLITÉ D'ESPRIT SOUS LES PLUS RUDES CONDITIONS.
www.ca.pirelli.com
PIRELLI

FERRARI

fiche d'identité

Modèle : 456M GT/GTA
Versions : GT, GTA
Segment : sportives de 100 000$ ou plus
Roues motrices : arrière
Portières : 2
Places : avant, 2; arrière, 2
Sacs gonflables : 2
Concurrence : Aston Martin DB7, BMW M3, Porsche 911 Turbo, Jaguar XKR, Mercedez-Benz CLK 55 AMG

au quotidien

Prime d'assurance moyenne : 7000 $
Garantie générale : 2 ans/kilométrage illimité
Garantie groupe motopropulseur : nil
Garantie contre la corrosion : nil
Garantie contre la perforation : nil
Collision frontale : nd
Collision latérale : nd
Ventes du modèle l'an dernier au Québec : nd
Dépréciation : 12,9 %

évolution

prix de base • 350 161 $

La *dolce vita*

Première Ferrari à être lancée sous le régime Montezemolo, la 456M GT entame sa neuvième année d'existence. Assurée de passer à l'histoire comme un des classiques de cette marque qui en compte déjà bon nombre, elle a de plus contribué à son renouveau, tout en intégrant deux concepts qui relevaient naguère de l'abstrait à Maranello, soit la rigueur et la fiabilité.

CARROSSERIE Comme l'indiquent les deux dernières lettres de son appellation, la 456M GT joue la carte du grand tourisme. Ses rivales, dans l'essence du moins, ont pour nom BMW M3, Mercedes CLK 55 et Jaguar XKR, mais celle qui s'en rapproche le plus, côté prix et puissance, est sans nul doute l'Aston Martin DB7 V12. Comme elles, la 456M GT est une 2+2, c'est-à-dire qu'elle offre deux places d'appoint à l'arrière — une façon polie de dire qu'elles servent plus à décorer qu'autre chose.

MÉCANIQUE La 456M GT se veut donc la Ferrari « de luxe ». Vocation oblige, elle peut aussi accoupler son gros V12 de 5,5 litres à une boîte automatique à 4 rapports. Elle se voit alors rebaptisée GTA. Avant de crier au sacrilège, sachez qu'elle représente plus du tiers des ventes de ce modèle. Même si les puristes lui préféreront la boîte manuelle à 6 rapports, la GTA n'a pas à rougir du rendement de sa boîte automatique, qui tient la bride des 442 chevaux sans aucune peine. N'allez cependant pas croire que ce superbe moteur manque de caractère, comme en font foi des chiffres assez éloquents, merci : 5,4 secondes pour passer de 0 à 100 km/h (avec la boîte auto) et 298 km/h en pointe! Dans ce dernier cas, nous nous en sommes remis aux données du constructeur, les petites routes sinueuses des Laurentides ne se prêtant guère à ce genre d'exercice.

COMPORTEMENT Munie de l'ABS, de l'antipatinage et d'une suspension pilotée, qui propose deux modes d'utilisation (Touring et Sport), la 456M GTA se montre d'une facilité déconcertante à conduire. De quoi faire oublier la réputation des Ferrari d'antan, plutôt difficiles à dompter. Malgré ses dimensions, on a réussi à main-

nouveautés 2002
- Aucun changement majeur

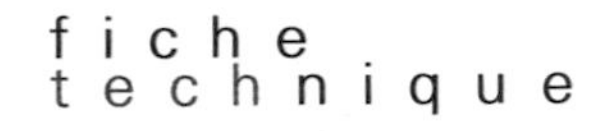

tenir le poids à un niveau raisonnable, grâce à l'utilisation d'aluminium et de matériaux composites. À cela il faut ajouter une excellente répartition des masses et une aérodynamique poussée, qui confèrent à ce volumineux coupé une stabilité impressionnante et une grande aisance dans les virages. Mais on ne peut aller au-delà des lois de la physique et son poids élevé se fait sentir lorsqu'on décide de la pousser un peu plus. Ne vous méprenez pas : comme toute Ferrari qui se respecte, la 456M GTA tient la route de façon remarquable. Mais il ne faut pas s'attendre à l'agilité d'une 360 Modena, ni à l'agressivité de la 550 Maranello. À chacun sa spécialité.

HABITACLE La présentation intérieure marie l'opulence au caractère sportif d'une Ferrari, avec une finition à l'italienne : c'est beau et ça sent le bon cuir. Mais est-ce que ça va tenir? Remarquez, ça semble beaucoup moins artisanal que par le passé, quoique des fois, on a aussi des relents du passé...

Pour le côté pratique, on repassera : les rangements se font rares.

Des trois Ferrari que nous avons pu conduire, la 456M GTA s'est avérée la plus conviviale, grâce notamment à ses superbes baquets, enveloppants et parfaitement rembourrés. Sa douceur de roulement fait le reste. Bref, jamais une Ferrari ne s'est montrée aussi civilisée.

CONCLUSION Toute bonne chose a une fin, aussi faut-il s'attendre à une refonte imminente pour la plus cossue des Ferrari. De sa future remplaçante, on sait peu de choses, sinon qu'elle reprendra la même architecture. Quant au moteur, on parle d'une cylindrée portée à 6 litres et d'une puissance atteignant 500 chevaux. Mais tout cela, bien sûr, n'est que pure spéculation...

FERRARI

fiche technique

Moteur : V 12 5,5 L
Puissance : 442 ch à 6250 tr/min et 398 lb-pi à 4500 tr/min
Transmission de série : manuelle à 6 rapports
Transmission optionnelle : automatique à 4 rapports
Freins avant : disques
Freins arrière : disques
Sécurité active de série : ABS, ASR (contrôle de la traction)
Suspension avant : indépendante
Suspension arrière : indépendante
Empattement : 250 cm
Longueur : 476,3 cm
Largeur : 192 cm
Hauteur : 130 cm
Poids : 1690 kg (GT); 1770 kg (GTA)
0-100 km/h : 5,2 s (man.), 5,5 s (auto.)
Vitesse maximale : 300 km/h
Diamètre de braquage : nd
Capacité du coffre : nd
Capacité du réservoir d'essence : 110 L
Consommation d'essence moyenne : 23 L/100 km
Pneus d'origine : 255/45 ZR17 (avant), 285/40 ZR17 (arrière)
Pneus optionnels : aucun

2e opinion

Alain Mckenna — Imaginez une Ferrari avec une banquette arrière presque utilisable. C'est ce que veut nous faire croire le constructeur italien, mais bon. Entre la 456, la 550 et la 360, c'est probablement le modèle le moins excitant et le plus confortable. Agréable, il va sans dire, avec une transmission automatique bien calibrée et assez de puissance pour apprécier la mécanique dans un confort un peu plus relevé.

forces

- Chef-d'œuvre esthétique
- Confort étonnant
- V12 incomparable

faiblesses

- Prix astronomique
- Poids important
- Modèle en fin de carrière

Par Philippe Laguë

FERRARI

fiche d'identité

Modèle : F360 Mondena
Versions : de base, F1
Segment : sportives de 100 000$ ou plus
Roues motrices : arrière
Portières : 2
Places : avant, 2; arrière, 0
Sacs gonflables : nd
Concurrence : Aston Martin DB7, BMW Z8, Porsche 911 Turbo, Lotus Esprit, Jaguar XKR

au quotidien

Garantie générale : 2 ans/kilométrage illimité
Garantie groupe motopropulseur : nil
Garantie contre la corrosion : nil
Garantie contre la perforation : nil
Collision frontale : nd
Collision latérale : nd
Ventes du modèle l'an dernier au Québec : nd
Dépréciation : 12,9%

évolution

prix de base • Modena 220 950 $ Spyder 247 564 $

Formule 1

La Ferrari 360 Modena est probablement la voiture qui se rapproche le plus d'une monoplace de formule 1, tant par sa conception que par son comportement. Même si elle est la moins coûteuse (sic) des Ferrari, c'est le modèle qui procure à son propriétaire les sensations les plus fortes.

CARROSSERIE Digne héritière des 512 BB, 308, 328 et F355 (oublions la décevante 348), la 360 Modena s'inscrit dans la lignée des berlinettes Ferrari à moteur central. Les amateurs de conduite à ciel ouvert préféreront la Modena Spider, le seul cabriolet de la gamme avant l'arrivée récente de la 550 Barchetta. Comme il se devait, le dessin de la carrosserie a été confié à la prestigieuse maison Pininfarina.

Première Ferrari entièrement réalisée en aluminium, la Modena est moins lourde que sa devancière, la F355, même si elle présente un empattement plus long et si les dimensions de sa carrosserie sont supérieures. Le résultat est impressionnant : cette berlinette fait osciller la balance à 1290 kilos, soit cinq de moins qu'une frêle Porsche Boxster et 250 de moins qu'une 911, rivale avouée de la Modena.

La berlinette et le cabriolet ne peuvent accueillir que deux passagers, pour la bonne et simple raison que le moteur est situé tout juste derrière eux. Par ailleurs, la lunette arrière offre une vue imprenable sur le moteur, véritable oeuvre d'art mécanique. Effet garanti!

MÉCANIQUE Du V8 à haut rendement au système d'admission à géométrie variable, en passant par l'accélérateur électronique et la boîte de vitesses séquentielle électrohydraulique, la contribution de l'équipe de F1 sur la 360 Modena se fait fortement sentir. Les aérodynamiciens de la Scuderia Ferrari ont également collaboré à la conception de la Modena, qui a passé plus de 5000 heures en soufflerie. Son fond plat en fait une véritable voiture à effet de sol, ce qui lui procure une stabilité incomparable à haute vitesse.

Le chiffre de son appellation indique la cylindrée de son V8 (3,6 litres); la puissance se chiffre à 400 chevaux, soit 20 de plus que le 3,5 litres de sa devancière. Ce n'est pas tout : la zone rouge de ce V8 à cinq soupapes par cylindre débute à 8500 tr/min! Démentiel! Pour gérer cette furieuse cavalerie, deux boîtes de vitesses sont proposées : une boîte manuelle longitudinale à six rapports et la boîte séquentielle F1, directe-

nouveautés 2002

• Aucun changement majeur pour 2002

ment issue, comme son nom l'indique, de l'atelier de Fiorano. Vous l'aurez deviné, on l'actionne au moyen de deux petits leviers placés de part et d'autre du volant, l'un servant à monter les rapports, l'autre à rétrograder.

Des freins à disque ventilé munis d'étriers à pistons se chargent d'immobiliser ce paquet de dynamite en moins de temps qu'il ne le faut pour crier Forza Ferrari!

COMPORTEMENT Au chapitre de la tenue de route, il y a la Modena et il y a les autres. Ultra directe et ultra précise, la direction procure une sensation unique à son conducteur, celle de faire corps avec une automobile. Cette même direction est d'une fermeté qui ravira le plus sportif des conducteurs. En bonne propulsion, la Modena se met à survirer lorsqu'on atteint la limite d'adhérence. Mais encore faut-il l'atteindre! Il n'y a que deux façons d'y arriver : en prenant une courbe très, très vite dans la mauvaise trajectoire ou en le faisant exprès.

HABITACLE Même si l'on ne se procure pas une Ferrari pour son côté pratique, il convient de souligner que la Modena marque un net progrès par comparaison avec celle qui l'a précédée. Le confort n'est plus une notion abstraite à bord de ces belles italiennes.

Mais n'oublions pas que la Modena est la pure et dure de la gamme; sans torturer ses passagers, disons qu'elle préfère les revêtements en bon état. Or, comme chacun sait, il s'agit d'une denrée rare chez nous. Toujours dans le rayon pratique, on peut loger des bagages entre les sièges et le compartiment moteur, ainsi que dans la partie avant de la voiture.

CONCLUSION Rien, sinon que la 360 Modena se démarque des deux autres modèles de la gamme Ferrari par son côté extrême, qui en fait le chouchou des puristes.

FERRARI

fiche technique

Moteur : V8 3,6 L
Puissance : 400 ch à 8500 tr/min et 275 lb-pi à 4750 tr/min
Transmission de série : manuelle à 6 rapports
Transmission optionnelle : électro-hydrolique à 6 rapports (F1)
Freins avant : disques
Freins arrière : disques
Sécurité active de série : ABS, contrôle de traction (ASR)
Suspension avant : indépendante
Suspension arrière : indépendante
Empattement : 260 cm
Longueur : 447,7 cm
Largeur : 192,2 cm
Hauteur : 121,4 cm
Poids : 1290 Kg
0-100 km/h : 4,5 s
Vitesse maximale : 295 Km/h
Diamètre de braquage : 10,8 m
Capacité du coffre : 220 L
Capacité du réservoir d'essence : 95 L
Consommation d'essence moyenne : 17 L/100 km
Pneus d'origine : 215/45 ZR18 (devant), 275/40 ZR18 (arrière)
Pneus optionnels : aucun

2e opinion

Alain Mckenna — Ne cherchez pas plus loin la Ferrari idéale. Avec le V12 juste dans notre dos et les sélecteurs de vitesse au volant, toute logique prend le bord tandis que la Modena nous en met plein les yeux et les oreilles. À proscrire si vous désirez respecter les limites imposées par le code de la route, pour tout vous dire...

forces

- Mécanique imposante
- Tenue de route exceptionnelle
- Une véritable Formule Un carrossée

faiblesses

- Confort relatif

Par Philippe Laguë

FERRARI

évolution

fiche d'identité

Modèle : F550 Maranello
Version : unique
Segment : sportives de 100 000$ ou plus
Roues motrices : arrière
Portières : 2
Places : avant, 2; arrière, 0
Sacs gonflables : 2
Concurrence : Aston-Martin DB7, BMW Z8, Porsche 911 Turbo, Lotus Esprit, Jaguar XKR

prix de base • 329 293 $

Un *muscle car* à l'italienne

au quotidien

Garantie générale : 2 ans/kilométrage illimité
Garantie groupe motopropulseur : nil
Garantie contre la corrosion : nil
Garantie contre la perforation : nil
Collision frontale : nd
Collision latérale : nd
Ventes du modèle l'an dernier au Québec : nd
Dépréciation : 12,9%

Il est difficile de rester de marbre devant un objet de vénération comme la Ferrari 550 Maranello. Cette bête de puissance qui a longtemps détenu, jusqu'à l'arrivée de la 360 Modena, le record du tour de la piste d'essais privée de Ferrari à Fiorano, est la preuve qu'un coupé sport à moteur avant peut concurrencer les voitures à moteur central.

CARROSSERIE Les lignes de la 550 reflètent bien d'ailleurs la philosophie de Ferrari en ce qui concerne la conception des coupés à moteur avant. Le châssis en acier tubulaire est recouvert d'une carrosserie en aluminium soudé au moyen d'un alliage particulier, le Feran. Basse et large, avec la partie avant allongée et l'arrière court, les proportions de la voiture sont typiques des créations de Maranello.
Croyez-le ou non, mais les stylistes qui ont dessiné cette 550 ont tenté de la rendre fonctionnelle dans un maximum d'utilisations. Plus sérieusement, toutefois, l'aérodynamique et les bruits causés par le vent ont été les principaux éléments considérés lors de la conception de la carrosserie.

MÉCANIQUE Toutes les pièces qui ne sont pas suspendues ont été fabriquées à partir de matériaux légers pour réduire la masse totale de la 550 Maranello : disques de freins perforés, roues en magnésium, etc. Attaquons maintenant le cœur de la bête : un puissant V12 de 485 chevaux à 7000 tours/minute, et 568,5 livres-pied de couple à partir de seulement 3000 tours / minute. Aluminium, titane et autres alliages légers habillent cet engin de 5,5 litres à quatre soupapes par cylindre. Ai-je besoin de mentionner l'apport de la F1 dans la configuration des cylin-dres? Le collecteur d'admission à géométrie variable ainsi que la pression réglable de l'échappement contribuent à accentuer la courbe du couple à bas régime sans toutefois amputer la puissance maximale du moteur.

COMPORTEMENT Pour un roulement tout en douceur et sans bavure, le système ASR permet d'enrayer les cas de patinage ou de dérapage en limitant le couple du moteur ou en jouant des freins (antiblocage).

nouveautés 2002

• Aucun changement majeur pour 2002

Ce système est réglable : mode normal ou mode sport.
Puisqu'il s'agit d'une propulsion, le poids est réparti plus uniformément entre l'avant et l'arrière ; il en résulte ainsi une tenue de route améliorée. La boîte manuelle à six rapports permet aussi de dompter plus facilement la bête.
Mais si vous osez la laisser se déchaîner ne serait-ce qu'une minute, vous en subirez dès lors les humeurs, bonnes et mauvaises. La tenue de route n'est pas aussi incisive que celle de la 360 Modena, mais elle suffit à donner des sueurs froides dans le dos sans avoir à ouvrir les gaz à fond.
L'insonorisation n'est pas optimale, mais ne pas laisser chanter un tel engin est une hérésie. Ceci dit, on peut trouver agaçant à la longue les divers bruits provenant de la suspension, des freins ou de la caisse qui surviennent de temps en temps.
En ce qui concerne les routes secondaires, il est préférable de modérer ses ardeurs car la suspension rigide n'est pas nécessairement conçue pour les innombrables cahots du pavé de nos belles campagnes verdoyantes.

HABITACLE Pour ce qui est du confort, vous comprendrez qu'on pourrait en écrire long sur l'absence de rangement et sur l'étroitesse des lieux. Mais les fauteuils sont relativement confortables et permettent d'adopter une bonne position de conduite, tout en offrant un soutien lombaire et un maintien irréprochable.
La finition reste boiteuse : au cours de notre essai, la roulette permettant de régler les rétroviseurs s'est enfoncée dans la console centrale, devenant du coup non fonctionnelle ; il en fut de même de la commande de réglage des fauteuils, qui nous est restée dans les mains. Et là, nous parlons d'une voiture de 330 000 $!

CONCLUSION Tandis que la 456 est l'équivalent d'une Grand Tourisme, la 550 Maranello pourrait porter le sympathique sobriquet de *muscle car* italien. Avec un comportement et des sensations qui diffèrent passablement de la 360 Modena, force est d'admettre que les ingénieurs de Ferrari ont relevé le défi en réalisant une sportive à moteur avant qui déplace beaucoup d'air.

fiche technique

Moteur : V12 5,5 L
Puissance : 485 ch à 7000 tr/min et 419 lb-pi à 5000 tr/min
Transmission de série : manuelle à 6 rapports
Transmission optionnelle : aucune
Freins avant : disques
Freins arrière : disques
Sécurité active de série : contrôle de traction (ASR)
Suspension avant : indépendante
Suspension arrière : indépendante
Empattement : 250 cm
Longueur : 455 cm
Largeur : 194 cm
Hauteur : 128 cm
Poids : 1690 kg
0-100 km/h : 4,4 s
Vitesse maximale : 320 km/h
Diamètre de braquage : nd
Capacité du coffre : 185 L
Capacité du réservoir d'essence : 114 L
Consommation d'essence moyenne : 23 L/100 km
Pneus d'origine : 255/40 ZR18 (avant), 295/35 ZR18 (arrière)
Pneus optionnels : aucun

FERRARI

2e opinion

Philippe Laguë — Dans la gamme Ferrari, la 550 Maranello est en quelque sorte le *muscle car*. Son gros moteur placé à l'avant hurle sa puissance haut et fort, tandis que son embrayage et sa boîte de vitesses nécessitent une conduite virile. Côté performances et sensations, c'est quelque chose ! S. V. P., ne pas la confier aux mains du premier venu. À voiture d'exception, conducteur exceptionnel.

forces

- Sensations relevées
- Direction précise
- Freins puissants

faiblesses

- Bruits de mécanique agaçants
- Finition boiteuse
- Prix astronomique

Par Alain Mckenna

FORD

fiche d'identité

Modèle : Econoline
Versions : XL, XLT
Segment : fourgonnettes
Roues motrices : arrière
Places : avant, 2; arrière, 6/9
Sacs gonflables : 2 frontaux
Concurrence : Chevrolet Express, Dodge Ram Van, Freightliner Sprinter, GMC Savanna

au quotidien

Prime d'assurance moyenne : 900 $
Garantie générale : 3 ans/60 000 km
Garantie contre la corrosion : 5 ans/kilométrage illimité
Garantie contre la perforation : 5 ans/kilométrage illimité
Collision frontale : 4/5
Collision latérale : 4/5
Ventes du modèle l'an dernier au Québec : 5487
Dépréciation : 38 %

évolution

prix de base • 28 890 $

La **reine** des grandes fourgonnettes

S'il existe encore un véhicule légendaire dans le créneau des utilitaires, c'est bien la grande Ford Econoline. Malgré son gabarit imposant et les multiples hausses du prix de l'essence, elle a su passer l'épreuve du temps et combler ses utilisateurs depuis des décennies. Le modèle actuel date déjà de dix ans; pourtant, il a toujours sa place. En effet, la demande revient pour les grandes fourgonnettes de tourisme qui offrent plus d'espace que les minifourgonnettes actuelles.

CARROSSERIE Il ne faut donc pas s'attendre à ce que cette fourgonnette, qui domine son créneau d'une façon outrageante, fasse l'objet de nombreux changements de la part de Ford. Cependant, on ajoutera une nouvelle version, la Traveler, au modèle E350 XLT; cette nouvelle version est offerte depuis l'an dernier, particulièrement aux États-Unis. Les Econoline seront toujours proposées en versions E-150, E-250 et E-350, à caisses régulière et allongée pour les deux derniers modèles. Les E-450 et les E-550 à venir sont des modèles tronqués créés à des fins commerciales ou encore pour servir de base à des maisons motorisées.

MÉCANIQUES Ford offre plusieurs moteurs aux acheteurs d'Econoline dont le V6 de 4,2 litres de base pour la version E-150. Mais la plupart des consommateurs opteront pour l'un des deux V8 de 4,6 ou de 5,4 litres jumelé à la boîte automatique à quatre rapports surmultipliée (la seule offerte). Les E-250 et suivantes se doivent de recevoir au minimum le V8 de 5,4 litres; pour ce qui est des E-350, même si le V8 peut très bien faire l'affaire, on peut se procurer un V10 de 6,8 litres. À partir des E-350, les utilisateurs commerciaux pourront également choisir, en équipement facultatif, le V8 turbodiesel de 7,3 litres. Comme ce moteur est très coûteux, il serait bon de s'assurer, avant de le commander, que l'argent investi sera recouvré à même les économies de carburant, ce qui n'est pas évident.

COMPORTEMENT Évidemment, les Econoline sont de bons tracteurs de roulottes. Elles affichent une capacité de remorquage de 6100 livres avec le V8 de 4,6 litres pour la

nouveautés 2002

• Version Traveler offerte sur la E350 XLT • Colonne de direction réglable pour tous les modèles • Plusieurs révisions des accessoires intérieurs

E-150 et de 6500 livres avec le 5,4 litres offert en équipement facultatif. Elles peuvent même être équipées de grands rétroviseurs et de l'attelage de classe IV monté au châssis pour cet exercice avec la Traveler. Les passagers jouiront de plus de confort à l'avant qu'à l'arrière en raison de la rigidité de la suspension du pont arrière. Comme l'Econoline est une propulsion, elle n'est pas toujours à l'aise dans la neige ou sur la glace. Quatre bons pneus d'hiver s'imposent alors et peut-être même un peu de poids sur les roues arrière. Mais pour le chauffage, les passagers seront comblés. La conduite urbaine n'est pas toujours facile en raison de son grand encombrement, mais la conduite sur la route (sauf pendant les journées de grands vents latéraux) est une révélation. Il va de soi qu'on ne s'attend pas à une tenue de route de sportive, mais les conducteurs d'Econoline le savent et conduisent cette fourgonnette avec plus de prudence. La consommation n'est pas exemplaire, ce à quoi on doit s'attendre avec une aussi grande camionnette. Incidemment, il est préférable d'opter pour les moteurs à essence si l'on veut voyager aux États-Unis car on ne trouve pas toujours facilement du carburant diesel à l'extérieur des grands centres et sur les routes secondaires.

HABITACLE Les consommateurs qui ont une Econoline comme base à leur motorisé, seront d'accord pour dire que la position de conduite est intéressante, et la visibilité, très bonne. Si l'on prévoit opter pour un moteur un tant soit peu puissant (je suggère au moins le 5,4 litres), on obtiendra une fourgonnette de tourisme intéressante qui loge facilement une petite famille en tout confort. Les passagers de grande taille auront amplement d'espace; de plus, pour un long voyage, il y a beaucoup d'espace pour les bagages. Les glaces latérales teintées aident à dissimuler vos effets personnels du regard des curieux.

CONCLUSION Les Econoline ne conviennent pas à tout le monde. Mais si vous êtes un entrepreneur commercial, un grand voyageur ou, même, un sportif avec beaucoup d'équipement coûteux, voilà une alternative intéressante aux mini-fourgonnettes pas toujours logeables.

fiche technique

Moteur : V6 4,2 L
Autres moteurs : V8 4,6 L ; V8 5,4 L ; V8 TDI Powerstroke 7,3 L ; V10 Triton 6,8 L
Puissance : 205 ch à 4750 tr/min et 250 lb-pi à 3000 tr/min (V6); 220 ch à 4500 tr/min et 290 lb-pi à 3250 tr/min (V8 4,6 L); 260 ch à 4500 tr/min et 350 lb-pi à 2300 tr/min (V8 5,4 L) 250 ch à 2600 tr/min et 505 lb-pi à 1600 tr/min (V8 TDI); 310 ch à 4250 tr/min et 425 lb-pi à 3250 tr/min (V10)
Transmission de série : automatique à 4 rapports
Transmission optionnelle : aucune
Freins avant : disques
Freins arrière : tambours (E-150) disques (E 350)
Sécurité active de série : ABS aux quatres roues
Suspension avant : indépendante
Suspension arrière : essieu rigide
Empattement : 350,5 cm
Longueur : 538,3 cm ; allongé : 589 cm
Largeur : 201,4 cm
Hauteur : E-150 : 205,4 cm ; E-350 : 211,8 cm ; E-350 allongé : 213,6 cm
Poids : nd
0-100 km/h : 15,6 s (V6); 15 s (V8 4,6)
Vitesse maximale : 160 km/h
Rayon de braquage : nd
Capacité du réservoir d'essence : 132 L
Consommation d'essence moyenne : 14 L/100 km (V6);14,5/100 km (V8 4,6 L) 15,5/100 km (V8 5,4); 15 L/100 km (V8 TDI); 18 L/100 km (V10)
Pneus d'origine : P235/75R15
Pneus optionnels : P225/74R16, P245/75R16

2e opinion

Alain Mckenna — J'ai déjà déménagé un 5 1/2 entier avec le seul usage d'un Econoline. Vous voulez parler d'espace intérieur? Évidemment, les sièges sont un peu durs et la visibilité étrangement incertaine, sans parler du freinage trèèès progressif lorsque le fourgon est vide. Mais comme le veut l'adage : il faut bien trouver quelque chose à rechigner !

forces

- Beaucoup d'espace intérieur
- Robustesse légendaire
- Bon choix de moteurs

faiblesses

- Consommation élevée
- Gabarit imposant en ville
- Tenue de route délicate

Par Éric Descarries

évolution

FORD

fiche d'identité

Modèle : Escape
Versions : XLS, XLT
Segment : utilitaires compacts
Jumeau : Mazda Tribute
Roues motrices : avant et 4 x 4
Portières : 4
Places : avant, 2 ; arrière, 3
Sacs gonflables : 2 frontaux et 2 latéraux (option)
Concurrence : Chevrolet Tracker, Honda CRV, Hyundai Santa Fe, Jeep Liberty, Kia Sportage, Land Rover Freelander, Mazda Tribute, Nissan Xterra, Saturn Vue, Subaru Forester, Suzuki Vitara et Grand Vitara, Toyota Rav4

au quotidien

Prime d'assurance moyenne : 900 $
Garantie générale : 3 ans/60 000 km
Garantie contre la corrosion : 5 ans/kilométrage illimité
Garantie contre la perforation : 5 ans/kilométrage illimité
Collision frontale : 5/5
Collision latérale : 5/5
Ventes du modèle l'an dernier au Québec : 538
Dépréciation : nouveau modèle

prix de base • 21 510 $

Utilitaire de bitume

Introduit l'an dernier en même temps que son cousin germain, le Mazda Tribute, l'Escape revient en 2002 avec très peu de changements. Petit utilitaire à deux ou à quatre roues motrices mis en marché pour damer le pion à certains constructeurs asiatiques qui connaissent un succès certain avec leurs petits 4RM, l'Escape devrait profiter de la popularité de son grand frère, l'Explorer, pour tirer son épingle du jeu. De plus, l'expertise nippone a contribué à créer un petit utilitaire traditionnel et fiable.

CARROSSERIE D'allure sobre et moderne, l'Escape est l'exemple à suivre chez Ford en ce qui concerne la gamme des utilitaires. Construit sur une plate-forme conçue de concert avec Mazda, sa carrosserie monocoque en fait l'un des plus confortables de sa catégorie, tout en lui conférant une tenue de route digne de ce nom. De plus, l'Escape se classe parmi les véhicules les plus sûrs de ce créneau. Mais rien n'est parfait ! Il souffre d'un sérieux problème d'insonorisation qui rend désagréable la conduite sur l'autoroute pour des trajets de moyenne ou de longue durée. Quant à la visibilité, elle est passable.

MÉCANIQUE L'Escape partage également ses deux motorisations avec le Tribute. Il s'agit d'un quatre cylindres en ligne et d'un V6 délivrant respectivement 130 et 200 chevaux. Le premier peine à la tâche, comme en témoignent ses timides accélérations, en raison d'un rapport poids/puissance défavorable. Comme un malheur ne vient jamais seul, la boîte manuelle, offerte sur la version de base (XLS), est une atrocité du genre. Quant au V6, il gronde beaucoup, mais ses statistiques se rapprochent un peu de ce qu'on peut espérer obtenir de la part d'un utilitaire Ford, bien que les reprises exigent une bonne planification des dépassements.

La suspension est bien assortie à l'Escape : le roulis n'est pas aussi agaçant que sur certains utilitaires plus gros de Ford, et les chocs sont absorbés efficacement. Idéal pour la conduite hors-route « civilisée », en somme. La version XLS offre la traction avant de série et à quatre roues motrices en

nouveautés 2002

• Fauteuils électriques de série sur la version XLT • Chargeur de six DC de série sur la version XLT

À trois, disons que les enfants y seront plus à l'aise. À l'avant, on remarque tout de suite que certains composants du tableau de bord proviennent de chez Mazda, Ford nous ayant naguère habitué à moins de raffinement.

équipement facultatif, tandis que la version XLT offre le rouage intégral de série.

COMPORTEMENT Pour tout dire, l'Escape se conduit plus comme une voiture que comme un utilitaire. Cela pose donc un problème, puisqu'il présente plusieurs défauts qu'on pardonnerait d'emblée à un vrai 4 x 4 : niveau sonore élevé, visibilité réduite, étroitesse des places arrière (si vous désirez y entasser trois passagers). Les amateurs de conduite hors-route seront satisfaits, mais les citadins qui ne font que de la conduite urbaine risquent d'être un peu froissés.

HABITACLE Le coffre est étonnamment spacieux pour un véhicule de ce gabarit. En fait, les dossiers rabattables (60/40) de la banquette arrière le rendent très convivial pour un usage normal. Les portières arrière sont nettement mieux conçues que sur d'autres utilitaires. Deux personnes peuvent confortablement prendre place à l'arrière.

CONCLUSION Ford avait la folie des grandeurs, il y a à peine quelques années, lorsque l'Expedition, puis l'Excursion sont apparus coup sur coup. Avec l'Escape, la firme de Dearborn complète sa gamme d'utilitaires en offrant un modèle qui représente mieux la nouvelle philosophie écolo de son président, Jac Nasser. En laissant le soin aux ingénieurs de Mazda de concevoir—en partie—le véhicule, Ford a aussi effectué un bon coup.

fiche technique

Moteur : 4 cyl. DACT Zetec 2 L
Autre moteur : V6 Duratec 3 L
Puissance : 130 ch à 5400 tr/min, 125 lb-pi à 4500 tr/min
Autres moteurs : 200 ch à 5900 tr/min, 195 lb-pi à 4700 tr/min
Transmission de série : manuelle à 5 rapports
Transmission optionnelle : automatique à 4 rapports
Freins avant : disques
Freins arrière : tambours
Sécurité active de série : ABS, 4 roues motrices
Suspension avant : indépendante
Suspension arrière : indépendante
Empattement : 261,8 cm
Longueur : 439,5 cm
Largeur : 178 cm
Hauteur : 175,5 cm
Poids : 1393 kg
0-100 km/h : 11,4 s (V6)
Vitesse maximale : 180 km/h
Diamètre de braquage : 10,8 m
Capacité de remorquage : 1588 kg (avec moteur V6 et ensemble de remorquage II)
Capacité du coffre : 934 L
Capacité du réservoir d'essence : 58 L (moteur Zetec) ; 62 L (moteur Duratec)
Consommation d'essence moyenne : 12,8 L/100 km (V6) ; 10,3 L/100 km (4 cyl.)
Pneus d'origine : 225/70R15 (4 cyl.), 235/70R16 (6 cyl.)
Pneus optionnels : aucun

2e opinion

Benoit Charette — Ford, qui ne compte plus le nombre de ses camions, en a ajouté un autre l'an dernier : l'Escape. Ce «petit» 4 x 4 suit la nouvelle vague d'utilitaires de bitume qui ont pour principal avantage d'être sûrs. Le V6 est fortement conseillé, alors que le quatre cylindres manque nettement d'énergie pour traîner la carcasse.

forces

- Coffre spacieux
- Finition intérieure soignée
- Confort appréciable
- V6 bien adapté

faiblesses

- 4 cylindres à éviter
- Insonorisation à améliorer
- Visibilité moyenne

Par Alain Mckenna

FORD

fiche d'identité

Modèle : Excursion
Versions : XLT et Limited
Segment : utilitaires
Roues motrices : 4 x 2 et 4 x 4
Portières : 4
Places : avant, 2; arrière, 6
Sacs gonflables : 2 frontaux
Concurrence : Chevrolet Suburban, GMC Yukon Denali XL, Hummer H2

au quotidien

Prime d'assurance moyenne : 1000 $
Garantie générale : 3 ans/60 000 km
Garantie contre la corrosion : 5 ans/kilométrage illimité
Garantie contre la perforation : 5 ans/kilométrage illimité
Collision frontale : 5/5
Collision latérale : 5/5
Ventes du modèle l'an dernier au Québec : 284
Dépréciation : 30 % (un an)

évolution

prix de base • 41 315 $

Plus **gros** que **gros**

Voulez-vous conduire un véhicule vraiment gros ? Alors, faites l'essai du Ford Excursion. On peut se demander pourquoi Ford a créé un tel mastodonte, mais il faut comprendre que GM avait le monopole dans ce créneau avec ses Suburban depuis des années. Ne pouvant laisser son éternelle concurrente s'accaparer de ce marché, Ford a utilisé comme base sa série F Super Duty pour créer le plus grand utilitaire sport offert en Amérique du Nord.

CARROSSERIE Un peu comme on reconnaît la F-150 quand on regarde l'Expedition, de la même manière, on reconnaîtra l'avant d'une F-250 Super Duty en regardant l'Excursion. Seule la calandre a été modifiée. L'Excursion est une grande familiale qui peut accueillir jusqu'à neuf passagers et comporte un espace de chargement arrière imposant. On y accède d'ailleurs en ouvrant la lunette du hayon et deux battants immenses. Le tableau de bord est également, à peu de choses près, le même que celui d'une Super Duty.

MÉCANIQUE Comme l'Excursion peut aussi servir de véhicule commercial, il est offert en propulsion ou en quatre roues motrices sur commande. Le moteur de base est un V8 de 5,4 litres qui n'est pas offert avec la 4RM; ce qui est compréhensible, puisqu'il peine déjà à tirer la grande masse de l'Excursion. En équipement facultatif, on peut se procurer le V10 à essence qui est standard avec le 4 x 4. Ce moteur est très puissant et plus à l'aise dans cette grande caisse. Mais bon nombre d'acheteurs opteront pour le V8 turbodiesel de 7,3 litres offert en équipement facultatif. La seule boîte de vitesses qu'on peut se procurer demeure l'automatique à quatre rapports. Le freinage est assuré par quatre disques avec le système d'antiblocage.

COMPORTEMENT Conduire un Excursion demande une certaine adaptation. Son imposant gabarit n'en fait certes pas le véhicule idéal en ville. Mais sur l'autoroute, il est très à l'aise. Sa grande visibilité au volant donne l'impression de dominer la route. Ses performances ne sont pas étincelantes en raison de son poids, mais il se débrouille bien. Plusieurs auto-

nouveautés 2002

- Nouveau rétroviseurs télescopiques et rabattables
- Chaîne audiovisuelle familiale
- Réglage électrique des pédales de série

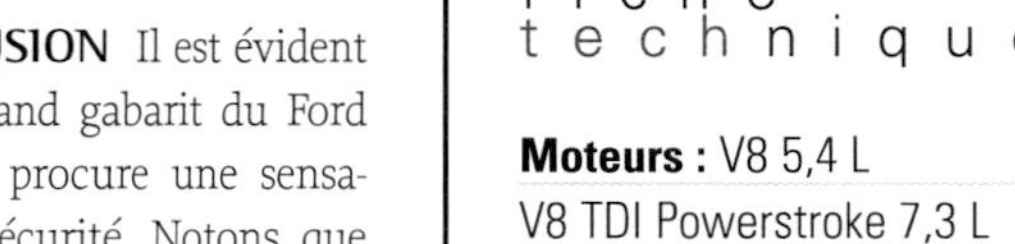

mobilistes choisiront ce gros et puissant véhicule pour tirer une roulotte sur de grandes distances, une tâche dont il s'acquitte avec facilité. C'est d'ailleurs à cet effet qu'il a été conçu. Quant à la consommation, il faudra y penser à deux fois. Mais la plupart des gens qui l'achèteront n'auront pas une moyenne annuelle de kilométrage très élevée, respectant de ce fait ses fonctions spécifiques.

HABITACLE L'intérieur est assez sobre. De base, on a une banquette 60/40 à l'avant, mais on peut obtenir des baquets en équipement facultatif. Les banquettes centrale et arrière acceptent chacune trois passagers. La finition Limited présente une sellerie de cuir. L'accès à l'intérieur n'est pas très facile en raison de la hauteur et de la garde au sol du véhicule; mais un marchepied en facilite l'opération. Pour les conducteurs moins grands, Ford propose le pédalier électrique réglable en équipement de série.

CONCLUSION Il est évident que le grand gabarit du Ford Excusion procure une sensation de sécurité. Notons que Ford a installé des pare-chocs dissimulés plus bas sous les grands pare-chocs chromés en cas d'impact avec les voitures, question d'être à la même hauteur. Le marché des Excursion est assez restreint, et l'on se demande si Ford continuera de la construire encore longtemps. Cependant, il est indéniable que ce grand utilitaire peut se révéler à la hauteur dans certaines situations bien précises où peu d'utilitaires peuvent le faire. D'autre part, Ford doit encore composer avec la grande popularité des Chevrolet Suburban et GMC Yukon XL. Voilà une autre bonne raison de garder l'Excursion dans la gamme des véhicules Ford.

fiche technique

FORD

Moteurs : V8 5,4 L
V8 TDI Powerstroke 7,3 L
V10 Triton 6,8 L
Puissance : 255 ch à 4500 tr/min et 350 lb-pi à 2500 tr/min (V8); 250 ch à 2600 tr/min et 505 lb-pi à 1600 tr/min (V8 TDI); 310 ch à 4250 tr/min et 425 lb-pi à 3250 tr/min (V10)
Transmission de série : automatique à 4 rapports
Transmission optionnelle : aucune
Freins avant : disques
Freins arrière : disques
Sécurité active de série : ABS aux quatres roues
Suspension avant : indépendante
Suspension arrière : essieu rigide
Empattement : 348 cm
Longueur : 575,8 cm
Largeur : 203 cm
Hauteur : 202,4 cm
Poids : 3270 kg
0-100 km/h : 15 s (V8); 12,7 s (V10)
Vitesse maximale : 150 km/h
Diamètre de braquage : 14,3 m
Capacité du coffre : 1360 L (derrière 3e banc)
4145 L (bancs abaissés)
Capacité du réservoir d'essence : 166 L
Consommation d'essence moyenne : 15 L/100 km (V8 TDI) 18 L/100 km (V10)
Pneus d'origine : LT265/75R16
Pneus optionnels : aucun

2e opinion

Benoit Charette — Dernier maillon de la chaîne des gros utilitaires, l'Excursion s'adresse à un public spécifique. Outre sa consommation gargantuesque et son encombrement gênant, nul utilitaire, à l'exception d'un autobus, n'offre autant d'espace de rangement à l'intérieur, avec 10 000 livres de capacité de remorquage en prime.

forces

- Excellente capacité de remorquage
- Grande routière
- Espace intérieur imposant

faiblesses

- Consommation délirante
- Conduite urbaine difficile
- Puissance un peu juste

Par Éric Descarries

évolution

FORD

fiche d'identité

Modèle : Expedition
Versions : XLT, Eddie Bauer
Segment : utilitaires grand format
Jumeau : Lincoln Navigator
Roues motrices : 4 x 4
Portières : 4
Places : avant, 2 à 3; arrière, 7
Sacs gonflables : 2 frontaux
Concurrence : Chevrolet Tahoe, Dodge Durango, GMC Yukon, Denali et Yukon XL, Hummer H2, Mercedes-Benz Classe G, Toyota Sequoia

prix de base • 41 255 $

au quotidien

Prime d'assurance moyenne : 1000 $
Garantie générale : 3 ans/60 000 km
Garantie contre la corrosion : 5 ans/kilométrage illimité
Garantie contre la perforation : 5 ans/kilométrage illimité
Collision frontale : 5/5
Collision latérale : 5/5
Ventes du modèle l'an dernier au Québec : 581
Dépréciation : 43,7 %

En **attendant** un modèle **amélioré**

Lorsque Ford a lancé son grand utilitaire Expedition en 1997, il a non seulement pris la concurrence par surprise, mais il a également réussi à convaincre certains consommateurs qu'ils avaient besoin d'un véhicule de ce gabarit. Il faut avouer que, à cette époque, seule General Motors produisait d'aussi gros utilitaires. Mais la tendance se dessinait vers ce genre de véhicules, et il fallait réagir vite.

CARROSSERIE La solution la plus simple consistait à prendre une camionnette Ford F-150 comme base et à lui adapter une carrosserie du type familiale en retouchant un peu les éléments mécaniques pour rendre la camionnette plus confortable. Par conséquent, l'Expedition nous est apparu avec un avant de F-150 dont la calandre a été modifiée. Un modèle qui avait fait fureur quelques mois auparavant.

MÉCANIQUE Depuis son introduction, l'Expedition n'a pas changé. Voilà pourquoi Ford nous promet une version 2003 qui sera révisée au cours de l'hiver 2002. Son moteur de base est un V8 de 4,6 litres un peu plus puissant que la version d'origine. Il est aussi possible de se procurer un 5,4 litres en équipement facultatif (de série dans la version Eddie Bauer). Le 5,4 litres est plus à l'aise dans cette grande caisse, surtout si l'on compte tirer une remorque. La seule transmission possible est une automatique à quatre rapports qui fait bien son travail. Les Expedition vendus au Canada sont à quatre roues motrices sur commande, une fonction qui s'active grâce à un simple bouton rotatif au tableau de bord. En fait, on peut même la placer en mode automatique (traction intégrale).

COMPORTEMENT En raison du gabarit imposant du véhicule, la consommation de carburant est élevée. La conduite urbaine n'est certes pas facile avec l'Expedition; on ne le gare pas facilement et l'on ne passe pas dans tous les garages souterrains des grandes villes. Par contre, il est à l'aise en banlieue et très utile à ceux qui transportent petite famille ou équipes sportives. Sur les autoroutes, l'Expedition

nouveautés 2002

• Chaîne audio familiale en option

un sonar au pare-chocs arrière lorsqu'on doit faire marche arrière. Inutile de vous préciser que la visibilité lors de l'exécution d'une telle manœuvre n'est pas facile, étant donné les dimensions imposantes de l'Expedition.

est encore plus à l'aise. Et, avec le 5,4 litres, c'est un tracteur de remorques idéal.

HABITACLE L'intérieur de cette grande familiale est invitant, car il offre beaucoup d'espace. Les banquettes avant et centrale sont divisibles 60/40, mais on peut également se procurer des baquets en équipement facultatif. Pour ce qui est de la troisième banquette, plus petite et située à l'arrière, elle est utile pour de petites personnes sur un court trajet. S'y rendre et s'y asseoir peut demander un minimum de souplesse. On peut enlever cette petite banquette, car elle est sur roulettes. Le tableau de bord s'inspire de celui de la F-150, mais Ford lui a ajouté des touches de luxe pour mieux l'adapter à son nouveau rôle. En équipement facultatif, il est possible d'obtenir des sacs gonflables latéraux aux fauteuils avant. Ford propose un autre accessoire facultatif intéressant :

CONCLUSION La version 2003 ne sera qu'une version retouchée de cet utilitaire. Logiquement, il devrait avoir les mêmes qualités et les mêmes défauts que la version actuelle. En passant, il est possible de rouler hors-route avec l'Expedition, ce que peu de ses propriétaires feront. Mais équipé des pneus appropriés, il est aussi un atout en situation hivernale. C'est un véhicule recommandable, si l'on a besoin d'un tel gabarit, il va sans dire.

FORD

fiche technique

Moteur : V8 SACT 4,6 L
Autres moteurs : V8 SACT 5,4 L
Puissance : 215 ch à 4400 tr/min et 290 lb-pi à 3250 tr/min
Autres moteurs : 260 ch à 4500 tr/min et 345 lb-pi à 2300 tr/min
Transmission de série : automatique à 4 rapports
Transmission optionnelle : aucune
Freins avant : disques
Freins arrière : disques
Sécurité active de série : ABS
Suspension avant : indépendante
Suspension arrière : essieu rigide
Empattement : 302 cm
Longueur : 519,7 cm
Largeur : 200,4 cm
Hauteur : 194,6 cm
Garde au sol : nd
Poids : 2571 kg
0-100 km/h : 11,5 s (4,6 L); 10,9 s (5,4 L)
Vitesse maximale : 160 km/h
Diamètre de braquage : 12,3 m
Capacité de remorquage : nd
Capacité du coffre : 280 L
Capacité du réservoir d'essence : 113 L
Consommation d'essence moyenne : 19 L/100 km
Pneus d'origine : 255/70R16, 265/70R17 (Eddie Bauer)
Pneus optionnels : aucun

2e opinion

Benoit Charette — Est-ce le prix de l'essence ou la conscience collective qui vient de se réveiller? Les ventes de l'Expedition ont pratiquement diminué de moitié au Québec l'an dernier. Même si l'on se sent très en sécurité au volant, la forte consommation d'essence en a fait réfléchir plus d'un.

forces

- Bonne capacité de remorquage
- Vaste intérieur
- Grande routière

faiblesses

- Accès à la troisième banquette difficile
- Consommation élevée
- Gabarit imposant

Par Éric Descarries

nouveauté

FORD

fiche d'identité

Modèle : Explorer
Versions : XLS, XLT, Eddie Bauer, Sport, Sport Trac
Segment : utilitaires intermédiaires
Roues motrices : 4 x 4
Portières : 4, 2 (sport)
Places : avant, 2 ; arrière 3 et 2 (sport)
Sacs gonflables : 2
Concurrence : Jeep Grand Cherokee, Mercedes-Benz Classe M, Nissan Pathfinder, Suzuki XL7, Toyota 4Runner et Highlander, Lexus RX 300, Dodge Durango, Chevrolet TrailBlazer, GMC Envoy, Oldsmobile Bravada

au quotidien

Prime d'assurance moyenne : 875 $
Garantie générale : 3 ans/60 000 km
Garantie contre la corrosion : 5 ans/kilométrage illimité
Garantie contre la perforation : 5 ans/kilométrage illimité
Collision frontale : 4/5
Collision latérale : 5/5
Ventes du modèle l'an dernier au Québec : 2204
Dépréciation : 51 %

prix de base • 37 370 $

Solide dans la controverse

Avec la guerre des relations publiques qu'elle livre maintenant à Firestone en raison de la faiblesse des pneus d'origine de l'Explorer, et compte tenu des milliards de dollars perdus par chacun des deux fabricants, Ford devait faire face à un choix crucial concernant son utilitaire : le faire disparaître ou le laisser sur le marché ? Et si elle le laisse sur le marché, doit-elle lui donner un autre nom ? Enfin, Ford a retardé la mise en marché de l'Explorer 2002 pour éliminer les défauts de fabrication et ainsi éviter les rappels éventuels.

CARROSSERIE Une nouvelle calandre et un rafraîchissement des lignes pour les rendre plus conformes au goût du jour donnent à l'Explorer une touche de sobriété évidente. De plus, on a abaissé le pare-chocs avant pour le placer à la hauteur de ceux des voitures, question de sécurité pour tout le monde. Sur la route, la sensibilité aux vents latéraux ne tarde pas à se faire sentir. Ne l'oublions pas, l'Explorer est presque aussi haut qu'il est large, ce qui le rend particulièrement vulnérable.

MÉCANIQUE Deux moteurs sont offerts sur le modèle 2002 de l'Explorer. Le V6 de 4 litres, proposé en équipement de série, développe 210 chevaux à 5250 tr/min et produit un couple de 250 livres-pied à 4000 tr/min. Vous pouvez également vous procurer en option un puissant V8 de 4,6 litres de 240 chevaux à 4750 tr/min produisant un couple de 280 livres-pied à 4000 tr/min. À moins d'avoir réellement besoin d'une capacité de remorquage exceptionnelle pour des besoins particuliers, le V6 de série est amplement suffisant pour combler les attentes de la majorité des consommateurs d'utilitaires. À titre d'exemple, tirer une roulotte ou un voilier aux dimensions modestes ne devrait pas être une tâche trop ardue. Grâce à la transmission automatique, les reprises sont efficaces sans faire rugir inutilement le moteur qui est, d'ailleurs, agréablement silencieux à vitesse constante.
Là où l'Explorer présente une amélioration notable, c'est sans contredit du côté de la

nouveautés 2002

- Suspension arrière indépendante
- Rideaux gonflables latéraux
- Lunette arrière qui s'ouvre indépendamment

suspension, qui est remarquablement plus ferme cette année. On est encore loin de la perfection, surtout quand le véhicule n'est pas chargé; on peut quand même dire qu'elle s'améliore. La mollesse de la suspension qui caractérisait la version précédente de l'Explorer a laissé place à une sensation de conduite qui s'éloigne un peu plus de l'Econoline pour se rapprocher davantage de celle d'une Taurus.

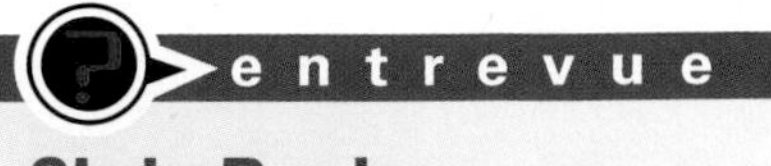

Ceci dit, les dimensions du véhicule le rendent peu pratique, surtout si vous désirez vous adonner à du hors-route plus intense. Cependant, son comportement dans les chemins un peu plus cahoteux pourrait faire des jaloux. En fait, comme il s'agit du modèle intermédiaire d'une grande famille de véhicules utilitaires, l'Explorer se place précisément entre l'Escape, dont le tempérament est plus volontaire, et l'Expedition, qu'on ne peut garer dans tous les garages souterrains des grandes villes.

Spacieux, l'Explorer offre la possibilité d'ajouter une troisième rangée de sièges. La suspension arrière à roues indépendantes offre le même confort qu'une auto, tant en ville que hors des sentiers battus; voilà qui est remarquable!

en matière de sécurité, Ford offre un nouveau système de sacs gonflables du type rideau pour parer aux impacts de côté ainsi que des capteurs de protection antitonneaux. Un système antidérapage est aussi offert en équipement de série sur l'Explorer.

COMPORTEMENT

Évidemment, le comportement de l'Explorer profite de tous les avantages que peut procurer un système de traction à quatre roues motrices : position de conduite élevée et motricité améliorée. À cela s'ajoutent une insonorisation appréciable ainsi que des rétroviseurs aux dimensions respectables, qui contribuent à l'excellente visibi-

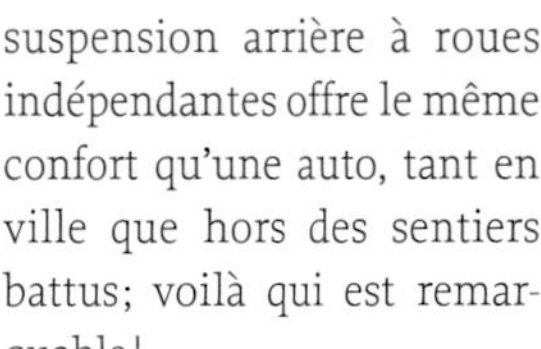

entrevue

FORD

Chris Banks
Directeur de produits

Comment décrivez-vous ce nouveau véhicule?

C'est une évolution de l'ancien modèle présentant des améliorations au chapitre de la suspension et de l'habitacle. Plus confortable et plus sûr, l'Explorer est le seul utilitaire intermédiaire à pouvoir accueillir jusqu'à sept passagers.

Quels en sont les points forts?

Un moteur plus puissant, un système de sécurité des passagers amélioré grâce à un rideau gonflable latéral et un système d'assistance dynamique de conduite.

Où situez-vous ce modèle?

L'Explorer est numéro un au chapitre des ventes dans sa catégorie et représente l'un de nos plus gros vendeurs. Il possède des caractéristiques de sécurité uniques qu'on ne retrouve pas chez la concurrence.

Quelle est la clientèle cible?

Trentaine et plus, amateurs de plein-air et de conduite hors route. Sportifs, ils n'hésiteront pas à ranger le vélo dans le coffre pour aller faire une randonnée dans les bois.

Combien de ventes en 2002?

Chez Ford, nous ne faisons jamais de prévisions de ventes mais je peux vous dire que l'Explorer est l'un de nos plus gros vendeurs. C'est notre utilitaire le plus populaire.

galerie

1 • Parmi les raffinements de l'Explorer, un faiseau lumineux sous le rétroviseur pour bien voir et être vu.

2 • De retour cette année, le Sportrac avec son intérieur modulable pratique, prête à faire face à toutes les situations.

3 • Grâce à un arceau tubulaire disponible, on peut facilement augmenter la longueur de la boîte de l'Explorer Sport Trac.

4 • Nouveau cette année, une lunette arrière qui se soulève pour éviter des manipulations inutiles.

5 • Pour suivre la concurrence, l'Explorer offrira pour 2002 une version sept passagers.

1

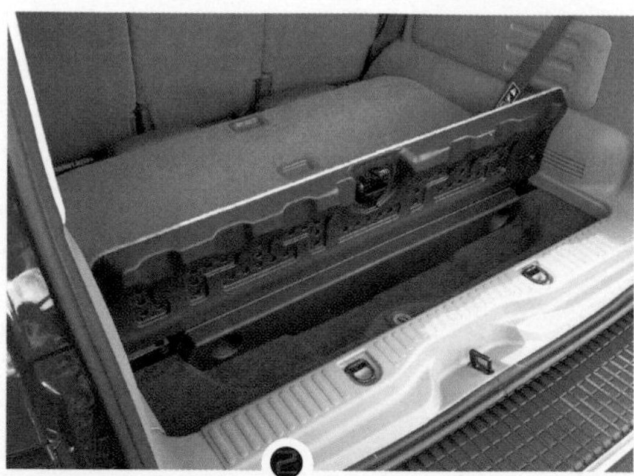

2

3

4

5

forces

- Suspension améliorée
- Bonne visibilité
- Espace de rangement

faiblesses

- Consommation d'essence
- Sécurité questionnable

lité. En revanche, il est affligé du principal défaut qu'ont les utilitaires de sa catégorie : les risques de tonneaux. Le centre de gravité du véhicule, très haut, augmente la probabilité qu'il se renverse s'il est soumis à un mouvement latéral brusque. Mais il s'agit de situations extrêmes. Le conducteur remarquera surtout la tenue de route améliorée et la relative puissance du moteur qui, bien qu'il soit assoiffé, lui en donnera pour son argent.

HABITACLE L'ergonomie de l'Explorer est une entreprise à laquelle s'affaire une équipe entière d'employés de Ford. Même le marchepied a été repensé pour répondre aux besoins des petites personnes et pour être moins encombrant pour les plus grandes. Résultat : mission accomplie ! On peut aisément accéder à toutes les commandes importantes sans avoir à risquer une acrobatie digne du Cirque du soleil. Signalons la sobriété toute « Fordesque » de l'habitacle, qui laisse sous-entendre que le côté pratique prend le pas sur l'originalité. Les fauteuils de l'Explorer sont toutefois drôlement confortables. À l'arrière, l'espace pour les passagers de la banquette du centre ne manque pas, mais ceux qui se retrouvent derrière, sur la troisième banquette, risquent de maugréer après un certain temps.

CONCLUSION En somme, l'Explorer 2002 prouve que le temps règle souvent les problèmes, ou que Ford a pris les grands moyens pour faire oublier les mauvais souvenirs laissés par les modèles précédents. Ford voudrait vous convaincre qu'il s'agit d'un modèle très sûr, ce que le temps seulement peut démontrer. Un compromis idéal entre un gros porteur et un véhicule familial.

fiche technique

FORD

Moteur : V6 ACT 4 L
Autres moteurs : V8 ACT de 4,6 L
Puissance : 210 ch à 5250 tr/min et 250 lb-pi à 4000 tr/min
Autres moteurs : 240 ch à 4750 tr/min et 280 lb-pi à 4000 tr/min
Transmission de série : BVA 5
Transmission optionnelle : aucune
Freins avant : disques
Freins arrière : disques
Sécurité active de série : ABS
Suspension avant : indépendante
Suspension arrière : indépendante
Empattement : 288,9 cm (Explorer); 258,4 cm (Sport Trac)
Longueur : 457,9 cm (Sport Trac); 481,3 cm (Explorer)
Largeur : 183,1 cm (Explorer); 178,2 cm (Sport Trac)
Hauteur : 182,6 cm (Explorer); 173,2 cm (Sport Trac)
Garde au sol : 23,4 cm (avec pneus 245/70R16)
Poids : 1975 kg
0-100 km/h : 8,9 s (V8) 10,3 s (Sport Trac)
Vitesse maximale : 180 km/h
Diamètre de braquage : 11,2 m
Capacité de remorquage : 1588 kg
Capacité du coffre : 1319 L
Capacité du réservoir d'essence : 85 L
Consommation d'essence moyenne :
Pneus d'origine : 235/70R16, 255/70R16 (Eddie Bauer)
Pneus optionnels : aucun

2e opinion

Éric Descarries Qu'ont-ils fait à l'Explorer ? Comment cet utilitaire de dimensions raisonnables est-il devenu si gros ? En revanche, je dois dire que l'apport de la suspension arrière indépendante est un coup de maître. Sa tenue de route est tellement plus rassurante ! Mais le V6 semble trop peu puissant dans cette grosse caisse. Vivement le V8 !

Par Alain Mckenna

évolution

FORD

fiche d'identité

Modèle : Focus
Versions : ZX3, ZX5, berline LX, SE, ZTS, familiale SE, ZTW
Segment : petites
Roues motrices : avant
Portières : 2, 4
Places : avant, 2; arrière, 3
Sacs gonflables : 2
Concurrence : Hyundai Elentra, Daewoo Nubira, Toyota Corolla, Saturn Serie S, Subaru Impreza, Chrysler Neon et PT Cruiser, Honda Civic, Kia Spectra, Mazda Protegé, Nissan Sentra, Suzuki Esteem, VW Beetle, Chevrolet Cavalier, Pontiac Sunfire

prix de base • 15 970 $

Du renfort pour 2002

au quotidien

Prime d'assurance moyenne : 700 $
Garantie générale : 3 ans/60 000 km
Garantie contre la corrosion : 5 ans/kilométrage illimité
Garantie contre la perforation : 5 ans/kilométrage illimité
Collision frontale : 5/5
Collision latérale : 4/5
Ventes du modèle l'an dernier au Québec : 14 821
Dépréciation : 41,4 % depuis 2000

La Ford Focus est en ce moment la voiture la plus vendue du monde. Au Québec, elle occupe le 3e rang derrière la Honda Civic et la Mazda Protegé, tout juste devant la Toyota Corolla. Pour 2002, la version la plus populaire en Europe, la ZX5, vient grossir les rangs de la famille au Canada. La ZX5 (photo de droite) a fait ses débuts en Amérique du Nord au *Canadian International Auto Show* de Toronto. Cette année, le modèle familial sera pourvu d'une version ZTW, une livrée haut de gamme.

CARROSSERIE La forme New Edge distincte, les panneaux de carrosserie sculptés et les lignes de caractère raides de la ZX5 montrent le caractère sportif de cette voiture. Le hayon ajoute un côté pratique indéniable. Il s'agit en fait d'une ZX3 pour la famille. Pour le reste de la gamme, il y a suppression des moulures de bas de caisse noires dans le cas de la ZX3 et l'ajout de trois nouvelles couleurs de carrosserie. Un toit ouvrant à commande électrique sera également offert en option sur tous les modèles.

MÉCANIQUE Les moteurs ne sont pas vraiment des nouveautés : tous étaient déjà présents sur l'Escort, et tous subissent de menues modifications. Le moteur 2 litres de base développe un maigre 110 chevaux. Le moteur Zetec, avec la même base de 2 litres, offre 20 chevaux de plus. Ces deux blocs-moteurs sont couplés à une boîte manuelle à cinq rapports. La boîte automatique est offerte en option. La mécanique de base commence à montrer son âge. La concurrence a fait beaucoup de chemin depuis quelques années, et Ford a exercé un statu quo. Il faudra éliminer la mécanique de base à court terme et revoir le Zetec. Le Centre technique de Dearborn, au Michigan, travaille sur plusieurs projets qui concerne directement la Focus. Les ingénieurs envisagent même la possibilité d'une version diesel mais il faudra être très patient.

COMPORTEMENT La suspension avant donne une excellente stabilité, tandis que les jambes MacPherson assurent un braquage plus sen-

nouveautés 2002

- Version ZX5 qui s'ajoute à la famille • Nouvelle familiale ZTW haut de gamme
- Chargeur de 6 DC monté dans le tableau de bord
- Garniture en aluminium brossé qui remplace la garniture en similibois (familiale)
- Focus ZX3 SVT au printemps 2002

sible. La suspension arrière Control Blade, entièrement indépendante et à bras multiples, offre une bonne stabilité dans les virages et sur les routes inégales et sinueuses. Pour donner plus de confiance sur les routes en mauvais état (pluie, neige fondue), le système de dynamique intégré du véhicule ControlTracMC vérifie les données de sept capteurs différents 150 fois par seconde afin d'assurer que la Focus ne dévie pas de sa route. Dès le première signe de déviation, le système intervient en freinant la roue appropriée ou en réduisant la puissance motrice pour que la voiture reprenne la direction demandée par le conducteur.

HABITACLE Voiture visionnaire, la Focus a lancé la mode des voitures hautes et compactes. L'habitabilité qui découle de ce design avec le toit élevé est impressionnante. Ses sièges arrière 60/40 peuvent être rabattus à plat afin de recevoir des objets plus longs. L'assise pour le conducteur est un peu plus haute que la moyenne. Il serait souhaitable le siège du conducteur puisse posséder un meilleur réglage en hauteur, car les grands gabarits ont les yeux très haut dans le pare-brise. Pour ce qui est du confort, rien à redire. Les commandes et boutons divers sont à portée de la main.

CONCLUSION Ford a réussi avec la Focus à trouver la recette pour une voiture à succès : une gueule sympathique, un habitacle silencieux et beaucoup d'accent sur le confort. Mais les amateurs de conduite sportive ont été laissés de côté, ce qui pourrait expliquer les ventes plus discrètes de la ZX3. Heureusement, Ford nous promet une version ZX3 SVT avec près de 200 chevaux sous le capot d'ici le milieu de l'année 2002. Encore une autre histoire à suivre!

fiche technique

FORD

Moteur : 4 cyl. 2 L
Autres moteurs : 4 cyl. DOCH Zetec 2 L (ZX3, ZX5, SE, ZTS, ZTW)
Puissance : 110 ch à 5000 tr/min 125 lb-pi à 3750 tr/min
Autres moteurs : 130 ch à 5300 tr/min, 135 lb-pied à 4000 tr/min (ZX3, ZX5, SE, ZTS, ZTW)
Transmission de série : BVM 5
Transmission optionnelle : BVA 4
Freins avant : disques
Freins arrière : tambours
Sécurité active de série : ABS (option)
Suspension avant : indépendante
Suspension arrière : indépendante
Empattement : 262 cm
Longueur : 427 cm (ZX3,ZX5) 444,2 cm (berline) 452,6 cm (familiale)
Largeur : 169,9 cm
Hauteur : 143 cm 144,8 cm (familiale)
Poids : 1090 kg
0-100 km/h : 9,9 s
Vitesse maximale : 185 km/h
Diamètre de braquage : 10,9 m
Capacité du coffre : 350 L; 1062 L (familiale)
Capacité du réservoir d'essence : 50 L
Consommation d'essence moyenne : 8 L/100 km
Pneus d'origine : 185/65R14
Pneus optionnels : 195/60R15 (SE, ZX3) 205/50R16 (ZX5, ZTS, ZTW)

2e opinion

Luc Gagné — La voiture mondiale de Ford, c'est elle! Et c'est tant mieux. La Focus américaine n'est pas une version trop édulcorée de sa contre-partie européenne. Vive l'aménagement intelligent, des performances convenable et les modèles 3 et 5 portes hatchback intéressants, que des Québécois ont réussi à imposer aux décideurs américains.

forces

- Ligne réussie
- Confort appréciable
- Excellente rigidité

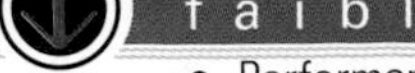

faiblesses

- Performances décevantes
- Suspension trop souple
- Moteur de base bruyant

Par Benoit Charette

FORD

fiche d'identité

Modèle : Mustang
Versions : coupé et cabriolet (V6, GT, Cobra)
Segment : sportives de moins de 50 000 $
Roues motrices : arrière
Portières : 2
Places : avant, 2 ; arrière, 2
Sacs gonflables : 2
Concurrence : Pontiac Firebird, Chevrolet Camaro

au quotidien

Prime d'assurance moyenne : 900 $
Garantie générale : 3 ans/60 000 km
Garantie contre la corrosion : 5 ans/kilométrage illimité
Garantie contre la perforation : 5 ans/kilométrage illimité
Collision frontale : 5/5
Collision latérale : 3/5
Ventes du modèle l'an dernier au Québec : 1247
Dépréciation : 51,1 %

évolution

prix de base • 22 795 $

Un **classique** qui **vieillit bien**

La Ford Mustang a beau être l'un des rares modèles de voitures américaines qui ont marqué plusieurs générations d'automobilistes, la pression est forte dans le marché des sportives abordables, notamment du côté des importées. Mais qu'à cela ne tienne, le cheval de Dearborn a de la gueule, de la volonté et de l'appétit. Une américaine, une vraie. Cette année, Ford a apporté quelques petites retouches au chapitre de la mécanique, de la carrosserie et de l'habitacle, en espérant continuer avec un modèle qui est parmi les meilleurs vendeurs de sa catégorie chez nos voisins du Sud.

CARROSSERIE Permettez-moi d'affirmer d'entrée de jeu que la Mustang actuelle est probablement le plus bel hommage des stylistes de Ford à la toute première Mustang. Le modèle précédent, gros, rond et balourd, ne demande qu'à être oublié. Sur le modèle 2002, de nouvelles prises d'air à l'avant et sur les côtés du véhicule sont apparues pour refroidir le moteur. Le capot a lui aussi subi quelques retouches cosmétiques tandis que des jantes et pneus de 16 pouces sont désormais offertes en série.

MÉCANIQUE La Mustang revient avec son V6 à soupapes en tête (de série) et un V8 en option. Seule nouveauté en 2002, la boîte manuelle Tremec pour le modèle GT a été revue et le cinquième rapport a été espacé pour améliorer l'économie d'essence lors de la conduite sur autoroute. Évidemment, le convertisseur catalytique et les pièces reliées à l'échappement du moteur ont tous été calibrés afin de convenir aux nouvelles normes environnementales du gouvernement américain. Un peu plus propre, donc, la Mustang.

COMPORTEMENT Ce coupé tout en muscles est conçu essentiellement pour satisfaire les amateurs de conduite à l'américaine. Au volant, on remarque d'abord le capot qui semble haut, tandis que la visibilité arrière est plutôt passable. Le moteur émet un grondement assez particulier, et n'est pas des plus silencieux. Les accélérations sont écrasantes et font vibrer la caisse de tous ses

nouveautés 2002

- Nouvelle chaîne audio avec lecteur MP3 laser (en option)
- Nouveaux fauteuils avec partie centrale en cuir Nudo pour V6 et GT
- Nouveau volant gainé de cuir 2 tons
- Retour du modèle Cobra à l'été 2002

gonds, tandis que la conduite sur autoroute est moyenne, puisque la Mustang est avant tout conçue pour offrir un maximum de plaisir en situation de conduite plus sportive (un euphémisme de plus à ma collection, tiens !).

HABITACLE Un nouveau système de son, avec volume asservi à la vitesse du véhicule, est offert pour la première fois en 2002. Vous pouvez donc théoriquement vous défoncer le tympan sans monter le volume... En option, notons la possibilité de commander une radio à lecteur MP3 (sur disques compacts enregistrables) ou une chaîne audio MACH 1000 de qualité supérieure. Le volant de direction à quatre branches gainé de cuir deux tons est également un nouveau venu pour cette année. Pour le reste, c'est du Ford tout craché : on reconnaît la finition du constructeur jusque dans le vert de l'affichage de nuit du tableau de bord et l'inconfort chronique du siège du conducteur.

CONCLUSION Après le passage rapide de la version Bullitt en 2001, 2002 revient pratiquement à la normale. Pour les amateurs de performance, la division SVT annonce le retour de la version Cobra pour l'été. Avec la disparition annoncée du seul concurrent américain de la Mustang, la Chevrolet Camaro et la Pontiac Firebird, le *Ponycar* de Ford devra combler le vide des amateurs déçus chez General Motors. Une tâche qui s'avère difficile lorsque l'on connaît la rivalité légendaire qui oppose les amateurs de chaque modèle. Une chose est certaine, malgré ses défauts, la Mustang a été capable depuis ses débuts, en 1964, de s'adapter aux goûts et aux époques. C'est ce qui a fait qu'aujourd'hui, la Mustang a encore quelques belles années à vivre.

fiche technique

FORD

Moteur : V6 SET 3,8 L
Autres moteurs : V8 SACT 4,6 L (GT)
Puissance : 190 ch à 5250 tr/min et 220 lb-pi à 2750 tr/min
Autres moteurs : 260 ch à 5250 tr/min et 302 lb-pi à 4000 tr/min
Transmission de série : manuelle à 5 rapports
Transmission optionnelle : automatique à 4 rapports
Freins avant : disques
Freins arrière : disques
Sécurité active de série : ABS et antipatinage (GT)
Suspension avant : indépendante
Suspension arrière : essieu rigide
Empattement : 257 cm
Longueur : 465,3 cm
Largeur : 185,7 cm
Hauteur : 134,9 cm
Poids : 1435 kg
0-100 km/h : 7,6 s (V6)
Vitesse maximale : 180 km/h (V6); 210 km/h (GT)
Diamètre de braquage : 11,7 m
Capacité du coffre : 308 L
Capacité du réservoir d'essence : 59 L
Consommation d'essence moyenne : 10,5 L/100 km
Pneus d'origine : 205/55R16
Pneus optionnels : 245/45R17 (GT) 225/55R16 (opt. V6)

2e opinion

Gabriel Gélinas — Ford a lésiné sur les fauteuils qui n'offrent que très peu de soutien latéral. Résultat, dès que l'on se met à exploiter le potentiel de la Mustang en virages, on doit se cramponner à son volant pour rester en place. Dommage.

forces

- Version cabriolet amusante
- Accélérations relevées
- Boîte manuelle agréable

faiblesses

- Bruyante
- Vibrante
- Énergivore

Par Alain Mckenna

évolution

FORD

f i c h e
d'i d e n t i t é

Modèle : Ranger
Versions : XL, Edge, XLT
Segment : camionnettes
Jumeau : Mazda série B
Roues motrices : arrières, 4 X 4
Portières : 2, 4
Places : avant, 2; arrière, 1 à 2
Sacs gonflables : 2
Concurrence : Toyota Tacoma, Nissan Frontier, Chevrolet S-10, Dodge Dakota, GMC Sonoma

a u   q u o t i d i e n

Prime d'assurance moyenne : 700$ à 900$
Garantie générale : 3 ans/60 000 km
Garantie contre la corrosion : 5 ans/kilométrage illimité
Garantie contre la perforation : 5 ans/kilométrage illimité
Collision frontale : 4/5
Collision latérale : 4/5
Ventes du modèle l'an dernier au Québec : 1425
Dépréciation : 48 %

prix de base • 15 995$

La plus vendue de sa catégorie

Seriez-vous surpris d'apprendre que la Ranger de Ford est, comme sa grande sœur de la série F, la plus vendue de sa catégorie ? En effet, la Ranger dépasse de loin ses concurrentes, y compris les Chevrolet S-10, GMC Sonoma, Nissan Frontier et Toyota Tacoma. Et même si elle supplante également la Mazda série B, souvenez-vous que cette dernière est une extrapolation de la Ranger.

CARROSSERIE La Ranger nous revient sans changements notables pour 2002. Affichant un air semblable à celui des Explorer, cette camionnette compacte est offerte avec une cabine simple et une caisse aux ailes bombées ou continues; ou encore avec une cabine allongée et des battants arrière pour mieux atteindre les places supplémentaires (de petits bancs escamotables utiles pour des enfants). Dans sa finition XLT Deluxe, la Ranger a une calandre chromée, alors que dans sa version Edge plus «jeune», la calandre (identique à celle du nouvel Explorer) est de couleur noire.

MÉCANIQUE Sous le capot, on retrouve le moteur V6 de 3 litres qui équipe ce véhicule depuis déjà plusieurs années. Notons que Ford vient de lancer une nouvelle version de son 4 cylindres de 2,3 litres complètement révisée qui devrait être éventuellement offerte dans des versions de base de la Ranger et de sa jumelle, la Mazda série B. En équipement facultatif, il est possible de se procurer le V6 de 4 litres maintenant à simple arbre à cames en tête. Avec ses 205 chevaux, il est plus indiqué dans les finitions les plus lourdes de la Ranger ou dans la version Edge plus sportive. Tous sont livrables avec la boîte manuelle à 5 rapports, alors que l'automatique à 5 rapports est offerte avec les V6. Vous avez bien lu, cinq rapports ! De base, les Ranger sont des propulsions, mais la traction aux quatre roues sur commande est livrable avec les Ranger à moteur V6. Cette fonction 4 x 4 est activée au moyen d'un bouton rotatif au tableau de bord.

COMPORTEMENT Ne vous attendez pas à une portée douce et confortable à bord

n o u v e a u t é s   2 0 0 2

• Crochets de remorquage avant intégrés • ABS révisé • Nouveau moteur de 2,3 litres

d'une Ranger. C'est d'abord et avant tout un outil de travail. La version de base à cabine régulière et à caisse courte n'est pas si mal sur la route, mais lorsque l'hiver arrive, il est recommandé d'opter pour de vrais pneus d'hiver. La Ranger Edge à moteur de 4 litres est puissante et rapide, mais son moteur produit un son rugueux qui n'est pas toujours agréable à entendre. En version 4 x 4, la Ranger est très efficace, mais il faudra alors composer avec une suspension très sèche. Encore une fois, malgré ses pneus d'origine qui semblent agressifs, il est préférable de l'équiper de pneus d'hiver pour la saison froide.

HABITACLE Quant à l'intérieur, aucune surprise. La Ranger est traditionnelle, et son tableau de bord présente une instrumentation très lisible et des commandes faciles d'accès. Notons le commutateur à clé de contact permettant de désactiver le coussin gonflable du passager. Dans le cas de la cabine allongée, les strapontins sont escamotables pour offrir plus d'espace cargo, mais ils ne sont guère utilisables que pour des enfants ou de petites personnes pour une courte ballade. En passant, la caisse, peu importe ses dimensions, est utile pour transporter de petits objets, mais le plancher entre le passage des roues ne permet pas le chargement de contreplaqués classiques de 4 pi sur 8 pi.

CONCLUSION La Ranger demeure un des meilleurs choix sur le marché dans le créneau des camionnettes compactes, même si certaines concurrentes se veulent plus fiables. Son prix de revente est bon, et sa réputation aussi. Les modèles de base plairont aux jeunes conducteurs par leur prix raisonnable, leurs performances intéressantes et les taux d'assurance plutôt raisonnables.

fiche technique

Moteur : 4 cyl. V6 3 L, V6 4 L, 4 cyl. 2,3 L
Puissance : 135 ch à 5050 tr/min et 153 lb-pi à 3750 tr/min (4 cyl. 2,3 L) ; 146 ch à 5050 tr/min et 180 lb-pi à 3500 tr/min (V6 3 L); 207 ch à 5250 tr/min et 238 lb-pi à 3000 tr/min (V6 4 L);
Transmission de série : manuelle à 5 rapports
Transmission optionnelle : automatique à 5 rapports
Freins avant : disques
Freins arrière : tambours
Sécurité active de série : ABS
Suspension avant : indépendante
Suspension arrière : essieu rigide
Empattement : 283,5 cm (cabine simple) 319,3 cm (cabine double)
Longueur : 476,2 cm (cabine simple) 515,3 cm (cabine double)
Largeur : 176,2 cm
Hauteur : 164,8 cm (cabine simple 4 x 2) 164,6 cm (cabine double 4 x 2)
Poids : 1375 kg (cabine simple 4 x 2) 1454 kg (cabine double 4 x 2)
0-100 km/h : 12 s (4 cyl. bvm) 11 s (V6 3 L bvm)
Vitesse maximale : 155 km/h (4 cyl.) 170 km/h V6 4 L)
Diamètre de braquage : 11,1 m (cabine simple 4 x 2) 12,6 m (cabine double 4 x 2)
Capacité de remorquage : 1260 à 1580 kg
Capacité du réservoir d'essence : 62,4 L (cabine simple) 73,8 L (cabine double)
Consommation d'essence moyenne : 10,5 L/100 km (4 cyl.) 12,5 L/100 km (V6)
Pneus d'origine : 225/70R15 235/75R15 (Edge) 245/75R16 (4 L)
Pneus optionnels : aucun

2e opinion

Benoit Charette — Depuis quelques années, les ventes du Ranger sont en chute libre. Le concept très populaire à ses premières années, commence à sérieusement prendre de l'âge. Ford devra rapidement songer à faire plus que simplement améliorer la mécanique. Un nouveau modèle s'impose.

forces

- Moteur V6 de 4 litres plus puissant
- Bonne réputation
- Bon tout-terrain (4 x 4)

faiblesses

- Moteur V6 rugueux
- Suspension sèche
- Plancher de caisse trop étroit

Par Éric Descarries

FORD

fiche d'identité

Modèle : F-150
Versions : XL, XLT et Lariat
Segment : camionnettes pleine grandeur
Roues motrices : 4 x 2 et 4 x 4
Portières : 2, 3 ou 4
Places : avant, 2 ; arrière, 3 (SuperCab et Super Crew)
Sacs gonflables : 2 (frontaux)
Concurrence : Chevrolet Silverado, Dodge Ram, GMC Sierra, Toyota Tundra

au quotidien

Prime d'assurance moyenne : 900 $
Garantie générale : 3 ans/60 000 km
Garantie contre la corrosion : 5 ans/kilométrage illimité
Garantie contre la perforation : 5 ans/kilométrage illimité
Collision frontale : 5/5
Collision latérale : 5/5
Ventes du modèle l'an dernier au Québec : 10 477
Dépréciation : 40 %

évolution

prix de base • 22 400 $

Toujours le plus vendu

Pas facile de parler du véhicule le plus vendu en Amérique en seulement quelques lignes. En effet, depuis plus de quinze ans, c'est la Ford de la série F qui tient le haut du pavé en termes de ventes totales (avec plus de 860 000 acheteurs l'année dernière). De plus, la F offre tellement de versions qu'il faudrait presque un volume complet pour en parler.

CARROSSERIE Les Ford F sont offertes en sept versions, de la très populaire F-150 au véhicule commercial F-750, selon leurs capacités de charge. Celles qui nous intéressent, surtout, ce sont les F-150 livrables en multiples configurations, de la camionnette à cabine simple et à caisse courte à la version allongée à cabine plus longue et à caisse très longue. Parmi ces véhicules, on retrouve la très puissante SVT Lightning à moteur V8 de 5,4 litres à compresseur mécanique de 385 chevaux, qui permet des exploits dignes de voitures sportives, dont des accélérations 0 à 100 km/h en moins de huit secondes! Un autre modèle très populaire est la récente version Super Crew, une F-150 avec cabine d'équipe à quatre portes et à caisse courte offerte en propulsion ou à quatre roues motrices sur commande.

MÉCANIQUE Les V8 de 4,6 et de 5,4 litres sont offerts dans la F-150, mais avec la boîte automatique à quatre rapports seulement. Enfin, l'année dernière, Ford mettait sur le marché des versions Harley-Davidson de ses Ford F-150 avec des jantes larges et des pneus à profil surbaissé. Évidemment, ces camionnettes sont toutes peintes en noir. Dans un créneau plus luxueux, il y a également la belle King Ranch. Si vous cherchez un moteur diesel pour ce type de véhicule, il vous faudra alors aller vers la F-250 Super Duty aux lignes différentes avec un intérieur dont le tableau de bord est plus fonctionnel. Il est cependant possible de commander un intérieur plus luxueux. La F-350 est livrable avec un V8 de 5,4 litres, un V10 de 6,8 litres ou un V8 turbodiesel de 7,3 litres. Il est également possible de se procurer les doubles-roues pour l'arrière. Quant aux modèles F-450 à

nouveautés 2002

• Disponibilité de moteur alimenté au gaz naturel • Nouveaux ensembles hors-route

F-750, ce sont en général des camions commerciaux sauf pour l'unique F-650 Super Crewzer à cabine multiplace qui sert à tirer d'immenses maisons-roulottes.

COMPORTEMENT La position de conduite dans un tel véhicule est intéressante, car on domine la route. Cependant, en condition urbaine, il faut évidemment composer avec le gabarit du véhicule. Dans la F-150, le V6 de 4,2 litres est un peu juste à moins qu'on l'utilise dans un modèle dénudé et moins lourd. Le V8 de 4,6 litres est adéquat pour la majorité du temps, mais le 5,4 litres est préférable, surtout si la camionnette doit tirer une remorque.

HABITACLE L'intérieur de ces camionnettes pleine grandeur se rapproche de celui d'une automobile. On peut même y commander les lecteurs de disques compacts, la climatisation, les fauteuils à commande électrique et autres commodités qu'on note habituellement dans des autos de luxe. Le seuil des portes est un peu élevé, mais les fauteuils sont relativement confortables. Pour les plus grands voyages, la version Super Crew est à préférer à la cabine allongée Super Cab pour le confort des passagers.

CONCLUSION Les Ford F sont offertes en quatre roues motrices à enclenchement électrique, mais ce ne sont pas de vrais tous-terrains pour les sentiers étroits. Ce sont plutôt des camionnettes capables de travailler sur un chantier ou de se déplacer sur des routes moins carrossables.

FORD

fiche technique

Moteurs : V6 4,2 L
V8 4,6 L; V8 5,4 L
Puissance : 205 ch à 4750 tr/min et 250 lb-pi à 3000 tr/min (V6)
220 ch à 4500 tr/min et 290 lb-pi à 3250 tr/min (V8 4,6); 260 ch à 4500 tr/min et 350 lb-pi à 2300 tr/min (V8 5,4)
Transmission de série : manuelle à 5 rapports
Transmission optionnelle : automatique à 4 rapports
Freins avant : disques
Freins arrière : tambours
Sécurité active de série : ABS aux quatres roues
Suspension avant : indépendante
Suspension arrière : essieu rigide
Empattement : court : 304,5 cm
long : 399,8 cm
Longueur : cabine simple : 526,5 cm
cabine double : 620,8 cm
Largeur : 201,4 cm
Hauteur : 4 x 2 : 184,7 cm; 4 x 4 : 191,5 cm
Poids: 1746 kg (modèle de base)
0-100 km/h : 12,2 s (V6)
11 s (V8 4,6) ;10,2 s (V8 5,4)
Vitesse maximale : 165 km/h
Diamètre de braquage : 12,3 m (4 x 2)
14 m (4 x 4)
Capacité du réservoir d'essence : 95 L
Consommation d'essence moyenne : 14 L/100 km (V6);14,5/100 km (V8 4,6)
15,5/100 km (V8 5,4)
Pneus d'origine : P235/70R16
Pneus optionnels : P255/70R16, P275/60R17 (4 x 2); P265/70R17 (4 x 4)

2e opinion

Benoît Charette — Produit le plus rentable du géant américain, la Série F offre une combinaison quasi infinie de modèles où chacun peut trouver chaussure à son pied. Cette vache à lait de Ford a toutefois été rejointe et dépassée en qualité par GM, et devra retourner sur la planche à dessin pour reprendre le haut du pavé dans la catégorie des camionnettes pleine grandeur.

forces

- Modèles uniques (Lightning, Harley-Davidson, King Ranch)
- Pédalier réglable
- Versions multiples

faiblesses

- Consommation élevée
- Moteur V6 de base peu puissant
- Gabarit encombrant

Par Éric Descarries

FORD

fiche d'identité

Modèle : Taurus
Versions : Berline LX, SE, SEL, familiale SE, SEL
Segment : intermédiaires
Roues motrices : avant
Portières : 4
Places : avant, 2; arrière, 3
Sacs gonflables : 2 frontaux et 2 latéraux (en équipement facultatif sauf SEL)
Concurrence : Buick Century et Regal, Pontiac Grand Prix et Bonneville, Saturn Série L, Toyota Camry, Hyundai Sonata, Chevrolet Impala, Chrysler Intrepid , Honda Accord, Kia Magentis

au quotidien

Prime d'assurance moyenne : 775$
Garantie générale : 3 ans/60 000 km
Garantie contre la corrosion : 5 ans/kilométrage illimité
Garantie contre la perforation : 5 ans/kilométrage illimité
Collision frontale : 5
Collision latérale : 5
Ventes du modèle l'an dernier au Québec : 3734
Dépréciation : 52,4 %

évolution

prix de base • 24 550$

Une **spécialiste** des parcs **automobiles**

Avez-vous récemment fait la location d'un véhicule dans un aéroport? Si oui, avez-vous pris la peine de regarder de quoi est composé la majorité du parc? Eh oui, il y a de fortes chances que vous ayez aperçu une Taurus. Si Ford réussit chaque année à mettre plusieurs centaines de milliers d'unités sur le marché, la grande majorité prend le chemin des compagnies de location d'automobiles. Après avoir conduit une Taurus pendant quelques heures, vous comprendrez pourquoi elle ne constitue pas le premier choix des consommateurs. Il semble que tout soit nivelé par le milieu. La voiture ne possède pas de grandes qualités au niveau de la conduite ou de la tenue de route et par la même occasion, peu de défauts aussi. En résumé, la Taurus n'inspire absolument rien. C'est un véhicule sans saveur qui vous mène du point «A» au point «B» sans chatouiller aucune de vos cordes émotives.

CARROSSERIE La Taurus possède un atout indéniable dans sa catégorie en offrant une version berline et une version familiale. La berline compte trois versions — de base, LE et SEL — tandis qu'on ne retient que les deux dernières pour le modèle familial. L'esthétique extérieure de la berline commence à dater. Les formes obstructives du coffre de la berline empêchent de profiter pleinement de l'espace disponible. On préférera la familiale pour transporter des équipements de hockey ou les sacs de vos partenaires de golf.

MÉCANIQUE Le V6 de 155 chevaux, de série dans la version de base, s'essouffle rapidement et rugit bruyamment en accélération. Les versions SE et SEL profitent du V6 de 200 chevaux, plus apte à bien remplir la tâche. Ces deux moteurs sont jumelés à une transmision automatique à 4 rapports. Par contre, on déplore l'absence d'un indicateur de sélection de vitesses au tableau de bord, obligeant le conducteur à quitter la route des yeux lors de certaines manœuvres.

COMPORTEMENT Sur la route, la direction assez précise devient floue sur un pavé de pierre ou une route de

nouveautés 2002

• Quatre nouvelles teintes et groupes optionnels

gravier. Douce et silencieuse, la Taurus présente des qualités de bonne routière sur l'autoroute. La qualité de sa suspension sur circuit urbain ou sur une route de gravier devient une tout autre question. La voiture tend à trop bondir de l'avant et oblige le conducteur à ralentir au point de rendre la conduite désagréable dans les rues du Vieux-Montréal. Enfin, son toit et ses appuie-tête gênent la visibilité.

HABITACLE Dans la bonne moyenne au chapitre de l'aménagement, on trouve dans la Taurus des caractéristiques intéressantes comme un pédalier électrique réglable, des rétroviseurs chauffants, par ailleurs jugés trop petits. L'aménagement ergonomique de son tableau de bord donne un accès aisé aux commandes, et elle possède un bon système audio, dont on peut profiter sur l'autoroute.

Attention aux bouteilles dans les porte-gobelets avant : elles rouleront sous vos pieds au moindre arrêt un peu brusque.

Les portières donnent un bon accès aux places avant comme aux places arrière. Avec des banquettes avant et arrière, on pourra asseoir six personnes pour de courtes randonnées. On poussera ce nombre jusqu'à huit dans la familiale, avec le siège inversé à l'arrière, surtout avec des enfants. Sur un plan plus pratique, disons que quatre adultes y prendront place comme dans la majorité des voitures de cette classe.

CONCLUSION La Taurus n'est quand même pas une mauvaise voiture, mais elle commence à dater et elle a besoin d'une révision complète pour pouvoir survivre dans le marché très concurrentiel des intermédiaires. Sa version familiale constitue encore un bon atout.

fiche technique

Moteur : V6 SACT 3 L
Autre moteur : V6 DACT 3 L
Puissance : 155 ch à 4400 tr/min et 185 lb-pi à 3950 tr/min
Autres moteurs : 200 ch à 5650 tr/min et 200 lb-pi à 4400 tr/min
Transmission de série : automatique 4 rapports
Transmission optionnelle : aucune
Freins avant : disques
Freins arrière : tambours
Sécurité active de série : ABS, antipatinage (en option sauf SEL)
Suspension avant : indépendante
Suspension arrière : indépendante
Empattement : 275,6 cm
Longueur : 501,9 cm
Largeur : 185,4 cm
Hauteur : 142,5 cm ; 147,3 cm (familiale)
Poids : 1528 kg
0-100 km/h : 10,6 s (LX) 9,5 s (Duratec)
Vitesse maximale : 175 km/h (limitée électroniquement)
Diamètre de braquage : 12,1 m
Capacité du coffre : 481 L; 1099 L (familiale)
Capacité du réservoir d'essence : 68 L
Consommation d'essence moyenne : 12 L/100 km
Pneus d'origine : 215/60R16
Pneus optionnels : aucun

2e opinion

Benoit Charette —Voiture de parc d'automobiles par excellence, la Taurus a autant de «sex appeal» qu'une vieille paire de chaussettes après un match de soccer. Elle ne possède pas de grands défauts, mais elle n'a pas de grandes qualités non plus. C'est la voiture idéale de la majorité silencieuse. Incolore, inodore et sucrée sans sucre.

forces

- Habitabilité et version familiale

faiblesses

- Suspension bondissante sur route bosselée

Par Amyot Bachand

FORD

fiche d'identité

Modèle : Thunderbird
Version : unique
Segment : de luxe entre 50 000 $ et 100 000 $
Roues motrices : arrière
Portières : 2
Places : 2
Sacs gonflables : 2 frontaux et 2 latéraux
Concurrence : Lexus SC 430, Mercedes Benz SLK, Toyota Camry Solara cab, Volvo C70 cabriolet

au quotidien

Prime d'assurance moyenne : nd
Garantie générale : 3 ans/60 000 km
Garantie contre la corrosion : 5 ans/kilométrage illimité
Garantie contre la perforation : 5 ans/kilométrage illimité
Collision frontale : nd
Collision latérale : nd
Ventes du modèle l'an dernier au Québec : nouveau modèle
Dépréciation : nouveau modèle

nouveauté

prix de base • 51 550 $

Un classique en devenir

Quand un modèle de voiture se retrouve en page couverture de la quasi-totalité des magazines spécialisés du continent, on peut à coup sûr parler d'événement. Ce privilège est habituellement réservé à des marques de prestige comme Porsche ou Ferrari, lorsqu'elles lancent un nouveau modèle. Ford vient pourtant de réaliser cet exploit avec sa nouvelle Thunderbird.

Il est vrai que la Ford Thunderbird est une véritable icône de l'industrie automobile américaine, au même titre que la Mustang et la Chevrolet Corvette. Comme ces deux modèles, la T-Bird a connu une carrière en montagnes russes, ponctuée de quelques descentes vertigineuses. Il fallut attendre la 9e génération, en 1983, pour que l'oiseau se remette à voler. Il lui manquait encore la foudre, mais elle revint progressivement, d'abord avec la Turbo Coupe (de 1983 à 1988), puis la Super Coupe (de 1989 à 1995). La Thunderbird tirait sa révérence à la fin de 1996.

CARROSSERIE Comme le phénix, l'oiseau du tonnerre renaît de ses cendres, après une éclipse qui aura duré cinq ans. Avec ses deux places, ses roues arrière motrices et un V8 sous le capot, la Thunderbird 2002 s'inspire de son ancêtre, c'est l'évidence même. Ce l'est encore plus si on la regarde : la calandre chromée et la prise d'air sur le capot sont autant de clins d'oeil à la première Thunderbird. Sans oublier les lunettes arrière en forme de hublot, qui s'ajoutèrent lors de la deuxième année d'existence de la T-Bird. L'acheteur pourra choisir entre un toit souple ou rigide, comme à l'époque.

À l'origine, la Thunderbird se voulait la réponse de Ford à la Corvette de Chevrolet, apparue deux ans plus tôt, en 1953. Mais cela n'en faisait pas une rivale de la sportive de GM pour autant - pas dans l'esprit, du moins. Alors que le roadster de Chevrolet mettait l'accent sur la performance et le comportement routier, celui de Ford proposait un luxe et un confort supérieurs, avec des accessoires comme la direction assistée, les fauteuils et les vitres électriques, ainsi que la boîte automatique, qui équipait la quasi-totalité des 16 155 T-Bird produites la première année. Mise en vente le 22 octobre 1954, la première Thunderbird, millésimée 1955,

• Nouveau modèle pour 2002

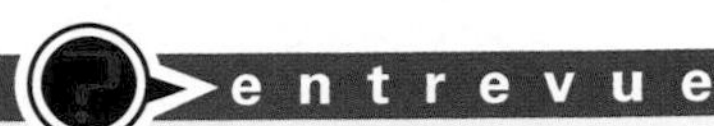

allait rapidement devenir un classique, au sens véritable de ce terme trop souvent galvaudé. Les Beach Boys en firent la vedette d'une de leurs chansons (*Fun, fun, fun*) ; le réalisateur George Lucas, d'un de ses films (*American Graffiti*).

MÉCANIQUE La T-Bird «ressuscitée» repose sur la même plate-forme que la Jaguar S-Type. En fait, elles sont trois à se la partager, puisque la Lincoln LS reprend également cette plate-forme.
Les emprunts à la Lincoln LS sont nombreux puisque cette berline de luxe fournit également ses organes mécaniques ainsi que des composants de l'habitacle. L'empattement a toutefois été raccourci de 15 centimètres, ce qui n'empêche pas la Thunderbird 2002 d'être plus longue que celle de 1955, de près de 30 centimètres. Qui l'eût cru ?
Comme son aïeule, la petite nouvelle se défend bien de jouer les sportives. N'y voyez pas une future rivale de la Corvette ou de la Viper ; la Thunderbird serait plutôt le pendant américain de la BMW Série 3 cabriolet ou des Mercedes SLK et CLK. Une voiture de croisière et non une voiture de course. Comme ces cabriolets allemands, elle incarne le parfait compromis entre une véritable sportive et une boulevardière. Cet équilibre, elle le doit, dans un premier temps, à son excellent châssis, qui a valu à la Lincoln LS une pluie d'éloges. Il en va de même de son V8 de 3,9 litres à double arbre à cames en tête, dont les 252 chevaux parviennent sans peine à déplacer ce roadster qui n'a rien d'un poids plume, avec 1716 kilos bien sentis. C'était le prix à payer pour augmenter la rigidité du châssis, cabriolet oblige. Et encore, on s'est efforcé de sauver des kilos en utilisant des matériaux plus légers, comme le plastique pour certains panneaux de carrosserie et l'aluminium pour des éléments de suspension et de freinage.

entrevue

FORD

Christine Hollander

directrice des Relations avec les médias, région du Québec

Comment décrivez-vous cette nouveauté? La Thunderbird a fait couler beaucoup d'encre. Elle nous revient en version 2 places après 44 ans. Dessinée par un Canadien, Mark Comforzee, cette nouvelle Thunderbird est belle à regarder avec ses lignes classiques et gracieuses. Elle attire les regards partout où elle passe et s'arrête. Le V-8 est enfin de retour avec ses 3,9 litres et ses 252 chevaux. Développée à partir du nouveau concept C3P d'élaboration des véhicules, cette Thunderbird profite de la toute dernière technologie tout en respectant l'esprit de ses origines, dont les 5 couleurs originales.

Où situez-vous ce modèle?
C'est un modèle unique, une voiture de collection. La nouvelle Thunderbird représente l'image de Ford, une des icônes de notre entreprise.

Quelle est la clientèle cible?
D'une part, ceux qui en ont déjà possédé une, et, d'autre part, des professionnels jeunes d'esprit et de cœur entre 35 et 55 ans.

Combien de ventes en 2002?
Environ 2000 au Canada sur les 25 000 produites, et environ 300 au Québec.

g a l e r i e

1 • La base mécanique de la Thunderbird possède le même ADN que la Lincoln LS et la Jaguar S-Type.

2 • L'intérieur harmonisé à la couleur du véhicule offert en option, ne manquera pas d'épater la galerie.

3 • Pour rester fidèle à la tradition, un V8 3,9 litres de 252 chevaux est logé sous le capot.

4 • L'ensemble suspension-différentiel est monté sur un berceau qui isole le châssis des bruits de la route.

5 • Le célèbre Lockheed Martin F-16C/D de l'escadron «Thunderbird» de l'armée de l'air américaine et la Ford du même nom.

1

2

3

4

5

f o r c e s

- Style unique
- Plaisir de conduire
- Performances à la hauteur

f a i b l e s s e s

- Finition qui laisse à désirer
- Coffre étroit
- Suspension un peu souple

COMPORTEMENT Sans être électrisant, le V8 assure des performances de haut niveau. À bas régime, il répond bien, mais il s'essouffle à moyen régime pour ensuite retrouver sa fougue à haut régime. Ce roadster n'a pas de prétentions sportives, on l'a dit. On sent le roulis dans les courbes et le flottement de la suspension à haute vitesse. Cela n'empêche pas la Thunderbird d'afficher une tenue de route des plus rassurantes ; elle sous-vire, certes, mais seulement si l'on conduit plus agressivement et encore, ses réactions sont prévisibles. La direction accomplit un boulot exemplaire : elle est aussi fluide que précise et communique très bien. Cet équilibre dans le comportement routier est aussi redevable à la qualité de la monte pneumatique, dont la compatibilité avec cette voiture est remarquable.

HABITACLE On claironne, chez Ford, que 60 % des pièces de la Thunderbird sont déjà utilisés sur d'autres véhicules de ce constructeur. Si le résultat est heureux sur le plan de la mécanique, il l'est moins en ce qui concerne la finition.
Au premier coup d'oeil, on est charmé par l'originalité de la présentation intérieure, mais on déchante vite lorsqu'on examine le tout de près. L'utilisation d'un plastique bon marché s'explique mal dans une automobile de prestige, et les nombreux emprunts à la gamme Ford pourraient être plus discrets. La console centrale est un bon exemple : elle a beau venir de la Lincoln LS, son allure terne jure avec le reste de l'habitacle. Dommage, car celui-ci est joliment décoré, avec ses fauteuils bicolores offerts en équipement facultatif, son tableau de bord rétro et ses appliques d'aluminium brossé, qui évoquent la T-Bird originale.

CONCLUSION Comme sa devancière, la Thunderbird brille par son style incomparable, qui fait tourner toutes les têtes. On ne roule pas en T-Bird; on parade. Ce cabriolet possède la grâce et l'élégance d'un classique. Du classique qu'il fut, du classique qu'il est appelé à redevenir.

fiche technique

FORD

Moteur : V8 DACT 3,9 L
Puissance : 252 ch à 6100 tr/min et 267 lb-pi à 4300 tr/min
Transmission de série : BVA 5
Transmission optionnelle : aucune
Freins avant : disques
Freins arrière : disques
Sécurité active de série : ABS, antipatinage
Suspension avant : indépendante
Suspension arrière : indépendante
Empattement : 272,4 cm
Longueur : 473,3 cm
Largeur : 182,9 cm
Hauteur : 132,3 cm
Poids : 1699 kg; 1738 kg (avec toit rigide)
0-100 km/h : 7,2 s
Vitesse maximale : nd
Diamètre de braquage : 11,3 m
Capacité du coffre : 190 L
Capacité du réservoir d'essence : 68,4 L
Consommation d'essence moyenne : 11,5 L/100 km
Pneus d'origine : 235/50R17
Pneus optionnels : aucun

2e opinion

Gabriel Gélinas — La conception du tableau de bord et la présentation intérieure ne cadrent absolument pas avec le style élancé et unique de cette boulevardière qui rechigne un peu lorsque conduite sportivement. Quant au confort, on pourrait grandement l'améliorer par l'ajout d'un déflecteur qui protégerait conducteur et passagers du refoulement d'air dans l'habitacle.

Par Philippe Laguë

évolution

FORD

fiche d'identité

Modèle : Windstar
Versions : LX, Sport, SEL et Limited
Segment : minifourgonnettes
Roues motrices : avant
Portières : 4
Places : avant, 2 ; arrière, 5
Sacs gonflables : 2 frontaux et 2 latéraux (versions SEL et Limited)
Concurrence : Chevrolet Venture, Dodge Caravan, Honda Odyssey, Kia Sedona, Mazda MPV, Pontiac Montana, Oldsmobile Silhouette, Toyota Sienna

au quotidien

Prime d'assurance moyenne : 800 $
Garantie générale : 3 ans/60 000 km
Garantie contre la corrosion : 5 ans/kilométrage illimité
Garantie contre la perforation : 5 ans/kilométrage illimité
Collision frontale : 5/5
Collision latérale : 5/5
Ventes du modèle l'an dernier au Québec : 9762
Dépréciation : 32 %

prix de base • 25 995 $

Une **fourgonnette** dans la **moyenne**

La Ford Windstar vise bien les « mamans-taxi », mais elle doit encore s'améliorer au chapitre de la tenue de route et de son habitabilité.

CARROSSERIE En 2002, Ford offre trois versions familiales de sa Windstar à 4 portes (dont deux coulissantes) : la LX, la Sport et la Limited. Elle offre également une version utilitaire à trois portes pour les parcs de véhicules commerciaux. De série, le véhicule est doté de la climatisation, du verrouillage électrique des portes et des vitres, du porte-bagages, du volant réglable et du régulateur de vitesse. On déplore toutefois l'absence d'un lecteur DC de série. La version Sport présente des lignes plus profilées et offre des rétroviseurs chauffants munis d'un voyant qui vous indique que votre clignotant fonctionne ou que les portes sont mal verrouillées. Ford est fière d'offrir un groupe d'équipements de sécurité familiale qui comprend l'antipatinage, les pneus autoobturants, l'antivol périmétrique et un sonar de recul. Ce système se révèle utile lors des manœuvres en marche arrière. Avec ses fauteuils et ses banquettes en place, on peut penser faire les courses aisément, Ford ayant prévu six crochets pour les sacs d'épicerie à l'arrière de la troisième banquette.

MÉCANIQUE Toutes les Windstar sont mues par un V6 de 3,8 litres couplé à une transmission automatique à quatre rapports. On compte, de série, un système de freinage antiblocage aux quatre roues modulant la pression sur la combinaison disques/tambours. La capacité de remorquage de la Windstar se chiffre à 1588 kilos et exige le groupe remorquage.

COMPORTEMENT Malgré un moteur bruyant, la Windstar compte sur de bonnes accélérations et de bonnes reprises en dépassement, ce qui en fait l'une des minifourgonnettes les plus performantes sur le marché. Ainsi, on passera de 80 à 120 km/h en 8,4 secondes, ce qui se rapproche sensiblement des performances des voitures intermédiaires. Stable sur l'autoroute, la tenue de route se dégrade sur les routes secondaires et dans les courbes. Elle démontre du roulis et un

nouveautés 2002

• Système « Advance Trak » de stabilité du véhicule en équipement facultatif

débattement prononcé, sans compter que la direction est vague et que l'avant s'écrase dans les courbes. Le système « Advance Trak » devrait atténuer les effets négatifs de la suspension. Côté freinage, les performances demeurent bonnes. La consommation d'essence du V6 est assez élevée pour un modèle de cette catégorie.

HABITACLE On trouve aisément une bonne position de conduite au volant grâce au fauteuil et au pédalier à réglage électrique. On déplore cependant que le pédalier électrique ne soit pas offert en équipement de série. On a apprécié le rétroviseur convexe qui permet de jeter un coup d'œil furtif aux enfants à l'arrière sans se retourner. Si les passagers avant profitent de fauteuils confortables, ceux de la deuxième rangée ont critiqué l'assise trop basse des fauteuils et des banquettes. L'accès à la troisième banquette est difficile. On aurait pensé qu'avec les années, Ford aurait amélioré son système de banquettes : il faut deux personnes pour enlever cette troisième banquette. La Windstar offre le dégagement en hauteur le plus élevé parmi les modèles courants de minifourgonnettes, soit 114 centimètres. En matière de sécurité, la Windstar obtient d'excellentes notes en collision frontale et de très bonnes notes en collision latérale.

CONCLUSION On prévoit une refonte de la Windstar en 2004. D'ici là, il faut compter sur un véhicule spacieux, mais dont le choix d'aménagement intérieur limite grandement son plein potentiel. La Windstar souffre toujours d'une fiabilité à long terme sous la moyenne, alors qu'on s'attendait à une amélioration à ce chapitre.

fiche technique

FORD

Moteur : V6 3,8 L
Puissance : 200 ch à 4900 tr/min et 240 lb-pi à 3600 tr/min
Transmission de série : automatique à 4 rapports
Transmission optionnelle : aucune
Freins avant : disques
Freins arrière : tambours
Sécurité active de série : ABS, sonar de recul (option), réglage électrique des pédales (option), antipatinage (option)
Suspension avant : indépendante
Suspension arrière : indépendante
Empattement : 306,6 cm
Longueur : 511 cm
Largeur : 191 cm
Hauteur : 166,6 cm
Poids : 1875 kg
0-100 km/h : 11,5 s
Vitesse maximale : 170 km/h
diamètre de braquage : 12,3 m
Capacité du coffre : 645 L (derrière 3e banc) 4025 L (bancs abaissés)
Capacité du réservoir à essence : 98 L
Consommation d'essence moyenne : 12,5 L/100 km
Pneus d'origine : P215/65R16
Pneus optionnels : aucun

2e opinion

Éric Descarries — Il m'est facile de parler d'une Windstar. Nous en avons une dans la famille depuis plus d'un an. Je trouve le moteur un peu bruyant, mais il est suffisamment puissant. Cependant, il pourrait consommer moins. La seule pièce qui a fait défaut est une garniture extérieure qui s'est détachée. Avec de bons pneus d'hiver, elle est très agile dans la neige.

forces

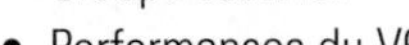

- Groupe sécurité
- Performances du V6

faiblesses

- Banquettes trop lourdes à déplacer
- Tenue de route sur chemins bosselés et en courbe
- Fiabilité sous la moyenne

Par Amyot Bachand

FREIGHTLINER

nouveauté

fiche d'identité

Modèle : Sprinter
Versions : nd
Segment : fourgonnettes
Jumeau : Dodge Ram Van
Roues motrices : arrière
Portières : selon la version
Places : selon la version
Sacs gonflables : nd
Concurrence : Chevrolet Express, Ford Econoline, GMC Savana

prix de base • nd

La **remplaçante** de la Dodge Ram Van ?

L'an dernier, Freightliner dévoilait en grande pompe son intention de construire une version américaine de la Mercedes-Benz Sprinter, une sorte de camionnette de livraison qui pourrait remplacer les fourgonnettes Dodge Ram pleine grandeur. Depuis lors, le président de Freightliner a dû laisser son poste, et nous sommes sans nouvelles de la Sprinter. Mais il demeure fort probable qu'elle arrivera sous peu. Par quel concessionnaire sera-t-elle commercialisée ? On ne le sait toujours pas.

CARROSSERIE La Sprinter est une grande fourgonnette livrable en configurations cargo et passagers. Commercialisée depuis quelques années en Europe, elle se présente avec un toit surélevé qui plaira aux commerçants, qui l'utiliseront comme véhicule de livraison. Dans sa version passagers, on pourra se la procurer avec un aménagement pour 10 personnes dans des empattements de 118, de 140 et de 158 pouces. Freightliner offrira même une version châssis-cabine.

MÉCANIQUE Pour le moment, Freightliner précise que sa Sprinter sera mue par un moteur turbo-diesel à cinq cylindres qui aura des performances égales à celles d'un V8. Curieusement, ses caractéristiques techniques ne nous montrent que 156 chevaux et 244 livres-pied de couple. Comment la Sprinter pourra-t-elle se mesurer aux Ford Econoline et Chevrolet Express turbodiesel, deux fois plus puissantes ? Une chose est certaine, cependant, la consommation de carburant pourrait être plus raisonnable.

HABITACLE Encore une fois, les fiches techniques américaines n'étant pas encore disponibles, il faudra attendre encore avant d'élaborer sur le sujet. Notons cependant la belle visibilité promise par les grandes vitres, y compris l'énorme pare-brise. Mercedes, qui a développé cette fourgonnette, ajoute que la Sprinter aura deux coussins gonflables à l'avant et deux rideaux gonflables en cas d'impact latéral.

CONCLUSION Voici le problème : la Sprinter fera-t-elle le poids dans notre marché ? Chose certaine, elle devra offrir une motorisation plus puissante pour faire le poids avec ses rivales.

Par Éric Descarries

forces
- Volume de chargement
- Consommation raisonnable

faiblesses
- Puissance limitée
- Réseau inconnu

FREIGHTLINER

prix de base • nd

Le bœuf est lent, mais **la terre** est patiente

La folie des utilitaires ne semble pas avoir de limites. Mais êtes-vous prêts pour l'Unimog ?

CARROSSERIE Construit par Mercedes-Benz, l'Unimog existe depuis déjà plusieurs années en Allemagne. Chez nous, il est commercialisé sous la bannière Freightliner, propriété du groupe DaimlerChrysler . L'Unimog se caractérise par sa cabine très élevée, dominée par un immense pare-brise. Son châssis ultra-robuste lui permet de ne reculer devant aucun obstacle. À l'arrière, on peut y trouver une caisse, avec ou sans ridelles.

MÉCANIQUE Le moteur de l'Unimog est un 6 cylindres en ligne turbo-diesel de 6,4 litres qui fait 230 ch et 490 livres-pied de couple ! Il est combiné à une transmission... au centre du châssis. Celle-ci permet une possibilité de 12 rapports selon des changements électropneumatiques. Les curiosités mécaniques de l'Unimog ne s'arrêtent pas là. Évidemment, il s'agit d'une traction intégrale. Les ponts avant et arrière sont rigides, mais les suspensions sont à ressorts hélicoïdaux. Grâce à ses gros pneus, l'Unimog a une garde au sol de 18 pouces, ce qui en fait l'ultime tout-terrain. Vous avez une roulotte à tirer ? Ne vous inquiétez pas, l'Unimog peut tracter jusqu'à 12 000 livres !

COMPORTEMENT
Je n'ai pas encore essayé le nouvel Unimog. Ce que j'ai pu apprendre, cependant, c'est qu'il est capable de vitesses de croisière normales (100 à 110 km/h) et que le niveau sonore y est raisonnable malgré ses pneus surdimensionnés. C'est évidemment un tout-terrain hors pair capable de prouesses dépassant même celles du Hummer. Mais il faut se souvenir que c'est d'abord un outil de travail, qui pourrait intéresser l'exploration minière, forestière ou pétrolière ou encore des services publics. D'autre part, son prix pourrait facilement dépasser les 100 000 $.

CONCLUSION Pour les « Rambos » de ce monde, lassés des Hummer nous vous suggérons une petite balade en Unimog...

forces
- Tout-terrain unique
- Puissance indéniable
- Polyvalence

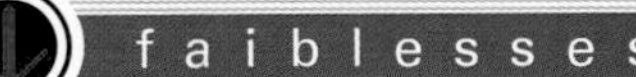

faiblesses
- Gabarit imposant
- Prix exorbitant
- Laideur indescriptible

Par Éric Descarries

Jumeaux

GMC

fiche d'identité

Modèle : Envoy
Versions : SLE et SLT
Segment : utilitaires intermédiaires
Jumeaux : Olsmobile Bravada et Chevrolet Trailblazer
Roues motrices : 4X4
Portières : 4
Places : avant, 2 ; arrière, 3
Sacs gonflables : 4
Concurrence : Acura MDX, Ford Explorer, Isuzu Rodeo, Jeep Grand Cherokee, Jeep Liberty, Mercedes-Benz Classe M, Nissan Pathfinder, Suzuki XL-7, Toyota Highlander

prix de base • 37 955 $

On se **raffine,** on se **raffine...**

au quotidien

Prime d'assurance moyenne : 1100 $
Garantie générale : 3 ans/60 000 km
Garantie groupe motopropulseur : 5 ans/100 000 km
Garantie contre la corrosion : 6 ans/160 000 km
Garantie contre la perforation : 6 ans/160 000 km
Collision frontale : 3/5
Collision latérale : 4/5
Ventes du modèle l'an dernier au Québec : nouveau modèle
Dépréciation : nouveau modèle

nouveautés 2002

- Nouveau modèle

General Motors s'est attardé à différencier l'Envoy de son jumeau, le Chevrolet TrailBlazer, tant à l'extérieur qu'à l'intérieur. Vous pouvez également vous référer aux commentaires sur les jumeaux Chevrolet TrailBlazer et Oldsmobile Bravada pour tout connaître sur ces trois membres de la famille GM et déterminer lequel des trois convient le mieux à vos goûts et besoins.

CARROSSERIE La calandre présente des phares redessinés plus agressifs. À l'arrière, les phares de recul sont encastrés dans le pare-chocs plutôt que jumelés aux feux. On a joué davantage sur le renflement des ailes avant et arrière et préféré des jantes à six branches. Un résultat agréable à l'oeil, pas trop ostentatoire. Parmi les trois versions offertes, seule la SLT est un quatre roues motrices.

MÉCANIQUE Le système AutoTrac à quatre roues motrices offert sur l'Envoy et le TrailBlazer offre les possibilités suivantes : deux roues motrices, quatre roues motrices HI, neutre et quatre roues motrices LO. Le diamètre de braquage de 11 mètres de l'Envoy permet une agilité raisonnable en ville.

COMPORTEMENT Sensiblement le même que celui du TrailBlazer; donc bonne tenue de route et bon freinage.

HABITACLE On a porté une attention plus poussée à l'aménagement intérieur de l'Envoy pour le différencier et offrir plus de luxe et d'accessoires, en plus d'y ajouter quelques touches de similibois. L'effet est réussi. L'entrepreneur y trouvera son compte en profitant de l'espace offert et de l'aménagement pour y faire son bureau. L'Envoy a le défaut de sa qualité : le style extérieur est plus flamboyant, mais ce modèle fait entendre des bruits éoliens qui perturbent la tranquillité intérieure dès qu'on dépasse 100 km/h.

CONCLUSION L'Envoy est le plus réussi des triplets de la famille GM sur le plan esthétique et le ramage est à la hauteur du plumage.

Par Amyot Bachand

forces

- Finition plus complète et style plus voyant

faiblesses

- Bruits éoliens

fiche d'identité

Modèle : Jimmy
Versions : SLS
Segment : utilitaires intermédiaires
Jumeau : Chevrolet Blazer
Roues motrices: 4 x 2, 4 x 4
Portières : 2 et 4
Places : avant, 2; arrière, 3
Sacs gonflables : 2
Concurrence : Jeep Grand Cherokee, Nissan Pathfinder, Suzuki XL7, Toyota 4Runner et Highlander, Isuzu Rodeo, Dodge Durango, Ford Explorer

prix de base • 28 455 $

Reconduit, tout comme le Blazer

Inutile de trop élaborer sur cet utilitaire si vous avez lu le chapitre sur le Chevrolet Blazer, car ces deux produits de la General Motors sont presque identiques. En fait, sauf pour les ornementations, les Jimmy et Blazer n'affichent que peu de différences. Notons cependant que les GMC Jimmy ne sont offerts qu'au Canada. Ils ne sont plus commercialisées aux États-Unis. De plus, il n'y a plus qu'une finition au catalogue, la SLS. Mentionnons en même temps que la Jimmy 2002 est livrable en deux ou quatre portes, mais de configuration à quatre roues motrices seulement. Les finitions SLE et SLT ne sont donc plus au catalogue.

MÉCANIQUE On reconnaîtra la cuvée 2002 de ce Jimmy à sa calandre chromée et à ses carénages de couleur agencée. Les roues en aluminium sont maintenant de série. Évidemment, il n'y aura qu'un seul moteur, soit le V6 de 4,3 litres Vortec de 190 chevaux mentionné dans le chapitre sur le Blazer. La boîte de vitesses automatique à quatre rapports ou la manuelle à cinq rapports se retrouve également au catalogue alors que le boîtier de transfert avec la fonction Autotrac est monté d'usine sur tous les Jimmy. Suspensions, direction et freins sont les mêmes que ceux de la Blazer.

COMPORTEMENT Au lieu de répéter les impressions de conduite du Blazer, on pourrait souligner ses capacités de remorquage qui peuvent aller jusqu'à 2449 kilos (5400 livres), un véritable exploit pour un véhicule de ce gabarit. Ce résultat est disponible avec un pont arrière de rapport 3,73.

HABITACLE Encore une fois, sauf pour les ornementations et identifications, on retrouvera un intérieur identique à celui du Blazer. L'espace cargo arrière peut être augmenté en abaissant le dossier repliable 60/40 de la banquette arrière. Curieusement, les documents de GMC indiquent que le système On Star n'est plus offert sur ces utilitaires!

CONCLUSION Le Jimmy constitue une alternative bon marché aux TrailBlazer et Envoy. Il faut cependant être prêt à faire certains compromis au chapitre de la qualité.

au quotidien

Prime d'assurance moyenne : 1000 $
Garantie générale : 3 ans/60 000 km
Garantie groupe motopropulseur : 5 ans/100 000 km
Garantie contre la corrosion : 6 ans/160 000 km
Garantie contre la perforation : 6 ans/160 000 km
Collision frontale : 3/5
Collision latérale : 5/5
Ventes du modèle l'an dernier au Québec : 3937
Dépréciation : 49 %

forces
- Prix abordable
- Moteur performant

faiblesses
- Manque de rigidité
- Finition inégale

Par Éric Descarries

Jumeaux

fiche d'identité

Modèles : de base, SL, SLE, SLT
Segment : minifourgonnettes
Jumeau : Chevrolet Astro
Roues motrices : arrière
Portières : 3
Places : avant, 2 ; arrière, 2
Sacs gonflables : 2 frontaux
Concurrence : Chrysler Town and Contry, Dodge Caravan/Grand Caravan, Ford Windstar, Honda Odyssey, Kia Sedona, Mazda MPV, Pontiac Montana, Oldsmobile Silhouette, Toyota Sienna, VW EuroVan

au quotidien

Prime d'assurance moyenne : 900 $
Garantie générale : 3 ans/60 000 km
Garantie groupe motopropulseur : 5 ans/100 000 km
Garantie contre la corrosion : 6 ans/160 000 km
Garantie contre la perforation : 6 ans/160 000 km
Collision frontale : 3/5
Collision latérale : 4/5
Ventes du modèle l'an dernier au Québec : 1872 (Astro/Safari)
Dépréciation : 46 %

nouveautés 2002

• Système d'injection multipoint

prix de base • 26 940 $

L'ouvrier spécialisé du **groupe**

La GMC Safari et sa jumelle, la Chevrolet Astro (on en retrouve une analyse plus détaillée sous l'onglet Chevrolet), sont considérées comme des minifourgonnettes en raison de leur gabarit très apparenté à ces dernières. Ces deux ouvriers spécialisés sont très prisés des adeptes de caravaning et de camping en raison de leurs roues motrices arrière, conjuguées à leur capacité de remorquage élevée.

CARROSSERIE Comme sa jumelle, la Safari existe en versions propulsion et traction intégrale. GMC offre 3 livrées : la SL, la SLE et la SLT. On recommande les versions SLE et SLT à cause de leur équipement de série plus intéressant. Selon les configurations de fauteuils et de banquettes, vous pourrez asseoir de 6 à 8 personnes.

MÉCANIQUE Le V6 de 4,3 litres profite d'un nouveau système d'injection et la transmission automatique compte maintenant sur un système de démarrage sur le 2e rapport et sur une programmation sur demande adaptée aux situations de remorquage.

COMPORTEMENT La Safari est conçue pour tirer et elle le fait très bien avec l'équipement offert à cet effet. Sensible aux vents latéraux, elle est affligée par un roulis important dans les virages. Sa suspension à ressorts pénalise le confort du véhicule à vide.

HABITACLE Du pratique au plus luxueux, vous aurez l'embarras du choix. La polyvalence de l'habitacle vous permettra de transporter du monde, des matériaux, ou une tonne de bagages. Vous pouvez profiter de son espace aussi bien pour transporter la gang que pour déménager fiston !

CONCLUSION Lentement mais sûrement, sa cote de fiabilité remonte depuis quelques années. Si vous en désirez une, vous n'avez qu'à la commander pour qu'elle puisse répondre à vos besoins. Choisissez bien les accessoires offerts en option car ils sont nombreux et peuvent faire toute une différence dans l'agrément de conduite.

 Par Amyot Bachand

forces

• Capacité de remorquage
• Habitabilité

faiblesses

• Suspension ferme à vide
• Design vieillot

Jumeaux

prix de base • 25 025 $

L'Express en version de luxe

Il fut un temps où les grandes fourgonnettes étaient très populaires auprès des jeunes gens. Puis sont venues les minifourgonnettes, qui ont bouleversé le monde de l'automobile. Mais attention : étant donné que les Américains aiment voyager sur la route, plusieurs d'entre eux se tournent de nouveau vers les grandes fourgonnettes, surtout les modèles de tourisme. La GMC Savana fait partie de ce groupe de véhicules.

CARROSSERIE La seule différence notable entre l'Express de Chevrolet et la Savana de GMC réside dans le dessin de la calandre et les ornements. Une mention pour la version SLT, qui peut transformer une Savana en véhicule de croisière confortable et bien conçu. Comme son jumeau, la Savana est livrable en deux longueurs.

MÉCANIQUE On retrouve un nombre intéressant de moteurs dans la gamme de la Savana, du 6 cylindres économique au diesel commercial. Pour la version de tourisme, le bon vieux V8 de 5,7 litres et 255 chevaux suffira largement aux besoins de la plupart des utilisateurs. Pour tirer de grosses roulottes, GMC a doté les versions 2500 et 3500 du V8 8100 (340 chevaux) à essence ou d'un V8 de 6,5 litres turbodiesel. Mais ce dernier choix est une option coûteuse.

COMPORTEMENT Ceux qui cherchent une grande fourgonnette pour de longs voyages ont intérêt à jeter un coup d'œil à la Savana ou à sa jumelle, la Chevrolet Express. Seul défaut : les nombreux bruits de carrosserie qui peuvent devenir fatigants à la longue.

HABITACLE Si l'on choisit une version de tourisme de la Savana, il sera possible de l'équiper avec de nombreuses options, y compris les lecteurs vidéo ou DVD avec deux écrans au plafond. La sellerie de cuir et les fauteuils capitaine à l'avant sont d'autres caractéristiques de luxe.

CONCLUSION Pour un peu plus de confort, le Savana est définitivement à considérer. J'ai toujours apprécié voyager dans une de ces grandes fourgonnettes de GM. Elles sont tout indiquées pour cette tâche. En passant, les GMC sont vendues à la même enseigne que les Pontiac et les Buick.

fiche d'identité

GMC

Modèle : Savana
Versions : SL, SLE, SLT
Segment : fourgonnettes
Jumeau : Chevrolet Express
Roues motrices : arrière
Portières : 4
Places : avant, 2; arrière, 5/7
Sacs gonflables : 2
Concurrence : Dodge Ram Van, Ford Econoline

au quotidien

Prime d'assurance moyenne : 1350 $
Garantie générale : 3 ans/60 000 km
Garantie groupe motopropulseur : 5 ans/100 000 km
Garantie contre la corrosion : 6 ans/160 000 km
Garantie contre la perforation : 6 ans/160 000 km
Collision frontale : nd
Collision latérale : nd
Ventes du modèle l'an dernier au Québec : 3007
Dépréciation : 40 %

nouveautés 2002

- Climatisation avant et arrière de série
- Empattement long
- Fauteuil du passager à réglage électrique en six directions supprimé

forces

- Choix de moteurs
- Versions de luxe
- Portières arrière à grande ouverture

faiblesses

- Forte consommation
- Finition perfectible
- Gabarit imposant

Par Éric Descarries

Jumeaux

GMC

fiche d'identité

Modèle : Sierra
Versions : 1500, 2500 et 3500 en versions SL,SLE,SLT, Denali
Segment : camionnettes pleine grandeur
Jumeau : Chevrolet Silverado
Roues motrices : arrière ou 4x4
Portières : 2
Places : avant, 2 ; arrière, 2
Sacs gonflables : 2
Concurrence : Dodge Ram, Ford série F, Toyota Tundra

prix de base • 22 565 $

La **nouvelle** identité de **GMC**

au quotidien

Prime d'assurance moyenne : 900 $
Garantie générale : 3 ans/60 000 km
Garantie groupe motopropulseur : 5 ans/100 000 km
Garantie contre la corrosion : 3 ans/60 000 km
Garantie contre la perforation : 6 ans/160 000 km
Collision frontale : 3/5
Collision latérale : 3/5
Ventes du modèle l'an dernier au Québec : 9116
Dépréciation : 39 %

nouveautés 2002

- Direction aux quatre roues offerte

Dans le passé, on différenciait une camionnette Chevrolet d'une GMC grâce à de petits détails. Les véhicules étaient identiques ou presque. Mais depuis quelques années, GMC tend à se détacher de son identité commerciale pour se rapprocher du créneau des camionnettes de luxe.

CARROSSERIE Par conséquent, les camionnettes Sierra de GMC sont identiques à celles de Chevrolet, sauf pour la nouvelle version Sierra Denali, qui remplace la C3 de l'année dernière. Cette camionnette dispose d'un puissant moteur V8 de 6 litres à boîte automatique et à traction intégrale.

MÉCANIQUE Ce qui est intéressant en 2002, c'est que la Sierra Denali est offerte avec une direction aux quatre roues. Utilisant un système électronique réagissant aux mouvements de la direction avant, la direction arrière braquera dans la direction contraire pour aider le véhicule à négocier un virage ou à stationner.

COMPORTEMENT À 80 km/h, la direction devient neutre puis, au-delà de cette vitesse, elle braque dans la même direction que les roues avant facilitant ainsi le changement de voie sur l'autoroute. Grâce à une commande électronique qui permet de raffermir la suspension et la direction aux quatre roues, la Sierra Denali a un comportement plus rassurant.
On notera que les Sierra Denali ainsi équipées ont des feux de position aux ailes arrière et au toit, ce que les lois américaines obligent pour tout véhicule plus large que 80 pouces (2032 millimètres). Avec la remorque, les changements de voie sont beaucoup plus stables.

CONCLUSION Quant aux autres GMC, même les versions plus robustes 2500HD et 3500 présentent des caractéristiques semblables à celles des Chevrolet. Au Canada, tous les camions commerciaux de GM sont des GMC; on verra donc les nouvelles 4500 et 5500 dans la gamme des véhicules offerts ainsi que les 6500 à 8500 de poids moyen à lourd entièrement redessinées.

 Par Éric Descarries

forces

- Grand choix de modèles
- Nouvelle direction aux quatre roues en option
- Bonne réputation

faiblesses

- Forte consommation
- Gabarit imposant en ville
- Roulis perceptible

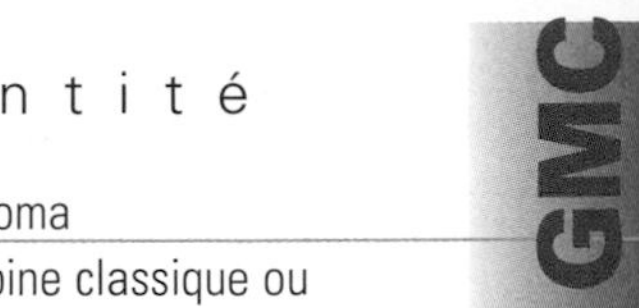

prix de base • 17 060 $

En **attendant** la **relève**

On pourrait élaborer sur la GMC Sonoma, mais ce serait du temps perdu puisque, mis à part la calandre et les ornementations, cette camionnette est identique en tout point à la S-10 décrite sous l'onglet Chevrolet.

CARROSSERIE Tout comme la S-10, la Sonoma est maintenant offerte avec la cabine classique à caisse de 72 pouces, la cabine allongée avec la troisième porte à gauche (il s'agit plutôt d'un battant) et la cabine à quatre portes pour l'année qui vient. Notons cependant que la caisse aux ailes galbées est aussi livrable en option. Quelques retouches ont été apportées à l'avant pour 2002.

MÉCANIQUE Les moteurs de la S-10 sont les mêmes que ceux de la Sonoma, y compris le quatre cylindres de base et le V6 Vortec de 4,3 litres qui fait 180 chevaux avec la propulsion et 190 chevaux avec la traction aux quatre roues sur demande. Ce que vous lirez au chapitre de la Chevrolet S-10 quant aux composants mécaniques s'applique encore une fois à la Sonoma. Répétons que la traction aux quatre roues sur commande se fait par un simple bouton à pression au tableau de bord.

HABITACLE Au risque de se répéter, l'intérieur d'une Sonoma est identique à celui de la S-10. On peut donc lui reprocher les mêmes défauts. Soulignons tout de même que la troisième porte ne laisse qu'un petit siège, peu pratique, à l'arrière. L'arrivée de la version à quatre portes sera la bienvenue.

CONCLUSION Le tandem S-10/Sonoma devrait subir une refonte en bonne et due forme sous peu. Certains parlent de 2003, d'autres de l'année suivante. Selon les premières informations glanées auprès des spécialistes, ces camionnettes compactes pourraient voir leurs dimensions augmenter, de façon à ce qu'elles se rapprochent de la Dodge Dakota. Espérons que GM donnera un nouveau nom à la camionnette S-10, comme elle l'a fait pour la Sonoma. Une chose est certaine, les petites camionnettes autant japonaises qu'américaines n'ont plus la cote en raison de la vétusté du design et l'âge avancé de la carrosserie.

fiche d'identité

GMC

Modèle : Sonoma
Versions : cabine classique ou allongée en versions SL et SLS
Segment : camionnettes compactes
Jumeau : Chevrolet S-10
Roues motrices : arrière ou 4x4
Portières : 2 ou 4
Places : avant, 2; arrière, 2 ou 3
Sacs gonflables : 2
Concurrence : Dodge Dakota, Ford Ranger, Mazda Série B, Nissan Frontier, Toyota Tacoma

au quotidien

Prime d'assurance moyenne : 650 $
Garantie générale : 3 ans/60 000 km
Garantie groupe motopropulseur : 5 ans/100 000 km
Garantie contre la corrosion : 6 ans/160 000 km
Garantie contre la perforation : 6 ans/160 000 km
Collision frontale : 3/5
Collision latérale : 3/5
Ventes du modèle l'an dernier au Québec : 2422
Dépréciation : 47 %

nouveautés 2002

- Calandre et bouclier révisés
- Cabine multiplace 4 portes en option
- Modèle à cabine régulière et caisse longue éliminé

forces

- Cabine à quatre portes
- Versions multiples

faiblesses

- Ligne qui commence à vieillir
- Perte d'un fauteuil avec la 3e porte

Par Éric Descarries

GRANDE-BRETAGNE

London Taxi TX1

Le traditionnel taxi qui arpente les rues de Londres depuis 50 ans a fait peau neuve en 1997. Le but de l'opération était de préserver ses qualités traditionnelles : rayon de braquage ultracourt, habitabilité et facilité d'accès à bord. Le but est rempli, le TX1 conserve son allure inimitable et réussit à progresser dans les domaines du confort, de l'accessibilité et de l'économie. Mais la concurrence est dure, car de plus en plus de berlines classiques sillonnent les rues de la *City*.

Morgan Aero 8

Le moins que l'on puisse dire, c'est que Morgan ne cultive pas le culte de la nouveauté : son modèle le plus ancien est fabriqué depuis 1936 (si, si!) et la dernière nouveauté datait de 1968 avec la Plus 8. Ces voitures sont fabriquées à la main sur une structure... en bois! Alors forcément, quand Morgan a dévoilé la Aero 8 en 2000, cela a été tout un événement. Son allure, dérivée d'une Morgan de compétition, a de quoi surprendre. Elle utilise un châssis en aluminium et emprunte son V8 4,4 L chez BMW.

TVR Tuscan R

L'entreprise fondée en 1954 par Trevor Wilkinson s'est spécialisée dans la fabrication de voitures de sport. Fait extraordinaire pour un constructeur qui produit environ 1500 voitures par année, TVR fabrique ses propres moteurs 6 cylindres en ligne et V8. La Tuscan R embarque un 6 cylindres de 4,5 L développant non moins de 450 chevaux. Comme la voiture ne pèse qu'une tonne, vous pouvez sans aucun mal imaginer les performances dont elle est capable! De plus, l'ambiance intérieure des TVR est vraiment unique.

Jumeaux

prix de base • 42 210 $

Des **jumeaux** aux noms **différents**

Sauf pour les versions Denali uniques à GMC, on a affaire à des jumeaux presque identiques aux Chevrolet Tahoe et Suburban. Dans le passé, le très grand GMC s'appelait aussi Suburban, comme le Chevrolet. Mais depuis que GMC est devenue une marque avec sa propre identité, on en a rebaptisé le modèle Yukon XL.

CARROSSERIE Par conséquent, les mêmes commentaires que ceux du Chevrolet Tahoe s'appliquent au Yukon ,alors que ceux de la Chevrolet Suburban s'appliquent à la Yukon XL. Sauf que GMC a des finitions qui lui sont réservées, soit les versions Denali, du nom d'une des plus importantes montagnes de l'Alaska.

MÉCANIQUE Les Denali, tant pour le Yukon de base que pour le XL, sont des utilitaires à traction intégrale et non à quatre roues motrices sur commande. Le seul moteur que GM offre à la clientèle est un V8 Vortec 6000 à essence qui développe 320 chevaux et produit 365 livres-pied de couple. Il est combiné à une transmission automatique électronique 4L65E et à la traction intégrale. La suspension est aussi originale puisqu'il s'agit du système AutoRide avec des barres de torsion avant et des ressorts hélicoïdaux avec correcteur d'assiette automatique à l'arrière.

COMPORTEMENT Dans les deux cas, il en résulte un gros utilitaire sport au comportement routier plus sain et au confort étonnant. Les gros pneus Michelin P265/70R17 y contribuent pour beaucoup.

HABITACLE L'aménagement intérieur est également plus somptueux avec une sellerie de cuir et des fauteuils chauffants. Ajoutons-y le système de communication OnStar en équipement standard et l'on obtient un véhicule de luxe qui procure à la fois confort, performance et polyvalence.

CONCLUSION Il faut comprendre que GMC est une division commerciale de GM, qui équilibre les forces entre les divers concessionnaires. Voilà pourquoi nous écrivons *L'Annuel de l'automobile* : pour démêler tous ces modèles !

fiche d'identité

Modèle : Yukon
Versions : SLE, SLT, XL, Denali
Segment : utilitaires grand format
Jumeaux : Chevrolet Tahoe et Suburban
Roues motrices : 4x2 et 4x4
Portières : 4
Places : avant, 2 ; arrière, 5
Sacs gonflables : 4 (2 frontaux et 2 latéraux)
Concurrence : Dodge Durango, Ford Expedition et Excursion, Toyota Sequoia

GMC

au quotidien

Prime d'assurance moyenne : 1000 $
Garantie générale : 3 ans/60 000 km
Garantie groupe motopropulseur : 5 ans/100 000 km
Garantie contre la corrosion : 6 ans/160 000 km
Garantie contre la perforation : 6 ans/160 000 km
Collision frontale : 4/5
Collision latérale : nd
Ventes du modèle l'an dernier au Québec : 774
Dépréciation : 32 %

nouveautés 2002

- Modèle SL supprimé

forces

- Version Denali luxueuse
- Traction intégrale (Denali)
- Innovation technique (quatre roues directrices)

faiblesses

- Consommation gargantuesque
- Gabarit démesuré (XL)
- Roulis perceptible (XL)

Par Éric Descarries

ITALIE

Fiat Multipla

La chose est simple avec la Multipla : on aime ou on déteste! Avec ses deux rangées de phares, sa hauteur et sa grande largeur, l'engin a de quoi choquer. Et pourtant, il a été dessiné autour de l'habitacle. Il accueille 6 personnes sur deux rangées de 3 sièges de front tout en préservant assez de place pour les bagages. Si ses moteurs et qualités dynamiques sont dans la norme, une chose est sûre : sa finition intérieure est simplement déplorable!

Lancia Thesis

Chargée de redorer le blason d'un Lancia moribond, la Thesis adopte les recettes qui ont réussi à Alfa Romeo en jouant la carte du passé. L'avant, issu de l'étude style Dialogos présentée en 1998, est un rappel marquant des Lancia des années 50. Osée, avec ses phares en biseau, il n'est pas sûr qu'elle fasse l'unanimité. Elle recevra des moteurs 4, 5 et 6 cylindres. Souhaitons en tout cas qu'elle sache convaincre plus d'acheteurs que la Kappa qu'elle remplace.

Qvale Mangusta

Dessinée par Marcello Gandini, la Mangusta est née De Tomaso Biguà. Développée avec l'aide de Kjell Qvale (prononcez Ka-Va-Lee), importateur De Tomaso aux USA. Ce dernier a finalement repris à son compte la fabrication du modèle. L'arceau et la vitre arrière sont actionnés électriquement pour passer de convertible à targa. Il suffit ensuite de placer la partie centrale du toit pour obtenir un coupé. Le moteur est un Ford 4,6L de 305 chevaux. Qvale Modena vient d'être récemment acheté par le groupe MG-Rover.

évolution

fiche d'identité

Modèle : Accord
Versions : LX et EX
Segment : compactes
Roues motrices : avant
Portières : 2 ou 4
Places : avant, 2 ; arrière, 2
Sacs gonflables : 2 frontaux et 2 latéraux (sur versions EX)
Concurrence : Chevrolet Malibu, Chrysler Sebring, Daewoo Leganza, Kia Magentis, Hyundai Sonata, Mazda 626, Nissan Altima, Saturn L, Toyota Camry, Volkswagen Jetta

prix de base • 23 000 $

au quotidien

Prime d'assurance moyenne : 800 $
Garantie générale : 3 ans/60 000 km
Garantie groupe motopropulseur : 5 ans/100 000 km
Garantie contre la corrosion : 3 ans/kilométrage illimité
Garantie contre la perforation : 5 ans/kilométrage illimité
Garantie du système antipollution : 5 ans/100 000 km
Collision frontale : 5/5
Collision latérale : 5/5
Ventes du modèle l'an dernier au Québec : 6053
Dépréciation : 35 %

Le **plaisir** de **conduire**

Les Honda Accord sont toujours des intermédiaires recherchées offrant qualité et plaisir de conduire. En 2002, Honda ajoute de nouvelles versions, les Special Edition, aux berlines et aux coupés. Au cours d'un essai comparatif en juin dernier pour le magazine *Auto Passion*, la berline Accord remportait la palme contre des concurrentes de sa catégorie.

CARROSSERIE En 2002, Honda propose toujours deux configurations : la berline et le coupé. La berline se décline cette année en six versions : les quatre cylindres LX, SE et EX–L ainsi que les V-6 SE, EX et EX–L. Pour ce qui est du coupé, Honda propose trois versions : les quatre cylindres SE et EX–L et le V-6 EX. Les versions Special Edition remplacent les LX auxquelles on greffait des groupes d'options d'équipements facultatifs. Ainsi, on profitera de plusieurs accessoires pratiques ou luxueux comme les fauteuils chauffants, le toit ouvrant électrique, une meilleure chaîne audio avec DC, des roues en alliage, et des phares à extinction automatique.

La finition extérieure reflète un travail de qualité. Fait à souligner, Honda est la seule compagnie dans cette catégorie à offrir une garantie de trois ans sur la finition de la peinture. Le coffre de la berline peut contenir 14 sacs d'épicerie, mais attention aux charnières.

MÉCANIQUE Honda a choisi, comme Toyota d'ailleurs, de maintenir même sur ses versions plus luxueuses son quatre cylindres de 2,3 litres développant 152 chevaux. Ce dernier remplit tout juste son rôle, alors que le V6 dépasse les attentes par sa souplesse et ses performances. Le premier est bruyant, et son temps de dépassement de 80 à 120 km/h atteintde 10,5 secondes, ce qui exige de la prudence de la part du conducteur. Avec le V6, on descend aisément sous les 8 secondes. Les versions LX V6 et EX profitent du système de freinage ABS. Des roues de 16 pouces chaussent les versions EX.

On peut obtenir une boîte de vitesses manuelle à cinq rapports sur tous les modèles; curieusement, cette boîte est offerte en option sur le coupé EX V6.

nouveautés 2002

• Version Special Edition

COMPORTEMENT C'est en matière de tenue de route que la Honda Accord domine ses concurrentes. Sa direction précise laisse le conducteur sentir la route. La voiture démontre peu de roulis, et sa suspension bien développée limite les effets sous-vireurs de cette traction.

On peut dire que celle-ci a une suspension calquée sur celle d'une voiture à caractère sportif. Son freinage est ferme et sûr : le 100 à 0 km/h demande 35,8 mètres, même avec la combinaison disques/tambours de la LX.

HABITACLE Les deux modèles peuvent asseoir quatre adultes aisément et confortablement, mais l'accès aux places arrière sera évidemment plus aisé avec la berline. Les sièges avant offrent un très bon soutien latéral et permettent une excellente position de conduite.

La visibilité est bonne tout autour, sauf qu'un reflet du tableau de bord sur la vitre de gauche, agace et nuit un peu à l'efficacité du rétroviseur. Une des qualités que nous avons relevée sur la berline est le confort de la suspension. Bien qu'on entende les coups et les débattements de la suspension, les chocs ne sont pas transmis à l'habitacle.

On a remarqué tout de même quelques bruits de caisse sur route bosselée. L'habitacle compte plusieurs rangements dont de gros vide-poches.

On a jugé le tableau de bord pratique, élégant, et les commandes, faciles à utiliser. Bien que la finition de l'intérieur soit de qualité, le plastique utilisé laisse une impression de bon marché.

CONCLUSION Les cinq essayeurs arrivaient unanimement à la même conclusion : l'Accord offre un agrément de conduite non négligeable, sans rien enlever à ses qualités pratiques. Tout ce qu'elle fait, elle le fait bien. Si elle avait un peu plus de charme, elle serait parfaite !

fiche technique

Moteur : L4 DACT 2,3 L
V6 DACT 3 L
Puissance : 150 ch à 5700 tr/ min et 152 lb-pi à 4900 tr/min ; 200 ch à 5500 tr/ min et 195 lb-pi à 4700 tr/min
Transmission de série : manuelle à 5 rapports
Transmission optionnelle : automatique à 4 rapports
Freins avant : disques
Freins arrière : tambours (LX) disques (EX)
Sécurité active de série : ABS antipatinage
Suspension avant : indépendante
Suspension arrière : indépendante
Empattement : 267 cm (cpé) 271,5 cm (berline)
Longueur : 476,7 cm (cpé) 481 cm (berline)
Largeur : 178,5 cm)
Hauteur : 139,5 cm (cpé) 144,5 cm (berline)
Poids : 1345 kg (cpé) ; 1350 kg (berline)
0-100 km/h : 9,4 s (L4) ; 8,3 (V6)
Vitesse maximale : 180 km/h (2,3 L) 200 km/h (3 L)
Diamètre de braquage : 11,4 m
Capacité du coffre : 385 L (cpé) 399 L (berline)
Capacité du réservoir d'essence : 65 L
Consommation d'essence moyenne : 9 L/100 km (2,3) ; 10,8 L/100 km (3)
Pneus d'origine : P195/65R15 (LX) ; P 205/60R16 (EX)
Pneus optionnels : aucun

HONDA

2e opinion

Alain Mckenna — L'Accord a tout pour plaire aux acheteurs de berlines qui veulent une voiture confortable, fiable et durable. Toutefois, les amateurs de tape-à-l'œil devront repasser, car les Accord ne paient pas de mine - la berline, surtout. Disons que le contenu est beaucoup plus attrayant que le contenant.

forces

- Tenue de route
- Moteur V6
- Confort

faiblesses

- Moteur 2,3 L trop juste
- Prix de la V6

Par Amyot Bachand

évolution

HONDA

fiche d'identité

Modèle : Civic
Versions : berline: DX, LX; coupé : DX, LX, SI
Segment : petites
Roues motrices : avant
Portières : 2, 4
Places : avant, 2; arrière, 2
Sacs gonflables : 2 (frontaux)
Concurrence : Chevrolet Cavalier, Chrysler Neon, Daewoo Nubira, Ford Focus, Hyundai Elantra, Kia Spectra, Mazda Protegé, Nissan Sentra, Subaru Impreza, Toyota Echo et Corolla

prix de base • 15 900 $

Honda Civic, la vaillante

au quotidien

Prime d'assurance moyenne : 625 $
Garantie générale : 3 ans/60 000 km
Garantie groupe motopropulseur : 5 ans/100 000 km
Garantie contre la corrosion : 3 ans/kilométrage illimité
Garantie contre la perforation : 5 ans/kilométrage illimité
Garantie du système antipollution : 5 ans/100 000 km
Collision frontale : 5/5
Collision latérale : 4/5
Ventes du modèle l'an dernier au Québec : 19 334
Dépréciation : 38 %

En 2002, la Civic ne subit que de légers changements, notamment au chapitre de la suspension des versions DX et LX. La concurrence et l'évolution du marché ont incité Honda à ramener au printemps son modèle *hatchback*, si prisé des Québécois, mais que l'on baptisera sous une nouvelle appellation. Nous n'en savons encore que trop peu sur ce modèle, mais il s'agira vraisemblablement d'une version SiR avec un moteur de 160 chevaux, très populaire en Europe.

CARROSSERIE Redessinée l'an dernier, la Civic, fer de lance de Honda au Québec, conserve le joli coupé et la pratique berline dans leurs versions DX et LX. Le pimpant et populaire coupé Si demeure évidemment dans la gamme. Une version SiR, évoquant le coupé CRX disparu au cours de la dernière décennie, sera par ailleurs présentée au printemps. Honda privilégie des versions de base abordables et des versions avec groupes d'équipements optionnels. Sur le plan pratique, Honda ajoute un soutien de bouchon sur le volet de remplissage : une place sûre pour éviter d'oublier le bouchon sur le coffre ou de tacher sa peinture. Bonne idée !

MÉCANIQUE Le fidèle 4 cylindres de 1,7 litre de 115 chevaux entraîne les modèles coupés et les berlines DX et LX tandis que les propriétaires de Si profitent de 127 chevaux sous le capot. Fait à noter, le 1,7 litre satisfait aux normes sévères d'antipollution des véhicules à très faibles émissions polluantes. La transmission manuelle à 5 rapports s'accouple de série à cette motorisation, mais on pourra toujours opter pour l'automatique à 4 rapports au coût de mille dollars. L'efficacité et l'étagement de cette boîte de vitesses conviennent bien à une conduite économique. Honda réagit favorablement aux critiques formulées au sujet de la tenue de route de la Civic. Afin de satisfaire sa jeune clientèle, Honda retouche le calibrage de la suspension et ajoute une barre stabilisatrice arrière à ses modèles DX et LX.

COMPORTEMENT La Civic tient bien la route et offre un

nouveautés 2002

- Modèles DX et LX • Roues de 15 pouces pour les modèles LX
- Barre stabilisatrice arrière. • Nouvelles teintes
- Modèle SiR au printemps

bon confort. Plaisante à conduire, elle se faufile bien en ville. Toutefois, plusieurs propriétaires lui reprochent la piètre qualité des pneus des modèles DX : on les trouve bruyants et peu adhérents. De meilleurs pneus rendraient la conduite plus sûre, notamment sous la pluie. Par contre, on apprécie la très bonne insonorisation de la voiture grâce à l'absence de bruits éoliens et de bruits de caisse. On déplore l'absence du système ABS sur les modèles DX. Sur les berlines, la visibilité est bonne, mais il faut porter une attention particulière sur les coupés lors de certaines manœuvres à cause de l'angle mort prononcé du côté droit. La Civic offre des performances raisonnables et sûres lors des dépassements avec sa boîte manuelle : ainsi on passe de 80 à 120 km/h en moins de huit secondes.

HABITACLE Jugée confortable, la Civic offre un bon espace à ses occupants tant à l'arrière qu'à l'avant. Ceci dit, l'accès à la banquette arrière devient plus ardu dans le coupé. Le volume assez généreux du coffre permet de loger les bagages souples d'une famille. La visibilité, excelllente dans la berline, souffre toutefois d'un handicap sérieux au niveau des angles morts dans le coupé. On apprécie par contre l'aménagement du tableau de bord tout à la fois très simple et très pratique. On aurait aimé un coffre à gants un peu plus logeable. Désembuer le pare-brise prend un peu trop de temps au goût de certains propriétaires.

CONCLUSION La Civic demeure une compacte recherchée grâce au plaisir que sa conduite procure, et grâce aussi à son prix de base concurrentiel et à sa grande fiabilité.

fiche technique

Moteur : 4 cyl. SACT 1,7 L (berline DX, LX et coupé DX, LX)
Autre moteur : 4 cyl. SACT VTEC-E 1,7 L (coupé Si)
Puissance : 115 ch à 6100 tr/min et 110 lb-pi à 4500 tr/min (berline DX, LX et coupé DX, LX)
Autre moteur : 127 ch à 6300 tr/min et 116 lb-pi à 4800 tr/min (coupé Si)
Transmission de série : manuelle à 5 rapports
Transmission facultative : automatique à 4 rapports
Freins avant : disques ventilés
Freins arrière : tambours
Sécurité active de série : ABS (LX et Si)
Suspension avant : indépendante
Suspension arrière : indépendante
Empattement : 262 cm
Longueur : 443,5 cm ; 443,8 cm (coupé)
Largeur : 171,5 cm ; 169,5 cm (coupé)
Hauteur : 144 cm ; 139,9 cm (coupé)
Poids : 1095 kg
0-100 km/h : 11,8 s
Vitesse maximale : 180 km/h
Diamètre de braquage : 5,6 m
Capacité du coffre : 365 L
Capacité du réservoir d'essence : 50 L
Consommation d'essence moyenne : 6,3 L/100 km
Pneus d'origine : 185/70R14
Pneus optionnels : 185/65R15

HONDA

2e opinion

Philippe Laguë — Naguère amusante comme tout, la Civic est devenue aussi excitante à conduire qu'une Corolla ou une Sentra. C'est tout dire. Honda ne mérite pas de félicitations pour l'avoir ainsi dénaturée. D'accord, la SiR s'en vient, mais elle ne sera pas donnée. Auparavant, la moins chère des Civic procurait sa part d'agrément.

forces

- Rapport qualité/prix
- Tenue de route

faiblesses

- Qualité des pneus

Par Amyot Bachand

HONDA

fiche d'identité

Modèle : CR-V
Versions : LX, EX
Segment : utilitaires compacts
Roues motrices : 4 roues motrices
Portières : 4
Places : avant, 2 ; arrière, 3
Sacs gonflables : 2 frontaux et 2 latéraux
Concurrence : Land Rover Freelander, Hyundai Santa Fe, Nissan Xterra, Suzuki Vitara et Grand Vitara, Toyota RAV4, Kia Sportage, Mazda Tribute, Ford Escape et Chevrolet Tracker

au quotidien

Prime d'assurance moyenne : 875 $
Garantie générale : 5 ans/100 000 km
Garantie groupe motopropulseur : 5 ans/100 000 km
Garantie contre la corrosion : 3 ans/kilométrage illimité
Garantie contre la perforation : 5 ans/kilométrage illimité
Collision frontale : 4/5
Collision latérale : 5/5
Ventes du modèle l'an dernier au Québec : 3290
Dépréciation : 37 %

prix de base • 26 300 $

Un peu **plus** de ce qui est **bien**

La première chose que nous ont déclarée les gens de chez Honda, lors du dévoilement de la deuxième génération de CR-V : « C'est un peu plus de tout ce qu'il y avait de bien dans l'ancien modèle. » Pour y arriver, le constructeur nippon a brandi questionnaires et sondages et est allé dans la rue, comme on dit, rencontrer des propriétaires du CR-V ancienne version. Résultat : un utilitaire à quatre roues motrices qui se conduit davantage comme une voiture qu'un camion et qui est un peu plus spacieux. En prime, puisque le constructeur vise évidemment à accroître sa place dans le marché des utilitaires compacts, un moteur plus puissant qui devrait attirer une clientèle masculine en plus grand nombre. Après tout, le CR-V est troisième dans l'alignement de Honda, derrière l'Accord et la Civic. Il est donc normal que l'on fasse tout pour le rendre alléchant pour les gars, les filles, les jeunes, les vieux, les bourgeois et les sportifs.

CARROSSERIE Le CR-V 2002, c'est un peu la version liquéfiée de l'ancien modèle. Les ingénieurs ont repris les anciennes formes et en ont fait une version aux allures plus fluides, plus dynamiques. Dans la plus pure tradition Honda, également, un certain conservatisme était de mise. Les phares et la calandre rappellent aussi bien la Civic que le gros MDX d'Acura, en raison d'un pare-chocs bas et imposant par rapport au reste. Les feux arrière sont allongés et flanquent la lunette arrière de tout leur long, laquelle s'ouvre indépendamment de la portière arrière qui elle s'ouvre de gauche vers la droite, malheureusement, comme sur l'ancien modèle. Résultat : déposer des sacs dans le coffre si vous êtes garé sur le côté droit de la rue vous obligera à littéralement aller jouer dans le trafic, sacs dans les mains. Mentionnons le renforcement de la partie arrière du châssis, au niveau des piliers C et D qui entourent la dernière vitre latérale et l'ajout de matière insonorisante entre l'habitacle et le moteur ainsi que sous le véhicule.

MÉCANIQUE Bonne nouvelle pour les amateurs de boîte manuelle, seul le

nouveautés 2002

- Honda a revisité d'un pare-chocs à l'autre toute la conception de son petit utilitaire à 4RM. Nouvelle allure, nouveau moteur plus puissant, habitacle légèrement plus spacieux, tout a été revu à partir d'études menées auprès de propriétaires du modèle précédent. Bilan : la conduite s'apparente désormais plus à celle d'une berline.

modèle Cuir ne l'offre pas. Le modèle de base, LX, ainsi que le modèle EX peuvent tous deux l'offrir pour commander le nouveau i-VTEC de 2,4 litres qui équipe le CR-V. Développant 160 chevaux et 162 lb-pi de couple, ce nouveau quatre cylindres remplace l'anémique 2 litres de 146 chevaux qui ne sera pas regretté. Ce sont les fameuses études qui ont été faites par Honda qui ont déterminé le besoin de quelque chose d'un peu plus féroce, et le désir d'aller chercher une clientèle plus jeune, donc plus célibataire, donc moins familiale, donc plus sportive (!). Celle-ci sera d'ailleurs heureuse d'apprendre que ce petit moteur est effectivement supérieur à son prédécesseur. Les accélérations sont plus puissantes mais cela ne compromet en aucune façon la douceur de roulement. En fait, les améliorations au niveau de la tenue de route, de l'insonorisation et du confort en général engourdissent sérieusement les sensations que l'on peut tirer de ce petit moteur. Et comme le CR-V a également pris un peu de poids... Mais ne vous y trompez pas : c'est une nette amélioration.

La suspension a aussi été revue et améliorée avec l'ajout de composants de stabilisation. Le résultat est étonnant : on ne ressent plus toutes les imperfections de la route, comme c'était le cas auparavant. Par ailleurs, la version à deux roues motrices ne sera pas vendue au Canada. Une sage décision, si vous voulez mon avis.

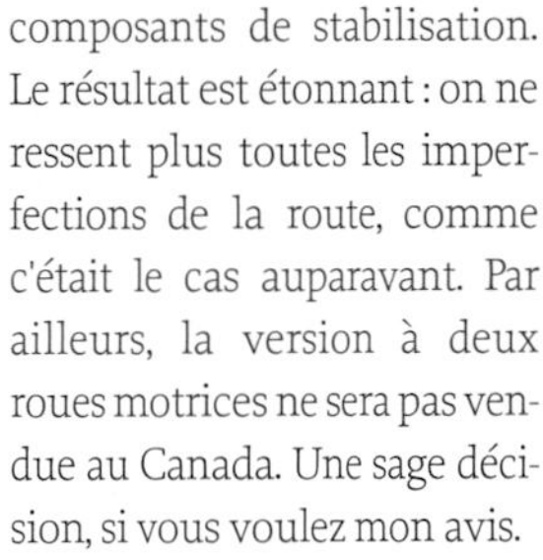

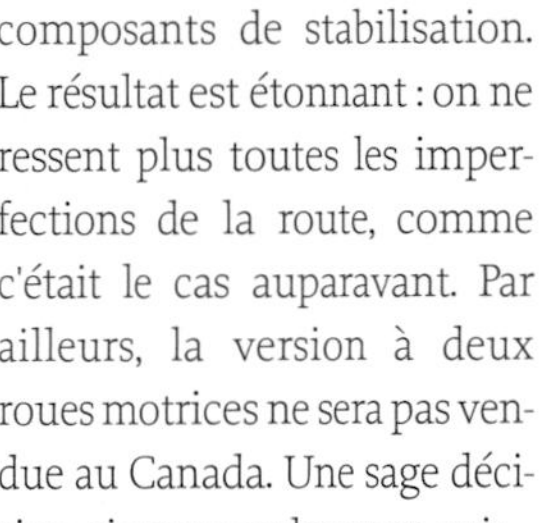

COMPORTEMENT Il est difficile de se prononcer à ce chapitre car les modèles essayés étaient en réalité des prototypes des modèles américains. Autrement dit, certaines caractéristiques n'étaient probablement pas au rendez-vous. Ceci dit, il serait difficile de passer outre certaines améliorations flagrantes au niveau du comportement routier : le CR-V se conduit désormais beaucoup plus comme une voiture que comme un utilitaire. Le centre de gravité du véhicule a été abaissé et juste ce facteur fait une différence. Disparue cette impression qu'à tout moment, lors d'un virage serré, on risque de partir en tonneaux. Sur la

entrevue

Michel Lauzon

directeur régional de Honda Canada au Québec

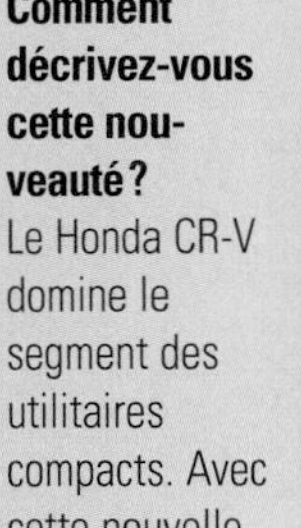

Comment décrivez-vous cette nouveauté ?
Le Honda CR-V domine le segment des utilitaires compacts. Avec cette nouvelle génération, nous avons maintenu les exigences de notre clientèle, soit la durabilité, la qualité et la fiabilité. Nous avons rajeuni ses lignes pour le rendre encore plus attrayant. Nous avons privilégié l'aménagement intérieur plus fonctionnel : le CR-V offre plus d'espace qu'auparavant même si ses dimensions extérieures n'ont à peu près pas changé. Nous avons accru la puissance du moteur et amélioré sa traction, tout en conservant une bonne économie d'essence. Son rapport qualité/prix demeure excellent.

Où situez-vous ce modèle ?
Comme le compact le plus vendu au Canada et chez Honda le troisième véhicule automobile le plus populaire après la Accord et la Civic. Nos compétiteurs : le RAV 4 et le duo Escape/Tribute.

Quelle est la clientèle cible ?
Nous visons à augmenter notre clientèle masculine et compter davantage de jeunes familles avec des enfants.

Combien de ventes en 2002 ?
Nous prévoyons vendre 15 000 CR-V au Canada dont 5000 au Québec.

galerie

1 • Le tableau de bord a été dessiné de façon à mettre l'emphase sur la console centrale. On y retrouve d'ailleurs le levier du frein à main ainsi que le levier de transmission.

2 • Le plateau escamotable entre les deux sièges avant est de retour, mais en version agrandie.

3 • La lunette arrière offre une ouverture pratique pour accéder à la soute à bagages.

4 • Les cadrans ont repris un peu de leur sobriété en 2002.

5 • Les dimensions de l'habitacle sont impressionnantes, notamment à l'arrière...

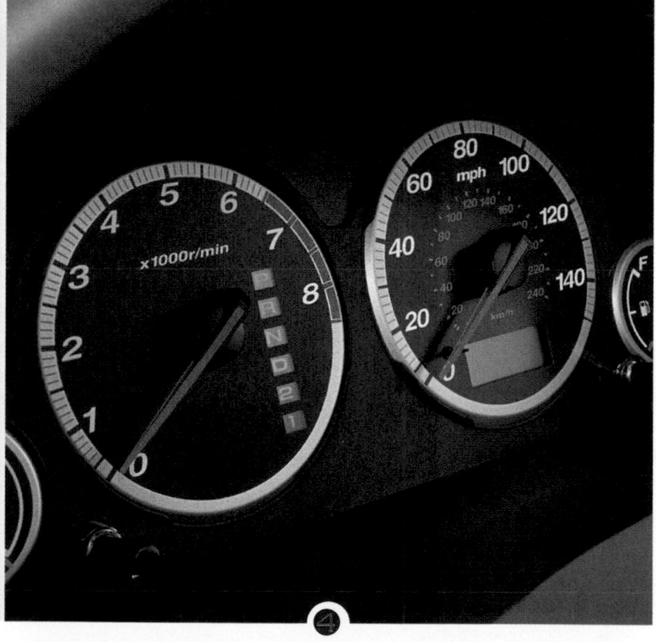

forces

- Mécanique plus volontaire
- Habitacle très spacieux
- La console centrale mérite le coup d'œil

faiblesses

- Les nouvelles formes ne sont pas si inspirantes
- L'espace de rangement est insuffisant

route, bien qu'on ait une position de conduite légèrement surélevée, la visibilité vers l'arrière n'est pas pénalisée. On peut enfin circuler à haute vitesse sans craindre pour sa vie. Et bien que le moteur soit plus animé qu'avant, la transmission automatique offre des changements de rapports généralement doux, notamment lors des reprises.

HABITACLE Le constructeur se plait à claironner l'augmentation notable de l'espace intérieur sans avoir à augmenter les dimensions extérieures pour autant. Plus haut, plus large, plus long, nous a-t-on dit. Pourtant déjà assez spacieux, on a voulu en faire l'alternative à la mini-fourgonnette. Mais lorsqu'on a les chiffres en main, on constate vite que la relativité est de mise. Par exemple, le dégagement pour la tête est accru de 0,9 cm (augmentation de 0,8 %). Mais qu'à cela ne tienne, car le CR-V, qui était déjà l'un des plus spacieux de sa catégorie, ne fait que le confirmer à nouveau.

En fait, les gens remarqueront avant tout la nouvelle console centrale et le tableau de bord qui en découle (dixit les ingénieurs de Honda). C'est le cas de le dire, car l'instrumentation du véhicule a été configurée en prenant la console comme élément central. Ainsi, on y retrouve la radio, mais on y trouve aussi les commandes pour la climatisation qui consistent pour leur part en trois grosses roulettes grises qui occupent une large partie de l'espace visuel un levier de frein de stationnement aux allures étranges. Le plateau rabattable situé entre les deux sièges est de retour, mais cette fois il est un peu plus long, est quelques espaces de rangement ont été ajoutés. Curieusement, toutefois, le compartiment créé entre la radio et les commandes de climatisation a été complètement gaspillé : on aurait pu en faire un endroit idéal pour ranger les DC mais Honda a préféré le faire un centimètre trop étroit. Heureusement qu'il y a le coffre à gants!

CONCLUSION Qu'on se le dise, Honda a amélioré un utilitaire déjà fort plaisant en le rendant plus spacieux et plus puissant. Comportement routier amélioré, habitabilité optimisée, les ingénieurs qui ont retravaillé le CR-V ont largement mérité nos félicitations.

fiche technique

Moteur : 4 cyl. en ligne de 2,4 L
Puissance : 160 ch à 6000 tr/min et 162 lb-pi à 3600 tr/min
Transmission de série : manuelle à 5 rapports
Transmission optionnelle : automatique à 4 rapports
Freins avant : disques
Freins arrière : tambours
Sécurité active de série : ABS
Suspension avant : indépendante
Suspension arrière : indépendante
Empattement : 262 cm
Longueur : 453,7 cm
Largeur : 178,2 cm
Hauteur : 168,2 cm
Garde au sol : 20,5 cm
Poids : 1478 kg
0-100 km/h : 10,7 s
Vitesse maximale : 180 km/h
Diamètre de braquage : 10,6 m
Capacité de remorquage : 1500 kg
Capacité du coffre : 837 L
Capacité du réservoir d'essence : 58 L
Consommation d'essence moyenne : 10 L/100 km
Pneus d'origine : P205/70R15
Pneus optionnels : aucun

Par Alain Mckenna

évolution

HONDA

fiche d'identité

Modèle : Insight
Version : unique
Segment : petites
Roues motrices : avant
Portières : 2
Places : avant, 2 ; arrière, 0
Sacs gonflables : 2
Concurrence : Toyota Prius

prix de base • 26 000 $

En **attendant** les **véritables** vertes...

au quotidien

Prime d'assurance moyenne : 750 $
Garantie générale : 5ans/100 000 km
Garantie groupe motopropulseur : 5 ans/100 000 km
Garantie contre la corrosion : 3 ans/kilométrage illimité
Garantie contre la perforation : 5 ans/kilométrage illimité
Collision frontale : 4/5
Collision latérale : 4/5
Ventes du modèle l'an dernier au Québec : 32
Dépréciation : nouveau modèle

Les véhicules hybrides comme le Honda Insight ne représentent pas « la » solution de l'avenir en matière de « voiture verte ». Il s'agit plutôt d'un modèle intérimaire qui fera place d'ici cinq ans (selon Honda) à un véhicule qui fonctionnera avec piles à combustible. Des piles qui se servent de l'hydrogène comme carburant et qui ne produisent aucune émanation polluante.

CARROSSERIE N'empêche que la Honda Insight regorge d'innovations. Grâce à sa carrosserie en aluminium et à ses différents composants en matériaux ultralégers, le poids total du véhicule ne dépasse pas les 850 kilos. L'aérodynamique a fait l'objet d'études méticuleuses avec un coefficient de pénétration dans l'air de 0,25 : un record. L'Insight se présente sous la forme d'un coupé deux places dont l'arrière, occupé par les batteries, n'offre qu'un tout petit coffre.

MÉCANIQUE Le moteur V-TEC de trois cylindres produit 68 chevaux et le moteur électrique composé d'un groupe batteries à l'hydrure métallique de nickel de 144 volts fournit 14 chevaux supplémentaires. Honda confirme que ce surplus d'énergie électrique pour les dépassements ou accélérations permet au petit moteur 3 cylindres de fournir le rendement d'un 4 cylindres de 1,5 L. Mais on ne peut pas les ajouter, mathématiquement, aux 68 ch du 3 cylindres. Il ne s'agit que d'un renfort tonifiant le couple. Le conducteur y fera appel en fonction de ses désirs de conduire de façon normale ou économique.

COMPORTEMENT En prenant place au volant de la Insight, on n'éprouve rien de spécial. Le démarrage se fait comme sur n'importe quelle autre voiture. Sur autoroute, aucun problème à suivre le flot de circulation à la vitesse de 115 ou 120 km/h. Cela dit, pour obtenir le maximum d'économie d'énergie et parcourir près de 80 milles au gallon, soit 28,3 km au litre, il faut rouler à 75 km/h. De manière plus réaliste, nous avons couvert la distance Toronto-Ottawa avec un quart de réservoir en suivant le traffic, et nous avons obtenu une moyenne de 72 milles au gal-

nouveautés 2002

• Pas de changement majeur

lon ou, si vous préférez, près de 25,5 km au litre. Un exploit, tout de même! Cela dit, le mot performance n'est pas dans le dictionnaire de la Insight. Tout sur cette voiture est orienté vers l'économie de carburant : la coque en aluminium réduit le poids du véhicule de 40% par rapport à l'acier; les pneus à faible résistance au roulement donnent un meilleur rendement énergétique, même le pincement des roues est réduit à zéro pour éliminer toute résistance. Cette dernière caractéristique rend toutefois la voiture sensible aux vents latéraux. Le souci d'économie d'essence incorpore même une fonction de ralenti-arrêt qui coupe le moteur dans certaines circonstances afin de réduire la consommation. Par exemple, vous arrêtez à un feu de circulation. En plaçant la voiture au neutre, le moteur s'arrête. Lorsque le conducteur est prêt à repartir, le moteur repart automatiquement en engageant la pédale d'embrayage.

HABITACLE Le Insight est strictement un biplace. L'arrière a été sacrifié pour loger les batteries. Ce sacrifice inclut également une partie de l'espace du coffre. Pensez bikini et brosse à dents. Pour le reste, le passager est à l'aise même si les sièges ne sont pas trop confortables pour les longs trajets.

CONCLUSION La Insight offre une gamme complète de caractéristiques intéressantes: freins ABS, groupe électrique, air climatisé, système audio avec lecteur DC en option. Mais il s'agit avant tout d'un véhicule très avare en carburant. Honda prévoit en vendre quelques centaines d'unités par année et se dit prêt à répondre à une forte demande le cas échéant.

HONDA

fiche technique

Moteur : L3 DACT 1 L
Puissance : 67 à 73 ch à 5700 tr/ min et 66 à 91 lb-pi à 4000 tr/min ; 10 kW à 3000 tr/min (moteur électrique)
Transmission de série : manuelle à 5 rapports
Transmission optionnelle : aucune
Freins avant : disques
Frein arrière : tambours
Sécurité active de série : ABS
Suspension avant : indépendante
Suspension arrière : poutrelle de torsion
Empattement : 240 cm
Longueur : 394 cm
Largeur : 135,5 cm
Hauteur : 169,5 cm
Poids : 852 kg
0-100 km/h : 12,4 s
Vitesse maximale : 170 km/h
Diamètre de braquage : 9,6 m
Capacité du coffre : 142 L
Capacité du réservoir d'essence : 40 L
Consommation d'essence moyenne : 3,8 L/100 km
Pneus d'origine : 165/65R14
Pneus optionnels : aucun

2e opinion

Luc Gagné — Il ne faut pas oublier que l'Insight reste un laboratoire roulant, grâce auquel Honda poursuit la mise au point de ses hybrides. Sa conduite demeure néanmoins amusante — comme si on était au volant d'une CRX... politiquement correcte. Ses pneus à faible résistance au roulement sont son point faible. Avec des pneus d'hiver, elle se conduit mieux. Car l'Insight est aussi une voiture «quatre saisons».

forces

- Très faible consommation d'essence
- Conception technique avancée
- Excellente maniabilité qui en fait un véritable passe-partout

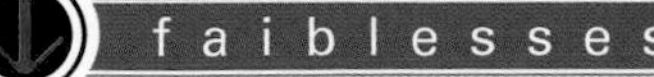

faiblesses

- Strictement deux places
- Espace cargo restreint en raison des batteries

Par Benoit Charette

HONDA

évolution

f i c h e d' i d e n t i t é

Modèle : Odyssey
Versions : LX, EX et EX-L
Segment : minifourgonnettes
Roues motrices : avant
Portières : 5
Places : avant, 2 ; arrière, 5
Sacs gonflables : 2
Concurrence : Toyota Sienna, Mazda MPV, VW EuroVan, Pontiac Montana, Dodge Caravan / Grand Caravan, Ford Windstar, Chrysler Town & Country, Oldsmobile Silhouette et Kia Sedona

prix de base • 31 900 $

Un **équilibre intéressant**

a u q u o t i d i e n

Prime d'assurance moyenne : 900 $
Garantie générale : 5 ans/100 000 km
Garantie groupe motopropulseur : 5 ans/100 000 km
Garantie contre la corrosion : 3 ans/kilométrage illimité
Garantie contre la perforation: 5 ans/kilométrage illimité
Collision frontale : 5/5
Collision latérale : 5/5
Ventes du modèle l'an dernier au Québec : 2512
Dépréciation : 45 %

Avec sa deuxième génération de minifourgonnettes, Honda a réussi à se hisser dans le peloton de tête en matière de qualité et de capacité de chargement. Au cours d'un récent essai comparatif, nos évaluateurs classaient la version 2001 première en raison de son équilibre.

En 2002, Honda améliore la puissance du moteur et des freins, apporte plusieurs touches pratiques à l'intérieur et offre une version plus luxueuse de sa minifourgonnette, la EX-L.

CARROSSERIE Jolie, l'Odyssey jouit d'un style classique qui vieillira bien. Honda retouche la grille frontale et les feux arrière. Avec un empattement de 300 centimètres, elle se classe parmi les versions concurrentes allongées. Honda offre trois versions en 2002 : la LX, la EX et la EX-L. La LX est dotée d'un bon équipement de base, tandis que la EX-L se veut une version de luxe avec sa sellerie de cuir. Nous recommandons la EX en raison des équipements facultatifs intéressants et pratiques comme les portes coulissantes électriques, la galerie de toit, le fauteuil du conducteur à réglage électrique et avec soutien lombaire pour une meilleure position de conduite.

MÉCANIQUE Jumelé à une nouvelle transmission automatique à cinq rapports, le moteur V6 de 3,5 litres voit sa puissance passer de 210 à 240 chevaux, et son couple, de 219 à 242 livres-pied. Cette nouvelle combinaison devrait améliorer les performances et la capacité de remorquage de petites remorques ou de petits bateaux. Si vous souhaitez tirer une charge de 1588 kilos, optez pour le groupe remorquage. L'Odyssey profite d'un système antipatinage utile sur route de gravier ou dans la neige. En 2002, on y va avec quatre freins à disques appuyés par un système ABS avec répartiteur de pression, de série.

COMPORTEMENT Fidèle aux qualités des voitures Honda, l'Odyssey offre une bonne te-nue de route, mais sa direction est un peu lourde. Stable en virage, son roulis n'est pas prononcé. Elle jouit d'un freinage progressif.

HABITACLE La qualité d'assemblage et des matériaux est

n o u v e a u t é s 2 0 0 2

• Moteur plus puissant • Transmission automatique à 5 rapports • Modèle EX-L

au rendez-vous. Au volant de l'Odyssey, vous pourrez adopter une position de conduite confortable avec une bonne visibilité.

On a raccourci le levier de vitesses que certains jugeaient mal aisé à utiliser. On a jugé le confort des fauteuils avant très bon, celui des sièges de la deuxième rangée et de la banquette de la troisième rangée de bon à moyen.

Choisissez plutôt une version équipée de sièges à la deuxième rangée si vous avez des enfants ou des ados. Comme l'Odyssey ne vient qu'avec une banquette rabattable, vous devrez bien planifier l'agencement de vos bagages en voyage. En enlevant l'un des sièges de la deuxième rangée, vous assurerez la mobilité des jeunes passagers à l'arrière.

Fait à noter, l'Odyssey est l'une des rares minifourgonnettes à offrir des appuie-tête à toutes les positions, même au centre de la banquette arrière. La banquette s'escamote facilement et, en enlevant les deux fauteuils du centre (23,6 kilos), vous pourrez y glisser un panneau de 4 x 8 et fermer le hayon.

L'Odyssey vous offre une climatisation séparée efficace. Au chapitre des accessoires, nous avons apprécié la tablette escamotable entre les deux fauteuils avant, mais nous déplorons l'absence d'un DC de série dans la version LX.

CONCLUSION Il faut considérer l'Odyssey comme un choix intéressant tant par son habitabilité que par sa tenue de route, si votre budget vous le permet, car l'Odyssey n'est pas une minifourgonnette bas de gamme.

Elle constitue une valeur sûre avec sa dépréciation limitée et la très bonne fiabilité de sa mécanique. Comme dirait l'autre, dans le ventre de l'Odyssey, «il y a un moteur Honda»...

fiche technique

Moteur : V6 SACT de 3,5 L
Puissance : 210 ch à 5200 tr/min et 229 lb-pi à 4300 tr/min
Transmission de série : automatique à 4 rapports
Transmission optionnelle : aucune
Freins avant : disques
Freins arrière : tambours
Sécurité active de série : aucune
Suspension avant : indépendante
Suspension arrière : indépendante
Empattement : 300 cm
Longueur : 511 cm
Largeur : 192 cm
Hauteur : 174 cm
Garde au sol : 11,7 cm
Poids: 1910 kg (LX) 1945 (EX)
0-100 km/h : 10 s
Vitesse maximale : 190 km/h
Diamètre de braquage : 11,5 m
Capacité du coffre : 711 L
Capacité du réservoir d'essence : 75,7 L
Consommation d'essence moyenne : 11,5 L/100 km
Pneus d'origine : P215/65R16
Pneus optionnels : aucun

2e opinion

Philippe Laguë — Quatre ans après son lancement, la Honda Odyssey demeure la référence de sa catégorie. Avec une trentaine de chevaux supplémentaires, c'est toujours la plus puissante. Elle se classe également dans le peloton de tête au chapitre de l'habitabilité, du confort et de la fiabilité. Pour couronner le tout, elle est bien moins ennuyeuse à conduire que la plupart de ses rivales.

forces

- Habitabilité
- Tenue de route
- Fiabilité

faiblesses

- Prix
- Troisième banquette non séparée

Par Amyot Bachand

HONDA

évolution

fiche d'identité

Modèle : S2000
Version : unique
Segment : sportives de 50 000 $ et plus
Roues motrices : arrière
Portières : 2
Places : avant, 2 ; arrière, 0
Sacs gonflables : 2 frontaux
Concurrence : Audi TT, BMW Z3, Mercedes-Benz SLK, Porsche Boxster

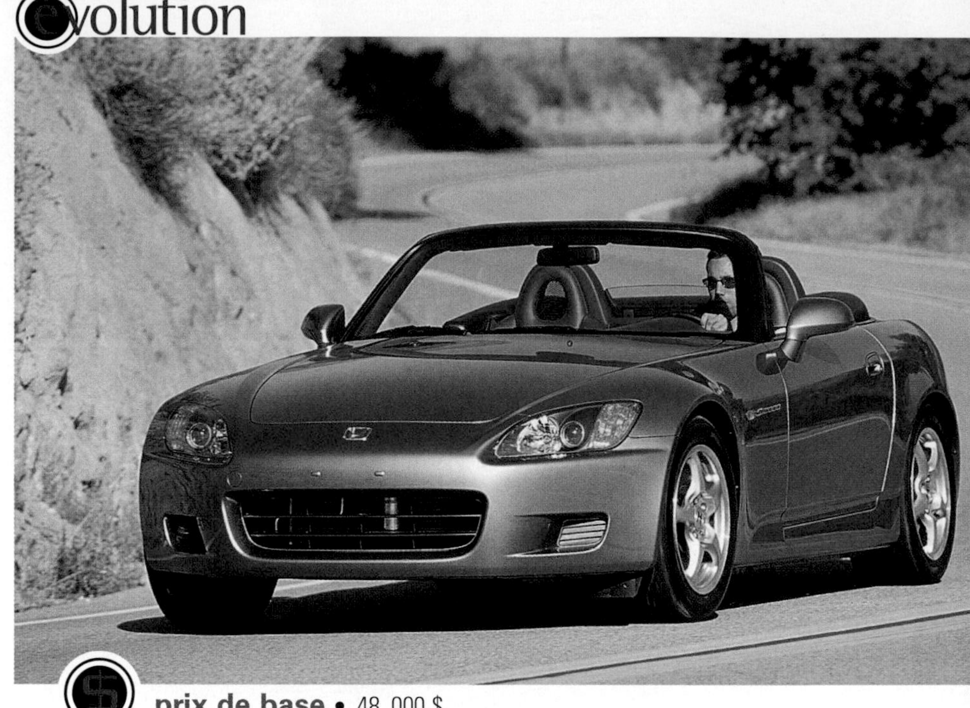

prix de base • 48 000 $

La haute **voltige** des **9000** tours

au quotidien

Prime d'assurance moyenne : 1550 $
Garantie générale : 3 ans/60 000 km
Garantie groupe motopropulseur : 5 ans/100 000 km
Garantie contre la corrosion : 3 ans/kilométrage illimité
Garantie contre la perforation : 5 ans/kilométrage illimité
Collision frontale : 5/5
Collision latérale : 4/5
Ventes du modèle l'an dernier au Québec : 75
Dépréciation : 14 % (un an)

Quand les ingénieurs japonais se «débrident», ils sont capables de réaliser des créations exceptionnelles comme la NSX, la Miata et, bien sûr, la S2000. Ce sont toutes des voitures irréconciliables avec la tiédeur des 626, Corolla et autres Accord. Avant toute chose, la S2000 a été conçue pour faire la démonstration de la supériorité de Honda en tant que motoriste ainsi que pour établir le lien direct avec la participation du constructeur en course automobile.

CARROSSERIE Ses proportions épousent celles d'un roadster typique avec un long capot plongeant réalisé en aluminium, mais les phares, qui sont visibles autant de côté que de l'avant, ajoutent une touche de modernité à l'ensemble. Pour 2002, la S2000 est désormais équipée d'un vitrage arrière rigide avec dégivrage électrique, ce qui corrige un grave défaut des modèles précédents.

MÉCANIQUE Plus que pour le «look», c'est véritablement pour le moteur que l'on choisit la S2000. Mis au point par les ingénieurs affectés au programme F1 de Honda lors des belles années de l'époque Senna-Prost chez McLaren, le moteur de la S2000 est une absolue réussite puisqu'il produit 120 chevaux par litre de cylindrée et que la zone rouge débute à 9000 tours-minute. Personne n'est en mesure de faire mieux et ce 4 cylindres de 2 litres détient de facto le record mondial de puissance au litre de cylindrée pour un moteur atmosphérique. Voilà pour la technique, mais qu'en est-il en conduite ? Jusqu'à 6000 tours/minute, il ne se produit pas grand chose, puisque la plage de puissance se situe justement entre 6000 et 9000 tours. Résultat, pour exploiter pleinement le potentiel de ce moteur, il faut obligatoirement le faire tourner à plein. Vous adorerez alors ou vous détesterez royalement le son strident qui accompagne ces rapides montées en régime, cette haute voltige des 9000 tours ayant tôt fait d'offenser les apôtres de la rectitude politique. Si le moteur séduit par sa sophistication technique, ce n'était véritablement pas le cas de la boîte de vitesses qui représentait le talon d'Achille de cette voiture en raison d'un deuxième rapport qui

nouveautés 2002

• Nouvelle lunette arrière avec dégivreur sur toit souple électrique • Puissance accrue de 10 watts sur le système audio • Nouveau design des jantes en alliage • Nouvelles couleurs : argent Sebring métallisé et bleu Suzuka métallisé • Seuils de portières garnis d'aluminium

accrochait lorsque l'on tentait de le passer rapidement en accélération franche. Pour cette année, les ingénieurs ont corrigé ce défaut majeur en dotant le synchronisateur du deuxième rapport de trois cônes plutôt que seulement deux sur les modèles précédents.

COMPORTEMENT Avec une répartition de poids idéale de 50-50 avant-arrière, la S2000 devrait avoir un comportement parfait à la limite sur circuit, mais ce n'est pas le cas car si l'avant s'inscrit parfaitement bien en virage, l'arrière a une tendance plus marquée pour le roulis en virage. Cette lacune compromet la réaccélération en sortie de courbes serrées d'autant plus que la S2000 n'est pas dotée d'un système antipatinage. Un autre de ces détails que seul un essai sur piste peut révéler et qui ne sera toutefois pas remarqué par le conducteur moyen qui n'approchera sans doute jamais la vraie limite de la S2000 sur la route.

HABITACLE Deux choses au sujet du cockpit style F1 de la S2000 : d'abord, l'instrumentation numérique est parfois difficile à lire en plein soleil, et puis le bruit strident du moteur fait en sorte que l'on doive faire jouer le système audio à fond pour l'entendre, ce qui risque d'amener un autre de ces moments « Tylenol ».

CONCLUSION Compte tenu de son prix très concurrentiel par rapport à ses rivales directes, la S2000 représente un choix éclairé, tant et aussi longtemps que l'on pourra vivre avec ses particularités. Quant à moi, je l'ai trouvée plus qu'agréable à conduire au cours de cette période d'essai, mais pour une utilisation de tous les jours, je continuerai à lui préférer la Boxster qui jouit de toutes les qualités de la S2000, les irritants en moins.

fiche technique

HONDA

Moteur : 4 cyl. DACT 2,0 L
Puissance : 240 ch à 8300 tr/min et 153 lb-pi à 7500 tr/min
Transmission de série : manuelle à 6 rapports
Transmission optionnelle : aucune
Freins avant : disques ventilés
Freins arrière : disques
Sécurité active de série : ABS
Suspension avant : indépendante
Suspension arrière : indépendante
Empattement : 240 cm
Longueur : 412 cm
Largeur : 175 cm
Hauteur : 128,5 cm
Poids : 1274 kg
0-100 km/h : 6 s
Vitesse maximale : 240 km/h
Diamètre de braquage : 10,8 m
Capacité du coffre : 153 L
Capacité du réservoir d'essence : 50 L
Consommation d'essence moyenne : 10,7 L/100 km
Pneus d'origine : 205/55R16 (avant), 225/50R16 (arrière)
Pneus optionnels : aucun

2e opinion

Philippe Laguë — La Mazda Miata est une réussite, on s'entend là-dessus. Imaginez si son moteur avait 100 chevaux de plus ! C'est exactement le genre de cocktail à la nitroglycérine que propose Honda avec la S2000. J'en veux une !

forces

- Moteur exceptionnel
- Rapport performance/prix
- Soutien latéral des fauteuils

faiblesses

- Bruit strident du moteur
- Instrumentation numérique difficile à lire en plein soleil
- Peu d'espace de rangement

Par Gabriel Gélinas

HUMMER

fiche d'identité

Modèle : H1
Versions : Hard Top et Open Top Wagon,
Segment : utilitaires grand format
Roues motrices : 4x4
Portières : 4
Places : avant, 2 ; arrière, 2
Sacs gonflables : 2
Concurrence : Lexus LX470, Mercedez-Benz Classe G, Ford Excursion, Land Rover Range Rover, Chevrolet Suburban/XL, Toyota Sequoia, Cadillac Escalade/EXT, Chevrolet Tahoe, GMC Yukon, Denali et Yukon XL

HUMMER

au quotidien

Prime d'assurance moyenne: 3000 $
Garantie générale: 3 ans/60 000 km
Collision frontale: nd
Collision latérale: nd
Ventes du modèle l'an dernier au Québec: nd
Dépréciation: nd

évolution

prix de base • 150 000 $

L'engin de guerre dans nos rues

D'abord mis au point comme un véhicule militaire devant remplacer la légendaire Jeep, le Humvee de AM General est devenu un véhicule civil maintenant connu sous le nom de Hummer. Cet énorme utilitaire s'est d'abord fait connaître en images lors des reportages de la guerre du Golfe. Puis, lorsqu'il a été mis sur le marché à l'intention d'un public restreint cherchant l'ultime tout-terrain, il s'est rapidement fait une réputation unique. Grâce à des vedettes comme Arnold Schwarzenegger et Al Unser, père et fils, qui s'étaient procuré de tels véhicules, l'un pour l'originalité, les autres pour la chasse et la pêche, le puissant Hummer a réussi à faire sa marque dans le monde. Mais, malgré un prix élevé et une réputation à toute épreuve, les ventes n'étaient pas suffisantes pour poursuivre l'aventure. C'est en 1999 que General Motors entre en scène et acquiert les droits de la marque Hummer garantissant ainsi la commercialisation du véhicule. GM a donc décidé d'en exploiter la lignée sans, toutefois, éliminer le véhicule général rebaptisé H1.

CARROSSERIE Le Hummer H1 est un très gros 4x4 offert en tout-terrain familial à quatre portes et à toit rigide ou de toile. De base, ce camion d'apparence unique (et très militaire) nous arrive comme un véhicule de classe 3 (un peu comme le Chevrolet Silverado 3500 ou la Ford F-350). Son centre de gravité est très bas.

MÉCANIQUE Il est mû par un V8 turbodiesel de 6,5 litres du même genre que celui qui propulsait les anciennes camionnettes GM. Ce moteur fait 195 chevaux et 430 livres-pied de couple. Il ne vient qu'avec une boîte automatique 4L80-E à quatre rapports de GM. Logée dans un châssis unique, cette motorisation repose bien au delà du centre de gravité et envoie la puissance du moteur aux moyeux des roues. Les essieux se rendent à la partie supérieure du moyeu où la puissance est démultipliée avant de passer aux roues. On y trouve même un système d'antipatinage original qui fonctionne avec les freins. Ceux-ci sont secondés d'un antiblocage.

nouveautés 2002

- Système antipatinage TT4

COMPORTEMENT Conduire un Hummer H1, c'est comme conduire un camion de grand gabarit. Le pare-brise plat et divisé au centre demande une certaine adaptation, surtout au chapitre de la visibilité en ville. Le moteur turbodiesel n'est pas des plus rapides, et une vitesse soutenue sur la route lui fait émettre un grondement évident. Les accélérations et les reprises sont laborieuses. Nous avons essayé un prototype mû par un V8 Vortec 8100 à essence, et il est à espérer que ce moteur soit offert en équipement facultatif dans le Hummer H1. Hors-route, cette bête est imbattable. Le nouveau système TT4 avec antipatinage aux roues avant et arrière remplace l'ancien système qui demandait d'appuyer légèrement sur la pédale de freins en accélérant en même temps pour obtenir le maximum de motricité. Le grand défaut du Hummer est sa largeur qui l'empêche d'attquer les sentiers sinueux étroits.

HABITACLE L'intérieur d'un Hummer est aussi unique et original. Il reprend le thème militaire, mais avec une touche de luxe. Le compartiment intérieur est divisé par un énorme tunnel où courent les éléments mécaniques surélevés. Deux passagers peuvent prendre place à l'avant et deux autres à l'arrière. Le tableau de bord est plat et toute l'instrumentation loge dans des cadrans ronds et très pratiques. En général, les Hummer H1 sont équipés d'un système intégré de gonflage et de dégonflage des pneus permettant au conducteur d'adapter la pression des pneus au terrain qu'il attaque. En 2002, le Hummer H1 a un différentiel TBR (*Torque-Biasing Ratio*) qui réduit le patinage. Aussi y verra-t-on de nouvelles jantes en aluminium, des feux de position au DEL et une ornementation H1.

CONCLUSION Le gros Hummer n'est pas pour tout le monde. C'est d'abord un véhicule professionnel de travail. Cependant, les vrais amateurs de tout-terrain désirant une grande puissance et une motricité hors pair trouveront une satisfaction au volant du Hummer H1.

fiche technique

Moteur : V8 6,5L Diesel Turbo
Puissance : 195 ch à 3400 tr/min et 430 lb-pi à 1800 tr/min
Transmission de série : automatique à 4 rapports
Transmission optionnelle : aucune
Freins avant : disques
Freins arrière : disques
Sécurité active de série : ABS
Suspension avant : indépendante
Suspension arrière : indépendante
Longueur : 468,6 cm
Largeur : 219,7 cm
Hauteur : 190,5 cm
Garde au sol : 40,4 cm
Poids : 2977 kg
0-100 km/h : 20 s
Vitesse maximale : 140 km/h
Diamètre de braquage : 16,2 m
Capacité de remorquage : 2268 kg
Capacité du coffre : nd
Capacité du réservoir d'essence : 95 L
Consommation d'essence moyenne : 18,5 L/100 km
Pneus d'origine : 37x12,50R17LT
Pneus optionnels : aucun

2e opinion

Benoit Charette — Symbole de la démesure américaine, le Hummer est l'ultime jouet des G. I. Joe en herbe. Encore faut-il avoir un terrain de jeu à sa portée. Toutefois, ces véhicules demeurent sous-motorisés lorsque l'on a besoin de se déplacer sur la route. GM songe à implanter un V8 de 8,1 litres qui va régler ce petit problème de puissance.

forces
- Capacités hors-route
- Mécanique éprouvée
- Solidité évidente

faiblesses
- Performances limitées
- Largeur excessive en sentier
- Gabarit imposant en ville

Par Éric Descarries

nouveauté

HUMMER

f i c h e d' i d e n t i t é

Modèle : H2
Versions : SUV et SUT
Segment : utilitaires grand format
Roues motrices : 4x4
Portières : 4
Places : avant, 2; arrière, 2
Sacs gonflables : 2
Concurrence : Ford Expedition et Excursion, Chevrolet Suburban et Tahoe, GMC Yukon, Mercedes-Benz Classe G, Chevrolet Avalanche

prix de base • nd

Le Hummer retrouve la civilisation

a u q u o t i d i e n

Prime d'assurance moyenne: nd
Garantie générale: nd
Collision frontale: nd
Collision latérale: nd
Ventes du modèle l'an dernier au Québec: nd
Dépréciation: nd

Lorsque General Motors a acquis les droits du nom Hummer, elle n'avait pas seulement l'intention de commercialiser le gros utilitaire Hummer d'origine militaire, elle voulait en développer la marque. General Motors, c'est vrai, a apporté un soutien technique important à l'usine Hummer, mais elle en a également profité pour construire un prototype de Hummer moins militaire et plus civilisé. C'est au Salon de l'auto de Détroit en 2000 que GM a dévoilé une première étude de style baptisée Hummer H2 (le H1 étant la version originale). Puis, au Salon de l'auto de New York édition 2001, GM a lancé une version encore plus évoluée de ce véhicule, le H2 SUT, un utilitaire d'application encore plus sportive du Hummer. L'objectif est évident; GM veut un véhicule pouvant concurrencer la gamme Jeep de DaimlerChrysler, les luxueuses Land Rover, maintenant dans le giron de Ford, et la Classe G de Mercedes-Benz!

CARROSSERIE Même si le Hummer H2 n'est pas encore sur le marché, les prototypes dévoilés nous en ont montré suffisamment pour nous permettre d'en savoir beaucoup sur le véhicule. Le H2 sera assemblé dans une toute nouvelle usine qui sera construite à côté de celle des H1 à South Bend, en Indiana. Il utilisera la plate-forme du Chevrolet Tahoe à quatre portes dont l'empattement est de 122 pouces (309,9 cm). Cependant, le véhicule sera plus haut et plus large, mais moins long, surtout que les porte-à-faux avant et arrière seront plus courts.

MÉCANIQUE Selon les premières indications, le Hummer H2 sera mû par un puissant V8 Vortec 6000 de 340 chevaux combiné à une boîte automatique 4L60-E HD à quatre rapports de GM. Le boîtier de transfert sera du type service intense avec un rapport inférieur à 2,72 : 1. Évidemment, il s'agira d'un véhicule à quatre roues motrices dont les pièces de suspension seront empruntées aux grosses camionnettes et aux Suburban de GM. La suspension arrière fait appel à cinq bras avec des ressorts hélicoïdaux ou, peut-être, des sacs pneumatiques, pour plus de

• Modèle à paraître

confort. Quant aux pneus, le prototype avait des versions hors-route de 33 pouces. Le Hummer H2 aurait un système d'antipatinage.

HABITACLE Le véhicule dévoilé à New York était du type SUT, c'est-à-dire une sorte de camionnette combinée à un utilitaire sport à quatre portes, un peu à la manière du Chevrolet Avalanche. La caisse intégrée est un peu courte, mais si l'on rabat le dossier du siège arrière, on obtient un plancher suffisamment long, et le véhicule peut servir de camionnette. Évidemment, il y a une partition amovible à l'arrière qui nous permet d'arriver à cette configuration. À l'intérieur, le prototype se distingue avec un tableau de bord plus moderne et plus ergonomique que celui du Hummer H1. L'instrumentation comporte des cadrans ronds à fond blanc. Le dessin du tableau de bord lui-même est assez évolué, rappelant un peu celui de la Pontiac Aztek mais en plus modéré. Le prototype disposait même d'un système de navigation en son centre alors que le fameux système « Night Vision » y serait offert en équipement facultatif.

CONCLUSION Le Hummer H2 sera certainement mis sur le marché dans un avenir rapproché. Étant destiné à concurrencer les utilitaires haut de gamme, son prix pourrait être assez élevé et dépasser les 60 000 $. Mais il fera certes partie d'un créneau qui connaîtra un certain succès auprès des automobilistes les plus fortunés. Il sera offert en deux versions, semble-t-il : la familiale et la camionnette modulable à la Avalanche. L'aventure ne s'arrêtera pas là. GM nous a déjà parlé d'une troisième version du Hummer, le H3. Sera-t-il plus petit et plus abordable ?

fiche technique

Moteur : V8 6 L
Puissance : 340 ch à 4400 tr/min et 360 lb-pi à 4000 tr/min
Transmission de série : automatique à 4 rapports
Transmission optionnelle : aucune
Freins avant : disques
Freins arrière : disques
Sécurité active de série : ABS
Suspension avant : indépendante
Suspension arrière : indépendante
Longueur : 451,7 cm
Largeur : 203,5 cm
Hauteur : 184,5 cm
Garde au sol : nd
Poids : nd
0-100 km/h : nd
Vitesse maximale : 140 km/h
Diamètre de braquage : nd
Capacité de remorquage : nd
Capacité du coffre : nd
Capacité du réservoir d'essence : 95 L
Consommation d'essence moyenne : nd
Pneus d'origine : 35x12.5R15LT
Pneus optionnels : aucun

HUMMER

forces

- Lignes uniques
- Mécanique plus connue
- Dimensions plus raisonnables que la H1

faiblesses

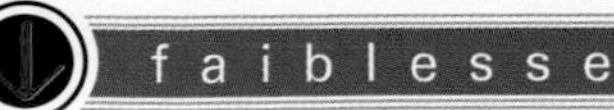

- Données insuffisantes

Par Éric Descarries

HYUNDAI

fiche d'identité

Modèle : Accent
Versions : GL, GS, GSi
Segment : petites voitures
Roues motrices : avant
Portières : 4 (berline); 2 avec hayon (hatchback)
Places avant : avant, 2 arrière, 3
Sacs gonflables : 2 frontaux
Concurrence : Kia Rio, Daewoo Lanos, Toyota Echo

évolution

prix de base • 12 395 $

Une **valeur sûre**

au quotidien

Prime d'assurance moyenne : 650 $
Garantie générale : 3 ans/60 000 km
Garantie groupe motopropulseur : 5 ans/100 000 km
Garantie contre la perforation : 5 ans/kilométrage illimité
Collision frontale : 3/5
Collision latérale : 3/5
Ventes du modèle l'an dernier au Québec : 12 092
Dépréciation : 57 %

Renouvelée en l'an 2000, l'Accent 2002 revient sur le marché sans changement majeur. La plus grande compagnie coréenne a le vent dans les voiles et en profite pour retoucher quelques modèles comme la Sonata, la XG300 qui devient la XG350 et une nouvelle version de l'Elantra. L'Accent, qui continue de faire de nouveaux adeptes mois après mois, est devenue un choix judicieux dans les voitures sous-compactes.

CARROSSERIE Lorsque l'on parle d'une voiture sous-compacte, le premier mot qui vient à l'esprit est : « petit ». L'Accent offre aux conducteurs et aux passagers plus d'espace pour la tête, les épaules et les jambes que la plupart des concurrents. L'Accent devient plus mature avec l'âge. La conception extérieure laisse de côté le biodesign tout en rondeur de l'ancienne version et fait place à des lignes droites et à des angles qui sous-tendent une ligne plus sobre et plus raffinée, ce qui donne l'impression d'une voiture plus grande que nature. Les pare-chocs harmonisés à la couleur de la carrosserie contribuent à rehausser le look accrocheur de l'Accent.

MÉCANIQUE Les mécaniques demeurent les mêmes. Le modèle GSi trois portes et la berline GL sont dotés d'un moteur 4 cylindres de 106 chevaux.
Le modèle de base GS offre un moteur 4 cylindres 1,5 litres de 92 chevaux. Tous deux assurent un fonctionnement souple et silencieux. La boîte automatique n'est pas la plus appropriée à la motorisation de base parce qu'un peu lente. La transmission manuelle est plus agréable à l'utilisation.

COMPORTEMENT Avec l'aide de l'ordinateur, les ingénieurs ont ajouté de la rigidité à la petite Accent et on le sent bien sur la route; la voiture se comporte avec plus d'assurance et moins de roulis qu'auparavant. Après quelques heures de route, c'est une impression de solidité et de confort accru que laisse la nouvelle Accent. Un bon mot en passant pour le coffre très profond et les banquettes rabattables qui permettent d'avoir un espace de chargement comparable à une familiale.
Un léger reproche concernant

nouveautés 2002
• Pas de changement majeur

les pneus Kumho montés en série qui ne font vraiment pas le poids : Hyundai devrait investir quelques dollars pour doter la GS de pneus dignes de ce nom. Il faudra également vous habituer à freiner sans l'ABS qui n'est pas disponible, même en option. Ce qui n'est pas nécessairement une très grosse tâche.

HABITACLE Les critères ergonomiques ont constitué une des priorités des ingénieurs attelés à redéfinir l'Accent. Le design et le capitonnage des sièges répondent ainsi à des exigences élevées, de même que la disposition logique et fonctionnelle des instruments de bord, incluant un volant réglable en hauteur. L'équipement de base est assez complet.

Les versions GSi et GL offrent même un lecteur DC de série. Toutefois , pour se permettre la climatisation, il faut verser un supplément. La plus belle qualité de l'habitacle consiste à offrir plus d'espace qu'il en appert.

Après quelques minutes au volant, vous oublierez presque l'impression d'être aux commandes d'une petite voiture. Une semi-remorque vous ramènera à la réalité de temps à autre, mais l'expérience est néanmoins agréable.

CONCLUSION L'Accent dégage une impression de plaisir et d'espace susceptible de faire ombrage à quelques modèles concurrents. Hyundai continue d'améliorer la qualité de ses produits et offre toujours un prix très compétitif.

Somme toute, Hyundai récolte ce qu'il a semé : le travail acharné et bien fait finit toujours pas être récompensé. Hyundai le prouve toujours un peu plus chaque année, ce qui, il va sans dire, fait également le bonheur de bien des acheteurs...

fiche technique

Moteur : 4 cyl. 1,5 L
Autre moteur : 4 cyl. 1,6 L
Puissance : 92 ch à 5500 tr/min et 98 lb-pi à 4000 tr/min
Autre moteur : 106 ch à 5800 tr/min et 107 lb-pi à 3000 tr/min
Transmission de série : manuelle à 5 rapports
Transmission optionnelle : automatique à 4 rapports
Freins avant : disques
Freins arrière : tambours
Sécurité active de série : aucune
Suspension avant : indépendante
Suspension arrière : indépendante
Empattement : 244 cm
Longueur : 420,0 cm (3 portes) 423,5 cm (4 portes)
Largeur : 167,0 cm
Hauteur : 139,5 cm
Poids : 992 kg (manuelle) ; 1019 kg (automatique)
0-100 km/h : 12,0 s (manuelle) 11,1 (Gsi)
Vitesse maximale : 160 km/h
Diamètre de braquage : 9,7 m
Capacité du coffre : 485 L
Capacité du réservoir d'essence : 45 L
Consommation d'essence moyenne : 8,0 L/100 km
Pneus d'origine : 155/80R13 (GS) ; 175/70R13 (GL) ; 185/60R14 (GSi)
Pneus optionnels : aucun

2e opinion

Philippe Laguë — Chouette petite voiture, l'Accent. Mignonne, agile et juste assez nerveuse. Je la vois très bien remplacer une Civic devenue ennuyeuse comme la pluie dans le coeur des «jeunes à casquette». De petites modifications sont nécessaires, mais c'est justement leur dada...

forces

- Le rendement économique
- Le prix compétitif
- La tenue de route appréciable

faiblesses

- Un freinage qui manque un peu de mordant
- Pneus de base de faible qualité

Par Benoit Charette

évolution

HYUNDAI

fiche d'identité

Modèle : Elantra
Version : GL, VE, GT
Segment : petites voitures
Roues motrices : avant
Portières : 4
Places : avant, 2 ; arrière, 3
Sacs gonflables : 2 frontaux
Concurrence : Chevrolet Cavalier, Chrysler Neon, Daewoo Nubira, Ford Focus, Honda Civic, Kia Spectra, Mazda Protegé, Nissan Sentra, Saturn SL, Subaru Impreza, Toyota Corolla, Volkswagen Jetta

prix de base • 15 295$

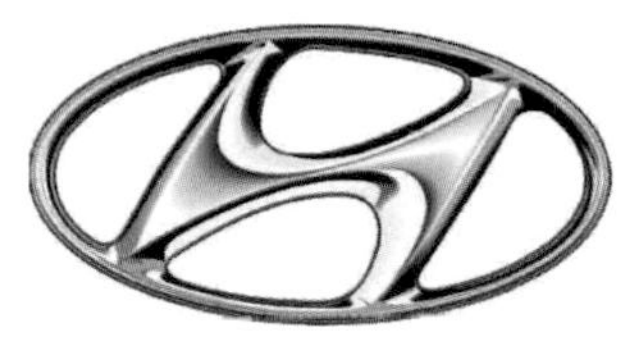

au quotidien

Prime d'assurance moyenne : 700$
Garantie générale : 3 ans/60 000 km
Garantie groupe motopropulseur : 5 ans/100 000 km
Garantie contre la perforation : 5 ans/kilométrage illimité
Collision frontale : 4/5
Collision latérale : 4/5
Ventes du modèle l'an dernier au Québec : 3703
Dépréciation : 55 %

Dans la **course**

L'an dernier, l'Elantra a fait l'objet d'une refonte majeure. Plus longue, plus large et plus puissante, la plus récente version connaît un franc succès partout au Canada. Et le Québec peut encore se vanter d'acheter la moitié de toutes les Hyundai vendues au pays. Pour 2002, L'Elantra GT vient compléter la gamme. Une berline compact qui met l'emphase sur le plaisir de conduire.

CARROSSERIE Sans connaître l'équipe de concepteurs qui ont créé la dernière Elantra, elle a sûrement consulté à quelques reprises les gens qui ont dessiné l'Accent. En deux mots, l'Élantra a tous les airs d'une Accent aux stéroïdes.
Une silhouette musclée qui lui sied très bien etqui améliore son aérodynamisme.
D'entrée de jeu, la GT offre les mêmes dimensions (longueur, largeur, hauteur) et le même empattement que la berline. Mais le principal avantage réside dans l'ajout d'un hayon. Il est facile de comprendre pourquoi les Européens sont si friands de cette configuration. Un hayon augmente significativement le volume du coffre sans avoir à se procurer un plus gros véhicule.

MÉCANIQUE Toutes les versions de l'Elantra sont mues par le même 4 cylindres de 2,0 litres. Ses 140 chevaux procurent suffisamment de nerf à cette compacte pour une bonne expérience au volant. La boîte manuelle vient par ailleurs ajouter au plaisir, mais la transmission automatique n'a pas à rougir de ses prestations.

COMPORTEMENT Je l'ai dit auparavant, Hyundai n'a plus rien à envier aux petites voitures japonaises en ce qui concerne la fiabilité ainsi que la conduite. Le moteur 2 litres offre des performances honnêtes.
Hyundai a installé une suspension plus ferme sur la GT pour une meilleure liaison au sol. Disons tout de suite que vous n'êtes pas au volant d'une Porsche, mais que vous ne craignez pas d'avaler les petites routes en lacets. Dommage que la monte pneumatique ne soit pas à la hauteur, la limite d'adhérence étant rapidement atteinte.

HABITACLE Conformément

nouveautés 2002

• Nouvelle version sport GT

Chez Hyundai, les gens ont pris la base d'une bonne recette et l'ont améliorée à tous les niveaux. Si vous considérez l'achat d'une petite voiture, votre choix est vaste. Et l'Elantra 2001 se hisse, à mon avis, parmi les meilleures de sa classe.

à la tradition Hyundai, l'équipement de série est bien garni. Il comprend notamment le volant inclinable, sièges rabattables à l'arrière et lecteur CD de série. L'Elantra GT affiche son penchant sportif avec un volant et un pommeau de levier de vitesses gainés de cuir. La seule véritable lacune de cet intérieur concerne les dimensions microscopiques des touches de contrôle de la radio, qui en fera pester plus d'un.

Hyundai a cependant promis qu'une nouvelle chaîne stéréo plus facile à opérer sera installée pour 2002. À noter que les freins ABS, l'antipatinage et le toit ouvrant électrique ne sont disponibles qu'en option.

CONCLUSION Dans un segment de marché qui représente plus de 40% des ventes au Québec, les fabricants doivent se surpasser pour plaire à un public de plus en plus difficile à satisfaire. Ultimement, c'est le consommateur qui en sort gagnant.

Une voiture intéressante, bien construite, et au même prix que l'an dernier: quelle bonne affaire!

Et le constructeur qui a en plus le bon goût d'en produire une version sport, voilà qui devrait également faire plaisir à de nombreux acheteurs, surtout si l'on considère encore une fois le prix de la version GT, qui est le plus bas parmi les modèles du genre offerts sur le marché actuellement. Personnellement, j'attends le retour de la familiale.

fiche technique

Moteur : 4 cyl. DACT 2 L
Puissance : 140 ch à 6000 tr/min et 133 lb-pi à 4800 tr/min
Transmission de série : manuelle à 5 rapports
Transmission optionnelle : automatique à 4 rapports
Freins avant : disques ventilés
Freins arrière : tambours
Sécurité active de série : aucune
Suspension avant : indépendante
Suspension arrière : indépendante
Empattement : 261 cm
Longueur : 449,5 cm
Largeur : 172 cm
Hauteur : 142,5 cm
Poids : 1217 kg
0-100 km/h : 10,5 s
Vitesse maximale : 185 km/h
Diamètre de braquage : 10 m
Capacité du coffre : 367 L
Capacité du réservoir d'essence : 55 L
Consommation d'essence moyenne : 8.2 L/100 km
Pneus d'origine : 195/60R15
Pneus optionnels : aucun

2e opinion

Alain Mckenna — Moins chère que la Protegé5 et plus élégante que la Focus ZX5, l'Elantra GT tire bien son épingle du jeu. Sauf si vous êtes de la génération qui se rappelle que traditionnellement, on réserve le sympathique patronyme de «GT» à des voitures sport ou du moins à des voitures qui ont un couple qui permet de monter les côtes sans constamment rétrograder...

forces

- Le prix alléchant
- L'allure jeune et dynamique de la voiture

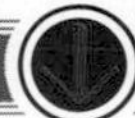

faiblesses

- Les sièges un peu fermes
- Les boutons de commande ridiculement petits de la radio

Par Benoit Charette

évolution

HYUNDAI

fiche d'identité

Modèle : Santa Fe
Versions : GL, GLS
Segment : utilitaires compacts
Roues motrices : traction intégrale
Portières : 4
Places : avant, 2 ; arrière, 3
Sacs gonflables : 2 (avant)
Concurrence : Ford Escape, Honda CR-V, Jeep Liberty, Kia Sportage, Mazda Tribute, Nissan Xterra, Saturn VUE, Subaru Forester, Suzuki Grand Vitara et XL7, Toyota RAV4

prix de base • 24 995 $

C'est fait **par qui ce camion-là ?**

au quotidien

Prime d'assurance moyenne : 900 $
Garantie générale : 3 ans/60 000 km
Garantie groupe motopropulseur : 5 ans/100 000 km
Garantie contre la perforation : 5 ans/kilométrage illimité
Collision frontale : nd
Collision latérale : nd
Ventes du modèle l'an dernier au Québec : 295
Dépréciation : Nouveau en 2001

Voilà une question qui m'a souvent été posée par des interlocuteurs qui affichaient soudainement un air confus en apprenant l'origine de ce modèle. Cet utilitaire abordable repose sur une version modifiée de la plateforme de la berline Sonata.
Il fut lancé à la fin de l'année 2000 pour suivre la tendance et s'accaparer des parts de marché dans ce large créneau. À sa première tentative, Hyundai a réussi un bon coup en adoptant une ligne dynamique et différente de la concurrence tout en proposant un rapport qualité/prix très alléchant. Reste à savoir si la fiabilité sera au rendez-vous.

CARROSSERIE La force du Santa Fe réside sans contredit dans son design extérieur qui se démarque nettement de la concurrence.
Ses lignes profilées lui procurent une allure agressive tout en donnant l'impression que c'est un véhicule beaucoup plus imposant qu'un petit utilitaire.
Les caractéristiques extérieures qui peuvent distinguer le modèle plus luxueux (GLS) du modèle de base (GL), sont minimes : rétroviseurs de couleurs assorties et phares antibrouillard. Avec une glace qui peut s'ouvrir de façon indépendante, le hayon est fort pratique.

MÉCANIQUE Le Santa Fe est équipé d'un moteur V6 de 2,7 litres développant 181 chevaux et est accouplé à une boîte de vitesses automatique à 4 rapports qui offre également le système Shiftronic. Il est propulsé par un système de rouage intégral permanent qui transmet la puissance à 60 % aux roues avant et 40 % aux roues arrière par un système visco-coupleur. Ce système adapte la répartition de la puissance à l'état des conditions de la route.
Malgré un rapport poids/puissance intéressant, la transmission demeure un point faible en raison du mauvais étagement des vitesses.
La réponse de la transmission se faisant attendre, il est préférable de rétrograder manuellement pour effectuer un dépassement.

COMPORTEMENT Le Hyundai Santa Fe procure une douceur de roulement remarquable, limitant les roulis latéraux.

nouveautés 2002

- Pour 2002, Hyundai offrira aux acheteurs canadiens une version à deux roues motrices du Santa Fe.

En fait, malgré une position de conduite élevée qui est l'apanage des utilitaires, le Santa Fe se comporte davantage comme une voiture. Le freinage manque cependant de rigueur et la pédale est spongieuse, malgré la présence des 4 freins à disque de série.

Les réglages du siège conducteur permettent de trouver une position confortable pour de longs trajets. En hiver, cet utilitaire crée un faux sentiment de sécurité, mais prenez garde, il est facile de s'enliser...

HABITACLE Spacieux, l'habitacle ne lésine pas sur le dégagement pour les occupants, autant à l'avant qu'à l'arrière, combiné à une soute à bagages très volumineuse, bien qu'en chiffres absolus celle du Santa Fe soit moins spacieuse que ses concurrents immédiats. La banquette arrière peut se rabattre, ce qui donne encore plus d'espace de chargement.

Les commodités sont nombreuses et la qualité des commandes est bonne, démontrant un effort de la part de Hyundai à tout placer à la portée de la main. Les contrôles de la radio méritent toutefois un blâme, car avec ses minuscules boutons, il devient difficile de l'opérer, surtout en situation de conduite.

CONCLUSION Vu son prix des plus alléchants, et compte tenu de sa très attrayante carrosserie et de l'équipement complet de son modèle de base, le Hyundai Santa Fe doit être considéré comme l'un des meilleurs achats de sa catégorie.

Il s'agit d'un excellent utilitaire urbain qui sait se tirer d'affaires dans des conditions souvent plus difficiles, mais pas trop, tout de même. Comme tous les membres de son espèce, les chemins de gravier son suffisants.

fiche technique

Moteur : V6 2,7 L DACT
Puissance : 181 ch à 6000 tr/min et 177 lb-pi à 4000 tr/min
Transmission de série : automatique 4 rapports avec Shiftronic
Transmission optionnelle : aucune
Freins avant : disques ventilés
Freins arrière : disques
Sécurité active de série : ABS (GLS seulement)
Suspension avant : indépendante
Suspension arrière : indépendante
Empattement : 262 cm
Longueur : 450 cm
Largeur : 182 cm
Hauteur : 167,5 cm
Garde au sol : 20,7 cm
Poids : 1687 kg
0-100 km/h : 11,6 s
Vitesse maximale : 180 km/h
Rayon de braquage : nd
Capacité de remorquage : 998 kg
Capacité du coffre : 864 L
Capacité du réservoir d'essence : 65 L
Consommation d'essence moyenne : 12,5 L/100 km
Pneus d'origine : 225/70R16
Pneus optionnels : aucun

2e opinion

Benoit Charette — Premier utilitaire conçu par Hyundai, le Santa Fe se distingue par son nez proéminent, son habitacle spacieux et un confort tout à fait correct. Comme tous ses rivaux, il se limite aux chemins balisés. C'est un véhicule qui vous offre une transition confortable entre une voiture et un utilitaire, s'il s'agit bien évidemment de votre première expérience.

forces

- Ligne très dynamique et unique en son genre
- Rapport qualité/prix

faiblesses

- Freinage qui manque de rigueur
- Transmission anémique
- Forte consommation d'essence

Par Alain Mckenna

HYUNDAI

évolution

prix de base • 21 195 $

fiche d'identité

Modèle : Sonata
Versions : GL, GL V6, GLX
Segment : intermédiaires
Roues motrices : avant
Portières : 4
Places : avant, 2 ; arrière, 3
Sacs gonflables : 2
Concurrence : Chevrolet Malibu, Chrysler Sebring, Daewoo Leganza, Ford Focus ZTS, Honda Accord, Kia Magentis, Mazda 626, Nissan Altima, Saturn LS, Subaru Legacy, Toyota Camry

au quotidien

Prime d'assurance moyenne : 750 $
Garantie générale : 3 ans/60 000 km
Garantie groupe motopropulseur : 5 ans/100 000 km
Garantie contre la perforation : 5 ans/kilométrage illimité
Collision frontale : 4/5
Collision latérale : 4/5
Ventes du modèle l'an dernier au Québec : 2470
Dépréciation : 55 %

Le bonheur tranquille

Trois ans après son introduction, la Sonata de troisième génération reçoit ses premières modifications d'importance en 2002.

CARROSSERIE Les modifications les plus notables sont d'ordre esthétique. Les parties avant et arrière ont été redessinées, tandis que les panneaux latéraux ont été discrètement retouchés. La Sonata revue et améliorée affiche des airs de Jaguar, surtout si on la regarde de l'angle trois quarts arrière.

MÉCANIQUE Le V6 est réservé aux versions intermédiaire et haut de gamme, tandis que la version de base reçoit un quatre cylindres de 2,4 litres. Des deux motorisations offertes, c'est le V6 qui avait besoin d'augmenter sa masse musculaire, afin de rétrécir l'écart avec les ténors de ce segment, les Accord, Camry et cie. C'est maintenant chose faite : la cylindrée passe de 2,5 à 2,7 litres, et la puissance, de 170 à 181 chevaux. Son architecture est tout ce qu'il y a de plus moderne, avec son bloc en aluminium, ses quatre soupapes par cylindre et ses deux arbres à cames en tête. Sans être une bête de puissance, ce moteur ne souffre d'aucun complexe par rapport à la concurrence. Mais sa plus grande qualité, c'est la discrétion : sur l'autoroute, à vitesse de croisière, on l'entend à peine! La boîte de vitesses automatique à quatre rapports bimodale « Shiftronic » est la seule à être offerte. Son rendement la place à l'abri des critiques : en mode manuel et en mode automatique, les passages se font dans la plus grande douceur. Les versions à moteur V6 sont munies de freins à disque aux quatre roues, mais l'ABS demeure offert en option. La suspension à quatre roues indépendantes fait appel à une configuration à double levier triangulé à l'avant et multibras à l'arrière.

COMPORTEMENT Malgré ses origines asiatiques, la Sonata se comporte comme une bonne vieille berline américaine. À vrai dire, sa conduite fait un peu rétro. Ceux et celles qui privilégient le confort seront comblés : la douceur des amortisseurs n'a d'égale que celle du roulement, tandis que le soin apporté à l'insonorisation transforme l'habitacle en

nouveautés 2002

• La Sonata a été complètement révisée pour 2002.

cocon. Mais, en termes d'agrément de conduite, on repassera... La Sonata pèche par sa propension au sous-virage dès qu'on augmente le rythme, tandis que le roulis ne tarde pas à se manifester dès qu'on aborde une courbe. Et ne parlons pas de la direction, surassistée.

HABITACLE Moins chère que la plupart de ses rivales, la Sonata propose un équipement de série impressionnant, même en version de base; de plus, les accessoires offerts en option se font rares. Sans débourser un cent de plus, vous obtiendrez une berline confortable et spacieuse, munie d'une boîte de vitesses bimodale, de la climatisation, d'un lecteur DC à six haut-parleurs et de toute la panoplie d'accessoires électriques (lève-glaces, rétroviseurs et verrouillage des portières). La finition continue de progresser chez Hyundai, au point de se rapprocher sensiblement des standards japonais. L'assemblage est rigoureux, et les matériaux, de bonne qualité. On constate également une nette amélioration au chapitre de la chaîne stéréo — du moins dans la GLX. L'habitacle est vaste, aéré, et l'ergonomie, irréprochable. On trouve des compartiments de rangement là où il en faut, c'est-à-dire dans la console centrale et les portières, tandis que les commandes sont simples et faciles d'accès. Généreusement rembourrée, la banquette est munie d'un dossier inclinable, du type 60/40, d'appuie-tête réglables ainsi que d'un accoudoir central.

CONCLUSION D'une génération à l'autre, la fiabilité de la Sonata ne s'est jamais démentie, ce qui lui vaut aujourd'hui un taux de satisfaction qui fait l'envie de plusieurs fabricants.

fiche technique

Moteur : 4 cyl. 2,4 L DACT
Autre moteur : 6 cyl. 2,7 L DACT
Puissance : 149 ch à 5500 tr/min et 156 lb-pi à 3000 tr/min
Autre moteur : 181 ch à 6000 tr/min et 177 lb-pi à 4000 tr/min
Transmission de série : automatique à 4 rapports
Transmission optionnelle : aucune
Freins avant : disques ventilés
Freins arrière : tambours
Sécurité active de série : ABS (optionnel GLX)
Suspension avant : indépendante
Suspension arrière : indépendante
Empattement : 270 cm
Longueur : 474,7 cm
Largeur : 182 cm
Hauteur : 141,2 cm
Poids : 1409 kg
0-100 km/h : 10,1 s
Vitesse maximale : 190 km/h
Diamètre de braquage : 10.5 m
Capacité du coffre : 398 L
Capacité du réservoir d'essence : 65 L
Consommation d'essence moyenne : 9,2 L/100 km (L4)
Autre moteur : 10,1 L/100 km (V6)
Pneus d'origine : 205/65R15 ; 205/60R16 (V6)
Pneus optionnels : aucun

HYUNDAI

2e opinion

Alain Mckenna — Le phénomène Volkswagen est contagieux : parlez-en à Hyundai, qui se gausse désormais de construire d'excellentes voitures haut de gamme tandis que sa clientèle a traditionnellement été attirée par ses petites voitures économique. La Sonata 2002 confirme la tendance, avec une voiture de grande commodité et de bon goût, et une mécanique douce, mais douce...

forces

- Douceur des rapports
- Habitacle soigné
- Rapport qualité/prix

faiblesses

- Conduite monotone
- Le moteur pourrait être plus puissant

Par Philippe Laguë

évolution

HYUNDAI

fiche d'identité

Modèle : XG350
Segment : de luxe de moins de 50 000$
Roues motrices : avant
Portières : 4
Places : avant, 2; arrière, 3
Sacs gonflables : 4 (avant et latéraux)
Concurrence : Acura 3.2TL, Lexus ES300, Mazda Millenia, Infiniti I35, Oldsmobile Aurora, Chrysler 300M

prix de base • n/d

Le même **luxe**, plus de **muscle**

au quotidien

Prime d'assurance moyenne : 900$
Garantie générale : 3 ans/60 000 km
Garantie groupe motopropulseur : 5 ans/100 000 km
Garantie contre la perforation : 5 ans/kilométrage illimité
Collision frontale : nd
Collision latérale : nd
Ventes du modèle l'an dernier au Québec : 74
Dépréciation : Nouveau en 2001

Reconnue surtout pour ses voitures compactes et économiques, Hyundai s'est lancée à l'assaut d'un nouveau créneau l'an dernier : celui des berlines de luxe. Le constructeur coréen est ainsi déterminé à étendre sa renommée au-delà des quartiers chics de Séoul. Et comme la puissance fait souvent foi de tout dans ce segment, un an après le lancement, il y a déjà une révision mécanique.

CARROSSERIE Dans la catégorie des voitures de luxe, le style extérieur revêt une importance capitale. Hyundai a fait de gros efforts pour différencier la XG des autres modèles de la gamme. L'utilisation du chrome sur la calandre, par exemple, et de roues de 16 pouces comportant un motif de jantes plus inspiré lui donneront plus de gueule. On veut ainsi atténuer l'allure «bon père de famille» de la voiture. Le reste du design, du capot-moteur aux formes arrondies de l'arrière, ne manque pas d'originalité. Le profil tout en rondeurs, qui rappelle les Volvo S60, est complété par un regard sympathique de la partie avant.

MÉCANIQUE Nous savons peu de choses de la nouvelle mécanique 2002. Au moment d'aller sous presse, nous n'avions pas encore eu la chance d'en faire l'essai. Nous savons qu'il s'agira d'un V6 de 3,5 litres qui développera au-delà de 200 chevaux. Une addition intéressante, car l'un des points faibles de la XG300, outre son poids excessif, était la paresse de sa mécanique. Nous verrons bien ce que quelques chevaux de plus pourront faire.

COMPORTEMENT Sur la route, on sent la XG bien campée sur ses roues jusqu'à la première courbe un peu rapide. En virage serré et dans les bretelles d'autoroute, la caisse accuse un roulis important. Elle continue de se dandiner au lieu de s'asseoir sur son appui. L'amortissement trop souple vient causer un effet de balancier. Les petites routes sinueuses ne sont pas le terrain de jeu de la XG, même si son comportement demeure prévisible. En conduite régulière, le freinage à basse vitesse ne pose pas de problèmes, mais quand les conditions se gâtent (eau et neige), il faut du

nouveautés 2002

• Le XG300 hérite d'un nouveau moteur de 3,5 litres et se voit donc renommé XG350.

doigté pour stopper cette masse de 1633 kilos. La boîte automatique à quatre rapports manquait de vie sur le moteur de 3 litres. Espérons que les choses changeront avec le nouveau moteur de 3,5 litres.

HABITACLE En montant à bord, une bonne odeur de cuir vous accueille. On poursuit la visite par des fauteuils moelleux et confortables (mais qui manquent un peu de soutien). Vient ensuite le bruit sec et franc d'une portière bien ajustée. La clé de contact est sur le tableau de bord comme chez Mercedes. Une mémoire permet à deux conducteurs différents de programmer leur position de conduite respective dans le fauteuil. La qualité des matériaux et l'ergonomie du tableau de bord sont sans reproches, et la qualité de la finition et de l'assemblage est excellente. L'espace est vaste, et les passagers arrière n'ont rien à craindre des longs trajets. Un seul bémol, les faux-appliqués de bois manquent un peu de style. Pour ce qui est de la chaîne audio avec lecteur DC, elle est d'excellente qualité et fait partie de l'équipement de série. C'est le côté le plus intéressant de cette Hyundai; tout est inclus à prix unique.

CONCLUSION Il est curieux de constater comment les manufacturiers automobiles tentent d'occuper de plus en plus de terrain dans tous les créneaux disponibles. On voit des sociétés comme Mercedes-Benz s'immiscer dans des segments bas de gamme et, à l'inverse, Hyundai qui sustente la corde sensible du très lucratif marché des véhicules de luxe. En ce qui concerne le XG350, le problème d'image et le manque réel d'efforts de promotion de la part de Hyundai font en sorte que les chiffres de ventes demeurent discrets. Le constructeur semble vouloir offrir une alternative à sa clientèle plutôt que de prendre le marché d'assaut. Mais la XG350 mérite quelques tours de roues. Changer une image demande du temps et Hyundai est sur la bonne voie en produisant des véhicules de plus en plus fiables. Il faut maintenant persévérer.

fiche technique

Moteur : V6 3,5 L DACT
Puissance : 194 ch à 5500 tr/min et 216 lb-pi à 3500 tr/min
Transmission de série : automatique à 5 rapports avec Shiftronic
Transmission optionnelle : aucune
Freins avant : disques ventilés
Freins arrière : disques
Sécurité active de série : ABS, antipatinage
Suspension avant : indépendante
Suspension arrière : indépendante
Empattement : 275 cm
Longueur : 486,5 cm
Largeur : 182,5 cm
Hauteur : 142 cm
Poids : 1633 kg
0-100 km/h : 10,4 s (avec moteur 3 L)
Vitesse maximale : 185 km/h
Diamètre de braquage : nd
Capacité du coffre : 410 L
Capacité du réservoir d'essence : 70 L
Consommation d'essence moyenne : 10,5 L/100 km
Pneus d'origine : 205/60R15
Pneus optionnels : aucun

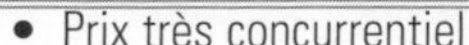

forces

- Prix très concurrentiel
- Équipement très complet
- Qualité de fabrication sans reproches

faiblesses

- Suspension molle
- Boîte automatique paresseuse
- Poids de la carrosserie

Par Benoit Charette

INFINITI

fiche d'identité

Modèle : I35
Versions : de luxe et sport
Segment : berlines de luxe de moins de 50 000 $
Roues motrices : avant
Portières : 4
Places : avant, 2 ; arrière, 3
Sacs gonflables : 2 frontaux et 2 latéraux
Concurrence : Acura 3,2 TL, Lexus ES300, Mazda Millenia, Hyundai XG350, Oldsmobile Aurora, Saab 9-3, Volvo S60

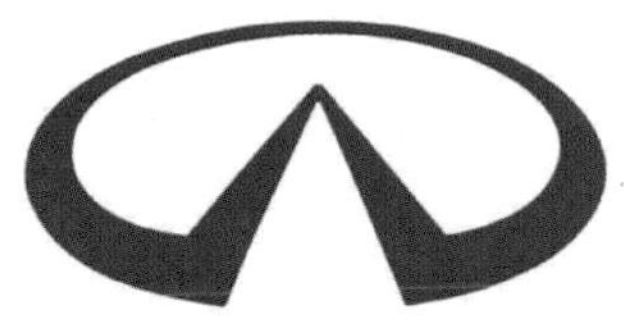

au quotidien

Prime d'assurance moyenne : 1500 $
Garantie générale : 4 ans/100 000 km
Garantie groupe motopropulseur : 6 ans/120 000 km
Garantie contre la corrosion : 7 ans/kilométrage illimité
Collision frontale : 4/5
Collision latérale : 4/5
Ventes du modèle l'an dernier au Québec : nouveau modèle
Dépréciation : nouveau modèle

évolution

prix de base • 38 000 $

Plus de mordant

Au moment d'aller sous presse, le groupe de l'Annuel de l'automobile n'a pas eu l'occasion de mettre la main sur la nouvelle I35 d'Infiniti. Nous avons cependant amplement d'information pour vous donner une très bonne idée de ce qui vous attend.

CARROSSERIE Pour se démarquer de la Maxima, la I35 revêt une calandre horizontale semblable à celle de la Q45, des phares au xénon à décharge haute intensité de série et des phares antibrouillard alliant fonction et style. Vue de côté, la I35 présente des jantes de luxe ou sport de 17 pouces en alliage et des déflecteurs de caisse latéraux (compris avec l'ensemble sport, offert en équipement facultatif sur la version de luxe). La partie arrière présente une nouvelle ligne de coffre plus harmonieuse, de nouveaux feux, un emblème plus gros et un tuyau d'échappement au fini chrome. Trois nouvelles couleurs extérieures sont offertes: ivoire nacré, alliage argent et sable doré.

MÉCANIQUE La plus grande nouveauté de la I35 est son V6 de 3,5 litres à DACT et à 24 soupapes qui développe une puissance de 260 chevaux et un couple de 246 livres-pied, soit 33 chevaux et 29 livres-pied de plus que le moteur de 3 litres de la I30 2001. Ce moteur, en plus d'avoir une cylindrée plus élevée, a fait l'objet de raffinements, notamment une chaîne de distribution silencieuse et une commande électronique des gaz. Un système d'échappement bimode avec silencieux à capacité variable vient accroître la puissance et procure à la I35 un son à la fois silencieux et grave. La nouvelle I35 est aussi équipée de série d'une boîte automatique à 4 rapports et à commande électronique plus robuste, sans oublier le système d'antipatinage de série (TCS) qui améliore la traction au départ et sur chaussée glissante.

COMPORTEMENT Nous avons eu l'occasion de conduire la nouvelle Maxima équipée du même moteur et de la même carrosserie que la I35. Des barres stabilisatrices avant et arrière de grand diamètre et la servodirection à

nouveautés 2002

• Nouveau modèle pour 2002

crémaillère sensible à la vitesse procurent un roulement tout en douceur. Un degré de maniabilité et de stabilité plus élevé peut être obtenu avec l'ensemble sport (en équipement facultatif). Le freinage est assuré par des freins à disque assistés et un système ABS aux quatre roues. Deux systèmes sophistiqués ont été ajoutés en 2002 pour améliorer la qualité du freinage: un système de répartition électronique de la puissance de freinage (EBD) et un système de contrôle de la dynamique du véhicule (VDC), qui corrige automatiquement la trajectoire du véhicule sur la version sport.

HABITACLE À l'intérieur, on trouve de nouveaux fauteuils en cuir Sojourner, un levier de vitesses avec guide de passage et pommeau gainé de cuir, des instruments à éclairage électroluminescent avec ordinateur de voyage multifonction, ainsi qu'une nouvelle console centrale. Le véhicule peut aussi être équipé en option de fauteuils avant et arrière chauffants, de rétroviseurs extérieurs chauffants et d'un volant chauffant. L'équipement de série comprend une nouvelle sonorisation Bose de 200 watts à sept haut-parleurs avec radiocassette AM/FM et changeur à six DC intégré au tableau de bord, des commandes audio montées sur le volant, une commande de volume sensible à la vitesse et une fonction de radiocommunication de données (RDS).

CONCLUSION Les premières I35 ont pris le chemin des concessionnaires au mois d'octobre, et les gens de Nissan nous ont promis que cette I35 ne serait plus un clone de la Maxima. Ça reste à voir : ils répètent la même chose depuis que ce modèle existe. Nous ferons donc comme Saint-Thomas : nous le croirons quand nous le verrons.
À suivre...

fiche technique

Moteur : V6 DACT 3,5 L
Puissance : 260 ch à 6400 tr/min et 246 lb-pi à 4000 tr/min
Transmission de série : automatique à 4 rapports
Transmission optionnelle : aucune
Freins avant : disques ventilés
Freins arrière : disques
Sécurité active de série : ABS, antipatinage, répartition électronique d'aide au freinage, système de contrôle dynamique du véhicule
Suspension avant : indépendante
Suspension arrière : indépendante
Empattement : 275,1 cm
Longueur : 492 cm
Largeur : 178,3 cm
Hauteur : 144,8 cm
Poids : 1531 kg
0-100 km/h : nd
Vitesse maximale : nd
Diamètre de braquage : 10,8 m
Capacité du coffre : 422 L
Capacité du réservoir d'essence : 70 L
Consommation d'essence moyenne : 10,8 L/100 km
Pneus d'origine : 225/50R17
Pneus optionnels : aucun

forces

- À vérifier sur la route

faiblesses

- À vérifier sur la route

Par Benoit Charette

INFINITI

nouveauté

fiche d'identité

Modèle : Q45
Versions : de base, Premium
Segment : de luxe de 50 000 $ à 100 000 $
Roues motrices :
Portières : 4
Places : avant, 2 ; arrière, 3
Sacs gonflables : 2 frontaux, 2 latéraux, rideau
Concurrence : BMW Série 7, Cadillac DeVille et Seville, Jaguar XJ8, Lexus LS430, Lincoln Continentale, Mercedes-Benz Classe S

prix de base • 73 000 $

au quotidien

Prime d'assurance moyenne : 1800 $
Garantie générale : 4 ans/100 000 km
Garantie groupe motopropulseur : 6 ans/120 000 km
Garantie contre la corrosion : 7 ans/kilométrage illimité
Collision frontale : nd
Collision latérale : nd
Ventes du modèle l'an dernier au Québec : nouveau modèle
Dépréciation : nouveau modèle

Mosaïque

Voilà la troisième refonte du porte-étendard d'Infiniti après 10 ans d'histoire. La Q45 n'a jamais connu le succès escompté et les responsables de la marque espèrent que cette nouvelle cuvée attirera 300 acheteurs canadiens pour 2001. Seulement 31 en ont fait l'acquisition l'an dernier. Contrairement à Lexus, qui a pris la part du lion dès son arrivée sur le marché, Infiniti a toujours beaucoup de peine à se démarquer. Certains jettent le blâme sur les mauvaises campagnes publicitaires, d'autres sur la trop grande similitude entre les modèles Nissan et Infiniti, ce qui décourage bien des acheteurs. Une chose est certaine, Infiniti a définitivement brisé le moule avec la Q45 2002. Une originalité audacieuse, ou un design de la dernière chance...

CARROSSERIE Physiquement, Infiniti a voulu placer la Q45 au sommet de la liste dans les départements de l'espace intérieur, de la puissance et du confort. Mais dans l'exercice, on semble avoir oublié un élément essentiel : la présentation extérieure. Je l'ai déjà dit et je le répète, la culture japonaise n'a pas de gènes artistiques pour le design automobile. Cette Q45 semble avoir emprunté la calandre d'une Taurus, les feux arrière d'une Audi A6 et la partie arrière d'une ancienne Classe S de Mercedes. Seuls les phares au xénon ultrapuissants font preuve d'une certaine originalité et d'une efficacité redoutable. Pour le reste, le tout ressemble à une mosaïque d'idées récupérées à gauche et à droite. Visuellement, le résultat nous laisse mi-figue, mi-raisin. Elle est originale certes, mais pas au goût de tous.

MÉCANIQUE La mécanique est entièrement nouvelle. On retrouve un V8 de 4,5 litres dérivé du V6 qui se retrouve sous le capot des Maxima, Pathfinder et Altima. Ce moteur en aluminium apporte bien plus de puissance que l'ancien V8 de 4,1 litres, puisque la Q45 voit sa cavalerie passer de 266 à 340 chevaux. Ce moteur est associé à une nouvelle boîte automatique à 5 rapports. Le rapport poids-puissance est le meilleur de sa catégorie, devant une concurrence aussi féroce que les BMW 540 et

• Nouveau modèle

740, la Lexus LS 430, les Mercedes-Benz S430 et S500 et la Jaguar XJ8. Comme plusieurs mécaniques modernes, le V8 de la Q45 utilise le calage variable, un contrôle électronique de la chambre de combustion et plein d'autres détails permettant d'optimiser la puissance du moteur. Et comme pour la majorité des voitures haut de gamme, ce cœur d'acier fournit un maximum de puissance avec un minimum d'effort. Les accélérations, les reprises et les remises des gaz sont d'une souplesse et d'une douceur exemplaires.

COMPORTEMENT Au-delà de sa silhouette, le Q45 possède de grandes qualités dynamiques. Avec son nouveau moteur V8 de 4,5 litres, elle met environ 6 secondes à passer de 0 à 100 km/h. Le confort de roulement est souverain, et le seul bruit perceptible est celui des pneus. L'habitacle est généreux, les freins sont puissants (mais manquent un peu d'endurance) et la chaîne stéréo Bose avec huit haut-parleurs et 300 watts n'a rien à envier aux meilleures de la catégorie. La suspension, quant à elle, n'est pas à la hauteur des prouesses de la mécanique et pèche par sa trop grande mollesse. Seule la Q45 en version Premium — avec son réglage sport et des pneus de 18 pouces — se tire assez bien d'affaire. Des contrôles de traction et de trajectoire (type ESP) viennent renforcer le travail du dispositif. La Q45 se voit chaussée de jantes de 17 ou 18 pouces. On peut même obtenir en option un système de contrôle de la pression des pneus. À l'aide de capteurs situés dans chaque roue, une lecture de la pression est faite et relayée par signal radio au tableau de bord. Ce système permet au conducteur de connaître la pression des pneus sans quitter le volant. De plus, une alarme se fait entendre lorsque la pression des pneus devient trop basse.

HABITACLE Comme plusieurs voitures haut de gamme, la Q45 profite d'un certain nombre d'avance-

entrevue

Ian Forsyth

vice-président marketing chez Nissan Canada

Comment décrire cette nouveauté en quelques mots?
Il s'agit d'une voiture de luxe au caractère sportif distinctif qui résulte de la fusion de la technologie avancée, d'un design élégant et d'une performance athlétique. Tout cela dans une atmosphère de confort et d'efficacité de conduite.

Quels en sont les points forts?
Les phares au design unique qui sont les plus puissants phares à être produits commercialement. Le système de contrôle à reconnaissance vocale (en anglais) ainsi qu'un centre d'information dans la console centrale qui est très facile à utiliser. Un moteur de 340 chevaux tout en alliage qui introduit des technologies issues de la course automobile: soupapes en titane, système d'accélérateur et système d'échappement électroniques, etc.

Où situer le modèle dans votre gamme et par rapport à la compétition?
La Q45 est la voiture amiral de la gamme Infiniti et ses concurrentes sont la Lexus LS430, la Série 5 de BMW et la Classe E de Mercedes-Benz.

Quelle est votre clientèle cible?
Les gens ayant un revenu élevé, confiants de leurs capacités à déterminer ce dont ils ont besoin et qui désirent un véhicule haut de gamme personnalisé.

Combien de ventes en 2002?
Les ventes totales de la Q45 pour 2002 devraient être de plus de 300, dont 75 à 100 au Québec.

galerie

1 • Dans toute cette accumulation d'électronique, l'horloge analogique qui orne la console centrale contraste vraiment.

2 • Les voilà, ces puissants phares à l'allure d'une mitrailleuse de guerre!

3 • Le nouveau moteur à 8 cylindres de 4,5 litres est le berceau de bien des avancées technologiques pour Infiniti.

4 • La console centrale se résume à cet écran et aux quelques touches qui s'y rattachent. La convergence, vous comprenez...

5 • L'intérieur de la Q est composé de bois d'érable véritable, entre autres petites gâteries...

forces

- Moteur puissant
- Habitacle généreux et silencieux
- Grande douceur de roulement
- Équipement complet

faiblesses

- La silhouette laisse perplexe
- Suspension un peu souple
- Les freins manquent d'endurance

ments technologiques. Par exemple, un système de commande vocale permet de programmer la radio, l'air climatisé et le lecteur de DC (offert en anglais seulement pour le moment). En tout, une trentaine de commandes préprogrammées et d'autres que le propriétaire peut enseigner à l'ordinateur, comme reconnaître une station radiophonique particulière. L'écran à cristaux liquides situé au centre du tableau de bord sert de centre d'information multifonction. L'agencement est très différent de ce qu'on est habitué de voir : toutes les commandes sont positionnées vers le haut de la console centrale, au même niveau que les cadrans. Une fantaisie permise par le large écran qui regroupe la majorité des commandes, ce qui favorise un dessin moins chargé de la planche de bord. L'équipement est très riche et offre des ambiances qui sortent de l'ordinaire. Le bois d'érable très pâle qui garnit l'intérieur et le volant donne une impression de grandeur et une luminosité originale. On se sent rapidement à l'aise dans cette atmosphère particulière. Il y a même une caméra arrière placée au-dessus de la plaque d'immatriculation qui s'active automatiquement lorsque la marche arrière est enclenchée. Les Américains bénéficient, en option, d'un système de navigation qui n'est pas encore au point pour le Canada (il faudra attendre encore quelques mois).

Enfin, à l'image de Mercedes, une clef électronique remplace la traditionnelle clef de métal.

CONCLUSION La Q45 est la mal-aimée des voitures de luxe. Sa silhouette n'est pas repoussante, c'est la comparaison avec les autres berlines de sa catégorie qui la fait mal paraître. Comme dans le cas de plusieurs produits de la famille Nissan, il faut aller au-delà des apparences.

Car contrairement à BMW, Saab et certains autres, la fiabilité chez Infiniti est sans failles. Il faut aussi considérer que l'entretien est minimal et que le prix est aussi très concurrentiel. Bien sûr, payer plus de 70 000 $ pour un véhicule n'est pas à la portée de tous. Mais regardez un peu chez la concurrence : plus de 80 000 $ pour une Lexus LS 430, 90 000 $ pour une BMW 740i ou plus de 100 000 $ pour une Classe S de Mercedes. La Q45 en offre autant et vous pourrez acheter une deuxième voiture avec l'argent que vous aurez ainsi économisé...

fiche technique

Moteur : V8 4,5 L DACT
Puissance : 340 ch à 6400 tr/min et 333 lb-pi à 4000 tr/min
Transmission de série : automatique à 5 rapports
Transmission optionnelle : aucune
Freins avant : disques ventilés
Freins arrière : disques ventilés
Sécurité active de série : ABS, VDC (contrôle dynamique du véhicule)
Suspension avant : indépendante
Suspension arrière : indépendante
Empattement : 283 cm
Longueur : 506 cm
Largeur : 182 cm
Hauteur : 144 cm
Poids : 1761 kg
0-100 km/h : 6,5 s
Vitesse maximale : 250 km/h
Diamètre de braquage : 11,3 m
Capacité du coffre : 303 L
Capacité du réservoir d'essence : 85 L
Consommation d'essence moyenne : 13,5 L/100 km
Pneus d'origine : 225/45VR17
Pneus optionnels : 245/45VR18

2e opinion

Eric Descarries — Enfin, Nissan a redonné de la personnalité à son Infiniti Q45. Cependant, je me demande si l'on n'aurait pas poussé un peu trop loin. Les phares avant, qui ressemblent à des mitrailleuses, ne m'impressionnent pas. Et je n'ai pas réussi à rencontrer les performances annoncées par le constructeur.

INFINITI

fiche d'identité

Modèle: QX4
Version: unique
Segment: utilitaires intermédiaires
Jumeau: Nissan Pathfinder
Roues motrices: 4x4
Portières: 4
Places : avant, 2; arrière: 3
Sacs gonflables: 2
Concurrence: Acura MDX, BMW X5, Chevrolet TrailBlazer, Ford Explorer, GMC Envoy, Isuzu Rodeo, Jeep Grand Cherokee, Mercedes-Benz Classe M, Oldsmobile Bravada, Toyota 4 Runner

au quotidien

Prime d'assurance moyenne: 1800$
Garantie générale: 4 ans/100 000 km
Garantie groupe motopropulseur: 6 ans/120 000 km
Garantie contre la corrosion: 7 ans/kilométrage illimité
Collision frontale: 4/5
Collision latérale: 5/5
Ventes du modèle l'an dernier au Québec: 328
Dépréciation: 44 %

évolution

prix de base • 48 000$

Pour flatter un peu plus votre ego!

Il s'en est fallu de très peu pour que l'Infiniti QX4 doive se contenter d'une seule page, à l'instar de tous les modèles identifiés comme «jumeaux» à l'intérieur de *L'Annuel de l'automobile 2002*. Car ce QX4 n'est que le clone endimanché du Pathfinder. Voilà du moins l'impression de plusieurs observateurs de l'industrie. Et pourtant, si vous saviez comme les pontes de Nissan essaient de nous convaincre de la fausseté de cette affirmation. Bref, c'est pour donner une chance au coureur que nous avons décidé d'accorder deux pages au QX4. Voyons ensemble s'il les mérite...

CARROSSERIE L'an dernier, le QX4 avait goûté à son premier remodelage en règle. On lui avait taillé de nouveaux pare-chocs, on lui avait greffé de nouvelles moulures latérales. Ces retouches cosmétiques visaient à obtenir des lignes plus franches, certes, mais qui s'ingénieraient surtout à le démarquer du Pathfinder. Il est vrai, également, qu'un QX4 perce la nuit avec des phares au xénon. Donc, même si les deux utilitaires partagent un châssis monopièce identique, il est indéniable que Nissan multiplie les efforts pour progressivement occulter ses gènes des produits Infiniti. De plus, en 2002, le QX4 aura droit à une édition Platine. Elle se reconnaîtra à ses garnitures et galerie de toit chromées, ses jantes en alliage de 17 pouces à trois rayons, sa plaque numérotée à l'intérieur (les collectionneurs seront ravis!) et un emblème à l'extérieur.

MÉCANIQUE L'engin sous le capot est un V6 de 3,5 litres à bloc-cylindres en aluminium et double arbre à cames en tête. Les gens d'Infiniti ont d'abord souligné qu'il s'agissait du moteur de la I30 de l'an 2000, qu'ils ont suffisamment modifié pour hausser la puissance de 227 à 240 chevaux. Ils n'ont pas vraiment tenu à préciser qu'il s'agit aussi du nouveau V6 du... Pathfinder, la seule différence notable entre les deux utilitaires étant donné que le V6 du QX4 n'est disponible qu'avec la transmission automatique à quatre rapports.

COMPORTEMENT Le Pathfinder trouve ses vertus hors

nouveautés 2002

• Version Platine • Changeur CD plus rapide • Volume variable selon la vitesse
• Plus d'appliques en érable (véritable!)

route en faisant appel soit à un système 4 roues motrices temporaire, qui exige la manipulation d'un boîtier de transfert à deux vitesses (opérationnel à la volée jusqu'à une vitesse de 80 km/h), soit à un système automatique qui se charge d'enclencher le dispositif (il passe de lui-même de deux à quatre roues motrices, et vice-versa) selon les conditions routières. Vous aurez deviné que ce dernier système est le seul qu'accepte le QX4, question de jouer la carte du luxe. ça ne change rien à la rigidité de la caisse, peu importe le véhicule. Mais le confort de roulement est assurément supérieur à bord du Infiniti parce que les nouvelles suspensions avant et arrière (à cinq bras) ont été calibrées plus en douceur que sur le Pathfinder, mais sans compromettre les capacités tout terrain.

HABITACLE L'intérieur du QX4 se doit de charmer ses occupants. Pour ce faire, les sièges sont habillés de cuir en plus d'être chauffants à l'avant et à l'arrière; le volant et le tableau de bord sont décorés d'appliques d'érable (et véritable, on ne rit plus); la nouvelle radiocassette AM/FM Bose comprend un lecteur de six DC intégré au tableau de bord. Par ailleurs, Nissan maintient sa bonne habitude de créer des groupes d'instruments distincts. C'est ainsi que celui du QX4 incorpore une illumination électroluminescente dernier cri. Comme dirait l'autre, «ça fesse dans le dash!». Enfin, à l'image de plusieurs voitures et utilitaires un peu plus haut de gamme, les coussins gonflables latéraux font partie de l'équipement de série. La version Platine, pour sa part, ajoute un régulateur de vitesse dit intelligent (par opposition à certains conducteurs, j'imagine...).

CONCLUSION Le QX4, avec sa nouvelle vitalité sous le capot, ne souffre plus d'aucun complexe d'infériorité face à la concurrence. Est-il si différent du Pathfinder? Franchement: oui et non. La recette de base est la même, mais des ingrédients spéciaux ont été ajoutés. Est-ce que ça vaut l'écart de 13 000 $ entre les deux véhicules? Si vous avez lu ces deux pages jusqu'au bout, peut-être bien que oui...

fiche technique

INFINITI

Moteur : V8 4.5L
Puissance : 340 cv à 6400 tr/min et 333 lb-pi à 4000 tr/min
Transmission de série : automatique à 5 rapports
Transmission optionnelle : aucune
Freins avant : disques
Frein arrière : disques
Sécurité active de série : ABS, VDC (Contrôle dynamique du véhicule)
Suspension avant : indépendante
Suspension arrière : indépendante
Empattement : 283 cm
Longueur : 506 cm
Largeur : 182 cm
Hauteur : 144 cm
Poids : 1761 kg
0-100 km/h : 7,0 s
Vitesse maximale : 225 km/h
Diamètre de braquage : 11.3 m
Capacité du coffre : 303 L
Capacité du réservoir à essence : 85 L
Consommation d'essence moyenne : 13.5 l/100 km
Pneus d'origine : 225/45VR17
Pneus optionnels : 245/45VR18

2e opinion

Michel Crépault — Pathfinder ou QX4? Hum... Si j'avais un camp de pêche ou si mon métier m'amenait à visiter des chantiers, ce serait le produit Nissan. Mais je suis abonné au TNM; alors, où sont les clés du QX4?

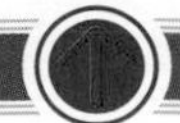

forces

- Moteur performant
- Gabarit intéressant
- Comportement sain

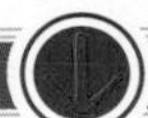

faiblesses

- Rembourrage mince des baquets
- Distances d'arrêt un peu longues

Pat Benoit Charette

fiche d'identité

Modèle : Rodeo
Versions : S, SE, LS, LSE
Segment : utilitaires intermédiaires
Roues motrices : 4 x 4
Portières : 4
Places avant : avant, 2 ; arrière, 3
Sacs gonflables : 2
Concurrence : Ford Explorer, Chevrolet TrailBlazer, GMC Envoy, Oldsmobile Bravada, Nissan Pathfinder, Toyota 4Runner, Mercedes-Benz ML 320

au quotidien

Prime d'assurance moyenne : 900 $
Garantie générale : 3 ans/60 000 km
Garantie groupe motopropulseur : 5 ans/100 000 km
Garantie contre la perforation : 6 ans/160 000 km
Collision frontale : 4/5
Collision latérale : 5/5
Ventes du modèle l'an dernier au Québec : 249
Dépréciation : 40,7 %

évolution

prix de base • 31 935 $

Un bel utilitaire négligé

Il y a quelques années, GM du Canada ré-introduisait la marque Isuzu au pays. (La Isuzu Bellett avait été introduite au Canada pour la première fois en 1964.) Ce constructeur japonais, l'un des alliés importants de GM a, par la suite, décidé de ne plus construire d'automobiles pour se concentrer sur la fabrication de camionnettes. Mais, il semble que GM du Canada n'ait plus le même enthousiasme envers Isuzu. Il ne reste plus que deux modèles : des utilitaires sport appelés Rodeo et Trooper. Pour ce qui est de la petite camionnette Hombre, construite sur une base de Chevrolet S-10, elle a été abandonnée. Les Isuzu sont vendus à l'enseigne Saturn. L'Axiom, vendue aux États-Unis, ne sera pas commercialisée chez nous.

CARROSSERIE En vérité, il n'y a que quelques changements sur la version 2002 du Rodeo.

On reconnaîtra donc le petit utilitaire sport à quatre portes, sensiblement du même gabarit que l'ancien Blazer, mais dont les lignes originales sont très jolies. Une nouvelle finition vient se greffer aux versions S de base, LS et LSE; pour ce qui est de la SE, elle a des carénages colorés et de nouvelles jantes à six branches. Comme tout bon utilitaire qui se respecte, le Rodeo est monté sur un châssis rigide du type échelle. Sa suspension avant est indépendante, tandis que sa suspension arrière est à essieu rigide avec bras oscillants. Rien de plus classique!

Le freinage à quatre disques est appuyé par le système d'antiblocage. Quant à la direction assistée, elle est à crémaillère.

MÉCANIQUE Rien de bien nouveau dans la gamme des mécaniques alors qu'on retrouve toujours le fidèle V6 de 3,2 litres à simple arbre à cames en tête. Il fait 205 chevaux et produit 214 livres-pied de couple. On peut se le procurer avec une boîte manuelle à cinq rapports, mais la plupart des acheteurs préféreront l'automatique à quatre rapports. Évidemment, le Rodeo est un quatre roues motrices sur commande. Soulignons que les disques avant sont maintenant de 16 pouces.

COMPORTEMENT Le Rodeo est un très beau véhicule qui satisfait pleine-

nouveautés 2002

- Nouvelles jantes • Nouveaux freins avant de 16 pouces
- Pneu de rechange sous le plancher

ment ses utilisateurs. Bien qu'il soit assez doux pour certains automobilistes, il paraîtra un peu rude pour d'autres en raison de son châssis rigide qui lui confère un comportement de camion. Cependant, cela représente tout un avantage en situation hors-route, une tâche dont il s'acquitte très bien.

Quant au service, pas besoin de vous rappeler que les gens de Saturn font de gros efforts pour être les meilleurs.

HABITACLE L'intérieur du Rodeo est bien aménagé, mais assez sobre. On y trouve quatre places confortables, cinq à la rigueur, mais l'ouverture des portes arrière nous a semblée étroite.

L'espace arrière pour les bagages est raisonnable, et le hayon sera désormais plus facile à manipuler étant donné que le pneu de secours a été déplacé sous le véhicule.

CONCLUSION Le Rodeo demeurera chez GM du Canada pour un bon bout de temps, c'est certain. Mais la venue de la Saturn VUE occupera certes plus les concessionnaires de la marque et, sans négliger le Rodeo, l'intérêt y sera moindre. Avec la venue d'autres petits utilitaires plus modernes, il se peut également que les consommateurs se désintéressent eux-mêmes du Rodeo.

C'est néanmoins un véhicule intéressant et recommandable. Incidemment, le Rodeo est construit à Lafayette, en Indiana, dans une usine utilisée conjointement avec Subaru.

En ce qui concerne l'avenir à plus long terme de la marque Isuzu, General Motors se fait plutôt discrète. On a déjà abandonné l'original VehiCross aux États unis...

fiche technique

ISUZU

Moteur : V6 DACT 3,2 L
Puissance : 205 ch à 5400 tr/min et 214 lb-pi à 3000 tr/min
Transmission de série : manuelle à 5 rapports
Transmission optionnelle : automatique à 4 rapports
Freins avant : disques
Freins arrière : disques
Sécurité active de série : ABS
Suspension avant : indépendante
Suspension arrière : essieu rigide
Empattement : 270,2 cm
Longueur : 451 cm
Largeur : 178,7 cm
Hauteur : 176,3 cm
Poids : 1879 kg (manuelle) 1902 kg (automatique)
0-100 km/h : 9,5 s (manuelle)
Vitesse maximale : 180 km/h
Diamètre de braquage : 11,7 m
Capacité de remorquage : 2045 kg
Capacité du coffre : 933 L ; 2297 L (siège arrière abaissé)
Capacité du réservoir d'essence : 74 L
Consommation d'essence moyenne : 13,5 L/100 km
Pneus d'origine : 245/70R16
Pneus optionnels : aucun

2e opinion

Benoit Charette — Véhicule le plus méconnu de sa catégorie, le Rodeo d'Isuzu est à l'automne de sa vie. Aux États-Unis, l'Axiom a déjà pris sa place grâce à une mécanique et un châssis quasi identiques, mais surtout une robe nouveau genre. Il pourrait traverser la frontière canado-américaine au cours de l'année 2002.

forces

- Belle conception
- Bon tout-terrain
- Réseau de concessionnaires recommandable

faiblesses

- Véhicule qui commence à vieillir
- Faible diffusion
- Portes arrière étroites

Par Éric Descarries

ISUZU

fiche d'identité

Modèle : Trooper
Versions : S, LS, Limited
Segment : utilitaires grand format
Roues motrices : 4 x 4
Portières : 4
Places : avant, 2 ; arrière, 3
Sacs gonflables : 2
Concurrence : Lexus LX470, Lincoln Navigator, Mercedez-benz Classe G, Toyota Sequoia, Ford Expedition, Land Rover Discovery et Range Rover, Chevrolet Tahoe, GMC Yukon, Denali et Yukon XL

évolution

au quotidien

Prime d'assurance moyenne : 1100 $
Garantie générale : 3 ans/60 000 km
Garantie groupe motopropulseur : 5 ans/100 000 km
Garantie contre la perforation : 6 ans/160 000 km
Collision frontale : nd
Collision latérale : -nd
Ventes du modèle l'an dernier au Québec : 27
Dépréciation : 46,5 %

prix de base • 35 695 $

En voie de disparition?

Après une première incursion au Canda en 1964 avec la Isuzu Bellett, c'est avec le modèle Trooper que la marque Isuzu se fit connaître au pays à la fin des années 80. Cet utilitaire était alors mû par un moteur à quatre cylindres (il y avait des automobiles Isuzu aussi à cette époque). Rapidement, GM injecta l'un de ses V6 sous le capot puis, lorsque le Rodeo est apparu dans le portrait, le Trooper devint un modèle de luxe devant rivaliser avec des marques prestigieuses comme le Range Rover. Et il le fit avec brio... pendant un court moment. C'est un peu ce même Trooper qui nous revient en 2002 sans grands changements depuis le remodelage de sa calandre il y a quelques années. En passant, aux États-Unis, Isuzu ne reconduirait pas le bizarre VehiCross alors qu'au Canada, il n'a pas encore été question d'offrir l'Axiom (qui pourrait bien remplacer le Rodeo, mais nuire aux ventes du Saturn VUE qui s'en vient car, chez nous, les camionnettes Isuzu sont vendues par les concessionnaires Saturn).

CARROSSERIE En fait, il sera très difficile de reconnaître un Trooper de l'an 2002, car cet utilitaire sport est reconduit presque intégralement. Toujours proposé en versions S, LS et Limited, le Trooper demeure la même familiale à quatre portes d'allure plutôt traditionnelle, voire un peu carrée avec une calandre peinte de la couleur du véhicule. Son arrière un peu court se termine par deux portières asymétriques. Cependant, il faut ouvrir la plus grande avant la petite. Les glaces sont grandes, et le pavillon, élevé, ce qui permet une bonne visibilité. En 2002, Isuzu a coloré les cadres de portières en noir sur la S, alors que le verre solaire verdâtre a été ajouté à cette finition. Les LS et Limited auront droit aux glaces plus foncées. Incidemment, il y aura deux nouvelles couleurs dans la gamme.

MÉCANIQUE Tous les Trooper sont mus par le même moteur V6 DACT de 3,5 litres qui fait 215 chevaux (le même moteur dans le Rodeo fait 205 chevaux) et 230 livres-pied de couple. C'est un moteur bien connu avec des performances adéquates. On peut parler d'une bonne fiabi-

nouveautés 2002

- Accessoires intérieurs revus
- Nouvelles couleurs

lité. Il est offert avec une boîte manuelle à cinq rapports, mais peu de gens optent pour cet élément. La plupart lui préféreront la boîte automatique à quatre rapports.

HABITACLE C'est dommage de parler négativement d'un véhicule qu'on vantait autrefois, mais il faut avouer qu'il commence vraiment à se faire vieux. Son intérieur, autrefois bien adapté, montre de l'âge malgré les modifications du constructeur. L'an dernier, la finition S recevait les fauteuils capitaine de série. Cette année, la plus importante modification est l'ajout de plus grands porte-gobelets à l'avant et de nouveaux porte-gobelets avec l'appuie-bras à l'arrière. L'horloge montre la température extérieure, et on peut y lire la vitesse moyenne, le calendrier du service, l'alarme de rappel et le chronomètre.

COMPORTEMENT Malgré son âge, le Trooper affiche toujours un comportement routier doux et relativement stable, mais le véhicule a tendance à se coucher dans les virages. Ce n'est pas sans rappeler certains tout-terrain de luxe anglais. Les performances sont moyennes, ce qui pourrait éloigner certains clients potentiels. Notons, par contre, que le Trooper est très agile dans les sentiers, ce que trop peu de ses acheteurs découvriront.

CONCLUSION GM n'a encore rien dévoilé concernant l'avenir du Trooper, mais elle ne doit pas s'attendre à en vendre beaucoup cette année. En d'autres mots, le Trooper «est dû». Mais ce n'est pas pour dire que c'est un véhicule non recommandable, loin de là. Il est tout simplement un peu vieillot! Les Trooper sont vendus par les concessionnaires Saturn-Saab Isuzu au Canada.

fiche technique

Moteur: V6 DACT 3,5 L
Puissance: 215 ch à 5400 tr/min et 230 lb-pi à 3000 tr/min
Transmission de série: manuelle à 5 rapports
Transmission optionnelle: automatique à 5 rapports
Freins avant: disques
Freins arrière: disques
Sécurité active de série: ABS et antipatinage
Suspension avant: indépendante
Suspension arrière: essieu rigide
Empattement: 276 cm
Longueur: 470,8 cm
Largeur: 183,5 cm
Hauteur: 183,5 cm
Garde au sol: nd
Poids: 2201 kg
0-100 km/h: 9,2 s
Vitesse maximale: 180 km/h
Diamètre de braquage: 11,6 m
Capacité de remorquage: 2270 kg
Capacité du coffre: 1311 L; 2253 L (siège arrière abaissé)
Capacité du réservoir à essence: 85 L
Consommation d'essence moyenne: 14,2 L/100 km
Pneus d'origine: 245/70R16
Pneus optionnels: aucun

2e opinion

Benoit Charette — Difficile à croire que ce véhicule précambrien se retrouve encore sur nos routes (qui datent peut-être de la même époque). Pratiquement inchangé depuis plusieurs années, le Trooper est d'une vétusté gênante.

forces

- Véhicule fiable
- Mécanique traditionnelle
- Concessionnaires dévoués

faiblesses

- Lignes vieillottes
- Comportement routier dépassé
- Portes arrière étroites

Par Éric Descarries

JAGUAR

évolution

fiche d'identité

Modèle : S-Type
Versions : 3 L et 4 L
Segment : berlines de luxe
Roues motrices : arrière
Portières : 4
Places : avant, 2 ; arrière, 2
Sacs gonflables : 2 frontaux et 2 latéraux
Concurrence : Acura 3.5 RL, Audi A6, BMW Série 5, Chrysler 300M, Infiniti I35, Lexus ES300, Lincoln LS, Mazda Millenia, Mercedes-Benz Classe E, Saab 9-5, Volvo S80

au quotidien

Prime d'assurance moyenne : 1850 $
Garantie générale : 4 ans/80 000 km avec assistance routière
Garantie contre la corrosion : 6 ans/kilométrage illimité
Collision frontale : -
Collision latérale : -
Ventes du modèle l'an dernier au Québec : 266
Dépréciation : 27 % (un an)

prix de base • 59 500 $

Un **chat** au regard de **fauve**

Quand on conserve un objet suffisamment longtemps, il est fort probable qu'il revienne à la mode. On vit le même phénomène dans le secteur de l'automobile ; certains modèles aux saveurs rétro manquent carrément d'inspiration, alors que d'autres, comme la S-Type chez Jaguar, figurent parmi les plus réussis. De nouvelles versions viendront d'ailleurs agrémenter cette voiture déjà fort désirable.

CARROSSERIE Le «sex-appeal» irrésistible de la S-Type lui vient, en grande partie, de sa calandre elliptique, de son capot très profilé et de son avant distinctif avec les quatre phares, marque de commerce de Jaguar. Toutefois, les concepteurs ont su faire disparaître le superflu et offrir des lignes fraîches et modernes. Pour ce qui est de la S-Type Sport, notons que les jantes R Performance Monaco de 18 pouces remplacent les roues de 16 pouces, et que son allure sportive est accentuée par l'encadrement de la calandre et par des baguettes de pare-chocs assorties (au lieu du chrome) à l'un des cinq coloris de peinture métallisée.

MÉCANIQUE La propulsion est assurée par un choix de deux moteurs : un V6 de 3 litres développant 240 chevaux et un V8 de 4 litres de 281 chevaux. Le V8 nous est familier puisqu'il anime depuis quelques années déjà les gammes XJ et XK. Pour ce qui est du V6, il s'agit du Duratec de Ford, couplé de série à une boîte manuelle à cinq rapports d'origine Getrag. En option, on peut également obtenir la nouvelle boîte automatique à cinq rapports, en équipement de série sur la V8. Et pour 2002, Jaguar prépare une S-Type version R qui sera mue par le V8 de 4 litres et un compresseur. Ce tandem produira pas moins de 370 chevaux ; beaucoup de plaisir en perspective! La direction à assistance variable, le contrôle de la stabilité dynamique et l'ABS avec répartiteur de freinage à l'effort sont également offerts en équipement de série.

COMPORTEMENT Au démarrage, le moteur reste quasi inaudible. L'embrayage est à la fois doux et progressif. La S-Type surprend d'emblée par son silence de fonction-

nouveautés 2002

• Arrivée sur le marché d'une version R au cours de 2002

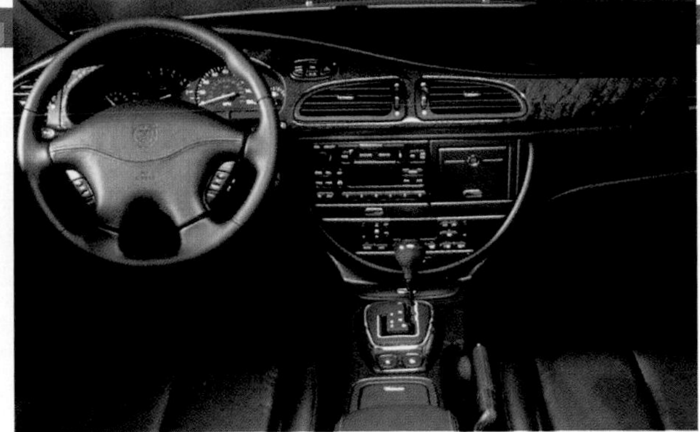

nement. Sur l'autoroute, elle tient le cap grâce à une direction à la fois légère et précise. Mais ce n'est qu'en abordant un parcours plus sinueux que la S-Type donne sa vraie mesure. L'association aussi réussie d'un comportement rigoureux et d'un confort quasi irréprochable de la suspension n'est pas courante. Le V6 ne se fait entendre qu'à très haut régime et fait preuve d'une belle vivacité avec la boîte manuelle. Comme prévu, le V8 de 4 litres affiche une souveraineté encore supérieure! Essayez juste d'imaginer ce que ce sera l'an prochain avec le compresseur et les 370 chevaux.

HABITACLE Joliment présentée, la planche de bord paraît pourtant moins prestigieuse que celle de la berline supérieure de la marque, mais Jaguar promet des changements pour 2002. L'écran tactile à commande vocale peut comprendre quatre variétés d'anglais, mais pour ce qui est du français, nous devrions en être quitte pour l'été prochain, en principe. À l'arrière, l'espace pour les jambes est compté. La ligne de toit descendant très rapidement, les personnes de grande taille pourront peut-être reprocher une garde au toit limitée à l'arrière. La banquette et les fauteuils avant offrent un bon confort. Le parfum général que dégage la voiture est très « British ». Ceux qui opteront pour la version S auront le choix de la finition qui leur convient le mieux, en association avec les boiseries en érable teinté gris et les fauteuils sport en cuir.

CONCLUSION Les Anglais reviennent de loin, mais ont bien appris leur leçon. Une bonne dose de sorcellerie britannique et une pincée de conduite allemande, un heureux mélange.

fiche technique

Moteur : V6 DACT 3 L
Autre moteur : V8 DACT 4 L
Puissance : 240 ch à 6800 tr/min et 221 lb-pi à 4500 tr/min
Autre moteur : 281 ch à 6100 tr/min et 287 lb-pi à 4300 tr/min
Transmission de série : automatique à 5 rapports
Transmission optionnelle : aucune
Freins avant : disques
Freins arrière : disques
Sécurité active de série : ABS, antipatinage, sonar de recul
Suspension avant : indépendante
Suspension arrière : indépendante
Empattement : 290,9 cm
Longueur : 486 cm
Largeur : 181,9 cm
Hauteur : 141,6 cm
Poids : 1731 kg (V6) 1770 kg (V8)
0-100 km/h : 8,5 sec (V6) 7,1 (V8)
Vitesse maximale : 209 km/h ; 227 (V6) et 241 (V8) avec ensemble sport
diamètre de braquage : 11,4 m
Capacité du coffre : 370 L
Capacité du réservoir d'essence : 69,5 L
Consommation d'essence moyenne : 11,5 L/100 km (V6) ; 12,5 L/100 km (V8)
Pneus d'origine : 225/55HR16
Pneus optionnels : aucun

JAGUAR

2e opinion

Michel Crépault — La S-Type est la première Jaguar à laquelle je fais pleinement confiance étant donné la participation, entière mais discrète, de Ford dans le projet. De plus, cette américanisation n'a pas altéré la magie des designers qui ont signé une nouvelle ode à l'élégance.

forces

- Performances intéressantes de la part des deux mécaniques
- Ambiance générale très réussie

faiblesses

- Habitacle un peu à l'étroit
- Coffre un peu exigu

Par Benoit Charette

JAGUAR

fiche d'identité

Modèle : XJ
Version : XJ8, XJR, Vanden Plas
Segment : berlines de luxe
Roues motrices : arrière
Portières : 4
Places avant : 2
Places arrière : 3
Sacs gonflables : 2 frontaux, 2 latéraux et rideau gonflable
Concurrence : Audi A8/S8, BMW Série 7, Lexus LS 430, Mercedes-Benz Classe S

au quotidien

Prime d'assurance moyenne : 2600 $
Garantie générale : 4 ans/80 000 km avec assistance routière
Garantie contre la corrosion : 6 ans/kilométrage illimité
Collision frontale : -
Collision latérale : -
Ventes du modèle l'an dernier au Québec : 165
Dépréciation : 39 %

Évolution

prix de base • 82 950 $

Pour les **Lord** et les **Lady**

Pour 2002, la famille des berlines XJ comprend la XJ8, la Vanden Plas, la Super 8 (une Vanden Plas survitaminée) et la XJR, l'autre suralimentée du clan. Les changements sont minimes pour la nouvelle année.

CARROSSERIE L'élégance intrinsèque de la marque est toujours présente : la calandre, le flanc élancé, les quatre phares composent une signature immanquable. Le motif en cotte de mailles de la grille de la XJR honore les Jaguar des années 1930, tandis que l'empattement d'une Vanden Plas surpasse de presque 5 centimètres celui d'une XJ8. Cette dernière disposera dorénavant d'un ensemble Sport optionnel qui inclut des roues de 18 pouces, une suspension raffermie, des sièges plus seyants (identiques à ceux de la XJR), une grille de couleur assortie à la carrosserie et un système de son supérieur.

À l'image des BMW, Mercedes-Benz et Audi, qui ont toutes une division axée sur la sportivité (dans l'ordre : M, AMG et S), Jaguar s'est donné des moyens semblables en créant la section R Performance. Dès lors, les changements apportés à l'automobile commencent avec des roues spéciales baptisées en l'honneur de grandes villes qui sont aussi hôtesses d'une course automobile. Donc, si l'acheteur souhaite personnaliser sa XJR, il n'a qu'à dépenser 8500 $ pour obtenir des jantes « Milan » (18 pouces) et des freins Brembo. Pour la même somme, le proprio d'une XJR 100, produite en quantité limitée, aura droit aux mêmes freins et aux roues « Montreal » (*yes!*).

MÉCANIQUE Toutes les XJ sont animées par un V8 de 4 litres et 32 soupapes (DACT). Sous le capot des XJ8 et Vanden Plas, il développe 290 chevaux. Ce moteur à aspiration naturelle est couplé à une transmission automatique à 5 rapports, lesquels répondent aux modes Sport et Normal, alors que le sélecteur J-gate permet un changement de vitesses manuel (et trop alambiqué à mon goût). La XJR et la Super 8 utilisent le même V8, mais suralimenté par un compresseur mécanique refroidi à l'air capable de générer 370 chevaux et 387 livres-pied de couple.
Il déménage, ça, c'est sûr!

nouveautés 2002

- Phares automatiques de série
- Taille réduite du pneu de secours (XJR)
- Ensemble sport (XJ8)

COMPORTEMENT Du côté de la sportive XJR, le système CATS (Computer Active Technology Suspension) est désormais standard; il permet à la voiture d'épouser en souplesse les irrégularités de la chaussée. Même au volant des XJ8 et Vanden Plas, l'agilité du fauve domestiqué s'est considérablement améliorée depuis que, cette année, les Pirelli P4000 ont cédé leur place à des P6000. Le couple du V8 «ordinaire» bénéficie néanmoins d'une courbe de puissance souple et progressive. On passe de 0 à 100 km/h en moins de sept secondes et cela, sans effort notable. Les berlines avec compresseur réussissent à retrancher plus d'une seconde (5,7 s) à ce chrono. Le conducteur de ces Jaguar n'a généralement à se plaindre que de la largeur de la console au plancher qui empiète sur le pédalier.

HABITACLE Le cuir Connolly et Jaguar sont deux noms inséparables. De même que les appliqués de noyer. Avec le temps, les stylistes ont fini par apprendre à jumeler leur classique héritage avec des interrupteurs plastifiés; le choc des matériaux nobles envahis par des textures modernes s'estompe. Signe des temps, un chargeur automatique de six disques compacts est maintenant de série. Des commandes pour le régulateur de vitesse, la sono et le téléphone sont intégrées au volant. Les essuie-glaces se mettent en branle dès que le pare-brise détecte de la pluie. Le coffre à bagages de la XJR, enfin, a gagné un peu d'espace grâce à l'utilisation d'un pneu temporaire.

CONCLUSION Avec le support de Ford, Jaguar a repris du poil de la bête : elle rebondit de nouveau avec grâce.

fiche technique

Moteur : V8 DACT 4 L
Autre moteur : V8 DACT 4 L compressé
Puissance : 290 ch à 6100 tr/min et 290 lb-pi à 4250 tr/min
Autre moteur : 370 ch à 6150 tr/min et 387 lb-pi à 3600 tr/min
Transmission de série : automatique à 5 rapports
Transmission optionnelle : aucune
Freins avant : disques
Freins arrière : disques
Sécurité active de série : ABS aux quatres roues, sonar de recul, distribution électronique du freinage (EBD), système de technologie de retenue adaptée
Suspension avant : indépendante
Suspension arrière : indépendante
Empattement : 287 cm (XJ8-XJR) ; 299,5 cm (XJ8L-VandenPlas S)
Longueur : 502,4 cm (XJ8-XJR) ; 514,9 cm (XJ8L-VandenPlas S)
Largeur : 179,8 cm
Hauteur : 133,9 cm (XJ8-XJR) ; 135,1 cm (XJ8L-VandenPlas S)
Poids : 1790 kg (XJ8) ; 1850 kg (VandenPlas S)
0-100 km/h : 7,3 s (XJ8); 5,7 s (suralimenté)
Vitesse maximale : 241 km/h (XJ8) ; 249 km/h (suralimenté)
diamètre de braquage : 11,8 m (XJ8-XJR) ; 12,4 m (XJ8L-VandenPlas S)
Capacité du coffre : 360 L
Capacité du réservoir d'essence : 87,4 L
Consommation d'essence moyenne : 12,5 L/100 km (V6) ; 14 L/100 km (V8)
Pneus d'origine : P225/60ZR16
Pneus optionnels : P255/40ZR18 (XJR) ; P235/50ZR17 (Vanden Plas S)

2e opinion

Philippe Laguë — Un seul mot pour la décrire : classe. Le charme de cette auguste berline anglaise est dépassé pour certains. D'autres, et j'en suis, pensent exactement le contraire. Sous des dehors très classiques, cette élégante limousine aux lignes intemporelles cache un raffinement qui ne serait pas possible sans le concours des plus récentes technologies. Quant à l'ambiance qui règne à bord, elle est incomparable.

forces

- Prestige indéniable
- Deux V8 adéquats
- Modèle XJR excitant

faiblesses

- Empiètement de la console
- Forte consommation
- Navigation GPS qui tarde

Par Michel Crépault

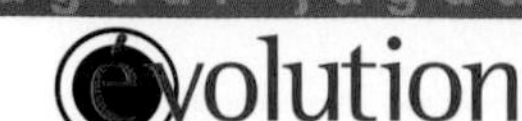

JAGUAR

f i c h e d'i d e n t i t é

Modèle : XK
Versions : XK8 et XKR
Segment : berlines de luxe
Roues motrices : arrière
Portières : 2
Places : avant, 2; arrière, 2
Sacs gonflables : 2 frontaux et 2 latéraux
Concurrence : BMW Z8, Mercedes-Benz SL, Porsche 911, Lexus SC 430

prix de base • 93 500$

Grand tourisme

a u q u o t i d i e n

Prime d'assurance moyenne : 2400 à 3000$
Garantie générale : 4 ans/80 000 km avec assistance routière
Garantie contre la corrosion : 6 ans/kilométrage illimité
Collision frontale : nd
Collision latérale : nd
Ventes du modèle l'an dernier au Québec : nd
Dépréciation : 33 %

Les Jaguar, ces belles anglaises, on les aime ou on les déteste. Pour ma part, je les affectionne au point d'avoir fait coïncider ma semaine de vacances avec l'essai d'un cabriolet XKR. Un choix qui s'est révélé heureux, voire judicieux, à la lumière d'un périple de près de 4000 kilomètres, qui a mené monsieur et madame jusqu'aux méandres de la Cabot Trail, en Nouvelle-Écosse.

CARROSSERIE La gamme XK se compose d'un coupé et d'un cabriolet, livrables en trois versions : XK8, XKR et le nouvau XKR Silverstone, une édition spéciale qui vient grossir les rangs en 2002. Le coupé et le cabriolet doivent être considérés comme des 2 + 2, les places arrière étant plutôt décoratives. La filiation avec le glorieux XKE est évidente, comme en témoignent le capot effilé, les lignes fluides et une partie frontale plus agressive.

MÉCANIQUE Quelle est la principale différence entre un XK8 et un XKR ? 80 chevaux ! Vous aurez compris que c'est sous le capot que ça se passe, avec des V8 délivrant respectivement 290 et 370 chevaux. Leur cylindrée est la même, 4 litres, mais le moteur du XKR doit son surplus de puissance à un compresseur volumétrique. Un choix technique avisé s'il en est un, car ce procédé de suralimentation élimine les inconvénients du turbocompresseur. La réponse est aussi immédiate que linéaire. Et pourtant, quelle douceur ! Oubliez la musicalité des moteurs Ferrari ou le hurlement rauque d'une Porsche ; ici, tout se passe dans la plus grande discrétion. Mais attention, le XKR cache bien son jeu ! Le chronomètre a tôt fait de dévoiler la vraie personnalité du fauve, avec un 0 à 100 km/h en moins de six secondes. C'est comme une flèche : ça ne fait pas de bruit, mais ça vient vite !

COMPORTEMENT Les allusions aux grands félins ne sont pas gratuites. Les Jaguar portent bien leur nom, le XKR encore mieux. Chaque mouvement— un changement de voie, une courbe serrée, un grand virage—chaque mouvement, dis-je, s'effectue avec grâce. Tout ce qui lui manque du fauve, c'est le rugissement. Ce noble GT a appris les bonnes manières, c'est l'évidence

n o u v e a u t é s 2 0 0 2

• Aucun changement majeur

même; jamais il ne brusque ses occupants. Ses réactions sont même trompeuses, car il roule plus vite qu'il en a l'air. Même à des vitesses hautement illégales, la Jag semble très à l'aise. L'auteur de ces lignes a pu le vérifier alors que sa conjointe dormait sur le fauteuil du passager pendant que le XKR filait à... euh... très vite, très, très vite.

HABITACLE Richement garni de superbes boiseries et d'une sellerie de cuir de la célèbre maison Connolly, l'habitacle d'une Jag possède, on ne le dira jamais assez, un cachet incomparable. C'est cossu sans être ostentatoire, opulent sans être kitsch, en un mot, c'est noble. *Very British, indeed!* La finition est celle qu'on attend d'une voiture de ce prix. Il en va de même pour le confort, exceptionnel à tous les niveaux. L'ergonomie n'est cependant pas la science la mieux maîtrisée chez ce constructeur. Une Jaguar ne serait pas une Jaguar s'il n'y avait pas une bizarrerie ou deux à l'intérieur. À l'avant, par exemple, les occupants doivent composer avec une console centrale particulièrement volumineuse, qui empiète sur la largeur et déplaira à ceux et à celles qui n'aiment pas se sentir à l'étroit. Mais au moins, il y a désormais du rangement dans l'habitacle. Quant au coffre, sa capacité étonne.

CONCLUSION Les performances et la tenue de route de la Jaguar XK8 se marient à un confort et à une douceur de roulement qui furent très appréciées tout au long des quelques 3700 kilomètres de ce voyage de rêve. De plus, malgré un usage intensif et même quelques outrages à cette noble mécanique, signalons qu'aucun pépin n'est venu perturber notre périple. Il y a à peine 15 ans, pas sûr que l'auteur de ces lignes aurait pris le risque de partir en vacances avec un fragile Grand Tourisme britannique... Voilà qui rassurera ceux et celles qui se questionnent encore sur la fiabilité des Jaguar.

fiche technique

Moteur : V8 DACT 4 L
Autre moteur : V8 DACT 4L compressé
Puissance : 290 ch à 6100 tr/min et 290 lb-pi à 4250 tr/min
Autre moteur : 370 ch à 6150 tr/min et 387 lb-pi à 3600 tr/min
Transmission de série : automatique à 5 rapports
Transmission optionnelle : aucune
Freins avant : disques
Freins arrière : disques
Sécurité active de série : ABS et traction asservie, sonar de recul, système de technologie de retenue adaptée
Suspension avant : indépendante
Suspension arrière : indépendante
Empattement : 258,8 cm
Longueur : 476 cm
Largeur : 201,5
Hauteur : 128,3 cm (XK8 cpé) 129,4 (XK8 cab.)
Poids : 1690 kg (XK8 cpé) 1797 kg (XK8 cab.)
0-100 km/h : 6,9 sec (XK8) 5,7 (XKR)
Vitesse maximale : 249 km/h (limitée électroniquement)
diamètre de braquage : 11 m
Capacité du coffre : 270 L (XK8) 310 L(XKR)
Capacité du réservoir à essence : 75,3 L
Consommation d'essence moyenne : 13,5 L/100 km (XK8) ; 15,0 L/100 km (XKR)
Pneus d'origine : 245/50ZR 17 (XK8)
Pneus optionnels : 245/45ZR 18 avant ; 255/45ZR 18 arrière (XKR)

2e opinion

Gabriel Gélinas — Un châssis qui manque de rigidité (surtout dans le cas du cabriolet) représente le talon d'Achille de cette anglaise dont le poids est élevé. La version XKR Silverstone se démarque avec ses freins Brembo ultra-performants et ses pneus surdimensionnés. Parfait pour les belles routes américaines, mais beaucoup moins confortable sur nos routes dégradées.

forces

- Superbes moteurs
- Performances décoiffantes (XKR)
- Confort appréciable
- Classe et raffinement incomparables

faiblesses

- Absence de boîte manuelle
- Lacunes ergonomiques
- Peu de concessionnaires
- Prix

Par Philippe Laguë

JAGUAR

nouveauté

fiche d'identité

Modèle : X-Type
Versions : 2 L et 3 L
Segment : berlines de luxe
Roues motrices : quatre
Portières : 4
Places : avant, 2 ; arrière, 2
Sacs gonflables : 2 frontaux, 2 latéraux et rideau gonflable
Concurrence : Acura 3,2 TL, Audi A4, BMW Série 3, Chrysler 300M, Infiniti I35, Lexus ES300, Lincoln LS, Mazda Millenia, Mercedes-Benz Classe C, Saab 9-3, Volvo S60

prix de base • 42 950 $

La **mesure** de l'**ambition**

au quotidien

Prime d'assurance moyenne : 1600 $
Garantie générale : 4 ans/80 000 km avec assistance routière
Garantie contre la corrosion : 6 ans/kilométrage illimité
Collision frontale : -
Collision latérale : -
Ventes du modèle l'an dernier au Québec : nouveau modèle
Dépréciation : nouveau modèle

En l'an 2000, Jaguar aura produit un peu plus de 85 000 voitures. Un record absolu et des chiffres de ventes qui ont, à toutes fins utiles, doublé avec la venue de la S-Type. Mais, avec l'arrivée de la X-Type, Jaguar veut à nouveau doubler sa mise d'ici 2003. Un projet ambitieux !

CARROSSERIE La nouvelle X-Type est construite sur la plate-forme de la toute nouvelle Ford Mondeo. Longue de 4680 millimètres, elle concède 40 centimètres à la XJ et 20 centimètres à la S-Type. Malgré tout, la X-Type est tout de même plus longue de 10 à 15 centimètres que la nouvelle Audi A4, la BMW Série 3 ou encore la Mercedes Classe C, ses concurrentes immédiates. Esthétiquement, la X-Type est plus proche de la XJ et affiche des lignes plus sportives que la S-Type. Avec les lignes proposées et le prix plus abordable, on veut attirer une clientèle plus jeune et plus féminine, aussi. Jaguar n'a pas lésiné sur les budgets pour effectuer la mise en marché de cette nouvelle-née.

MÉCANIQUE La X-type est offerte en deux livrées de six cylindres : le 2,5 litres affiche 194 chevaux d'une puissance souple doublée de reprises correctes, mais sans excès. La version 3 litres, empruntée à la S-Type, se pointe avec ses 231 chevaux et dévoile une personnalité beaucoup plus sportive. Peu importe la version, vous avez le choix entre une boîte manuelle à cinq rapports de série ou une transmission automatique à cinq rapports en équipement facultatif. Un mot sur le rouage intégral Traction-4, le premier modèle Jaguar doté d'un tel système : pour être concurrentielle par rapport aux allemandes, Jaguar se devait de l'offrir. BMW propose une Série 3 avec le rouage intégral, Mercedes possède le système 4Matic, et Audi domine ce créneau depuis 20 ans avec le célèbre système Quattro. Voici d'ailleurs une petite anecdote pour montrer à quel point la concurrence est forte : l'ingénieur en chef de la X-Type, Colin Tivey, et le président du groupe Audi en Amérique, Len Hunt, sont d'anciens collègues de travail ; Hunt, un Anglais et voisin de Tivey, a travaillé 15 ans chez Jaguar avant de se retrouver chez Audi. Force est d'admet-

nouveautés 2002

• Tout nouveau modèle

tre que les deux systèmes sont efficaces, mais Audi affiche des ambitions plus sportives que Jaguar dans l'application des méthodes; donc il s'agit de savoir où se situe votre style de conduite.

COMPORTEMENT La principale référence visée lors du développement de la X-Type était la BMW 328, (la 330 n'était pas encore sur le marché). Les ingénieurs britanniques avaient comme objectif principal la rigidité de la structure, qualité essentielle pour obtenir un comportement de haute tenue, et la traction intégrale. La solution repose, dans le cas qui nous intéresse, sur trois diffé-rentiels dont l'élément central est pourvu d'un visco coupleur qui peut faire varier le rapport de répartition de la traction de 40 % à 85 % sur l'avant et de 60 % à 15 % sur l'arrière ou inversement, selon les conditions d'adhérence. Les autres différentiels sont dépourvus de la fonction autobloquante, mais tous les modèles peuvent être équipés, en équipement facultatif, du contrôle dyna-mique de la stabilité (DSC). Le confort que la ver-

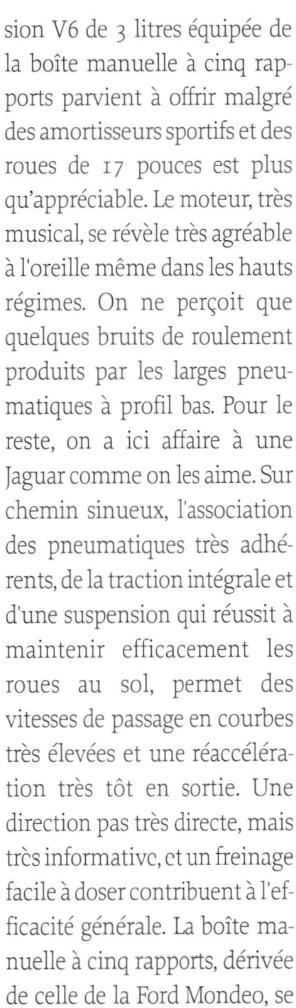

sion V6 de 3 litres équipée de la boîte manuelle à cinq rapports parvient à offrir malgré des amortisseurs sportifs et des roues de 17 pouces est plus qu'appréciable. Le moteur, très musical, se révèle très agréable à l'oreille même dans les hauts régimes. On ne perçoit que quelques bruits de roulement produits par les larges pneumatiques à profil bas. Pour le reste, on a ici affaire à une Jaguar comme on les aime. Sur chemin sinueux, l'association des pneumatiques très adhérents, de la traction intégrale et d'une suspension qui réussit à maintenir efficacement les roues au sol, permet des vitesses de passage en courbes très élevées et une réaccélération très tôt en sortie. Une direction pas très directe, mais très informative, et un freinage facile à doser contribuent à l'efficacité générale. La boîte manuelle à cinq rapports, dérivée de celle de la Ford Mondeo, se révèle précise, mais pas extrê-

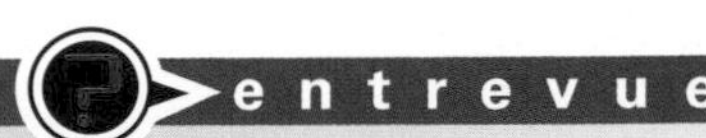

Barbara Barrett

directrice des Relations publiques chez Jaguar Canada

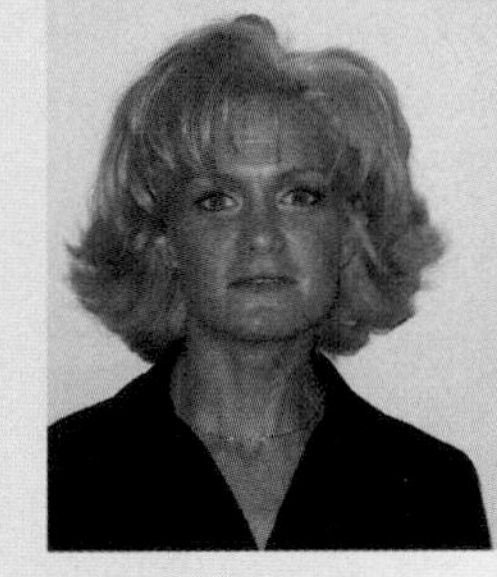

Comment décrivez-vous cette nouveauté?
Avec la Jaguar X-Type, nous entrons dans le créneau des berlines compactes de luxe. Très moderne dans sa réalisation, elle reste très près de ses origines au niveau du luxe et de ses lignes. Jaguar est synonyme d'émotion, de cœur et de raison. Conduire la X-Type est un charme: avec sa traction intégrale, elle se faufile partout.

Où situez-vous ce modèle?
Il s'agit de la Jaguar la plus petite et la plus accessible au point de vue prix, mais qui offre le luxe de ses grandes sœurs. Nos compétiteurs : les BMW Série 3, les Mercedes-Benz Classe C, les Audi A4. Nous offrons un choix intéressant à cette clientèle.

Quelle est cette clientèle cible?
Des jeunes professionnels qui veulent posséder une voiture racée différente. Les propriétaires de Jaguar plus âgés souhaitant réduire la taille de leur voiture sans pour autant faire de compromis sur le luxe et la qualité.

Combien de ventes en 2002?
Entre1700 et 1800 au Canada, et environ 350 au Québec.

JAGUAR

galerie

1 • Vous voulez un truc pour reconnaître une véritable Jaguar? Le levier de transmission automatique à grille en forme de «J».

2 • La clientèle visée par la X-Type est plus jeune et plus sportive, comme en témoigne ce support à vélos qui figurent au catalogue d'accessoire...

3 • Voici une vue fantôme de la X-Type mettant en vedette le nouveau système à rouage intégral Traction-4.

4 • Le félin a du coffre, pour ainsi dire. En prime, un petit tiroir où ranger votre trousse de secours. Sait-on jamais...

5 • D'élégantes jantes d'alliage sont livrées sur la X-Type, arborant le logo de la firme au centre.

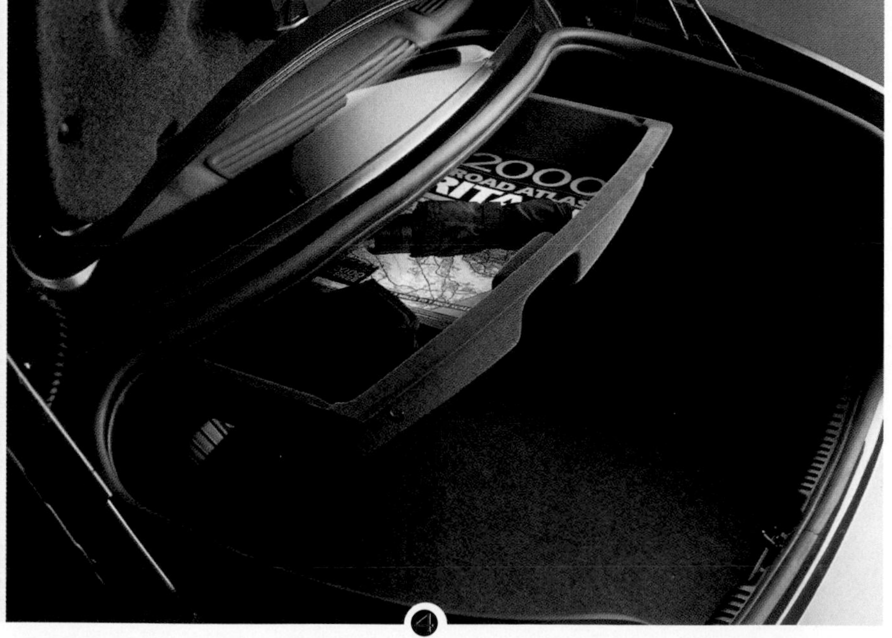

forces
- Lignes très réussies
- Performances à la hauteur (3 litres)
- Tenue de route sans failles

faiblesses
- Direction un peu floue au centre
- Dégagement pour la tête un peu juste à l'arrière

mement rapide. La version 2,5 litres avec ses 194 chevaux, est plus affectée par le poids élevée de la X-Type, mais elle tire tout de même son épingle du jeu. Elle est capable de belles pointes de vitesse et d'une aisance remarquable, tout empreinte de confort, surtout si le tracé est sinueux.

HABITACLE La X-Type est particulièrement séduisante sur le plan esthétique. Son habitacle est presque aussi vaste que celui de la S-Type, et le volume du coffre est le plus généreux jamais proposé par une Jaguar. L'intérieur, fort joliment présenté, paraît plus conforme à la tradition Jaguar que celui de la S-Type. L'espace intérieur semble tout juste suffisant, du fait de l'ambiance très «British». Offert en option, le grand écran tactile en couleurs de sept pouces domine la console centrale en forme de fer à cheval, assurant la gestion des systèmes de navigation et de communication. Le système de navigation par satellite (un équipement facultatif qui frise les 3000 $) peut être jumelé à un système d'activation par la voix qui comprend l'allemand, l'italien et quatre variétés d'anglais (américain, australien, british et Irlandais), le français étant à venir l'an prochain.

CONCLUSION Il est difficile pour un fabricant de berlines de luxe de devenir un généraliste. Mais, dans l'environnement hyper concurrentiel du monde de l'automobile, la prospérité passe par le nombre de véhicules vendus. Jaguar a réussi, avec la X-Type, à présenter une berline relativement plus abordable sans sacrifier l'âme de Jaguar. La X-Type fera plaisir aux amateurs de la marque, qui s'y sentiront rapidement à l'aise, et permettra possiblement à une nouvelle génération de consommateurs de grandir avec la famille.

fiche technique

JAGUAR

Moteur : V6 DACT 2,5 L
Autre moteur : V6 DACT 3 L
Puissance : 194 ch à 6800 tr/min et 180 lb-pi à 3000 tr/min
Autre moteur : 231 ch à 6800 tr/min et 209 lb-pi à 3000 tr/min
Transmission de série : manuelle à 5 rapports
Transmission optionnelle : automatique à 5 rapports
Freins avant : disques
Freins arrière : disques
Sécurité active de série : aux quatres roues, traction intégrale, distribution électronique du freinage (EBD)
Suspension avant : indépendante
Suspension arrière : indépendante
Empattement : 271 cm
Longueur : 467,2 cm
Largeur : 178,9 cm
Hauteur : 139,2
Poids : 1555 kg (man.) 1595 kg (auto.)
0-100 km/h : 8,3 sec (2,5 L man.) ; 7 (3 L auto.)
Vitesse maximale : 225 km/h (2,5 L) 235 km/h (3 L)
Diamètre de braquage : 10,84 m
Capacité du coffre : 370 L
Capacité du réservoir d'essence : 72 L
Consommation d'essence moyenne : 11 L/100 km (2,5 L) 11,6 L/100 km (3 L)
Pneus d'origine : 205/55VR16
Pneus optionnels : 225/55ZR17

2e opinion

Gabriel Gélinas — Jolie féline cruellement handicapée par le manque de couple du moteur de 2,5 litres qui peine à la tâche, le moteur de 3 litres s'avérant un meilleur choix. Prix de base intéressant, mais les options sont nombreuses et coûteuses. Conserve le cachet de cette marque de prestige malgré l'intégration de composants provenant de chez Ford.

Par Benoit Charette

f i c h e
d' i d e n t i t é

Modèle : Grand Cherooke
Versions : Laredo, Limited, Overland
Segment : utilitaires intermédiaires
Roues motrices : 4 x 4
Portières : 4
Places : avant, 2 ; arrière, 3
Sacs gonflables : 2 frontaux ; rideaux gonflables et coussins arrières (version Overland)
Concurrence : Acura MDX, Mercedes-Benz Classe M, Nissan Pathfinder, Oldsmobile, Toyota 4Runner et Highlander, Infiniti QX4, Land Rover Discovery, Lexus RX300, Dodge Durango, Ford Explorer, Chevrolet TrailBlazer, GMC Envoy et Oldsmobile Bravada

a u q u o t i d i e n

Prime d'assurance moyenne : 1100 $
Garantie générale : 3 ans/60 000 km
Garantie groupe motopropulseur : 5 ans/100 000 km
Garantie contre la perforation : 7 ans/160 000 km
Collision frontale : 3/5
Collision latérale : 4/5
Ventes du modèle l'an dernier au Québec : 4073
Dépréciation : 59 %

prix de base • 39 005 $

Une **Jeep** de grand luxe

Il est évident que le conducteur type du Jeep Grand Cherokee n'est pas une personne qui aime passer inaperçue. Ce grand utilitaire sport a une allure unique facilement reconnaissable sur la route. En fait, presque tout le monde aimerait se retrouver dans un Grand Cherokee tant il se distingue des autres utilitaires.

CARROSSERIE Voilà pourquoi DaimlerChrysler a décidé de ne pas la modifier en 2002, et ce, même si le Grand Cherokee présente le même format depuis 1999 et si la concurrence se fait de plus en plus vive. Offert en trois versions (Laredo, Limited et Overland), il montre toujours les mêmes lignes avec ses quatre portes et son hayon arrière. On reconnaîtra également la calandre distinctive de Jeep à sept ouvertures.

MÉCANIQUE Sous cette robe, on trouve des éléments mécaniques familiers dont le moteur à six cylindres en ligne de 190 chevaux, livrable avec la boîte automatique à quatre rapports seulement. Si, aux États-Unis, certains Jeep sont offerts à propulsion seulement, les modèles canadiens sont tous à quatre roues motrices sur commande ou à traction intégrale.
Grande nouveauté pour 2002, Jeep offre deux V8 en équipement facultatif. Le premier est le fameux 4,7 litres à simple arbre à cames en tête, qui a d'ailleurs fait ses débuts dans le Grand Cherokee. Il fait 235 chevaux. Le second est une nouvelle version plus performante qui développe 270 chevaux. Ces V8 sont livrables avec la boîte automatique à cinq rapports. Trois systèmes de boîtier de transfert sont proposés dont le Selec-Trac sur commande, le Quadra-Trac II aussi sur commande et le Quadra-Drive à traction intégrale et ponts Vari-Lok à verrouillage progressif. Le freinage à disque aux quatre roues est secondé par l'ABS, alors que la suspension est à ressorts hélicoïdaux.

COMPORTEMENT Nous avons pu faire l'essai de plusieurs Grand Cherokee à moteur V8. D'ailleurs, le six cylindres est moins recommandable, surtout pour sa valeur de revente. Il est moins recherché. Le 4,7 litres de 235 chevaux a suffisamment

n o u v e a u t é s 2 0 0 2

- Moteur V8 de 270 chevaux

de puissance, mais sa consommation est élevée. La boîte de vitesses à cinq rapports rend les passages de vitesses plus doux. Au cours d'un voyage de près de 2000 kilomètres, nous avons constaté que ce Jeep procurait un grand confort mais que sa tenue de route était un peu plus molle que prévue. Elle accusait même un certain roulis qui devenait fatiguant à la longue. Cet effet pouvait être dû à la traction intégrale. Comme tout Jeep, le Grand Cherokee est un véritable tout-terrain. En hiver, même sur des pneus quatre saisons, elle est très à l'aise dans la neige et sur la glace; mais nous vous recommandons des pneus d'hiver appropriés pour obtenir un meilleur freinage et plus de contrôle dans les courbes. Plusieurs propriétaires de Grand Cherokee s'aventurent dans des sentiers exigeants avec leur véhicule de luxe. Lors d'une excursion du type Jeep Jamboree, nous avons vu plusieurs de ces Grand Cherokee passer dans des marres de boue plus facilement que les plus petites TJ grâce au très efficace système Quadra-Drive qui arrive toujours à donner de la motricité à au moins une roue, lorsque les autres s'enlisent.

HABITACLE L'intérieur est très accueillant, même si les portières arrière sont un peu étroites. Le tableau de bord est toujours le même avec une instrumentation typique de Chrysler. Quatre passagers, cinq à la rigueur, peuvent prendre place dans ce véhicule utilitaire de Daimler-Chrysler. On dispose d'un bon espace de chargement à l'arrière, surtout depuis que le pneu de secours a été placé sous le véhicule.

CONCLUSION Malgré la concurrence de plus en plus féroce, le Grand Cherokee réussit encore à tirer son épingle du jeu. Ses lignes classiques ne sont pas étrangères à son succès. Certains consommateurs aimeraient bien pouvoir se procurer le moteur diesel offert sur les marchés étrangers, mais ce ne sera pas possible. Du moins, pour l'instant!

fiche technique

JEEP

Moteur : 6 cyl. en ligne 4 L
Autre moteur : V8 4,7L
Puissance : 195 ch à 4600 tr/ min et 230 lb-pi à 3000 tr/min
Autre moteur : 235 ch à 4800 tr/min et 295 lb-pi à 3200 tr/min
Transmission de série : automatique à 4 rapports
Transmission optionnelle : automatique à 5 rapports
Freins avant : disques
Freins arrière : disques
Sécurité active de série : ABS
Suspension avant : indépendante
Suspension arrière : indépendante
Empattement : 269,1 cm
Longueur : 461,3 cm
Largeur : 184,5 cm
Hauteur : 178,6 cm
Garde au sol : 21 cm
Poids : 1717 kg (Laredo L6) ; 1 752 kg (V8)
0-100 km/h : 8,5 s
Vitesse maximale : 206 km/h
Diamètre de braquage : 11,4 m
Capacité de remorquage : 2 268 kg
Capacité du coffre : 1104 L; 2047 L (sièges abaissés)
Capacité du réservoir d'essence : 78 L
Consommation d'essence moyenne : 11,5 L/100 km
Pneus d'origine : 225/65R17 (Laredo), 235/65R17 (Limited)
Pneus optionnels : 245/70R16 (Laredo), 235/65R17 (Limited)

2e opinion

Philippe Laguë — S'il existe un véhicule surestimé sur le marché, c'est bien lui. L'agrément de conduite est pour le moins mitigé et le confort mérite de justesse la note de passage. Quant à la fiabilité, elle est moyenne. Vaut mieux en louer un que l'acheter, cela évitera bien des tracas.

forces

- Lignes classiques reconnaissables
- Nouveau V8 plus puissant
- Capacités hors-route surprenantes

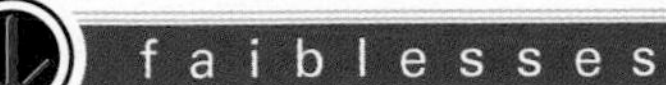

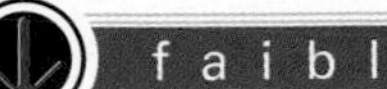

faiblesses

- Portières arrière étroites
- Roulis perceptible
- Consommation évidente

Par Éric Descarries

JEEP

fiche d'identité

Modèle : Liberty
Versions : Sport et Limited
Segment : utilitaires intermédiaires
Roues motrices : 4
Portières : 4
Places : avant, 2 ; arrière, 3
Sacs gonflables : 2
Concurrence : Nissan Pathfinder, Pontiac Aztek, Saturn VUE, Suzuki XL7, Toyota 4Runner et Highlander, Land Rover Discovery, Dodge Durango, Ford Explorer, Chevrolet TrailBlazer, GMC Envoy, Toyota RAV 4, Honda CR-V, Suzuki XL7, Nissan Xterra, Subaru Forester

au quotidien

Prime d'assurance moyenne : 900 $
Garantie générale : 3 ans/60 000 km
Garantie groupe motopropulseur : 5 ans/100 000 km
Collision frontale : nd
Collision latérale : nd
Ventes du modèle l'an dernier au Québec : nouveau modèle
Dépréciation : nouveau modèle

nouveauté

prix de base • 22,880 $

La relève est arrivée

Après 16 ans de loyaux services, le Jeep Cherokee a tiré sa révérence. Même le nom est disparu, du moins en Amérique du Nord. Nombreux sont ceux qui pleureront ce légendaire véhicule tout-terrain. Mais qu'ils se consolent, son remplaçant est de calibre. C'est le tout nouveau Jeep Liberty.

CARROSSERIE Depuis quelques années, DaimlerChrysler nous dévoile des études de style amusantes et intéressantes basées sur l'image de Jeep. Le Dakar (photo en page 300), à titre d'exemple, se voulait un TJ à quatre portes. Sa caisse allait inspirer les dessinateurs du Liberty. Puis il y a eu la très sportive Jeepster. C'est de ce modèle que l'avant du Liberty a été repris.

Le Liberty 2002 est maintenant offert en deux versions, le Sport reconnaissable à ses pare-chocs et à ses rallonges de passages de roues noirs, et le Limited Edition dont la carrosserie est complètement monochrome. Il s'agit évidemment d'un véhicule à quatre portes qui comporte un cinquième accès arrière grâce à la lunette relevable et à une portière qui s'ouvre vers la gauche, protégeant ainsi ses opérateurs de la circulation. Quant aux dimensions, elles excèdent légèrement celles de l'ancienne Cherokee.

MÉCANIQUE Le moteur de base, un quatre cylindres de 2,4 litres développant 150 chevaux, est issu de la gamme Chrysler. Le moteur offert en option n'est plus un six cylindres en ligne, mais bien un tout nouveau V6 de 3,7 litres qui fait 210 chevaux et 235 livres-pied de couple. La boîte manuelle à cinq rapports est offerte en équipement de série alors que l'automatique ne vient qu'avec le V6. Deux boîtiers de transfert font partie de la gamme, le « Command-Trac » de base qui transforme le Liberty en quatre roues motrices sur commande et le « Selec-Trac » qui en fait un quatre roues motrices ou une traction intégrale. Cette dernière est très utile pour la conduite en hiver, et l'on n'a qu'à la laisser en traction intégrale pour la saison froide sans y toucher. En passant, le Liberty fait encore appel à un levier au plancher pour enclencher la motricité aux

nouveautés 2002
• Tout nouveau véhicule

quatre roues. La grande surprise du nouveau Liberty est une suspension avant indépendante. Dans le passé, tous les Jeep avaient un essieu avant rigide, comme le TJ et le Grand Cherokee actuels. Mais comme le Liberty est le tout premier Jeep complètement conçu par DaimlerChrysler (les deux autres ont encore des caractéristiques autrefois développées par AMC/Jeep), les ingénieurs de la marque ont décidé de lui donner l'occasion de mieux se mesurer à la concurrence et de lui permettre une douceur de roulement appréciée sur la route. On n'avait pas le choix, il fallait la suspension indépendante. À l'arrière, la suspension est toujours un essieu rigide, mais avec des ressorts hélicoïdaux qui s'harmonisent bien avec la suspension avant. Le freinage fait appel à des disques à l'avant et à des tambours à l'arrière, mais l'ABS est offert en option. Quant à la direction assistée à crémaillère, elle impressionne vivement sur la route par son excellente tenue de cap.

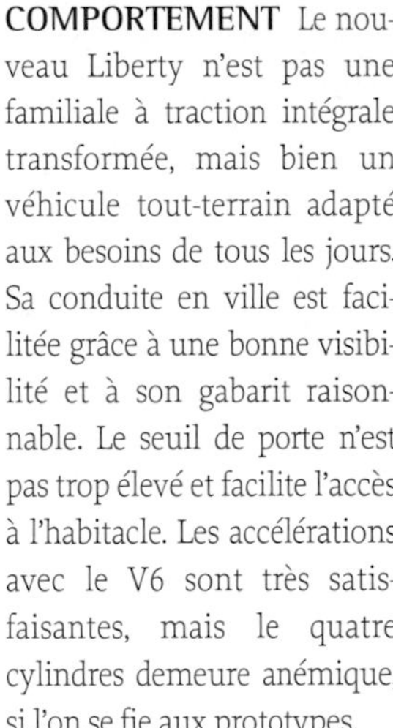

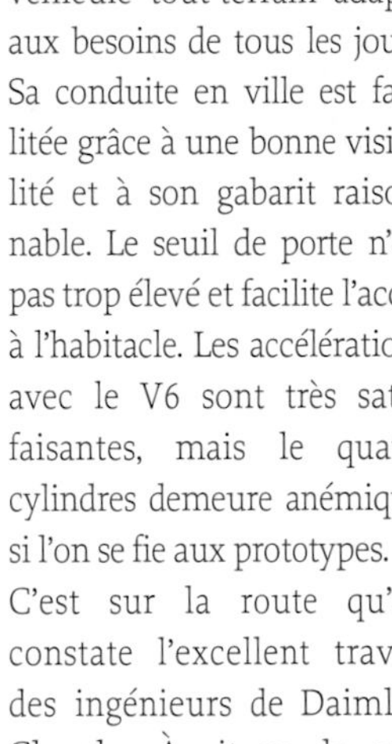

COMPORTEMENT Le nouveau Liberty n'est pas une familiale à traction intégrale transformée, mais bien un véhicule tout-terrain adapté aux besoins de tous les jours. Sa conduite en ville est facilitée grâce à une bonne visibilité et à son gabarit raisonnable. Le seuil de porte n'est pas trop élevé et facilite l'accès à l'habitacle. Les accélérations avec le V6 sont très satisfaisantes, mais le quatre cylindres demeure anémique, si l'on se fie aux prototypes.

C'est sur la route qu'on constate l'excellent travail des ingénieurs de DaimlerChrysler. À vitesse de croisière, le Liberty est très silencieux. La direction demeure précise, et l'on ne sent aucun effort de la part du moteur V6. Les bruits aérodynamiques sont presque inexistants, et la portée est aussi douce que celle d'une voiture. Seule note négative, le réservoir de carburant semble petit, car il a

entrevue

Walter Mc Call

Directeur des communications, Produits

Comment décrire cette nouveauté en quelques mots?
La toute nouvelle Jeep Liberty 2002 se joint à une lignée déjà formidable de produits Jeep en tant que nouveau membre d'une marque légendaire. La Liberty 2002 fut créée pour améliorer la lignée Jeep et en augmenter sa popularité.

Quels en sont les points forts?
Sa nouvelle suspension avant indépendante combine les atouts d'une portée plus douce à celle d'une direction plus précise tout en y ajoutant des habilités hors-route. On y trouve une nouveau moteur V6 Power Tech de 3,7 litres procurant d'excellentes performances. La portière arrière s'ouvre d'une seule manipulation de la poignée.

Où situer ce modèle dans votre gamme et par rapport à la concurrence?
La Jeep Liberty se distingue de la nouvelle génération d'utilitaires sportifs compacts de moindres habilités.

Quelle est votre clientèle cible?
La Jeep Liberty 2002 attirera une toute nouvelle génération d'acheteurs de VUS qui tiennent au raffinement sur route.

Combien de ventes en 2002?
Chrysler Canada ne dévoile pas de telles prévisions.

galerie

1 • Remarquez le levier de gauche à côté de celui de la transmission. On le croyait disparu, mais le Liberty conserve le sélecteur de traction.

2 • Jeep s'est inspiré du véhicule-concept Dakar dévoilé en 1997 pour dessiner le Liberty. Le croiriez-vous?

3 • Et la grille, vous la reconnaissez, la grille? Le prototype Jeepster de 1998 a trouvé écho chez la Liberty.

4 • Voici la calandre du Liberty: deux phares ronds, sept ouvertures. Une signature facilement reconnaissable.

5 • Les phares arrière du Liberty prennent eux aussi des formes arrondies...

forces

- Gabarit intéressant
- Silence et douceur de roulement
- Véritable 4 x 4

faiblesses

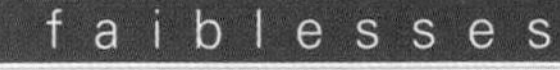

- Consommation notable
- Portes arrière étroites
- Moteur quatre cylindres peu impressionnant

été difficile de faire plus que 400 kilomètres sur un plein. Il est vrai que nous avons fait beaucoup de ville, mais le Liberty ne nous a donné que 17,7 litres/100 kilomètres.

Les vrais amateurs de Jeep tout-terrain disent que la suspension avant indépendante du Liberty (photo à droite, en haut) ne cadre pas avec la vraie philosophie du légendaire véhicule; mais le Liberty est plus confortable sur la route qu'un ancien CJ modifié pour les sentiers. C'est au volant d'un Sport que nous avons attaqué les sentiers des Cantons de l'Est dans le cadre d'une excursion Jeep Jamboree; même équipé de ses pneus d'origine toutes saisons, le Liberty suivait les autres Jeep sans difficulté. Le seul problème est survenu lorsque nous avons roulé sur une petite souche pourrie qui a cassé sous le poids du véhicule. Le pneu avant droit a glissé, et la souche est venue se planter dans le bras inférieur de la suspension indépendante, confirmant les pires craintes.

HABITACLE Le tableau de bord est court et arrondi. Le volant à quatre branches peut recevoir les commandes du régulateur de vitesse en option. Une simple console divise les deux baquets avant, et l'on y trouve les commandes des glaces électriques. On accède à la banquette arrière par des portières un peu étroites; elle peut se replier 60/40 pour qu'on puisse charger plus de bagages. En passant, une toile est offerte pour cacher les bagages.

CONCLUSION Le Liberty réussira-t-il à supplanter la féroce concurrence qui se présente dans son créneau ? Nous pensons que oui, même si la consommation de carburant est un peu élevée (elle l'est également pour bien de ses concurrents).

fiche technique

JEEP

Moteur : 4 cyl. en ligne DACT de 2,4 L
Autre moteur : V6 de 3,7 L
Puissance : 140 ch à 4000 tr/ min et 158 lb-pi à 1800 tr/min
Autre moteur : 210 ch à 5200 tr/min et 225 lb-pi à 4000 tr/min
Transmission de série : manuelle à 5 rapports
Transmission optionnelle : automatique à 4 rapports
Freins avant : disques
Freins arrière : tambours
Sécurité active de série : ABS, 4 roues motrices
Suspension avant : indépendante
Suspension arrière : essieu rigide
Empattement : 265 cm
Longueur : 443,7 cm
Largeur : 181,9 cm
Hauteur : 179,6 cm
Garde au sol : 257 mm
Poids : 1676 kg (2,4L) 1750 (3,7 L)
0-100 km/h : nd
Vitesse maximale : 175 km/h
Diamètre de braquage : 12 m
Capacité de remorquage : 3250 kg
Capacité du coffre : 883 L ; 1929 L (sièges abaissés)
Capacité du réservoir d'essence : 70 L
Consommation d'essence moyenne :
Pneus d'origine : 215/75R16 (Sport), 235/70R16 (Limited)
Pneus optionnels : aucun

2e opinion

Luc Gagné — Avec Liberty, Jeep s'affranchit de l'antique Cherokee. Ce tout-terrain élégant, dedans comme dehors, se comporte sur la route comme un utilitaire 4 x 4, pas comme une auto. Comparez-le au Nissan Xterra, et non à un Toyota Highlander. Et puis, il corrige l'erreur que perpétuent Honda et Toyota, avec leur CR-V et Rav4: la porte battante arrière s'ouvre du bon côté, de droite à gauche.

évolution

prix de base • 20 355 $

JEEP

fiche d'identité

Modèle : TJ
Versions : SE, Sport et Sahara
Segment : utilitaires intermédiaires
Roues motrices : 4 x 4
Portières : 2
Places : avant, 2; arrière, 3
Sacs gonflables : 2
Concurrence : Chevrolet Tracker, Honda CR-V, Kia Sportage, Nissan Xterra, Suzuki Vitara, Toyota RAV4

Le véritable utilitaire sport

En raison de sa configuration, le Jeep TJ a toujours été considéré comme le plus authentique des utilitaires sport. Beaucoup de gens, surtout des jeunes, achètent ce véhicule légendaire d'abord pour son apparence sportive; puis, nombreux sont ceux qui, par la suite, apprennent à exploiter ses qualités hors-route.

CARROSSERIE Le Jeep TJ (commercialisé sous le nom de Wrangler aux États-Unis) est un petit véhicule intéressant qui nous est apparu sous sa présente forme en 1997. Il s'inspire des lignes originales du Jeep militaire créé pendant la seconde guerre mondiale comme petit véhicule tout terrain léger pouvant assurer le déplacement de quelques soldats sur terrain difficile. Par conséquent, on peut dire du TJ qu'il est également un véhicule rétro!

MÉCANIQUE Le TJ est offert en plusieurs modèles, dont le modèle de base, qui est mû par un moteur à quatre cylindres de 2,5 litres avec la boîte manuelle à cinq rapports. Tous les Jeep fonctionnent à quatre roues motrices sur commande. Le seul autre moteur possible et préférable est un six cylindres en ligne à injection, de conception un peu dépassée mais quand même efficace. Il peut également être livré avec une boîte automatique à trois rapports un peu archaïque.

COMPORTEMENT Même si le comportement routier du Jeep TJ s'est nettement amélioré par comparaison avec le YJ, l'empattement de cette Jeep est court, et sa suspension, sèche. De plus, un vent latéral peut altérer sensiblement son rendement sur la route. En ville, c'est un peu l'inverse; comme le TJ est court, il se manipule très facilement. Les performances sont moyennes avec le six cylindres, pauvres avec le quatre. Quant à la tenue de route, elle n'a rien de celle d'une sportive. Mais les acheteurs de TJ en sont conscients et ne sont effectivement pas impliqués dans autant d'accidents mortels que les propriétaires de sportives! Hors-route, c'est une toute autre histoire. Le Jeep TJ se révèle un vrai champion dans ce domaine. Par ricochet, son conducteur aussi!

au quotidien

Prime d'assurance moyenne : 875 $
Garantie générale : 3 ans/60 000 km
Garantie groupe motopropulseur : 5 ans/100 000 km
Garantie contre la perforation : 7 ans/160 000 km
Collision frontale : nd
Collision latérale : nd
Ventes du modèle l'an dernier au Québec : 1103
Dépréciation : 41 %

nouveautés 2002

- Sonorisation améliorée • Nouvelles jantes sur les versions SE, Sport et Sahara
- Ventilation révisée

HABITACLE Le TJ est offert en version cabriolet avec un toit démontable (pas toujours facile à remonter) ou avec un toit de plastique renforcé. Le modèle avec le toit démontable est agréable en été, mais bruyant et moins sûr en condition urbaine. L'intérieur est bien aménagé, même s'il semble rudimentaire. Le tableau de bord redessiné pour la version plus récente, contient une instrumentation lisible et des commandes à la portée de main. Les deux sièges baquets avant sont relativement confortables, mais la petite banquette arrière n'est conçue que pour de courtes balades. Quant à l'espace de chargement, il est minime. Dans tous les cas, nous vous recommandons de vous procurer une petite malle verrouillable.

CONCLUSION Le Jeep TJ est le plus habile de sa catégorie pour le prix, et ce, même avec les pneus d'origine ! Son essieu avant rigide, son point faible sur la route, devient sa principale qualité dans les sentiers! Avec quelques conseils pratiques et un peu d'expérience, presque n'importe quel conducteur se débrouillera très bien en situation hors-route avec le TJ. En hiver, par contre, je recommande vivement l'installation de quatre pneus à glace de qualité pour exploiter le potentiel du véhicule au maximum.

fiche technique

JEEP

Moteur : 4 cyl. en ligne de 2,5 L
Autre moteur: 6 cyl. en ligne de 4 L
Puissance : 120 ch à 5400 tr/min et 140 lb-pi à 3500 tr/min
Autre moteur : 190 ch à 4600 tr/min et 235 lb-pi à 3200 tr/min
Transmission de série : manuelle à 5 rapports
Transmission optionnelle : automatique à 3 rapports
Freins avant : disques
Freins arrière : tambours
Sécurité active de série : ABS (optionnel)
Suspension avant : indépendante
Suspension arrière : indépendante
Empattement : 237,2 cm
Longueur : 381,3 cm
Largeur : 169,4 cm
Hauteur : 180,6 cm
Garde au sol : 25,4 cm
Poids : 1388 kg
0-100 km/h : 10,8 s
Vitesse maximale : 165 km/h
Diamètre de braquage : 10,2 m
Capacité de remorquage : 2697 kg (SE), 2 895 kg (Sport et Sahara)
Capacité du coffre : 326 L
Capacité du réservoir d'essence : 72 L
Consommation d'essence moyenne : 14,7 L/100 km
Pneus d'origine : P205/75R15 (SE), P215/75R15 (Sport), P225/70R16 (Sahara)
Pneus optionnels : P225/75R15 (SE)

2e opinion

Luc Gagné — Le Jeep TJ est un outil de travail que la mode et la nostalgie ont transformé en véhicule de loisirs. Avec le temps, le confort pour les fesses s'est accru, mais pas celui des oreilles. La servodirection à billes n'est plus vague comme elle l'était il n'y a pas si longtemps, et le petit « quatre » combiné à la boîte manuelle constitue un ensemble très sympathique, à l'image du véhicule!

forces

- Tout-terrain très habile
- Motricité aux quatre roues
- Encombrement faible en ville

faiblesses

- Version cabriolet peu sûre en situation urbaine
- Malle très petite
- Comportement routier aléatoire

Par Éric Descarries

KIA

fiche d'identité

Modèle : Magentis
Versions : 2,4 LX ; 2,5 LX ; 2,5 SE ; LX LX-V6 ; SE-V6
Segment : intermédiaires
Roues motrices : avant
Portières : 4
Places : avant, 2 ; andière, 3
Sacs gonflables : 2 frontaux
Concurrence : Buick Century et Regal, Chevrolet Malibu, Chrysler Sebring, Daewoo Leganza, Pontiac Grand Prix, Honda Accord, Hyundai Sonata, Mazda 626, Nissan Altima, Saturn Série L, Subaru Legacy et Outback, Toyota Camry

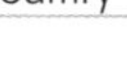

au quotidien

Prime d'assurance moyenne : 875 $
Garantie générale : 3 ans/60 000 km
Garantie groupe motopropulseur : 5 ans/100 000 km
Garantie contre la perforation : 5 ans/kilométrage illimité
Collision frontale : nd
Collision latérale : nd
Ventes du modèle l'an dernier au Québec : 4
Dépréciation : nouveau modèle

évolution

prix de base • 21 295 $

Le **grand format** de KIA

La Magentis se situe entre les intermédiaires et les compactes. L'équipement de base de ses différentes versions tend à la classer parmi ces dernières. Fait-elle le poids ?

CARROSSERIE En ce qui concerne ses dimensions, la Magentis se situe au bas de la classe des intermédiaires et au sommet de celle des compactes. On retrouve dans la version LX de base un équipement comparable à celui des intermédiaires japonaises et américaines. Ainsi, on profite d'une transmission automatique, d'un régulateur de vitesse, de lève-glaces électriques et de la climatisation. On y ajoute même les rétroviseurs chauffants à commande électrique. De là, on peut grimper en matière de motorisation, de commodités et de luxe, en choisissant, par exemple, de meilleurs systèmes audio, des roues de 15 pouces en alliage, des pneus Michelin Energy, des freins à disque aux quatre roues, etc. Kia offre deux versions à 4 cylindres, la LX de base, puis la LX Groupe Sport ; puis on passe à la LX V6 et à la LX V6 Groupe Sport. Enfin, on termine avec le haut de gamme SE V6 qu'on peut habiller d'une sellerie de cuir. Le coffre, de bonnes dimensions, est facile d'accès grâce à son seuil bas. Le dossier rabattable 70/30 permet de glisser des objets tout en conservant l'espace pour asseoir deux enfants durant les courses.

MÉCANIQUE On propose deux motorisations : un 4 cylindres de 2,4 litres et 149 chevaux qui est un peu juste, et le V6 de 2,5 litres et 170 chevaux, qui nous a semblé à la hauteur de ceux des autres intermédiaires. Les V6 sont couplés à une boîte automatique Steptronic à 4 rapports. La Magentis possède une suspension indépendante aux quatre roues. Le freinage est assuré, dans le cas des LX à 4 cylindres, par une combinaison disques-tambours assistée, alors qu'avec les V6 on profite de quatre freins à disque. Malheureusement, on devra opter pour le Groupe Sport ou les versions V6 pour obtenir le système ABS.

COMPORTEMENT Nous avons essayé une version LX V6 et nous avons aimé les performances de son moteur sur la route. En enlevant le surmulti-

nouveautés 2002

- Nouveau moteur V6 de 2,7 L
- Roues de 15 pouces sur la LX

plié, nous avons obtenu de très bon temps de dépassement de 80 à 120 km/h, soit 6,6 secondes, des reprises dignes des voitures les plus rapides de cette catégorie. Les accélérations aussi sont dans la bonne moyenne avec 8,6 secondes pour passer de 0 à 100 km/h. La Magentis se faufile aisément dans le trafic et se comporte en bonne routière.

Il est toutefois préférable d'enlever la surmultiplication en ville, car autrement son système s'enmêle et donne des commandes contradictoires. Cela se gâte sur le plan de la tenue de route sur chaussée bosselée et dans les virages : la suspension transmet trop les secousses de la route. Un meilleur calibrage des amortisseurs améliorerait nettement cette situation. Dans les courbes, la Magentis sous-vire beaucoup trop, et l'avant tend à s'affaisser. Ralentissez avant les courbes, sinon vous risquez parfois de vous faire peur. Enfin, on doit féliciter Kia de livrer ses Magentis V6 avec de bons pneus, des Michelin Energy. Kia surpasse ses compétiteurs à cet égard.

HABITACLE L'intérieur de la Magentis se rapproche davantage des compactes à l'arrière. On peut y asseoir deux enfants confortablement, mais des adultes y seront à l'étroit à cause du peu de dégagement pour les jambes, de l'assise courte et de l'angle droit du dossier de la banquette. À l'avant, on trouve une bonne position de conduite grâce au volant et aux fauteuils réglables. Les fauteuils en tissu offrent un soutien et un confort raisonnables.

CONCLUSION Si Kia révise la suspension de sa Magentis, nous aurons là une intermédiaire capable de s'intégrer dans cette catégorie très compétitive.

fiche technique

KIA

Moteur : 4 cyl. 2,4 L DACT
Autre moteur : 6 cyl. 2,7 L DACT
Puissance : 149 ch à 6000 tr/min et 159 à 4500 tr/min
Autre moteur : 178 ch à 6000 tr/min et 181 lb-pi à 4000tr/min
Transmission de série : automatique à 4 rapports Steptronic (V6 seulement)
Transmission optionnelle : aucune
Freins avant : disques ventilés
Freins arrière : tambours ; disque (V6)
Sécurité active de série : ABS (option)
Suspension avant : indépendante
Suspension arrière : indépendante
Empattement : 270 cm
Longueur : 472 cm
Largeur : 181,5 cm
Hauteur : 141 cm
Poids : 1430 kg ; 1435 (LX) ; 1490 (SE)
0-100 km/h : 10,9 s ; 8,8 s (V6)
Vitesse maximale : 180 km/h
Autre moteur : 211 km/h (V6)
Diamètre de braquage : 10,4 m
Capacité du coffre: 386 L
Capacité du réservoir d'essence : 65 L
Consommation d'essence moyenne : 9,7 L/100 km ; 10,9 L/100 km (V6)
Autres moteurs : 10,2 L/100 km (V6)
Pneus d'origine : 195/70R14
Pneus optionnels : 205/60R15 (V6 seulement)

2e opinion

Benoit Charette — Le nouveau vaisseau amiral de la flotte Kia a pour proche parent la Hyundai Sonata. Les impressions de conduite sont familières et la qualité du produit laisse une première impression plutôt favorable. Sans afficher le prix le plus bas possible, Kia joue la carte de l'équipement le plus complet pour le prix.

forces

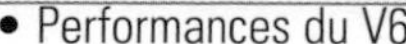

- Performances du V6
- Équipement de base intéressant

faiblesses

- Calibrage de la suspension et sous-virage trop prononcé

Par Amyot Bachand

KIA

évolution

fiche d'identité

Modèle : Rio
Versions : S, RS, LS
Segment : petites voitures
Roues motrices : avant
Portières : 4
Places : avant, 2 ; arrière, 3
Places arrière : 3
Sacs gonflables : aucun
Concurrence : Hyundai Accent, Daewoo Lanos, Toyota Echo, Saturn serie S, Subaru Impreza Chrysler Neon, Ford focus, Honda Civic, Mazda Protegé, Nissan Sentra, Suzuki Esteem, VW Beetle, Chevrolet Cavalier, Pontiac Sunfire

prix de base • 11 995 $

Championne des bas prix

au quotidien

Prime d'assurance moyenne : 650 $
Garantie générale : 3 ans/60 000 km
Garantie groupe motopropulseur : 5 ans/100 000 km
Garantie contre la perforation : 5 ans/kilométrage illimité
Collision frontale : 3/5
Collision latérale : 3/5
Ventes du modèle l'an dernier au Québec : 829
Dépréciation : Nouveau modèle

Kia est en passe de devenir « LA » marque des véhicules à prix abordables au Québec. Et c'est avec la Rio surtout qu'elle s'adjuge ce titre. Les deux variantes de berlines affichent des prix de base inférieurs à ceux de la moins chère des Toyota Echo!

CARROSSERIE Fort de ce succès, Kia ajoute un nouveau modèle à sa gamme 2002 : une familiale baptisée Rio RX-V. On croirait voir une Protegé5 miniaturisée, car la RX-V se présente comme un modèle « bien équipé ».

Pour preuve, son équipement de série comprend le climatiseur, des lève-vitres et des rétroviseurs électriques ainsi qu'un verrouillage télécommandé. L'élégante carrosserie reçoit même une galerie de toit comme pour annoncer son côté polyvalent.

Mais c'est l'aire à bagages de cette familiale qui compte avant tout. Le coffre de la berline Rio a un volume utile de 290 litres, ce qui est peu par rapport à une Hyundai Accent (318 litres) ou une Toyota Echo (385 litres).

Son ouverture étroite et courte complique d'autant plus le chargement de colis encombrants... comme une ancienne glacière! Et puis la banquette arrière de la berline a un dossier fixe.

Dans le cas de la RX-V, le volume utile atteint 296 litres avant de replier la banquette arrière qui a un dossier divisé 60/40. Après avoir replié la banquette arrière, le volume utile est plus que décuplé, atteignant 3202 litres.

Les places avant sont confortables: les sièges baquets moulants procurent un soutien apprécié en courbe et une position de conduite élevée. Derrière, la banquette convient plutôt à des personnes de petite taille.

Enfin, tant pour la berline que pour la familiale, le champ de vision arrière n'est pas très généreux, ce qui a pour effet de compliquer les manœuvres de stationnement.

MÉCANIQUE Le petit moteur qui se cache sous le petit capot de cette petite voiture est un quatre cylindres de 1,5 litre qui développe 96 chevaux. Par rapport aux moteurs des Toyota Echo et Hyundai Accent, c'est une dizaine de chevaux en moins. Il faut donc s'attendre à des

nouveautés 2002
- Version familiale RV-X

performances très *citadines*, par exemple un 0-100 km/h d'environ 12 secondes, ou 14 secondes si la voiture est dotée de la boîte automatique.

COMPORTEMENT La servodirection est précise, et pas surassistée. De plus, l'action des freins est progressive. Par ailleurs, la suspension de la berline manque de raffinement. L'essieu arrière rigide a des amortisseurs trop mous qui retiennent mal la caisse sur une route cahoteuse. Quant aux petits pneus de 13 pouces, ils manquent d'adhérence sur pavé humide. La familiale offre un comportement routier plus agréable, étant plus stable et moins sujette aux sautillements irritants de la berline. Son poids supérieur (50 kilos de plus) en serait-il responsable ?

L'étagement des rapports de la transmission manuelle de série est satisfaisant, mais le maniement du levier manque de précision.

L'alternative est une boîte automatique qui masque bien le passage des rapports. Cette option est réservée toutefois aux berlines RS et LS, et aux familiales.

CONCLUSION La berline Rio constituait déjà un amusant moyen de transport à bas prix.

Avec la familiale RX-V, elle constitue une alternative économique aux Mazda Protegé5, Ford Focus ZX5 et autres Hyundai Elantra GT — pour le côté pratique, cependant, pas pour les performances. Cette Kia, comme les autres modèles de la marque, plaira aussi pour sa garantie générale de 5 ans ou 100 000 kilomètres, la plus alléchante qui soit cette année. Il va sans dire que le constructeur coréen sait où il s'en va, et tout, de la conception des véhicules au marketing qui s'y rattache, indique précisément cela.

fiche technique

Moteur : 4 cyl. DACT 1,4 L
Puissance : 96 ch à 5800 tr/min et 98 lb-pi à 4500 tr/min
Transmission de série : manuelle à 5 rapports
Transmission optionnelle : automatique à 4 rapports
Freins avant : disques
Freins arrière: tambours
Sécurité active de série : aucune
Suspension avant : indépendante
Suspension arrière : essieu déformable
Empattement : 241 cm
Longueur : 421,5 cm
Largeur : 167,5 cm
Hauteur : 144,0 cm
Poids : 944 kg ; 970 kg (automatique)
0-100 km/h : 11,9 s
Vitesse maximale : 165 km/h
Diamètre de braquage : nd
Capacité du coffre : 290 L 296,0 L (RX-V) 621 L (sièges abaissés)
Capacité du réservoir d'essence : 45 L
Consommation d'essence moyenne : 6.8 L/100 km
Pneus d'origine : 175/70R13 ; 175/65R14 (RX-V)
Pneus optionnels : aucun

2e opinion

Michel Crépault — La Rio 3 portes ne peut combler que deux types de client: l'étudiant en quête d'une première voiture, capable de vivre sans performance, et le citadin qui ne recherche qu'un moyen de transport minimaliste. Tous les autres se feront hacher menu avant de penser Rio, quoique la nouvelle 5 portes ébranlera une faction de ces sceptiques.

forces

- Prix abordable
- Version RV-X élégante et pratique
- Bel aménagement intérieur

faiblesses

- Suspension arrière (berline)
- Visibilité vers l'arrière
- Petit coffre (berline)

Par Luc Gagné

KIA

fiche d'identité

Modèle : Sedona
Versions : LX, EX
Segment : minifourgonnettes
Roues motrices : avant
Portières : 5
Places : avant, 2 ; arrière, 5
Sacs gonflables : 2 frontaux
Concurrence : Toyota Sienna, Mazda MPV, VW EuroVan, Nissan Quest, Chevrolet Astro, GMC Safari, Pontiac Montana, Dodge Caravan / Grand Caravan, Ford Windstar, Chrysler Town & Country, Honda Odyssey, Oldsmobile Silhouette, Chevrolet Venture

au quotidien

Prime d'assurance moyenne : 900 $
Garantie générale : 5 ans/100 000 km
Garantie groupe motopropulseur : 5 ans/100 000 km
Garantie contre la perforation : 5 ans/100 000 km
Collision frontale : nd
Collision latérale : nd
Ventes du modèle l'an dernier au Québec : nouveau modèle
Dépréciation : nouveau modèle

nouveauté

prix de base • 24 595 $

La minifourgonnette surprise

Les consommateurs canadiens avaient-ils vraiment besoin d'une autre minifourgonnette ? Oui, dans la mesure où la nouvelle Kia Sedona offre tous les attributs des minifourgonnettes les plus populaires, mais à un prix nettement plus abordable.

CARROSSERIE Kia joue d'audace en lançant une minifourgonnette dans un marché déjà comblé. Après tout, la Sedona ressemble à toutes les autres minifourgonnettes. Sauf pour son prix.
En effet, la Sedona LX, modèle de base, est offerte à partir de 24 595 $. Elle est dotée d'un équipement plus complet que celui d'une Dodge Caravan SE, le modèle de base à empattement plus court de DaimlerChrysler. On parle ici d'une différence d'environ 2000 $.
Pour ce prix, la Sedona est livrée avec un système audio à lecteur de DC, un climatiseur, des glaces teintées, des lève-vitres électriques pour les portières avant et des rétroviseurs à commande électrique.
Un cran au-dessus, on retrouve la Sedona EX qui, elle, dispose également d'un régulateur de vitesse, d'essuie-glaces « sensibles » à l'intensité de la pluie, de phares antibrouillard, de roues d'alliage, de glaces de custode à ouverture électrique (équipement de série sur la Caravan SE) et d'un système de freins antiblocage.
Kia a bien ciblé son marché. L'esthétique de la Sedona n'a rien d'asiatique. Au contraire, elle s'apparente beaucoup aux modèles américains populaires, dont elle est l'émule.
Ceci dit, les Canadiens apprécient les minifourgonnettes plus que ne le font nos voisins américains.
Est-ce pour cela que les stratèges de Kia ont choisi d'équiper les Sedona destinées au marché canadien de rétroviseurs extérieurs chauffants et d'un dégivreur pour le bas du pare-brise, qui servira à réduire la formation de glace sur les essuie-glaces? Des accessoires qui seront assurément appréciés durant nos rudes hiver.
Situons maintenant la Sedona par rapport aux minifourgonnettes de DaimlerChrysler. Son empattement et sa longueur la placent entre les Dodge Caravan et Grand Caravan. Elle est aussi 5 centimètres moins large et 2 cen-

• Nouveau modèle pour 2002

timètres moins haute.

À l'intérieur, on découvre un aménagement élégant et efficace. Les commandes sont rassemblées à proximité du conducteur. Même l'emplacement du levier de la transmission automatique, au centre du tableau de bord, surprend au début. On comprend vite que c'est pour dégager le plancher et faciliter les déplacements à l'intérieur de l'habitacle.

À l'avant, on dénombre trois coffrets de rangement fermés, sans oublier les nombreux vide-poches de toutes tailles.

Les sièges baquets sont fermes et procurent un support latéral apprécié en courbe.

Derrière, on retrouve une banquette biplace médiane amovible, montée sur des glissières. En raison de son assise haute et de son dossier moulant, elle est particulièrement confortable.

La banquette arrière peut accueillir trois passagers; divisée en deux sections égales 50/50 pour faciliter sa dépose, elle a des roulettes escamotables, comme la banquette arrière de la Dodge Caravan. Et à l'instar des banquettes de toutes les minifourgonnettes, celle-ci est également très lourde, et le dégagement pour les jambes et les pieds de ceux qui y prennent place reste toutefois limité.

La Sedona a deux portières latérales coulissantes qui se verrouillent une fois ouvertes, comme celles de la Caravan. Ainsi, elles ne risquent pas de se refermer par mégarde ; par exemple, lorsque le véhicule est garé dans une pente.

Le hayon se soulève à moins de 6 pieds de hauteur. Doté d'une grosse poignée au bas de sa face intérieure, il est facile à abaisser même pour des personnes de petite taille.

MÉCANIQUE Sous le capot se trouve un V6 de 3,5 litres, qui produit 195 chevaux. C'est 15 de mieux que ce dont est capable le V6 de 3,3 litres de la Dodge Caravan, un moteur de base. Le moteur de la Kia produit aussi plus de couple à un régime inférieur, soit 218 livres-pied à 3500 tours-minute plutôt que 210 livres-

entrevue

KIA

Mike Parenteau,
directeur régional des Opérations et du Marketing

Comment décrire cette nouveauté en quelques mots?
De par ses dimensions, sa motorisation et son équipement, la Sedona propose une approche similaire à celle de ses concurrentes d'Amérique du Nord. Le modèle LX est plus équipé que les entrées de gamme de la concurrence. Le modèle EX, avec ses pare-chocs deux tons et ses roues en aluminum, est particulièrement agréable à regarder.

Quels en sont les points forts?
Un puissant V6 de 195 chevaux. C'est la seule minivan qui dispose d'une boîte automatique à 5 rapports en Amérique du Nord. De plus, ses résultats de *crash tests* devraient être excellents.

Où situer ce modèle dans votre gamme et par rapport à la concurrence?
Kia doit être présent dans un segment qui représente 18 à 20 % du marché canadien.La Sedona offre la possibilité à nos acheteurs de monter en gamme au fur et à mesure que leurs besoins évoluent.

Quelle est votre clientèle cible?
Des couples de 30-45 ans avec des enfants plutôt jeunes dont le revenu moyen est légèrement plus faible que la moyenne des acheteurs de minifourgonnettes.

Combien de ventes en 2002?
Nos estimations sont de 6000 véhicules au Canada dont 25 % au Québec.

KIA

galerie

1 • Sous le capot se trouve ce V6 de 3,5 litres. Il génère 195 chevaux, soit 15 de mieux que la Dodge Caravan.

2 • Pour le prix, la Sedona est agréablement équipée. De série, un lecteur de DC, entre autres.

3 • Si vous n'appréciez pas la banquette médiane de série, il est possible d'opter pour des sièges baquets fort confortables.

4 • La soute à bagages n'est pas gigantesque mais la configuration des sièges peut facilement remédier à cette lacune.

5 • La Sedona a une apparence qui est résolument américaine. Sobre, mais à la fois classique et de bon goût.

forces

- Moteur performant
- Bel aménagement intérieur
- Prix attrayant

faiblesses

- Consommation élevée
- Roulis latéral en courbe
- Banquettes lourdes et encombrantes

pied à 4000 tours pour le moteur de la Caravan.

Le résultat est surprenant : les accélérations sont rapides et les reprises, soutenues.

La puissance parvient aux roues avant par l'intermédiaire d'une transmission automatique à cinq rapports. Elle est souple et masque bien les changements de vitesses.

Rappelons qu'il y a deux ans, Hyundai prenait le contrôle de Kia. Depuis, les véhicules de ces deux marques partagent de plus en plus de composants mécaniques. C'est le cas du moteur, un multisoupape à double arbre à cames en tête qu'on retrouve aussi sur la berline Hyundai XG350, alors que la transmission à cinq rapports a été réalisée en ajoutant un cinquième rapport sur celles qu'utilisent les Hyundai Sonata et Kia Magentis.

COMPORTEMENT Le comportement routier de la Sedona s'apparente à celui d'une Ford Windstar. La suspension est relativement ferme sans être sèche. En courbe, le roulis demeure toutefois prononcé.

La servodirection un peu lourde demeure précise et son rayon de braquage très réduit facilite les manoeuvres de stationnement.

Par contre, le freinage sur le véhicule dont nous avons fait l'essai était plutôt tendre.

CONCLUSION Pour rehausser l'image de qualité de ce véhicule, Kia propose deux options qu'on ne retrouve pas sur toutes les minifourgonnettes : un toit ouvrant et une sellerie de cuir.

Une autre caractéristique risque d'intéresser les acheteurs : la nouvelle garantie de 5 ans ou 100 000 kilomètres de Kia. Un programme qui couvre le véhicule et son rouage d'entraînement, et qui comprend un service d'assistance routière.

fiche technique

Moteur : V6 DACT de 3,5 L
Puissance : 195 ch à 5500 tr/min et 218 lb-pi à 3500 tr/min
Transmission de série : automatique à 5 rapports
Transmission optionnelle : aucune
Freins avant : disques
Freins arrière : tambours
Sécurité active de série : ABS (version EX seulement)
Suspension avant : indépendante
Suspension arrière : indépendante
Empattement : 291 cm
Longueur : 493 cm
Largeur : 189,5 cm
Hauteur : 173 cm
Poids : 2136 kg
0-100 km/h : nd
Vitesse maximale : 185 km/h
Rayon de braquage : 12,6 m
Capacité de remorquage : 1587 kg
Capacité du coffre : 617 L
Capacité du réservoir d'essence : 75 L
Consommation d'essence moyenne : 12,8 L/100 km
Pneus d'origine : 215/70R15
Pneus optionnels : aucun

2e opinion

Éric Descarries — Voilà peut-être la surprise de l'année. Kia a mis du temps à se lancer dans le créneau déjà bien occupé des minifourgonnettes, mais sa Sedona en vaut le coup. Le prix est nettement concurrentiel et le produit offert est très intéressant. Il ne lui reste plus qu'à prouver sa fiabilité. La belle garantie qui vient avec la Sedona devrait inciter plus d'un consommateur à la choisir.

Par Luc Gagné

KIA

fiche d'identité

Modèle : Spectra
Versions : base, LS, GS-X
Segment : compactes
Roues motrices : avant
Portières : 4
Places : avant, 2 ; arrière, 2
Sacs gonflables : 2 frontaux
Concurrence : Chevrolet Cavalier, Chrysler Neon, Daewoo Nubira, Ford Focus, Honda Civic, Hyundai Elantra, Mazda Protegé, Nissan Sentra, Pontiac Sunfire, Saturn S, Suzuki Esteem, Toyota Corolla, Volkswagen Golf

évolution

prix de base • 14 595 $

Une ligne plus moderne

au quotidien

Prime d'assurance moyenne : 650 $
Garantie générale : 5 ans/100 000 km
Garantie contre la perforation : 5 ans/kilométrage illimité
Collision frontale : nd
Collision latérale : nd
Ventes du modèle l'an dernier au Québec : nouveau modèle
Dépréciation : nouveau modèle

Kia ne manque pas d'ambition. Pour 2002, pas moins de trois nouveautés viennent s'ajouter à la gamme de produits.
Plus un utilitaire, prévu pour juin prochain, pour concurrencer les Explorer et Grand Cherokee de ce monde. Parmi ces nouveautés, la Spectra vient prendre la relève de la Sephia que plusieurs rides commençaient à miner.
Peut-être que le mot nouveauté est un terme un peu trop fort. On pourrait alors parler de chirurgie esthétique, car la majorité des éléments de base, comme la mécanique et le châssis, demeurent inchangés.

CARROSSERIE La Spectra est offerte en deux configurations distinctes, une berline quatre portes et un modèle quatre portes avec hayon.
La berline est prposée en version de base, LS et GS-X 4 portes avec hayon, qui a une ligne plus sportive. Les nouvelles formes de cette compacte lui confèrent plus de prestance. Vus de face, la calandre et le capot plus effilés ainsi que les nouveaux phares et les pare-chocs ajoutent une touche contemporaine à l'ensemble du véhicule.
Tous les modèles sont également munis de roues de 14 pouces.

MÉCANIQUE Pas de grands changements sous le capot. Le moteur d'origine Mazda est toujours en poste. Il s'agit de la même mécanique que la Sephia, un 4 cylindres DACT de 2 litres qui produit 125 chevaux. Kia a cependant travaillé sur le raffinement des boîtes automatiques et manuelle.
Ainsi, la transmission est moins saccadée et la douceur de roulement s'en trouve d'autant améliorée. La puissance est correcte, sans plus. Vous devez jouer sérieusement du levier de vitesses en terrains accidentés. Et je ne parle même pas de l'automatique!

COMPORTEMENT Dans l'emsemble, la Spectra fait montre d'un comportement assaini par rapport à la Sephia. La suspension souffre encore d'une trop grande mollesse. Les pneus n'offrent pas une grande qualité, mais plusieurs petits détails ont été corrigés. Le côté «voiture des années 80» qui caractérisait la Sephia

nouveautés 2002
• Remplaçante de la Sephia, nouveau modèle

est en grande partie estompé. Une meilleure insonorisation, du travail côté de la transmission et une meilleure rigidité, même si cela n'est pas parfait, donnent dans l'ensemble une tenue de route acceptable si l'on considère le prix de la voiture.

Il faut pousser un peu la voiture pour voir ses limites. Or, en conduite normale, vous demeurerez dans les limites raisonnables de ses possibilités. Pour ce qui est des freins, il faudra apprendre ou réapprendre votre freinage au seuil, car il n'y a pas d'ABS, même optionnel, sur la Spectra.

HABITACLE Si la version de base est d'un naturel dénudé (i.e. un volant et quatre roues), la version LS vous offre les commandes électriques, un climatiseur et un lecteur DC avec six haut-parleurs.

La version GS-X à quatre portes et hayon renchérit quelque peu avec des jantes en alliage, un volant et levier de vitesses gainé de cuir, ainsi que des appliques métalliques pour souligner son apparence sportive. Pour ce qui est des commandes et des boutons de contrôle, la logique asiatique est respectée en ce sens que tout est à sa place et fonctionnel.

CONCLUSION Les dirigeants de Kia nous ont répété que leur objectif n'est pas d'offrir la voiture la moins coûteuse du marché, mais le meilleur rapport prix/équipement.

En ce qui concerne la Spectra, elle se situe dans la moyenne. C'est une voiture compacte honnête, mais pour le même prix, il y a mieux sur le marché présentement.

Il faudra encore quelques séances de peaufinage pour arriver à rivaliser avec les meilleures japonaises, sinon du côté du prix, à tout le moins de celui de la mécanique et de la tenue de route.

fiche technique

KIA

Moteur : 4 cylindres en ligne DACT 1,8 L
Puissance : 125 ch à 6000 tr/min et 108 lb-pi à 4500 tr/min (320)
Transmission de série : manuelle à 5 rapports
Transmission optionnelle : automatique à 4 rapports
Freins avant : disques
Freins arrière : tambours
Sécurité active de série : aucune
Suspension avant : indépendante
Suspension arrière : indépendante
Empattement : 256 cm
Longueur : 451 cm
Largeur : 172 cm
Hauteur : 141,5 cm
Poids : 1207 kg (base) 1212 kg (LS) 1223 kg (GS-X)
0-100 km/h : nd
Vitesse maximale : 175 km/h
Diamètre de braquage :
Capacité du coffre : 295 L ; 328 L (GS-X)
Capacité du réservoir d'essence : 50 L
Consommation d'essence moyenne : 10 L/100 km ; 10,4 L/100 km (GS-X)
Pneus d'origine : P185/65R14
Pneus optionnels : aucun

2e opinion

Luc Gagné — Sympathique compacte que son constructeur a su raffiner dans cette seconde mouture. Pas un moteur qui décoiffera, mais un aménagement agréable et une pratique berline hatchback à 5 portes, qui ne ressemble pas à un fourgon postal !

forces

- Version à 4 portes agréable
- Aménagement réussi

faiblesses

- Mécanique peu puissante
- Tenue de route moyenne
- Rapport qualité/prix

Par Benoit Charette

KIA

f i c h e
d' i d e n t i t é

Modèle : Sportage
Versions : X et EX
Segment : utilitaires compacts
Roues motrices : 4 x 4
Portières : 4
Places : avant, 2 ; arrière, 3
Sacs gonflables : 2
Concurrence : Hyundai Santa Fe, Honda CR-V, Jeep Liberty, Nissan Xterra, Toyota RAV4, Saturn Vue, Subaru Forester, Suzuki Vitara et Grand Vitara, Mazda Tribute, Ford Escape et Chevrolet Tracker

prix de base • 22 095 $

a u q u o t i d i e n

Prime d'assurance moyenne : 700 $
Garantie générale : 3 ans/60 000 km
Garantie groupe motopropulseur : 5 ans/100 000 km
Garantie contre la perforation : 5 ans/illimité
Collision frontale : 3/5
Collision latérale : 3/5
Ventes du modèle l'an dernier au Québec : 1753
Dépréciation : 30 % (un an)

Le 4 x 4 d'il y a quelques années

Il ne faut pas se leurrer, le Sportage de Kia demeure un petit camion tout terrain de conception un peu vieillotte, servi au goût du jour. Il se place entre le Suzuki Vitara deux portes et le Grand Vitara quatre portes.

CARROSSERIE Le Sportage est offert en un seul modèle conjugué en deux versions : le X et le EX. La différence entre les deux se situe au chapitre de la finition et des accessoires. Le EX, plus luxueux, peut même recevoir une sellerie en cuir et un système de freinage antiblocage de série. Il compte également la climatisation, les rétroviseurs extérieurs télécommandés et la chaîne audio avec DC. La carrosserie est bien assise sur un châssis d'acier à longerons.

MÉCANIQUE Un moteur à quatre cylindres en fonte avec culasse d'aluminium dont la cylindrée fait 2 litres et 130 chevaux anime bruyamment ce petit camion. Vous avez le choix d'une boîte de vitesses manuelle à cinq rapports ou d'une transmission automatique à quatre rapports en option. Comme il s'agit d'un vrai tout-terrain, ce véhicule est muni d'un boîtier de transfert ; il est donc possible de passer de la position deux roues motrices à la prise basse (*low*) des quatre roues motrices au moyen du levier situé entre les fauteuils avant. Sa capacité de remorquage est cependant très limitée : 454 kilos, soit une petite remorque de 4 sur 4 qu'on trouve dans les magasins grande surface.

La direction à recirculation de billes bénéficie de l'assistance variable. Le freinage est assuré par une combinaison disques/tambours assistée. Le système antiblocage n'est offert que sur la version EX avec la sellerie de cuir.
La suspension comporte des ressorts hélicoïdaux aux quatre roues. Des roues de 16 pouces sont montées de série sur le Sportage.
Fait à noter, Kia offre une garantie de 5 ans/100 000 kilomètres sur son groupe motopropulseur.

COMPORTEMENT Nous avons brièvement fait l'essai d'une version EX avec transmission automatique. En ville, nous suggérons d'enlever la surmultiplication pour obtenir des reprises quelque peu

n o u v e a u t é s 2 0 0 2

• Nouveaux accessoires offerts en option

efficaces. Le Sportage se faufile bien dans la circulation urbaine en raison de son petit gabarit. Sur l'autoroute, il maintient une vitesse de croisière en fonction des limites permises. Soyons honnête, le confort disparaît sur routes bosselées, ce qui, au Québec, commence à devenir la norme. Le Sportage rebondit constamment et transmet les secousses du revêtement. Dans les courbes, allez-y mollo, car il a une forte tendance au roulis. Le freinage demande de bien doser la pression, car les roues chercheront à se bloquer, faute d'ABS. Le passage de deux à quatre roues motrices doit se faire doucement et à basse vitesse. Hors-route ou dans la neige avec sa traction aux quatre roues, il se tire assez bien d'affaires.

HABITACLE Au volant, on trouve une bonne position de conduite avec le volant réglable. Les fauteuils avant assurent un bon confort tant qu'on roule sur un revêtement en bon état. À l'arrière, deux jeunes trouveront l'espace suffisant pour leurs jambes. Pour accéder au coffre, vous devez d'abord dégager le pneu de secours puis déverrouiller chaque fois le hayon avec la clef, ce qui devient ennuyeux. Heureusement, le hayon s'ouvre en hauteur, mais attention à votre tête si vous êtes une grande personne. Le coffre vous permettra de loger les sacs d'épicerie et de sport. Vous pouvez également rabaisser le dossier des sièges arrière, divisibles 60/40, si vous avez besoin de plus d'espace ; ces dossiers ne se couchent pas pleinement, toutefois.

CONCLUSION Le Sportage est avant tout un petit camion que Kia a bien habillé. Son confort sur route est limité. Pour tout dire, son prix nous paraît un peu élevé pour ce que le véhicule a à nous offrir.

fiche technique

Moteur : 4 cyl. DACT de 2 L
Puissance : 130 ch à 5500 tr/min et 127 lb-pi à 4000 tr/min
Transmission de série : manuelle à 5 rapports
Transmission optionnelle : automatique à 4 rapports
Freins avant : disques
Freins arrière : tambours
Sécurité active de série : ABS (option)
Suspension avant : indépendante
Suspension arrière : indépendante
Empattement : 264,9 cm
Longueur : 412,5 cm
Largeur : 173 cm
Hauteur : 165,1 cm
Garde au sol : 20,1 cm
Poids : 1524 kg ; 1540 kg (automatique)
0-100 km/h : 14 s
Vitesse maximale : 175 km/h
Diamètre de braquage : nd
Capacité de remorquage : 454 kg ; 907 kg (groupe remorquage)
Capacité du coffre : 761 L
Capacité du réservoir d'essence : 60 L
Consommation d'essence moyenne : 10,9 L/100 km (manuelle), 11,8 L/100 km (automatique)
Pneus d'origine : P205/75R15
Pneus optionnels : aucun

2e opinion

Philippe Laguë — Ce véhicule est une honte. Le moteur est un veau, comme en témoigne sa lenteur et son beuglement. La boîte manuelle est atroce et la suspension est loin de briller par son confort. Quant à la direction, ce n'est pas un exemple à suivre. Mais qu'ont donc pensé les dirigeants de Kia en osant commercialiser un engin aussi rustique ?

forces

- Bonne habitabilité
- Physique agréable

faiblesses

- Prix de base un peu élevé,
- Suspension trop ferme
- Tenue de route aléatoire

Par Amyot Bachand

nouveauté

LAMBORGHINI

fiche d'identité

Modèle : Murciélago
Version : unique
Segment : sportives de 100 000 $ et plus
Roues motrices : traction intégrale
Portières : 2
Places : 2
Sacs gonflables : 2
Concurrence : Aston Martin Vanquish, Ferrari 550 Maranello, Lotus Esprit

au quotidien

Prime d'assurance moyenne : 12 000 $
Garantie générale : 2 ans/kilométrage illimité
Collision frontale : nd
Collision latérale : nd
Ventes du modèle l'an dernier au Québec : nd
Dépréciation : nd

prix de base • (approx.) 400 000 $

Le taureau recommence à charger

Les stars se font toujours attendre. La Lamborghini Murciélago en est une, sans l'ombre d'un doute. Et ce, même si sa carrière vient tout juste de débuter.

Il est vrai que, d'emblée, le lancement d'une nouvelle Lamborghini est un événement en soi. Les Italiens, on le sait, ont le sens du dramatique, mais cette saga possède également des accents asiatiques et germaniques.

LE PROJET 147 À l'origine, le remplacement de la Diablo devait se faire sous les auspices de Chrysler, sous le nom de code « Projet 147 ».

Mais l'aventure Chrysler prit fin en 1994, Lamborghini passant aux mains d'un consortium asiatique ayant à sa tête Tommy Suharto, le fils du dictateur indonésien. Lors d'une visite aux ateliers de Sant'Agata, à l'été 1998, l'auteur de ces lignes avait même pu apercevoir un exemplaire roulant d'un prototype de la 147. Ce même été, sous l'impulsion d'un dirigeant à l'appétit gargantuesque (Ferdinand Piëch, du tout-puissant groupe Volkswagen), la marque au taureau tombait sous la férule de la marque aux anneaux! En effet, Piëch décidait de confier le renouveau de Lamborghini à Audi.

Cette passation des pouvoirs retarda à nouveau la sortie de la 147, *Herr Doktor* Piëch n'appréciant pas du tout ses formes tourmentées, dues au crayon de Zagato. Résultat, elle ne vit jamais le jour. Et ce, au grand soulagement des adeptes de cette marque mythique. On retournait donc à la case départ, ce qui eut pour effet de prolonger la durée de vie de la Diablo.

RETOUR AUX SOURCES Avec la Murciélago, Lamborghini est retourné aux sources en pigeant dans le dictionnaire de la tauromachie.

L'origine de ce nom remonte à 1879 alors que le légendaire toréador Rafael Molina Lagartijo livra un combat d'anthologie à un taureau qui portait le nom de Murciélago. S'étant défendu avec autant d'acharnement que de panache, il réussit à soulever et à gagner les faveurs la foule qui, survoltée et ravie, refusa la mise à mort de la bête. Le choix de ce patronyme est d'autant plus symbolique que la firme bolognaise a elle aussi lutté

• Nouveau modèle pour 2002

farouchement, et plus d'une fois, pour éviter sa propre mise à mort.
L'énigme du nom résolue, passons aux choses plus sérieuses. Après le désastre Zagato, le directeur du design chez Audi, Peter Schreyer, se tourna vers un de ses employés, Luc Donckerwolke, pour essuyer les plâtres. À ce jeune styliste belge bourré de talent, on devait déjà l'Audi A2, ainsi que la R8, victorieuse aux 24 Heures du Mans. Promu directeur du design à Sant'Agata, il collabora de gré ou de force avec ceux qui avaient signé les plus belles Lamborghini dans le passé : Gandini, puis Bertone. Mais les luttes de pouvoir n'ont pas tardé, de sorte que la Murciélago ne porte aucune signature. Quand on vous dit que l'accouchement fut douloureux...

BEAUTÉ ITALIENNE ET RIGUEUR ALLEMANDE

Comme la Diablo et la Countach avant elle, la Murciélago ne peut recevoir que deux occupants et reste fidèle aux portières qui s'ouvrent latéralement ainsi qu'au moteur placé en position centrale. Cette architecture favorise la répartition des masses, avec 42 p. cent du poids à l'avant et 52 p. cent à l'arrière.
À l'exception du toit et des portes, la carrosserie est faite de carbone.
Derrière les glaces latérales, on remarque des prises d'air qui servent à refroidir le moteur. Elles ont cependant la particu-

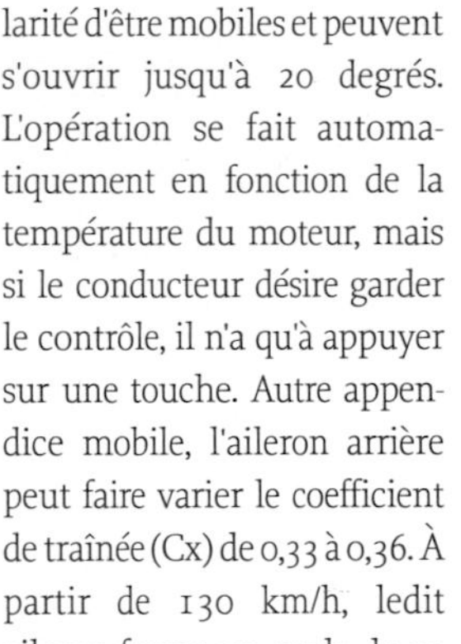

larité d'être mobiles et peuvent s'ouvrir jusqu'à 20 degrés. L'opération se fait automatiquement en fonction de la température du moteur, mais si le conducteur désire garder le contrôle, il n'a qu'à appuyer sur une touche. Autre appendice mobile, l'aileron arrière peut faire varier le coefficient de traînée (Cx) de 0,33 à 0,36. À partir de 130 km/h, ledit aileron forme un angle de 50 degrés; à plus de 220 km/h, il atteint son angle maximal : 70 degrés.
C'est dans l'habitacle que l'influence Audi se fait le plus sentir. Si la présentation intérieure s'inspire de la Diablo, un nouveau concept fait son apparition dans une Lamborghini : l'ergonomie. Finie l'ère de la position décalée du conducteur qui a fait les délices des détracteurs de la marque. Si, si, il y en a : on les retrouve surtout du côté de Maranello et de Zuffenhausen...

PUISSANCE ET HAUTE TECHNOLOGIE

La Murciélago affiche une forte ressemblance avec la Diablo, un oeil profane pou-

Bernard Durand

Représentant exécutif, véhicules exotiques chez John Scotti

Comment décrire cette nouveauté en quelques mots?
Le nom de la voiture est très suggestif : en espagnol, « murciélago » signifie chauve-souris. Les *Super Car* ont toujours incorporé des grosses trappes d'air pour les aider à respirer. Pour la Murciélago, Lamborghini a développé un système de prises d'air rétractables à l'arrière, des petites trappes qui imitent... des ailes de chauve-souris.

Quels en sont les points forts?
Les nouvelles Lamborghini sont *user friendly*. Les plus anciennes étaient aussi douces à conduire qu'un bolide de stock car. Après la première journée, on avait des crampes dans le mollet !

Où situer ce modèle dans votre gamme et par rapport à la compétition?
Ce n'est pas très compliqué : la Murciélago représente le seul modèle de la marque Lamborghini en ce moment. Il remplace la Diablo. Bien entendu, le constructeur travaille sur d'autres véhicules, notamment sur une voiture moins coûteuse, qui se frotterait à la Ferrari Modena.

Quelle est votre clientèle cible?
Ce sont des passionnés qui ont les moyens. Comme nous ne sommes pas à Beverley Hills, on vend plusieurs modèles d'occasion. Mais c'est déjà pas si mal d'avoir une Lamborghini dans son garage, peu importe l'année...

Combien de ventes prévoyez-vous en 2002?
J'ai vendu cinq Diablo au cours des 12 derniers mois. J'espère vendre autant de Murciélago. La production annuelle pour la planète ne dépassera pas 250. C'est peu pour avoir la chance d'excéder nos limites de vitesse en première...

galerie

1 • La partie de la Murciélago que les autres automobilistes pourront admirer, du moins pour quelques secondes...

2 • Les prises d'air pour le refroidissement du moteur se déploient automatiquement, et l'angle d'attaque de l'aileron s'ajuste en fonction de la vitesse de la voiture.

3 • Progrès remarquable en ce qui a trait à l'ergonomie et à la disposition des commandes.

4 • Le design intègre plusieurs éléments de style évoquant les modèles Countach, Miura et Diablo.

5 • Modernisme : phares au xénon et rétroviseurs latéraux rétractables.

vant même les confondre. Cela illustre bien ce qu'elle est : une évolution plutôt qu'une nouveauté au sens propre. La suspension conserve la configuration à double levier triangulé, tandis que le calibrage des amortisseurs continue d'être contrôlé par le conducteur. Celui-ci peut également relever la garde au sol de 45 mm pour les manoeuvres de stationnement.

Pièce maîtresse de toute bonne sportive italienne, la cylindrée de ce fabuleux V12 passe à 6,2 litres, avec un gain d'une trentaine de chevaux pour un mirobolant total de 580 ! Une nouvelle boîte manuelle à 6 rapports, pour laquelle on nous promet une sélection plus fluide, se charge de tirer la quintessence de cette mécanique d'exception. La traction intégrale et les dispositifs d'assistance électronique au pilotage (ABS, antipatinage et répartition du freinage) servent, de leur côté, à maîtriser cette bête féroce dans la mesure du possible.

DES OBJECTIFS AMBITIEUX Conscient de la piètre réputation des Lamborghini en matière de fiabilité, Audi a par ailleurs décidé de prendre le taureau par les cornes (excusez-la, elle était inévitable) en soumettant la Murciélago à une batterie de tests dans les conditions climatiques les plus extrêmes. Pour une voiture sortant des ateliers de Sant'Agata, il s'agit d'une première.

Audi a un objectif de vente ambitieux, avec une production prévue de 500 exemplaires. C'est une quantité qui représente presque le double de la production annuelle du temps de la Diablo. À près de 400 000 dollars canadiens la copie (185 500 euros ou 1 455 000 francs), la tâche ne sera pas facile. Mais on peut toujours compter sur la 6/49 qui, à chaque semaine, s'occupe de faire naître des clients potentiels...

fiche technique

LAMBORGHINI

Moteur : V12 DACT 6,2 L
Puissance : 580 ch à 7500 tr/min
Transmission de série : manuelle à 6 rapports
Transmission optionnelle : aucune
Freins avant : disques ventilés
Freins arrière : disques ventilés
Sécurité active de série : ABS, antipatinage (TCS)
Suspension avant : indépendante
Suspension arrière : indépendante
Empattement : 266,5 cm
Longueur : 458 cm
Largeur : 204,5 cm
Hauteur : 113,5 cm
Poids : 1650 kg
0-100 km/h : 3,8 s (constructeur)
Vitesse maximale: 330 km/h (constructeur)
Diamètre de braquage : nd
Capacité du coffre : nd
Capacité du réservoir d'essence : 100 L
Consommation d'essence moyenne : nd
Pneus d'origine : 245/35ZR18 (avant); 335/30ZR18 (arrière)
Pneus optionnels : aucun

Par Philippe Laguë

évolution

LAND ROVER

fiche d'identité

Modèle : Discovery II
Versions : SD, SE, HSE
Segment : utilitaires intermédiaires
Roues motrices : 4 x 4
Portières : 4
Places : avant, 2 ; arrière, 3 ; 5 opt.
Sacs gonflables : 2
Concurrence : BMW X5, Jeep Grand Cherokee, Mercedes-Benz Classe M, Infiniti QX4, Lexus RX 300, Acura MDX, Dodge Durango, Ford Explorer, Chevrolet Trailblazer, GMC Envoy, Oldsmobile Bravada

au quotidien

Prime d'assurance moyenne : 2200 $
Garantie générale : 4 ans/80 000 km
Garantie contre la corrosion : 6 ans/kilométrage illimité
Collision frontale : 3/5
Collision latérale : 3/5
Ventes du modèle l'an dernier au Québec : 89
Dépréciation : 48 %

prix de base • 47 000 $

Plus *British* que ça...

Les voitures purement britanniques commencent à se faire rares sur le marché, sauf peut-être les grandes luxueuses comme la Jaguar et le Land Rover Discovery. Ce grand tout-terrain à quatre roues motrices se distingue nettement de ses concurrents américains et japonais par ses lignes uniques. En fait, plus *British* que ça, tu meurs!

CARROSSERIE Le Discovery nous est arrivé au milieu des années 90 dans un modèle original, mais un peu trop discret. Malgré un prix concurrentiel, il n'a pas connu la popularité attendue. Il faut dire que, à cette époque, il n'y avait pas beaucoup de concessionnaires de la marque, ce qui devrait changer avec l'intégration de Land Rover dans le giron de Ford. En effet, les concessionnaires Ford auront le nouveau Discovery série II à offrir à leur clientèle. Ce véhicule utilitaire se reconnaît facilement à son arrière allongé et à son pavillon relevé. C'est un peu comme si son empattement était trop court et trahissait ainsi un porte-à-faux important à l'arrière. En 2002, le Discovery série II sera livrable en versions SD, SE, HSE, Metropolis et Kalahari. De plus, les acheteurs de Discovery auront droit à toute une panoplie de pièces et d'accessoires pour personnaliser leur véhicule.

MÉCANIQUE Un véhicule de ce gabarit se doit de recevoir un moteur V8. De fait, le Discovery est animé par un V8 de 4 litres qui ne développe que 188 chevaux et produit 250 livres-pied de couple. Ce n'est pas très puissant pour une masse de plus de 2000 kilos. Les accélérations sont timides : environ 12 secondes pour atteindre le cap des 100 km/h. Il en va de même des reprises, qui sont un peu justes. Mais la boîte automatique à quatre rapports et la légendaire traction intégrale aident cet utilitaire à bien se déplacer dans la neige et hors-route. Plusieurs propriétaires de Discovery n'hésitent d'ailleurs pas à attaquer les sentiers avec leur belle monture.

COMPORTEMENT Alors que la prudence s'impose quand on se lance dans un sentier exigeant après avoir parcouru une longue distance sur l'autoroute avec d'autres marques d'utilitaires de luxe, c'est

nouveautés 2002

• Nouveau modèle SD plus abordable • Nouveaux concessionnaires

pourtant avec assurance que nous l'avons fait avec le Discovery. Incidemment, le groupe ACE, qui procure une tenue de route supérieure, devrait équiper tous les Land Rover. Sinon, un Discovery risquerait d'avoir un comportement routier incertain avec une forte tendance au roulis, comme le Range Rover. Dans la neige, la traction intégrale est très efficace, alors qu'en sentier, elle devient indispensable. Le freinage ABS est également efficace et sert à la fonction «Hill Descent» qui retient le véhicule dans une pente abrupte en position bas rapport du boîtier de transfert.

HABITACLE La version de base accepte cinq passagers à son bord. En équipement facultatif, il offre une dernière banquette arrière. Mais, comme pour tout Land Rover qui se respecte, le Discovery propose de grandes vitres et une très bonne visibilité, à laquelle contribue une position de conduite très élevée. Et les fauteuils en cuir (ou simili-cuir Duragrain) sont plus que confortables. À l'arrière, sans la banquette, on obtient un espace cargo immense de 1735 litres. Malheureusement, pour y accéder, il faut ouvrir la portière de la gauche, ce qui place la personne dans la circulation en ville.

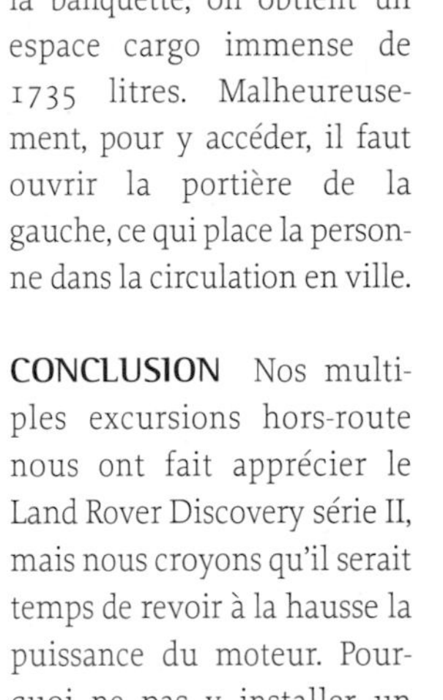

CONCLUSION Nos multiples excursions hors-route nous ont fait apprécier le Land Rover Discovery série II, mais nous croyons qu'il serait temps de revoir à la hausse la puissance du moteur. Pourquoi ne pas y installer un moteur Ford V8 de 4,6 litres ou encore le V6 de l'Explorer et raffermir la suspension? Cependant, tout le monde sera d'avis que les lignes d'origine doivent être conservées. Après tout, c'est un Land Rover!

fiche technique

LAND ROVER

Moteur : V8 de 4,2 L
Puissance : 188 ch à 4750 tr/min et 250 lb-pi à 2600 tr/min
Transmission de série automatique à 4 rapports
Transmission optionnelle : aucune
Freins avant : disques
Freins arrière : disques
Sécurité active de série : ABS, antipatinage, contrôle de descente (HDC)
Suspension avant : indépendante
Suspension arrière : indépendante
Empattement : 254 cm
Longueur : 470,5 cm
Largeur : 189 cm
Hauteur : 194 cm
Garde au sol : 20,8 cm
Poids : 2075 kg
0-100 km/h : 11,8 s
Vitesse maximale : 170 km/h
Diamètre de braquage : 11,9 m
Capacité de remorquage : gamme haute 2500 kg, gamme basse 3500 kg
Capacité du coffre : 1735 L
Capacité du réservoir d'essence : 93 L
Consommation d'essence moyenne : 15 L/100 km
Pneus d'origine : 255/55HR18, 255/65R16
Pneus optionnels : aucun

2e opinion

Michel Crépault — Une marque réputée, une fiabilité qui l'est moins. Attendons de voir ce que fera Ford, le nouveau proprio, pour redorer le blason. En attendant, le Discovery II nous apparaît comme un véhicule lent qui danse beaucoup (trop haut sur pattes, l'option ACE est indispensable) et qui boit comme un trou. Par contre, dans la forêt, il est féroce.

forces

- Apparence unique
- Habiletés hors-route
- Espace intérieur généreux

faiblesses

- Moteur anémique
- Roulis notable
- Portes arrière trop étroites

Par Éric Descarries

nouveauté

LAND ROVER

fiche d'identité

Modèle : Freelander
Versions : S, SE, HSE
Segment : utilitaires compacts
Roues motrices : 4 x 4
Portières : 4
Places : avant, 2; arrière, 3
Sacs gonflables : 2 frontaux
Concurrence : Ford Escape, Hyundai Santa Fe, Jeep Liberty, Mazda Tribute, Nissan Xterra, Saturn VUE

prix de base • 34 800 $

Le **premier** utilitaire sport compact de luxe **en Amérique**

au quotidien

Prime d'assurance moyenne : 1200 $
Garantie générale : 4 ans/80 000 km
Garantie corrosion : 6 ans/kilométrage illimité
Collision frontale : nd
Collision latérale : nd
Ventes du modèle l'an dernier au Québec : nouveau modèle
Dépréciation : nouveau modèle

Le Land Rover Freelander n'est pas nouveau... en Europe. Mais en Amérique, il fait une entrée remarquée pour l'année 2002. En effet, c'est la première fois qu'on verra un utilitaire sport de luxe dans le créneau des compactes. Et c'est un peu grâce à Ford que nous profiterons de cette nouveauté. Le géant américain en permettra une diffusion plus grande alors que le réseau de concessionnaires s'étendra quelque peu.

CARROSSERIE Présenté pour la première fois en Europe en 1998, le nouveau Freelander est presque totalement différent. Selon les autorités de Land Rover du Canada, il aurait été transformé à 70 % depuis son lancement. Curieusement, il n'a aucun châssis traditionnel; il a plutôt une plate-forme dont la conception inclut des longerons formés à même le métal. Les ingénieurs de Land Rover ont travaillé fort pour donner à la structure autoporteuse du Freelander tout ce qui est nécessaire pour en assurer une grande rigidité. Alors que les utilitaires sport ont tendance à se ressembler, le Freelander affiche des lignes uniques qui se distinguent par un avant allongé et une calandre intégrée au pare-chocs. Seule la version à quatre portes sera importée en Amérique.

MÉCANIQUE Sous le capot, on retrouve un moteur V6 DACT de 2,5 litres qui fait 175 chevaux et 177 livres-pied de couple conçu conjointement avec BMW dans le passé. Mais il s'agit vraiment d'un moteur Land Rover. Il est combiné à une transmission automatique Jatco à cinq rapports qui comporte la fonction Steptronic permettant de passer les vitesses manuellement. Cet ensemble transmet la puissance aux roues avant. En effet, le Freelander est d'abord une traction avant qui peut relancer la puissance aux roues arrière selon la perte de motricité. À l'origine, 95 % de la puissance va aux roues avant, mais lorsqu'elles se mettent à patiner, il peut y avoir jusqu'à 45 % de cette puis-

• Tout nouveau produit

sance qui va aux roues arrière. Quant à la suspension, elle est indépendante aux quatre roues (un réel changement de la part de Land Rover). Côté freinage, le véhicule comporte quatre disques appuyés par l'antiblocage.

En situation hors-route, en plaçant le levier sur le premier rapport et en appuyant sur la commande « Hill Descent », le Freelander sera automatiquement ralenti dans les pentes abruptes sans qu'on touche aux freins. Et cela, même en marche arrière!

COMPORTEMENT En général, on peut vanter les capacités hors-route des produits Land Rover. Mais cette fois, ce sont les qualités routières du Freelander, surtout en hiver, qui retiennent l'attention. C'est de nuit, dans les tourbières du nord de l'Ontario, que nous avons pu conduire le Freelander sur une longue distance, empruntant un chemin de glace ouvert en hiver seulement. Une fine pluie s'est mise à tomber par une température très clémente pour cette période de l'année. Après avoir réglé la portée des phares à une hauteur convenable, nous avons attaqué la route avec le renommé instructeur Richard Spénard; et c'est à une vitesse de croisière de plus de 80 km/h que nous nous sommes dirigés vers le petit village de Port Albany. C'est alors que les systèmes d'antipatinage sont entrés en jeu, nous permettant de négocier les courbes en toute sécurité. Il ne fallait surtout pas lâcher l'accélérateur dans les courbes pour garder la traction aux pneus Michelin et retenir le Freelander dans sa trajectoire. En fait, c'est exactement le genre de conditions routières extrêmes que nous vivons trop souvent chez nous.

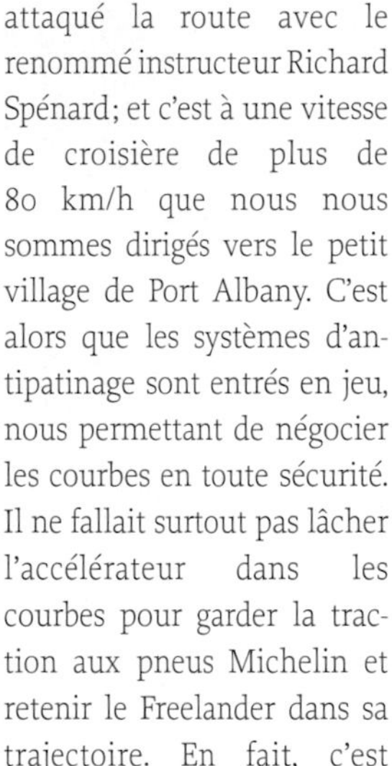

Lors d'essais subséquents, nous avons constaté que le Freelander a des accélérations décentes et des possibilités de reprises rassurantes. Le freinage est très efficace, même sur route de gravier.

entrevue

LAND ROVER

Don Robidas

Directeur général de Land Rover Canada

Comment décrire cette nouveauté en quelques mots?
Fougueux, sophistiqué, sécuritaire, rebelle, costaud, différent, luxueux et authentique décrivent tous le Freelander. Plusieurs mots sont identiques à ceux que nous avions utilisés pour décrire le Discovery Series II et le Range Rover. Le Freelander est *cool*, tout en étant fiable, sécuritaire et aventurier.

Quels en sont les points forts?
Le Freelander amène Land Rover dans un tout nouveau segment en vertu de son prix; il sera accessible à un tout nouveau groupe de consommateurs. Mais que son prix ne vous trompe pas! Il porte tout de même l'emblème de la marque et, comme tel, est livré avec toute la technologie, l'héritage et la tradition de nos autres modèles.

Où situer ce modèle dans votre gamme et par rapport à la concurrence?
Le Freelander est ce qu'un Land Rover a toujours été... et tout ce que la marque n'a jamais été.

Quelle est votre clientèle cible?
Notre client est jeune, ambitieux et travaillant. En même temps, il ou elle a une notion claire du plaisir du hors-route!

Combien de ventes en 2002?
Nous comptons vendre plus de 1400 exemplaires au Canada, dont environ 20 % de ce nombre au Québec.

galerie

1 • Le Freelander affiche des lignes modernes. Même les phares ont un design très contemporain.

2 • Ses lignes uniques se distinguent par un avant allongé et une calandre intégrée au pare-chocs.

3 • En général, on peut vanter les capacités hors-route des produits Land Rover. Le Freelander ne fait pas exception à la règle.

4 • Plus à l'aise sur la route, le Freelander offre une conduite rassurante même dans les conditions extrêmes.

5 • L'habitacle est moins opulent que celui des autres Land Rover mais il est accueillant.

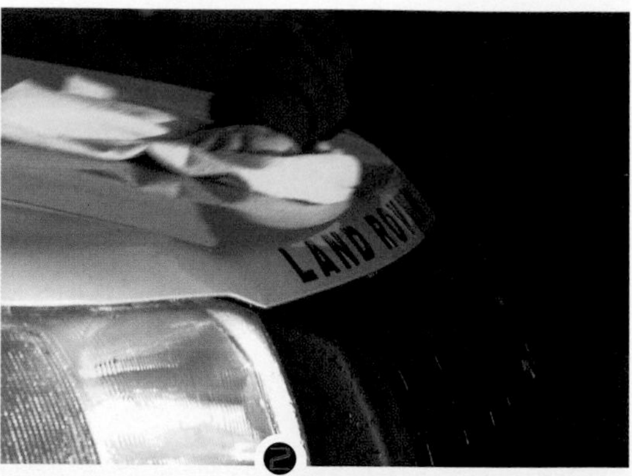

forces

- Système avancé de traction
- Gabarit contemporain
- Réseau de concessionnaires en progression

faiblesses

- Espace de chargement limité
- Portes arrière étroites
- Aucun moteur offert en équipement optionnel

HABITACLE L'intérieur d'un Freelander est moins opulent que celui des autres Land Rover, mais il est accueillant. Cinq personnes peuvent y prendre place. Les fauteuils avant sont moulés et offrent un bon soutien. La banquette arrière assoit trois personnes avec un peu plus de hauteur pour une meilleure visibilité. Le fabricant n'offre que trois couleurs : noir, gris et beige avec une sellerie de tissu pour la version S de base et de cuir pour les SE et HSE plus luxueuses. L'espace de chargement réservé aux bagages des passagers est un peu court et pas tellement volumineux.

Le tableau de bord est plutôt curieux. On le dirait tiré d'une voiture des années 80. Cependant, son instrumentation y est parfaitement lisible, et les commandes sont bien à la portée. Le volant à quatre branches est très maniable et permet une bonne lecture des instruments. Lorsqu'on est assis au volant, on a l'impression d'être un peu bas, et le capot nous semble plus long que celui des utilitaires de la concurrence. Le chauffage, dont les commandes sont faciles à manipuler, était tout à fait au point. Le Freelander peut tirer jusqu'à 750 kilos (1650 livres) avec une remorque sans freins ou 2000 kilos (4410 livres), si elle a des freins.

CONCLUSION Le Freelander s'imposera-t-il sur le marché? Il faut dire qu'il devra faire face à d'importants concurrents dont les Ford Escape, Mazda Tribute, Subaru Forester, Toyota RAV4 et Honda CR-V pour n'en nommer que quelques-uns. Et son prix de 35 500 à 43 000$ risque d'effrayer quelques clients potentiels. De plus, le nombre de concessionnaires sera relativement restreint. Mais il ne faut pas oublier que c'est un Land Rover. Et ce nom veut tout dire!

fiche technique

Moteur : V6 DACT de 2,5 L
Puissance : 175 ch, 177 lb-pi
Transmission de série : automatique à 5 rapports
Transmission optionnelle : aucune
Freins avant : disques
Freins arrière : disques
Sécurité active de série : ABS, antipatinage électronique (ETC), contrôle de descente (HDC)
Suspension avant : indépendante
Suspension arrière : indépendante
Empattement : 255,7 cm
Longueur : 444,7 cm
Largeur : 180,5 cm
Hauteur : 175,7 cm
Garde au sol : 21,4 cm
Poids : 1562 kg
0-100 km/h : nd
Vitesse maximale : 175 km/h
Diamètre de braquage : 11,6 m
Capacité de remorquage : 750 kg (remorque sans freins), 2000 kg (remorque avec freins)
Capacité du coffre : 540 L
Capacité du réservoir d'essence : 59 L
Consommation d'essence moyenne : 13 L aux 100 km
Pneus d'origine : 215/65R16 (S); 225/55R17 (SE-HSE)
Pneus optionnels : aucun

2e opinion

Michel Crépault — Je prédis un grand succès à Land Rover Canada avec cet utilitaire compact qui marie la robustesse légendaire de Land Rover à une agilité et à une vivacité qu'on ne connaissait pas à la marque. La boîte semi-manuelle Steptronic est un régal, tout comme l'instrumentation.

Par Éric Descarries

LAND ROVER

évolution

fiche d'identité

Modèle : Range Rover
Version : HSE
Segment : utilitaires grand format
Roues motrices : 4 x 4
Portières : 4
Places : avant, 2; arrière, 3
Sacs gonflables : 4
Concurrence : BMW X5, Lexus LX470, Lincoln Navigator, Cadillac Escalade, Mercedes Benz ML 500

prix de base • 98 000 $

au quotidien

Prime d'assurance moyenne : 2800 $
Garantie générale : 4 ans/80 000 km
Garantie contre la corrosion : 6 ans/kilométrage illimité
Collision frontale : nd
Collision latérale : nd
Ventes du modèle l'an dernier au Québec : 26
Dépréciation : 44 %

En attendant un nouveau modèle

Malgré l'arrivée de plusieurs nouveaux utilitaires sport de luxe, le Range Rover britannique demeure l'un des véhicules les plus respectés du milieu. Ce n'est peut-être pas la camionnette la plus flamboyante à regarder, mais ceux qui s'y connaissent en tout-terrain sauront admettre que le Range Rover est l'un des véhicules les plus efficaces du monde en situation hors-route.

MÉCANIQUE Sous le capot, on trouve un V8 de 4,6 litres qui fait 222 chevaux à 4750 tr/min. Il est combiné à une transmission automatique à quatre rapports et à une traction intégrale.
Il permet d'accélérer de 0 à 100 km/h en dix secondes environ. Grâce à un système d'antiblocage des freins à disque, la Range est capable de prouesses difficiles à décrire. En situation hors-route, ce système est incroyable; il nous a déjà permis de grimper une pente faite de grosses roches plates sans perdre la traction.
Dernièrement, sur un chemin de glace, un Range Rover (édition 30e anniversaire) nous a permis de négocier une courbe en accélérant pour ne pas perdre le contrôle!
Mentionnons que les pneus d'origine sur jantes de 18 pouces ne sont pas tout indiqué pour la glace ou les sentiers, mais le reste du système vient compenser.
Il en va de même pour le principe «Hill Descent», qui utilise l'antiblocage avec le rapport le plus bas du boîtier de transfert pour retenir le grand Range en descendant une pente abrupte.

COMPORTEMENT Sur l'autoroute, le Range accuse encore cette mollesse caractéristique de sa suspension pneumatique (réglable selon les fonctions). Il faut dire que le véhicule commence à accuser de l'âge. On s'en aperçoit par le son des engrenages qui est très audible dans l'habitacle et les bruits aérodynamiques.

HABITACLE Le Range Rover est une familiale à quatre portes reconnaissable à ses grandes vitres tout le tour (ce qui lui donne une visibilité hors-pair). Elle affiche peu d'ornementation chromée alors que ses pare-chocs sont peints en noir.

nouveautés 2002
• Nouvelle sellerie de cuir

C'est à l'intérieur qu'on peut distinguer le luxe évident avec des fauteuils en cuir, bien entendu, et une finition de bois discrète, mais de bon goût. Le tableau de bord massif contient une instrumentation aux cadrans ronds très lisibles. Le centre retient la radio et les commandes du chauffage et de la climatisation en plus d'autres commandes dont l'identification demande une certaine habitude.
Un système de navigation est inclus en équipement de série. Entre les deux sièges, il y a une large console où se retrouve le levier de vitesses qui, lorsque poussé vers la droite, obéit en mode manuel à un second parcours cranté. Les commandes des glaces électriques sont aussi au centre, et il faut s'habituer à leur disposition inhabituelle. Les baquets avant réglables en dix directions sont confortables, on s'en doute, alors que les appuie-bras sont également réglables.
À l'arrière, trois personnes peuvent prendre place confortablement toujours dans un luxe apparent. Tout comme à l'avant, il y a des appuie-tête à l'arrière. Il n'y a rien de changé sur le modèle 2002 sinon le style des cuirs Orford.

CONCLUSION Une toute nouvelle version du Range devrait voir le jour au cours de l'année. Celle-ci a été conçue en collaboration avec BMW, mais Ford, l'actuel actionnaire, n'y voit aucun inconvénient. Nous sommes curieux de voir comment les ingénieurs allemands ont su améliorer ce produit. Néanmoins, celui ou celle qui se paiera un Range Rover en aura pour son argent. C'est un véhicule original avec beaucoup de potentiel.

fiche technique

Moteur : V8 4,6 L
Puissance : 222 ch à 4750 tr/min et 300 lb-pi à 2600 tr/min
Transmission de série : automatique à 4 rapports
Transmission optionnelle : aucune
Freins avant : disques
Freins arrière : disques
Sécurité active de série : ABS
Suspension avant : essieu rigide
Suspension arrière : essieu rigide
Empattement : 274,6 cm
Longueur : 471 cm
Largeur : 189 cm
Hauteur : 182 cm
Garde au sol : 213 mm
Poids : 2253 kg
0-100 km/h : 10,5 s
Vitesse maximale : 175 km/h
Diamètre de braquage : 11,9 m
Capacité de remorquage : 2950 kg
Capacité du coffre : 552 à 1640 L
Capacité du réservoir d'essence : 93 L
Consommation d'essence moyenne : 18 L/100 km
Pneus d'origine : 255/55HR18
Pneus optionnels : aucun

2e opinion

Benoit Charette — Premier tout-terrain de luxe lancé en 1970, sa domination a fait place à la désolation depuis quelques années. Très à l'aise sur les pistes complètement défoncées, il l'est beaucoup moins sur les autoroutes où il passe la majorité de son temps. Sa vétusté se sent dans tous les recoins et la concurrence ne fait pas de quartier.

forces

- Lignes originales
- Mécanique solide
- Belle visibilité

faiblesses

- Roulis prononcé
- Bruits mécaniques
- Fiabilité désastreuse

Par Éric Descarries

ITALIE

Alfa Romeo 156

La voiture du renouveau pour Alfa Romeo. Voiture de l'année en Europe en 1997, elle a été un succès immédiat. Dessinée par Walter Da Silva, aujourd'hui chez Seat, elle est, avec ses faux airs de coupé, une vraie réussite esthétique. Tout en restant dans la tradition des Alfa des années 50, elle a su trouver un style très moderne. Utilisant un châssis et des moteurs attrayants et ayant enfin retrouvé une qualité de fabrication acceptable, elle a su réchauffer le cœur des vrais *Alfista*.

Alfa Romeo GTV / Spider

Les noms GTV et Spider appartiennent au patrimoine d'Alfa Romeo et éveillent bien des souvenirs chez les amateurs de voitures italiennes. La ligne des versions actuelles, signée Pininfarina, est une vraie réussite même si elle commence à vieillir depuis leur présentation en 1995. Deux moteurs sont disponibles : 2 L à double allumage de 150 chevaux et le fameux V6 Alfa 3 L de 218 chevaux. Hélas, la qualité de fabrication et l'efficacité du châssis ne sont pas exactement à la hauteur ni du mythe ni des prix demandés.

Fiat Barchetta

Ce sympathique cabriolet, dessiné par Pinifarina, dont la ligne rappelle avantageusement celle des italiennes des années 60, a été présenté en 1995. Ce concurrent direct de la Mazda Miata n'est disponible qu'avec un seul moteur, un 4 cylindres 1,8 L de 130 chevaux. C'est l'une des rares tractions de la catégorie. Plutôt bien fini (pour une Fiat...), l'intérieur reprend des appliques de la couleur de la carrosserie. Il est malheureusement en fin de carrière.

Un des plus importants réseau de concessionnaires de pneus au Canada...

Où vous trouverez les plus grandes marques telles que :

GENERAL TIRE

VREDESTEIN
PNEUS • BANDEN • REIFEN • TYRES

MATADOR

www.pneuspresident.com

Trouvez le marchand le plus près de chez vous

1-800-361-5892
(514)381-8665

LEXUS

fiche d'identité

Modèle : ES 300
Version : unique
Segment : de luxe de moins de 50 000 $
Jumeau : Toyota Camry
Roues motrices : avant
Portières : 4
Places : avant, 2 ; arrière : 3
Sacs gonflables : 4
Concurrence : Acura 3,2CL et TL, BMW Série 3, Cadillac CTS, Lexus ES300 et IS300, Mazda Millenia, Hyundai XG300, Infiniti G35, Oldsmobile Aurora, Mercedez-Benz Classe C, Saab 9-3, Volvo S60, Volvo S40/V40

au quotidien

Prime d'assurance moyenne : 1015 $
Garantie générale : 4 ans/80 000 km
Garantie groupe motopropulseur : 6 ans/110 000 km
Garantie contre la corrosion : 6 ans/110 000 km
Garantie contre la perforation : 6 ans/110 000 km
Collision frontale : 4/5
Collision latérale : 4/5
Ventes du modèle l'an dernier au Québec : 114
Dépréciation : 35 %

nouveauté

prix de base • 44 000 $

Habitacle de grande classe

Lexus a fait ses devoirs et a entièrement revu l'habitacle de ce modèle afin de lui donner un degré de luxe digne de cette catégorie, en plus d'en raffiner l'extérieur.

CARROSSERIE Pour donner à sa ES 300 un habitacle plus spacieux, Lexus a allongé l'empattement de 5 centimètres et la hauteur de 6,1 centimètres.
Pourtant, vue de l'extérieur, la ES 300 ne donne pas cette impression de hauteur. Les stylistes japonais ont raffiné les lignes, notamment à l'avant avec un capot profilé, une calandre plus discrète et des phares plus plongeants. En effilant ainsi l'avant de la voiture, on abaisse le coefficient de traînée à 0,248, permettant une meilleure percée dans le vent et réduisant les bruits éoliens dans l'habitacle. Cela a aussi pour effet d'amener les stylistes à donner à la voiture un profil plus fluide. On a même revu la forme des rétroviseurs. La Lexus ES 300 garde quand même un air sobre et classique.
Les ingénieurs ont renforcé la rigidité de la carrosserie pour assurer une meilleure insonorisation, une capacité d'absorption des chocs plus élevée en cas de collision et une tenue de route plus affirmée.
On n'a pas négligé pour autant l'espace bagages, mais le seuil élevé du coffre en rend l'accès un peu difficile. Sous le capot, l'utilisation d'amortisseurs hydrauliques facilite l'accès à la mécanique. La Lexus offrira la ES 300 en deux versions : la Luxury et la Premium. Notons enfin la garantie prolongée de 4 ans/80 000 km avec assistance routière sur la voiture et de 6 ans contre la perforation.

MÉCANIQUE Lexus utilise le même V6 de 3 litres et 210 chevaux qu'en 2001. Toutefois il l'accouple à une toute nouvelle transmission automatique à 5 rapports issue de la LS 430.
Cette transmission maintient le couple du moteur au bon régime pour rendre le passage ou la rétrogradation des vitesses souple et efficace dans toutes les situations. Les performances demeurent bonnes pour cette catégorie, mais rien pour vous donner une poussée d'adrénaline. Ce sera peut-être la prochaine étape. Fait à noter, Lexus offre

nouveautés 2002
• Nouveau modèle

une garantie de 6 ans/110 000 km sur le groupe propulseur. Quatre freins à disque, soutenus par un système avancé ABS avec contrôle de la distribution des pressions, permettent des freinages sûrs et efficaces.

COMPORTEMENT La version Premium que nous avons essayée, équipée du système réglage électronique de la suspension, démontrait l'efficacité de cette option. En mode confort, la Lexus absorbe très bien les cahots. En ville ou sur des routes bosselées, on profite alors du confort inté-rieur de l'habitacle. Le mode sport, c'est-à-dire avec une suspension ferme, minimise le roulis de la voiture et assure une tenue de route stable au prix d'un confort moindre.
Le mode normal convient à la conduite sur l'autoroute, où la Lexus démontre une très grande stabilité, même à des vitesses élevées. La position de conduite est excellente, et le volant télescopique tombe bien dans les mains. Petit détail utile et sûr : lorsqu'on se met en marche arrière, l'écran soleil de la lunette arrière se rétracte automatiquement, assurant une meilleure visibilité.

HABITACLE Ce qui frappe dans cette voiture, c'est l'espace et le luxe qu'on découvre en y prenant place. Les fauteuils de cuir de première qualité vous enveloppent et vous soutiennent agréablement. Ils respirent, et on ne se retrouve pas avec le dos moite même en pleine chaleur. Le système de climatisation automatique à commandes divisées fonctionne très efficacement, même lorsque testé par une chaleur de 37 °C. Conducteur et passager profitent de sièges électriques réglables qui assurent une bonne position de conduite ou de repos. L'hiver, on appréciera les fauteuils chauffants.
L'utilisation de bois de noyer rouge de la Californie rehausse l'apparence du tableau de bord et du volant, le tout complété par des touches d'a-

entrevue

Larry Hutchinson

directeur de la division Lexus au Canada

Comment décrivez-vous cette nouveauté?
La Lexus ES 300 atteint un niveau d'élégance et de raffinement élevé à tous points de vue.
La finition intérieure correspond au niveau de luxe des voitures de haut de gamme. Elle vise à gâter son conducteur par sa finition, son plaisir de conduire et son silence.

Où situez-vous ce modèle?
La ES 300 constitue la berline de luxe d'entrée alors que la IS 300 se définit comme une berline sport. La ES 300 possède les raffinements de la LS 430 et s'inscrit dans la logique des GS 300 et 400. Nos compétiteurs: les Mercedes-Benz Classe C, les Audi A4 et A6 et les Jaguar.

Quelle est la clientèle cible?
Une clientèle plus large que pour nos autres voitures, dont l'âge varie entre 35 et 55 ans et pour qui une voiture ne constitue pas un statut en soi mais offre plaisir et confort.

Combien d'unités prévoyez-vous vendre en 2002 au Canada et au Québec?
Entre 1550 et 2000 au Canada dont environ 300 au Québec.

galerie

1 • Pouvant accueillir trois petites personnes, la banquette arrière devient soudainement étroite si ces personnes sont moindrement corpulentes.

2 • La chaîne de son de base à sept haut-parleurs vous en mettra plein les oreilles.

3 • La silhouette accuse un air de famille avec la Toyota Camry, mais on reconnait une Lexus à sa calandre.

4 • Vous le reconnaissez? Il s'agit du même V6 de 3 litres qu'en 2001.

5 • La finition de l'habitacle en bois de noyer ajoute une touche de luxe à cette berline.

forces

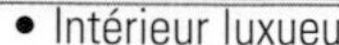

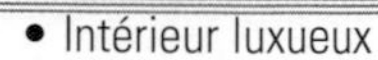

- Intérieur luxueux
- Confortable
- Insonorisation

faiblesses

- Puissance du moteur

luminium brossé et de chrome de bon goût. Le conducteur profitera d'un système complet d'information des fonctions du véhicule. Le rétroviseur intérieur comporte un système antiéblouissement et une boussole à affichage numérique. La visibilité extérieure avant, notamment lorsqu'on roule dans la pluie et qu'on regarde les rétroviseurs, se trouve améliorée grâce à des glaces traitées pour repousser l'eau. Le soir, on profite d'un éclairage intérieur complet, tant au niveau du plancher que du plafond.

On a toutefois trouvé trop massif le bloc d'éclairage fixé à l'avant : il peut empiéter sur le dégagement de la tête. Même le soir, on jouit d'un éclairage de bas de caisse et du sol permettant de voir où l'on met les pieds...

Une autre touche de luxe : l'excellent système audio à sept haut-parleurs avec réglage automatique du niveau sonore qui vous enchantera, à moins que vous ne vouliez opter pour le système Mark Levinson à huit haut-parleurs.

En matière de sécurité, Lexus a choisi d'installer de série des rideaux gonflables pour augmenter la protection des occupants avant et arrière en plus des sacs frontaux, dont le déploiement est contrôlé en fonction du poids des personnes, et des sacs latéraux intégrés aux fauteuils avant.

CONCLUSION La Lexus ES 300 présente donc un degré de luxe intérieur digne des grandes. L'option du système de réglage de la suspension permettra d'offrir à quatre adultes un confort élevé. Tranquillement et sûrement, elle se hisse vers la tête de la catégorie. Avec un moteur plus puissant, on y serait presque.

Malheureusement, lors de notre essai, la division Lexus n'avait pas encore finalisé les groupes d'options qu'elle entend offrir.

Tout semble indiquer qu'il y aura un modèle unique sur lequel on pourra ajouter une foule d'options. Si vous le désirez, il vous est loisible de visiter le site Web du constructeur pour en savoir davantage (www.lexus.ca).

fiche technique

Moteur : V6 DACT 3 L
Puissance : 210 ch à 5800 tr/min et 220 lb-pi à 4400 tr/min
Transmission de série : automatique à 4 rapports
Transmission optionnelle : aucune
Freins avant : disques
Freins arrière : disques
Sécurité active de série : ABS, Contrôle de la traction
Suspension avant : indépendante
Suspension arrière : indépendante
Empattement : 267 cm
Longueur : 483 cm
Largeur : 179 cm
Hauteur : 139,5 cm
Poids : 1505 kg
0-100 km/h : 8,6 sec
Vitesse maximale : 215 km/h
Diamètre de braquage : 11,2 m
Capacité du coffre : 367 L
Capacité du réservoir d'essence : 70L
Consommation d'essence moyenne : 10,7 L/100 km
Pneus d'origine : 205/60R16
Pneus optionnels : aucun

Par Amyot Bachand

LEXUS

évolution

fiche d'identité

Modèle : GS
Versions : 300 et 430
Segment : de luxe entre 50 000 $ et 100 000 $
Roues motrices : arrière
Portières : 4
Places : avant, 2 ; arrière, 3
Sacs gonflables : 4
Concurrence : Acura 3,5 RL, Audi A6, BMW Série 5, Cadillac Seville, Mercedes-Benz Classe E, Infiniti Q45, Jaguar S-Type, Lincoln LS, Saab 9-5 Aero, Volvo S80

prix de base • GS300: 60 700 $; GS430: 68 500 $ (2001)

au quotidien

Prime d'assurance moyenne : 1900 $
Garantie générale : 4 ans/80 000 km
Garantie groupe motopropulseur : 6 ans/110 000 km
Garantie contre la perforation : 6 ans/kilométrage illimité
Collision frontale : nd
Collision latérale : nd
Ventes du modèle l'an dernier au Québec : 53
Dépréciation : 44 %

Brouiller les cartes

Inquiéter Mercedes et BMW sur leur propre terrain, voilà l'objectif avoué de Lexus, la marque haut de gamme de Toyota. Performante, silencieuse et équipée comme une reine, la GS souffre de son manque de reconnaissance. Pour s'affirmer haut et fort, la version haut de gamme, la GS 430, a porté sa puissance à 300 chevaux l'an dernier, mais cela ne semble pas avoir impressionné les clients potentiels qui continuent de courtiser les belles germaniques dans une large proportion.

CARROSSERIE Pas de grands changements dans les lignes de la GS. Juste de nouveaux plastiques recouvrant les feux arrière depuis l'an dernier. Le design original, datant de 1992 et restylé en 1997, ne prend aucune ride. La GS 430 profite néanmoins du nouveau V8 emprunté à la LS 430 et chausse des pneus de 17 pouces sur de belles jantes à cinq branches en aluminium chromé. Les lave-phares profilés sur le bord du bouclier avant, lui-même parfaitement intégré à la carrosserie, soulignent le côté sportif de cette berline aérodynamique (coefficient de traînée de 0,29).

MÉCANIQUE Statu quo sous le capot ! La GS 300 offre toujours le 6 cylindres en ligne de 225 chevaux. Pour ce qui est de la 430, les 300 chevaux vous feraient rapidement osciller l'aiguille à 250 km/h si vous étiez sur une autoroute européenne le permettant. Les 100 km/h sont atteints en 6,3 secondes. Les divers systèmes d'admission (ACIS), d'injection (ETCS-i), et de distribution (VVT-i) électronique se chargent d'améliorer la souplesse et le silence de fonctionnement du moteur. Le tout est couplé à une boîte automatique auto-adaptive à cinq rapports. La GS 300, quant à elle, reçoit un système à impulsion au volant.

COMPORTEMENT L'expérience de conduite des GS ressemble à une ballade dans les montagnes russes, enivrante et effrayante à la fois. Les performances hors de l'ordinaire du moteur V8 vous donneront une poussée d'adrénaline, mais le roulis important et une suspension molle vous feront vite lever le pied de

nouveautés 2002

• Pas de changement majeur

l'accélérateur, car vous en découvrirez rapidement les limites d'adhérence. La puissance est impressionnante, mais il manque cet aplomb rassurant qu'on trouve chez BMW ou Mercedes. Heureusement, l'électronique travaille pour vous éviter des dérapages indésirables. Pour le reste, confort, silence de roulement, et qualité d'assemblage font de cette voiture une belle acquisition. Un mot sur le sélecteur de vitesses du genre «Tiptronic» au volant de la GS 300 : il est vraiment inutile, et c'est une bonne chose qu'il soit disparu de la version 430.

HABITACLE Concurrence oblige, Lexus offre un équipement plus que complet. La plupart des aides à la conduite électronique sont là, ainsi que six coussins gonflables, et une climatisation automatique. En principe le système de navigation qui était offert en option aux États-Unis seulement, devrait l'être au Canada en 2002. Pour le reste, le conducteur jouit d'un environnement privilégié comportant des fauteuils bien galbés, un tableau de bord garni et simple à consulter et à utiliser ainsi qu'une chaîne audio de première qualité.

CONCLUSION Lexus possède tous les bons ingrédients permettant de réussir la recette; il ne manque que le dosage précis de chacun de ces ingrédients pour transcender la marque. Les sorciers japonais n'ont pas encore le savoir-faire de leurs confrères allemands dans ce domaine, mais le résultat final est tout à fait correct.

fiche technique

LEXUS

Moteur : 6 cyl. en ligne DACT 3 L
Autre moteur : V8 4,3L
Puissance : 220 ch à 5800 tr/min et 220 lb-pi à 3800 tr/min
Autre moteur : 300 ch à 5600 tr/min et 325 lb-pi à 3400 tr/min
Transmission de série : automatique à 5 rapports
Transmission optionnelle : aucune
Freins avant : disques
Freins arrière : disques
Sécurité active de série : ABS, antipatinage, VSC (Contrôle de la stabilisation électronique)
Suspension avant : indépendante
Suspension arrière : indépendante
Empattement : 280 cm
Longueur : 481 cm
Largeur : 180 cm
Hauteur : 145 cm
Poids : 1665 kg (300) ; 1690 kg (430)
0-100 km/h : 8,2 s
Autre moteur : 6,3 s
Vitesse maximale : 230 km/h
Autre moteur : 250 km/h
Diamètre de braquage : 11,3 m
Capacité du coffre : 515 L
Capacité du réservoir d'essence : 75 L
Consommation d'essence moyenne : 11 L/100 km
Autre moteur: 12,8 L/100 km
Pneus d'origine: 225/55VR16
Pneus optionnels: 235/45ZR17

2e opinion

Michel Crépault — Je trouve la GS300 agréable à regarder, mais tranquille en raison du six cylindres. En revanche, la GS430 décoiffe! Mais c'est une Lexus, donc à cheval entre le confort américain et l'adrénaline allemande. Quand il faut davantage compter sur les aides électroniques que sur la discipline intrinsèque de l'auto, on voudrait dire aux ingénieurs: «De grâce, choisissez votre camp!»

forces

- Puissance (V8)
- Équipement
- Finition

faiblesses

- Prix élevé
- Suspension trop molle
- Sélecteur de vitesses au volant inutile (GS 300)

Par Benoit Charette

LEXUS

évolution

fiche d'identité

Modèle : IS 300
Versions : berline et SportCross
Segment : de luxe de moins de 50 000 $
Roues motrices : arrière
Portières : 4
Places : avant, 2 ; arrière, 3
Sacs gonflables : 4
Concurrence : Acura 3,2 et TL, Audi A4, BMW Série 3, Cadillac CTS, Infiniti G20, Jaguar X-Type, Mazda Millenia, Mercedez-Benz Classe C, Saab 9-3, Volvo S60.

prix de base • 40 830 $

Du **plaisir** et du **style**

au quotidien

Prime d'assurance moyenne : 1015 $
Garantie générale : 4 ans/80 000 km
Garantie groupe motopropulseur : 6 ans/110 000 $
Garantie contre la perforation : 6 ans/110 000 $
Collision frontale : 4/5
Collision latérale : 5/5
Ventes du modèle l'an dernier au Québec : 99
Dépréciation : nouveau modèle

Lexus a rapidement compris la nécessité d'inclure une transmission manuelle pour pénétrer le marché des BMW Série 3.

De plus, Lexus a aussi la bonne idée de se distinguer par un style compact mais d'avant-garde et en mettant sur le marché un nouveau modèle, la SportCross.

CARROSSERIE Outre la berline à boîte manuelle à 5 rapports, Lexus lance cette SportCross en 2002. Cette voiture à conduite sportive est un compromis stylistique entre la berline et la familiale avec plus d'espace pour les bagages.

La SportCross conserve l'avant racé et sportif de la berline, et ses lignes latérales élancées représentent la nouvelle tendance des stylistes américains de Toyota Design.

L'aménagement de l'espace cargo est bien pensé, avec de nombreux petits compartiments de rangement cachés. À première vue, l'espace est suf-fisant pour permettre à quatre adultes de partir pour un weekend avec des sacs souples.

MÉCANIQUE Côté mécanique, voilà deux changements importants liés au plaisir de conduire : le premier, une boîte manuelle à 5 rapports sur la berline ; le second, une grille révisée de la boîte automatique avec le différentiel Torsen de série sur la SportCross.

Les résultats en valent le coup. On a sûrement revu le calibrage de la suspension, car là aussi les résultats se font sentir dès les premiers tours de roue.

COMPORTEMENT Passons aux résultats, puisque c'est là que ça se joue.

D'abord, la boîte de vitesse à 5 rapports : bon étagement et passage aisé des rapports mais course un peu longue.

Côté performances, notre intérêt portait sur les temps de dépassement, représentant pour nous un aspect sécuritaire : on peut passer de 80 à 120 km/h en 5,5 secondes. Notre seul reproche concerne le régime limité du moteur : s'il pouvait tourner jusqu'à 7500 tr/min, quel délice ce serait !

Avec sa boîte automatique révisée, la SportCross s'avère plaisante à conduire ; le nou-

nouveautés 2002

• Modèle SportCross ; berline à transmission manuelle à 5 rapports

veau boîtier permet de passer les vitesses ou de rétrograder aisément et sans à-coups. Son temps de dépassement est de 6 secondes.

La tenue de route des deux nouvelles IS berline et SportCross s'est avérée sportive. La berline a une tendance au survirage plus fréquente que la SportCross dans des courbes serrées.

Très stables à haute vitesse et très agiles sur routes sinueuses, ces deux modèles procurent un réel plaisir de conduire.

HABITACLE Avec une excellente position de conduite, le conducteur jouit d'un volant réglable de petit diamètre. Le tableau de bord, bien dessiné, donne un accès aisé aux commandes et offre une bonne lecture des instruments : toutefois on regrette les petites dimensions du tachymètre.

La finition de la SportCross plaît beaucoup avec ses touches bien dosées d'aluminium brossé. On compte sur un très bon confort à l'avant, tandis qu'à l'arrière deux adultes seront à l'étroit.

CONCLUSION Lexus a fait du chemin et s'approche de sa cible : les BMW Série 3. Les IS 300 allient plaisir et confort en répondant aux besoins pratiques d'une petite famille.

Qui plus est, avec un prix de détail suggéré qui dépasse à peine les quarante mille dollars, la IS 300 représente le modèle d'entrée de la gamme Lexus. Elle s'adresse aux conducteurs un peu plus fougueux en leur offrant un agréable compromis entre la preformance et l'utilité, le tout emballé dans un design qui est sans conteste original.

Bref, disons que ce n'est pas encore mission accomplie pour la division haut de gamme de Toyota, mais on est définitivement sur la bonne voie.

LEXUS

fiche technique

Moteur : 6 cyl. en ligne 3 L
Puissance : 215 ch à 5800 tr/min et 218 lb-pi à 3800 tr/min
Transmission de série : automatique à 5 rapports avec E-Shift
Transmission optionnelle : manuelle à 5 rapports
Freins avant : disques
Freins arrière : disques
Sécurité active de série : ABS et antipatinage
Suspension avant : indépendante
Suspension arrière : indépendante
Empattement : 267 cm
Longueur : 448,5 cm
Largeur : 172 cm
Hauteur : 141,5 cm
Poids : 1485 kg
0-100 km/h : 7,1 s
Vitesse maximale : 230 km/h
Diamètre de braquage : 10,4 m
Capacité du coffre : 390 L
Capacité du réservoir d'essence : 68 L
Consommation d'essence moyenne : 11,3 L/100 km
Pneus d'origine : 215/45ZR17 (avant) 225/45ZR17 (arrière)
Pneus optionnels : 205/55R16

2e opinion

Michel Crépault — La plus jeune, la plus dynamique des Lexus. Son instrumentation audacieuse, son gabarit facile à contrôler, son profil moderne, sa palette de couleurs osées contrastent avec le conservatisme de Toyota. Il ne manquait qu'une boîte manuelle et elle est enfin parmi nous. Maintenant que c'est fait, la IS300 est la plus amusante des Lexus.

forces

- Tenue de route
- Performance
- Confort relatif

faiblesses

- Confort restreint à l'arrière
- Régime du moteur limité

Par Amyot Bachand

LEXUS

évolution

fiche d'identité

Modèle : LS 430
Versions : de base, Sport, Premium
Segment : de luxe entre 50 000 $ et 100 000 $
Roues motrices : arrière
Portières : 4
Places : avant, 2; arrière, 3
Sacs gonflables : 8
Concurrence : BMW Série 7, Cadillac DeVille, Infiniti Q45, Jaguar XJ8, Audi A8, Volvo S80, Mercedes-Benz Classe S

prix de base • 80 000 $

La **plus allemande** des **Lexus**

au quotidien

Prime d'assurance moyenne : 2500 $
Garantie générale : 4 ans/60 000 km
Garantie groupe motopropulseur : 6 ans/110 000 km
Garantie contre la perforation : 6 ans/110 000 km
Collision frontale : nd
Collision latérale : nd
Ventes du modèle l'an dernier au Québec : nouveau modèle
Dépréciation : nouveau modèle

Quand elle fut présentée au salon de Détroit en 1989, la première LS obtint un succès immédiat. Les Américains ont accueilli avec enthousiasme cette nipponne qui fixait une nouvelle norme au chapitre du rapport qualité/prix dans le créneau des berlines de luxe. Depuis, les Teutons ont redoublé d'ardeur et diminué les prix pendant que Lexus augmentait les siens. Les acheteurs traditionnels d'européennes sont devenus frileux face à la Lexus et sont retournés à leurs anciennes amours. L'an dernier, Lexus s'est de nouveau pointée sur le marché avec la LS 430 et voudrait bien reconquérir un public perdu.

CARROSSERIE Du point de vue du design, on a l'impression que deux équipes différentes ont travaillé l'avant et l'arrière du véhicule. L'avant, avec sa calandrc plus agressive, n'est pas sans rappeler la GS, assez réussi. L'arrière ressemble à l'ancienne génération de la Classe S de Mercedes (beaucoup moins réussi), ce qui lui donne un air déjà démodé. Vu de face, la LS 430 possède un certain charme, mais son profil ne l'avantage pas vraiment.

MÉCANIQUE La plus belle surprise est sous le capot. Le nouveau moteur V8 de 4,3 litres produit 290 chevaux. Cette magnifique mécanique , munie du système VVT-i, est couplée à une boîte automatique à cinq rapports à commande électronique qui permet à cette grosse berline de franchir le 0 à 100 km/h en 6,3 secondes. À voir fonctionner la boîte automatique, on jurerait que Lexus a démantelé une transmission Mercedes pour en reproduire les moindres gestes. Une boîte souple, agressive et extrêmement plaisante à utiliser.

COMPORTEMENT Malgré son poids relativement imposant, la LS 430 est d'une agilité surprenante. Toutefois, la version de base est handicapée par une suspension trop souple pour la conduite sportive. Le silence de roulement est impérial, le freinage, efficace (même si la pédale manque un peu de fermeté), et l'expérience globale de conduite est à la hauteur du prix demandé. La LS 430 offre par ailleurs deux types d'amortissement : une suspension classique à ressorts

nouveautés 2002

- Système de navigation avec DVD offert en 2002

et amortisseurs pour les versions de base et sport ainsi qu'une suspension pneumatique qui abaisse l'assiette à vitesse élevée pour le modèle Premium. Une excellente initiative, car, au volant, la différence est assez spectaculaire.

HABITACLE Les occupants découvriront une planche de bord entièrement réaménagée qui fait un plus large usage des boiseries. En plus du système de navigation avec DVD qui fera son entrée au Canada au cours de l'année 2002, Lexus offre l'extraordinaire chaîne audio Mark Levinson à 11 haut-parleurs (en équipement facultatif), le système «Smart Key» et l'aide au stationnement. Parmi les innovations intéressantes, le premier régulateur de vitesse adaptatif, à technologie laser (en équipement facultatif). Grâce à des données provenant de 630 points d'échantillonnage, le système est capable de conserver une distance constante entre la voiture et le véhicule qui la précède.

CONFORT La raison d'être de la LS 430 est le confort. La version Premium propose des sièges arrière à réglage électrique dotés d'une fonction climatisation et d'une fonction massage, de la climatisation à l'arrière, de commandes, toujours à l'arrière, de la chaîne audio et d'un espace réfrigéré derrière l'accoudoir. Une qualité de l'assemblage qui continue de faire référence dans un créneau où la barre est pourtant fixée très haut. En fait, il fait bon prendre place à l'arrière et se laisser conduire à destination; un luxe présidentiel.

CONCLUSION L'écart de prix entre les belles germaniques et la grande nipponne n'est plus significatif. Et Lexus devra faire attention, car Mercedes et BMW ont encore cette aura qui fait défaut à la division de prestige de Toyota. Disons en terminant que la comparaison entre ses dirigeants et ses concurrents allemands tient la route; cependant Lexus devrait donner un coup de téléphone à Bertone, Gandini ou Ital-Design pour le dessin du prochain modèle.

fiche technique

Moteur : V8 DACT 4,3 L
Puissance : 290 ch à 5600 tr/min et 320 lb-pi à 3400 tr/min
Transmission de série : manuelle à 5 rapports
Transmission optionnelle : aucune
Freins avant : disques
Freins arrière : disques
Sécurité active de série : ABS, contrôle de la traction électronique,VSC (contrôle de dérapage électronique)
Suspension avant : indépendante
Suspension arrière : indépendante
Empattement : 292 cm
Longueur : 499,5 cm
Largeur : 183 cm
Hauteur : 149 cm
Poids : 1795 kg
0-100 km/h : 6,3 s
Vitesse maximale : 250 km/h
Diamètre de braquage : 10,7 m
Capacité du coffre 453 L
Capacité du réservoir d'essence : 84 L
Consommation d'essence moyenne : 11 L/100 km
Pneus d'origine : 225/60R16
Pneus optionnel : 225/55R17

2e opinion

Amyot Bachand — Conduire ou se faire conduire? Le confort que l'on retrouve à l'arrière de cette luxueuse berline nous ont incité à nous poser la question. Et si vous préférez conduire, vous profiterez de l'excellent système de suspension pour sillonner autant les autoroutes que les routes secondaires sinueuses

forces

- Confort impérial
- Performances au rendez-vous
- Chaîne audio Mark Levinson exceptionnelle

faiblesses

- Suspension de base trop souple
- Freinage spongieux
- Manque d'homogénéité dans le design

Par Benoit Charette

LEXUS

fiche d'identité

Modèle : LX 470
Versions : unique
Segment : utilitaires pleine grandeur
Roues motrices : arrière; traction intégrale
Portières : 4
Places : avant, 2 ; arrière, 3
Sacs gonflables : 2
Concurrence : BMW X5, Cadillac Escalade, Lincoln Navigator, Mercedes-Benz ML 500, Range Rover

au quotidien

Prime d'assurance moyenne : 1900 $
Garantie générale : 4 ans/80 000 km
Garantie groupe motopropulseur : 6 ans/110 000 km
Garantie contre la perforation : 6 ans/illimité
Collision frontale : nd
Collision latérale : nd
Ventes du modèle l'an dernier au Québec : 37
Dépréciation : 44,0 %

évolution

prix de base • 90 100 $

A la **recherche** de la **perfection**

Même si nous n'avons pas le modèle Land Cruiser sur le marché canadien, Toyota Canada n'a pas hésité à nous offrir le Lexus LX 470. De fait, le LX 470 est un utilitaire sport de grand luxe basé non pas sur le Sequoia, mais bien sur le Land Cruiser. Voilà donc un produit original. Mais on ne le voit pas souvent !

CARROSSERIE Pour le marché local, le LX 470 possède une carrosserie unique, vu l'absence du Land Cruiser. C'est en même temps tout à l'avantage du LX 470, car le design du Land Cruiser est plutôt traditionnel. Évidemment, il s'agit d'une sorte d'utilitaire sport du style familial à quatre portes et hayon arrière. Dans son créneau, il doit concurrencer les Lincoln Navigator, Cadillac Escalade, Range Rover, Mercedes-Benz ML et BMW X5. Mais fait-il vraiment le poids ?

MÉCANIQUE Un seul moteur propulse le LX 470, soit un V8 DACT de 4,7 litres, semblable à celui de la Tundra. Il ne fait que 230 chevaux, ce qui explique des performances parfois timides. Cependant, et c'est tout à son avantage, il est très silencieux. Le Land Cruiser sur lequel est basé le LX 470, est un véhicule tout-terrain très robuste. Cette qualité, on la retrouve sur le LX 470 avec, en prime, les éléments du châssis améliorés. La suspension avant est indépendante, tandis qu'à l'arrière, elle est à pont rigide. La seule boîte de vitesses offerte est une automatique à quatre rapports avec laquelle il est possible de démarrer en deuxième, si besoin est. Le LX 470 est à traction intégrale. Ce véhicule est équipé de systèmes de contrôle de la traction A-Trac, de dérapage (USC) et de l'équilibre du freinage (EBD). D'ailleurs, la suspension peut faire varier la hauteur du véhicule selon les conditions ou la demande. Le freinage à quatre disques est muni de l'ABS, alors que la direction à crémaillère est à assistance variable.

COMPORTEMENT Vu que cet utilitaire est un Lexus, son constructeur, Toyota, lui a donné un confort plus poussé. Par conséquent, sur la route, il est un peu mou, et la caisse penche dans les courbes prononcées. Mais il affiche

nouveautés 2002

• Aucun changement majeur pour 2002

une douceur de roulement impressionnante. Ses performances sont plutôt modestes avec un temps de près de 11 secondes pour atteindre le cap des 100 km/h. Les reprises sont bonnes, mais un peu laborieuses. Par contre, le LX 470 possède des capacités hors-route exceptionnelles dont peu d'utilisateurs profiteront.

HABITACLE Évidemment, l'intérieur du LX 470 est somptueux avec sa sellerie de cuir et sa finition en noyer. De plus, cet utilitaire sport peut asseoir jusqu'à huit personnes. Les banquettes arrière peuvent se replier, et le LX 470 obtient alors un plus grand espace de chargement. Le tableau de bord n'a rien d'impressionnant; il est bien aménagé, mais il trahit les origines un peu vieillottes du Land Cruiser.

CONCLUSION Il n'y a pas d'histoires fantastiques à écrire sur le LX 470. Sa diffusion étant très limitée, on n'en voit que très peu sur nos routes. D'ailleurs, son prix très élevé ne le rendra pas très concurrentiel face aux Navigator et Escalade, plus modernes. Il s'agit certes d'un autre de ces excellents produits Toyota. Le constructeur japonais devra changer sa politique de commercialisation s'il veut vraiment être un joueur important dans ce créneau des utilitaires de luxe.
Maintenant, il reste à voir si Lexus suivra la concurrence dans la production d'autres véhicules utilitaires de luxe comme la Cadillac Escalade EXT ainsi que le Lincoln Blackwood. À ce moment, utilisera-t-on la camionnette Tundra de Toyota comme véhicule de base? Et si le petit Aviator de Lincoln connaît du succès, verra-t-on un Lexus jumeau du 4Runner? Que de possibilités!

fiche technique

Moteur : V8. DACT 4,7 L
Puissance : 230 ch à 4800 tr/min et 320 lb-pi à 3400 tr/min
Transmission de série : automatique à 4 rapports
Transmission optionnelle : aucune
Freins avant : disques ventilés
Freins arrière : disques ventilés
Sécurité active de série : ABS
Suspension avant : indépendante
Suspension arrière : essieu rigide
Empattement : 285 cm
Longueur : 489 cm
Largeur : 194,1 cm
Hauteur : 185 cm
Poids : 2450 kg
0-100 km/h : 10,4 s
Vitesse maximale : 180 km/h (limitée électroniquement)
diamètre de braquage : 12,1 m
Capacité du coffre : 830 L (1370 L avec sièges abaissés)
Capacité du réservoir d'essence : 96 L
Consommation d'essence moyenne : 18 L/100 km
Pneus d'origine : P275/70R16
Pneus optionnels : aucun

LEXUS

2e opinion

Philippe Laguë — Le LX 470, c'est la logique dans l'absurde. Payer un tel prix pour un camion, ça ne me rentre tout simplement pas dans la tête. Mais tant qu'à jeter son argent par les fenêtres, aussi bien le faire pour un produit de qualité. Et avec Lexus, on ne se trompe pas. Au moins, vous ne vivrez pas le cauchemar des propriétaires de Range Rover qui connaissent très intimement leur gérant de service !

forces
- Aménagement intérieur luxueux
- Fiabilité reconnue
- Véritable tout-terrain

faiblesses
- Prix exhorbitant
- Allure anonyme
- Conception mécanique qui commence à dater

Par Éric Descarries

LEXUS

fiche d'identité

Modèle : RX300
Version : unique
Segment : utilitaires intermédiaires
Roues motrices : traction intégrale
Portières : 4
Places : avant, 2 ; arrière, 3
Sacs gonflables : 4 (2 frontaux et 2 latéraux)
Concurrence : Acura MDX, BMW X5, Mercedes-Benz Classe M, Jeep Grand Cherokee, Infiniti QX4, Land Rover Discovery, GMC Envoy, Chevrolet TrailBlazer et Oldsmobile Bravada

au quotidien

Prime d'assurance moyenne : 1100$
Garantie générale : 4 ans/80 000 km
Garantie groupe motopropulseur : 6 ans/110 000 km
Garantie contre la perforation : 6 ans/kilométrage illimité
Collision frontale : 4/5
Collision latérale : 5/5
Ventes du modèle l'an dernier au Québec : 422
Dépréciation : 30% (deux ans)

évolution

prix de base • 48 000 $

L'exemple à suivre

Malgré leur popularité sans cesse grandissante, les véhicules utilitaires sport (VUS) n'ont pas que des sympathisants. Leurs détracteurs, et ils sont de plus en plus nombreux, leur reprochent principalement un confort aléatoire, un appétit démesuré ainsi qu'une piètre maniabilité, due à leur gabarit imposant. Lexus semble cependant avoir trouvé la recette miracle avec le RX300.

CARROSSERIE Si son prix place le RX300 dans la même catégorie que les Explorer, Grand Cherokee et autres, sa conception diffère radicalement de celle de ses rivaux. Ceux-ci sont de véritables camions : montés, pour la plupart, sur un châssis autonome, ils sont hauts sur pattes et ont recours à des moteurs plus robustes que raffinés. En contrepartie, le RX300 propose une carrosserie monocoque, une garde au sol moins élevée et une motorisation d'un raffinement exceptionnel pour un VUS.

MÉCANIQUE Dire que ce moteur brille par sa douceur relève de l'euphémisme; il en est de même de son silence de roulement, tout simplement exceptionnel. De plus, il se distingue par son architecture aussi moderne que peu fréquente dans ce créneau. Lors de son introduction, il y a trois ans, le RX300 était le premier utilitaire sport à bénéficier d'une motorisation munie d'un système de distribution à calage variable des soupapes. Qui plus est, les motoristes ont eu la brillante d'idée d'adapter ce V6 à 24 soupapes à double arbre à cames en tête aux exigences de ce type de véhicule. Ainsi, le couple atteint 80 % de son rendement maximal à un régime aussi bas que 1600 tours-minute. Ceux qui ont de lourdes charges à tirer peuvent également dormir tranquille : la capacité de remorquage est de 1587 kilos (3500 livres).

COMPORTEMENT Ayant reçu le mandat de maximiser le confort et le raffinement, ce qui est le credo de Lexus, les concepteurs du RX300 l'ont doté d'une suspension à quatre roues indépendantes et d'un système de traction intégrale entièrement automatisé, deux approches plus fréquentes sur une voiture que

nouveautés 2002
• Aucun changement majeur pour 2002

sur un utilitaire. Le moins qu'on puisse dire, c'est que les ingénieurs sont parvenus à leurs fins : jamais on n'a vu un soi-disant utilitaire offrir une telle douceur de roulement. Mais au fait, est-ce bien un utilitaire ? Là est la question!
Ses réactions sont celles d'une auto. Cela s'applique notamment à la tenue de route ainsi qu'à la stabilité directionnelle qui impressionnent toutes deux. Même son de cloche pour les mouvements de caisse, dont n'est pas affligé le RX300. Seule ombre au tableau, une direction un peu trop assistée, un mal qui afflige l'ensemble de la gamme Lexus. Comme quoi la perfection n'est pas encore de ce monde.

HABITACLE Si les utilitaires sport, dans leurs versions haut de gamme à tout le moins, nous ont habitués à une certaine opulence, l'habitacle du RX300 égale les standards établis, quand il ne les surpasse pas. La présentation est franchement réussie : la sellerie de cuir et les appliques de bois, deux incontournables, contribuent à la beauté des lieux, tout comme l'écran à cristaux liquides qui domine la console centrale. Avec sa teinte bleutée, l'effet est garanti.

Sur une note plus sérieuse, cet écran affiche une panoplie de renseignements qui touchent, notamment, le chauffage ou la climatisation, la température extérieure, la chaîne audio et même le régulateur de vitesse. Agréable au coup d'oeil, et fonctionnel en plus.
Côté habitabilité, le RX300 n'a rien à envier aux VUS traditionnels, en plus de les surclasser en matière de confort. À ce chapitre, la banquette arrière représente une agréable surprise. Tout comme la visibilité, impeccable à tous points de vue, est rehaussée par les deux gros rétroviseurs extérieurs.

CONCLUSION À l'instar de son clone, le Toyota Highlander, cet utilitaire en tenue de soirée allie le confort d'une berline de luxe à la polyvalence d'un 4x4 comme personne avant lui. Que dire de plus ?

fiche technique

Moteur : V6 DACT de 3 L
Puissance : 220 ch à 5800 tr/min et 222 lb-pi à 4400 tr/min
Transmission de série : automatique à 4 rapports
Transmission optionnelle : aucune
Freins avant : disques
Freins arrière : disques
Sécurité active de série : ABS aux 4 roues et antipatinage
Suspension avant : indépendante
Suspension arrière : indépendante
Empattement : 262 cm
Longueur: 458,0 cm
Largeur: 181,5 cm
Hauteur : 167 cm
Garde au sol : 19,6 cm
Poids : 1780 kg
0-100 km/h : 8,8 s
Vitesse maximale : 180 km/h
Diamètre de braquage : 12,6 m
Capacité de remorquage : 1587 kg
Capacité du coffre : 869 L à 1127 L (sièges abaissés)
Capacité du réservoir d'essence : 73 L
Consommation d'essence moyenne : 11,5 L/100 km
Pneus d'origine : 225/70R16
Pneus optionnel : aucun

2e opinion

Benoit Charette — Préférant le confort et la douceur de roulement d'une berline au côté macho d'un réel utilitaire, le RX 300 s'est attiré les éloges de tous ceux qui recherchaient le côté pratique d'un 4 roues motrices sans les désagréments d'un camion. Un habitacle digne d'une grande routière.

forces

- Concept original
- Habitacle cossu et spacieux
- Insonorisation et douceur de roulement remarquables

faiblesses

- Direction légère
- Pas de boîte manuelle
- Aptitudes hors-route limitées

Par Philippe Laguë

LEXUS

fiche d'identité

Modèle : SC 430
Version : unique
Segment : sportives de plus de 50 000$
Roues motrices : arrière
Portières : 2
Places : avant, 2; arrière, 2
Sacs gonflables : 4
Concurrence : Audi TT Roadster, BMW 330 Ci et M3 cabriolet, Jaguar XK8, Mercedes-Benz CLK, SLK et SL, Volvo C70 cabriolet

au quotidien

Prime d'assurance moyenne : nd
Garantie générale : 4 ans/60 000km
Garantie groupe motopropulseur : 6 ans/110 000 km
Garantie contre la corrosion : nd
Garantie contre la perforation : nd 6 ans/110 000 km
Collision frontale : nd
Collision latérale : nd
Ventes du modèle l'an dernier au Québec : nd
Dépréciation : nd

nouveauté

prix de base • 84 000 $

La **sportive** de **salon**

Allons droit au but: la SC 430 est un cabriolet 2+2 nanti d'un V8 que seuls quelques chanceux pourront acquérir parce que Lexus les importe au compte-goutte. Devrions-nous la bouder pour autant? Que non!.

CARROSSERIE Le premier et le seul autre coupé proposé par Lexus fut la SC 400. Pour la SC 430, Lexus s'est adressée à une équipe européenne qui s'est librement inspirée de l'architecture de la Côte d'Azur pour nous proposer une voiture dont les lignes sont censées nous rappeler celles d'un élégant yacht ancré devant la Promenade des Anglais, à Nice.

MÉCANIQUE Le V8 de 4,3litres et 32 soupapes développe 300 chevaux à 5600 tours/minute (et 325 livres-pied de couple à 3400 tours/minute). Bien entendu, la gestion du moteur comprend le systèmeVTT-i (*Variable Valve Timing with intelligence*) propre à Toyota. Le tout est puissant, linéaire, efficace. Et certifié ULEV (*Ultra Low Emission Vehicle*).
La distribution du poids est de 53% à l'avant et de 47% à l'arrière. La suspension, semblable à celle de la GS 430, fait appel à des doubles fourchettes aux deux extrémités. Le freinage, outre les disques ventilés à l'avant et les disques pleins à l'arrière, peut compter sur l'ABS, un répartiteur de la force de freinage, un contrôle de la traction pour réduire le patinage, un VSC (*Vehicule Skid Control*) pour éliminer le sous-virage et le survirage en appliquant les freins et/ou en réduisant les gaz (comme pour le contrôle de la traction). Et (ouf!) en plus, une assistance au freinage qui décélère encore plus fort quand le capteur se rend compte que le conducteur veut s'immobiliser en catastrophe.

COMPORTEMENT La SC 430 a dès le départ été conçue comme une décapotable, lui conférant dès lors la rigidité nécessaire pour rouler sans se tordre. Son toit rétractable n'est pas en toile mais en aluminium, comme la Mercedes-Benz SLK, l'une de ses principales rivales et comme la nouvelle M-B SL 2003. La chorégraphie vaut qu'on s'y arrête pour l'admirer! Les deux

nouveautés 2002

• Nouveau modèle pour 2002

baquets sont confortables, mais pêchent par un manque de soutien latéral quand vient le temps de virer sec. On en est quitte pour garder son équilibre en trouvant appui sur la portière ou la console centrale. La SC 430 est livrée avec une boîte automatique, la seule disponible, mais capable de fonctionner en mode Normal ou Puissance. Sur le très beau volant mi-cuir mi-bois, j'ai cherché les basculeurs qui m'auraient permis d'opérer un changement de vitesses semi-automatique. En vain. Je n'ai trouvé que des boutons contrôlant le système de son. Cet " oubli " a davantage fortifié l'impression qui s'imposait de plus en plus au fil des kilomètres que j'accumulais au volant de la SC 430, à savoir qu'il s'agit avant tout d'un cabriolet pour gens fortunées et pas pressées. La stabilité est bonne, mais la voiture n'induit pas vraiment une griserie. Le train avant est lourd, la direction aussi, bien que précise. En pleine accélération dans une solide pente, la boîte automatique a tendance à chercher le bon rapport. Le toit baissé, à une vitesse que je préfère taire, ma casquette a tenu le coup ! C'est vous dire à quel point les ingénieurs ont su mâter les turbulences éoliennes. Leur truc : dessiner un pare-brise et une caisse qui montent haut. En étant enfoncé dans la barquette, on court moins le risque d'être giflé par le vent. Une conversation normale peut se poursuivre à n'importe quelle vitesse, sans hausser la voix.

HABITACLE Le toit replié, estimez-vous chanceux de pouvoir ranger dans le coffre l'équivalent d'un sac de golf. Nos voisins du Sud doivent en plus composer avec un pneu de secours monté contre la paroi du coffre, alors que les Canadiens y échappent puisque leur modèle roule sur des pneus zéro pression (*run flat*) de Bridgestone (18 pouces). Étant un 2+2, la SC 430 comprend une banquette bonne pour deux autres personnes.

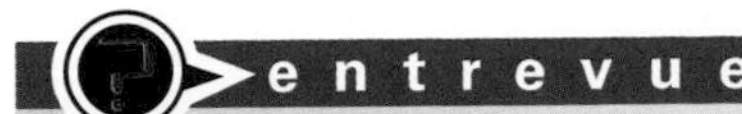

entrevue

F. David Stone

directeur des relations publiques, Toyota Canada

Comment décrivez-vous cette nouveauté ?
La Lexus SC 430 occupe une niche assez unique en son genre puisqu'il n'existe que très peu de coupés-cabriolets. Conçue à partir de zéro, on n'a pas cherché à couper son toit pour en faire un cabriolet ou vice versa. Fidèle à la marque, Lexus a favorisé le confort, la qualité et le luxe, comme une sellerie de cuir fin et un système de son Mark Levinson pourvu d'un ajustement automatique du niveau sonore en fonction du toit levé ou abaissé.

Où situez-vous ce modèle?
Au sein des Lexus, la SC 430 se situe tout au haut de la gamme, avec les modèles LS et LX. Au sein de la compétition, on ne retrouve que les Mercedes-Benz.

Quelle est la clientèle cible?
La Lexus SC 430 s'adresse à une clientèle qui recherche le luxe et le plaisir, mais qui préfère le vrai au tape à l'œil.

Combien de ventes en 2002?
Au cours des 9 premiers mois de 2001, nous avons reçu des demandes pour les 550 modèles déjà prévus. Nous comptons bien maintenir cet élan en 2002.

galerie

1 • Le coupé SC offre une allure qui fait très Lexus, avec ses phares allongés en angle.

2 • Le toit rigide s'ôte et se remet dans un ballet mécanique qu'il n'est pas donné de voir souvent.

3 • Fidèle à la marque, l'habitacle de la SC 430 est très élégant, mais il propose aussi une allure sport à ne pas négliger.

4 • Le toit rigide s'ôte et se remet dans un ballet méc... ah oui, on l'a déjà mentionné celle-là. Bah, admirez quand même!

5 • Si vous croyez pouvoir maîtriser toutes ces commandes tout en conduisant, levez la main!

1

2

3

4

5

forces

- Silhouette réussie
- Puissance linéaire
- Toit rigide rétractable

faiblesses

- Sportivité atténuée
- Train avant lourd
- Banquette ridicule

Du moins, en théorie. En réalité, quelle perte d'espace et de beau cuir! Aucun adulte ne voudra jamais s'installer là. Mêmes les enfants devront avoir les genoux sous le menton. Les concepteurs auraient mieux fait d'aménager un espace supplémentaire pour les bagages.

Quant à l'écoute de musique, alors là, l'acheteur d'une SC 430 est particulièrement gâté. En effet, Lexus a délaissé le sempiternel système Nakamichi en faveur d'une collaboration avec le fabricant Mark Levinson, une compagnie du New Jersey qui fabrique en petite quantité des systèmes de son très bons et très chers. Le duo a convenu d'élaborer le meilleur système jamais conçu pour un cabriolet. Il a réussi. La musique s'échappe des neuf haut-parleurs sans la moindre trace de distorsion. Si l'expérience d'un cabriolet est généralement d'en mettre plein la vue, le système Mark Levinson, qui comprend un lecteur de cassette et un chargeur de six CD installés dans la planche de bord, en met aussi plein les oreilles!

Superbe finition, excellente qualité des matériaux, mais un manque d'unité. Des cadrans que seuls le pilote peut consulter tellement ils sont profondément enfoncés dans le tableau de bord. Le fameux système de son est incrusté dans une falaise en aluminium brossé qui, au lieu d'être lisse et brillant, est texturé et mat. Des instruments et des haut-parleurs sont cerclés du même métal.

CONCLUSION Les vrais rivaux de la SC 430 sont assurément la M-B CLK et, surtout, la Jaguar XK8. Pour la beauté, l'originalité et l'exclusivité (400 unités au Canada en 2002), pour une expérience sensorielle extraordinaire, pour une tenue de route saine et rassurante, la Lexus SC 430 ne déçoit pas.

fiche technique

Moteur : V8 DACT 4,3 L
Puissance : 300 ch à 5600 tr/min et 325 lb-pi à 3400 tr/min
Transmission de série : automatique à 5 rapports
Transmission optionnelle : aucune
Freins avant : disques
Freins arrière : disques
Sécurité active de série : ABS, VSC (contrôle de la stabilité), TRAC (antipatinage), EBD (répartition du freinage)
Suspension avant : indépendante
Suspension arrière : indépendante
Empattement : 262 cm
Longueur : 451,5 cm
Largeur : 182,5 cm
Hauteur : 135 cm
Poids : 1740 kg
0-100 km/h : 6,2 s
Vitesse maximale : 250 km/h (limitée électroniquement)
Diamètre de braquage : 11,8 m
Capacité du coffre : 266 L
Capacité du réservoir d'essence : 75 L
Consommation d'essence moyenne : 11,4 L/100 km
Pneus d'origine : 245/40ZR18
Pneus optionnels : aucun

2e opinion

Gabriel Gélinas — Luxe assuré et allure qui plaît à une clientèle plus âgée. La tenue de route est toutefois ankylosée pour cette grand tourisme qui propose par ailleurs un moteur performant et des places arrière aussi symboliques qu'inutiles. Chaussée de jantes et de pneus sur-dimensionnés, la SC 430 n'est pas très à l'aise sur les mauvaises routes que l'on retrouve fréquemment chez nous.

Par Michel Crépault

évolution

LINCOLN

fiche d'identité

Modèle : Continental
Version : une seule version
Segment : de luxe, entre 50 000 $ et 100 000 $
Roues motrices : arrière
Portières : 4
Places : avant, 3 ; arrière, 3
Sacs gonflables : 4
Concurrence : Acura 3.5 RL, Buick Park Avenue, Cadillac Seville, Chrysler 300M, Lexus ES300

prix de base • 51 920 $

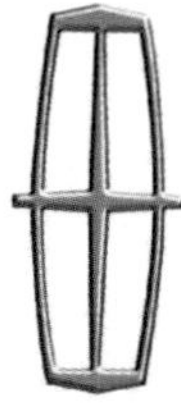

au quotidien

Prime d'assurance moyenne : 1300 $
Garantie générale : 4 ans/80 000 km
Garantie antipollution : 4 ans/80 000 km
Garantie contre la perforation : 4 ans/80 000 km
Collision frontale : 5/5
Collision latérale : 5/5
Ventes du modèle l'an dernier au Québec : 60
Dépréciation : 43,9 %

Désuet

Depuis l'arrivée de la Lincoln LS, plus jeune et plus dynamique, la Continental se retrouve dans un « No man's land ». Plusieurs concessionnaires Ford avouent qu'un grand nombre d'acheteurs potentiels jettent leur dévolu sur la Grand Marquis, qui offre sensiblement la même chose pour 20 000 $ de moins ; c'est ce qui fait le plus mal à la Lincoln, selon les concessionnaires.

CARROSSERIE Côté design, Lincoln a rafraîchi les courbes de la Continental avec des feux arrière qui ne sont pas sans rappeler la Jaguar XJ. Par ailleurs, le poids en chrome sur la voiture a diminué successivement depuis la refonte du véhicule en 1995. Ford en laisse tout de même un peu pour sa clientèle un peu plus âgée.

MÉCANIQUE La Continental est nerveuse avec ses 260 chevaux, même avec ses 1755 kilos à traîner. Et en prime, au chapitre de la consommation d'essence sur l'autoroute, elle est d'une sobriété surprenante qui se compare à celle d'un moteur à six cylindres. Pour ce qui est du bruit, disons que la mécanique travaille toujours en silence, même avec une forte sollicitation du pied droit.

COMPORTEMENT La tenue de route est excellente en conduite normale, mais supporte mal la conduite sportive même si la traction asservie et les freins ABS aident la cause. La Continental se sent beaucoup plus à l'aise sur les longues bandes d'autoroutes, et l'accent est mis sur le confort douillet de la suspension. Malheureusement, il n'y a pas que la suspension qui soit moelleuse ; les fauteuils, quoique confortables, ont une assise très courte et des formes évasives, ce qui oblige le conducteur et les passagers à chercher constamment la position idéale. Une remarque qui vous fera épargner de l'argent : Lincoln offre en équipement facultatif un système de suspension réglable qui n'est pas vraiment efficace; nous vous recommandons d'opter pour la suspension de base, aussi efficace et moins coûteuse.

HABITACLE L'intérieur de la Continental accueille en tout

nouveautés 2002

- Un nouvel afficheur multimessage permettant de personnaliser neuf réglages différents pour un conducteur.

confort quatre adultes. Si vous avez un cinquième passager, la place du centre à l'arrière conviendra pour de courtes distances, mais ne faites surtout pas Montréal-Gaspé. Le coffre original offre en équipement facultatif un casier rétractable qui fonctionne comme un tiroir et évite beaucoup de petits désagréments et de maux de dos. L'idée est tellement bonne que Cadillac l'a reprise à son compte sur la Seville. La visibilité est bonne à l'exception du 3/4 arrière obstrué par les énormes appuie-tête qui bloquent la vue. La Continental offre également une conduite personnalisée. Ce gadget intéressant offert en équipement facultatif permet de régler une foule de paramètres de la voiture selon vos goûts : de la fermeté, de la direction et de la suspension en passant par la position du fauteuil et des rétroviseurs. Le tout s'actionne en touchant un seul bouton, et le système possède plusieurs mémoires pour convenir à divers conducteurs : une excellente idée !

CONCLUSION Ford offrait auparavant une Continental possédant des lignes originales, mais une technique tout à fait ordinaire. Aujourd'hui c'est exactement l'inverse; la Continental bénéficie d'une technique de pointe, mais l'enveloppe est très ordinaire et fait fuir une clientèle qui a l'embarras du choix pour 50 000 $.

fiche technique

Moteur : V8 4,6 litres DACT
Puissance : 275 ch à 5750 tr/min; couple : 275 lb-pi à 4750 tr/min
Transmission de série : automatique à 4 rapports
Transmission optionnelle : aucune
Freins avant : disques ventilés
Freins arrière : disques
Sécurité active de série : ABS, antipatinage
Suspension avant : indépendante
Suspension arrière : indépendante
Empattement : 276,8 cm
Longueur : 529,6 cm
Largeur : 186,9 cm
Hauteur : 142,2 cm
Poids : 1785 kg
0-100 km/h : 8,2 s
Vitesse maximale : 210 km/h
Diamètre de braquage : 12,5 m
Capacité du coffre : 521 L
Capacité du réservoir d'essence : 75 L
Consommation d'essence moyenne :
Pneus d'origine : 225/60R16
Pneus optionnels : aucun

2e opinion

Éric Descarries — Toute bonne chose doit avoir une fin. Lorsque Lincoln a remplacé ses Versailles par des Continental, puis par des Continental à traction avant, ce fut une évolution réussie. Mais avec le temps, cette dernière est disparue dans l'anonymat. La dernière génération à moteur V8 aurait dû faire une bonne concurrence à la Cadillac Seville. Elle n'a pas réussi. Alors...bye bye!

forces

- Performances
- Conduite à la carte
- Confort de roulement
- Ingénieux système du coffre à bagages

faiblesses

- Lignes anonymes
- Fauteuils avant peu confortables
- Visibilité 3/4 arrière

Par Benoit Charette

évolution

LINCOLN

fiche d'identité

Modèle : LS
Versions : LS V6 et LS V8
Segment : de luxe entre 50 000 $ et 100 000 $
Roues motrices : arrière
Portières : 4
Places : avant, 2 ; arrière, 3
Sacs gonflables : 4
Concurrence : Acura 3.5 RL, Audi A6, BMW Série 5, Cadillac CTS, Chrysler 300M, Infiniti G35, Jaguar S-Type, Lexus GS300/400, Mercedes-Benz Classe E, Saab 9-5, Volvo S60.

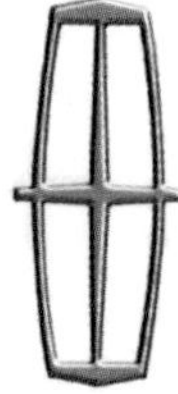

au quotidien

Prime d'assurance moyenne : 1000 $ à 1200 $
Garantie générale : 4 ans/80 000 km
Garantie antipollution : 4 ans/80 000 km
Garantie contre la perforation : 4 ans/80 000 km
Collision frontale : 5/5
Collision latérale : 4/5
Ventes du modèle l'an dernier au Québec : 346
Dépréciation : 27,8 % depuis 2000

prix de base • 40 970 $

Un changement de mentalité

Pour bien apprécier la nouvelle Lincoln LS, il faut se dissocier de l'image habituelle de la marque. En effet, depuis sa fondation dans les années 20 par Henry Leland, Lincoln véhiculait une image de paquebot d'autoroute qui n'était pas reconnu pour ses performances. Il est maintenant permis d'accoler des qualificatifs comme nerveux, agile et sportif à une Lincoln.

CARROSSERIE Les lignes de la LS sont redevables à l'Allemand Helmut Schrader, avec ses voies larges et ses formes exagérées qui lui confèrent une allure d'olympien. La grille est également assez réussie et garde le lien de sang avec Lincoln, mais les lignes latérales sont trop épurées et brisent l'harmonie visuelle du véhicule. Seule nouveauté sur la silhouette 2002, l'ajout de jantes à sept branches en aluminium de 16 pouces sur la version V8.

MÉCANIQUE Cela ne s'était pas vu depuis 1951, un modèle Lincoln avec une boîte manuelle. C'est la Cosmopolitain qui a été la dernière Lincoln manuelle avant la LS. Or, si vous optez pour le V6 de 3 litres de 210 chevaux, notez que ce moteur peut être couplé à une boîte Getrag à cinq rapports. Vous pouvez aussi choisir la boîte automatique à cinq rapports qui est la seule offerte avec le V8. Les moteurs et la plateforme sont le fruit d'une étroite collaboration entre Ford et Jaguar. Le V6 de base est un dérivé de la mécanique de la Taurus (en beaucoup mieux) fondu dans l'usine de Ford à Cleveland. Le V8 est un dérivé du moteur de la Jaguar XJ8. Si les mécaniques de Jaguar font respectivement 240 et 281 chevaux, Lincoln est un peu plus modeste avec 210 et 252 chevaux. Même si les deux voitures sont visuellement très différentes, la plate-forme est la même. Ajoutons que la direction de la Lincoln est un peu floue ; c'est là l'un de ses rares défauts.

COMPORTEMENT Lincoln offre la direction à assistance variable, quatre freins à disque avec ABS et répartition électronique de la puissance du freinage pour un meilleur contrôle. Ajoutez à cela le système Advance Trac Stability Control qui, à l'instar des

nouveautés 2002

• Nouvelles jantes de 16 pouces en aluminium à sept rayons sur la version V8 • Nouvelles jantes de 16 pouces en aluminium poli, en équipement facultatif sur la V8 • Chaîne audio Alpine en équipement facultatif avec le groupe V8 sport

voitures haut de gamme européennes, corrige la trajectoire du véhicule en utilisant un juste dosage de remise des gaz et de freinage pour remettre la voiture dans le droit chemin. Avec une carrosserie rigide, une tenue de route hors-pair et moins de huit secondes pour un 0 à 100 km/h avec le V8, rien ne laisse croire que vous êtes au volant d'une Lincoln. Une agilité et une tenue de route que l'on expérimente habituellement au volant des routières germaniques.

HABITACLE À l'intérieur, la Lincoln LS dégage un parfum international imprégné de cuir fin, de fauteuils fermes et confortables et d'appliques de bois riche. Un heureux changement avec la tradition américaine. On se sent réellement dans une voiture à vocation sportive et, si ce n'était du logo qui vous rappelle que vous êtes assis dans une Lincoln, on pourrait facilement se croire dans une allemande. Cette simplicité dans la présentation offre en contrepartie un tableau de bord avec beaucoup de plastique qui manque un peu d'inspiration. Les audiophiles pourront se consoler et tirer avantage d'une nouvelle chaîne audio Alpine offerte en équipement facultatif avec le groupe sport sur la LS V8.

CONCLUSION La suspension un peu souple et la direction élastique sont les deux seuls indices qui trahissent ses origines américaines. Si Lincoln peut procéder à ces petits réglages, plus rien n'empêche la comparaison avec les belles européennes. Lincoln a fait le bon choix.

fiche technique

LINCOLN

Moteur : V6 3 litres DACT
Autres Moteurs : V8 3,9 litres DACT
Puissance : 210 ch à 6 500 tr/min; couple : 205 lb-pi à 4750 tr/min
Autres moteurs : 252 ch à 6100 tr/min et 267 lb-pi à 4300 tr/min
Transmission de série : manuelle à 5 rapports (V6)
Transmission optionnelle : automatique à 5 rapports (de série sur V8)
Freins avant : disques ventilés
Freins arrière : disques
Sécurité active de série : ABS, antipatinage
Suspension avant : indépendante
Suspension arrière : indépendante
Empattement : 290,8 cm
Longueur : 492,5 cm
Largeur : 185,9 cm
Hauteur : 142,5 cm
Poids : 1632 kg (V6 man.); 1675 kg (V8)
0-100 km/h : 9,1 s (V6 man.); 8,8 s (V8)
Vitesse maximale : 220 km/h
Diamètre de braquage : 11,5 m
Capacité du coffre : 382 L
Capacité du réservoir d'essence : 68 L
Consommation d'essence moyenne : 14 L/100 km
Pneus d'origine : 215 / 60HR16
Pneus optionnels : 235 / 50R17

2e opinion

Philippe Laguë —Si Lincoln n'a jamais rimé avec agrément de conduite, les choses sont en train de changer. Ce miracle, car c'en est bien un, incombe à la LS, la première digne rivale d'une berline de luxe européenne à être conçue et assemblée à Détroit.

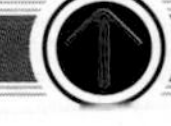

forces

- Excellentes performances des mécaniques V6 et V8
- Confort général
- Tenue de route sans failles

faiblesses

- Suspension un peu souple
- Direction floue au centre
- Tableau de bord sans vie

Par Benoit Charette

LINCOLN

fiche d'identité

Modèle : Navigator
Version : une seule version
Segment : utilitaires grand format
Jumeau : Ford Expedition
Roues motrices : arrière
Portières : 4
Places : avant, 2 ; arrière, 5
Sacs gonflables : 4
Concurrence : Cadillac Escalade, Chevrolet Tahoe, GMC Yukon et Denali, Lexus LX 470, Mercedes-Benz Classe G, Range Rover, Toyota Sequoia

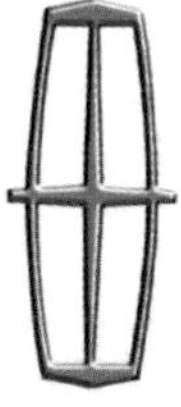

au quotidien

Prime d'assurance moyenne : 1400 $
Garantie générale : 4 ans/80 000 km
Garantie antipollution : 4 ans/ 80 000 km
Garantie contre la perforation : 4 ans/80 000 km
Collision frontale : 5/5
Collision latérale : nd
Ventes du modèle l'an dernier au Québec : 162
Dépréciation : 42,2 %

évolution

prix de base • 66,415 $

Le luxe à la grande échelle

La démesure n'existe pas chez Ford et Lincoln. Du moins, c'est ce que laisse entendre la marque de prestige du numéro deux américain depuis quelques années avec son titanesque utilitaire de luxe, le Navigator.

Pour le consommateur moyen comme vous et moi, ces mastodontes de la route sont plus souvent qu'autrement des véhicules que l'on croise sur la route mais qu'on ne voudra jamais acquérir.

Pourtant, ces utilitaires à quatre roues motrices déguisés en salle de conférence mobile se vendent bien. C'est ce qui explique le retour du Navigator en 2002.

CARROSSERIE Le luxueux Lincoln Navigator utilise la plate-forme du grand utilitaire sport Ford Expedition.

Par conséquent, on y reconnaîtra la caisse et une grande partie des éléments mécaniques. Cependant, les finitions intérieure et extérieure en sont différentes. Étant donné que la version 2003 du Navigator doit être dévoilée au début de 2002, celle de l'année dernière est reconduite presque intégralement pour cette année. La version de 2003 n'aura subi que quelques modifications esthétiques mais, en général, on peut s'attendre à un véhicule semblable.

MÉCANIQUE Au Canada, seule la version à quatre roues motrices sur commande du Navigator est offerte (aux États-Unis, ils n'ont que la version à propulsion seulement). Ford n'offre qu'un seul moteur pour cette grande familiale, soit un V8 de 5,4 litres à 32 soupapes unique à cet utilitaire. Il fait quelque 300 chevaux et, combiné à la transmission automatique électronique à quatre rapports, il suffit largement à déplacer ce lourd véhicule.

Sa traction intégrale aide sa tenue de route et sa motricité dans la neige et sur la glace, particulièrement en mode « Control-Trac ».

COMPORTEMENT Évidemment, ce gros véhicule est plus confortable qu'un Expedition, mais il a un comportement routier plus vague.

C'est une excellente voiture pour la route malgré une consommation notable. Capable de tirer de grosses remorques, le Navigator vient d'usine avec

nouveautés 2002
- Groupe noir monochrome offert en équipement facultatif

une attache de remorquage de classe III/IV.
Selon toute vraisemblance, il se pourrait qu'une version plus petite de ce produit nous soit dévoilée au cours des années à venir, peut-être basée sur une caisse d'Explorer. Notez toutefois que la version camionnette nommée Blackwood de Lincoln ne sera pas commercialisée au Canada.

HABITACLE L'intérieur somptueux reprend la base de l'Expedition, y compris un volant gainé de cuir et doté d'appliques de bois, qui comporte les commandes de la radio et de la climatisation. Le conducteur profitera d'une position de conduite presqu'aussi confortable que son fauteuil de salon grâce aux multiples ajustements disponibles. Toute la sellerie est de cuir, et l'on peut obtenir une banquette centrale 60/40 au lieu des baquets avec la console. La dernière banquette d'appoint est livrée en équipement de série, et le Navigator peut accueillir sept ou huit personnes à son bord.

Vous pouvez donc partir pour un long week-end de ski ou au chalet avec tous vos bagages et tout votre équipement en toute sécurité.

CONCLUSION La guerre que se livrent certains constructeurs dans le créneau ultra-spécialisé des utilitaires pleine grandeur en est une qui se livre à nos détriments. Surconsommation et gigantisme pourraient qualifier un tel véhicule. Pourtant, le confort et le luxe du Navigator ne sont pas sans rappeler d'autres produits de la marque Lincoln.
Chose certaine, si vous transportez régulièrement un groupe d'adultes de taille élevée et désirez miser sur le confort sur quatre roues, vous ne vous tromperez pas avec un Navigator. Mais sortez le chéquier...

fiche technique

LINCOLN

Moteur : V8 de 5,4 litres DACT
Puissance : 300 ch à 5000 tr/min; couple : 355 lb-pi à 2750 tr/min
Transmission de série : automatique à 4 rapports
Transmission optionnelle : aucune
Freins avant : disques
Freins arrière : disques
Sécurité active de série : ABS
Suspension avant : indépendante
Suspension arrière : indépendante
Empattement : 302,2 cm
Longueur : 520,1 cm
Largeur : 202,9 cm
Hauteur : 194,6 cm
Garde au sol : 21,6 cm
Poids : 2595 kg
0-100 km/h : 11 s
Vitesse maximale : 165 km/h (limitée électroniquement)
Diamètre de braquage : 12,4 m
Capacité de remorquage : 3401 kg
Capacité du coffre : 280 à 740 L
Capacité du réservoir d'essence : 113 L
Consommation d'essence moyenne : 18,3L/100km
Pneus d'origine : 245/75R16
Pneus optionnels : 255/75R17

2e opinion

Philippe Laguë — Ce chantre du mauvais goût qu'était Elvis n'aurait pas détesté ces gros VUS qu'on tente tant bien que mal de maquiller en véhicules de luxe. Ils sont d'un kitsch qui ravira les amateurs du genre - au premier comme au deuxième degré. Mais entre vous et moi, un Ford Expedition bien équipé, ça fait amplement l'affaire et ça coûte pas mal moins cher...

forces

- Moteur puissant
- Ligne distincte
- Capacité de remorquage

faiblesses

- Opulence agaçante
- Consommation évidente
- Gabarit imposant en ville

Par Éric Descarries

LINCOLN

f i c h e d' i d e n t i t é

Modèle : Town Car
Versions : Signature, Cartier, Executive
Segment : de luxe entre 50 000 $ et 100 000 $
Jumeau : aucun
Roues motrices : arrière
Portières : 4
Places : avant, 3; arrière, 3
Sacs gonflables : 4
Concurrence : Acura 3.5RL, Buick Park Avenue, Cadillac DeVille, Chrysler Concorde, Infiniti Q45, Lexus LS430

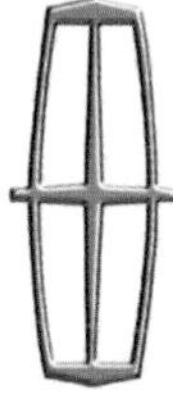

a u q u o t i d i e n

Prime d'assurance moyenne : 1350 $
Garantie générale : 4 ans/80 000 km
Garantie antipollution : 4 ans/80 000 km
Garantie contre la perforation : 4 ans/80 000 km
Collision frontale : 5/5
Collision latérale : 4/5
Ventes du modèle l'an dernier au Québec : 228
Dépréciation : 36,5 %

évolution

prix de base • 51,550 $

Le dernier des Mohicans

Regardez autour de vous ! Combien de grosses berlines américaines de luxe à propulsion sillonnent encore nos routes ? La Town Car est la dernière de sa race. Une grosse berline de luxe, moteur V8, de l'espace pour les jambes les plus longues et un coffre suffisamment grand pour un bataillon complet, enfin presque !

CARROSSERIE Comme le luxe arrive en tête de liste, le client se voit offrir de nombreux équipements. Il y a d'abord les berlines Signature, Executive et Cartier. Et pour ceux qui désirent un meilleur dégagement pour les passagers derrière, les modèles Executive et Cartier sont offerts avec empattement long ; on parle d'un ajout de 6 pouces au châssis qui se fait en usine et transforme les versions L en petite limousine.

MÉCANIQUE Le moteur qui anime la Town Car provient de la même base mécanique que la Continental ou la Grand Marquis. Il s'agit du V8 de 4,6 litres qui développe 220 chevaux dans la version Executive et 235 chevaux dans les versions Signature (avec le groupe Touring Sedan) et Cartier. Plus souple que performante, la mécanique offre tout de même amplement de puissance pour être très à l'aise lors d'un dépassement tout en maintenant une économie d'essence appréciable.

COMPORTEMENT Ceux qui ont vécu les années 70 sur le siège arrière d'une voiture, auront l'impression de revenir dans le passé. Une formule éprouvée (certains diront dépassée) pour la fabrication d'une grosse berline de luxe. De l'espace pour six passagers, un confort enrobé à l'intérieur, une suspension qui donne l'impression de flotter sur un nuage, un coffre caverneux (malheureusement flanqué d'une roue de secours très mal placée). Un véritable « paquebot d'autoroute » qui offre en prime une direction plus précise, dont les modèles des années 70 ne disposaient pas, ainsi qu'une rigidité accrue. Assis à l'arrière, vous pouvez faire Montréal-Québec endormi sans être dérangé par les bruits de la route.

n o u v e a u t é s 2 0 0 2

• La berline Signature, « grande routière », est dotée d'un volant garni d'érable noir.

pour être heureux, sauf peut-être la chaîne audio Alpine qui améliore l'ambiance feutrée de l'habitacle.

CONCLUSION Malgré ses tentatives de modernisation, une conduite de meilleure qualité, la Town demeure une voiture d'une autre époque. Elle ne possède ni la puissance, ni l'avancement technologique de ses concurrentes. Sa ligne est plus moderne, mais dans l'ensemble, il s'agit d'une grosse berline qui a réussi non sans peine à franchir l'épreuve du temps. Les principaux acheteurs sont en général d'anciens propriétaires de Mercury Grand Marquis qui voyaient dans la Town Car, la progression logique dans l'échelle du prestige.

HABITACLE Prendre place à bord de la Town Car est une opération toute simple. Les portes s'ouvrent très grand, et il y a beaucoup d'espace tant à l'avant qu'à l'arrière. Une fois à l'intérieur, les gros fauteuils confortables et bien rembourrés accueillent jusqu'à six passagers. Le conducteur jouira même d'un système de réglage des pédales de frein et d'accélérateur pour une position de conduite optimale. À titre de vaisseau amiral de la flotte Lincoln, la Town Car reçoit un équipement de série très complet qu'il serait trop fastidieux d'énumérer. Disons simplement que vous n'avez pas besoin de la liste d'équipements facultatifs

fiche technique

LINCOLN

Moteur : V8 4,6 litres SACT
Puissance : 220 ch à 4 750 tr/min; 276 lb-pi à 4000 tr/min
Moteur(s) optionnel(s) : V8 4,6 litres DACT
Puissance : 235 ch
Transmission de série : automatique à 4 rapports
Transmission optionnelle : aucune
Freins avant : disques
Freins arrière : disques
Sécurité active de série : ABS, antipatinage
Suspension avant : indépendante
Suspension arrière : essieu rigide
Empattement : 298,9 cm
Longueur : 546,8 cm
Largeur : 198,6 cm
Hauteur : 147,3 cm
Poids : 1821 kg
0-100 km/h : 9,2 s
Vitesse maximale : 165 km/h (limitée électroniquement)
Diamètre de braquage : 12,8 m
Capacité du coffre : 583 litres
Capacité du réservoir d'essence : 71 L
Consommation d'essence moyenne : 14,6 L/100 km
Pneus d'origine : 225/60R16
Pneus optionnels : 235/60R16

2e opinion

Éric Descarries — Vivement la version légèrement redessinée de cette auto. Lincoln doit lui redonner des airs de noblesse, car, après tout, c'est le véhicule préféré des constructeurs de limousine. Il n'est pas nécessaire de trop s'attarder à son ensemble mécanique. Ce n'est pas une auto de performance, mais elle doit être robuste et durable.

forces

- Le confort
- L'espace intérieur
- Le moteur bien adapté

faiblesses

- Le freinage un peu mou
- Le coffre mal dessiné
- La suspension un peu molle

Par Benoit Charette

MASERATI

évolution

fiche d'identité

Modèle : Spyder
Version : cabriolet
Segment : sportives de plus de 100 000$ ou plus
Roues motrices : arrière
Portières : 2
Places : avant, 2
Sacs gonflables : 2
Concurrence : BMW Z8, Ferrari 360 Spider, Jaguar XKR, Mercedes-Benz SL 55 AMG, Porsche 911

au quotidien

Prime d'assurance moyenne : 3200 $
Garantie générale : 3 ans/kilométrage illimité
Garantie contre la corrosion : nil
Garantie antipollution : nil
Collision frontale : nd
Collision latérale : nd
Ventes du modèle l'an dernier au Québec : nouveau modèle
Dépréciation : nouveau modèle

prix de base • nd

La marque au trident revient en Amérique

Après une absence de près de dix ans, Maserati aura de nouveau pignon sur rue à Montréal. Le retour de la marque au trident en Amérique est prévu pour le printemps prochain, et il confirme la renaissance de ce constructeur de voitures exotiques, dont les ventes ont triplé au cours des deux dernières années. Pour 2002, on vise le cap des 3000 exemplaires vendus - ce qui aurait été tenu pour du délire il y a à peine cinq ans !

Maserati a choisi le créneau du grand tourisme, avec Jaguar dans sa mire.

UNE VIE MOUVEMENTÉE

La firme Maserati fut fondée en 1914, mais la première du nom n'a vu le jour qu'en 1926, dans l'atelier de mécanique d'Alfieri Maserati et de ses frères, à Bologne. Pour la petite histoire, notons que les frères Maserati choisirent le trident comme emblème de leur marque à cause d'une statue de Neptune qui trônait dans un parc devant leur atelier.

Baptisée Tipo 26, la première Maserati ne tarda pas à s'imposer, remportant la prestigieuse Targa Florio la même année. L'année suivante, un autre des frères Maserati, Ernesto, rafla le Championnat italien des constructeurs au volant d'un bolide portant son nom. La légende Maserati venait de naître.

Ce n'est qu'à partir de 1931 que cette firme se lança dans la production de voitures de série. L'usine fut transférée à Modène en 1940. En 1968, Citroën acquiert de la famille Orsi le contrôle de la marque au trident. De cette union allait naître, deux ans plus tard, la mythique Citroën SM. Mise en liquidation, la firme de Modène fut reprise par De Tomaso, avec l'aide du gouvernement italien (1975). C'est finalement Fiat qui la sauva d'une mort certaine, en 1989, pour la confier en désespoir de cause à Ferrari en 1997. Depuis, Ferrari a rajeuni l'usine de Modène, confié l'assemblage des moteurs à l'usine de la *viale* Ciro Menotti, la fabrication à la maison turinoise Golden Car, et la peinture, à Maranello, chez vous-savez-qui. Les carrosseries reviennent ensuite à Modène pour l'assemblage final.

À l'heure actuelle, Maserati compte 320 employés et la production annuelle gravite autour de 2000 unités, avec

nouveautés 2002

• Nouveau modèle

une capacité maximale de 10 voitures par jour. On compte porter la production annuelle à 5000 unités d'ici 2003.

UN NOUVEAU V8 POUR LA SPYDER Conçue et mise au point en collaboration avec les ingénieurs de Maranello, la première Maserati de l'ère Ferrari, la 3200 GT, entame sa troisième année sous sa forme actuelle. Habillée par le célèbre styliste italien Giorgetto Giugiaro, cette sportive de luxe épouse un style classique, sans cependant afficher la même élégance que sa glorieuse ancêtre, la 3500 GT de 1957. Son profil possède la grâce des GT italiennes de la fin des années 60, mais la partie arrière, nettement moins réussie, vient briser cette harmonie des formes. Dommage. Pour l'instant, ce coupé du type 2+2 est le seul à défendre les couleurs de ce constructeur, mais il peut désormais se découvrir. Un élégant cabriolet, simplement appelé Spyder, vient en effet grossir les rangs de la gamme en 2002. Contrairement au coupé, il ne compte que deux places. Quant à la remplaçante de la berline Quattroporte (dont la production a cessé l'an dernier), elle est attendue pour le dernier trimestre de la prochaine année.

Depuis sa sortie, le coupé 3200 GT utilise les services d'un fougueux V8 de 3,2 litres (d'où son appellation), galvanisé par deux turbocompresseurs. Ses 370 chevaux lui permettent de faire jeu égal avec sa rivale avouée, la Jaguar XKR, et de surpasser la Mercedes CLK55 AMG (342 chevaux).

La Spyder reçoit une nouvelle motorisation, atmosphérique cette fois. Ce V8 de 4,2 litres n'a cependant pas besoin de turbocompresseur puisqu'il génère 20 chevaux de plus pour un impressionnant total de 390.

Par ailleurs, on chuchote que le V8 atmosphérique serait le seul à avoir reçu l'homologation pour l'Amérique du Nord, ce qui pourrait entraîner son transfert sous le capot des coupés 3200 GT qui traverseront l'océan (et qui se verraient rebaptisés 4200 GT). D'autres sources disent que la Spyder pourrait être la seule à être offerte de ce côté-ci de l'Atlantique. Attendons voir.

Côté transmission, on en sait plus. Les coupés 3200 GT vendus en Europe et en Asie peuvent recevoir une boîte manuelle à 6 rapports ou une boîte automatique à 4 rapports; mais Ferrari prête sa boîte robotisée f1 au nouveau V8 de la Spyder. La suspension à amortissement piloté devrait également être au menu, ainsi que l'ABS, l'ASR (antipatinage) et un différentiel à glissement limité. À Monréal, les Maserati seront vendues sous le même toit que leurs cousines de Maranello.

fiche technique

Moteur : V8 DACT 4,2 L
Puissance : 390 ch à 7000 tr/min et 333 lb-pi à 4500 tr/min
Transmission de série : séquentielle à 6 rapports
Transmission optionnelle : nd
Freins avant : disques ventilés
Freins arrière : disques ventilés
Sécurité active de série : ABS, antipatinage, assistance au freinage
Suspension avant : indépendante
Suspension arrière : indépendante
Empattement : 260 cm
Longueur : 451 cm
Largeur : 182 cm
Hauteur : 131 cm
Poids : 1500 kg
0-100 km/h : 5,1 s (constructeur)
Vitesse maximale : 280 km/h (constructeur)
Diamètre de braquage : nd
Capacité du coffre : 420 L
Capacité du réservoir d'essence : 90 L
Consommation d'essence moyenne : 16,6 L/100 km
Pneus d'origine : 235/40ZR18
Pneus optionnels : nd

MASERATI

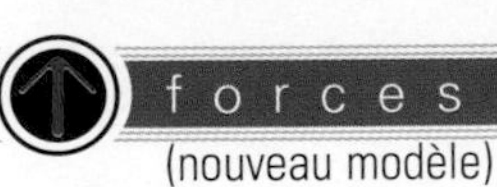
forces
(nouveau modèle)

faiblesses
(nouveau modèle)

Par Philippe Laguë

MAZDA

évolution

fiche d'identité

Modèle : 626
Versions : LX, ES
Segment : compactes
Roues motrices : avant
Portières : 4
Places : avant, 2; arrière 3
Sacs gonflables : 2
Concurrence : Chevrolet Malibu, Daewoo Leganza, Ford Taurus, Honda Accord, Hyundai Sonata, Kia Magentis, Nissan Altima, Oldsmobile Alero, Pontiac Grand Am, Subaru Legacy, Toyota Camry

au quotidien

Prime d'assurance moyenne : 700$
Garantie générale : 3 ans/80 000 km
Garantie groupe motopropulseur : 5 ans/100 000 km
Garantie contre la corrosion : 5 ans/kilométrage illimité
Garantie antipollution : 8 ans/128 000 km
Collision frontale : 4/5
Collision latérale : 3/5
Ventes du modèle l'an dernier au Québec : 984
Dépréciation : 50,6 %

prix de base • 23 175$

Du changement à l'horizon

L'actuelle génération de 626 approche de la fin de son cycle. Il est encore trop tôt pour parler de la prochaine génération, mais précisons d'entrée de jeu qu'à l'été 2002, Mazda présentera une toute nouvelle génération de 626, qui sera offerte en berline cinq portes et familiale, S'ajouteront des mécaniques plus puissantes à quatre et six cylindres (on parle d'un moteur V6 de 3 litres qui développera environ 200 chevaux). Mais pour le moment, la génération qui est passée sous le bistouri en 1998 achève son périple.

CARROSSERIE Dans le créneau hyper-compétitif, un véhicule doit posséder un petit quelque chose pour se démarquer. À ce chapitre, la Mazda n'est certes pas gâtée. Pourtant, cela n'enlève rien à la qualité du véhicule, mais on ne la remarque tout simplement pas. Heureusement, la nouvelle génération qui pointe à l'horizon offrira des lignes plus attrayantes. Ça ne sera pas très difficile, remarquez...

MÉCANIQUE Mazda offre deux motorisations : un quatre cylindres de 2 litres produisant 125 chevaux, qui répond aux normes ULEV. Souple et discret comme seul peut l'être un 4 cylindres japonais, il souffre cependant d'anémie. C'est un peu mieux avec le V6 de 2,5 litres, qui équipe les versions LX V6 et ES. Mais ses 165 chevaux ne font pas le poids face à la concurrence. Dommage, car il ne s'agit pas d'un vilain moteur, loin s'en faut. Sa plage de puissance est très linéaire et il fait montre d'une grande souplesse. Ceux qui apprécient une conduite un peu plus sportive trouveront chaussure à leur pied avec la boîte manuelle qui, combinée au ronronnement très agréable du moteur et à une suspension sportive, procurera beaucoup de plaisir. La boîte automatique à quatre rapports est aussi offerte en option.

COMPORTEMENT Une fois sur la route, la 626 gagne à être connue. La direction est précise et la suspension, bien calibrée. Mais la pédale de frein est spongieuse. Malgré la relative souplesse de sa suspension, la 626 tient bien la

nouveautés 2002

• Pas de changements majeurs

route et se montre agile dans les successions de virages en lacets.

HABITACLE Le ramage est, hélas, à la hauteur du plumage. La platitude et le noir règnent en maître. Cela n'enlève rien à la qualité de la finition et de l'assemblage qui, à l'image des autres produits Mazda, sont sans failles. Mais il serait sage, lors de la présentation de la prochaine génération, de «jazzer» un peu l'intérieur pour éliminer l'atmosphère lugubre. Heureusement, avec le lecteur DC de série, vous pouvez agrémenter l'ambiance, et la version ESV6 vous offre même en équipement de série une chaîne audio Bose avec chargeur de six DC. Pour ce qui est des passagers, les fauteuils avant offrent un bon confort, et ceux qui prennent place à l'arrière ont suffisamment d'espace pour être à l'aise.

CONCLUSION La 626 se trouve dans un segment de marché très concurrentiel avec de grandes vedettes comme la Honda Accord et la Toyota Camry, qui sont pourtant tout aussi tristes à regarder qu'elle. Un conseil d'ami à Mazda : brisez le moule de la conformité pour la prochaine génération de véhicules et laissez-vous aller! Le nivellement par le milieu amène souvent des résultats mitigés. Mazda a toujours offert une gamme différente de véhicules, mais la 626 est peut-être trop conformiste. Ce facteur a sans doute contribué à sa faible popularité. Rendez-vous l'an prochain pour la nouvelle cuvée en versions berline, familiale et cinq portes.

fiche technique

MAZDA

Moteur : 4 cyl. DACT 2 L
Autres moteurs : V6 DACT 2,5 L
Puissance : 125 ch à 5500 tr/min; couple: 127 lb-pi à 3000 tr/min
Autres moteurs : 165 ch à 6000 tr/min et 161 lb-pi à 5000 tr/min
Transmission de série : manuelle à 5 rapports
Transmission optionnelle : automatique à 4 rapports
Freins avant : disques ventilés
Freins arrière : tambours
Sécurité active de série : ABS
Suspension avant : indépendante
Suspension arrière : indépendante
Empattement : 267 cm
Longueur : 476 cm
Largeur : 176 cm
Hauteur : 140 cm
Poids : 1299 kg à 1409 kg
0-100 km/h : 8,6 s (V6 manuelle)
Vitesse maximale : 210 km/h
Diamètre de braquage : 11 m
Capacité du coffre : 402 L
Capacité du réservoir d'essence : 64 L
Consommation d'essence moyenne : 8,1 L/100 km
Autres moteurs : 10; 15 L/100 km
Pneus d'origine : 205/60R15
Pneus optionnels : 205/55R16

2e opinion

Amyot Bachand - Une berline confortable pour 4 adultes et leurs bagages, la 626 ne paie pas de mine. Sa tenue de route reste sûre et ses performances avec le V6 vous satisferont. Une des rares de cette catégorie à vous offrir une transmission manuelle avec ses deux motorisations, ce qui est digne de mention.

forces

- Moteur V6 avec boîte manuelle
- Qualité de finition
- Rigidité de la caisse

faiblesses

- Lignes qui manquent de charisme
- Aménagement intérieur un peu triste
- 4 cylindres anémique

Par Benoit Charette

MAZDA

évolution

prix de base • 27 695 $

fiche d'identité

Modèle : Miata
Versions : base, groupes Sport et Cuir
Segment : sportives de moins de 50 000 $
Roues motrices : arrière
Portières : 2
Places : 2
Sacs gonflables : 2
Concurrence : VW Cabrio, BMW Z3

au quotidien

Prime d'assurance moyenne : 900 $
Garantie générale : 3 ans/80 000 km
Garantie groupe motopropulseur : 5 ans/100 000 km
Garantie contre la corrosion : 5 ans/kilométrage illimité
Garantie antipollution : 8 ans/128 000 km
Collision frontale : 4/5
Collision latérale : 3/5
Ventes du modèle l'an dernier au Québec : 400
Dépréciation : 43,3 %

nouveautés 2002

• Pas de changements majeurs

Cent pour cent **plaisir**

La Miata n'a plus besoin de présentation. En fait, parler du petit roadster actuel comme de la voiture qui a relancé le genre n'est plus nécessaire. Mais le petit cabriolet n'est plus seul. Elle ne peut donc plus s'appuyer sur son titre de pionnière pour convaincre l'acheteur éventuel qui hésite entre une Miata, une Mustang ou une VW Cabrio, car il faut plus. Heureusement pour Mazda, ce plus, elle le possède, grâce à une attitude sur la route qui devrait plaire à plusieurs.

CARROSSERIE Monocoque, le châssis de la Miata a le mérite d'être rigide et compact. Ceci dit, les dimensions réduites de l'habitacle et les turbulences en feront un instrument de torture pour les gens qui ont en horreur l'expression « avoir les cheveux dans le vent ». Car lorsque le toit n'y est pas, l'air a la fâcheuse habitude de se faufiler juste entre les deux fauteuils. Un désagrément qui pourrait donner le goût d'écourter les randonnées au grand air.
Sur le plan de l'esthétique, toutefois, nous sommes encore à la recherche du premier quidam qui osera se prononcer négativement sur l'allure aussi sportive qu'élégante de la carrosserie. Les rondeurs ont été adoucies lors de la refonte du modèle, en 1998.

MÉCANIQUE Le sympathique quatre cylindres qui anime la Miata vaut le détour. Sans afficher un couple impressionnant, ce moteur de 1,8 litre se tire très bien d'affaires. Surtout si vous optez pour la boîte de vitesses manuelle à six rapports. Avec un engin développant 142 chevaux à 7000 tours/minute, la Miata est évidemment plus agréable à conduire à haut régime et, vous le remarquerez rapidement, on a constamment l'impression de filer à plus vive allure que la vitesse réelle - ce qui, à bien y penser, n'est pas nécessairement une mauvaise chose...

COMPORTEMENT Les voitures à propulsion procurent un plaisir que ne peut donner une traction. Ai-je besoin de disserter davantage ? Combiné à la suspension ferme de ce petit roadster et à une direction précise et courte, sans parler des roues

de 16 pouces qui sont livrées sur les modèles Sport et Cuir, le rouage arrière contribue au comportement exceptionnel de la Miata sur un parcours sinueux. Rien de plus facile que de maîtriser le survirage. Autre situation souvent éprouvante dont se sort agréablement bien la Miata : les dépassements. Elle y arrive grâce à la nervosité de son moteur, combinée à l'étagement rapide et précis de sa boîte de vitesses.

HABITACLE À ce propos, le petit format du véhicule entraîne deux conséquences inévitables : la proximité des instruments et l'accès parfois difficile à certaines commandes. La petitesse des lieux rend acrobatique l'entrée dans le véhicule. Le volant fixe est un autre problème qui trouve son écho dans les fauteuils presque immobiles. Le dossier est lui aussi très limité en termes de déplacement, ce qui aurait pu se révéler une alternative pour les grandes personnes. Un dernier bémol pour la chaîne audio qui, malgré sa qualité, manque de puissance. Mis à part ces inconvénients, la finition est impeccable, et le confort, bien que relatif, est suffisant pour ceux qui désirent effectuer une balade au soleil, et non se rendre à un rendez-vous d'affaires à l'autre bout de la province.

CONCLUSION Bref, vous aurez compris qu'il est difficile de réinventer la roue et que, par conséquent, il faut miser sur ces petits détails qui font souvent la différence. Dans le cas de la Miata, force est de constater que les compromis effectués pour la rendre abordable (dans tous les sens du terme) ont été faits à contre-cœur, mais de façon ingénieuse. Ainsi, on a évité de la dénaturer. Elle demeure la meilleure incarnation du plaisir sur quatre roues.

fiche technique

Moteur : 4 cyl. DACT 1,8 L
Autre moteur : aucun
Puissance : 142 ch à 7000 tr/min; couple : 125 lb-pi à 5500 tr/min
Transmission de série : manuelle à 5 rapports
Transmission optionnelle : manuelle à 6 rapports, automatique à 4 rapports
Freins avant : disques ventilés
Freins arrière : disques pleins
Sécurité active de série : ABS en option seulement
Suspension avant : indépendante
Suspension arrière : indépendante
Empattement : 226,5 cm
Longueur : 395,5 cm
Largeur : 167,6 cm
Hauteur : 122,9 cm
Poids : 1066 kg
0-100 km/h : 8,5 s (manuelle)
Vitesse maximale : 205 km/h
Rayon de braquage : 9,2 m
Capacité du coffre : 144 L
Capacité du réservoir d'essence : 48 L
Consommation d'essence moyenne : 8,9 L/100 km (5 rapports), 9,10 L/100 km (6 rapports), 9,20 L/100 km (automatique)
Pneus d'origine : 195/50R15
Pneus optionnels : 205/45R16

MAZDA

2e opinion

Amyot Bachand — Le plaisir durable de conduire. On ne se lasse pas de partir en randonnée avec sa Miata. Elle vous pardonnera ces quelques erreurs de pilotage avec sa tenue de route prévisible. Ses qualités de freinage étonnent avec un 100-0 km/h en moins de 24 mètres. Il lui manque encore une quinzaine de chevaux pour être parfaite…

forces

- Agrément de conduite
- Manipulation très facile du toit amovible
- Charme intact

faiblesses

- Beaucoup de vent
- Étroitesse de l'habitacle
- Véhicule plus ludique que pratique

Par Alain Mckenna

MAZDA

fiche d'identité

Modèle : Millenia
Versions : Millenia S
Segment : de luxe de moins de 50 000 $
Roues motrices : avant
Portières : 4
Places : avant, 2 ; arrière, 3
Sacs gonflables : 4
Concurrence : Acura 3.2 TL, Audi A4, BMW Série 3, Cadillac CTS, Chrysler 300M, Hyundai XG 350, Infiniti I35, Lexus ES300, Lincoln LS V6, Mercedez-Benz Classe C, Nissan Maxima, Oldsmobile Aurora, Saab 9-3, Volkswagen Passat, Volvo S60

au quotidien

Prime d'assurance moyenne : 1015 $
Garantie générale : 3 ans/80 000 km
Garantie groupe motopropulseur : 5 ans/100 000 km
Garantie contre la corrosion : 5 ans/kilométrage illimité
Garantie antipollution : 8 ans/128 000 km
Collision frontale : nd
Collision latérale : 4/5
Ventes du modèle l'an dernier au Québec : 190
Dépréciation : 40 %

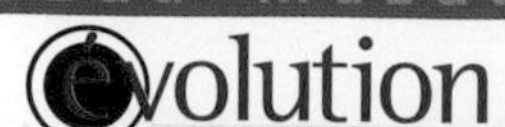

prix de base • 42 150 $

Toujours belle, et encore plus raffinée

Inchangée depuis son lancement, au printemps 1994, la Millenia a subi ses premières modifications d'importance l'an dernier. Ces modifications n'ont pas beaucoup touché les lignes de la voiture, c'est vrai, mais qui s'en plaindra, puisqu'elle demeure la mieux réussie des berlines japonaises sur le plan esthétique. Ce n'est pas une référence, direz-vous, mais c'est aussi l'une des plus belles voitures sur le marché, toutes nationalités et toutes catégories confondues. Voilà qui mérite d'être souligné.

CARROSSERIE Avec ses allures de Jaguar, cette berline de luxe japonaise se démarque de ses fades compatriotes évoluant dans le même segment. Discret, mais néanmoins apparent, le remodelage des parties avant et arrière s'harmonise avec son superbe profil, toujours aussi gracieux. Racé, même. Ses lignes fluides et élancées se traduisent par un remarquable coefficient de traînée (Cx) de 0,29.

MÉCANIQUE D'une cylindrée moindre (2,3 litres) que celle des motorisations concurrentes, mais muni d'un compresseur, le V6 à cycle Miller - dont le principe consiste, grosso modo, à retarder la fermeture des soupapes pour augmenter l'admission d'air, développe 210 chevaux. En plus d'être aussi originale que fiable , cette mécanique sophistiquée brille par son couple généreux tout en assurant des performances très correctes : moins de neuf secondes pour le 0 à 100 km/h et 230 km/h en pointe. C'est plus qu'il n'en faut pour perdre son permis de conduire ! La nouvelle boîte automatique à 4 rapports assure des passages plus fluides, comblant ainsi sa seule lacune. Certains auraient préféré l'ajout d'un cinquième rapport. Pour ma part, j'aurais plutôt souhaité une boîte manuelle, capable de maximiser le rendement de ce moteur un peu trop axé sur la puissance.

COMPORTEMENT Sans avoir l'aplomb d'une berline allemande, le comportement routier de la Millenia n'en constitue pas moins une agréable surprise. Un bref essai comparatif avec deux de ses rivales (Acura TL Type S et Chrysler 300M), s'est montré révélateur. Alors qu'on s'attendait à ce que l'Acura lamine les deux autres

nouveautés 2002

• Jantes chromées de série • Nouvelle teinte

au chapitre de la tenue de route, c'est l'inverse qui s'est produit. Même si son châssis est le plus âgé, la Mazda a brillé par sa rigidité et son mordant dans les virages. Lourde et sous-vireuse, l'Acura TL a déçu, étant même surclassée par l'étonnante Chrysler (voir le texte sur la 300M).

De prime abord, la souplesse de la suspension, accentuée par le débattement des amortisseurs, n'annonçait pourtant rien de bon. Mais plus le tracé est sinueux, et plus on augmente le rythme, plus la Millenia est à l'aise. Et ce, sans que la douceur de roulement n'en soit pénalisée. De plus, elle freine fort et vite.

HABITACLE Aussi belle soit-elle, celle qui trône au sommet de la gamme Mazda n'a jamais impressionné personne par sa présentation intérieure. Ce n'est donc pas un hasard si, lors de l'opération rajeunissement de l'an dernier, les modifications les plus apparentes ont été apportées à l'habitacle. Le tableau de bord a été redessiné. La console aussi a reçu au passage une deuxième prise d'alimentation et des espaces de rangement supplémentaires. Le volant intègre désormais les commandes audio, tandis que la nouvelle chaîne stéréo, de marque Bose, dispose de neuf haut-parleurs et d'un chargeur pouvant recevoir six disques compacts intégré au tableau de bord.

Le système de climatisation, largement repensé, s'enrichit d'un filtre à pollen, tandis que les fauteuils bénéficient d'un nouveau soutien lombaire électrique. Pour compléter ce tour d'horizon de l'habitacle « revu et amélioré », mentionnons l'ajout de coussins gonflables latéraux à l'avant.

CONCLUSION À la lumière de cet essai, force est d'admettre que la Millenia sait bien vieillir. Même s'il s'agit d'une des plus anciennes de ce créneau, elle mérite considération, car elle demeure l'une des plus agréables à conduire, tout en brillant par son confort. Et elle a su conserver sa beauté, ce qui ne gâche rien. Pour couronner le tout, elle a montré une fiabilité sans failles depuis ses débuts.

fiche technique

MAZDA

Moteur: V6 DACT 2,3 L
Puissance: 210 ch à 5300 tr/min; couple : 210 lb-pi à 3500 tr/min
Transmission de série: automatique à 4 rapports
Transmission optionnelle : aucune
Freins avant : disques ventilés
Freins arrière : disques
Sécurité active de série : ABS et antipatinage
Suspension avant : indépendante
Suspension arrière : indépendante
Empattement : 275 cm
Longueur : 487 cm
Largeur : 177 cm
Hauteur : 139,5 cm
Poids : 1582 kg
0-100 km/h : 8,8 s
Vitesse maximale : 230 km/h
Diamètre de braquage : 11,4 m
Capacité du coffre : 377 L
Capacité du réservoir d'essence : 68 L
Consommation d'essence moyenne : 10,1 L/100 km
Pneus d'origine : 215/50VR17
Pneus optionnels : aucun

2e opinion

Luc Gagné — La Millenia est une routière confortable, dotée d'une mécanique puissante et raffinée, que les acheteurs de voitures de luxe ignorent. Parce qu'ils ne la connaissent pas, ou à cause du nom. Mazda. Cette marque n'a pas l'auréole de prestige attachée à Lexus, Acura et Infiniti. Ironique, puisque la Millenia devait initialement inaugurer une marque semblable pour Mazda : Amati.

forces

- Chef-d'oeuvre esthétique
- Tenue de route affirmée
- Insonorisation et douceur de roulement
- Fiabilité exemplaire

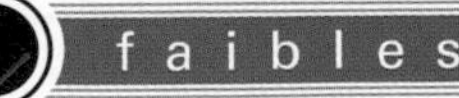

faiblesses

- Pas de boîte manuelle
- Pas de version plus sportive
- Puissance un peu juste

Par Philippe Laguë

MAZDA

évolution

prix de base • 25 505 $

fiche d'identité

Modèle : MPV
Versions : DX, LX, ES
Segment : minifourgonnettes
Roues motrices : avant
Portières : 4
Places : avant, 2 ; 2e rangée, 2 ; arrière, 3
Sacs gonflables : 2
Concurrence : Chevrolet Venture, Dodge Caravan, Ford Windstar, Honda Odyssey, Kia Sedona, Oldsmobile Silhouette, Pontiac Montana, Toyota Sienna, VW EuroVan

au quotidien

Prime d'assurance moyenne : 900 $
Garantie générale : 3 ans/80 000 km
Garantie groupe motopropulseur : 5 ans/100 000 km
Garantie contre la corrosion : 5 ans/kilométrage illimité
Garantie antipollution : 8 ans/128 000 km
Collision frontale : 4/5
Collision latérale : 5/5
Ventes du modèle l'an dernier au Québec : 3219
Dépréciation : 45 %

Une belle frimousse

La Mazda MPV est reconnue comme une belle minifourgonnette. N'a-t-elle que le look ? Que non. Mais si elle sait courir, elle s'essouffle rapidement. Mazda le sait et apportera des changements à ce chapitre au début de l'année 2000.

CARROSSERIE Lors d'un récent essai comparatif, la MPV a obtenu l'appréciation la plus élevée pour l'esthétique. Il faudra prévoir une révision à son joli minois pour lui permettre d'accueillir le nouveau V6 que Mazda y placera en début d'année. La largeur de la MPV s'approche de celle d'une voiture intermédiaire avec ses 183 cm et la classe comme la plus étroite des minifourgonnettes tant à l'extérieur qu'à l'intérieur. Avec sa troisième banquette relevée, son coffre permet d'y loger aisément les sacs d'épicerie. La MPV a obtenu de bonnes notes quant aux collisions frontales et de meilleures notes dans le cas des collisions latérales.

MÉCANIQUE Son moteur V6 de 2,5 litres de 160 chevaux convient s'il n'est pas poussé ou si la MPV n'est pas chargée. Quand vient le temps de monter les côtes, la transmission doit rétrograder pour compenser et, même là, le moteur travaille beaucoup. Cet effort constant le rend moins économique qu'il devrait l'être. Bonne nouvelle, Mazda offrira, en janvier prochain, un V6 de 3 litres de 200 chevaux qui sera couplé à une boîte automatique à cinq rapports, pour améliorer l'économie. Ce moteur lui permettra sûrement de passer sa capacité de remorquage de 1361 kilos à 1588 kilos, la norme actuellement du côté des minifourgonnettes. La MPV est dotée d'un système de freinage disques/tambours assisté du système ABS.

COMPORTEMENT Elle se conduit comme une auto. Facile à manœuvrer, elle se glisse bien dans la circulation. Elle tient bien la route, mais on aimerait une meilleure isolation du volant qui transmet trop de vibrations. Son freinage progressif est bien dosé. La position de conduite est excellente, mais les commandes de réglage sont difficiles à manipuler. On lui reproche ses rétroviseurs trop étroits et trop petits.

nouveautés 2002

• Janvier : moteur de 3 litres de 200 chevaux • Portes coulissantes électriques offertes en équipement optionnel • Réglage électrique du siège du conducteur offert en option

HABITACLE Malgré sa taille, la MPV permet une bonne habitabilité. Les quatre fauteuils avant et du centre sont jugés confortables. Les portes coulissantes ne s'ouvrent pas suffisamment et restreignent l'accès aux fauteuils et à la banquette arrière. Les ingénieurs de Mazda ont concocté un système latéral de glissières pour compenser cette difficulté. Assez ingénieux et pratique. La banquette se rabat aisément si vous avez besoin d'espace cargo. Pour voyager en famille, nous conseillons d'enlever un fauteuil du centre pour accroître l'espace bagage et allouer un espace de vie aux enfants. Quant aux matériaux, vous pourrez y glisser une feuille 4 sur 8 au-dessus des passages de roues ou la placer en angle. Au chapitre de l'insonorisation et du confort, la MPV y gagnerait avec une meilleure isolation du revêtement et des pneus moins bruyants. On souhaiterait également une climatisation plus efficace.

CONCLUSION Mazda a là une bonne minifourgonnette. En y apportant quelques retouches et, surtout, un moteur plus puissant en 2002, elle n'en sera que meilleure. Comme il s'agit d'un nouveau modèle, les données sur sa fiabilité ne sont pas complètes. Mais on ne rapporte aucun problème majeur depuis sa sortie, il y a deux ans.

fiche technique

MAZDA

Moteur : V6 DACT 2,5 L
Puissance : 160 ch à 6250 tr/min et 165 lb-pi à 4250 tr/min
Transmission de série : automatique à 4 rapports
Transmission optionnelle : aucune
Freins avant : disques ventilés
Freins arrière : tambours
Sécurité active de série : ABS
Suspension avant : indépendante
Suspension arrière : essieu rigide
Empattement : 284 cm
Longueur : 475 cm
Largeur : 183,2 cm
Hauteur : 174,5 cm
Garde au sol : 13,7 cm
Poids : 1656 kg
0-100 km/h : 12,4 s
Vitesse maximale : 165 km/h
Diamètre de braquage : 11,4 m
Capacité de remorquage : de 907 kg à 1361 kg
Capacité du coffre : 486 L
Capacité du réservoir d'essence : 70 L
Consommation d'essence moyenne : 11,75 L/100 km
Pneus d'origine : 205/65R15
Pneus optionnels : 215/60R16 (de série sur ES)

2e opinion

Alain Mckenna — La MPV possède une foule de caractéristiques très alléchantes, pour un prix qui n'est pas à dédaigner, et une allure dynamique. Sa grande faiblesse : un moteur trop juste.

forces

- Esthétique
- Habitabilité

faiblesses

- Faible cylindrée
- Insonorisation

Par Amyot Bachand

évolution

MAZDA

fiche d'identité

Modèle : Protegé
Versions : SE, LX, ES. Protegé5 et MP3
Segment : compactes
Roues motrices : avant
Portières : 4 et 5
Places : avant, 2 ; arrière, 2
Sacs gonflables : 2
Concurrence : Chevrolet Cavalier, Chrysler Neon, Saewoo Nubira, Ford Focus, Honda Civic, Hyundai Elantra, Kis Spectra, Nissan Sentra, Saturn S, Toyota Corolla, VW Golf

prix de base • 15 795$

La mesure étalon

au quotidien

Prime d'assurance moyenne : 700 $ (ProtegéSE)
Garantie générale : 3 ans/80 000 km
Garantie groupe motopropulseur : 5 ans/100 000 km
Garantie contre la corrosion : 5 ans/kilométrage illimité
Garantie antipollution : 8 ans/128 000 km
Collision frontale : 5/5
Collision latérale : 4/5
Ventes du modèle l'an dernier au Québec : 16 133
Dépréciation : 39 %

Mazda mise gros sur ce modèle, et ça paraît. Un pari qui semble toutefois porter fruit, car la Protegé continue son ascension vers le titre de championne des ventes au pays. Après avoir subi de légères retouches l'année dernière, cette berline compacte s'enrichit cette année de deux nouvelles versions : la Protegé5 et la MP3.

CARROSSERIE Ces deux nouveautés ont fière allure. On remarque tout de suite leurs phares antibrouillard à l'avant, qui donnent une allure sportive à la berline MP3 et à sa sœur en configuration familiale. La MP3 possède le même faciès que la Protegé5, auquel s'ajoute un aileron à l'arrière ainsi qu'un embout d'échappement chromé. Cela dans une seule couleur : bleu électrique (ou, pour les méchantes langues, bleu « WRX »...).

MÉCANIQUE Mazda continue de miser sur deux moteurs introduits l'année dernière : un 4 cylindres de 1,6 litre (103 ch) pour la version de base (SE) et un 2 litres (130 ch) pour les versions LX, ES et la nouvelle Protegé5. La MP3 dispose en exclusivité d'une version gonflée de ce moteur, développant 10 chevaux de plus.
La boîte de vitesses manuelle est un véritable charme à utiliser. Avec ses rapports courts qui se changent dans une extrême douceur, on ne peut pas trouver à redire. Ceux qui aiment sentir la route trouveront la suspension à 4 roues indépendantes un peu trop molle, mais il convient de préciser que la Protegé montre un aplomb que n'ont pas ses ternes compatriotes de même catégorie. La sportive de la famille, la MP3, a droit à des amortisseurs de performance Tokico, ce qui lui donne plus de mordant.

COMPORTEMENT La Protegé brille par sa conduite enjouée, qui en fait une petite berline fort amusante. À cela s'ajoute une douceur de roulement qui est le propre des voitures japonaises. Pour les conducteurs un peu plus exigeants, la MP3 est une sérieuse option. Elle n'a rien à envier aux Honda Civic et VW Golf si prisées des « casquettes à l'envers », d'autant plus que son prix est drôlement alléchant. Une prédic-

nouveautés 2002

• Versions MP3 et Protegé5

tion : elle fera un tabac auprès des jeunes qui s'amusent à modifier ces petites voitures, d'autant plus qu'elle est munie d'un puissant système de son Kenwood avec amplificateur de graves de 10 pouces dans le coffre et d'un système permettant de lire des fichiers audio MP3 gravés sur disque compact.

HABITACLE Que du bon en ce qui a trait à l'instrumentation et à la présentation intérieure. Par contre, la console centrale est mal exploitée, avec un manque flagrant d'espace de rangement pour la menue monnaie, la paperasse, le téléphone portable, les DC et autres objets qui traînent dans les voitures de nos jours. Par contre la version Protegé5 offre une espace de chargement plus vaste et pratique pour la famille: le hayon facilite le chargement des sacs sports ou d'épicerie.

La position de conduite conviendra à des personnes de gabarit varié. A l'arrière les adolescents ou de jeunes adultes trouveront à se loger de manière confortable. La Protegé est certainement l'une des voitures les plus confortables de sa catégorie même pendant de longues heures. Mazda mérite des félicitations pour avoir su créer une voiture abordable sans sacrifier le confort et l'agrément de conduite.

CONCLUSION Bref, que des éloges pour une petite voiture qui, comme le bon vin, s'améliore d'une année à l'autre. Certes, le système de son pourrait être de meilleure qualité et les moteurs pourraient nous en donner plus. C'est ce qui nous amène à poser la question : pourquoi ne pas avoir fait de la version MP3 un groupe d'options additionnel au lieu d'un modèle à part entière ? Mais ce n'est qu'un détail car, pour le prix, le résultat est l'un des meilleurs sur le marché. La Protegé devient donc le modèle à copier dans ce segment.

fiche technique

Moteur : 4 cyl. DACT 1,6 L
Autre moteur: 4 cyl. DACT 2 L
Puissance : 103 ch à 5500 tr/min et 106 lb-pi à 4000 tr/min (SE)
Autres moteurs : 130 ch à 6000 tr/min et 135 lb-pi à 4000 tr/min (LX/ES/Protegé5) 140 ch à 6000 tr/min et 142 lb-pi à 4500 tr/min (MP3)
Transmission de série : manuelle à 5 rapports
Transmission optionnelle : automatique à 4 rapports
Freins avant : disques
Freins arrière : tambours (disques pour Protegé5 et MP3)
Sécurité active de série : ABS (sauf MP3)
Suspension avant : indépendante
Suspension arrière : indépendante
Empattement : 261 cm
Longueur : 442 cm (berline) ; 444,7 cm (MP3) ; 433,1 cm (Protegé5)
Largeur : 170,5 cm (berline et Protegé5) ;170,9 cm (MP3)
Hauteur : 141 cm
Poids : 1131 kg (SE) ; 1194 kg (LX/ES) ; 1236 kg (MP3) ; 1231 kg (Protegé5)
0-100 km/h : 11,3 s (SE) ; 10,4 s (LX/ES Protegé5)
Vitesse maximale : 178 km/h (SE) ; 195 km/h (LX/ES Protegé5)
Diamètre de braquage : 10,4 m
Capacité du coffre : 364 L
Capacité du réservoir d'essence : 50 L
Consommation d'essence moyenne : 7,7 L/100 km (SE) ; 8,3 L/100 km ; 8,5 L/100 km (MP3)
Pneus d'origine : 185/65R14 (SE) ; 195/55R15 (LX/ES) ; 195/50R16 (Protegé5) ; 205/45ZR17 (MP3)
Pneus optionnels : 195/50R16 (LX/ES)

MAZDA

2e opinion

Amyot Bachand — Spacieuse, la Protegé offre l'espace pour une famille de quatre : même des ados y trouvent la place pour s'étendre et pousser en quiétude. On a plaisir à conduire la Protegé 2 litres grâce à sa tenue de route sûre et efficace même en virage serré et à ses bonnes performances.

forces

- Qualité de la finition intérieure
- Rapport qualité/prix
- Confort général, surtout pour la Protegé5

faiblesses

- La version MP3 devrait être un groupe d'options additionnel
- Moteurs ralentis par l'embonpoint du véhicule

Par Alain Mckenna

MAZDA

fiche d'identité

Modèle : B3000 et B4000
Versions : caisse courte et cabine allongée
Segment : camionnettes compactes
Jumeau : Ford Ranger
Roues motrices : 4 x 2 et 4 x 4
Portières : 2 ou 4
Places : avant, 2; arrière, 2
Sacs gonflables : 2
Concurrence : Chevrolet S-10, Dodge Dakota, Nissan Frontier, Toyota Tacoma

prix de base • 16 680 $

La jumelle de la Ford Ranger

au quotidien

Prime d'assurance moyenne : 750 $
Garantie générale : 3 ans/80 000 km
Garantie groupe motopropulseur : 5 ans/100 000 km
Garantie contre la corrosion : 5 ans/kilométrage illimité
Garantie antipollution : 8 ans/128 000 km
Collision frontale : nd
Collision latérale : nd
Ventes du modèle l'an dernier au Québec : 1170
Dépréciation : 46 %

nouveautés 2002

Nouveau moteur 4 cylindres de 2,3 litres

Ne soyez pas surpris si l'on vous dit que la camionnette Mazda série B que vous convoitez est une copie presque identique de la Ford Ranger. C'est vrai ! En fait, il ne faut pas s'en offusquer, car Mazda appartient en grande partie à Ford, et cette firme sait bien compter ses sous en exploitant le même véhicule sous quelques noms.

CARROSSERIE Malgré les différences au niveau de la carrosserie, (très peu de pièces de carrosserie de la Mazda sont interchangeables avec celles de la Ranger, sauf peut-être, le toit) la Mazda Série B est virtuellement identique en configuration à la Ford Ranger. Évidemment, Mazda y ajoute quelques touches particulières dont la calandre typique à la marque. On remarquera également que la caisse a des renflements autour de ses passages de roues. Pour compléter l'image, Mazda a ajouté de belles jantes en alliage uniques à cette camionnette.

MÉCANIQUE Sous la robe Mazda se cache une véritable mécanique de Ford : un 4 cylindres de 2,3 litres ou deux V6 de 3 et de 4 litres, une boîte manuelle ou automatique à 5 rapports et la motricité aux quatre roues sur commande. Tous les autres éléments mécaniques sont identiques à ceux de la Ranger.

HABITACLE Décrire l'intérieur d'une Mazda B est facile. C'est celui d'une Ranger avec les petits ornements de Mazda au lieu de ceux de Ford. Et la philosophie est la même pour la version à cabine longue, dont les portières arrière sont des battants, comme sur la Ranger.

COMPORTEMENT Évidemment, la conduite est en tout point identique à celle de la Ranger. Lors d'un essai hivernal avec la 4 x 4, nous avons trouvé plus sûr de maintenir la Mazda B en fonction Auto 4, même si les pneus d'origine avaient été changés pour d'excellents Nokia d'hiver. Construite sur la même ligne de production que la Ranger, la Mazda B profite des avantages et des inconvénients de sa jumelle.

CONCLUSION Ford ou Mazda ? C'est au goût de l'acheteur. Peu importe le choix, on obtient une camionnette bien adaptée au marché.

Par Éric Descarries

forces

- Nouveau V6 de 4 litres plus puissant
- Version 4 x 4 intéressante
- Carrosserie originale

faiblesses

- Pneus d'origine pas toujours efficaces
- Suspension sèche (4 x 4)
- Caisse étroite

prix de base • 22 415$

Un autre utilitaire de salon ?

Introduit l'an dernier, le Tribute revient en 2002 avec très peu de changements, sinon quelques équipements de sécurité additionnels. Petit utilitaire commandé par Ford et clone de l'Escape, le Tribute reprend à peu près toutes les caractéristiques de son homologue, à quelques détails près.

CARROSSERIE Construit sur une plate-forme de conception monocoque, le Tribute offre un confort de roulement appréciable et une tenue de route rassurante. Le roulis est toutefois un irritant qui risque d'ennuyer ceux et celles qui ne sont pas familiers avec la conduite d'un véhicule utilitaire sport (VUS).

MÉCANIQUE Les deux moteurs qui équipent le Tribute sont les mêmes que ceux de l'Escape. Il s'agit d'un quatre cylindres en ligne et d'un V6 délivrant respectivement 130 et 200 chevaux. Le premier souffre de ses accélérations pénibles et est de surcroît mal servi par une boîte manuelle déficiente. Quant à son V6, il faut s'habituer à son grondement, mais son rendement et ses statistiques sont plus reluisantes.

COMPORTEMENT Le Tribute se conduit de façon similaire à l'Escape. Il a donc les mêmes qualités et les mêmes défauts. Ses aptitudes hors-route sont limitées; pour s'attaquer à la neige, passe encore, mais il ne faut pas viser trop haut. Voyons-le plutôt comme un véhicule très pratique pour transporter les enfants au hockey, ou la petite famille au restaurant.

HABITACLE Très vaste pour un véhicule de ce gabarit, le coffre arrière constitue une agréable surprise. Côté finition, certains trouvent dommage que Ford y ait mis son grain de sel, ce qui rend l'ensemble un peu moins réussi. Il faut cependant reconnaître la capacité des ingénieurs de Mazda de faire beaucoup avec peu.

CONCLUSION Le Tribute, à l'image de l'Escape, n'est sur le marché que pour des raisons de mode. Sa véritable utilité est limitée, et c'est un peu désolant, compte tenu qu'il s'agit du seul véhicule utilitaire de la gamme Mazda, contrairement à Ford. Mais il est vrai que dans ce créneau, les utilitaires dignes de ce nom sont plutôt des utilitaires de salon.

fiche d'identité

MAZDA

Modèle : Tribute
Versions : DX, LX, ES
Segment : utilitaires compacts
Jumeau : Ford Escape
Roues motrices : avant ou traction intégrale
Portières : 4
Places : avant, 2 ; arrière, 3
Sacs gonflables : 2 frontaux et 2 latéraux
Concurrence : Honda CRV, Hyundai Santa Fe, Jeep Liberty, Nissan XTerra, Subaru Forester, Suzuki Vitara et Grand Vitara, Toyota RAV4

au quotidien

Prime d'assurance moyenne : 900$
Garantie générale : 3 ans/80 000 km
Garantie groupe motopropulseur : 5 ans/100 000 km
Garantie contre la corrosion : 5 ans/kilométrage illimité
Garantie antipollution : 8 ans/128 000 km
Collision frontale : 5/5
Collision latérale : 5/5
Ventes du modèle l'an dernier au Québec : 1111
Dépréciation : nouveau modèle

nouveautés 2002

Appuie-tête réglables
Fauteuil du conducteur à réglage électrique (de série sur le LX)

forces

- Confort de l'habitacle
- Coffre spacieux
- Tenue de route sûre

faiblesses

- 4 cylindres faiblard
- Boîte manuelle inefficace
- Aptitudes hors-route limitées

Par Alain Mckenna

MERCEDES-BENZ

évolution

fiche d'identité

Modèle: Classe CL
Versions: CL500, CL600, CL55 AMG
Segment: de luxe de plus de 100 000$
Roues motrices: arrière
Portières: 2
Places : avant, 2; arrière, 2
Sacs gonflables : 6 (frontaux, latéraux et rideaux gonflables)
Concurrence: Aston Martin DB7 Vantage, Bentley Continental, Ferrari 456 GTA

au quotidien

Prime d'assurance moyenne: 2400$
Garantie générale: 4 ans/80,000 km
Garantie groupe motopropulseur: 5 ans/120,000 km
Garantie contre la corrosion: 4 ans/80,000 km
Garantie contre la perforation: 5 ans/kilométrage illimité
Collision frontale: 4/5
Collision latérale: -
Ventes du modèle l'an dernier au Québec: n/d
Dépréciation: 37,8%

prix de base • 132 500$

Laboratoire roulant teuton

La Série CL est la gamme amirale de Mercedes-Benz, la famille des coupés inspirés de la Classe S, et ce qui se fait de plus cher (pour l'instant) avec un capot orné de l'étoile d'argent. À ce titre, elle a hérité de la mission d'être un laboratoire technologique. Les gadgets de demain sont d'abord commercialisés à bord des CL.

CARROSSERIE Pour passer de la coque d'une berline S à celle d'un coupé CL, le designer a dû arrondir les ailes, faire plonger la ligne de toit et envelopper la glace arrière. La longueur et l'empattement sont inférieurs à ceux des S, alors que largeur et hauteur restent identiques. On reconnaîtra le produit AMG au badge posé sur le coffre, aux jantes de 18 pouces absolument terrifiantes et aux jupes aérodynamiques.

MÉCANIQUE La CL500 brûle l'asphalte à l'aide du V8 de 5,0L et 302 CV de la S500; la CL55 AMG bénéficie de 349 chevaux comme la S55 AMG; et, vous l'aurez deviné, le V12 de la CL600 affiche la puissance de la S600, soit 362 chevaux. Pour diminuer l'appétit de carburant du V12 quand le conducteur privilégie une conduite calme, un système désactive les soupapes et les injecteurs du côté gauche de chaque banc de six cylindres. Ainsi, la voiture est moins gourmande. La boîte automatique à 5 rapports électroniques est jumelée avec un levier semi manuel TouchShift.

COMPORTEMENT La CL500 a été la première voiture de production à recevoir le système Active Body Control (ABC) qui, à l'aide d'amortisseurs hydrauliques gérés par des puces électroniques, réduit le roulis. Le conducteur, en enfonçant un bouton du tableau de bord, intime l'ordre au système de raffermir davantage la suspension, ce qui chasse les derniers symptômes de tangage. Cette sorcellerie est rendue possible grâce à 13 capteurs qui détectent continuellement les mouvements du véhicule.
Par ailleurs, le proprio d'une CL (ou d'une S) n'a plus besoin d'une clef conventionnelle. Dans sa poche repose plutôt une carte à puce. Il s'approche de l'auto. Dès qu'il touche à la poignée, il active un signal

nouveautés 2002

• Changeur de CD standard • Programme Designo • Deux nouvelles teintes

radio du véhicule vers la carte à puce. Dès que les signaux se reconnaissent, portières et coffre se déverrouillent. L'opération s'est déroulée en une fraction de seconde. Quand il quitte l'auto, il frôle à nouveau la poignée et la puce s'occupe du reste. Le même tour de magie vaut au démarrage. En effet, le pied sur le frein et un doigt sur l'interrupteur du sélecteur de la transmission activent un autre échange de signaux. Dès que la réciprocité est établie, le véhicule démarre...

À l'aide d'un radar et de savants calculs basés sur l'effet Doppler, un nouveau régulateur de vitesse intelligent (Distronic Cruise Control) maintient à la fois une vitesse de croisière et une distance appropriée (programmée par le conducteur) avec le véhicule devant. Si ce dernier ralentit, ou si une autre auto s'immisce, le système diminue les gaz et peut même appliquer les freins. Mais si le système estime que la situation exige l'intervention directe du pilote, un signal sonore se fait entendre.

HABITACLE Les voitures CL, vous vous en doutez bien, sont pourvues de tout le confort imaginable, surtout si l'acheteur est d'accord pour allonger les dollars qui lui mériteront des accessoires additionnels. En revanche, « gratis » sont les coussins-rideaux qui empêcheront les occupants avant et arrière de se heurter la tête contre les glaces ou les montants de toit lors d'une collision majeure.

CONCLUSION En pilotant une CL55 AMG, j'ai appris qu'un enrobage ultra luxueux pouvait néanmoins se manier comme un charme et se déménager à la vitesse de l'éclair. Il s'agit de la principale vertu de la famille CL, mais assurément pas de la seule.

fiche technique

Moteur: V8 5,0 litres
Autre(s) moteur(s): V8 5,5 litres (CL55 AMG), V12 6,0 litres (CL600)
Puissance: 302 ch à 5 500 tr/min; couple : 339 lb-pi à 4 250 tr/min
Autre(s) moteur(s): 349 ch à 5 500 tr/min et 391 lb-pi de 3 145 tr/min à 4 500 tr/min (CL55 AMG); 362 ch à 5 500 tr/min et 391 lb-pi à 4 100 tr/min
Transmission de série: automatique à 5 rapports avec Touch Shift
Transmission optionnelle: aucune
Freins avant: disques ventilés
Freins arrière: disques ventilés
Sécurité active de série: ABS, ESP (contrôle de stabilité électronique), ASR (contrôle de la traction), BAS (répartition du freinage), ABC (suspension active)
Suspension avant: indépendante
Suspension arrière: indépendante
Empattement: 288,5 cm
Longueur: 499,3 cm
Largeur: 185,7 cm
Hauteur: 142,3 cm
Poids: 1 865 kg (CL500 et CL55 AMG); 1 955 kg (CL600)
0-100 km/h: 6,4 s ; Autre(s) moteur(s) : 6,0 s (CL55 AMG); 6,2 s (CL600)
Vitesse maximale: 250 km/h (limitée électroniquement)
Diamètre de braquage: 11,5 m
Capacité du coffre: 348 litres
Capacité du réservoir à essence: 88 litres
Consommation d'essence moyenne: 13,5 L/100km ; 14,5 L/100km (CL55 AMG); 15 L/100km (CL600)
Pneus d'origine: 225/55YR17
Pneus optionnels: Avant: 245/45YR18 Arrière: 275/40YR18 (opt:CL500, CL600, de série sur CL55 AMG)

MERCEDES-BENZ

2e opinion

Philippe Laguë — La plus sophistiquée des Mercedes. Ce qui pourrait se traduire ainsi : un chef- d'oeuvre parmi les chefs-d'oeuvre. À ce raffinement incomparable s'ajoute une technologie de pointe et des performances de très haut niveau. Quelle élégance !

forces

- Fusion luxe et puissance
- Baquets orthopédiques
- Dégagement de la banquette

faiblesses

- Train avant lourd
- Visibilité arrière
- Coût et entretien élevé

Par Michel Crépault

nouveauté

MERCEDES-BENZ

fiche d'identité

Modèle : Classe C
Versions : C230 Sport Coupe, C240, C320, C320 Sport Wagon, C32 AMG
Segment : de luxe de moins de 50 000 $
Roues motrices : arrière
Portières : 4
Places : avant, 2; arrière, 3
Sacs gonflables : 8 (frontaux, latéraux, rideaux gonflables et arrière)
Concurrence : Acura RSX, Mercury Cougar, Toyota Celica, Acura 3.2 TL, Audi A4, BMW Série 3, Cadillac CTS, Infiniti G35, Lexus IS 300, Mazda Millenia, Saab 9-3, Volvo S40/V40

prix de base • 37 450 $

au quotidien

Prime d'assurance moyenne : 1400 $
Garantie générale : 4 ans/80 000 km
Garantie groupe motopropulseur : 5 ans/120 000 km
Garantie contre la corrosion : 4 ans/80 000 km
Garantie contre la perforation : 5 ans/kilométrage illimité
Collision frontale : 4/5
Collision latérale : nd
Ventes du modèle l'an dernier au Québec : 887
Dépréciation : 37,8 %

La **Classe abordable**

Entre le printemps et l'automne 2001, Mercedes a renouvelé la gamme complète de sa nouvelle Classe C. Si la berline roulait déjà depuis quelques mois, la familiale et le séduisant coupé sport ont suivi cet automne, sans oublier la C32 AMG avec ses 342 chevaux. Un pas de géant pour ce modèle d'entrée de gamme qui transforme radicalement son image de version édulcorée et mal dégrossie.

CARROSSERIE Au premier coup d'oeil, la nouvelle berline s'inspire clairement de sa grande sœur, la Classe S. Mais ses formes plus anguleuses ne sont pas non plus sans rappeler celles de sa plus vive concurrente, la BMW série 3. La face avant présente une nouvelle approche du thème des doubles optiques et donne à cette Mercedes une allure typique et originale sans devoir mettre en évidence l'étoile d'argent au centre de la calandre. Issu de la berline C, le coupé sport fait la preuve qu'il est possible de multiplier les modèles à partir d'une plate-forme et de mécaniques existantes. Si ces trois déclinaisons (berline, familiale et coupé) ont un air de famille évident, le coupé sport ne reprend aucun élément de carrosserie de la berline et plaira énormément à une clientèle plus jeune. Pour la C32, le châssis est adapté au surplus de puissance et reçoit des réglages spécifiques pour les amortisseurs et les barres antiroulis. La C32 AMG voit sa caisse abaissée de 30 millimètres par comparaison avec la C320. Ses lignes sont sportives, mais discrètes. On trouve l'habituelle panoplie d'équipements des modèles AMG : nouveaux boucliers avant, arrière, double échappement ovale, jupes latérales et nouvelles jantes de 17 pouces.

MÉCANIQUE Pour ce qui est de la berline, la gamme comprend trois modèles : les C240 et C320 ainsi que la très athlétique C32 AMG. Il ne faut pas oublier la familiale, une première dans cette catégorie chez Mercedes. La C240 est animée par un V6 de 2,6 litres développant 168 chevaux; ce moteur est couplé à une boîte manuelle à six rapports ou, en option, à une boîte automatique à cinq rapports. La 320 (en berline et familiale) accueille aussi un V6 de

nouveautés 2002
• Nouveau modèle

3,2 litres qui produit 215 chevaux; pour ce qui est de la boîte de vitesses, il s'agit de la transmission automatique à cinq rapports. Les 342 chevaux de la C32 proviennent de la même base mécanique. Les préparateurs d'AMG ont simplement ajouté un compresseur qui lui donne plus de caractère. Évidemment plus à l'aise sur l'autobahn, la C32 AMG procurera des frissons à quiconque osera jouer de l'accélérateur. Selon Mercedes, elle pourra franchir le cap des 100 km/h en moins de 5,4 secondes. En ce qui concerne le coupé, le seul moteur offert pour l'Amérique est le quatre cylindres de 2,3 litres produisant 197 chevaux avec un compresseur Roots. Vous aurez le choix entre la boîte manuelle à six rapports et la transmission automatique à cinq rapports.

COMPORTEMENT Sur la route, les modifications apportées aux trains roulants accentuent à la fois la sécurité et le comportement. Afin d'améliorer la précision du train avant et les sensations qu'il procure, la Classe C utilise pour la première fois des jambes McPherson à triple bras de guidage et troque la direction à circulation de billes de l'ancienne génération contre une crémaillère, beaucoup plus précise. Les voies avant et arrière sont aussi respectivement élargies de 6 et de 12 millimètres pour une meilleure tenue de route, sans conséquence toutefois sur le diamètre de braquage. Le freinage a également été optimisé. Les quatre disques, ventilés à l'avant, sont à la fois plus gros et plus grands ; Mercedes a même complété par un ABS à quatre canaux et assistance BAS au freinage d'urgence. Et si les choses venaient malgré tout à tourner mal, l'ASR (antipatinage des roues motrices) et l'ESP (contrôle de stabilité actif), vous nous suivez toujours, vous ramèneront dans le droit chemin. Le toit ouvrant panoramique (33 % plus grand que la moyenne),

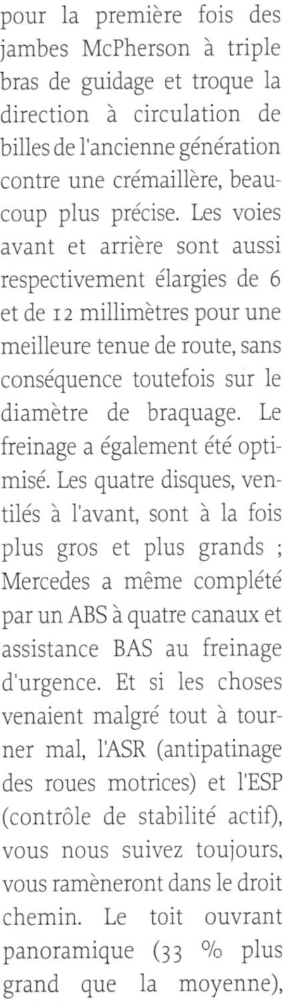
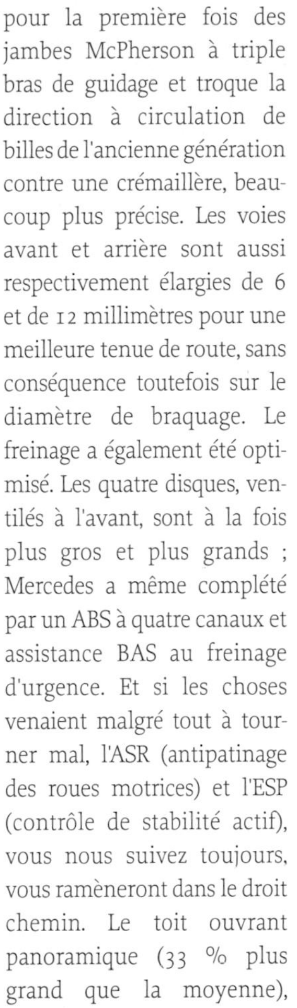

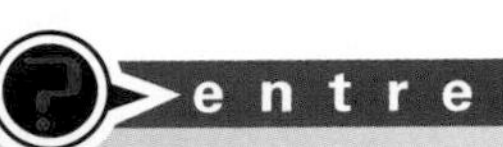

entrevue

Richard Fabien
directeur des ventes

Comment décrire cette nouveauté en quelques mots?
La nouvelle C230 offre ingéniosité et sécurité en plus du côté pratique de nos populaires modèles C240 et C320 mais avec un style unique. La nouvelle C230 est une valeur sûre.

Quels en sont les points forts?
C'est un véhicule sécuritaire qui offre un plaisir de conduite évident destiné aux jeunes grâce à son prix exceptionnel, puisqu'il s'agit d'une Mercedes-Benz.

Où situer ce modèle dans votre gamme et par rapport à la concurrence?
La compétition n'a qu'à bien se tenir: Volkswagen GTI, Acura RS-X et autres Toyota Celica GT-S devront affronter le modèle le plus économique de la famille Mercedes-Benz.

Quelle est votre clientèle cible?
L'acheteur moyen est âgé entre 25 et 45 ans. La moitié sont des femmes et leur revenu familial se situe au-delà de 80 000 dollars annuellement.

Combien de ventes en 2002?
Nous prévoyons des ventes pour 2002 de 1250 unités au Canada dont environ 320 au Québec.

galerie

1 • La version Sport a l'avantage d'avoir un hayon qui offre beaucoup d'espace cargo.

2 • Une première pour la Classe C : une familiale qui rend les escapades de fin de semaine agréables.

3 • Le toit ouvrant panoramique permet même aux passagers arrière de prendre un bain de soleil.

4 • Une gamme complète de véhicules pour combler tous les goûts.

nouveauté

5 • En plus des voitures, Mercedes fait également d'excellents vélos, moyennant un chèque d'environ 5000 $.

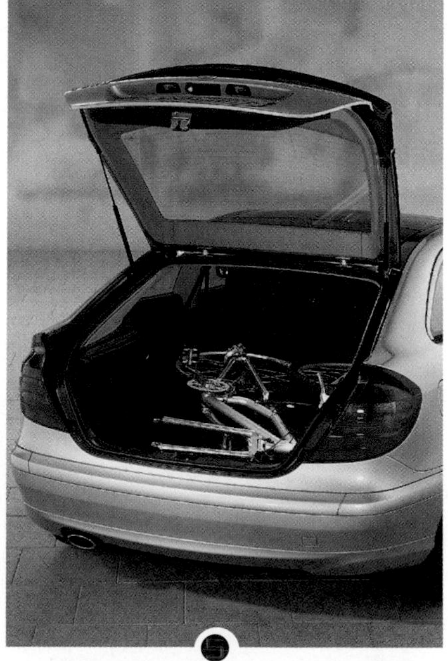

forces

- Fort indice de sécurité
- Lignes très réussies
- Confort général sans failles
- Tenue de route exemplaire

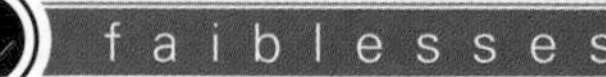

faiblesses

- Direction un peu légère à haut régime
- Places arrière étriquées

donne des airs de cabriolet au coupé sport. Pour ce qui est de la direction, elle est précise et réglée au quart de tour. La suspension ne laisse aucune mauvaise surprise, et le poste de conduite inspire à se laisser aller. Comme toutes les Mercedes, le nombre impressionnant d'aides à la conduite facilite grandement la tâche du conducteur. Tous ces raffinements technologiques se trouvent également dans les autres modèles de la famille. Il s'agit simplement d'identifier vos besoins. Seule la C32 AMG se place dans une catégorie à part avec un arsenal digne d'une voiture de course. Mais pour ce qui est du Québec, le seul endroit où vous pourrez réellement tirer le maximum d'un tel bolide, demeure une piste de course.

HABITACLE À bord de la berline et de la familiale, les passagers disposent d'un peu plus de place que dans la version précédente, tandis que les fauteuils avant offrent une amplitude et un nombre de réglages supérieurs. Cette augmentation de l'habitabilité est loin de pénaliser le volume du coffre qui gagne 45 litres. Chauffage et ventilation jouissent d'une gestion électronique et de réglages individuels gauche/droite, mais aussi haut/bas. Le système « COMAND » qui combine les fonctions du système de navigation et de la chaîne audio est offert en option. La sécurité passive des passagers n'est pas en reste. Les coussins gonflables frontaux sont d'un type nouveau puisque leur déploiement, en cas d'accident, se fait en fonction de l'intensité du choc. Celui du passager est même en mesure de savoir si le fauteuil avant droit est occupé ou non. On trouve aussi des coussins latéraux dans les portières avant et même dans les portes arrière en option. Le rideau de protection latéral est, quant à lui, offert en série. À bord de la C32 AMG, on trouve un volant et des fauteuils sport. Ces derniers offrent un maintien latéral renforcé et s'habillent de cuir nappa deux tons.

CONCLUSION La Classe C sport n'est pas seulement belle, elle regorge de raffinements et, selon les dirigeants, elle ira chercher une nouvelle clientèle pour la marque à l'étoile d'argent. Il était délicat pour Mercedes de repenser un modèle d'entrée de gamme assez abordable pour attirer une nouvelle clientèle sans sacrifier la qualité et le savoir-faire qui font depuis longtemps la renommée de la marque. Le verdict est clair : mission accomplie sur toute la ligne.

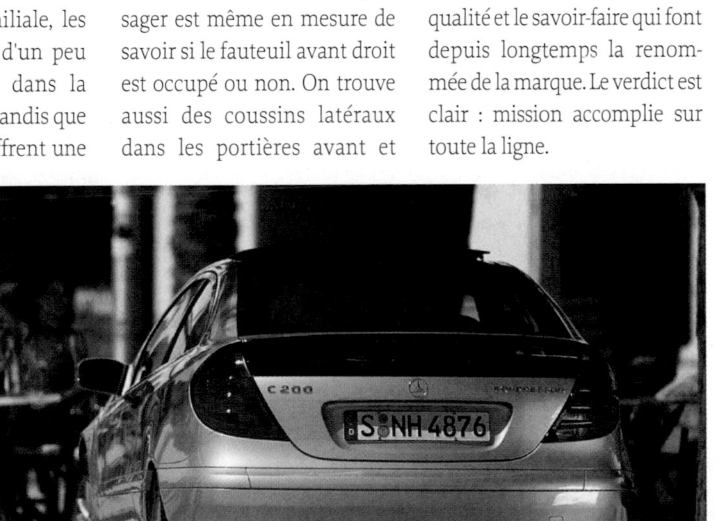

fiche technique

Moteur : V6 2,6 L (C240)
Autres moteurs : 4 cyl. en ligne : 2,3 L compressé (C230) V6 3,2 L (C320); V6 3,2 L compressé (C32 AMG)
Puissance : 168 ch à 5500 tr/min; et 177 lb-pi à 4500 tr/min
Autres moteurs : 192 ch à 5500 tr/min et 200 lb-pi à 2500 à 4800 tr/min (C230); 215 ch à 5700 tr/min et 221 lb-pi à 3000 tr/min à 4500 tr/min (C320); 349 ch à 6100 tr/min et 332 lb-pi à 4400 tr/min (C32 AMG)
Transmission de série : manuelle à 6 rapports (C230 et C240)
Transmission optionnelle : automatique à 5 rapports
Freins avant : disques ventilés
Freins arrière : disques ventilés
Sécurité active de série : ABS, antipatinage, ESP, BAS
Suspension avant : indépendante
Suspension arrière : indépendante
Empattement : 271,5 cm
Longueur : 452,8 cm
Largeur : 172,8 cm
Hauteur : 140,1 cm
Poids : 1565 kg (C320); 1500 kg (C230); 1585 kg (fam.);1605 kg (C32 AMG)
0-100 km/h : 8,5 s (C240 man.);
Autres moteurs : 7,4 s (C230 man.); 7,2 s (C320); 5,1 s (C32 AMG)
Vitesse maximale : 210 km/h (limitée électroniquement)
Diamètre de braquage : 10,8 m
Capacité du coffre : 714 L (C230); 434 L (C240 et C320); 345 L (C32 AMG)
Capacité du réservoir d'essence : 66 L
Consommation d'essence moyenne : 10,5 L/100 km
Autres moteurs : 10,45 L/100 km (V6 3,2 L)
Pneus d'origine : 205/55R16; avant : 225/45ZR17 arrière : 245/40ZR17 (C32 AMG)
Pneus optionnels : 225/50R16 (C240 et C320)

MERCEDES-BENZ

2e opinion

Michel Crépault — Comme les minis qui deviennent des compactes, et ces dernières qui deviennent des intermédiaires, la nouvelle Classe C en avait assez de passer pour le bébé de la famille (nonobstant la Classe A européenne). Elle s'est donc donnée des allures de Classe S. Le dégagement intérieur étonne tandis que les divers moteurs épaulent les prétentions. La C démocratise intelligemment le luxe.

Par Benoit Charette

MERCEDES-BENZ

fiche d'identité

Modèle : Classe E
Versions : E320, E320 Wagon, E430, E55
Segment : de luxe, entre 50 000 $ et 100 000 $
Roues motrices : arrière ou traction intégrale (4MATIC)
Portières : 4
Places : avant, 2; arrière, 3 à 5 (E320 Wagon)
Sacs gonflables : 6 (frontaux, latéraux, rideaux gonflables)
Concurrence : Acura 3.5 RL, Audi A6, BMW Série 5, Cadillac Seville, Infiniti I35, Jaguar S-Type, Lexus GS300/430, Lincoln LS, Saab 9-5, Volvo S80 et V70

au quotidien

Prime d'assurance moyenne : 1700 $
Garantie générale : 4 ans/80 000 km
Garantie groupe motopropulseur : 5 ans/120 000 km
Garantie contre la corrosion : 4 ans/80 000 km
Garantie contre la perforation : 5 ans/kilométrage illimité
Collision frontale : 4/5
Collision latérale : 5/5
Ventes du modèle l'an dernier au Québec : 489
Dépréciation : 41,2 %

évolution

prix de base • 71 850 $

Qualité et sobriété

La Classe E est devenue la voiture la plus vendue de l'histoire de Mercedes. Elle vient au premier rang des ventes dans plusieurs pays d'Europe en raison de la grande diversité de modèles que les acheteurs peuvent se procurer. Là-bas, on propose 13 versions différentes, du petit quatre cylindres de deux litres à la E 55 et ses 349 chevaux. D'ailleurs, on voit un nombre incalculable de taxis qui utilisent l'un des quatre moteurs diesel offerts. En Amérique, les acheteurs ont accès à trois motorisations et deux configurations. La 320 et la 430, en versions berline et familiale, en deux ou quatre roues motrices, et la E 55 AMG, pour les gens d'affaires pressés.

CARROSSERIE Première de la famille Mercedes à naître avec des yeux ronds, la Classe E a joué d'audace en 1995 et, pour plusieurs, ce fut le coup de foudre instantané. Depuis, plusieurs membres de la famille ont adopté ce faciès reconnaissable entre mille. Depuis son avènement, il y a maintenant près de 15 ans, la Classe E a toujours été une référence en matière de rigidité, et cela demeure vrai encore aujourd'hui. Ce sentiment de solidité qu'on éprouve au volant, une particularité de la plupart des allemandes, procure une impression de sécurité sans égal. La prochaine génération de Classe E sera dévoilée à l'automne 2002.

MÉCANIQUE Le moteur de base de la Classe E en Amérique du Nord est le V6 de 3,2 litres. D'une souplesse exceptionnelle, il offre le compromis idéal entre la puissance et la sobriété. Ceux qui veulent profiter des 275 chevaux du V8 de 4,3 litres ne seront jamais en manque de puissance et auront, en prime, une douceur d'exécution exemplaire. Vous n'en avez pas assez ? Qu'à cela ne tienne ! Chez AMG, on a pensé à vous. En effet, la E 55 AMG vous offre 349 chevaux de malin plaisir. Les roues de 18 pouces représentent le seul indice qu'il y a véritablement une bête qui sommeille sous le capot. Un mot sur le système 4 Matic : ce système de rouage intégral à prise constante, qui distribue la puissance à 65/35 sans aucune intervention de la

nouveautés 2002

• Pas de changement majeur

part du conducteur, n'est offert que sur les versions 320 et 430.

COMPORTEMENT Sur la route, la direction à crémaillère nous permet d'éprouver des sensations familières : la Classe E se rappelle à notre bon souvenir comme une propulsion agile en ville et très sûre à toute allure. Les aides actives à la conduite optimisent la maîtrise du véhicule. Le seul léger reproche qu'on peut faire à la conduite est sans doute le manque de symbiose entre le conducteur et la route, cette communion restant partielle. Par contre, il ne faut rien enlever à l'efficacité du système 4 Matic qui relève les défis de Mère Nature avec brio.

HABITACLE Avec une coque aussi rigide, le confort de l'habitacle est souverain. Les fauteuils avant disposent d'un réglage électrique de la hauteur d'assise et de l'inclinaison. Il est possible, moyennant supplément, d'élargir les possibilités de réglage et d'obtenir une mémoire pour trois positions. À l'arrière, la banquette est tout aussi spacieuse et confortable. Il est possible d'en faire monter une dans la soute de la familiale; parfaitement intégrée au plancher et installée dos à dos avec la banquette arrière, elle peut convenir à deux grands enfants.

CONCLUSION De toutes les Mercedes, la Classe E est celle qui véhicule le mieux la pérennité du style et de la qualité propre à la marque. Mais on dit toujours que la qualité a un prix! Si votre portefeuille vous le permet, n'hésitez pas; vous ne serez pas déçu!

fiche technique

MERCEDES-BENZ

Moteur : V6 3,2 L
Autres moteurs : V8 4,3 L et V8 5,5 L
Puissance : 221 ch à 5500 tr/min et 232 lb-pi de 3000 tr/min à 4600 tr/min
Autres moteurs : 275 ch à 5750 tr/min et 295 lb-pi de 3000 tr/min à 4000 tr/min; 349 ch à 5 500 tr/min et 391 lb-pi à 3000 tr/min
Transmission de série : automatique à 5 rapports avec Touchshift
Transmission optionnelle : aucune
Freins avant : disques ventilés
Freins arrière : disques (ventilés sur E55 AMG)
Sécurité active de série : ABS, ESP (contrôle de stabilité électronique), ASR (contrôle de la traction)
Suspension avant : indépendante
Suspension arrière : indépendante
Empattement : 283 cm
Longueur : 481 cm
Largeur : 179,9 cm
Hauteur : 143,9 cm, 150,6 (fam.)
Poids : 1650 kg à 1840 kg
0-100 km/h : 7,5 s
Autres moteurs : 6,6 s (E430) ; 5,8 s (E55)
Vitesse maximale : 210 km/h (E320 et E430) limitée électroniquement; 250 km/h (E55 AMG)
Diamètre de braquage : 11,3 m
Capacité du coffre : 434 L (Sedan); 1241 L (Wagon)
Capacité du réservoir d'essence : 80 L
Consommation d'essence moyenne : 9,35 L/100 km
Autres moteurs: 10,95 L/100 km, 11,85 L/100 km
Pneus d'origine: 215/55R16
Pneus optionnels: 235/45ZR17 (E430); avant : 245/40ZR18 et arrière : 275/35ZR18 (E55 AMG)

2e opinion

Philippe Laguë — En attendant la prochaine génération, qui portera le millésime 2003, la Classe E continue de représenter un des meilleurs achats dans la catégorie des berlines de luxe intermédiaires. L'âge ne semble avoir aucune emprise sur elle, si ce n'est sur le plan esthétique. Sinon, c'est une valeur sûre.

forces

- Superbe qualité de fabrication
- Performances (spécialement les modèles V8)
- Équilibre quasi parfait

faiblesses

- Le prix élevé
- Visibilité arrière restreinte
- Le coffre un peu petit

Par Benoit Charette

nouveauté

MERCEDES-BENZ

fiche d'identité

Modèle : Classe G
Version : unique
Segment : utilitaires grand format
Roues motrices : 4x4
Portières : 4
Places : avant, 2; arrière, 3
Sacs gonflables : 2 frontaux
Concurrence : Cadillac Escalade, BMW X5, Range Rover, Lincoln Navigator, Hummer H2

prix de base • 115 000$ (approx.)

Depuis le **temps** qu'on l'**attendait**!

au quotidien

Prime d'assurance moyenne : 2500 $
Garantie générale : 4 ans/80 000 km
Garantie groupe motopropulseur : 5 ans/120 000 km
Garantie contre la corrosion : 4 ans/80 000 km
Garantie contre la perforation : 5 ans/kilométrage illimité
Collision frontale : nd
Collision latérale : nd
Ventes du modèle l'an dernier au Québec : nouveau modèle
Dépréciation : nouveau modèle

C'est au récent Salon de l'auto de New York que le constructeur allemand Mercedes-Benz a enfin dévoilé la version «américanisée» de son légendaire tout-terrain Gelaendewagen, rebaptisé pour la circonstance Classe G ou G500. Si le modèle vous semble familier, c'est parce que vous l'avez déjà vu dans des revues ou même des films européens.

CARROSSERIE Mercedes a constaté qu'elle pouvait nous refiler son Gelaendewagen. Il est reconnu comme véhicule militaire lui-même ! Sa transformation «américaine» n'a presque rien exigé sur le plan de la carrosserie. On le reconnaît à sa carrure légendaire et à ses lignes on ne peut plus angulaires. Ne cherchez pas d'exploits aérodynamiques sur ce véhicule. Le pare-brise est plat ou enfin, très peu incliné. La caisse, très droite et rectangulaire, comprend quatre portes. Toutes les glaces sont grandes et plates, procurant ainsi une bonne visibilité. Les G500 sont construits à la main dans une usine spéciale à Graz, en Autriche. Ce Mercedes (qui est plus long qu'une ML d'environ 10 centimètres) ne sera produit qu'à 1000 ou 2000 exemplaires par année.

MÉCANIQUE Sous le capot, on découvre le même moteur V8 de 5 litres qui habite une berline de la Classe S et le roadster SL. Les tubulures d'admission sont à double passage augmentant ainsi le couple du V8 à bas régime. On obtient alors de bonnes accélérations et des reprises rassurantes. La version à moteur diesel ne sera vraisemblablement pas exportée en Amérique.
Vu la conception relativement classique (pour ne pas dire ancienne) de ce tout-terrain, il ne faudra pas se surprendre d'y voir un châssis traditionnel qui fait appel à des essieux rigides avant et arrière. La suspension à ressorts hélicoïdaux est appuyée de barres transversales et d'amortisseurs à gaz. La direction est à billes, mais le freinage à quatre disques est au moins appuyé de l'antiblocage. Les jantes en alliage sont munies de pneus 265/60R18.
Pour passer la puissance du V8, Mercedes a installé une transmission automatique à 5 rapports Touchshift. Elle est combinée à un boîtier de

nouveautés 2002
• Véhicule tout nouveau

transfert électronique à 2 rapports. Mais le G500 demeure une traction intégrale, tout comme un de ses plus sérieux rivaux, le Range Rover. Le rapport inférieur peut être enclenché à la volée jusqu'à environ 25 km/h, car le boîtier est synchronisé. Il y a trois différentiels au véhicule, à l'avant, à l'arrière et au centre, et ils sont tous verrouillables mécaniquement. Ceux du centre et de l'arrière peuvent être verrouillés en tout temps lorsque le G500 est hors route. Ajoutez à cette fiche l'antipatinage aux quatre roues et, surtout, le système de contrôle de stabilité ESP que l'on retrouve sur toutes les Mercedes.

HABITACLE Bien que s'adressant à une clientèle assez fortunée, le G500 présente un intérieur relativement sobre, même si l'on peut y distinguer une finition de luxe. Le volant à finition de noyer retient plusieurs commandes en son centre. L'instrumentation claire et lisible est disposée en arc de cercle. La console centrale de la version qui nous a été dévoilée à New York était pourvu d'un système de navigation GPS. Son écran sert également à la chaîne audio à neuf haut-parleurs, y compris un chargeur à six DC. Le téléphone intégré est optionnel. Les fauteuils de cuir chauffants comportent le réglage électrique (avec mémoire) à l'avant. Évidemment, le G500 arrive avec le climatiseur automatique, le régulateur de vitesse et le verrouillage central. Il peut accueillir cinq personnes à son bord, et l'espace de chargement arrière est vaste grâce, surtout, au pneu de secours extérieur. Du point de vue de la sécurité, les deux coussins gonflables à l'avant se déploient en deux étapes, au besoin, selon l'intensité de l'impact.

COMPORTEMENT Vu ses origines militaires, le Mercedes-Benz G500 est un véritable tout-terrain. Selon les spécifications du constructeur, il peut grimper des collines jusqu'à 80 % alors qu'il demeure latéralement stable sur des pentes de 54 %. Puisqu'il n'est pas encore offert au moment d'écrire ces lignes, il faut se fier aux expériences passées avec des modèles européens pour en décrire le comportement routier.

CONCLUSION Gageons aussi que les propriétaires de G500 n'utiliseront pas leur véhicule en situation hors route extrême, mais ils en apprécieront les capacités en hiver.

fiche technique

Moteur : V8 5,0 L
Puissance : 292 ch à 5500 tr/min; et 336 lb-pi à 4000 tr/min
Transmission de série : automatique à 5 rapports
Freins avant : disques ventilés
Freins arrière : disques ventilés
Sécurité active de série : ABS, antipatinage, ESP, BAS, ASR
Suspension avant : indépendante
Suspension arrière : essieu rigide
Empattement : 285 cm
Longueur : 466,2 cm
Largeur : 176 cm
Hauteur : 193,1 cm
Poids : 2485 kg
0-100 km/h : 10,2 s
Vitesse maximale : nd
Diamètre de braquage : 13,26 m
Capacité du coffre : nd
Capacité de remorquage : 3500 kg
Capacité du réservoir d'essence : nd
Consommation d'essence moyenne : 16,5 L/100 km
Pneus d'origine : 265/60R18
Pneus optionnels : aucun

MERCEDES-BENZ

forces

- Lignes originales
- Robustesse éprouvée
- Finition de luxe

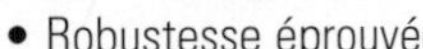

faiblesses

- Prix exorbitant
- Allure ancienne

Par Éric Descarries

évolution

MERCEDES-BENZ

fiche d'identité

Modèle : Classe M
Versions : ML320, ML500, ML55 AMG
Segment : utilitaires intermédiaires
Roues motrices : arrières, traction intégrale
Portières : 4
Places : avant, 2; arrière, 3
Sacs gonflables : 8
Concurrence : Acura MDX, BMW X5, Jeep Grand Cherokee, Infiniti QX4, Land Rover Discovery, Lexus RX 300 et LX 470, Range Rover

prix de base • 48 600 $

Encore **plus puissant**

au quotidien

Prime d'assurance moyenne : 1600 $
Garantie générale : 4 ans/80,000 km
Garantie groupe motopropulseur : 5 ans/120 000 km
Garantie contre la corrosion : 4 ans/80 000 km
Garantie contre la perforation : 5 ans/kilométrage illimité
Collision frontale : 4/5
Collision latérale : 4/5
Ventes du modèle l'an dernier au Québec : 795
Dépréciation : 34,4 %

Plusieurs croient à tort que le ML a été le premier utilitaire de Mercedes. La Classe G, pour Geländewagen ou voiture tout-terrain en allemand, règne dans les campagnes et les montagnes allemandes depuis 1979 et fait son entrée en Amérique pour 2002. Cette Classe S des tout-terrain est issue d'un cahier des charges militaires et plaît davantage aux amateurs de conduite hors route que les riches Américains quittant rarement le bitume. C'est pourquoi la Classe M a vu le jour, et 2002 voit la cavalerie se gonfler.

CARROSSERIE Quelques changements esthétiques aux pare-chocs avant et arrière et une calandre un brin plus agressive jumelée à un nouveau design des phares résument l'essentiel des modifications pour l'ensemble de la gamme. Des lignes plus pures résultent de cette petite chirurgie. Un nouveau venu aussi cette année, le ML 500 qui remplace le 430. On reconnaît facilement les nouveaux modèles V8 de la Classe M aux ajouts de chrome d'un charme discret ornant les lamelles de la grille de calandre, aux poignées de porte et à la poignée du hayon arrière ainsi qu'à ses jantes en alliage au design unique.

MÉCANIQUE Le ML 500 se distingue par des performances sur la route encore améliorées par rapport à son prédécesseur, le ML 430. Son moteur V8 déploie 288 chevaux et effectue le sprint de 0 à 100 km/h en seulement 7,7 secondes. Le nouveau ML 500 atteint la vitesse maximale de 221 km/h. Et ce n'est pas tout, le ML 55 AMG en remet avec ses 342 chevaux. Une orgie de puissance sous le pied droit. Il y a très peu d'utilitaires et beaucoup de sport dans les deux versions V8. Heureusement, le 320 avec son petit V6 très correct et ses 215 chevaux va plaire à ceux qui ne veulent pas débourser 100 dollars par semaine en carburant.

COMPORTEMENT Sur la route, le comportement du ML est souverain : la prise de roulis est minime, et l'adhérence, phénoménale. Lorsqu'il est poussé à la limite, le ML dérive progressivement des quatre roues. En cas de freinage violent en courbe, on sent l'ESP

nouveautés 2002

- Plusieurs retouches extérieures (pare-chocs, phares et calandre) • Réaménagement de la console centrale • Nouveau rideau gonflable qui couvre les passagers avant et arrière
- Réservoir d'essence de plus grande taille pour tous les modèles

intervenir pour remettre le train arrière en ligne. La direction est précise, avec une assistance appropriée en route, mais un peu lourde en manœuvres à l'arrêt. Hors bitume, les aptitudes du ML sont limitées par les pneus conçus pour la route. Sur sol humide, les sculptures sont immédiatement comblées et n'accrochent plus. Le confort que procurent les suspensions indépendantes sont bien au-dessus de la moyenne pour un 4 x 4. Et même à très grande vitesse sur route, le ML est imperturbable. Le rayon de braquage gêne toutefois les manoeuvres un peu serrées en zone urbaine.

HABITACLE On pouvait reprocher aux premiers ML une qualité décevante de la planche de bord : des matériaux et un assemblage en dessous des normes par rapport aux berlines fabriquées en Allemagne. L'intérieur des ML a très vite été revu, et il est désormais satisfaisant. De petits ajouts comme une prise 12 volts pour les passagers arrière, un meilleur système audio et un tissu de qualité supérieure dans le ML 320 font partie des améliorations pour 2002. Pour ce qui est des versions 500 et 55 AMG, les cuirs fins et la richesse des matériaux abondent, mais la facture est à l'avenant.

CONCLUSION Le ML a rapidement guéri de ses petits bobos de jeunesse et offre une gamme de véhicules exceptionnels à plusieurs chapitres. Toutefois, le prix à l'achat et le coût en pétrole frisent la catastrophe. La version 270 Cdi, offerte en Europe depuis le milieu de l'an 2000, a fait un malheur. Une solution à envisager pour ce côté-ci de l'Atlantique.

fiche technique

Moteur : V6 3,2 L
Autres moteurs : V8 5,0 L (ML500); V8 5,5 L (ML55 AMG)
Puissance : 215 ch à 5 500 tr/min et 233 lb-pi de 3000 tr/min à 4500 tr/min (ML320); 288 ch (ML500); 342 ch (ML55 AMG)
Transmission de série : automatique à 5 rapports avec Touch Shift
Transmission optionnelle : aucune
Freins avant : disques ventilés
Freins arrière : disques
Sécurité active de série : ABS, ESP (Contrôle de stabilité électronique), ASR(contrôle de la traction), BAS (système de répartition du freinage)
Suspension avant : indépendante
Suspension arrière : indépendante
Empattement : 282 cm
Longueur : 463,8 cm
Largeur : 184 cm
Hauteur : 182 cm
Garde au sol : 22 cm
Poids : 2080 kg (ML320); 2150 kg (ML500); 2205 kg (ML55 AMG)
0-100 km/h : 9,4 s
Autre(s) moteur(s): 7,9 s (ML500); 6,8 s (ML55)
Vitesse maximale: 180 km/h (ML320 et ML500)limitée électroniquement; 230 km/h (ML55 AMG)
Diamètre de braquage : 11,3 m
Capacité de remorquage : 2 500 kg
Capacité du coffre : 982 à 2 300 L
Capacité du réservoir d'essence : 83 L ; 106 L (ML55 AMG)
Consommation d'essence moyenne : 12,65 L/100km
Autres moteurs : 13,4 L/100km (ML430), 14,85 L/100km (ML55 AMG)
Pneus d'origine : 255/60R17
Pneus optionnels : 275/55R17 (ML500), 285/55R18 (ML55 AMG)

MERCEDES-BENZ

2e opinion

Éric Descarries — Mercedes-Benz a réussi un coup de maître en lançant son utilitaire sport de la Classe M. La version ML 320, avec le V6, est agréable, mais la ML 500 est plus appropriée aux exigences du marché moderne. Cependant, j'ai eu tout un coup de cœur pour la ML55, ce « hot rod » de la division AMG de Mercedes. Dommage qu'il soit si cher !

forces

- Comportement exceptionnel
- Performances haut de gamme (V8)
- Finition et assemblage en nette progression (ML 320)

faiblesses

- Visibilité 3/4 arrière pauvre
- Rayon de braquage élevé
- Pneus mal adaptés à la conduite hors route

Par Benoit Charette

MERCEDES-BENZ

fiche d'identité

Modèle : Classe S
Versions : S430, S500, S55 AMG, S600
Segment : de luxe, de plus de 100 000 $
Roues motrices : arrière
Portières : 4
Places : avant, 2; arrière, 3
Sacs gonflables : 8 (frontaux, latéraux, rideaux gonflables et coussins arrière)
Concurrence : Audi A8 et S8, Bentley Arnage, BMW Série 7, Infiniti Q45, Jaguar XJ8 et XJR, Lexus LS 430, Rolls Royce Silver Seraph

au quotidien

Prime d'assurance moyenne : 2500 $ à 3000 $
Garantie générale : 4 ans/80 000 km
Garantie groupe motopropulseur : 5 ans/120 000 km
Garantie contre la corrosion : 4 ans/80 000 km
Garantie contre la perforation : 5 ans/kilométrage illimité
Collision frontale : nd
Collision latérale : nd
Ventes du modèle l'an dernier au Québec : 325
Dépréciation : 38 %

évolution

prix de base • 95 350 $

Puissance et techno sur fond ouaté

La Classe S regroupe les membres opulents de la famille Mercedes. En 2002, le clan n'accueillera aucun nouveau venu, ni équipement inédit, si ce n'est le chargeur de disques compacts qui passe de la liste des accessoires offerts en option à celle de l'équipement de série. Vous avez donc toujours le choix entre les S430, S500 et S600, toutes trois à empattement allongé, bien que la S430 à empattement régulier soit aussi offerte. Et n'oublions pas la S55 de AMG, la féroce du groupe.

CARROSSERIE La S a été revue de fond en comble en 2000. Accusée d'être lourde et décadente, la remplaçante a perdu près de 250 kilos tandis que le crayon du styliste lui a taillé une silhouette plus svelte. Une nouvelle variante des phares ovales caractérise le devant tandis que le ciselage des flancs fait presque passer la grosse berline pour un coupé. Autre particularité de la gamme des options, les portières et le couvercle du coffre se referment électriquement s'il vous manque du jus dans le bras ce jour-là! La S55 AMG se démarque du lot grâce à des jantes de 18 pouces et des appendices aérodynamiques.

MÉCANIQUE La S430, peu importe sa longueur, est mue par un V8 de 4,3 litres de 275 chevaux, alors que le V8 de 5 litres de la S500 en fournit 302. La technologie adoptée des trois soupapes (deux d'admission et une d'échappement) par cylindre réduit les émissions nocives de 40 % (d'où la cote LEV de ces moteurs). La S55 AMG utilise un V8 de 5,5 litres assemblé à la main qui développe 349 chevaux et produit 391 livres-pied de couple, de quoi catapulter le super sedan de 0 à 100 km/h en moins de six secondes. Un chrono similaire à celui de la S600, qui a hérité du plus récent moteur Benz, un V12 de 5,8 litres et 362 chevaux. La transmission automatique à 5 rapports électronique inclut le mode semi-manuel Sportshift.

COMPORTEMENT La suspension pneumatique propre aux S430 et S500 porte son confort à son paroxysme. Des soufflets en caoutchouc contenant de l'air comprimé ont remplacé les ressorts hélicoï-

nouveautés 2002

- Chargeur de six DC standard • Deux nouvelles teintes extérieures

daux traditionnels. La pression est déterminée par la garde au sol qu'a choisie l'ordinateur. Le conducteur peut lui-même élever l'assiette du véhicule de 20 millimètres pour franchir une route particulièrement inhospitalière. À l'inverse, dès que le véhicule file à plus de 110 km/h, la caisse s'abaisse de 15 millimètres afin d'améliorer l'aérodynamisme et de réduire la consommation d'essence.

La S55 AMG et la S600 bénéficient en plus de la suspension active inaugurée avec la CL500 l'an dernier. Ce bidule dernier cri, expliqué dans les pages consacrées à la Série CL, est offert en option pour les S430 et S500. Chose certaine, le mariage de ces deux suspensions procure le meilleur de deux mondes, soit la douceur du nuage et l'aplomb d'une stabilité aiguë.

HABITACLE Donc, c'est vrai, le chargeur de six disques compacts figure dorénavant dans l'équipement de série de tous les modèles de la Classe S. Alleluia, l'acheteur vient d'épargner 720$! Et cela, même si le chargeur est installé dans le coffre à bagages (un emplacement désuet, quant à moi). Pour le reste, l'habitacle style living room d'une S est truffé de gentillesses, certaines de série (les essuie-glaces sensibles à la pluie), d'autres pas (chauffage des places arrière). Parmi les options, le programme *designo* permet à l'acheteur de jouer au designer en combinant des teintes et des matériaux à son goût. Notez que les fauteuils avant de la Classe S proposent 14 réglages tandis que ceux de la S55 et de la S600, en plus d'offrir un maintien latéral et lombaire encore plus poussé, sont aussi ventilés et capables de masser le dos du conducteur...

CONCLUSION En attendant l'arrivée de la Maybach, la prochaine limousine des gens hyperfortunés, la Classe S représente le summum à quatre portières de Mercedes-Benz. Aux yeux du passant, une gamme pas vraiment flamboyante; mais son contenu technologique fait paraître Las Vegas comme une ville tranquille pour les retraités.

fiche technique

Moteur : V8 de 4,3 L
Autres moteurs : V8 de 5 L (S500), V8 de 5,5 L (S55), V12 6 L (S600)
Puissance : 275 ch à 5750 tr/min; couple : 295 lb-pi de 3000 tr/min à 4400 tr/min (S430)
Autres moteurs: 302 ch à 5500 tr/min et 339 lb-pi à 4250 tr/min (S500); 349 ch à 5500 tr/min et 391 lb-pi à 3000 tr/min (S55 AMG); 362 ch à 5500 tr/min et 391 lb-pi à 4100 tr/min (S600)
Transmission de série : automatique à 5 rapports avec Touchshift
Transmission facultative : aucune
Freins avant : disques ventilés
Freins arrière : disques ventilés
Sécurité active de série : ABS, ESP, ASR, ABC
Suspension avant : indépendante
Suspension arrière : indépendante
Empattement : 296,5 cm; 308 cm (LWB)
Longueur : 503,8 cm; 515,8 cm (LWB)
Largeur : 185,7 cm
Hauteur : 144,4 cm
Poids : 1855 kg (S430 SWB); 1875 kg (S500); 1900 kg (S55); 2035 kg (S600)
0-100 km/h : 7,1 s ; 6,3 s (S500); 5,9 s (S55 AMG)
Vitesse maximale : 210 km/h (S430 et S500) limitée élect.; 260 km/h (S55 AMG et S600) limitée élect.
Diamètre de braquage : 12,1 m
Capacité du coffre : 436 L
Capacité du réservoir d'essence : 88 L
Consommation d'essence moyenne : 11,3 L/100 km ; 12 L/100 km (S500), 12,2 L/100 km, (S55 AMG), 14,3 L/100 km (S600)
Pneus d'origine : 225/60R16 H
Pneus optionnels : avant: 245/45YR18 arrière: 275/40YR18 (S55 AMG), 225/55R17 (S600)

MERCEDES-BENZ

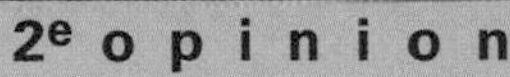

2e opinion

Benoit Charette — La Classe S fixe de nouveaux standards en matière de contenu technologique tout à fait exceptionnel. La marque reste en cela fidèle à la tradition: les Classe S ont toujours joué le rôle de modèle phare. Les trouvailles ont ensuite progressivement profité aux voitures plus ordinaires. Cela frise la perfection.

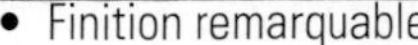

forces

- Finition remarquable
- Panoplie de gadgets
- Rouler dans sa bulle

faiblesses

- Silhouette sage
- Entretien coûteux
- Encore trop d'accessoires offerts en équipement facultatif

Par Michel Crépault

MERCEDES-BENZ

fiche d'identité

Modèle: Classe SL
Version: SL500
Segment: sportives de plus de 100 000$
Roues motrices: arrière
Portières: 2
Places : avant, 2
Sacs gonflables: 2 frontaux et 2 latéraux
Concurrence: Aston Martin Vantage Volante, BMW Z8, Jaguar XK8, Maserati Spyder, Porsche 911 cabriolet

au quotidien

Prime d'assurance moyenne : nd
Garantie générale : 4 ans/80,000 km
Garantie groupe motopropulseur : 5 ans/120,000 km
Garantie contre la corrosion : 4 ans/80,000 km
Garantie contre la perforation : 5 ans/kilométrage illimité
Collision frontale : nouveau véhicule
Collision latérale : nouveau véhicule
Ventes du modèle l'an dernier au Québec : nouveau véhicule
Dépréciation : nouveau véhicule

nouveauté

prix de base • 116 500$

Le **retour** de la **passion**

À Hambourg, le 31 juillet dernier, Mercedes-Benz a présenté la SL 2003 de 5e génération. Il ne s'agissait pas de conduire l'auto, mais d'en entendre déclamer les vertus par le Docteur Jürgen Hubbert. Le patron de la division voitures de tourisme de M-B fut secondé par Lionel Ritchie et Juliette, lesquelles vedettes ont entonné *The One* pendant que les projecteurs balayaient la SL.

CARROSSERIE Depuis 1954, la SL n'a pas changé de gueule souvent. La première incarnation, la fameuse 300 SL à portières en ailes de mouette fait aujourd'hui palpiter les collectionneurs. L'avant-dernière génération étant née en 1989, il aura donc fallu attendre 12 ans avant de voir se pointer sa remplaçante. Ce n'est rien si on considère que la 3e génération a perduré 18 ans avant de prendre sa retraite (de 1971 à 1989). Les lignes tendues et élégantes du modèle 2003 s'éloignent avec succès de la SL des années 70, surnommée la Pagode, et se rapproche de la fluidité sportive de l'ancêtre.

MOTEUR Le V8 de 5 litres à double arbre à cames en tête (24 soupapes) est de retour. Il développe 306 chevaux, suffisamment pour passer de 0 à 100 km/h en 6,3 secondes et atteindre 250 km/h.
Il faudra voir les chronos de la prochaine SL55 perfectionnée par AMG, la division ultra sportive de M-B. Des versions alimentées respectivement par un V6 et un V12 suivront plus tard.

MÉCANIQUE La seule transmission est une automatique 5 rapports avec Touchshift. La suspension indépendante fait varier les réactions des amortisseurs selon les humeurs du pilote (conduite agressive ou pépère) et l'état de la chaussée. Le correcteur d'assiette automatique occulte le roulis dans les virages. Mais la vraie vedette, outre Lionel Ritchie, c'est le freinage: il est électronique. Une première mondiale. L'intelligence artificielle décide de la dose de freinage afin d'obtenir la distance d'arrêt optimale. Si jamais le gadget se détraque, le bon vieux système mécanique reprend son droit de cité.
Le toit rigide mais escamotable n'exige que 16 secondes pour se déployer ou se rétracter (un toit panoramique

• Nouveau modèle 2003 (en vente dès mars prochain)

en verre sera offert en option). L'arceau de sécurité, dans l'éventualité d'un tonneau, continue de jaillir à la vitesse de l'éclair.

COMPORTEMENT On nous jure chez Mercedes-Benz que la rigidité du roadster a été améliorée de 20%, tandis que son coefficient de traînée est maintenant de 0,29. Malgré cette roideur accrue, la voiture a perdu 50 kg. La suspension active devrait faciliter la négociation des courbes, tout comme le fait de rouler à 200 km/h s'accomplit, paraît-il, sans que l'on s'en rende compte (il faut un Allemand pour nous narguer avec ce genre de commentaire...).

HABITACLE Les concepteurs ont pourvu la SL d'un indicateur de vitesse très lisible (sans doute pour permettre aux Canadiens de savoir à quel moment ils perdront leurs derniers points de démérite). Les sièges baquets ont obtenu un peu plus de maintien latéral. Il y a des interrupteurs partout : sur la face interne de la portière, sur le volant, sur l'arête rembourrée du siège. Le coffre est devenu plus spacieux, assez pour deux sacs de golf comportant «des bois numéro 3», précise Jürgen. Autre trouvaille : un bouton qui soulève le toit replié pour faciliter l'accès aux bagages.

CONCLUSION Les voitures commenceront à se pointer dans le port de Halifax dès novembre, mais les premières livraisons chez votre concessionnaire préféré ne débuteront pas avant mars 2002. C'est le temps qu'il faudra aux autorités canadiennes pour homologuer le nouveau modèle. Au Canada, on anticipe des ventes de 400 à 450 unités par année. Commencez tout de suite à mettre votre argent de côté!

fiche technique

MERCEDES-BENZ

Moteur : V8 5 L
Autre moteur : V12 6,0 L
Puissance : 302 ch à 5200 tr/min et 339 lb-pi à 4200 tr/min
Autre moteur : 389 ch à 5500 tr/min et 391 lb-pi à 4200 tr/min
Transmission de série : automatique à 5 rapports
Transmission optionnelle : aucune
Freins avant : disques ventilés
Freins arrière : disques ventilés
Sécurité active de série : ABS, ESP, SBC, ABC
Suspension avant : indépendante
Suspension arrière : indépendante
Empattement : 256 cm
Longueur : 453,5 cm
Largeur : 181,5 cm
Hauteur : 129,8 cm
Poids : 1845 kg
0-100 km/h : 6,3 s
Vitesse maximale : 250 km/h (limitée électroniquement)
Diamètre de braquage : 11 m
Capacité du coffre : 317 L
Capacité du réservoir d'essence : 80 L
Consommation d'essence moyenne : 14,3 L/100 km; 15,1 L/100 km (CL 600)
Pneus d'origine : 255/45R17
Pneus optionnels : aucun

forces

- Lignes athlétiques
- Intérieur avant-gardiste
- Toit dur rétractable

faiblesses

- À voir sur la route…

Par Michel Crépault

évolution

MERCEDES-BENZ

fiche d'identité

Modèle : CLK

Versions : Coupé et cabriolet: CLK 320, CLK 430, CLK 55 AMG

Segment : sportives de plus de 50 000 $

Roues motrices : arrière

Portières : 2

Places : avant, 2; arrière, 2

Sacs gonflables : 6 (frontaux, latéraux, rideaux gonflables)

Concurrence : BMW Série 3 coupé et cabriolet, Volvo C70 coupé et cabriolet, BMW M3, Lexus SC 430,

prix de base • 59 900 $

au quotidien

Prime d'assurance moyenne : 1500 $

Garantie générale : 4 ans/80,000 km

Garantie groupe motopropulseur : 5 ans/120,000 km

Garantie contre la corrosion : 4 ans/80,000 km

Garantie contre la perforation : 5 ans/kilométrage illimité

Collision frontale : nd

Collision latérale : nd

Ventes du modèle l'an dernier au Québec : nd

Dépréciation : 24,9 %

Dans la voiture de David Coulthard

Il y a des privilèges qui ne se refusent pas. Comme celui de prendre le volant de la voiture personnelle d'un pilote de formule Un, par exemple. Comme dirait l'autre, c'est une maudite *job*, mais il faut bien que quelqu'un la fasse !

CARROSSERIE Les coupés et cabriolets CLK reposent sur la plate-forme de la précédente génération de la Classe C. Le moteur est placé à l'avant, les roues motrices, à l'arrière, et ils peuvent accueillir quatre occupants, contrairement aux opulentes SL, qui n'offrent que deux places. Les trois versions sont désormais offertes en deux configurations avec l'ajout, pour l'année-modèle 2002, du cabriolet CLK 55 AMG.

MÉCANIQUE Chacune des trois versions possède une motorisation qui lui est propre. Il en résulte une gradation assez prononcée : de 215 chevaux pour le V6 de la CLK 320, on passe à 275 chevaux pour le V8 de la CLK 430. Et cela grimpe encore plus quand les sorciers de la division AMG s'y mettent : 342 chevaux pour le V8 de la CLK 55 ! Ça décoiffe, croyez-moi, et le jumelage avec une boîte automatique n'altère en rien l'agressivité de ce moteur démentiel. J'entends déjà certains soi-disant connaisseurs s'insurger contre l'absence d'une boîte manuelle, sauf que ce choix est tout à fait conforme avec la vocation grand tourisme des coupés CLK. Mais surtout, je me demande s'il existe, à l'heure actuelle, une meilleure boîte automatique. Celle-ci s'adapte aussi bien à une conduite normale que sportive; en fait, sa gestion exemplaire en toute situation est telle qu'on en vient à se questionner sur l'utilité du système Touchshift...

Les autres motorisations n'ont pas à rougir de leur rendement. Tant le V6 de 3,2 litres que le V8 de 4,3 litres illustrent, une fois de plus, l'excellence de l'ingénierie allemande, dont la réputation n'a rien de surfait. La sécurité est aussi un des chevaux de bataille de la firme de Stuttgart, qui compte plus d'une innovation dans ce domaine. Avec leurs nombreux dispositifs de sécurité, active comme passive, les CLK ne font pas exception. Il faudrait une page complète pour les énumérer, et plus

nouveautés 2002

• Nouveau modèle cabriolet CLK55 AMG • Ensemble sport offert pour le coupé et le cabriolet CLK 320 • Programme Designo

encore pour démêler cette soupe à l'alphabet : ABC, ABS, BAS, ASR, ESP... Pour résumer, disons que c'est le règne de l'anti tout (antiblocage, antipatinage, antidérapage...).

COMPORTEMENT De coupé de luxe agréable et bien élevé, sous l'appellation CLK 320, elle devient de plus en plus délinquante quand les V8 prennent la place du V6. Si la CLK 430 m'avait enthousiasmé, en coupé comme en cabriolet, la CLK 55 AMG m'a jeté par terre. Terriblement performante, cette GT n'a pas peur des sportives «pures et dures» que sont les Ferrari, Porsche et autres Corvette. Sauf qu'elle n'a pas l'agilité de ces dernières, et elle est plus lourde. Poussée à l'extrême, elle ne peut défier les lois de la physique et les aides électroniques au pilotage se montreront d'un grand secours pour qui n'a pas les compétences d'un pilote professionnel. La rigidité des cabriolets mérite d'être soulignée car dans cette catégorie, il ne se fait pas mieux. Doublé et bien isolé, le toit souple permet d'affronter l'hiver sans aucune crainte, en plus de briller par son insonorisation.

HABITACLE Si la présentation intérieure est résolument plus éclatée, parce que plus sportive, à bord des versions AMG, elle est d'une sobriété de bon aloi dans les CLK 320 et 430. Rien à voir avec l'austérité qui, hier encore, régnait à bord d'une Mercedes. Mais, car il y a toujours un mais, l'absence d'un lecteur DC dans des voitures de ce prix me sidérera toujours.

CONCLUSION Tant les coupés que les cabriolets trônent au sommet de leur créneau respectif, en proposant le luxe et le raffinement auquel on s'attend d'une Mercedes.

fiche technique

Moteur : V6 3,2 L
Autres moteurs : V8 4,3 L (CLK 430); V8 5,5 L (CLK55 AMG)
Puissance : 215 ch à 5700 tr/min et 229 lb-pi de 3000 tr/min à 4600 tr/min
Autres moteurs : 275 ch à 5750 tr/min et 295 lb-pi de 3000 tr/min à 4400 tr/min (CLK 430); 342 ch à 5500 tr/min et 376 lb-pi à 3000 tr/min (CLK55 AMG)
Transmission de série : automatique à 5 rapports avec TouchShift
Transmission optionnelle : aucune
Freins avant : disques ventilés
Freins arrière : disques
Sécurité active de série : ABS, ESP, ASR, BAS
Suspension avant : indépendante
Suspension arrière : indépendante
Empattement : 269 cm
Longueur : 457,7 cm
Largeur : 172,2 cm
Hauteur : 138 cm
Poids : 1457 kg (CLK 320 coupé) à 1/45 kg (CLK55 AMG cabriolet)
0-100 km/h : 7,3 sec.
Autres moteurs : 6,5 s (CLK430); 5,7 s (CLK55 AMG)
Vitesse maximale : 210 km/h (CLK 320 et 430) limitée élect.
Autres moteurs : 260 km/h (CLK55 AMG) limitée élect.
Diamètre de braquage : 10,7 m
Capacité du coffre : 318 L (coupé); 273 L (cabriolet)
Capacité du réservoir d'essence : 62 L
Consommation d'essence moyenne : 9,45 L/100 km (V6); 12,5 L/100 km (CLK430); 14,5 L/100 km (CLK55 AMG)
Pneus d'origine : 205/55R16
Pneus optionnels : avant: 225/45ZR17 arrière: 245/40ZR17 (CLK 430 et CLK55)

2e opinion

Gabriel Gélinas — Échelle de prix élevée pour ce coupé (et cabriolet) qui ne propose toujours pas de lecteur de disques compact en équipement de série. Un peu chiche, Mercedes? Tout à fait. Bien qu'elle soit de petite taille, la CLK demeure toutefois une authentique Mercedes avec une tenue de route plus rassurante que sportive.

forces

- Trio moteur exceptionnel
- Performances délirantes (CLK 55)
- La meilleure boîte automatique à l'heure actuelle

faiblesses

- Lecteur DC optionnel
- Poids considérable
- Prix corsés

Philippe Laguë

MERCEDES-BENZ

évolution

fiche d'identité

Modèle : SLK
Version : SLK230 Kompressor, SLK320, SLK32 AMG
Segment : sportives de plus de 50 000 $
Roues motrices : arrière
Portières: 2
Places : avant, 2
Sacs gonflables: frontaux et latéraux
Concurrence: Audi TT Roadster, BMW Z3 et M Roadster, Chrysler Prowler, Chevrolet Corvette, Honda S2000, Porsche Boxster

prix de base • 56 600 $

Aguichante **frivolité**

au quotidien

Prime d'assurance moyenne : 1400 $
Garantie générale : 4 ans/80,000 km
Garantie groupe motopropulseur : 5 ans/120,000 km
Garantie contre la corrosion : 4 ans/80,000 km
Garantie contre la perforation : 5 ans/illimité
Collision frontale : nd
Collision latérale : nd
Ventes du modèle l'an dernier au Québec : nd
Dépréciation : 22,7 % (2 ans)

Les roadsters SLK230 et SLK320, tous deux offerts avec boîte manuelle ou automatique, nous reviennent virtuellement inchangés en 2002. La nouveauté, c'est l'arrivée au Canada de la SLK32, la cousine au cœur d'athlète préparée par AMG, la division sportive de Mercedes-Benz.

CARROSSERIE Dès son introduction en 1997, la SLK a marqué la petite histoire de l'automobile en devenant le premier roadster moderne à se doter d'un toit rigide, mais complètement rétractable. Le toit en place, on dirait un coupé; enfoncez le bouton, et il faut 25 secondes aux panneaux d'aluminium pour se replier. La SLK 32 sort de l'atelier d'AMG avec une coque musclée incluant une jupe avant avec antibrouillard, un aileron arrière (lequel, malgré sa discrétion, réduit de moitié la poussée aérodynamique vers le haut), un double tuyau d'échappement et de superbes jantes de 17 pouces.

MÉCANIQUE Tandis que le 4 cylindres suralimenté (compresseur Roots) de 2,3L à double arbre à cames fournit 190 chevaux à la SLK230, la 320 emploie un V6 de 3,2L et 18 soupapes (deux d'admission par cylindre) bon pour 215 chevaux. Du côté de la SLK32, les sorciers de AMG ont subtilisé le même V6 pour lui greffer un compresseur de type Lysholm. Résultat: 349 chevaux et 5 secondes pour passer de 0 à 100 km/h. Pour rimer avec cet engin, AMG en a revu la musicalité, tandis que les pneus sont à profil bas et que suspension et freins ont été calibrés pour exécuter des besognes agressives.

Les SLK conventionnelles acceptent une boîte manuelle à 6 rapports ou une automatique 5 rapports Touchshift, qui permet une sélection manuelle des vitesses. La boîte automatique de la SLK32 jouit d'une particularité (aussi propre à la C32), soit la technologie SpeedShift qui autorise des changements de rapports plus rapides et une prise plus directe entre les 2e et 5e. De plus, elle rétrograde automatiquement en cas de freinage subit et empêche les montées de rapports dans les virages intenses.

COMPORTEMENT La première SLK que j'ai essayée, j'ai

nouveautés 2002
• Version SLK32 AMG • Programme Designo

eu honte. Je conduisais un jouet coûteux orné de la fameuse étoile d'argent, mais affublé d'un quatre cylindres à la sonorité aussi glorieuse que celle d'une tondeuse à gazon. Je frôlais le sacrilège. M-Benz a réparé un peu la gaffe l'an dernier en ajoutant la SLK320 à la gamme. J'ai aussi compris que la SLK, même équipée du quatre, peut plaire à des citadins ravis de se déplacer au centre-ville ou vers les terrains de tennis au volant d'un cabriolet au toit pas banal du tout. Mon pied, cependant, je l'ai pris sur la piste Fabi de Shannonville en testant une ribambelle de produits AMG. Et du lot, la SLK32 m'a laissé bouche bée. Grâce à son centre de gravité très bas et son puissant couple disponible très tôt, le coupé-cabriolet, tantôt inoffensif, s'est révélé être une machine armée pour la vitesse et les parcours sinueux.

HABITACLE Deux places, décor Mercedes pas tout à fait typique avec des garnitures en alu (fini la fausse fibre de carbone) et, en général, le désir certain de divertir l'œil. On reconnaît l'intérieur plus «fauve» d'une SLK32 AMG à sa sellerie de cuir deux tons, ses boiseries en érable, ses baquets qui moulent le corps (avec appuie-tête intégrés), ses cadrans argents et ses tapis identifiés AMG. Peu importe la version, le coffre demeure misérable, surtout avec le toit replié.

CONCLUSION Les SLK sont des automobiles destinées à paraître, à parader. Un pilote sérieux à la recherche de sensations réelles ne se laissera pas prendre. En revanche, pour aller faire ses courses un bel après-midi ensoleillé, ça bat le métro. Le pilote, par contre, aurait intérêt à lorgner la SLK32. On ne parle plus ici d'une babiole mais bien d'un véritable roadster, confortable, racé et capable de dompter l'asphalte.

fiche technique

Moteur : 4 cyl. en ligne de 2,3 L avec compresseur
Autre moteur : V6 3,2 L avec ou sans compresseur
Puissance : 190 ch à 5300 tr/min et 200 lb-pi de 2500 tr/min à 4800 tr/min
Autres moteurs: 215 ch à 5700 tr/min et 229 lb-pi de 3000 à 4600 tr/min; 349 ch à 6100 tr/min et 332 lb-pi à 4400 tr/min
Transmission de série : manuelle à 6 rapports
Transmission optionnelle : automatique à 5 rapports (Touchshift)
Freins avant : disques
Freins arrière : disques
Sécurité active de série : ABS, ESP, ASR, BAS
Suspension avant : indépendante
Suspension arrière : indépendante
Empattement : 240 cm
Longueur : 401 cm
Largeur : 171,5 cm
Hauteur : 127,9 cm
Poids : 1385 kg (SLK230 Kompressor); 1405 kg (SLK 320); 1460 kg (SLK32)
0-100 km/h : 7,2 s (man.); 6,9 s (SLK320); 5,2 s (SLK32 AMG)
Vitesse maximale : 225 km/h (limitée électroniquement)
Diamètre de braquage : 10,3 m
Capacité du coffre : 104 à 271 L (avec ou sans toit)
Capacité du réservoir d'essence : 60 L
Consommation d'essence moyenne : 9,5 L/100 km; 10,3 L/100 km (SLK320)
Pneus d'origine : avant: 205/55R16; arrière: 225/50R16 (SLK230 et 320) avant : 225/45ZR17; arrière : 245/40ZR17 (SLK32 AMG)
Pneus optionnels : avant: 225/45ZR17; arrière: 245/40ZR17

2e opinion

Amyot Bachand — LA SLK 6 cylindres est une *gran turismo*, c'est-à-dire une sportive très civilisée. Habillée d'une jolie robe qui attire les regards, elle offre le plaisir de conduire en tout confort. Son toit rétractable est une merveille à opérer et à regarder. Elle a su nous plaire.

forces

- Toit ingénieux
- Baquets confortables
- Silhouette ingénue

faiblesses

- Sonorité du 4 cylindres
- Coffre limité

par Michel Crépault

MERCURY

évolution

fiche d'identité

Modèle : Cougar
Versions : V6, V6 Sport
Segment : sportives de moins de 50 000 $
Roues motrices : avant
Portières : 2
Places : avant, 2 ; arrière, 2
Sacs gonflables : 2
Concurrence : Acura RSX, Ford Mustang, Hyundai Tiburon, Saturn SC, Toyota Celica

prix de base • 26,995 $

En voie d'extinction

au quotidien

Prime d'assurance moyenne : 1000 $
Garantie générale : 3 ans/60 000 km
Garantie contre la corrosion : 5 ans/kilométrage illimité
Garantie contre la perforation : 5 ans/kilométrage illimité
Collision frontale : nd
Collision latérale : 3/5
Ventes du modèle l'an dernier au Québec : 529
Dépréciation : 45,7 %

Apparue en 1967, la Cougar était à l'origine un clone de la Ford Mustang, destinée à la division Mercury. Au cours de sa longue carrière, elle a cependant changé de cap plusieurs fois, et son parcours tourmenté n'est pas sans rappeler celui de la Thunderbird. C'est donc le statu quo pour l'année-modèle 2002, alors qu'on nous promettait depuis deux ans une version plus puissante, la S, mue par un V6 de 200 chevaux. Or, celle-ci restera à l'état de projet, et on se demande bien pourquoi...

CARROSSERIE Si la beauté est une qualité bien superficielle pour certains, elle est cependant un ingrédient essentiel de la réussite d'un coupé sport. Avec ses lignes en coin, propres au New Edge Design, la Cougar ne passe pas inaperçue. Son allure européenne, qui a tant plu lorsqu'elle fut réintroduite en 1998, n'a rien d'un hasard. En effet, c'est la branche européenne de Ford qui a conçu cette superbe voiture, de loin la plus belle de sa catégorie.

MÉCANIQUE Avec le retrait du 4 cylindres de 2 litres pour 2002, le V6 Duratec de 2,5 litres devient l'unique motorisation offerte. Son rendement global est honnête, mais il ne faut pas s'attendre à des miracles avec 170 chevaux sous le capot, d'autant plus que la Cougar n'a rien d'un poids plume. À bas régime, il procure de bonnes accélérations, surtout lorsque jumelé à une boîte manuelle, mais il s'essouffle vite.

COMPORTEMENT En bonne traction, la Cougar tend à sous-virer lorsqu'on augmente le rythme sur un parcours sinueux. Mais le sous-virage est à peine perceptible si l'on s'en tient à une conduite normale. Cela n'en fait pas une sportive pour autant : le poids étant l'ennemi nº 1 de ce type de voiture, la Cougar cache mal ses kilos en trop face à des rivales au comportement plus aiguisé comme la RSX ou la Celica. Même s'il est bien maîtrisé, le roulis ne tarde pas à se manifester, ce qui a pour effet de refroidir les ardeurs en virage. Pourtant, la Cougar plante ses griffes dans l'asphalte et ne dévie de sa trajectoire que si on la repousse dans ses derniers retranchements. Du reste, la suspension à quatre roues indépendantes offre un bon compromis entre le confort et

nouveautés 2002

• Nouvelle chaîne audio MACH • Groupe commodité désormais de série pour les modèles V6 et V6 Sport

la tenue de route. La direction m'a laissé mi-figue, mi-raisin. Dans un premier temps, elle pèche par son trop grand rayon de braquage et dans un second temps, elle m'est apparue lente. Par contre, le freinage se place à l'abri de toute critique : ça freine fort et vite !

HABITACLE Très réussie, la présentation intérieure marie modernité et efficacité. L'ergonomie a fait l'objet d'une attention particulière, c'est évident, et les Cougar que nous avons pu conduire montraient une finition irréprochable.

En s'installant derrière le volant, on constate immédiatement l'excellente position de conduite, mais aussi la relative fermeté des baquets, qui plaira aux uns autant qu'elle déplaira aux autres. Ça se gâte à l'arrière : le dégagement pour la tête est limité au minimum, et c'est à peine mieux pour les jambes. La visibilité vers l'arrière se retrouve aussi dans la colonne des moins. Par contre, la Cougar se rachète en proposant une malle arrière aux dimensions généreuses, probablement ce qui se fait de mieux dans cette catégorie.

CONCLUSION Les amateurs de coupés sport cherchent de la performance, de l'agrément de conduite, mais aussi du style. Mis à part le premier critère, la Cougar devrait les satisfaire pleinement. D'autant plus qu'elle se démarque par des qualités plus rationnelles, mais non moins importantes, telles que son confort, sa qualité d'assemblage et la fiabilité de ses organes mécaniques. Autrement dit, il y a là un beau mélange de raison et de passion. Dommage qu'on l'ait abandonnée à son sort...

fiche technique

MERCURY

Moteur : V6 DACT 2,5 L
Puissance : 170 ch à 6250 tr/min et 165 lb-pi à 4 250 tr/min
Transmission de série : manuelle à 5 rapports
Transmission optionnelle : automatique à 4 rapports
Freins avant : disques
Freins arrière : disques
Sécurité active de série : ABS (option)
Suspension avant : indépendante
Suspension arrière : indépendante
Empattement : 270,3 cm
Longueur : 469,9 cm
Largeur : 176,8 cm
Hauteur : 132,6 cm
Poids : 1365 kg
0-100 km/h : 9,2 s
Vitesse maximale : 190 km/h
Diamètre de braquage : 11,4 m
Capacité du coffre : 411 L
Capacité du réservoir d'essence : 60 L
Consommation d'essence moyenne : 12 L/100 km
Pneus d'origine : 215/50R16
Pneus optionnels : 215/50R17

2e opinion

Benoit Charette — Boudée par les Américains et abandonnée en Europe, la Cougar a tous les ingrédients d'une voiture mal née. Pourtant, l'équipe internationale qui l'a conçue ne manquait pas d'inspiration. Trop docile pour être sportive et trop sportive pour être réllement confortable, la Cougar n'a pas su trouver sa niche.

forces

- Look accrocheur
- Finition et qualité d'assemblage
- Freinage impressionnant
- Confort surprenant

faiblesses

- Piètre visibilité arrière
- Places arrière symboliques
- Performances moyennes
- Boîte manuelle récalcitrante

Par Philippe Laguë

MERCURY

fiche d'identité

Modèle : Grand Marquis
Versions : GS et LS
Segment : berlines pleine grandeur
Roues motrices : arrière
Portières : 4
Places : avant, 2 ou 3; arrière, 3
Sacs gonflables : 2
Concurrence : Buick LeSabre, Chevrolet Impala, Chrysler Concorde et Intrepid, Pontiac Bonneville

au quotidien

Prime d'assurance moyenne : 900 $
Garantie générale : 3 ans/60 000 km
Garantie contre la corrosion : 5 ans/kilométrage illimité
Garantie contre la perforation : 5 ans/kilométrage illimité
Collision frontale : 5/5
Collision latérale : 4/5
Ventes du modèle l'an dernier au Québec : 327
Dépréciation : 49 %

évolution

prix de base • 35 120 $

Tout ce qu'il y a de plus conservateur !

Quand elle a conçu la Mercury Grand Marquis, Ford a pris la somme des éléments les plus simples en matière d'automobile et les a réunis dans une seule et même voiture. On obtient ainsi un véhicule tout ce qu'il y a de plus conservateur. La Grand Marquis est la dernière grosse berline américaine propulsée abordable sur le marché.

CARROSSERIE Les dernières retouches de carrosserie effectuées sur la Grand Marquis remontent à 1999. Une calandre un peu plus verticale, des phares redessinés plus puissants et de nouveaux feux arrière. Pour 2002, les rétroviseurs extérieurs chauffants sont offerts en équipement de série. Trois nouvelles couleurs de carrosserie s'ajoutent également à la gamme offerte : rouge matador, vert peuplier métallisé et bleu glacier pâle métallisé.

MÉCANIQUE Le 4,6 litres, qui est le moteur de choix pour la majorité des grosses berlines Ford et Lincoln, ne subit aucune transformation cette année. L'an dernier, on l'avait recalibré pour en augmenter la puissance à 220 chevaux. La version de base (LS) bénéficie d'un échappement unique. La version GS à échappement double extirpe 235 chevaux du moteur V8. La seule transmission offerte est l'automatique à quatre rapports.

COMPORTEMENT Le V8 de 4,6 litres compte parmi les mécaniques les plus fiables de la famille Ford. Puissant, souple et silencieux, une mécanique qui n'arbore pas nécessairement les dernières technologies connues, mais qui affiche tout de même une très bonne fiabilité. Vous l'aurez deviné, le terrain de jeu préféré de la Grand Marquis est l'autoroute. Son gabarit et sa suspension un peu molle acceptent mal les séances de contorsions sur les petites routes en lacets. Si vous voulez vous prêter à ce petit jeu, je vous conseille la version LSE avec l'ensemble de tenue améliorée. Avec des barres stabilisatrices de plus grand diamètre, des pneus Good Year 225/60R16, une suspension arrière pneumatique, des amortisseurs plus rigides et un échappement double (235 chevaux), cette

nouveautés 2002

• Nouvelle version Marauder (photo de droite, en bas) à l'été • Rétroviseurs extérieurs chauffants • Casier de rangement pour coffre en équipement facultatif • Entrée à clé télécommandée pour tous les modèles • Trois nouvelles couleurs de peinture

Grand Marquis vous surprendra par son agilité. Il est dommage toutefois que la direction demeure surassistée, peu importe la version. On se sent partiellement coupé de la route. Ford avait augmenté le diamètre des freins lors de la refonte du modèle en 1999, et les résultats sont positifs. Malgré le poids du véhicule, le freinage a du mordant, et les distances d'arrêts sont très correctes.

HABITACLE À l'intérieur, le conducteur trouvera de gros fauteuils épais et confortables. Le soutien à la hauteur du dos n'est pas terrible. L'espace ne manque pas pour les passagers arrière qui peuvent étirer leurs jambes sans problème. Le tableau de bord est simple et sans cérémonie. Le seul bémol à ce chapitre vient du tunnel de transmission assez volumineux qui limite l'espace pour les jambes si un troisième passager prend place derrière. Rien à redire sur l'immense coffre ni sur l'assemblage et la finition de très bonne qualité.

CONCLUSION En regardant de près une Grand Marquis, on comprend un peu mieux que Lincoln connaisse certaines difficultés avec la Town Car. En définitive, pour un prix beaucoup plus réaliste, un acheteur obtient les mêmes attributs avec la Grand Marquis. C'est le véhicule idéal pour les grandes randonnées qui réunissaient les familles tous les dimanches. Il faut quand même admettre que cette voiture est à l'automne de sa vie. Les irréductibles acheteurs de ce type de voitures continuent de vieillir, et la nouvelle génération s'en désintéresse. Une disparition graduelle de la clientèle aura raison de la Grand Marquis à plus ou moins long terme.

fiche technique

MERCURY

Moteur : V8 4,6 L
Puissance : 220 ch à 4750 tr/ min et 265 lb-pi à 4000 tr/min
Transmission de série : automatique à 4 rapports
Transmission optionnelle : aucune
Freins avant : disques
Freins arrière : disques
Sécurité active de série : ABS et antipatinage
Suspension avant : indépendante
Suspension arrière : indépendante
Empattement : 291,3 cm
Longueur : 538,2 cm
Largeur : 198,6cm
Hauteur : 144,3 cm
Poids : 1777 kg (GS) 1792 kg (LS)
0-100 km/h : 8,6 s
Vitesse maximale : 165 km/h (limitée électroniquement)
diamètre de braquage : 12,3 m
Capacité du coffre : 583 L
Capacité du réservoir d'essence : 71 L
Consommation d'essence moyenne : 11,8 L/100 km
Pneus d'origine : 225/60R16
Pneus optionnels : aucun

2e opinion

Éric Descarries — Évidemment que sa technologie est dépassée. Mais sa fiabilité en est devenue presque légendaire. Sa jumelle, la Ford Crown Victoria, fait le bonheur des conducteurs de taxi new-yorkais qui en tirent plus de 450 000 km. Et dire que nous avons failli ne pas avoir la puissante Mercury Marauder qui sera construite...au Canada !

forces

- Espace
- Confort
- Performances du moteur

faiblesses

- Direction surassistée
- Manque de soutien des fauteuils
- Suspension molle (sauf LSE)

Par Benoit Charette

NISSAN

fiche d'identité

Modèle : Altima
Versions : 2,5 S, 2,5 SL, 3,5 SE
Segment : compactes
Roues motrices : avant
Portières : 4
Places : avant, 2 ; arrière, 3
Sacs gonflables : 2
Concurrence : Chevrolet Malibu, Ford Focus ZTS, Honda Accord, Mazda 626, Oldsmobile Alero, Pontiac Grand Am, Subaru Legacy, Toyota Camry, VW Jetta

au quotidien

Prime d'assurance moyenne : 900 $
Garantie générale : 3 ans/60 000 km
Garantie groupe motopropulseur : 5 ans/100 000 km
Garantie contre la corrosion : 5 ans/100 000 km
Garantie contre la perforation : 5 ans/100 000 km
Collision frontale : nd
Collision latérale : nd
Ventes du modèle l'an dernier au Québec : 3086
Dépréciation : 42,5 %

nouveauté

prix de base • 23 498 $

Une 3e génération transfigurée

Depuis son lancement sur le marché en 1993, l'Altima est demeurée discrète en suivant le courant des tendances. Pour 2002, Nissan a fait sauter la banque et brise le moule des berlines compactes en redéfinissant les normes. Cette 3e génération d'Altima ne représente pas seulement une nouveauté, c'est un virage à 180 degrés et une nouvelle norme à suivre pour la concurrence. Nissan apporte un niveau de design, de performance et d'espace qui laisse les concurrents loin derrière.

CARROSSERIE Nissan a complètement repensé les lignes. Inspirée et, avec des dimensions beaucoup plus généreuses, jamais l'Altima n'a possédé autant de charme, à l'exception des feux arrière qui jurent avec le reste du décor. On constate au premier coup d'oeil qu'elle a grossi considérablement. En redessinant complètement la carrosserie, Nissan a suivi son propre chemin dans une catégorie qui demeure toujours conservatrice au chapitre du design. « Nous avons cessé de faire un design qui tente de plaire à tout le monde pour en concevoir un différent ou tout le monde pourra y trouver son compte », a souligné le directeur du Marketing de Nissan Canada, Ian Forsyth.

MÉCANIQUE Les versions S et SL seront dorénavant alimentées par un quatre cylindres de 2,5 litres développant 180 chevaux, 25 de mieux que l'ancienne mécanique. Mais la vraie surprise est offerte en version SE. Nissan a transplanté la mécanique du Pathfinder et a greffé une boîte manuelle à cinq rapports pour produire une berline qui souffle littéralement les portes à la concurrence. Eh oui, 240 chevaux d'une puissance souple et bien élevée. Avec une telle cavalerie sous le capot, Nissan portera les concurrents de cette catégorie à la réflexion. Plusieurs ont déjà replacé leurs voitures sur la table à dessin. Les ingénieurs de Nissan avaient quatre critères à respecter au moment de développer ces deux nouvelles mécaniques : s'assurer que la puissance engendrée place le quatre cylindres de l'Altima au sommet de la catégorie; réduire au maximum les bruits et les vibrations du

nouveautés 2002

- Nouveau modèle

moteur; produire un moteur propre avec de faibles émissions; construire un bloc léger et compact. Alors que le quatre cylindres baptisé QR25 répond aux normes ULEV (*ultra-low emission vehicule*) le V6 se plie, pour sa part, aux normes LEV (*low emission vehicle*).

COMPORTEMENT La tentation était forte de mettre à l'épreuve le nouveau V6 sous le capot de l'Altima. La puissance est surprenante, et nous pouvons affirmer sans se mouiller que l'Altima SE remplace avantageusement les Maxima de base. On retrouve la même souplesse et l'environnement feutré; et avec une rigidité accrue de 65 %, cette Altima n'a rien à envier à sa grande soeur. Les pneus de 17 pouces permettaient à la voiture de bien tenir sur le bitume. Comme la suspension est calibrée pour le confort, on doit prendre nos précautions avant d'amorcer un virage serré. De plus, il n'y a rien à redire sur la puissance et la boîte manuelle, beaucoup mieux conçue que l'ancienne génération. Alors, ceux qui hésitent à se procurer une Maxima de base en raison d'un équipement de base un peu dégarni, pourront obtenir une Altima SE toute équipée dans une gamme de prix très semblables. En après-midi, c'est le quatre cylindres qui a été mis à l'essai au retour de la piste Laguna Seca. Le petit ronronnement associé au moteur quatre cylindres est bien étouffé. La puissance est plus que suffisante et répond bien aux critères propres à une berline : le côté pratique, de l'espace pour quatre adultes, la qualité de la finition et un confort appréciable.

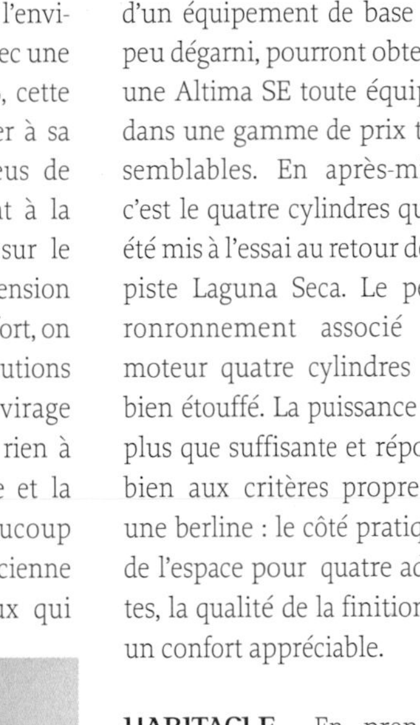

HABITACLE En prenant place à bord, on remarque tout de suite que l'espace intérieur a considérablement augmenté. On doit maintenant considérer l'Altima comme une voiture intermédiaire. Au volant, le fauteuil du conducteur est confortable, et le volant inclinable et

entrevue

Yves Ladouceur

Directeur, bureau régionnal du Québec

Comment décrire cette nouveauté en quelques mots?
L'Altima 2002 est LE véhicule que Nissan attend depuis longtemps pour augmenter ses parts de marché dans le créneau des berlines intermédiaires. Elle va nous permettre de concurrencer directement toutes les Toyota Camry et Honda Accord de ce monde.

Quels en sont les points forts?
Son allure extérieure est exceptionnelle, notamment les feux arrières qui sont uniques. L'habitacle est moderne et spacieux et les améliorations technologiques sont impressionnantes.

Où situer ce modèle dans votre gamme et par rapport à la compétition?
L'Altima 2002 est une berline intermédiaire équipée au choix d'un 4 ou d'un 6 cylindres qui nous situe nez à nez avec Honda et Toyota dans ce créneau. Elle se distingue aussi de la Maxima, notre berline pleine grandeur, et de la Sentra, notre compacte.

Quelle est votre clientèle cible?
Il s'agit d'un véhicule destiné principalement aux jeunes familles et professionnel(le)s qui désireraient une voiture un peu plus grosse qu'une berline compacte comme la Sentra.

Combien de ventes en 2002?
Les ventes pour 2002 devraient se situer à environ 12 000 unités pour le Canada et 3600 pour le Québec.

galerie

1 • La nouvelle boîte automatique ajoute une touche luxueuse à l'habitacle.

2 • La version SE se distingue par ses roues en alliage uniques.

3 • Avec son V6 de 240 chevaux, la SE redéfinit les normes de puissance dans la catégorie des compactes.

4 • Nissan a brisé le moule de la monotonie en redessinant une silhouette beaucoup plus agréable à l'œil.

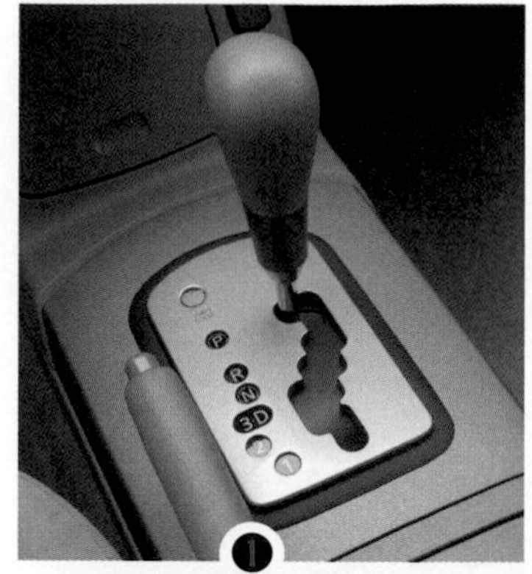

5 • Deux nouvelles mécaniques prennent place sous le capot : un 2,5 litres de 180 chevaux, et le V6.

forces

- Moteurs performants (particulièrement le V6)
- Habitacle spacieux
- Équipement complet

faiblesses

- Suspension un peu souple
- Une transmission automatique à cinq rapports serait appréciée.
- Pédale de frein un peu molle

télescopique permet des réglages pour tous les goûts. Un ordinateur de bord multifonction sert d'odomètre avec deux mémoires de kilométrage, la température extérieure, le temps de conduite, la vitesse moyenne, la consommation et l'autonomie d'essence. Il y a en plus une prise 12 volts pour le téléphone cellulaire et l'incontournable porte-gobelet grand format. La chaîne audio inclut six haut-parleurs de base avec lecteur de DC simple dans le tableau de bord. Pour quelques billets verts de plus, une chaîne Bose avec chargeur de six DC dans le tableau de bord et huit haut-parleurs vous permettent de vous éclater les tympans en haute fidélité. Mais pour avoir accès à cette chaîne audio, il faut d'abord avoir choisi les fauteuils de cuir. Une partie de la sécurité passive est également offerte en équipement facultatif. Les coussins gonflables latéraux à l'avant et les rideaux gonflables sur les côtés sont livrables moyennant un supplément, tout comme la transmission automatique.

CONCLUSION Encore moribonde il y quelques années, Nissan vient de lancer un cri de ralliement en annonçant coup sur coup une nouvelle Maxima plus puissante, suivie de la I35 et de la Q45 dans la division Infiniti. La Sentra aura à nouveau sa version SE-R qui emprunte le moteur de 2,5 litres de l'Altima. Depuis que Renault a repris les rennes de la compagnie nipponne et que Carlos Goshn a remis de l'ordre dans les finances, Nissan semble vouée à des jours meilleurs. Avec autant de changements en si peu de temps, nous avons l'impression que la compagnie joue à quitte ou double. Nissan se remettra définitivement sur les rails ou sombrera dans l'oubli! L'avenir seul nous le dira!

fiche technique

Moteur : 4 cyl. DACT 2,5 L
Autre moteur : V6 DACT 3,5 L
Puissance : 180 ch à 6000 tr/min et 181 lb-pi à 4000 tr/min
Autre moteur : 240 ch à 5800 et 246 lb-pi à 4400 tr/min
Transmission de série : manuelle à 5 rapports
Transmission optionnelle : automatique à 4 rapports
Freins avant : disques
Freins arrière : disques
Sécurité active de série : ABS (sauf la version S); antipatinage (V6)
Suspension avant : indépendante
Suspension arrière : indépendante
Empattement : 279,9 cm
Longueur : 486,4 cm
Largeur : 178,8 cm
Hauteur : 147,1 cm
Poids : 1377 kg (S); 1383 kg (SL); 1449 kg (SE)
0-100 km/h : 8,8 s; 7,5 s (V6)
Vitesse maximale : 195 km/h
Diamètre de braquage : nd
Capacité du coffre : 442 L
Capacité du réservoir d'essence: 76 L
Consommation d'essence moyenne : 12 L/100 km; 13 L/100 km (V6)
Pneus d'origine : 205/65R16 ; 215/55R17 (SE)
Pneus optionnels : aucun

2e opinion

Philippe Laguë — N'ayons pas peur des mots, c'est une métamorphose que vient de subir l'Altima. De très bonne voiture, elle est devenue une référence. Confortable et fiable comme tout, il lui manquait, à l'instar des Japonaises, du tempérament. Cette époque est révolue.

Par Benoit Charette

NISSAN

fiche d'identité

Modèle : Frontier
Versions : XE, SE
Segment : camionnettes compactes
Roues motrices : 4x2 et 4x4
Portières : 2 ou 4
Places : avant, 2 ; arrière, 2
Sacs gonflables : 2
Concurrence : Ford Ranger, Mazda Série-B, Toyota Tacoma, Chevrolet S-10, GMC Sonoma

au quotidien

Prime d'assurance moyenne : 850 $
Garantie générale : 3 ans/60 000 km
Garantie groupe motopropulseur : 5 ans/100 000 km
Garantie contre la corrosion : 5 ans/100 000 km
Garantie contre la perforation : 5 ans/100 000 km
Collision frontale : 4/5
Collision latérale : 5/5
Ventes du modèle l'an dernier au Québec : 281
Dépréciation : 57 %

Évolution

prix de base • 22 998 $

Il en manque encore un peu!

Comment peut-on décrire la camionnette Nissan Frontier ? Ce produit a connu ses heures de gloire à la fin des années soixante et au début des années soixante-dix alors que les constructeurs japonais croyaient supplanter les Américains avec de plus petites camionnettes plus efficaces au chapitre de la consommation. Mais ils n'ont pu arrêter la grosse machine américaine qui riposta avec les Ranger, S-10 et Dakota. Entre-temps, la camionnette Nissan hérita du nom Frontier. Mais il lui manquera toujours un petit quelque chose.

CARROSSERIE L'année dernière, le fabricant nippon prit le taureau par les cornes et donna à la Frontier une allure beaucoup plus agressive. On la vit alors refaire surface avec un avant totalement redessiné et une calandre comportant un semblant de pare-broussailles intégré. Les passages de roues comportent désormais des rallonges qui semblent boulonnées à la carrosserie. En 2002, les Frontier sont offertes avec la cabine allongée *King Cab* et une caisse régulière ou la cabine à quatre portes *Crew Cab* avec une caisse plus courte. En 2002, ce problème sera réglé avec la caisse plus longue offerte en option, ce qui permettra une meilleure capacité de chargement. Incidemment, Nissan n'offre plus de cabine régulière depuis déjà un bon moment.

MÉCANIQUE La Frontier dispose de trois moteurs : un quatre cylindres de 2,4 litres très fiable, mais applicable seulement à une *King Cab* peu équipée. La *King Cab* de luxe et la *Crew Cab* seront mieux servies avec le V6 de 3,3 litres ; cependant, dans le cas de la version *Crew Cab*, on se retrouve avec le même problème : la puissance est trop juste. Par conséquent, l'an dernier, Nissan a ajouté la version à compresseur mécanique du V6. Avec ses 200 chevaux et ses 231 livres-pied de couple, il procure des accélérations plus décentes et des reprises plus rassurantes, sans être étincelantes ; surtout que le V6 à compresseur n'est offert que dans la version *Crew Cab* au Canada, alors qu'aux États-Unis, il l'est dans la *King Cab*. Le châssis-cadre de la Frontier est on ne peut plus traditionnel. Offerte

nouveautés 2002

• Caisse longue avec cabine « Crew Cab »

en propulsion ou en quatre roues motrices sur demande, cette Nissan présente une suspension avant indépendante et un pont arrière rigide. Le freinage à disques avant et à tambours arrière peut être couplé à l'ABS.

COMPORTEMENT Nissan a fait un bel effort en équipant le moteur V6 de 3,3 litres d'un compresseur mécanique, car les performances sont nettement à la hausse. Mais nous n'avons pas trouvé les accélérations suffisamment convaincantes pour en faire une camionnette de performance comme le voulait Nissan. Ce moteur est plus à l'aise avec la cabine *King Cab*; nous ne comprenons pas l'obstination de Nissan Canada de réserver cette mécanique à la *Crew Cab*.

HABITACLE L'an dernier, l'intérieur de la Frontier a été revu, et l'on y a fait quelques retouches au tableau de bord. Mais il accuse encore un certain retard par comparaison avec celui de ses concurrentes. L'instrumentation y est lisible, mais il arrive que le soleil se réflète dans l'écran transparent. Quatre personnes peuvent prendre place à bord de la *King Cab*. Les places arrières sont de petits bancs rabattables utiles pour de petits enfants sur une courte distance et peu adaptés au fauteuil de bébé. Il est alors préférable d'opter pour la grande cabine *Crew Cab* qui peut asseoir trois personnes à l'arrière.

CONCLUSION La Frontier est agréable à conduire, mais pas enivrante. Si ce modèle continue d'être reconduit sans améliorations notables, il risque d'être boudé par les consommateurs, ce qui serait dommage, car c'est un produit recommandable et fiable.

fiche technique

Moteur : 4 cyl. en ligne DACT 2,4 L
Autre moteur : V6 SACT de 3,3 L
Puissance : 143 ch à 5200 tr/min et 154 lb-pi à 4000 tr/min
Autre moteur : 170 ch à 4800 tr/min et 200 lb-pi à 2800 tr/min; 210 ch à 4800 tr/min et 246 lb-pi à 2800 tr/min (SC)
Transmission de série : manuelle à 5 rapports
Transmission optionnelle : automatique à 4 rapports
Freins avant : disques
Freins arrière : tambours
Sécurité active de série : ABS
Suspension avant : indépendante
Suspension arrière : essieu rigide
Empattement : 294,9 cm 333 cm (boîte allongée)
Longueur : 498,1 cm (King Cab) ; 490,4 cm (Crew Cab) ; 535,9 cm (boîte allongée)
Largeur : 168,9 (4 cyl.) ;182,6 cm ; 178,8 cm (boîte allongée)
Hauteur : 159 cm (4 cyl.) ; 167,4 cm ; 188 cm (boîte allongée)
Garde au sol : 23,6 cm
Poids : 1429 kg (4 cyl) 1774 kg V6 (King Cab) ; 1755 kg (boîte allongée SC)
0-100 km/h : 11,4 s (V6 bvm) ; 10,3 (SC bvm)
Vitesse maximale : 170 km/h
Diamètre de braquage : 11,2 m (4 cyl.) 11,8 m (V6)
Capacité de remorquage : 1588 kg 2269 kg (automatique)
Capacité du réservoir d'essence : 73 L
Consommation d'essence moyenne : 9,6 L/100 km (4 cyl.) 13,2L/100 km (V6)
Pneus d'origine : P265/70R15
Pneus optionnels : aucun

2e opinion

Amyot Bachand — La version 4 portes V-6 à compresseur que nous avons essayée, nous a plu : confortable, silencieuse et peu sensible aux vents, elle tient le cap. Son freinage est sûr et la garde en ligne droite grâce à son système ABS. Avec une gueule sévère, elle se fait remarquer.

forces

- Fiabilité reconnue
- Nouvelle caisse plus longue avec la Crew Cab
- Lignes uniques

faiblesses

- Motorisation poussive
- Absence du compresseur avec King Cab
- Conception du tableau de bord

Par Éric Descarries

évolution

NISSAN

f i c h e d'i d e n t i t é

Modèle : Maxima
Versions : GXE, SE, GLE
Segment : intermédiares
Roues motrices : avant
Portières : 4
Places : avant, 2; arrière, 3
Sacs gonflables : 2 frontaux (GXE) 2 latéraux (SE et GLE)
Concurrence : Acura TL, Buick Regal, Honda Accord V6, Hyundai XG 350, Lexus ES 300, Mazda Millenia, VW Passat V6

a u q u o t i d i e n

Prime d'assurance moyenne : 1200 $
Garantie générale : 3 ans/60 000 km
Garantie groupe motopropulseur : 5 ans/100 000 km
Garantie contre la corrosion : 5 ans/100 000 km
Garantie contre la perforation : 5 ans/100 000 km
Collision frontale : nd
Collision latérale : 4/5
Ventes du modèle l'an dernier au Québec : 2699
Dépréciation: 40 %

prix de base • GXE 32 900 $

Le **prédateur** au **cœur** tendre

Sous un extérieur sobre et sans fioritures, la nouvelle Maxima cache un cœur gros comme ça et des performances qui feront l'envie de la concurrence. Nissan a mis le paquet pour faire de son vaisseau amiral le porte étandard de la marque.

CARROSSERIE Esthétiquement, il sera facile de reconnaître les Maxima 2002. Le vrai changement est sous le capot. À l'extérieur, une nouvelle calandre se pointe à l'avant entourée de phares au xénon. Un bas de caisse plus sculpté et des phares arrière retravaillés complètent les retouches.

MÉCANIQUE Nissan a remplacé le magnifique moteur V6 de 3 litres par le V6 de 3,5 litres qui a fait ses débuts l'an dernier sous le capot du Pathfinder. Avec quelques coups de baguette, les ingénieurs ont extirpé 260 chevaux de cette mécanique pour laquelle le vocable « sportive » n'est pas un euphémisme. Pour souligner cet aspect, la version SE est offerte avec une boîte manuelle à 6 rapports à étagement court qui va faire pâlir d'envie beaucoup de berlines sportives plus coûteuses. Il est à noter que les versions GXE et GLE viennent d'office avec la transmission automatique à 4 rapports.

COMPORTEMENT La puissance est impressionnante et obligera la concurrence à refaire ses devoirs ; les roues de 17 pouces des versions SE et GLE assurent une liaison au sol sans faille. Et malgré toute cette puissance, la voiture n'est jamais brusque ni bruyante. Les chevaux sont livrés en souplesse dans un silence princier. La suspension multibras continue de faire de l'excellent travail, et les aides à la conduite électronique comme l'ABS, l'aide au freinage électronique, la traction asservie et autres font leur travail de manière efficace. Cette nouvelle Maxima se retrouve en tête de liste des voitures de luxe d'entrée de gamme. Une catégorie chargée et extrêmement concurrentielle qui offre des véhicules parmi les plus intéressants sur le marché. De toute évidence, vous ne serez pas foudroyé par la ligne discutable de la Maxima. Mais quelques minutes derrière le volant réussiront à vous convaincre que l'essentiel est invi-

n o u v e a u t é s 2 0 0 2

• Retouches extérieures • Moteur V6 de 3,5 L et 260 ch • Réaménagement intérieur

sible aux yeux, qu'on ne voit bien qu'avec le cœur. La Maxima est une affaire de cœur; c'est au volant que l'on devient amoureux.

HABITACLE Les raffinements de l'habitacle comprennent notamment des fauteuils de conception nouvelle offrant plus de soutien, un nouveau sélecteur de passage des vitesses étagé pour la boîte automatique, des commandes de chaîne audio redessinées, un ordinateur de voyage multifonctions à commandes montées sur le volant, un système de chauffage-ventilation-climatisation à microfiltre de série avec filtre lavable, un commutateur de toit ouvrant multiposition, le siège du conducteur à réglage électrique avec mémoire et fonction d'entrée/sortie (de série sur GLE, en option sur SE), la sonorisation Bose de 200 watts à sept haut-parleurs avec chargeur six DC intégré au tableau de bord (de série sur GLE, en option sur SE). Même la version GXE de base offre beaucoup. Parmi ces caractéristiques, notons le fauteuil du conducteur à huit réglages électriques, les fauteuils chauffés du conducteur et du passager, le régulateur automatique de l'air ambiant, le pommeau de levier de vitesses gainé de cuir, le couvercle de la console centrale réglable en hauteur, et la radiocassette AM/FM/DC à six haut-parleurs de qualité supérieure avec commandes audio montées sur le volant.

CONCLUSION Il sera de plus en plus difficile pour les grandes berlines de luxe de justifier des prix de 60 000 $ et plus. Car pour moins de 35 000 $, la Maxima vous offre une expérience de conduite très proche de ces grandes routières d'outre-Atlantique. La grande différence : votre portefeuille s'en portera beaucoup mieux.

fiche technique

NISSAN

Moteur : V6 DACT 3,5 L
Puissance : 260 ch à 6800 tr/min et 246 lb-pi à 4400 tr/min
Transmission de série : manuelle à 6 rapports (SE seulement), automatique à 4 rapports
Transmission optionnelle : aucune
Freins avant : disques
Freins arrière : disques
Sécurité active de série : ABS, antipatinage (GXE et GLE seulement)
Suspension avant : indépendante
Suspension arrière : indépendante
Empattement : 275,1 cm
Longueur : 486,4 cm
Largeur : 178,6 cm
Hauteur : 143 cm
Poids : 1473 kg
0-100 km/h : 7 s
Vitesse maximale: 225 km/h
Diamètre de braquage : 10,8 m
Capacité du coffre : 428 L
Capacité du réservoir d'essence : 70 l
Consommation d'essence moyenne : 12,3 L/100 km
Pneus d'origine : 215/55R16 (GXE)
Pneus optionnels : 225/50R17 (SE), 215/55R17 (GLE)

2e opinion

Michel Crépault — Ce sont surtout les proprios de Maxima qui savent à quel point ils conduisent une bonne voiture. Pour agrandir le cercle des initiés, Nissan continue néanmoins d'améliorer son produit. Le nouveau V6, par exemple, est garant de joyeuses performances. Le jour où Nissan concoctera une silhouette moins sage, on envisagera un véritable succès.

forces

- Les performances enivrantes du moteur
- Comportement routier sans failles
- Tenue de route impeccable

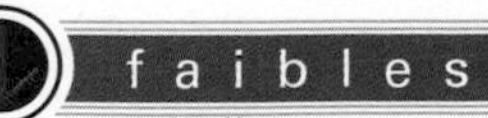

faiblesses

- La ligne manque encore d'inspiration.
- Les fauteuils moins confortables sur la version GXE

Par Benoit Charette

NISSAN

fiche d'identité

Modèle : Pathfinder
Versions : XE, SE et LE
Segment : utilitaires intermédiaires
Jumeau : Infiniti QX4
Roues motrices : quatre
Portières : 4
Places : avant, 2; arrière, 3
Sacs gonflables : 2
Concurrence : Chevrolet TrailBlazer, Ford Explorer, GMC Envoy, Isuzu Rodeo, Jeep Grand Cherokee, Oldsmobile Bravada, Toyota 4Runner, Dodge Durango

au quotidien

Prime d'assurance moyenne : 900 $
Garantie générale : 3 ans/60 000 km
Garantie groupe motopropulseur : 5 ans/100 000 km
Garantie contre la corrosion : 5 ans/100 000 km
Garantie contre la perforation : 5 ans/100 000 km
Collision frontale : 4/5
Collision latérale : 5/5
Ventes du modèle l'an dernier au Québec : 2087
Dépréciation : 45 %

évolution

prix de base • XE :34 700 $

Plus **citadin**

Le Pathfinder a toujours été reconnu comme l'un des utilitaires les plus polyvalents sur le marché. Son moteur anémique jetait en contrepartie un peu d'ombre au tableau. L'an dernier, les dirigeants de Nissan ont pris le taureau par les cornes. Le Pathfinder offre maintenant un V6 de 3,5 litres de 240 chevaux (250 en version manuelle). Ce nouveau moteur est issu de la même technologie que l'excellent V6 de la Maxima. Une transformation très réussie et une personnalité plus mondaine.

CARROSSERIE Nissan a pris le soin de revoir non seulement le moteur, mais la carrosserie et la vision globale du Pathfinder. La partie avec a été redessinée avec une nouvelle calandre, un nouveau bouclier avant et des phares à réflecteurs multifacettes. À l'arrière, le hayon a été repensé pour être plus facile à utiliser, et les pare-chocs ainsi que les feux arrière ont été retouchés.

MÉCANIQUE Un bloc cylindre en aluminium, un système à admission variable et un roulement plus doux, tels sont les principaux changements apportés au moteur. Disposant de plus de puissance que bien des V8 sur le marché, le V6 du Pathfinder est maintenant capable d'accélérations très honnêtes. Le 0 à 100 km/h sera bouclé en 8 secondes avec la boîte manuelle (8,8 avec l'automatique). Un coeur d'athlète qui fait une grande différence.
Nissan pouvait affirmer posséder le V6 le plus puissant sur le marché pour un utilitaire. Depuis, GM a fait mieux avec le Vortec qui se cache dans les TrailBlazer, Envoy et Bravada 2002 avec ses 270 chevaux. Il n'en demeure pas moins que le Pathfinder démontre un aplomb qui lui faisait gravement défaut avec l'ancienne mécanique. Il n'y a pas seulement que la puissance qui a été revue à la hausse. Le niveau de raffinement de cette mécanique est de beaucoup supérieur à l'ancien 3 litres qui commençait sérieusement à faire sentir son âge.

COMPORTEMENT L'an dernier, le lancement de la Pathfinder a eu lieu sur de petites routes à l'intérieur d'un parc national dans le désert de Mojave, les pierres

nouveautés 2002

- Aucun changement majeur

rouge brique et l'horizon dénudé de toute végétation donnant des airs de décor lunaire. Ces routes, lisses comme des tables de billard, montrent n'importe quelle voiture sous son meilleur jour. Mais même sur nos routes québécoises abominables, le Pathfinder se comporte très bien. Après un aller-retour à Rimouski, pas de mal de dos; un confort général très apprécié et une consommation presque raisonnable (près de 450 km avec un plein sur l'autoroute). Ces chiffres sont cependant moins impressionnants en conduite urbaine.

HABITACLE Le petit côté rustique de la finition a fait place à un raffinement chic et de bon goût. Vous avez maintenant une prise de 12 volts intégrée à l'accoudoir de la console centrale (pratique pour les téléphones cellulaires) et une deuxième prise dans l'espace cargo derrière. Le groupe d'instruments est maintenant de couleur titane sur la version SE (manière Maxima) pour être en harmonie avec les autres modèles SE de la famille. La sellerie de cuir est en option sur la SE, mais elle est de série sur la LE (avec fauteuils chauffants). La chaîne audio comprend six haut-parleurs avec lecteur DC. Pour ceux qui ont l'oreille plus musicale, un système Bose livrable avec chargeur de six DC intégré au tableau de bord et commandes audio montées sur le volant est offert en option. Pour terminer, vous avez le choix entre deux couleurs pour l'intérieur en version cuir ou tissu : beige ou anthracite.

CONCLUSION Le manque de puissance chronique du Pathfinder n'est plus qu'un mauvais souvenir. Un véhicule intéressant à tout point de vue.

fiche technique

Moteur : V6 DACT de 3,5 L
Puissance : 250 ch à 6000 tr/min et 240 lb-pi à 3200 tr/min (BVM)
Autres moteurs : 240 ch à 6000 tr/min et 265 lb-pi à 3200 tr/min
Transmission de série : manuelle à 5 rapports (XE et SE)
Transmission optionnelle : automatique à 4 rapports
Freins avant : disques
Freins arrière : tambours
Sécurité active de série : ABS
Suspension avant : indépendante
Suspension arrière : indépendante
Empattement : 270 cm
Longueur : 464,1 cm
Largeur : 177 cm
Hauteur : 172,5 cm
Poids : 1864 kg
0-100 km/h : 9,5 s
Vitesse maximale : 175 km/h
Diamètre de braquage : 11,4 m
Capacité de remorquage : 1588 kg (BVM), 2268 kg (BVA)
Capacité du coffre : 1076 L (banquette abaissée)
Capacité du réservoir à essence : 80 L
Consommation d'essence moyenne : 13,4 L/100 km (BVM), 13,8 L/100 km (BVA)
Pneus d'origine : P245/70R16 (XE), P255/65R16 (SE et LE)
Pneus optionnels : aucun

NISSAN

2e opinion

Éric Descarries — Nissan a su donner toute une personnalité à son utilitaire Pathfinder. Mais depuis l'apparition de la Xterra, le Pathfinder est devenu de plus en plus luxueux; ce qui l'éloigne de ses admirateurs de première heure. Le plus récent moteur V6 lui est approprié, mais le modèle commence à dater, c'est évident. La concurrence forcera-t-elle Nissan à réagir?

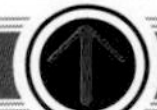

forces

- Puissance du moteur
- Liste d'équipements très complète
- Construction solide et finition soignée

faiblesses

- Consommation relativement élevée
- Manque de mordant au freinage

Par Benoit Charette

NISSAN

fiche d'identité

Modèle : Sentra
Versions : XE, GXE, SE, SE-R, SE-R Spec V
Segment : petites voitures
Roues motrices : avant
Portières : 4
Places : avant, 2; arrière, 2
Sacs gonflables : 2
Concurrence : Chrysler Neon, Chevrolet Cavalier, Daewoo Nubira, Ford Focus, Honda Civic, Hyundai Elantra, Kia Spectra, Pontiac Sunfire, Saturn Série S, Subaru Impreza, Toyota Corolla, VW Jetta

au quotidien

Prime d'assurance moyenne : 725 $
Garantie générale : 3 ans/60 000 km
Garantie groupe motopropulseur : 5 ans/100 000 km
Garantie contre la corrosion : 5 ans/100 000 km
Garantie contre la perforation : 5 ans/100 000 km
Collision frontale : 4/5
Collision latérale : 4/5
Ventes du modèle l'an dernier au Québec : 5654
Dépréciation : 46 %

évolution

prix de base • 17 698 $

Populiste ou extrême

En 1999, affirmer qu'une Nissan Sentra puisse susciter un brin de passion aurait été une pure hérésie. Cette compacte était un moyen de transport fiable et efficace certes, mais combien anonyme. Les tenants de la marque se réjouissent sans doute de l'arrivée de la nouvelle génération de Sentra, dévoilée l'année dernière, à cause des variantes intéressantes qui se multiplient.

CARROSSERIE Par rapport à la Sentra de l'ancien millénaire, celle-ci est plus longue, plus large et plus haute. Des millimètres additionnels qui ajoutent au confort des occupants. Qui plus est, à bord le renouveau se voit : le tableau de bord, bien aménagé, affiche une allure d'autant plus moderne qu'elle est agréable à l'œil.

Les sièges baquets des modèles XE et GXE sont confortables et procurent un soutien latéral satisfaisant. La GXE a aussi une banquette arrière à dossier escamotable 60/40, permettant de moduler le volume du coffre.

Les fervents de Musique Plus opteront plutôt pour les nouvelles Sentra baptisées SE-R et SE-R Spec V. D'abord, pour leur allure cool, avec leurs sièges baquets sport colorés très moulants. Ensuite, pour « l'essentielle » chaîne audio Rockford Fosgate de 300 watts à neuf haut-parleurs. Ouille, les tympans! C'est vrai... pour leurs performances aussi.

MÉCANIQUE Le duo SE-R et SE-R Spec V dispose d'une joyeuse horde de chevaux. Pour ces compactes musclées chaussées de pneus taille basse (16 pouces pour la SE-R et 17, pour la Spec V), Nissan a troqué le moteur 2 litres et 140 chevaux de la Sentra SE 2001 pour le quatre cylindres de l'Altima 2002 : un multisoupape de 2,5 litres duquel sont extirpés 165 et 175 chevaux respectivement. Des Sentra nouveau genre qui s'inscrivent dans la foulée des Mazda Protegé MP3 et Subaru WRX, et promettent des performances substantielles. La SE-R peut recevoir une boîte automatique (honte à ceux qui la réclament!), mais la manuelle à cinq rapports courts sied mieux à ses performances. Et pour la SE-R Spec V, Nissan a ajouté un sixième rapport, et

nouveautés 2002

• Version SE-R et SE-R Spec • Version SE éliminée

pas juste pour le plaisir... Décision logique pour une Sentra « extrême ».

Comme si la mécanique déterminait le caractère, les Sentra XE et GXE, plus terre-à-terre, offrent les performances honnêtes d'un quatre cylindres de 1,8 litre, qui entraîne leurs roues avant. Par rapport au faiblard moteur de 1,6 litre d'antan, celui-ci produit plus de couple et plus de chevaux; une différence qui facilite les dépassements, par exemple, et qui donne du caractère à cette compacte. La transmission de série, une manuelle à cinq rapports, est bien étagée, mais l'automatique contribue davantage au confort des passagers.

COMPORTEMENT Sur la route, les Sentra XE et GXE sont agréables à conduire. Leur châssis affiche une grande rigidité structurelle que nos routes québécoises mettent souvent en valeur. La direction n'est pas surassistée et le freinage, assuré par un tandem disques-tambours, convient à une vocation urbaine.

Les SE-R, quant à elles, font usage de quatre freins à disque, solution appropriée à la fougue de leur moteur. Dans le même ordre d'idées, on les a équipées d'un différentiel autobloquant, d'une suspension plus ferme et de barres antiroulis d'un diamètre plus fort. Une sage décision qui élève le comportement routier à la hauteur de la prestation des mécaniques. Mais, pour du confort de roulement, prière de voir sous la rubrique GXE.

CONCLUSION Avec le duo SE-R, la Sentra ne peut que sortir de l'anonymat. Trop longtemps confinée à la seule mission de transporter la plèbe du point A au point B, cette berline compacte dispose désormais d'attributs assez convaincants pour plaire aux conducteurs de Protegé et de Civic — ceux qui recherchent un moyen de transport efficace, avec un peu de crémage sur le gâteau. Avec une SE-R toutefois, assurez-vous de déposer le gâteau sur le plancher avant de démarrer... pour éviter de répandre le crémage dans les courbes!

fiche technique

Moteurs : 4 cyl. DACT 1,8 L (XE et GXE); 4 cyl. DACT 2,5 L (SE-R);

Puissance : 126 ch à 6000 tr/min et 129 lb-pi à 2400 tr/min; 170 ch à 6000 tr/min et 170 lb-pi à 4400 tr/min (SE-R); 180 ch à 6000 tr/min et 180 lb-pi à 4400 tr/min (SE-R Spec V)

Transmission de série : manuelle à 5 rapports, manuelle à 6 rapports (Spec V)

Transmission optionnelle : automatique à 4 rapports

Freins avant : disques ventilés

Freins arrière : tambours

Sécurité active de série :

Suspension avant : indépendante

Suspension arrière : indépendante

Empattement : 253,5 cm

Longueur : 450,9 cm

Largeur : 170,9 cm

Hauteur : 141 cm

Poids : 1165 kg (XE et GXE), 1238 kg (SE-R) 1244 kg (Spec V)

0-100 km/h : 10,3 s (XE); 7,8 s (SE-R)

Vitesse maximale : 185 km/h

Diamètre de braquage : 10,4 m

Capacité du coffre : 328 L

Capacité du réservoir d'essence : 50 L

Consommation d'essence moyenne : 7,5 L/100 km (XE et GXE), 8,5 L/100 km (SE-R)

Pneus d'origine : P185/65TR14 (XE et GXE), P195/55R16 (SE-R) 215/45ZR17 (Spec V)

Pneus optionnels : aucun

2e opinion

Philippe Laguë — Si la Sentra incarnait l'ennui au volant, la version SE-R a tout ce qu'il faut pour changer cette perception. C'est exactement ce qui manquait à la gamme Sentra pour la revitaliser.

forces

- Châssis très rigide
- Intérieur spacieux
- Esthétique plus agréable

faiblesses

- Roulement ferme des SE-R
- intérieur un peu terne

Par Luc Gagné

NISSAN

fiche d'identité

Modèle : Xterra
Versions : XE et SE
Segment : utilitaires compacts
Roues motrices : 4 roues motrices
Portières : 4
Places : avant, 2; arrière, 3
Sacs gonflables : 2
Concurrence : Land Rover Freelander, Hyundai Santa Fe, Honda CR-V, Suzuki Grand Vitara, Toyota RAV4, Kia Sportage, Mazda Tribute, Ford Escape, Saturn VUE, Subaru Forester, Jeep Liberty

au quotidien

Prime d'assurance moyenne : 1000 $
Garantie générale : 3 ans/60 000 km
Garantie groupe motopropulseur : 5 ans/100 000 km
Garantie contre la corrosion : 5 ans/100 000 km
Garantie contre la perforation : 5 ans/100 000 km
Collision frontale : 4/5
Collision latérale : 4/5
Ventes du modèle l'an dernier au Québec : 748
Dépréciation : 25 % (un an)

évolution

prix de base • 29 498 $

Des **lunettes** avec ça ?

Offert sur le marché depuis deux ans, le Xterra a droit au premier « lifting » de sa jeune carrière. La calandre est ceinturée par une pièce de plastique arborant des phares ronds qui donnent un air de raton laveur à cette nouvelle Xterra. Le premier utilitaire à lunettes du marché!

CARROSSERIE Le Xterra repose sur la plateforme du Frontier 4 x 4. La carrosserie est montée sur un châssis à échelle comme le Frontier. Les phares, les pare-chocs avant, le capot, les montants A et les portes avant sont également des éléments empruntés au Frontier. Le Xterra se distingue par de gros élargisseurs d'ailes qui donnent à la partie latérale son aspect très découpé. Les deux éléments les plus distinctifs: la ligne de toit et le porte-bagages tubulaire qui différencie le Xterra de ses concurrents. Pour 2002, le capot est doté d'une protubérance centrale haute de 48 millimètres, qui procure à la Xterra une allure plus musclée. Mais la véritable raison de cette protubérance est l'arrivée d'un nouveau moteur à compresseur qui prend plus de place sous le capot. Il ne faut pas oublier les lunettes.

MÉCANIQUE Un deuxième moteur, en effet, fait son apparition aux côtés du V6 de 3,3 litres (170 chevaux) : un V6 de 3,3 litres à compresseur qui développe 210 ch. Ce moteur, déjà vu sur la camionnette Frontier, est disponible en option avec la finition SE. Il peut être associé au choix à une boîte manuelle à 5 rapports ou automatique à 4 rapports. La boîte manuelle offre une capacité de remorquage de 5000 livres contre 3500 livres pour l'automatique. Les deux véhicules sont également équipés d'un système de 4 roues motrices avec dispositif d'engagement à la volée avec boîte de transfert à deux vitesses. Suffisant pour quelques bonnes escapades hors route!

COMPORTEMENT Que vous optiez pour les sentiers ou l'autoroute, le Xterra fait belle figure. Avec sa garde au sol élevée, la protection des principaux organes mécaniques et sa construction robuste, c'est un véhicule tout-terrain de première qualité. Seul le marchepied risque de

nouveautés 2002

- Partie avant redessinée • Ajout d'un compresseur Roots au V6 de 3,3 litres
- Tableau de bord réaménagé

limiter la capacité de franchissement. La suspension bien calibrée donne également une conduite sur la route fort étonnante de par son confort. Les 4 freins à disque avec ABS assurent des freinages en toute sécurité, et l'intérieur bien aménagé vous permet de loger toute une panoplie d'équipement de plein air. Le Xterra offre même des équipements spéciaux comme un support à vélo de montagne à l'intérieur ou une rallonge pour augmenter la capacité de charge. Si le moteur de base manque d'entrain, le compresseur Roots résonne comme une vieille machine à laver. La puissance est là, mais la cacophonie qui sévit sous le capot donne mal aux oreilles; un peu de raffinement serait du meilleur effet.

HABITACLE L'intérieur du véhicule bénéficie également d'un certain nombre d'améliorations. Par exemple, l'adoption d'une nouvelle planche de bord dotée d'instruments circulaires qui renforcent l'esprit sportif. Sur le modèle de base XE, ces cadrans sont gris alors qu'ils sont bleus sur le modèle SE. Les améliorations continuent avec une console centrale redessinée, une boîte à gants plus vaste, de nouveaux porte-gobelets à l'arrière et quatre prises de 12 volts dans le véhicule. Le modèle SE se dote d'une nouvelle chaîne audio de 300 W et 8 haut-parleurs, avec chargeur de 6 DC dans le tableau de bord.

CONCLUSION Après un début de carrière en dents de scie, l'Xterra semble vouloir reprendre son souffle. Et le compresseur n'est pas le seul responsable. Il faudra tout de même penser à une mécanique plus moderne dans les années qui viennent, car un nouveau crémage sur un vieux gâteau n'est toujours qu'un baume temporaire. Surtout que la concurrence a les dents longues et bien souvent des véhicules plus modernes à offrir.

fiche technique

Moteur : V6 SACT de 3,3 L
Autre moteur : V6 3,3 L à compresseur
Puissance : 170 ch à 4800 tr/min et 200 lb-pi à 2800 tr/min
Autre moteur : 210 ch à 4800 tr/min et 231 lb-pi à 2800 tr/min (bvm)
Transmission de série : manuelle à 5 rapports (XE); automatique à 4 rapports (SE)
Transmission optionnelles : automatique à 4 rapports (XE)
Freins avant : disques
Freins arrière : tambours
Sécurité active de série : ABS
Suspension avant : indépendante
Suspension arrière : essieu rigide
Empattement : 246,9 cm
Longueur : 452,1 cm
Largeur : 178,8 cm
Hauteur : 187,9 cm
Poids : 1835 kg (4x4 XE) 1893 kg (SE-SC)
0-100 km/h : 12 s (V6)
Vitesse maximale : 155 km/h
Diamètre de braquage : 10,8 mètres
Capacité de remorquage : 1588 kg (man.), 2269 kg (auto.)
Capacité du coffre : 1260 L, 1858 L (sièges abaissés) (SE)
Capacité du réservoir d'essence : 73 L
Consommation d'essence moyenne : 13,5 L/100 km
Pneus d'origine : P265/70R15 (XE), P255/65R16 (SE) 265/65R17 (SE-SC)
Pneus optionnels : aucun

2e opinion

Éric Descarries — Si le Xterra m'a impressionné à sa parution, aujourd'hui, il m'emballe moins. Disons que la surprise du départ s'est rapidement estompée. Les retouches apportées à l'avant rafraîchiront son apparence, et le nouveau moteur à compresseur mécanique lui donnera plus de «pep»...Du moins, je l'espère.

forces

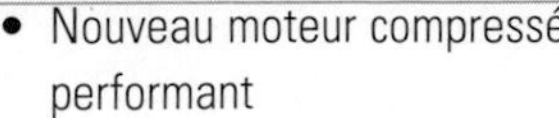

- Nouveau moteur compressé performant
- Ligne réussie
- Suspension très bien calibrée

faiblesses

- Un léger bruit de roulement de pneu, omniprésent sur la route
- Confort un peu spartiate pour les longs trajets

Par Benoit Charette

OLDSMOBILE

fiche d'identité

Modèle : Alero
Versions : GX, GL et GLS
Segment : compactes
Jumeaux : Chevrolet Malibu, Pontiac Grand Am
Roues motrices : avant
Portières : 2 ou 4
Places avant : 2
Places arrières : 3
Sacs gonflables : 2
Concurrence : Chrysler Sebring, Daewoo Leganza, Ford Focus ZTS, Honda Accord, Hyundai Sonata, Kia Magentis, Mazda 626, Nissan Altima, Saturn Série L, Toyota Camry

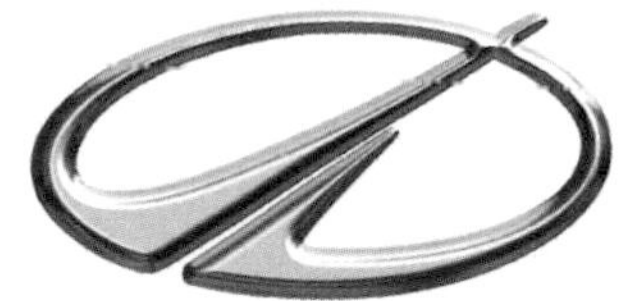

au quotidien

Prime d'assurance moyenne : 765 $
Garantie générale : 5 ans/100 000 km
Garantie groupe motopropulseur : 5 ans/100 000 km
Garantie antipollution : 8 ans/130 000 km
Garantie contre la perforation : 6 ans/160 000 km
Collision frontale : 4
Collision latérale : 3
Ventes du modèle l'an dernier au Québec : 4042
Dépréciation : 39,3 % (1999)

évolution

prix de base • 21 590 $

Un bon soldat

L'Alero est arrivée discrètement sur le marché en 1999 pour prendre la relève de l'Achieva qui quittait la scène. En général, il y a peu d'attente face aux modèles génériques qui sont placés sur le marché pour plaire au plus grand nombre d'acheteurs possible. L'Alero en a pourtant surpris plusieurs.

CARROSSERIE De l'extérieur, l'Alero donne l'impression d'une Grand Am plus raffinée, avec des lignes épurées et une calandre discrète, fidèle à la tradition conservatrice d'Oldsmobile. Pour 2002, quelques retouches extérieures rehaussent l'allure de la voiture. Les couleurs «sarcelle des tropiques» pour un brin d'exotisme et «vert polo» sont ajoutées à la gamme des coloris offerts, ainsi qu'un nouveau design de roue en alliage à six branches pour les modèles GL (en équipement facultatif pour le GX).

MÉCANIQUE La grande nouveauté de l'Alero se trouve sous le capot pour 2002. Le vétuste quatre cylindres de 2,4 litres a fait place à un nouveau venu. Un moteur tout aluminium quatre cylindres de 2,2 litres avec double arbre à cames en tête et 140 chevaux. Cette motorisation, développée par General Motors de concert avec Lotus, est livrée de série dans les versions GX et GL. La GLS vient avec le V6 de 3,4 litres de 170 chevaux.
Notons que la transmission automatique à quatre rapports est offerte en série pour tous les modèles. La boîte manuelle à cinq rapports est offerte en option avec le moteur de 2,2 litres. Autre nouveauté pour 2002, la version GX est offerte avec un groupe sport comprenant la boîte manuelle, les roues en alliage de 15 pouces, un becquet arrière et un volant gainé de cuir.

COMPORTEMENT Au moment d'aller sous presse, nous n'avions pas eu la chance d'essayer le moteur de 2,2 litres, mais pour avoir essayé ce même moteur dans d'autres produits GM, il offre plus de souplesse que l'ancien quatre cylindres; cependant, ses lamentations à haut régime font preuve d'un manque flagrant de raffinement.
Dans ces conditions, le V6 demeure votre meilleur choix.

nouveautés 2002

• Moteur de base de 2,2 litres de 140 chevaux • Roue en alliage pour la version GL (en équipement facultatif sur la GX) • Version GX offerte avec un groupe sport

La position de conduite et la visibilité ne posent pas de problème. Toutefois, il subsiste un effet de couple avec le moteur V6 qui s'explique mal.

HABITACLE L'intérieur de l'Alero s'inspire de celui de sa grande sœur, l'Intrigue. L'Alero possède de larges jauges de contrôle bien aménagées. La position de conduite est satisfaisante, mais les fauteuils un peu minces manquent de confort sur longs trajets, et leur étroitesse élimine tout soutien latéral. Pour ce qui est de l'espace, pas de problème; il faut toutefois noter que l'entrée et la sortie dans le coupé deux portes demande certaines contorsions.

Il faut aussi noter que l'espace arrière est calculé; si vous avez le malheur de prendre place derrière un conducteur aux grandes jambes, vous serez à l'étroit.

CONCLUSION Chose certaine, par la qualité générale du produit, l'Alero a vite fait oublier la monotone et insipide Achieva. Il s'agit d'un modèle intermédiaire qui devrait normalement être sur le marché pour plusieurs années, mais la haute direction de General Motors ayant décidé d'éliminer la marque Oldsmobile de leurs projets futurs, l'Alero devrait cesser de sortir de l'usine dès 2003. Certains modèles devraient toutefois survivre à la marque, sous une autre bannière.

Profitez donc de l'année 2002 pour vous procurer une Alero si le cœur vous en dit, car les concessionnaires Oldsmobile seront de l'histoire ancienne dès 2004.

Mais soyez sans crainte, les fabricants doivent garder des pièces en stock durant 10 ans après la dernière année de production. Donc, si vous achetez tout de suite, vous pourrez dormir tranquille jusqu'en 2014.

fiche technique

Moteur : 4 cyl. 2,2 L DACT
Autre moteur : V6 de 3,4 L
Puissance : 140 ch à 5600 tr/min et 150 lb-pi à 4000 tr/min
Autre moteur : 170 ch à 4800 tr/min et 200 lb-pi à 4000 tr/min
Transmission de série : manuelle à 5 rapports
Transmission optionnelle : automatique à 4 rapports
Freins avant : disques
Freins arrière : disques
Sécurité active de série : ABS
Suspension avant : indépendante
Suspension arrière : indépendante
Empattement : 271,8 cm
Longueur : 474,2 cm
Largeur : 178,1 cm
Hauteur : 138,4 cm
Poids : 1345 kg
0-100 km/h : 8,8 s (V6)
Vitesse maximale : 170 km/h (limitée électroniquement)
Diamètre de braquage : 10,7 m
Capacité du coffre : 413 L
Capacité du réservoir à essence : 54,1 L
Consommation d'essence moyenne : 11 L/100 km
Pneus d'origine : 215/60R15
Pneus optionnels : 225/50R16

OLDSMOBILE

2e opinion

Éric Descarries — Je ne sais pas comment GM aurait pu changer le nom Oldsmobile sans en abandonner la lignée. L'Alero est un bon exemple d'un dessin moderne qui doit survivre. Sans toucher les éléments techniques, je crois que son design fait encore tourner des têtes. Pourquoi ne pas en faire une Saturn?

forces

- Lignes simples et bien pensées
- Comportement solide
- Qualité de fabrication à la hauteur

faiblesses

- Effet de couple gênant avec le moteur V6
- Espace passager un peu à l'étroit
- Sonorité du quatre cylindres manquant de raffinement

Par Benoit Charette

OLDSMOBILE

fiche d'identité

Modèle : Aurora
Versions : 3,5 et 4,0
Segment : de luxe, moins de 50 000$
Roues motrices : avant
Portières : 4
Places : avant, 2; arrière, 3
Sacs gonflables : 2 frontaux et 2 latéraux
Concurrence : Acura TL, Chrysler 300M, Cadillac Seville, Infiniti I35, Lexus ES 300, Mazda Millenia, Volvo S60, VW Passat V6

prix de base • 46 455$

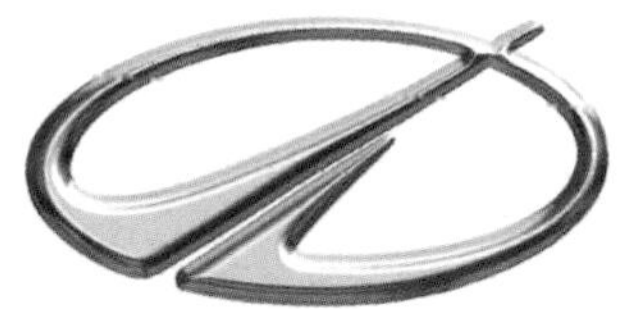

Le soleil se couche sur l'Aurora

au quotidien

Prime d'assurance moyenne : 1300$
Garantie générale : 5 ans/100 000 km
Garantie groupe motopropulseur : 5 ans/100 000 km
Garantie antipollution : 8 ans/130 000 km
Garantie contre la perforation : 6 ans/160 000 km
Collision frontale : 4
Collision latérale : 3
Ventes du modèle l'an dernier au Québec : 455
Dépréciation : 40,3%

La General Motors a fait un bien mauvais coup en annonçant la disparition de la marque Oldsmobile, à partir de 2003. Avec des produits distincts et vivifiants comme l'Aurora et l'Alero, la marque ne méritait pas un tel sort; surtout que Buick se cherche une nouvelle identité avec les Rendezvous et autres LaCrosse, et que Pontiac fait preuve d'une audace franchement déplacée avec des produits à l'allure échevelée comme l'Aztek et la Grand Am. Mais bon. Espérons que l'Aurora et l'Alero, à tout le moins, sauront se trouver un autre nid sans pour autant perdre trop de plumes.

CARROSSERIE L'Aurora est une berline de luxe qui s'apparente drôlement à ce que l'on s'attend d'une européenne : allure costaude, formes rondelettes hachurées d'arêtes brusques, voie large. Ajoutez à cela des roues de 17 pouces et vous voilà sur le Vieux Continent! Autrement dit, la refonte du modèle en 2001 lui aura donné un brave coup de pouce, la distinguant davantage de sa petite sœur, l'Alero.

MÉCANIQUE Les deux moteurs offerts sur l'Aurora se mesurent à la concurrence sans aucune gêne. Évidemment, le V8 de 4 litres qui est offert sur les versions plus équipées de la berline — inspiré du Northstar de 4,6 litres que l'on retrouve notamment sur la Cadillac DeVille — est probablement mieux adapté à ce véhicule, pour autant que l'on ne se préoccupe pas trop de la facture d'essence. Mais le V6 de 3,5 L qui est livré de série n'est pas à dédaigner non plus. On pourrait le qualifier de «correct» : accélérations correctes, reprises correctes, consommation un peu plus correcte. Bref, vous comprenez que si vous recherchez surtout le confort d'une grande routière sans trop vous soucier des performances ou sans vouloir investir dans la construction d'un pipeline dans votre cour, le V6 peut très bien faire l'affaire.

COMPORTEMENT Sur la route, l'Aurora possède les défauts de ses qualités. La suspension indépendante est beaucoup plus ferme que sur une Buick Century, par exemple. Une caractéristique qui est notable, surtout lors d'une balade sur nos jolies routes de

nouveutés 2002
- Apparence et confort des sièges améliorés
- Groupe décor or en option sur la 3.5
- Deux nouvelles couleurs extérieures: bleu Ming foncé et granit métallisé

campagne bien cahoteuses. Le roulis est limité en raison de cette fermeté, mais on le sent quand même dans les courbes, plus que nécessaire.

Dans le cas de l'Aurora 3.5, les accélérations ne mettront pas en péril une éventuelle tasse de café logée dans un des porte-gobelets de la voiture, mais elles seront suffisantes pour atteindre une vitesse de croisière respectable. En somme, tout dans le comportement de cette berline indique qu'il s'agit d'une routière plus propice aux trajets sur autoroute.

HABITACLE L'intérieur de l'Aurora est une merveille. Raffiné, sobre et bien réfléchi, le tableau de bord et sa console centrale sont la clef de voûte de cette réussite. Ergonomique, celle-ci présente un affichage qui renseigne sur à peu près tout l'environnement.

D'un rapide coup d'œil, on peut savoir l'heure, la date, la température extérieure, la station de radio syntonisée, et les niveaux de climatisation et de ventilation. Le levier de transmission se manipule agréablement bien, et les appliqués de bois décorent sans encombrer les portières et le tableau de bord. Les sièges en cuir «Gant de receveur» (*Catcher's Mitt*) sont d'un confort surprenant. Seul détail étonnant, voire décevant, les boucles de ceinture de sécurité sont mornes et rappellent plus l'intérieur d'un GMC Savana que d'une Oldsmobile...

CONCLUSION Ceux qui voudraient se procurer une BMW pour s'offrir de longs périples, pourraient prendre une seconde afin de vérifier si, après tout, l'Oldsmobile Aurora ne ferait pas aussi l'affaire.

Bien sûr, l'image de marque n'est pas la même, mais les sensations de conduite pourraient en combler plus d'un. Et les garanties sont des plus intéressantes.

fiche technique

Moteur : V6 de 3,5 L
Autre moteur : V8 de 4 L
Puissance : 215 ch à 5600tr/min et 230 lb-pi à 4400 tr/min
Puissance autre moteur : 250 ch à 5600 tr/min et 260 lb-pi à 4400 tr/min
Transmission de série : automatique à 4 rapports
Transmission optionnelle : aucune
Freins avant : disques ventilés
Freins arrière : disques
Sécurité active de série : ABS, antipatinage
Suspension avant : indépendante
Suspension arrière : indépendante
Empattement : 285 cm
Longueur : 506,2 cm
Largeur : 185,2 cm
Hauteur : 144 cm
Poids : 1670 kg
0-100 km/h : 8 s (V6)
Vitesse maximale : 210 km/h (limitée électroniquement)
Diamètre de braquage : 12 m (V6); 12,2 m (V8)
Capacité du coffre : 421 L
Capacité du réservoir à essence : 70 L
Consommation d'essence moyenne : 13 L/100km
Pneus d'origine : 225/60R16 (3,5) et 235/55R17 (4,0)
Pneus optionnels : aucun

2e opinion

Benoit Charette — Porte-étendard d'une marque à l'automne de sa vie, l'Aurora demeure un des meilleurs produits de la famille. Espérons seulement qu'une autre division chez GM va récupérer cette berline. Entretemps, je vous recommande le V6 3,5 litres: il a pratiquement autant de caractère que le V8, à meilleur prix.

forces

- Confort
- Belle finition extérieure
- Belle finition intérieure

faiblesses

- Tenue de route moyenne
- Rétroviseurs étroits

par Alain Mckenna

OLDSMOBILE

Jumeaux

fiche d'identité

Modèle : Bravada
Version : unique
Segment : utilitaires intermédiaires
Jumeaux : GMC Envoy et Chevrolet TrailBlazer
Roues motrices : avant et 4x4
Portières : 4
Places : avant, 2; arrière, 3
Sacs gonflables : 4
Concurrence : Acura MDX, Dodge Durango, Ford Explorer, Jeep Grand Cherokee, Nissan Pathfinder, Suzuki XL-7, Toyota 4Runner

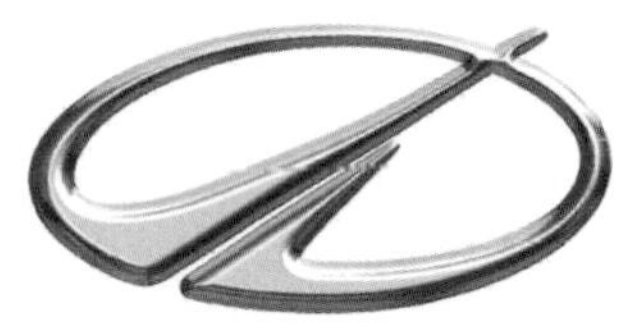

au quotidien

Prime d'assurance moyenne :
Garantie générale : 3 ans/60 000 km
Garantie groupe motopropulseur : 5 ans/100 000 km
Garantie antipollution : 8 ans/ 130 000 km
Garantie contre la perforation : 6 ans/160 000 km
Collision frontale : 3/5
Collision latérale : 5/5
Ventes du modèle l'an dernier au Québec : nouveau modèle
Dépréciation : nouveau modèle

nouveautés

- Nouveau modèle

prix de base • 46 455$

Pour **professionnels** seulement

Avec le Bravada, GM vise le professionnel qui cherche quelque chose de différent, de confortable et de luxueux, avec, en prime, la capacité occasionnelle de faire du hors-route sans complication.

CARROSSERIE D'un style classique, l'avant du Bravada nous paraît le plus élégant des triplets GM. Les Chevrolet TrailBlazer et GMC Envoy sont commentés sous les rubriques de Chevrolet et de GMC..

MÉCANIQUE Le nouveau six cylindres offre puissance et couple de 1600 à 5600 tours-minute. Même avec un taux de compression de 10 : 1, on utilise de l'essence ordinaire. Le Bravada n'est offert qu'en traction intégrale avec le système Smart Trac et l'antipatinage; le Smart Trac décèle automatiquement la nécessité d'engager les quatre roues au besoin. La suspension du Bravada, offerte en équipement facultatif avec l'Envoy, utilise un système pneumatique aux quatre roues à nivellement automatique pour un plus grand confort.

COMPORTEMENT Une suspension pneumatique, une traction intégrale et un système antipatinage confèrent au Bravada une aisance sur la route accompagnée d'une certaine mollesse rappelant davantage les concurrents japonais.

HABITACLE Le Bravada affiche bien son côté luxueux grâce à un équipement haut de gamme : un intérieur en cuir, des fauteuils chauffants, une chaîne audio de haute qualité et un climatiseur automatique. De série, le Bravada offre un système d'information complet sur le véhicule. Une série de commandes au volant vous permettent de gérer du bout des doigts plusieurs fonctions de conduite et de renseignements.

CONCLUSION Le Bravada, le plus confortable et celui qui est doté de l'équipement de série le plus complet du groupe, s'adresse aux professionnels et s'attaque davantage aux concurrents haut de gamme.

 Par Amyot Bachand

forces

- Confort, luxe et technologie

faiblesses

- Galbe trop prononcé des fauteuils

Jumeaux

prix de base • 33 060$

Le haut de gamme en voie de disparition ?

fiche d'identité

Modèle : Silhouette
Versions : GL, GS, Premiere Edition
Segment : minifourgonnettes
Jumeaux : Chevrolet Venture et Pontiac Montana
Roues motrices : avant et intégrales
Portières : 4
Places : avant, 2; centrale, 2 ou 3; arrière, 3
Pneus : P215/70R15
Sacs gonflables : 4
Concurrence : Chrysler Town & Country, Dodge Grand Caravan, Ford Windstar, Honda Odyssey, Mazda MPV, Toyota Sienna

OLDSMOBILE

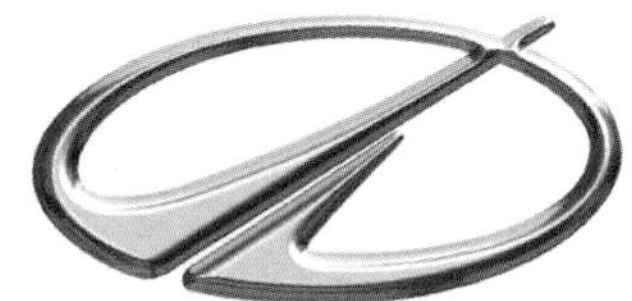

General Motors sait très bien que la bannière Oldsmobile disparaîtra, mais elle propose des groupes d'équipements intéressants pour fidéliser sa clientèle et, peut-être même, aller en chercher une nouvelle.
N'oubliez pas de consulter nos articles sur la Chevrolet Venture et sur la Pontiac Montana sous les onglets Chevrolet et Pontiac. Ce sont les jumelles de la Silhouette.

CARROSSERIE D'un format identique à ses jumelles, la Chevrolet Venture et la Pontiac Montana, la Sihouette n'est offerte qu'en empattement allongé. Chez Oldsmobile, on se limite à trois versions : la GL, la GSL et la Premiere Edition. Toutefois, on peut se procurer les deux dernières en mode traction ou intégrale. La version Premiere Edition jouit du groupe remorquage de série, de l'antipatinage, d'un système de radar de stationnement, de roues de 16 pouces en plus, évidemment, de fauteuils chauffants en cuir. Tout le luxe possible. Les lignes de la Silhouette se veulent discrètes, mais jolies.

MÉCANIQUE La Silhouette compte sur le vaillant V6 de 3,4 litres. GM croit en ses vertus puisqu'elle le garantit pour 5 ans/100 000 kilomètres, comme pour les autres éléments du groupe motopropulseur. Le système Versatrak équipe les versions à traction intégrale.

COMPORTEMENT La Silhouette offre une tenue de route correcte grâce à son empattement et au groupe suspension sport des versions GS et Premiere.

HABITACLE L'habitacle de la Silhouette est aussi polyvalent que sa jumelle, la Chevrolet Venture, mais dans un cadre nettement plus luxueux. La Montana affiche un style qui, pour sa part, détonne un peu plus de la Silhouette, du moins à l'intérieur.

CONCLUSION Cette minifourgonnette de luxe est dotée d'une garantie plus complète que ses jumelles et offre des rabais instantanés sur vos prochains achats de véhicules GM.

au quotidien

Prime d'assurance moyenne : 800$
Garantie générale : 5 ans/100 000 km
Garantie groupe motopropulseur : 5 ans/100 000 km
Garantie antipollution : 8 ans/130 000 km
Garantie contre la perforation : 6 ans/160 000 km
Collision frontale : 4/5
Collision latérale : 5/5
Ventes du modèle l'an dernier au Québec : 2512
Dépréciation : 42 %

nouveautés

- « Versatrak » sur les versions à traction intégrale

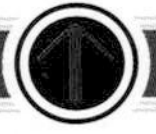

forces

- Garantie plus complète, habitabilité

faiblesses

- Fiabilité

Par Amyot Bachand

PONTIAC

fiche d'identité

Modèle : Aztek
Versions : base et GT
Segment : utilitaires intermédiaires
Jumeau : Buick Rendezvous
Roues motrices : avant ; intégrale
Portières : 4
Places : avant, 2 ; arrière 3
Sacs gonflables : 2
Concurrence : Jeep Liberty, Toyota Highlander, Saturn Vue

au quotidien

Prime d'assurance moyenne : 800 $
Garantie générale : 3 ans/60 000 km
Garantie groupe motopropulseur : 8 ans/130 000 km
Garantie antipollution : 8 ans/130 000 km
Garantie contre la perforation :
Collision frontale : 3/5
Collision latérale :
Ventes du modèle l'an dernier au Québec : 160
Dépréciation : nd

évolution

prix de base • 30 230 $

L'essentiel est invisible aux yeux

Cette citation du *Petit Prince* d'Antoine de St-Exupéry résume bien la Pontiac Aztek : on ne voit bien qu'avec le coeur. Il faut donner le crédit à Pontiac qui a osé mettre cette horreur visuelle sur la route. Mais après la critique unanime, il a été décidé d'assouplir subtilement les lignes pour 2002, tellement les gens la trouvaient affreuse. Les créateurs devaient sûrement avoir fumé du très bon «stock» le jour où ils ont pris la décision de mettre ce véhicule sur le marché.

CARROSSERIE Pour décrire rapidement l'Aztek, disons que Pontiac a utilisé la plate-forme et la mécanique du Montana et transformé la robe extérieure pour aller chercher un public jeune et aventurier. Les lignes criardes, agressives, ne manquent pas de frapper l'imaginaire. Il y a tout de même des limites. Il m'est encore impossible, même après un an, de trouver une quelconque beauté physique à ce véhicule. Heureusement qu'une expérience de conduite va au-delà des simples apparences.

MÉCANIQUE Sans être réellement performant, le V6 de 3,4 litres remplit ses fonctions et donne juste ce qu'il faut de puissance et d'accélération. Souple et silencieux, cette mécanique n'est pas trop gourmande en carburant, mais pour bien faire le travail une trentaine de chevaux supplémentaires seraient souhaitables.

COMPORTEMENT La suspension indépendante aux quatre roues et les voies élargies typiques à Pontiac procurent une conduite solide et rassurante en ligne droite. Toutefois, la suspension ultra souple jumelée à la piètre qualité des pneumatiques vous donnera des sueurs froides à chaque fois que vous prenez une courbe serrée. Le design intérieur est un peu à l'image de l'extérieur : provocateur et jeune.

Des boulons apparents un peu partout, des cadrans en relief, un tout qui ressemble à un croisement entre une motocyclette et un sous-marin (assez réussi).

Toutefois , j'ai peine à comprendre GM qui dit viser un public jeune et aventurier. Ils ont probablement oublié que ces jeunes n'ont pas 35 000 $

nouveautés 2002

- Adoucissement des lignes

en poche pour se permettre l'achat d'un tel jouet.

HABITACLE La plus grande qualité de ce nouveau véhicule est sans doute sa grande flexibilité. Avec un espace intérieur plus généreux que la plupart des utilitaires, L'Aztec se transforme presque à l'infini pour transporter à peu près n'importe quoi. En enlevant les deux fauteuils capitaines derrière, vous pouvez transporter une quantité impressionnante de matériaux divers. Une tablette spécialement adaptée permet de transporter jusqu'à 400 livres d'équipement de camping, de randonnée pédestre et autre. Une tente spécialement conçue pour l'Aztek est incidemment offerte aux amateurs de plein air, ainsi que l'option cycliste et randonneurs.

Il faut toutefois une bonne dose de patience pour installer la tente et la replacer dans son sac. Facilement transformable, l'Aztek n'a pour limite que votre imagination (ou presque). Avec l'option remorquage, l'Aztek peut également tirer jusqu'à 3500 livres, que vous optiez pour la 2 roues motrices de base ou la version à traction intégrale (Versatrak) en option. Vous serez peut-être heureux d'apprendre que la console entre les deux fauteuils avant est isolée et peut garder un paquet de 12 breuvages bien froids. L'Aztek regorge de petites trouvailles inusitées comme celle-là...

CONCLUSION Pratique et amusante, avant d'être jolie, l'Aztek reprend le collier en 2002 avec quelques ajustements au niveau du dessin de la carrosserie. Est-ce que cela sera suffisant pour faire décoller les ventes?

Possiblement, car le modèle intéresse plusieurs acheteurs, quoique les gens craignent souvent de faire rire d'eux par le voisinage.

À défaut de se mettre un sac sur la tête, une ligne moins compromettante risque d'attirer plus de clients.

fiche technique

Moteur : V6 3400 de 3,4 L
Autre moteur : aucun
Puissance : 185 ch à 5200 tr/min et 210 lb-pi à 4000 tr/min (BVM)
Transmission de série : automatique à 4 rapports
Transmission optionnelle : aucune
Freins avant : disques
Freins arrière : tambours
Sécurité active de série : ABS
Suspension avant : indépendante
Suspension arrière : semi-indépendante
Empattement : 275,1 cm
Longueur : 462,5 cm
Largeur : 187,2 cm
Hauteur : 169,4 cm (sans support à bagages)
Garde au sol : 18,3 cm
Poids : 1730 kg
0-100 km/h : 11,3 s
Vitesse maximale : 170 km/h
Diamètre de braquage : 11,1 m
Capacité de remorquage : 1590 kg
Capacité du coffre : 1282 L (banquette abaissée)
Capacité du réservoir d'essence : 68,1 L
Consommation d'essence moyenne : 11,2 L/100 km
Pneus d'origine : 215/65SR16 (modèle de base); P235/55R17 (GT)
Pneus optionnels : P215/70R16 (base et GT)

2e opinion

Gabriel Gélinas — Tous les cadres supérieurs de General Motors ont dû conduire l'Aztek suite à son lancement. Bien que GM s'en défende, je suis convaincu que c'est afin de s'assurer que le géant américain ne commette plus jamais une telle gaffe. Dessiné par des « focus groups » et des comités, c'est là un exemple typique de véhicule que personne ne veut conduire.

forces

- Intérieur pratique et transformable
- Nombreux espaces de rangement
- Excellente habitabilité

faiblesses

- Design apocalyptique
- Suspension trop molle
- Pneus de base de piètre qualité

Par Benoit Charette

PONTIAC

fiche d'identité

Modèle : Bonneville
Versions : SE, SLE, SSEi
Segment : intermédiaires
Jumeaux : Buick LeSabre, Chevrolet Impala
Roues motrices : avant
Portières : 4
Places avant : 2
Places arrières : 3
Sacs gonflables : 2 frontaux, 2 latéraux
Concurrence : Chrysler Intrepid, Ford Taurus, Toyota Avalon

au quotidien

Prime d'assurance moyenne : 875$
Garantie générale : 3 ans/60 000 km
Garantie groupe motopropulseur : 5 ans/100 000 km
Garantie antipollution : 8 ans/130 000 km
Garantie contre la perforation : 6 ans/160,000 km
Collision frontale : 5
Collision latérale : 4
Ventes du modèle l'an dernier au Québec : 449
Dépréciation : 56,7 %

évolution

prix de base • 30 740$

Contre-**espionnage**

Les lignes un peu ténébreuses de la Pontiac Bonneville donnent souvent l'impression qu'un espion des services secrets se trouve à son bord, spécialement si la voiture est noire.

La clientèle habituelle de la marque a été témoin de profonds remaniements avec l'année 2000 et ne reconnaissent pas toujours la Pontiac plus tranquille qu'ils ont achetée il y a quelques années. Mais il ne faut pas s'en faire, Buick sera toujours là pour les accueillir.

CARROSSERIE Il y a deux ans, Pontiac a profité du tournant du millénaire pour rajeunir sensiblement les lignes de la Bonneville. Ses lignes pataudes et mal dégrossies correspondaient mal avec la mentalité de provocateur du reste de la famille Pontiac.

Peu de changements pour 2002, si ce n'est que GM a ajouté un peu à la personnalité extravertie du plus grand membre de la famille des voitures Pontiac.

Une nouvelle sortie d'échappement double et ovale ainsi que des pneus de 17 pouces de série sur tous les modèles et quelques retouches au carénage de la voiture confirment un peu plus le statut athlétique de la Bonneville.

MÉCANIQUE Si vous me permettez de transposer un vieux proverbe gaulois à la mécanique, nous pourrions affirmer : quand la mécanique va, tout va! C'est précisément pour cette raison que c'est le statu quo dans le cas de la Bonneville. Le V6 de 3,8 litres, qui a subi maintes modifications depuis son arrivée sur le marché en 1963, a traversé l'épreuve du temps avec brio. La version de base de 205 chevaux se trouve sous le capot des versions SE et SLE. Le même moteur suralimenté avec ses 240 chevaux trouve toujours sa place sous le capot de la SSEi. Une combinaison qui s'est avérée heureuse depuis des années.

COMPORTEMENT Au volant, on découvre immédiatement les améliorations apportées à la carrosserie dont la rigidité a été améliorée. Le bon vieux V6 de 3,8 litres à culbuteurs fait encore un travail impeccable; doux et puissant, il est capable de belle prouesses et pousse la

nouveautés 2002

• Retouches à l'avant et à l'arrière sur la SE • Roues de 17 pouces de série sur tous les modèles • Roues de 17 pouces chromées en équipement facultatif sur la SSEi • Console centrale redessinée • Chaîne audio Monsoon sur la SSEi • Sortie d'échappement double et ovale (SLE et SSEi) • Trois nouvelles couleurs de carrosserie : bleu Ming, granite et vert polo foncé

Bonneville de 0 à 100 km/h en sept secondes (SSEi). Les freins sont beaucoup plus progressifs et mordants; Pontiac a même emprunté le système Stabilitrak de Cadillac (pour la SSEi), pour donner plus d'assurance au véhicule.

Même si les responsables de GM disent viser la concurrence européenne comme les Audi et BMW, la vraie rivale se nomme Chrysler 300M.

HABITACLE De tous les véhicules que nous avons conduits depuis 10 ans, aucun ne comporte autant de boutons et de commandes que la Bonneville. Le roi du gadget, ne le cherchez plus, il est ici.

Dans la SSEi, même James Bond serait confus. Il y a plus de 150 boutons dans la Bonneville qui vont des commandes complètes de la radio et de la climatisation au volant en passant par l'affichage tête-haute (en équipement facultatif), sans oublier les réglages de la chaîne audio.

Le système de télécommunication OnStar est offert de série dans les versions SLE et SSEi, comme c'est d'ailleurs le cas dans plusieurs modèles de la gamme General Motors pour 2002.

CONCLUSION En quelques années à peine, la Bonneville est passée de voiture tranquille à berline évocatrice. Avec ces changements, Pontiac entend rajeunir sa clientèle dont la moyenne d'âge dépasse largement la soixantaine.

Mais peu importe votre âge, la Bonneville est un bon exemple de ce que les Américains font de mieux, une grande berline confortable qui vient contredire les critiques qui clament sans arrêt que les voitures américaines ne sont pas aussi fiables que la concurrence. De plus, elle est agréable à conduire.

fiche technique

Moteur : V6 3,8 L
Autre moteur : V6 3,8 L avec compresseur
Puissance : 205 ch à 5200 tr/min et 230 lb-pi à 4 000 tr/min
Autre moteur : 240 ch à 5200 tr/min et 280 lb-pi à 3600 tr/min
Transmission de série : automatique à 4 rapports
Transmission optionnelle : aucune
Freins avant : disques ventilés
Freins arrière : disques
Sécurité active de série : ABS
Suspension avant : indépendante
Suspension arrière : indépendante
Empattement : 285 cm
Longueur : 514,6 cm
Largeur : 188,5 cm
Hauteur : 143,8 cm
Poids : 1650 kg
0-100 km/h : 8,2 s
Vitesse maximale : 180 km/h (limitée électroniquement)
Diamètre de braquage : 12,3 m
Capacité du coffre : 510 L
Capacité du réservoir d'essence : 70 L
Consommation d'essence moyenne : 13 L/100 km
Pneus d'origine : 225/60R16
Pneus optionnels : 235/55R17

2e opinion

Philippe Laguë — Aussi laide à l'intérieur qu'à l'extérieur. La Bonneville ? C'est le triomphe du kitsch sur quatre roues. Sa planche de bord évoque les séries de science-fiction d'il y a trente ans, et son design tarabiscoté, la voiture d'un super-héros bien connu. Un seul mot pour la décrire : trop.

forces

- Lignes agressives
- Confort (SLE et SSEi)
- Souplesse et puissance du moteur
- Freinage amélioré

faiblesses

- La finition n'est pas toujours égale selon les modèles.
- Les fauteuils de la version de base manquent un peu de confort.

Par Benoit Charette

PONTIAC

fiche d'identité

Modèle : Grand Am
Versions : SE, GT
Segment : compactes
Jumeaux : Chevrolet Malibu, Oldsmobile Alero
Roues motrices : avant
Portières : 2 ou 4
Places : avant, 2; arrière, 2
Sacs gonflables : 2
Concurrence : Chrysler Sebring, Daewoo Leganza, Ford Focus ZTS, Honda Accord, Hyundai Sonata, Kia Magentis, Mazda 626, Nissan Altima, Saturn Série L, Toyota Camry

au quotidien

Prime d'assurance moyenne : 700 $
Garantie générale : 3 ans/60 000 km
Garantie groupe motopropulseur : 5 ans/100 000 km
Garantie antipollution : 8 ans/130 000 km
Garantie contre la perforation : 6 ans/160 000 km
Collision frontale : 4/5
Collision latérale : 2/5
Ventes du modèle l'an dernier au Québec : 4750
Dépréciation : 54 %

évolution

prix de base • 20 915 $

One for the ***money****,* *two for the* ***show***

Même si la Grand Am en est à sa huitième année sur le marché dans sa forme actuelle, les responsables de Pontiac continuent de rafraîchir ses lignes régulièrement, et les ventes se maintiennent.

Avec son style provocateur et ses voies élargies, la Grand Am transpire l'exubérance.

CARROSSERIE Les lignes agressives de la Grand Am ne passent pas inaperçues. Pourtant, elle est homogène dans son surréalisme.

La calandre plongeante, les ailes bombées, les gros phares antibrouillard, les ouïes dans les portes, tout sur ce véhicule est exagéré, mais dans des proportions égales, ce qui crée un certain équilibre.

Une petite nouveauté pour 2002 qui vient rehausser le regard prédateur du fauve : des roues de 16 pouces font maintenant partie de l'équipement de base de toutes les Grand Am.

Elles sont offertes dans un fini aluminium pour la version SE et chromé pour la GT.

MÉCANIQUE Comme plusieurs voitures compactes de la famille GM, le moteur de base de la Grand Am est nouveau pour 2002. Le très agricole moteur à quatre cylindres de 2,4 litres est remplacé par un nouveau moteur de 2,2 litres qui produit 140 chevaux d'une symphonie plus agréable à supporter. Ce n'est pas encore le raffinement japonais, mais le fossé a grandement diminué. Disons simplement qu'on est dans la bonne voie.

Cette nouvelle mécanique sera livrée d'office avec la version SE. Pour la GT, le V6 de 3,4 litres de 170 chevaux est toujours au poste.

COMPORTEMENT La caisse plus rigide se défend mieux sur les chemins en lacets. Il faut toutefois souligner que les fauteuils n'apprécient pas du tout les routes sinueuses. Inconfortables dans toutes les positions et à toutes les cadences, ces « chaises de jardin » sont mal dessinées et n'offrent aucun soutien. La version GT offre une suspension plus rigide et une meilleure liaison au sol. Mais les vrais amateurs de conduite sportive ne se pointeront pas le bout du nez tant et aussi longtemps qu'une boîte manuelle ne sera pas offerte avec le moteur V6. Seul

nouveautés 2002

- Moteur de base de 2,2 litres • Roues de 16 pouces de base pour tous les modèles
- Deux nouvelles couleurs de carrosserie : vert et sarcelle

le quatre cylindres jouit de ce privilège, mais les prestations ne sont pas au rendez-vous.

HABITACLE Comme tous les produits Pontiac, l'intérieur de la Grand Am ressemble à un arbre de Noël. Une quantité innombrable de boutons surgissent de partout dans le tableau de bord.

Et cela sans parler des sorties de ventilation aux formes globuleuses qui ornent ledit tableau ni des formes tout aussi galbées des cadrans.

Une fois la nuit tombée, ceux-ci s'illuminent en orangé ce qui vous donne l'impression d'être au volant d'un vaisseau spatial. Pour ce qui est de l'équipement, GM n'est pas chiche : l'air climatisé, les freins ABS, la chaîne audio avec lecteur DC (sauf pour le coupé SE) et toute la quincaillerie électrique font partie de l'équipement de série. Si à l'avant, on compte sur un espace raisonnable, à l'arrière, on y est à l'étroit.

CONCLUSION La Grand Am est une voiture tape-à-l'œil, et GM ne s'en cache pas. La qualité s'est améliorée constamment au fil des ans, et les ventes continuent d'être bonnes.

De plus, la Grand Am offre de l'espace pour quatre adultes ainsi qu'un coffre de bonnes dimensions.

Somme toute, c'est un véhicule abordable pour tous ceux qui ne peuvent vraiment pas se permettre une véritable voiture de luxe. Mais le rêve est déjà le début d'un accomplissement.

Et si vous trouvez la Grand Am trop provocante, faites un saut chez le concessionnaire Oldsmobile le plus près (pendant qu'il en existe encore) et prenez le volant de l'Alero, le membre paisible de la famille; vous aurez droit aux mêmes prestations, la silhouette bestiale en moins.

fiche technique

Moteur : 4 cyl. 2,2 L DACT
Autres moteurs : V6 3,4 L et V6 3,4 L Ram Air (GT)
Puissance : 140 ch à 5600 tr/min et 150 lb-pi à 4000 tr/min
Autres moteurs : 170 ch à 4800 tr/min et 200 lb-pi à 4000 tr/min; 175 ch à 4800 tr/min et 205 lb-pi à 4000 tr/min
Transmission de série : manuelle à 5 rapports; automatique à 4 rapports (GT)
Transmission optionnelle : automatique à 4 rapports
Freins avant : disques ventilés
Freins arrière: tambours (disques sur GT)
Sécurité active de série : ABS
Suspension avant : indépendante
Suspension arrière : indépendante
Empattement : 271,8 cm
Longueur : 437,2 cm
Largeur : 178,8 cm
Hauteur : 140 cm
Poids : 1385 kg
0-100 km/h : 10,4 s (4 cyl.); 9,1 s (V6)
Vitesse maximale : 180 km/h (limitée électroniquement)
Diamètre de braquage : 11,5 m
Capacité du coffre : 413 L
Capacité du réservoir d'essence : 54,1 L
Consommation d'essence moyenne : 11,2 L/100 km
Pneus d'origine : 215/60R15; 225/50R16 (GT)
Pneus optionnels : 225/50R16

2e opinion

Luc Gagné — Si Batman était un collet blanc, il conduirait une Grand Am. L'esthétique excentrique de la carrosserie rappelle la Batmobile. Les phares antibrouillard conviendrait aux lance-rockets. L'intérieur a déjà l'apparence de l'habitacle de la Batplane. Et le coffre, eh bien... Batwoman n'aime vraiment pas son seuil imposant, qu'elle doit surmonter pour charger la commande d'épicerie...

forces

- Un style démonstrateur réussi
- Des performances intéressantes du moteur V6
- Un habitacle fonctionnel

faiblesses

- Des fauteuils inconfortables
- Une position de conduite désagréable
- Un tableau de bord distrayant

Par Benoit Charette

PONTIAC

évolution

fiche d'identité

Modèle : Grand Prix
Versions : SE, GT, GTP
Segment : intermédiaires
Jumeaux : Buick Century et Regal, Oldsmobile Intrigue
Roues motrices : avant
Portières : 2, 4
Places avant : 2
Places arrière : 3
Sacs gonflables : 2
Concurrence : Chrysler Intrepid, Ford Taurus

prix de base • 26 385 $

N'est pas voiture de Grand Prix qui veut !

au quotidien

Prime d'assurance moyenne : 775 $
Garantie générale : 3 ans/60 000 km
Garantie groupe motopropulseur : 5 ans/100 000 km
Garantie antipollution : 8 ans/130 000 km
Garantie contre la perforation : 6 ans/160 000 km
Collision frontale : 4/5
Collision latérale : 2/5
Ventes du modèle l'an dernier au Québec : 1759
Dépréciation: 40 %

La Pontiac Grand Prix pourra satisfaire un père de famille qui a besoin d'une intermédiaire assez spacieuse pour une petite famille et qui souhaite se faire remarquer par le look Pontiac.
Mais on ne doit pas s'attendre à de grandes performances, car la déception nous attend de pied ferme.

CARROSSERIE La Grand Prix est offerte en deux modèles, le coupé et la berline, et en trois versions: la berline SE, la GT et la GTP avec moteur suralimenté.
Pontiac offrira cette année une édition 40e anniversaire. Ses lignes avant et latérales sont jolies, avec une calandre plongeante qui lui donne un petit air agressif bien de son nom. À l'arrière, ça se gâte avec ses feux en boule typiques des voitures Pontiac. D'ailleurs, le coffre en souffre, car son seuil est étroit et trop éloigné. Profond, il accueille deux sacs de golf, mais sa hauteur ne permet pas d'y glisser des valises ou des boîtes épaisses.
Pour l'épicerie, utilisez le filet pour éviter que vos sacs ne se retrouvent au fond. L'accès mécanique est difficile lorsque le moteur est chaud : au moment de vérifier le niveau des liquides, employez un chiffon pour éviter de vous brûler, ou faites-le quand le moteur est froid.

MÉCANIQUE Il y a peu à dire : le V6 de 3,8 litres de la GT offre des performances honnêtes dans cette classe avec des accélérations 0-100 km/h sous les 10 secondes. Le 80-120 km/h est atteint en 7,6 secondes, ce qui est utile pour dépasser sur les routes secondaires.

COMPORTEMENT C'est à ce chapitre qu'il ne faut pas prendre à la lettre le nom de cette version GT. Sa tenue de route est bonne, mais ne la poussez pas trop : sa tendance sous-vireuse domine.
Les pneus Goodyear Eagle LS atteignent rapidement leur limite et vous le font entendre. Le freinage demande aussi une attention : l'ABS montre clairement sa présence et son travail pour la garder en ligne droite. La pédale est haute et exige donc un long déplacement du pied.

HABITACLE La berline GT

nouveautés 2002

• Édition 40e anniversaire, deux nouvelles couleurs

offre un confort raisonnable à l'avant avec une bonne position de conduite.

Le tableau de bord permet une bonne lecture des instruments, par ailleurs assez complet dans la GT, et donne aisément accès aux commandes, sauf à celle des clignotants, à notre avis trop éloignée du volant. On apprécie le système divisé du contrôle de chauffage, mais à plus 37°C, le climatiseur peinait à refroidir l'habitacle.

L'accès aux places arrière se fait assez facilement; le dégagement des jambes est suffisant pour des adultes parce qu'on a choisi une assise courte du coussin de la banquette. On est assis bas et très près du plancher. Le dossier nous garde droit comme un piquet. La position est tout de même confortable, mais un enfant s'y sentira plus à l'aise qu'un adulte.

Comme la lunette arrière rejoint l'habitacle, les rayons du soleil vous chaufferont le cou et la tête malgré le fait que GM ait ajouté des lignes thermoréfléchissantes. Un écran supplémentaire atténuera ce problème. La suspension atteint rapidement ses limites et transmet les secousses à l'habitacle si la qualité du revêtement est mauvaise.

CONCLUSION La Grand Prix fête ses 40 ans cette année et, permettez-moi de le dire, elle s'est éloignée de ses origines.

Peut-être cet anniversaire sera-t-il l'occasion d'une remise en question sérieuse pour redevenir la grande routière qu'elle était. Actuellement, elle préfère les boulevards et les chemins pas trop sinueux. Son confort est limité.

La Grand Prix a amélioré sa cote de fiabilité (maintenant moyenne), mais sa résistance aux collisions latérales demeure faible.

fiche technique

Moteur : V6 3,1 L
Autres moteurs : V6 3,8 L; V6 3,8 L suralimenté
Puissance : 175 ch à 5200 tr/min et 195 lb-pi à 4000 tr/min
Autres moteurs : 200 ch à 5200 tr/min et 225 lb-pi à 4000 tr/min; 240 ch à 5200 tr/min et 280 lb-pi à 3600 tr/min
Transmission de série : automatique à 4 rapports
Transmission optionnelle : aucune
Freins avant : disques ventilés
Freins arrière : disques
Sécurité active de série : ABS, antipatinage
Suspension avant : indépendante
Suspension arrière : indépendante
Empattement : 280,6 cm
Longueur : 501,6 cm
Largeur : 184,6 cm
Hauteur : 138,9 cm
Poids : 1550 kg
0-100 km/h : 9,5 s; 6,9 s(GTP)
Vitesse maximale : 180 km/h (limitée électroniquement)
Diamètre de braquage : 11,3 cm
Capacité du coffre : 453 L
Capacité du réservoir d'essence : 68 L
Consommation d'essence moyenne : 12,8 L/100 km; 14,3 L/100 km (GTP)
Pneus d'origine : 205/55R17
Pneus optionnels : 225/60R16, 225/60R16

2e opinion

Benoit Charette — Version sportive de la Buick Regal et du Chevrolet Impala, la Grand Prix se caractérise par un comportement un peu rustre, une suspension très sèche et une finition inégale. Elle est à ce chapitre le reflet de plusieurs produits Pontiac où l'image prime sur la qualité.

forces

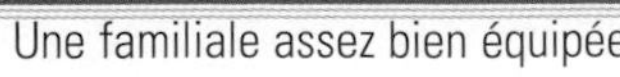

- Une familiale assez bien équipée

faiblesses

- Suspension à revoir côté confort et tenue de route

Par Amyot Bachand

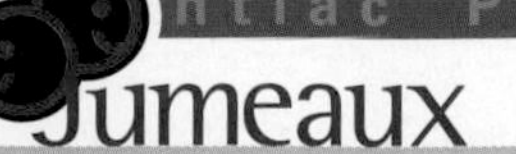

Jumeaux

PONTIAC

fiche d'identité

Modèle : Montana
Versions : base, SE, GT, Vision
Segment : minifourgonnettes
Jumeaux : Chevrolet Venture, Oldsmobile Silhouette
Roues motrices : avant
Portières : 4
Places : avant, 2 ; arrière, 5
Sacs gonflables : 4
Concurrence : Dodge Caravan, Ford Windstar, Honda Odyssey, Kia Sedona, Mazda MPV, Toyota Sienna, VW EuroVan

prix de base • 27 870 $

Des lignes différentes

Jumelle de la Chevrolet Venture et de l'Oldsmobile Silhouette, la Montana offre sensiblement les mêmes attributs et se situent entre les deux. Voyez nos commentaires sous les onglets Chevrolet et Oldsmobile pour en savoir davantage.

CARROSSERIE Son allure diffère avec sa calandre divisée et, surtout, ses appliqués de plastique qui enveloppent toute la base de la minifourgonnette pour la protéger des coups et des cailloux. Ce style lui confère un air de famille avec les autres Pontiac. Encore ici, une abondance de versions sont offertes à la clientèle.

D'abord, des empattements court et allongé qui se déclinent en versions Montana de base, SE et GT. On peut obtenir ces deux dernières en traction avant ou intégrale. Ajoutons la MontanaVision, une version à empattement allongée que vous achetez en mode traction ou intégrale. Nouveauté pour 2002, Pontiac ajoutera une version Thunder équipée de jantes chromées de 16 pouces. Si vous avez du mal à vous y retrouver, allez donc faire un tour chez votre concessionnaire.

MÉCANIQUE Le V6 de 3,4 litres dont la puissance se chiffre à 185 chevaux fait du bon boulot et présente une consommation des plus raisonnables, même à 110 km/h. Le système Versatrak équipe les versions à traction intégrale.

COMPORTEMENT La version allongée de la Montana offre une tenue de route plus stable et plus agréable que sa version à empattement court. Il faut bien doser le freinage, car il a tendance à réagir d'un coup.

HABITACLE L'habitacle est polyvalent et spacieux. Voyez nos commentaires sur la Chevrolet Venture pour obtenir de plus amples détails. Les coloris sont plus agréables dans la Montana. La version MontanaVision plaira aux adultes pour la tranquillité qu'elle procure ainsi qu'aux enfants et aux ados en raison de la chaîne audio de qualité qui comporte des casques d'écoute sans fil.

CONCLUSION Spacieuse, la Montana se distingue par son style particulier, plus remarqué que ses jumelles.

au quotidien

Prime d'assurance moyenne : 800 $
Garantie générale : 3 ans/60 000 km
Garantie groupe motopropulseur : 5 ans/100 000 km
Garantie antipollution : 8 ans/130 000 km
Garantie contre la perforation : 6 ans/160 000 km
Collision frontale : 4/5
Collision latérale : 5/5
Ventes du modèle l'an dernier au Québec : (Voir Venture)
Dépréciation : 41 %

nouveautés

- Pontiac offrira une version Thunder dont on ne connaît pas encore les détails cosmétiques, mais qui fera sûrement très Pontiac.

Par Amyot Bachand

forces

- La version MontanaVision

faiblesses

- Le prix de cette dernière
- La fiabilité
- Le soutien latéral des sièges avant

Jumeaux

prix de base • 15 390 $

Style à bon prix

Prenez une Chevrolet Cavalier, parez-la d'une calandre aux allures de Batmobile, d'un arrière tout en rondeurs avec un aileron stylisé et d'un tableau de bord évoquant le poste de commande d'une navette spatiale; rendez l'équipement de série plus complet. Et voilà! Vous avez inventé la Pontiac Sunfire.

CARROSSERIE Si la Cavalier affiche un style conservateur, presque anonyme, sa contrepartie chez Pontiac va à l'opposé. Car une Pontiac, quelle qu'elle soit, ne doit laisser personne indifférent. La carrosserie et l'habitacle sont dessinés pour stimuler, voire choquer. Pour ce qui est du confort et de l'habitabilité par contre, retenez que ce qui s'applique à la Cavalier, s'applique aussi à la Sunfire.

MÉCANIQUE Sous le capot, on retrouve les mêmes mécaniques : le quatre cylindres de 2,2 litres à soupapes en tête pour les berlines et coupés SL, SLX et GTX, et le 2,4 litres à double arbre à cames en tête pour le coupé GT (optionnel pour la berline GTX). Comme pour la Cavalier, ce moteur sera remplacé cette année par le nouvel Ecotech de 2,2 litres. Pour l'économie, on choisit le « vieux » 2,2 litres, mais pour les performances, le DACT et l'Ecotech s'imposent.

COMPORTEMENT Sur la route, les Sunfire SL et SLX font preuve d'une suspension et de pneumatiques aux performances très moyennes. Par contre, le coupé GT et la berline GTX, dont la suspension est dotée de barres antiroulis, offrent un roulement plus ferme, plus agréable. La servodirection est précise et le freinage, adéquat.

HABITACLE L'habitacle de la berline convient à quatre adultes (de taille moyenne derrière), mais celui du coupé, à deux personnes, qui seraient préférablement des enfants. Et encore, les places arrière sont difficiles d'accès. Le coffre de la berline est plus spacieux que celui d'une Chrysler Neon. L'ouverture du coffre du coupé GT, par contre, est très petite et ne facilite pas le chargement de colis encombrants.

CONCLUSION Choisir entre la Pontiac Sunfire et la Chevrolet Cavalier demeure une affaire de goûts puisque ces deux voitures sont des copies quasi conformes du point de vue technique. Par ailleurs, la Sunfire disparaîtra sans doute de la gamme Pontiac en 2004, lorsque la nouvelle Cavalier fera son apparition.

fiche d'identité

Modèle : Sunfire
Versions : SL, SLX, GT, GTX
Segment : compactes
Jumeau : Chevrolet Cavalier
Roues motrices : avant
Portières : 2 ou 4
Places : avant, 2; arrière, 3
Sacs gonflables : 2
Concurrence : Chrysler Neon, Daewoo Nubira, Ford Focus, Honda Civic, Hyundai Elantra, Kia Spectra, Mazda Protegé, Nissan Sentra, Subaru Impreza, Suzuki Esteem, Toyota Corolla

au quotidien

Prime d'assurance moyenne : 650 $
Garantie générale : 3 ans/60 000 km
Garantie groupe motopropulseur : 5 ans/100 000 km
Garantie antipollution : 8 ans/130 000 km
Garantie contre la perforation : 6 ans/160 000 km
Collision frontale : 4/5
Collision latérale : 1/5
Ventes du modèle l'an dernier au Québec : 11 242
Dépréciation : 56 %

nouveautés 2002

• Moteur 2,2 litres Ecotech • Dispositif intérieur d'ouverture d'urgence du coffre • Équipement de série plus complet pour le coupé GT

forces

- Fiabilité éprouvée
- Mécanique convenable
- Gamme très diversifiée
- Équipement complet

faiblesses

- Freinage moyen
- Habitabilité moyenne
- Coffre difficile d'accès (coupé)

Par Luc Gagné

PORSCHE

fiche d'identité

Modèle : 911
Versions : Carrera coupé et cabriolet, Carrera 4S coupé et cabriolet, Turbo et GT2
Segment : sportives de plus de 100 000$
Roues motrices : arrière, traction intégrale
Portières : 2
Places : avant, 2; arrière, 2
Sacs gonflables : 4
Concurrence : Acura NSX, BMW M3 et Z8, Chevrolet Corvette, Ferrari 360 Modena, Jaguar XKR, Maserati Spyder

au quotidien

Prime d'assurance moyenne : 2750$; 5275$ (Turbo)
Garantie générale : 4 ans/ 80,000 km
Garantie contre la perforation : 10 ans/kilométrage illimité
Collision frontale : -
Collision latérale : -
Ventes du modèle l'an dernier au Québec : 146
Dépréciation : 24,2 %

évolution

prix de base • 99 300 $

Variations sur thème

Aussi bien vous prévenir tout de suite, je suis un *fan* des sportives de Stuttgart. Mon amour de la 911 remonte au début des années 80 alors que j'étais instructeur de pilotage au circuit Mont-Tremblant, ce qui m'a permis de conduire cette voiture devenue mythique au fil des ans. Pour 2002, la 911 a subi une refonte esthétique et mécanique tout en proposant deux nouveaux modèles: les Targa et les GT2.

CARROSSERIE La plus frappante des 911 est définitivement la version Turbo. C'est la raison pour laquelle toutes les 911 affichent désormais une partie avant dont le look s'en inspire, comme en témoigne la nouvelle forme des phares. De plus, la cuvée 2002 adopte des échappements de forme ovale, de même qu'une partie arrière élargie par rapport aux modèles précédents.
Dévoilé au Salon de l'Auto de Francfort, le nouveau modèle Targa présente un toit coulissant en verre dont la conception a été modifiée par rapport au millésime 1996, ce modèle ayant été affligé de nombreux bruits de caisse et autres craquements qui avaient entraîné son retrait du catalogue dès l'année suivante. Reste à voir comment cette nouvelle édition saura composer avec nos routes. Toujours au Salon de Francfort, la Carrera 4 à traction intégrale à été renommée 4S et adopte désormais les suspensions et les freins de la 911 Turbo.
Quant aux modèles Cabriolet, précisons qu'ils sont désormais équipés d'une lunette arrière en verre avec dégivreur.

MECANIQUE La cylindrée passe de 3,4 à 3,6 litres. La puissance est maintenant de 320 chevaux et cela permet de retrancher deux dixièmes de seconde au chrono du 0-100 tout en assurant une vitesse maximale supérieure, soit 285 kilomètres/heure, dans le cas du coupé avec boîte manuelle. Ce sont d'ailleurs les coupés à boîte manuelle (propulsion et traction intégrale) qui séduiront les amateurs de performance, car la transmission automatique Tiptronic offerte en option sévit toujours en réussissant à émousser les performances de la 911 tout en dénaturant l'engin. A éviter absolument.

nouveautés 2002

• Nouveau « look » inspiré de la 911 Turbo • Moteur plus performant • Modèle Carrera 4 renommé Carrera 4S • Version GT2 de 456 chevaux • Version Targa avec toit de verre coulissant • Lunette arrière en verre avec dégivreur sur le modèle Cabriolet

Par ailleurs, les performances des modèles Cabriolet sont légèrement en retrait par rapport aux coupés, ce qui est dû à leur poids plus élevé et à leur chassis moins rigide.

La nouvelle version GT2 propose pour sa part un moteur absolument époustouflant avec ses 456 chevaux, ce qui lui vaut parfaitement le qualificatif de voiture de course avec plaque d'immatriculation (de 0 à 100 km/h en quatre secondes, vitesse de pointe de 315 kilomètres/heure).

COMPORTEMENT On ne peut parler du comportement routier de la Porsche 911 sans parler du système de stabilité PSM (*Porsche Stability Management*), qui est le plus perfectionné des systèmes du genre, de l'incroyable tenue de route et de l'équilibre général de cette voiture qui est plus que compétente sur circuit comme sur la route. Quant au freinage, il faut souligner que les Porsches sont parmi les voitures les plus performantes à ce chapitre. Surtout dans le cas des modèles GT2 et Turbo équipés de disques de freins en composites de carbone.

HABITACLE Peu de changements pour l'habitacle de la 911 qui demeure un modèle d'ergonomie. Et je suis pour ma part d'avis que les voitures sport devraient adopter la disposition *à la Porsche* du tachymètre : au centre du bloc d'instruments et bien gros.

CONCLUSION Si la 911 fait son entrée dans votre garage, je vous recommande fortement de vous inscrire à un cours de pilotage ainsi qu'au Club Porsche; ce qui permettra de mieux apprécier et d'exploiter ses performances phénoménales dans l'environnement contrôlé d'un circuit de course tout en servant à tempérer les ardeurs sur les routes publiques.

fiche technique

Moteur : 6 cyl. à plat (Boxer) de 3,4 L
Autres moteurs : 6 cyl. à plat 3,6 L avec 2 turbocompresseurs
Puissance : 320 ch à 6800 tr/min; couple : 258 lb-pi à 4600 tr/min
Autres moteurs : 450 ch à 6800 tr/min et 415 lb-pi à 4600 tr/min (Turbo)
Transmission de série : manuelle à 6 rapports
Transmission optionnelle : automatique à 5 rapports avec Tiptronic S
Freins avant : disques
Freins arrière : disques
Sécurité active de série : ABS
Suspension avant : indépendante
Suspension arrière : indépendante
Empattement : 235 cm
Longueur : 443 cm
Largeur : 176,5 cm
Hauteur : 130,5 cm
Poids : 1 320 kg
0-100 km/h : 5,2 s (man.); 5,4 s (aut.)
Autres moteurs : 4,2 s (Turbo)
Vitesse maximale : 280 km/h
Autres moteurs : 305 km/h
Rayon de braquage : 10,6 m
Capacité du coffre : 130 L
Capacité du réservoir d'essence : 64 L
Consommation d'essence moyenne : 11,2 L/100 km; 12,7 L/100 km
Pneus d'origine : avant : 205/50ZR17; arrière : 255/40ZR17
Pneus optionnels : avant : 225/40ZR18; arrière : 265/35ZR18; avant : 225/40ZR18; arrière : 295/30ZR18

PORSCHE

2e opinion

Benoit Charette — La 911 est la plus civilisée des voitures exotiques sur le marché. Très facile à vivre au quotidien, elle n'impose aucun des grands caprices des divas italiennes. Et même si les puristes remettent en question la 911 plus conviviale, force est de reconnaître que cette gamme s'améliore constamment.

forces

- Performances spectaculaires
- Tenue de route impressionnante
- Freins très puissants

faiblesses

- Prix élevé
- Transmission Tiptronic décevante
- Coût des assurances
- Confort sur routes dégradées

Par Gabriel Gélinas

ÉVOLUTION

PORSCHE

fiche d'identité

Modèle : Boxster
Versions : Boxster, Boxster S
Segment : sportives de plus de 50 000 $
Roues motrices : arrière
Portières : 2
Places : avant, 2
Sacs gonflables : 2 frontaux, 2 latéraux
Concurrence : Audi TT Roadster, BMW Z3 et M Roadster, Honda S2000, Mercedes-Benz SLK

prix de base • 60 500 $

La **référence** de sa **catégorie**

au quotidien

Prime d'assurance moyenne : 1900 $
Garantie générale : 4 ans/80,000 km
Garantie contre la perforation : 10 ans/kilométrage illimité
Collision frontale : -
Collision latérale : -
Ventes du modèle l'an dernier au Québec : 181
Dépréciation : 22,5 %

En 2002, peu de changements pour la Boxster, de même que pour la variante S, alors que ces deux sportives demeurent la référence de la catégorie en alliant performance et un certain côté pratique qui n'est pas évident chez les rivales.

CARROSSERIE Inspirées des Porsche de compétition 550 Spyder et RS60, les lignes de la Boxster sont à la fois superbes et intemporelles. Le toit souple se replie en 12 secondes et l'ingénieux dispositif mis au point par Porsche nous évite d'avoir à fixer un « tonneau cover » par la suite, ce qui représente un avantage pratique. La variante S, plus performante, se démarque sur le plan visuel par ses appliques réalisées en couleur titane, de même que par la couleur rouge des étriers de freins.

MÉCANIQUE L'an dernier, la Boxster a gagné quelques chevaux, sa puissance étant maintenant établie à 217. Plus puissante et plus rapide, la Boxster S se démarque par son moteur de 3,4 litres et ses 250 chevaux qui lui valent des performances supérieures à la version de base. Aussi, le fait que la S soit équipée d'une boîte manuelle à six vitesses plutôt que 5 en fait de facto la Boxster à choisir pour les amateurs de performance. Comme sur la 911, la Boxster peut être équipée en option de la transmission automatique Tiptronic qui est tout à fait dénuée d'intérêt. Peu importe la version, le moteur de type «boxer» à cylindres opposés émet toujours sa sonorité aussi typique qu'agréable, une autre excuse valable pour en exploiter pleinement le potentiel.

COMPORTEMENT Grâce à l'emplacement central du moteur, la Boxster propose un équilibre presque parfait des masses et demeure l'une des voitures les plus satisfaisantes à conduire pour sa brillante tenue de route. Rares sont les voitures qui peuvent négocier les virages avec autant d'aplomb. La Boxster inspire confiance au conducteur; elle est vraiment remarquable à ce chapitre. Avec ses pneus surdimensionnés et ses freins empruntés à la 911, la version S permet de repousser un peu plus loin les limites déjà élevées de la Boxster. En fait, la version S est tellement per-

nouveautés 2002

• Système audio Bose optionnel • Ordinateur de bord avec écran à cristaux liquides (en option)

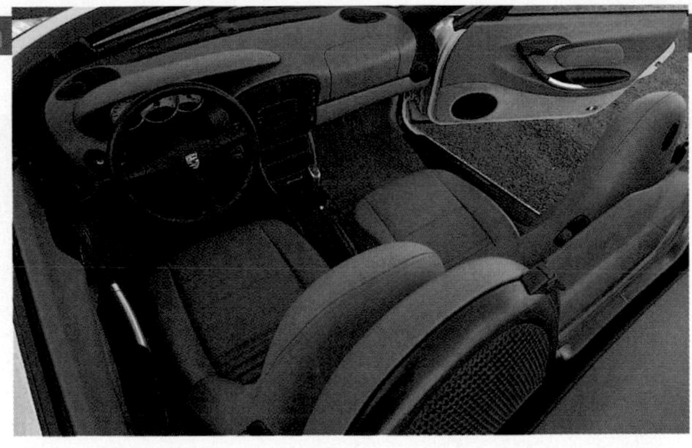

formante et agréable à conduire qu'elle rejoint presque la 911.

C'est sans doute la raison pour laquelle la puissance de cette dernière a été portée à 320 chevaux cette année. Le système de stabilité PSM (Porsche Stability Management) est offert en option et permet au conducteur inexpérimenté de se tirer d'embarras en intervenant sur la commande des gaz et en commandant le freinage sélectif des roues pour corriger automatiquement la trajectoire de la voiture. Le système PSM, qui est le plus perfectionné du genre, n'intervient que lorsque la limite a été atteinte.

Et cette intervention est à la fois précise et subtile, contrairement aux systèmes proposés par d'autres constructeurs qui coupent automatiquement l'accélérateur et freinent rapidement la voiture pour ne redonner le contrôle au conducteur que lorsque la situation est revenue à la normale, ce qui est loin d'être agréable.

HABITACLE Considérée comme une authentique sportive, la Boxster peut se targuer d'offrir un côté pratique que l'on ne retrouve pas chez les rivales en proposant deux coffres de formes différentes (l'un à l'avant, l'autre à l'arrière) mais de volume équivalent.

L'instrumentation est complète. Le seul reproche qu'on peut lui adresser se situe au chapitre des boutons de sa chaîne audio. En plus d'être trop petits, la qualité sonore de cette dernière laisse à désirer.

CONCLUSION Le paradis, c'est conduire une Boxster S du printemps à l'automne et une voiture à traction intégrale durant les mois d'hiver. Bienvenue dans la vie des gens riches et célèbres.

PORSCHE

fiche technique

Moteur : 6 cyl. à plat (Boxer) de 2,7 L

Autre moteur : 6 cyl. à plat (Boxer) 3,2 L (S)

Puissance : 220 ch à 6500 tr/min, et 192 lb-pi à 4 500 tr/min ;

Autre moteur : 252 ch à 6 250 tr/min et 225 lb-pi à 4 500 tr/min

Transmission de série : manuelle à 5 ou 6 rapports (S)

Transmission optionnelle : automatique à 5 rapports (Tiptronic)

Freins avant : disques ventilés

Freins arrière : disques ventilés

Sécurité active de série : ABS

Suspension avant : indépendante

Suspension arrière : indépendante

Empattement : 241,5 cm

Longueur : 431,5 cm

Largeur : 178 cm

Hauteur : 129 cm

Poids : 1260 kg, 1295 (S)

0-100 km/h : 6,6 s (man.); 7,4 s (aut.)

Autre moteur : 5,9 s (man.); 6,5 s (aut.)

Vitesse maximale : 250 km/h

Autre moteur : 260 km/h

Rayon de braquage : 10,9 m

Capacité du coffre : 260 litres

Capacité du réservoir d'essence : 64 L

Consommation d'essence moyenne : 10 L/100 km; 10,9 L/100 km

Pneus d'origine : avant : 205/55ZR16; arrière : 225/50ZR16

Pneus optionnels : avant : 205/50ZR17; arrière : 255/40ZR17; avant : 225/40ZR18; arrière : 265/35ZR18

2e opinion

Michel Crépault — Dans la catégorie des roadsters, la Boxster est la plus équilibrée au plan du poids et du reste, peu m'importe qu'il s'agisse de la régulière ou de la S. D'aucuns regrettent la similarité de la section avant avec celle de la 911, mais une fois derrière le volant, on s'en fout : la Boxster offre autant de plaisir qu'un dérapage parfaitement contrôlé!

forces

- Tenue de route exceptionnelle
- Performances de la version S
- Freinage puissant
- Côté pratique

faiblesses

- Transmission Tiptronic décevante
- Confort sur routes dégradées
- Commandes du système audio

Par Gabriel Gélinas

ROLLS-ROYCE

fiche d'identité

Modèle : Silver Seraph, Park Ward, Corniche
Segment : de luxe de plus de 100 000 $
Roues motrices : arrière
Portières : 4
Places : avant, 2 ; arrière, 3
Sacs gonflables : 2 frontaux, 2 latéraux
Concurrence : Bentley Arnage, Mercedes-Benz Maybach

au quotidien

Prime d'assurance moyenne : nd
Garantie générale : 3 ans/kilométrage illimité
Collision frontale : nd
Collision latérale : nd
Ventes du modèle l'an dernier au Québec : nd
Dépréciation : 20,5 % (2 ans)

évolution

prix de base • 340 990 $

Au volant d'un monument

Le goût d'une Rolls-Royce? Vous avez le choix entre la Silver Seraph et la Corniche. Entre dépenser 340 990 $ pour la berline et 541 995 $ pour le cabriolet. J'oubliais la Park Ward, la Rolls à empattement allongé, laquelle demande que vous allongiez un léger 387 175 $.

CARROSSERIE Celui qui l'a baptisé Silver Seraph s'est inspiré d'un séraphin. Pas Poudrier ! Plutôt l'ange... À l'instar de la créature céleste, Rolls-Royce a voulu créer une automobile qui capture la lumière. Avec des panneaux qui s'étirent sur près de 5,4 mètres, on admet que la Seraph a le volume nécessaire pour réverbérer plusieurs lumières, qu'elles proviennent du paradis ou d'un lampadaire. Là où les autres stylistes tentent de concentrer les formes, ceux de Rolls-Royce se complaisent à les étirer. On sombrerait dans la lourdeur si ces artistes ne se souciaient pas d'incorporer des garnitures de chrome qui parviennent à ciseler l'énorme masse. De toute façon, l'allure d'une Rolls-Royce est solidement incrustée dans notre imaginaire, grâce à Hollywood et aux sheiks d'Arabie qui l'utilisent pour aller au dépanneur. Le constructeur n'a qu'à déposer sa légendaire demoiselle *Spirit of Ecstasy* au sommet de sa non moins légendaire grille pour qu'on révère la bagnole sur-le-champ. Dans le cas de la Seraph, toutefois, je reverrais les enjoliveurs qui font penser à des bouchons de Coke aplatis.

MÉCANIQUE La Seraph et la Park Ward acceptent un V12 en alliage de 5,4 litres, 24 soupapes et 322 chevaux, alors que la Corniche préfère un V8 de 6,75 litres suralimenté de 325 chevaux. La transmission automatique à 5 rapports utilise un sélecteur greffé au volant. L'ABS est de mise, de même que le contrôle de la traction et de la stabilité. Mais qui parviendrait à déstabiliser ces éléphants? L'accélération est surprenante (7,4 secondes pour le 0-100 km/h de la Seraph). Mais en connaissez-vous beaucoup des proprios de Rolls qui s'amusent à brûler l'asphalte? À bien y penser, en connaissez-vous beaucoup des proprios de Rolls-Royce?

COMPORTEMENT Impossible d'accuser une Rolls-Royce de grincer. Son châssis emprunte la même conception monocoque qui rend notam-

nouveautés 2002

• Aucun changement majeur

ment un Land Rover capable d'accomplir des prouesses hors route. Or, on ne demande à une Rolls-Royce que de pavaner ses 2350 kilos. La suspension indépendante à l'avant s'en remet à l'arrière à un système d'amortisseurs hydrauliques géré électroniquement pour induire la meilleure réaction face aux imperfections de la chaussée. Autrement dit, sur nos routes, cet ordinateur ne chôme pas. La conduite est fluide, dironsnous céleste. La consommation combinée de quelque 18 litres aux 100 kilomètres est probablement le dernier des soucis de l'acheteur.

HABITACLE Le bois est massif, le cuir joufflu, le tout parsemé de cadrans cerclés de chrome et d'interrupteurs plastifiés qui jurent avec la tradition. On peut se mirer dans le vernis des boiseries. On voudra élire domicile dans l'habitacle. On se paiera un pique-nique mobile en rabattant les tablettes encastrées dans le dossier des sièges avant. Le coffre est géant et l'assiette s'adapte automatiquement à la nouvelle charge. Dans le fond, tout ce qui existe sur le marché pour égayer un habitacle, une Rolls l'offre : du système de navigation aux sièges arrière ajustables en passant par le bidule qui fait "bip-bip" lors des manœuvres de stationnement. Surprenante la panoplie de gadgets dans ce décor qui respire le vieil argent.

CONCLUSION Quand Volkswagen et BMW se partageront la compagnie, en 2003, le premier développera Bentley tandis que le second héritera de Rolls-Royce. Le futur germanique de ces légendes britanniques sera-t-il catastrophique ou magnifique? La réponse vous intéressera si vos moyens sont mirifiques.

ROLLS-ROYCE

fiche technique

Moteur : V12 5,4 L SACT
Autre moteur: V8 6,7 L compressé (Corniche)
Puissance : 322 ch à 5000 tr/min et 361 lb-pi à 3900 tr/min (SS, PW)
Autre moteur: 325 ch à 4000 tr/min et 544 lb-pi à 2300 tr/min (C)
Transmission de série : automatique à 5 rapports ; automatique à 4 rapports (C)
Transmission optionnelle : aucune
Freins avant : disques ventilés
Freins arrière : disques ventilés
Sécurité active de série : ABS, ASC (contrôle de la stabilité), antipatinage
Suspension avant : indépendante
Suspension arrière : indépendante
Empattement : 311,6 cm (SS); 336,6 cm (PW); 306 cm (C)
Longueur : 539 cm; 564 cm (PW)
Largeur : 193 cm; 205,8 cm (C)
Hauteur : 151,5 cm; 147,5 cm (C)
Poids : 2350 kg; 2450 kg (PW); 2735 kg (C)
0-100 km/h : 7,0 s; 7,3 (PW); 8.5 (C)
Vitesse maximale : 225 km/h
Diamètre de braquage : 12,6 m; 12,2 (C)
Capacité du coffre : 374 L, 187 L (C)
Capacité du réservoir à essence : 100 L
Consommation d'essence moyenne : 17,4 L/100 km, 19 L/100 km (C)
Pneus d'origine : 235/65WR16, 255/55WR17 (C)
Pneus optionnels : aucun

forces

- Posséder une légende
- Confort absolu
- John Lennon en avait une

faiblesses

- Financer une légende
- Égratigner une légende
- John Lennon est mort

Par Michel Crépault

évolution

SAAB

fiche d'identité

Modèle : 9-3
Versions : SE 5 portes, SE turbo, SE Cabriolet, Viggen
Segment : de luxe, moins de 50 000 $
Roues motrices : avant
Portières : 2, 4
Places : avant, 2 ; arrière, 3
Sacs gonflables : 4
Concurrence : Audi A4, BMW Série 3, Cadillac CTS, Lexus ES 300 et IS 300, Mazda Millenia, Oldsmobile Aurora, Mercedez-Benz Classe C, Acura 3.2TL, Volvo S60 et S40/V40

au quotidien

Prime d'assurance moyenne : 1015 $
Garantie générale : 4 ans/80 000 km
Garantie groupe motopropulseur : 3 ans/60 000 km
Garantie antipollution : 8 ans/130 000 km
Garantie contre la perforation : 6 ans/kilométrage illimité
Collision frontale : 4
Collision latérale : 4
Ventes du modèle l'an dernier au Québec : 206
Dépréciation : 54,7 % (1999)

prix de base • 32 000 $

25 ans, l'âge de raison

Sortez les chapeaux pointus et les guirlandes, car 2002 marque le vingt-cinquième anniversaire des moteurs turbocompressés de la firme suédoise Saab. Pour l'occasion, il sera possible d'obtenir une édition spéciale du 9-3 avec des sièges en cuir ayant la mention Turbo incrustée dans les appuie-tête. De plus, le modèle de base disparaît et se voit remplacé par une SE plus garnie. Le constructeur scandinave prévoit offrir tout ça pour le même prix... ou presque !

CARROSSERIE Aucune modification à ce niveau, si ce n'est le châssis un peu plus rigide pour la version Sport des modèles SE et Viggen. Les Saab sont reconnaissables à leur allure générale qui n'a pas véritablement changé depuis belle lurette : museau plat et long, pare-brise élevé et arrière court. Évidemment, des améliorations esthétiques ont permis à la petite berline de rester bien moderne. Seul défaut inexplicable : l'utilisation d'une antenne électrique pour la radio. Avec la courte antenne OnStar de l'autre côté du coffre, on se demande pourquoi Saab n'a pas opté pour quelque chose d'un peu plus élégant et pratique.

MÉCANIQUE Deux motorisations sont offertes : des quatre cylindres de 2 et 2,4 litres suralimentés, de véritables bombes, délivrant respectivement 205 et 230 chevaux. Ce n'est peut-être pas tout à fait le rendement (et encore moins le raffinement) que l'on obtiendrait avec, disons, une BMW série 3 ; mais ne comparons pas des pommes avec des oranges, comme me le recommandait poliment mais fermement Mme Claudette, dans ma jeunesse estudiantine. Le quatre cylindres a quand même le mérite d'offrir des accélérations qui génèrent une bonne dose d'adrénaline. La suspension arrière, à poutre de torsion semirigide en forme de H jumelée à des ressorts hélicoïdaux calibrés pour donner une sensation plus sportive, est étonnamment douce, bien qu'elle date d'une époque où je n'étais pas encore né.

COMPORTEMENT Sur la route, le système de contrôle de la traction (TCS) permet d'éviter les décollages inopportuns, l'effet de couple pouvant quelquefois faire déraper l'une

nouveautés 2002

• Pour 2002, le modèle SE devient le modèle de base. Des accessoires seront ajoutés aux véhicules pour les rendre un peu plus luxueux, et des groupes d'options Sport et Premium font leur apparition. Les prix devraient rester sensiblement les mêmes, foi du constructeur.

ou l'autre des deux roues avant. Très précise, la direction communique très bien l'état de la route et, parlant de celle-ci, mentionnons la fâcheuse tendance des pneus à vouloir suivre toutes les ornières ou à réagir à la moindre imperfection du revêtement. Un peu agaçant (euphémisme), surtout lorsqu'on connaît le piètre état de notre réseau routier.

HABITACLE Origines scandinaves obligent, je présume; le tableau de bord, en effet, est d'une curieuse ressemblance avec celui qui équipe les Volvo. Les commandes de la radio et de la climatisation sont de bonnes dimensions et faciles à atteindre, l'affichage est clair et le tableau de bord, sobre. L'allumage se situe entre les deux fauteuils, ce qui ne cesse de surprendre les nouveaux utilisateurs, mais c'est ce qui, à une certaine époque, était considéré comme le fin du fin pour prévenir le vol.
Les sièges offrent un confort remarquable et les appuie-tête peuvent effectivement servir à s'y appuyer, ce qui n'est pas évident dans de nombreuses voitures. Enfin, on peut même asseoir deux adultes à l'arrière sans trop de problèmes, ce qui est l'exception plutôt que la règle dans un coupé.

CONCLUSION Pour une voiture dont les origines remontent à plus de vingt ans, la Saab 9-3 n'a certes pas mal vieilli. Au contrairc, sa conduite est rafraîchissante, grâce à une mécanique volontaire et à une tenue de route qui n'est pas vilaine du tout. Au volant d'une Saab, les longs trajets tout comme les virées au centre-ville ne sont jamais une corvée, surtout si vous optez pour le très chouette cabriolet. Si vous aimez vous faire remarquer, vous le serez assurément au volant d'une Saab.

SAAB

fiche technique

Moteur : 4 cyl. en ligne DACT 2 L turbocompressé
Autre moteur : L4 DACT 2,3 L haut rendement turbocompressé (Viggen)
Puissance : 185 ch à 5500 tr/min et 194 lb-pi à 2200 tr/min
Autre moteur : 205 ch à 5500 tr/min et 209 lb-pi à 2300 tr/min; 230 ch à 5500 tr/min et 258 lb-pi à 2500 tr/min (Viggen)
Transmission de série : manuelle à 5 rapports
Transmission optionnelle : automatique à 4 rapports
Freins avant : disques
Freins arrière : disques
Sécurité active de série : ABS, antipatinage (sauf modèle de base)
Suspension avant : indépendante
Suspension arrière : indépendante
Empattement : 260,5 cm
Longueur : 462,9 cm
Largeur : 171,1 cm
Hauteur : 142,8 cm
Poids : 1355 kg (coupé)/ 1375 kg (berline)
0-100 km/h : 7,8 s; 6,8 s (Viggen)
Vitesse maximale : 250 km/h (Viggen)
Diamètre de braquage : 10,5 m
Capacité du coffre : 451 L, 354 L (cabriolet)
Capacité du réservoir d'essence : 68 L
Consommation d'essence moyenne : 13,8 L/100 km
Pneus d'origine : 205/50R16
Pneus optionnels : 215/45R17 (Viggen)

2e opinion

Benoît Charette — Au chapitre du style, on reconnaît un 9-3 au premier coup d'oeil. L'immobilisme dans le design perdure. La fiabilité est encore le talon d'achille de la marque suédoise sous tutelle GM depuis 1989. Mécanique mise à part, le confort de roulement est excellent et l'ergonomie des sièges, impériale.

forces

- Fougue des moteurs
- Caractère très typé
- Sièges ultraconfortables
- Version cabriolet très attrayant

faiblesses

- L'antenne électrique pour la radio
- Effet de couple mal maîtrisé
- Train avant sensible aux inégalités du revêtement

Par Alain Mckenna

évolution

fiche d'identité

Modèle : 9-5

Versions : base, SE, Aero

Segment : de luxe, de 50 000 $ à 100 000 $

Roues motrices : avant

Portières : 4

Places : avant, 2 ; arrière, 3

Sacs gonflables : 4

Concurrence : Acura 3.5RL, BMW Série 5, Cadillac DeVille, Eldorado, et Seville, Chrysler 300M et Concorde, Ford Thunderbird, Infiniti I35 et Q45, Audi A6, Lexus GS 300/GS 400 et LS 430, Lincoln Continental, LS et Town Car, Volvo S80 et V70, Acura 3.5RL, Mercedes-Benz Classe E

au quotidien

Prime d'assurance moyenne : 1300 $

Garantie générale : 4 ans/80 000 km

Garantie groupe motopropulseur : 4 ans/80 000 km

Garantie antipollution : 8 ans/130 000 km

Garantie contre la perforation : 6 ans/160 000 km

Collision frontale : nd

Collision latérale : nd

Ventes du modèle l'an dernier au Québec : 183

Dépréciation : 33,8 %

prix de base • 43 615 $

Confusion

La petite firme suédoise, désormais totalement sous le contrôle du géant américain General Motors, vient de faire subir à son modèle 9-5 des changements esthétiques pour la cuvée 2002. Saab véhicule une image confuse. D'un côté, une sécurité et une robustesse qui ont fait leurs preuves, et de l'autre, une fiabilité douteuse et des prix très élevés.

CARROSSERIE À l'extérieur, la 9-5 revêt une nouvelle robe. Oh ! rien de bien révolutionnaire, mais cela doit tout de même être mentionné. L'apparence générale est à présent plus sportive et bien de son temps. L'appellation des modèles est aussi nouvelle. Le modèle de base devient Linear et la SE devient ARC, seul le modèle Aero demeure inchangé.

MÉCANIQUE Rien de nouveau sous le capot pour 2002, et la valse des turbos à gogo continue. Les versions Linear reçoivent le 4 cylindres turbo de 2,3 litres et 185 chevaux. Le V6 turbo de 3,0 litres et 200 chevaux est offert de série avec la version Arc et en équipement facultatif pour la berline et la familiale Linear. Pour ce qui est de l'Aero, le moteur de base se voit greffer un turbo plus puissant et impose ses 230 chevaux aux roues avant en laissant un effet de couple fort désagréable.

COMPORTEMENT Sobre, neutre et agréable en conduite de tous les jours, la tenue de route se transforme en fonction du modèle mis à l'essai. Le moteur de base s'avère docile avec un temps mort important entre les passages de vitesses. Et plus le moteur est puissant, plus cet espace entre les rapports est important. La version Aero vous jette littéralement par terre quand le turbo décide enfin de se mettre en marche. Avec une garde au sol abaissée de 10 millimètres, des freins à disque surdimensionnés et 230 chevaux sous le capot, elle offre la conduite la plus inspirée de la famille (la plus coûteuse aussi). Les pneus Michelin de 17 pouces collent très bien à tous les revêtements, et le confort des fauteuils est toujours impérial, et ce, pour tous les modèles. La version manuelle demeure la plus plaisante à conduire. Une nouvelle transmission auto-

nouveautés 2002

• Le modèle de base devient Linear et le SE devient Arc • Nouvelle robe extérieure • Boîte automatique à 5 rapports • Freins avant plus gros et arrière ventilés • Essuie-phares remplacés par des gicleurs • Deux nouvelles couleurs de carrosserie (noisette et blanc polaire)

matique à 5 rapports offre une conduite plus douce que l'ancienne boîte à 4 rapports.

HABITACLE Ceux qui préfèrent les qualités d'une grande routière avec tout l'équipement approprié iront du côté de la version Arc. Mais il faut souligner que, contrairement à beaucoup de 4 cylindres, celui de la Saab est très silencieux, sans vibrations et offre une conduite tout aussi feutrée que les meilleurs V6 sur le marché. Naturellement, la liste d'équipements est plus courte, mais cela n'enlève rien au confort des fauteuils et au plaisir de conduire. Les versions Aero éveilleront l'aspect sportif de votre personnalité, mais gare aux contraventions : la grande souplesse du moteur et son silence de roulement vous donnent l'impression de rouler plus lentement que votre vitesse réelle. La familiale satisfera une famille de cinq grâce à sa logeabilité.

CONCLUSION Saab cultive la différence pour les gens qui recherchent une voiture hors norme. De l'intérieur dessiné comme un poste de pilotage d'avion à la clé de contact dans la console centrale, Saab fait les choses autrement, pour le bonheur des uns et le déplaisir des autres. Pour réellement faire plaisir à tout le monde, Saab devrait revoir sa qualité de fabrication et sa fiabilité, qui sont loin d'être parfaites.

Le prix a également ralenti les élans de plusieurs acheteurs, qui ont simplement regardé ailleurs.

fiche technique

SAAB

Moteur : L4 DACT 2,3 L turbocompressé

Autres moteurs : V6 DACT 3 L turbocompressé (SE), L4 DACT 2,3 L à haut rendement turbocompressé (Aero)

Puissance : 185 ch à 5500 tr/min et 206 lb-pi à 1800 tr/min

Autres moteurs : 200 ch à 5000 tr/min et 229 lb-pi à 2100 tr/min (SE), 230 ch à 5500 tr/min et 258 lb-pi à 2500 tr/min (Aero)

Transmission de série : manuelle à 5 rapports

Transmission optionnelle : automatique à 4 rapports

Freins avant : disques ventilés

Freins arrière : disques ventilés

Sécurité active de série : ABS antipatinage

Suspension avant : indépendante

Suspension arrière : indépendante

Empattement : 270 cm

Longueur : 480,5 cm

Largeur : 204,2 cm

Hauteur : 144,9 cm

Poids : 1565 kg

0-100 km/h : 7,1 s ; 9,0 s (V6)

Vitesse maximale : 240 km/h

Diamètre de braquage : 10,8 m

Capacité du coffre : 450 L

Capacité du réservoir d'essence : 75 L

Consommation d'essence moyenne : 12,8 L/100 km

Pneus d'origine : P215/55R16

Pneus optionnels : P225/45R17

forces

- Fauteuils ultraconfortables
- Tenue de route et douceur de roulement sans failles
- Espace intérieur et coffre généreux

faiblesses

- Un prix qui n'est pas à la portée de toutes les bourses.
- Un léger effet de couple en accélération

Par Benoit Charette

SATURN

fiche d'identité

Modèle : Série L
Versions : L100, L200, L300, LW200, LW300
Segment : intermédiaires
Roues motrices : avant
Portières : 4
Places : avant, 2 ; arrière, 3
Sacs gonflables : 2
Concurrence : Chevrolet Malibu, Chrysler Sebring, Daewoo Leganza, Honda Accord, Hyundai Sonata, Kia Magentis, Mazda 626, Oldsmobile Aurora, Nissan Altima, Subaru Legacy, Toyota Camry

au quotidien

Prime d'assurance moyenne : nd
Garantie générale : 3 ans/60 000 km
Garantie groupe motopropulseur : 5 ans/100 000 km
Garantie contre la corrosion : 3 ans/60 000 km
Garantie contre la perforation : 6 ans/160 000 km
Collision frontale : 4/5
Collision latérale : 2/5
Ventes du modèle l'an dernier au Québec : nd
Dépréciation : nd

évolution

prix de base • 21 125 $

Mal aimée

La série L de Saturn démontre que cette division de GM peut offrir des véhicules de classe intermédiaire capables de rivaliser avec ses concurrentes. Le nouveau quatre cylindres nous a étonnés par sa vigueur et sa souplesse.

CARROSSERIE La série L propose comme configurations une berline et une familiale. La berline offre trois versions, la familiale, deux. La L200, avec son groupe électrique, offre un rapport qualité/prix très intéressant. On compte, en équipement de série, le climatiseur, le fauteuil du conducteur réglable en hauteur, les vitres électriques, les rétroviseurs chauffants réglables électriquement, le régulateur de vitesse et la chaîne audio à huit haut-parleurs avec DC. La version L100, exclusive à la berline, nous a semblé trop dénudée, tandis que la L300 offre un luxe comparable aux grandes berlines intermédiaires avec sa sellerie de cuir. Les familiales n'existent qu'en deux versions : SW200 et SW300. Les lignes des berlines de la série L sont sobres et fonctionnelles, alors que celles des familiales plaisent, car elles les font paraître plus longues et plus grandes.

MÉCANIQUE On compte deux motorisations dans la série L : un surprenant quatre cylindres de 2,2 litres développant 135 chevaux équipe de série les L100, L200 et SW200 ; dans les deux premières, il est couplé à une transmission manuelle à cinq rapports, tandis que dans la SW200, on a droit à une transmission automatique à quatre rapports. Un V6 de 3 litres, en tandem avec une boîte automatique, équipe les versions L et SW300 de série.
La suspension indépendante aux quatre roues jouit d'un réglage sportif dans les versions 300. Une combinaison de freins disques/tambours avec système ABS assure le freinage dans le cas des versions 100 et 200, tandis que la série 300 compte sur quatre freins à disque.

COMPORTEMENT Nous avons essayé une berline L200 munie de la transmission automatique. Nous avons eu une agréable surprise. Le quatre cylindres se comportait comme un V6, quoiqu'un peu

nouveautés 2002
• Aucun changement majeur

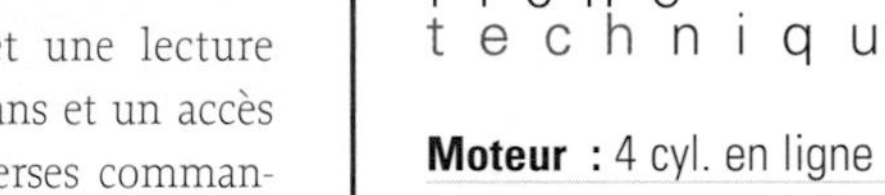

bruyant en accélération. Nous avons obtenu des temps de dépassement sous la barre des 8 secondes, temps que nous jugeons nécessaire pour effectuer un dépassement sûr. Dans les courbes serrées, la L200 accuse un certain roulis et du sous-virage, rien pour quitter la route cependant, seulement pour rappeler ses limites. Aux vitesses tolérées sur l'autoroute, cette Saturn reste posée et serait plus silencieuse avec de meilleurs pneus. Les Firestone, qui la chaussent, viennent déranger la quiétude des passagers. Le freinage se contrôle aisément, et les distances sont raisonnables. En ville, le moteur et la transmission travaillent en harmonie et permettent à la L200 de se faufiler et de suivre le courant.

HABITACLE La L200 offre une bonne position de conduite, et les fauteuils procurent un bon confort ; on aurait souhaité un meilleur soutien latéral. L'accès et l'espace avant ne posent aucun problème. Le tableau de bord simple permet une lecture aisée des cadrans et un accès facile aux diverses commandes. Les boutons de la radio sont un peu trop petits, mais la qualité de la chaîne audio est très bonne. La qualité et les couleurs des tissus font production de masse ; en gris, l'intérieur est plus joli. On accède assez aisément à l'arrière où l'on sera assis confortablement, mais droit. Il est intéressant de noter que le passager du centre profitera d'une ceinture à baudrier.

CONCLUSION La Saturn série L nous a réconciliés avec cette marque. Saturn a compris la leçon et pourrait, avec une meilleur fiabilité, devenir un joueur intéressant dans le monde des intermédiaires. Une voiture honnête, efficace et bien équipée pour le prix.

fiche technique

Moteur : 4 cyl. en ligne DACT 2,2 L
Autres moteurs : V6 DACT 3 L
Puissance : 135 ch à 5200 tr/min et 142 lb-pi à 4400 tr/min
Autre moteur : 182 ch à 6000 tr/min et 184 lb-pi à 3600 tr/min
Transmission de série : manuelle à 5 rapports (L200/LW200)
Transmission optionnelle : automatique à 4 rapports (L200/LW200)
Freins avant : disques
Freins arrière : tambours (L100); disques
Sécurité active de série : ABS
Suspension avant : indépendante
Suspension arrière : indépendante
Empattement : 270,5 cm
Longueur : 483,6 cm
Largeur : 200,2 cm
Hauteur : 143,2 cm/145,5 cm (LW200/LW300)
Poids : 1336 kg à 1478 kg
0-100 km/h : 10,5 s
Vitesse maximale : 180 km/h
Diamètre de braquage : 11,1 m
Capacité du coffre : 495 L (LS); 832 L (LW)
Capacité du réservoir d'essence : 59 L
Consommation d'essence moyenne : 10 L/100 km
Pneus d'origine : 195/65R15
Pneus optionnels : 205/65R15

SATURN

2e opinion

Luc Gagné — Voici une voiture anonyme, et c'est bien dommage. Car la «grande» Saturn est bien aménagée et amusante à conduire. La familiale est polyvalente et pratique, comme une Subaru Legacy (ma référence), le rouage intégral en moins. Et les panneaux de carrosserie en polymère assurent une longévité à la voiture... s'ils ne craquent pas sous l'effet de plusieurs années de soleil plombant.

forces

- Bon équilibre
- Performances du quatre cylindres et du V6
- Équipement de la L200

faiblesses

- Pneus bruyants
- Reflets du tableau de bord sur le pare-brise

Par Amyot Bachand

SATURN

fiche d'identité

Modèle : Série S
Versions : SL, SL1, SL2, SC1, SC2
Segment : petites voitures
Roues motrices : avant
Portières : 2, 3 ou 4
Places : avant, 2 ; arrière, 3
Sacs gonflables : 2
Concurrence : Chevrolet Cavalier, Chrysler Neon, Daewoo Nubira, Ford Focus, Honda Civic, Hyundai Elantra, Kia Spectra, Mazda Protegé, Nissan Sentra, Suzuki Esteem, Toyota Corolla, Volkswagen Golf

au quotidien

Prime d'assurance moyenne : 625 $ à 775 $
Garantie générale : 3 ans/60 000 km
Garantie groupe motopropulseur : 5 ans/100 000 km
Garantie contre la corrosion : 3 ans/60 000 km
Garantie contre la perforation : 6 ans/160 000 km
Collision frontale : 5/5
Collision latérale : 3/5
Ventes du modèle l'an dernier au Québec : SC 1318 voitures, SL 3148 voitures, SW 191 voitures
Dépréciation : 46,3 %

évolution

prix de base • 14 245 $

Manque de **souffle**

Au début des années 80, l'industrie automobile américaine se fait malmener par la concurrence nippone qui, forte d'une technologie moderne, d'une qualité de fabrication supérieure et d'un budget d'utilisation moins élevé, enlève de grosses parts de marché à l'Oncle Sam. Les trois grands réagissent alors, et GM décide la création de Saturn en 1983. Un travail gigantesque, puisque l'on fait table rase. Il faut concevoir une voiture totalement nouvelle : plateforme, moteurs, carrosserie, mais aussi méthodes de fabrication et nouvelle approche de vente. En un mot, battre les Japonais à leur propre jeu. Après plusieurs années de préparation, la première berline rouge métallisée quitte la chaîne de montage avec, à son volant, le président du conseil de GM, Roger Smith. Nous sommes en 1990. Saturn a mis neuf ans avant de mettre un 2e modèle sur le marché, la Saturn L, qui laisse les acheteurs indifférents. On compte beaucoup sur le VUE pour relancer la division, car la petite S, si populaire à ses débuts, est au bout de son rouleau.

CARROSSERIE Une des plus grandes qualités de Saturn repose dans sa conception et son style unique qui a fait plusieurs adeptes. Autre caractéristique intéressante, Saturn est le seul constructeur au monde à utiliser des panneaux de polymère insensibles à la corrosion. C'est une technologie plus coûteuse, mais comme disait Robert Charlebois : « Oh combien appréciée au royaume du calcium. » Pour 2002, les seules nouveautés se résument à des roues en aluminium de 15 pouces en option pour la SC2 et de nouveaux enjoliveurs pour la SL2. La version familiale est retirée du marché.

MÉCANIQUE Pas de changements sous le capot ; le même moteur de base, le 1,9 litre rugueux et bruyant trône dans la version de base. Ses 100 chevaux font figure d'enfant pauvre dans cette catégorie. Imaginez, une Toyota Echo est plus puissante. La version DACT et ses 124 chevaux donne un peu plus de tonus, mais la cacophonie qui émane du moteur à l'effort fait mal aux oreilles. La mécanique n'est vraiment pas le point fort de la série S.

nouveautés 2002

• Nouvelles roues en aluminium de 15 pouces pour la version SC • Nouveaux enjoliveurs pour la SL2 • Nouvelles couleurs de carrosserie argent et orange • Nouveau cuir deux tons (ébène et gris) dans les versions SC1 et SC2

COMPORTEMENT Le comportement de la Saturn est en étroite communion avec le tempérament de la personne derrière le volant. Si vous êtes d'un naturel calme, qui ne s'énerve pas pour un rien, et qui n'est jamais brusque sur l'accélérateur, votre Saturn sera tout aussi compréhensive que vous et n'aura pas de dédoublement de personnalité. Toutefois, si vous faites preuve d'impatience à l'occasion en écrasant fermement l'accélérateur, sachez que la Saturn n'appréciera pas ce genre de traitement et que le moteur vous le fera savoir en augmentant ses décibels. Elle n'ira pas plus vite non plus. Un bon conseil : soyez gentil avec votre Saturn pour qu'elle demeure votre amie. Les freins avec ABS donnent de très bons résultats, mais sans ABS, cela devient hasardeux. Si vous devez faire un arrêt d'urgence, soyez avertis. Enfin, je vous conseille la transmission manuelle, beaucoup plus docile que la boîte automatique un peu saccadée. Encore là, du pain sur la planche.

HABITACLE Peu de choses à redire sur l'intérieur qui demeure le même. La forme arrondie du toit donne toujours un léger torticolis aux passagers arrière à moins d'être de la grandeur de Napoléon. La SC, avec sa 3e porte ingénieuse, évite de jouer au contorsionniste pour accéder aux places arrière. Les commandes et les cadrans disposés à la japonaise sont faciles à consulter et à utiliser.

CONCLUSION Si la Saturn n'attire plus les foules comme à ses débuts, c'est en grande partie en raison de sa conception qui ne s'est pas beaucoup améliorée au fil des ans. Par contre, si vous désirez une expérience unique chez un concessionnaire différent., cela en vaut la peine, car c'est le service qui fait que Saturn a encore plusieurs adeptes.

fiche technique

SATURN

Moteur : 4 cyl. SACT 1,9 L
Autres moteur(s) : 4 cyl. DACT 1,9 L
Puissance : 100 ch à 5000 tr/min, 114 lb-pi à 2400 tr/min
Autre moteur : 124 ch à 5600 tr/min, 122 lb-pi à 4800 tr/min
Transmission de série : manuelle à 5 rapports
Transmission optionnelle : automatique à 4 rapports
Freins avant : disques
Freins arrière : tambours
Sécurité active de série : n/d
Suspension avant : indépendante
Suspension arrière : indépendante
Empattement : 260,1 cm
Longueur : 452,4/458,4 cm
Largeur : 168,6/173,2 cm
Hauteur : 139,7/134,8 cm
Poids : 1079 kg
0-100 km/h : 9,6 s
Vitesse maximale : 175 km/h
Diamètre de braquage : 11,3 m
Capacité du réservoir d'essence : 45,8 L
Consommation d'essence moyenne : 9,2 L/100 km (SL2); 7,9 L/100 km (SL1)
Pneus d'origine : SC1/SC2 175/70R14, SL/SL1/SL2 185/65R14, SW2 185/65R15
Pneus optionnels : SC1/SC2 195/60R15, SL/SL1/SL2 185/65R15

2e opinion

Amyot Bachand — Bonne routière, elle devient trop sous-vireuse dans les virages. En ville, avec son étagement des vitesses mode économie, on n'a pas d 'autre choix que d'écraser à fond pour des départs ou des reprises. Les commandes doivent être rapprochées du volant. Avec une approche de service et de vente unique, on comprend la clientèle.

forces

- Rendement économique
- Comportement sûr
- Espace accru aux places arrière
- Une insonorisation de bonne qualité

faiblesses

- Équipement de série limité
- Moteur de base anémique surtout avec la boîte automatique
- Moteur bruyant en accélération

Par Benoit Charette

SATURN

nouveauté

fiche d'identité

Modèle : VUE
Versions : 2RM, 4RM et V6 4RM
Segment : utilitaires compacts
Roues motrices : 4 x 4
Portières : 4
Places : avant, 2; arrière, 3
Sacs gonflables : 2
Concurrence : Chevrolet Tracker, Ford Escape, Honda CR-V, Hyundai Santa Fe, Jeep Liberty, Mazda Tribute, Subaru Forester, Suzuki Vitara et Grand Vitara et XL7, Toyota RAV4

prix de base • nd

L'avenir de Saturn

au quotidien

Prime d'assurance moyenne : nd
Garantie générale : 3 ans/60 000 km
Garantie groupe motopropulseur : 5 ans/100 000 km
Garantie contre la corrosion: 3 ans/60 000 km
Garantie contre la perforation : 6 ans/160 000 km
Collision frontale : nd
Collision latérale : nd
Ventes du modèle l'an dernier au Québec : nd
Dépréciation : nd

Désolé de vous décevoir, mais vous ne verrez pas le VUE avant décembre 2001. C'est un secret bien gardé chez GM et sa division Saturn. Mais nous sommes parvenus à en savoir assez pour vous en parler.

CARROSSERIE Saturn ne fait pas les choses comme les autres, et avec un véhicule qu'on garde à vue pour l'instant, il en sera de même. Saturn vise le marché des utilitaires compacts, c'est-à-dire le Ford Escape, le Suzuki XL7, le Mazda Tribute, le Jeep Liberty et le RAV4. Le VUE sera offert en 3 versions. On pourra se le procurer en versions à traction avant et traction intégrale, toutes deux animées par un 4 cylindres de 2,2 litres, et en version intégrale de 3 litres.

À quoi peut-il ressembler? Il devrait avoir la même largeur que le Jeep Liberty, mais son empattement plus étendu lui fait gagner 1,7 cm en longueur hors tout. Il aura la hauteur du RAV4, ou près de 12 cm de moins haut que le Liberty.

Nous avons observé le VUE à Detroit en janvier dernier et nous avons aimé sa calandre qui lui donnait un air différent des autres utilitaires tout en gardant un air familier avec les autres produits Saturn.

Fidèles à la tradition Saturn, les panneaux de carrosserie en polymère habillent les côtés du VUE ; la coque, le capot, le toit et le hayon sont en acier.

MÉCANIQUE Une transmission manuelle à 5 rapports est accouplée au 4 cylindres de 138 chevaux dans le cas de la version à traction avant. La version intégrale, mue par ce 4 cylindres, se verra dotée d'une toute nouvelle boîte automatique à variation continue. Ce type de transmission, qui fonctionne par courroie et non par engrenage, assurera une prise constante et continue en accélération ou en compression.

Dans le cas de la version mue par le V6 3L de la Saturn L, on parle également d'une transmission automatique à variation continue ainsi qu'une transmission automatique traditionnelle à cinq rapports en option. C'est à suivre...

La suspension indépendante aux quatre roues utilisera des jambes de force à l'avant et un système à multibras à l'arrière. On devrait donc compter sur

• Mis en marché en décembre 2001

une bonne tenue de route, même sur route bosselée.
Des roues de 16 pouces avec jantes en acier pour les 4 cylindres, et en aluminium pour le V6, chausseront toutes les versions du VUE.

COMPORTEMENT À discuter en novembre lorsque Saturn ouvrira ses portes aux journalistes non seulement pour nous laisser voir le VUE, mais pour l'essayer.

HABITACLE Nous avons remarqué des aménagements intéressants et différents au niveau de l'espace cargo. On pourra y asseoir 5 personnes dont 4 confortablement installées si la suspension donne les résultats escomptés. Mais lorsque vient le temps d'y charger des bagages ou du matériel, Saturn a vu juste. On nous promet un seuil bas au niveau du hayon arrière.
De plus, le siège avant va se rabattre comme la banquette divisée 70/30. Ainsi, du côté du passager, on pourra glisser une planche à voile ou des 2x4 ou encore des skis tout en gardant de l'espace pour 2 autres passagers.
La galerie de toit devrait faire partie de l'équipement de série. Derrière la banquette, on trouvera un coffre de rangement avec couvercle qui peut aussi servir de boîte pour y loger les sacs d'épicerie; et dans les coins, un creux permettant d'y mettre une cruche de lait ou d'eau de Javel. Nous avons bien l'impression que ce véhicule a été pensé pour les petites familles et les courses.
L'aménagement du tableau de bord semble privilégier un regroupement de toutes les commandes au centre et à proximité du conducteur. Au moment d'aller sous presse, Saturn n'avait pas finalisé l'équipement de série de ses différentes versions en raison de la concurrence.

CONCLUSION Évidemment, Saturn n'affiche pas de prix. Cependant, il faut s'y attendre, chacune des versions n'aura qu'un seul prix d'attaché.
Pour la fiabilité et la résistance du véhicule en matière de collision, il faudra voir...

fiche technique

Moteur : 4 cyl. de 2,2 L
Autre moteur : V6 3 L DACT
Puissance : 138 ch à tr/min et 145 lb-pi à 4200 tr/min
Autre moteur : 181 ch à tr/min et 190 lb-pi à 3600 tr/min
Transmission de série : manuelle à 5 rapports (4 cyl.), automatique à 5 rapports (V6)
Transmission optionnelle : automatique à 5 rapports (4 cyl.)
Freins avant : disques
Freins arrière : tambours
Sécurité active de série : ABS
Suspension avant : indépendante
Suspension arrière : indépendante
Longueur : 460,5 cm
Largeur : 181,6 cm
Hauteur : 168,9 cm
Garde au sol : 20,3 cm
Poids : 1730 kg
Diamètre de braquage : n/d
Capacité de remorquage : 680 kg (4 cyl.) et 1134 kg (V6)
Pneus d'origine : 215/70R16 (4 cyl.) ou 235/65R16 (V6)

SATURN

forces
- Nouveau modèle

faiblesses
- Nouveau modèle

Par Amyot Bachand

évolution

SUBARU

fiche d'identité

Modèle : Forester
Versions : L, S, S Limited, Sport
Segment : utilitaires compacts
Roues motrices : traction intégrale
Portières : 4
Places : avant, 2 ; arrière, 3
Sacs gonflables : 2 frontaux ; 2 latéraux (S Limited)
Concurrence : Ford Escape, Honda CR-V, Hyundai Santa Fe, Jeep Liberty, Kia Sportage, Mazda Tribute, Nissan Xterra, Saturn VUE, Suzuki Grand Vitara et XL7, Toyota RAV4

au quotidien

Prime d'assurance moyenne : 900 $
Garantie générale : 3 ans/60 000 km
Garantie groupe motopropulseur : 5 ans/100 000 km
Garantie corrosion/perforation : 3 ans/kilométrage illimité
Collision frontale : 4/5
Collision latérale : 4/5
Ventes du modèle l'an dernier au Québec : 1454
Dépréciation : 42,1 %

prix de base • 28 395 $

Le petit camion de la famille

Des véhicules Subaru offerts au Canada, le Forester est celui qui s'approche le plus d'une petite camionnette.

CARROSSERIE La version Sport s'ajoute aux versions L, S et S Limited pour 2002. Elle s'insère entre la S et la Limited. Les lignes carrées du Forester aident à véhiculer cette image de camion, mais lorsqu'on essaie le Forester, on réalise très vite qu'on est plus près d'une auto. La version Sport offre un extérieur légèrement retouché et inspiré du modèle européen : la calandre noire tressée, un aileron, des jantes spéciales de 16 pouces ainsi qu'un toit ouvrant à plus grande ouverture.

MÉCANIQUE Comme les autres Subaru, le Forester profite d'une traction intégrale. Son moteur de 2,5 litres de type boxer, à quatre cylindres opposés horizontalement, développe 165 chevaux. On peut choisir une boîte de vitesses manuelle à cinq rapports ou une transmission automatique à quatre rapports : la transmission automatique nous a semblé plus appropriée et plus agréable à manipuler. Le système de freinage, avec combinaison disques/tambours pour le L et disques/disques pour le S, comporte un système ABS efficace. La version L arrive avec des roues de 15 pouces, tandis que les versions S reçoivent des roues de 16 pouces. Sa capacité de remorquage de 907 kg mérite d'être soulignée pour un véhicule de cette taille.

COMPORTEMENT Le Forester offre des performances équivalant à celles des berlines intermédiaires. Sa tenue de route est sûre et, malgré un sous-virage notable quand on la pousse, le Forester vous permet d'affronter la neige et la pluie en toute sécurité. Vous améliorerez sensiblement votre capacité en le dotant de meilleurs pneus. Même chargé, le Forester demeure stable.

HABITACLE La position de conduite variera selon la taille des conducteurs. Étant de taille moyenne, j'ai eu du mal à trouver une position de conduite malgré le soutien lombaire. Les contrôles tombent bien sous la main. Sur les versions S, Sport et Limited, il faut souligner le dégivrage

nouveautés 2002

• Version Sport • Contrôle de l'essuie-glace arrière avec séquence intermittente sur tous les modèles • Coussins gonflables latéraux sur la version S Limited

matière de chargement, vous pouvez aisément faire vos courses, loger quelques sacs de golf ou de hockey sans devoir rabattre les fauteuils. Avec les dossiers abaissés, vous pourrez passer à un volume de 1800 litres avec les versions L et S, alors qu'elle n'est que de 1670 kilos pour les versions Sport et S Limited à cause du toit ouvrant.

électrique des essuie-glaces: pratique en hiver, on devrait trouver cet accessoire sur toutes les voitures vendues au Canada, de même que les miroirs et les fauteuils chauffants.

Le système de climatisation et de chauffage tient les occupants bien au frais ou au chaud Le Forester peut asseoir cinq personnes, et sa banquette arrière comporte trois appuie-tête : des ados ou des enfants apprécieront davantage l'espace que de grands adultes. On compte sur une finition de bonne qualité. La version Sport reçoit des fauteuils de couleur noire, un rétroviseur anti-éblouissant avec boussole électronique et des couvre-tapis agencés.

La visibilité, bonne à l'avant et à l'arrière, requiert une certaine habitude du côté droit à cause des appuie-tête. En

CONCLUSION Subaru offre une assistance routière de la CAA avec sa garantie de base. Le Forester obtient de bonnes notes en matière de collision frontale. Du côté fiabilité, il a également une bonne cote.

Pour toutes ces raisons, le Forester de Subaru est un véhicule qui est, vous l'aurez deviné, éminemment recommandable.

fiche technique

SUBARU

Moteur : H4 SACT 2,5 L
Puissance : 165 ch à 5600 tr/min et 166 lb-pi à 4000 tr/min
Transmission de série : manuelle à 5 rapports
Transmission optionnelle : automatique à 4 rapports
Freins avant : disques ventilés
Freins arrière : tambours (L); disques
Sécurité active de série : ABS
Suspension avant : indépendante
Suspension arrière : indépendante
Empattement : 252,5 cm
Longueur : 446 cm
Largeur : 173,5 cm
Hauteur : 159,5 cm
Garde au sol : 19 cm
Poids : 1410 kg (L); 1425 kg (S); 1450 kg (Limited)
0-100 km/h : 10,8 s
Vitesse maximale : 180 km/h
Diamètre de braquage : 10,8 m
Capacité de remorquage : 907 kg
Capacité du coffre : 906 L
Capacité du réservoir d'essence : 60 L
Consommation d'essence moyenne : 11 L/100 km
Pneus d'origine : 205/70R15 (L) 215/60R16 (S et S Limited)
Pneus optionnels : aucun

2e opinion

Luc Gagné — À mi-chemin entre les familiales et les utilitaires tout-terrain, il y a le Forester. Compact, performant et manœuvrable, il bénéficie d'un intérieur polyvalent et joli à regarder. Un immense toit ouvrant est aussi offert. Son châssis très rigide rend la conduite agréable même sur les pires routes québécoises. Malheureusement, il n'est pas donné…

forces

- Rouage intégral exemplaire
- Agrément de conduite
- Confort appréciable
- Fiabilité assurée

faiblesses

- Position de conduite difficile à trouver
- Présentation intérieure terne
- Roulis en virage
- Direction surassistée

Par Amyot Bachand

SUBARU

nouveauté

fiche d'identité

Modèle : Impreza/WRX
Versions : berlines RS et WRX; familiales TS, Outback Sport, WRX
Segment : petites
Roues motrices : traction intégrale
Portières : 4
Places : avant, 2; arrière, 3
Sacs gonflables : 2
Concurrence : Chevrolet Cavalier, Chrysler Neon, Daewoo Nubira, Ford Focus, Honda Civic, Hyundai Elantra, Kia Spectra, Mazda Protegé, Nissan Sentra, Pontiac Sunfire, Saturn SL, Suzuki Esteem, Toyota Corolla

prix de base • 26 995 $

Comme les **Gaulois**

au quotidien

Prime d'assurance moyenne : 725$ (TS) à 1300$ (WRX)
Garantie générale : 3 ans/60 000 km
Garantie groupe motopropulseur : 5 ans/100 000 km
Garantie corrosion/perforation : 3 ans/kilométrage illimité
Collision frontale : nd
Collision latérale : nd
Ventes du modèle l'an dernier au Québec : nouveau modèle
Dépréciation : nouveau modèle

Vous connaissez l'histoire du petit village gaulois qui faisait un pied de nez à César grâce à la potion magique du druide Panoramix? Si vous transposiez cette histoire à la gamme de voitures Impreza, les Gaulois en temps normal seraient représentés par les versions TS et RS. Avec la potion magique, vous obtenez la WRX, un véritable petit bolide 100% adrénaline. Subaru met la WRX au premier plan pour promouvoir son image de fabricant de voitures passionnantes grâce à ses succès en rallye internationaux. L'arrivée de la WRX permettra peut-être de changer l'image de Subaru pour la rendre plus proche de la perception européenne.

CARROSSERIE Les photos ne rendent pas totalement justice à la carrosserie de la WRX qui paraît plus réussie dans la réalité. Deux versions sont proposées avec motorisation unique. La berline 4 portes avec ses renflements d'ailes proéminents se distingue de la familiale dont l'allure est plus effacée. À l'image de la WRX, toutes les voitures de la gamme Impreza font peau neuve pour 2002. Construite sur une plate-forme aux dimensions légèrement accrues, la TS procure plus d'espace pour les jambes et l'espace cargo. La technologie la plus récente a été utilisée pour le châssis. Un sous-cadre hydroformé extrêmement rigide offre une résistance à la torsion accrue de 147 % et une résistance à la flexion améliorée de 82%. Mais il y a mieux, des anneaux structuraux à la hauteur des montants du véhicule assurent une rigidité globale et une protection maximale en cas d'impact. Enfin, la RS, qui se fait plus discrète cette année, adopte comme le reste de la famille des phares ovoïdes à l'avant et des antibrouillards surdimensionnés (en option) qui donnent un style unique à ces voitures. Notons aussi que la RS n'est offerte qu'en version 4 portes pour 2002.

MÉCANIQUE C'est le coeur de la WRX qui suscite tout l'intérêt. Un moteur 4 cylindres à plat de 2 litres turbocompressé de 227 chevaux. Accompagnés d'instructeurs d'écoles de rallye, nous avons

• Nouveau modèle

pu exploiter l'extraordinaire rouage intégral, magnifiquement accompagné d'un moteur turbo vif et très puissant même à bas régime; seule la boîte manuelle manquait un peu de précision, mais les cris de joie furent nombreux. Sur les routes pavées, le ronronnement caractéristique du moteur à plat est présent, mais de façon discrète. Tout le reste de la gamme Impreza vit au rythme des 4 cylindres en H de 2,5 litres. Avec 165 chevaux, leurs prestations sont très honnêtes. Un bémol toutefois, les reprises demandent un peu de vigueur du pied droit.

COMPORTEMENT Derrière le volant, la direction de la WRX est précise, linéaire et directe. Mais le principal motif de satisfaction concerne le comportement. Tout comme le roseau dans la fable de La Fontaine, la suspension ploie, mais ne rompt point. Sur la piste, on sent les amortisseurs ployer facilement sous l'effort, mais une fois bien engagés, ils résistent à la torture. Ces derniers permettent un bon suivi de trajectoire même sur revêtement dégradé.

Puissants et endurants, mais aussi et surtout très faciles à doser, les freins sont eux aussi dignes d'une vraie sportive. Pour ceux que cela intéresse, la transmission automatique est offerte en option, mais elle ne semble pas à sa place dans cette voiture. En réalité, vous perdez la moitié du plaisir de conduire.

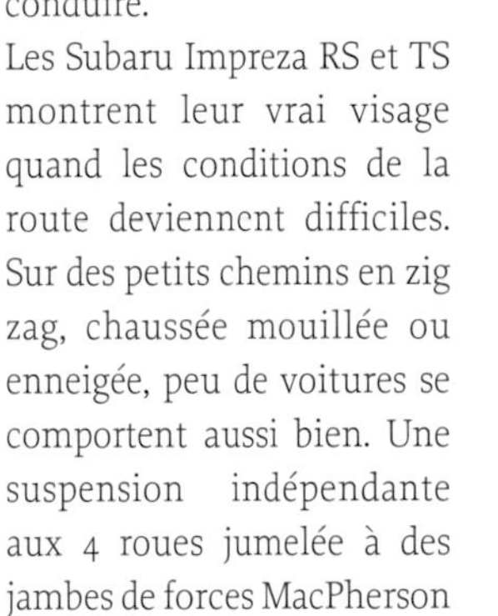

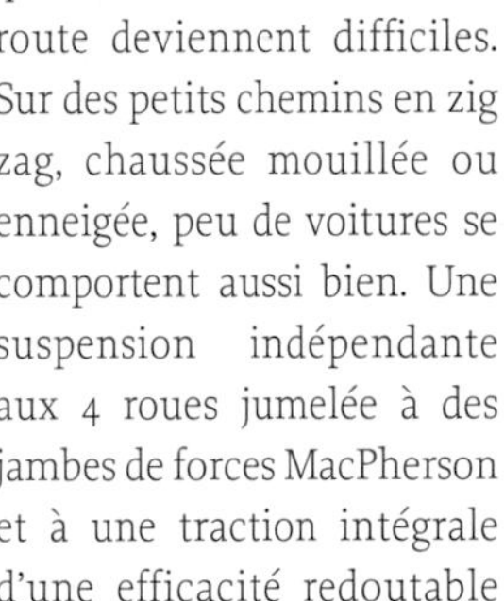

Les Subaru Impreza RS et TS montrent leur vrai visage quand les conditions de la route deviennent difficiles. Sur des petits chemins en zig zag, chaussée mouillée ou enneigée, peu de voitures se comportent aussi bien. Une suspension indépendante aux 4 roues jumelée à des jambes de forces MacPherson et à une traction intégrale d'une efficacité redoutable donne une assurance remarquable sur la route.

HABITACLE Malgré les dons évidents de la WRX en situation extrême, elle demeure très civilisée dans son

Richard Marsan,

directeur national de la Qualité chez Subaru Canada

Comment décrivez-vous cette nouveauté?
Subaru a lancé l'Impreza WRX pour montrer à la clientèle automobile d'Amérique du Nord qu'elle construit aussi des voitures de performances. Subaru veut attirer une clientèle plus jeune, intéressé par des voitures excitantes à conduire. La WRX répond à ce besoin puisqu'elle offre plaisir, sécurité, visibilité et tenue de route hiver comme été, grâce à sa traction intégrale et à son moteur suralimenté.

Où situez-vous ce modèle?
En marge de notre gamme habituelle en raison de ses atouts sportifs. La WRX demeure pratique avec ses versions berline et familiale et confortable grâce à sa suspension calibrée pour un usage normal. Ses concurrentes : les BMW série 3, Audi A4, Acura RSX.

Quelle est la clientèle cible?
Une clientèle d'enthousiastes âgés entre 30 et 45 ans, techniciens, professionnels, souvent issus du domaine de l'informatique.

Combien de ventes en 2002?
Nous prévoyons vendre 5500 Impreza au Canada dont 1800 au Québec. De ce nombre, 2200 seront des WRX et 750 sont destinées au marché québécois.

galerie

1 • L'ultime sportive de la famille, qui a déjà remporté 3 championnats du monde de Rallye, a emporté avec elle son audacieuse calandre des sentiers à la rue.

2 • Pour ceux qui aiment les sensations fortes et qui veulent profiter de plus d'espace : la WRX familiale.

3 • Pour les émules de Crocodile Dundee, la version Outback Sport répondra à vos besoins.

4 • Pour des raisons pratiques, l'ancien coupé a cédé sa place à une berline.

5 • Modèle le plus abordable de la famille, la TS offre le même rouage intégral et la même sécurité au volant.

forces

- Rouage intégral efficace
- Moteur turbo électrisant
- Freinage exemplaire

faiblesses

- Forte consommation
- Boîte manuelle imprécise

utilisation au quotidien. L'ABS, le rouage intégral et les coussins gonflables assurent une excellente cote de sécurité. À défaut d'avoir des sièges rabattables qui compromettent la rigidité de la coque (selon les ingénieurs), Subaru a installé dans la berline une trappe à skis doublée d'un coffre de bonnes dimensions. Pour ceux qui en veulent un peu plus, la version familiale donnera satisfaction. La RS demeure pour sa part fidèle à sa tradition sportive. Les cadrans analogiques inspirés des voitures de rallye rehaussent la présentation du tableau de bord. Les tissus manquent encore un peu de lustre, mais l'aménagement bien pensé et la trappe à skis très pratique en font une véritable voiture familiale. Tout comme les autres membres de la famille Impreza, la liste d'équipements de série est plus complète que jamais avec climatiseur, lecteur DC, freins ABS, vitres électriques et régulateur de vitesse.

La TS, qui s'avère plus discrète, demeure probablement le secret le mieux gardé de sa catégorie. Plus abordable, elle offre les mêmes qualités dynamiques que la RS avec un intérieur un peu plus dépouillé, mais qui offre tout de même l'essentiel en matière de confort. Pour ceux qui préfèrent une version tout équipée et prête pour l'aventure, la Outback avec sa ligne charmante demande toutefois un effort monétaire substantiel.

CONCLUSION Subaru a une des meilleures recettes sur le marché pour les besoins des Québécois, la sécurité des 4 roues motrices et un vaste choix de modèles. En prime, vous avez le choix d'un modèle rationnel comme la TS, offerte à un prix réaliste pour ce qu'elle offre, la RS, qui vous amène à mi-chemin de l'enivrement et la WRX, pour ceux qui peuvent se permettre une séance de défoulement à l'occasion. Une sportive qui est plaisante 12 mois par année. Avec la WRX qui a beaucoup fait parler d'elle, Subaru veut changer son image auprès du public d'Amérique du Nord.

fiche technique

Moteur : 4 cyl. SACT 2,5 L
Autres moteurs : 4 cyl. DACT 2 L turbo
Puissance : 165 ch à 5600 tr/min et 166 lb-pi à 4000 tr/min
Autres moteurs : 227 ch à 6000 tr/min et 217 lb-pi à 4000 tr/min
Transmission de série : manuelle à 5 rapports
Transmission optionnelle : automatique à 4 rapports
Freins avant : disques ventilés
Freins arrière : disques ventilés
Sécurité active de série : ABS, traction intégrale
Suspension avant : indépendante
Suspension arrière : indépendante
Empattement : 252,5 cm
Longueur : 440,5 cm
Largeur : 171 cm ; 173 cm (berline)
Hauteur : 144 cm
Poids : 1345 kg (RS) ; 1399 kg (WRX)
0-100 km/h : 7 s (WRX)
Vitesse maximale : 230 km/h
Diamètre de braquage : 10,4 m
Capacité du coffre : 616 L (familiale)
Capacité du réservoir d'essence : 60 L
Consommation d'essence moyenne : 9,5 L/100 km
Pneus d'origine : 195/60R15 (TS) 205/55R16 (Outback, RS et WRX)
Pneus optionnels : aucun

2e opinion

Amyot Bachand — Un coup de maître de Subaru : plaisir, tenue de route impeccable en toute saison, puissance et de l'espace pour la petite famille, même avec de jeunes ados. La version familiale comblera les besoins d'un passionné et lui permettra d'aller faire les courses avec le sourire aux lèvres.

Par Benoit Charette

SUBARU

fiche d'identité

Modèle : Legacy
Versions : berline : L, GT, GT Limited; familiale : Brighton, L, GT
Segment : intermédiaires
Roues motrices : traction intégrale
Portières : 4
Places : avant, 2; arrière, 3
Sacs gonflables : 2 frontaux; 2 latéraux (S Limited)
Concurrence : Chevrolet Malibu, Chrysler Sebring, Daewoo Leganza, Honda Accord, Hyundai Sonata, Kia Magentis, Mazda 626, Nissan Altima, Oldsmobile Alero, Pontiac Grand Am, Saturn Série L, Toyota Camry, VW Passat

au quotidien

Prime d'assurance moyenne : 800 $
Garantie générale : 3 ans/60 000 km
Garantie groupe motopropulseur : 5 ans/100 000 km
Garantie corrosion/perforation : 3 ans/kilométrage illimité
Collision frontale : 4/5
Collision latérale : 4/5
Ventes du modèle l'an dernier au Québec : 2441
Dépréciation : 60,5 %

évolution

prix de base • 27 395 $

Une **voiture** adaptée à la **Belle province**

Subaru a lancé la gamme Legacy en cherchant à s'implanter dans le créneau des intermédiaires. Les Legacy familiales, et surtout les berlines, demeurent méconnues. Leur prix élevé fait peur à la clientèle malgré leurs indéniables avantages dans ce pays de froid et de gadoue.

CARROSSERIE Un peu moins complexe que la gamme Outback, la gamme Legacy se présente en deux configurations : la berline et la familiale. On y trouve deux versions de familiale et trois versions de berline. Du côté des familiales, Subaru a choisi d'offrir une version bas de gamme afin de satisfaire les besoins de sa clientèle et des concessionnaires. Cette dernière offre tous les attributs de la traction intégrale avec un minimum d'équipement de luxe. Pourtant, vous y trouvez le climatiseur, les glaces et les rétroviseurs électriques ainsi qu'un radio cassette en équipement de série. La L renchérit avec des rétroviseurs chauffants, un fauteuil du conducteur réglable électriquement, un régulateur de vitesse, des appuie-tête à l'arrière et quelques autres attributs. Puis on passe aux luxueuses versions GT, superbes avec leurs lignes élancées et leurs roues en alliage.
Avec la familiale, on a l'impression que l'arrière se poursuit, grâce au petit aileron que les stylistes ont placé au-dessus du hayon. Les GT sont racées dans des teintes comme le saphir, le noir et le bourgogne, chics dans le vert tilleul.

MÉCANIQUE Une seule motorisation : le fidèle 4 cylindres à plat de 165 chevaux. Bien que la transmission manuelle à 5 rapports soit de série sur la Brighton, la familiale L et la berline GT, nous recommandons la transmission automatique parce qu'elle convient mieux à la traction intégrale de la Legacy. On trouve des freins à disque aux quatre roues, sauf sur la Brighton où les tambours sont de mise à l'arrière. Toutes profitent du système ABS.

COMPORTEMENT Les Legacy affrontent bien les rigueurs de l'hiver, mais aussi les routes mouillées et le gravier. La tenue de route de ces tractions intégrales rassurera les sceptiques et les

nouveautés 2002

• Version Sport • Contrôle de l'essuie-glace arrière avec séquence intermittente sur tous les modèles • Coussins gonflables latéraux sur la version S Limited

craintifs. À la fin de l'automne, chaussez-les de pneus d'hiver et vous vous en féliciterez. Elles passeront là où les autres s'arrêtent sans pour autant glisser ou valser. Le freinage offre une pédale trop molle, et il y aurait lieu d'améliorer l'usure rapide des composants. La direction précise ne transmet pas suffisamment le revêtement de la route; c'est là une caractéristique des tractions intégrales, nous dit-on.

HABITACLE Les berlines n'offrent pas de banquettes rabattables, seulement un passe-skis pour une question de rigidité... Personnellement, j'affectionne les familiales pour leur commodité. Ce hayon facilite tellement les courses et permet de jouer les camions au besoin grâce à la banquette au dossier 60/40 rabattable.
Même si elles sont plus dépouillées, les versions Brighton et L brillent par leur finition rigoureuse. Vous serez cependant gâtés avec l'aménagement des versions GT. Vous profiterez de fauteuils chauffants, d'un système audio de haute qualité, de glaces latérales et de lunettes faites de vitre résistant aux rayons UV, d'un toit ouvrant (double sur la familiale) et de coussins gonflables latéraux.

CONCLUSION Les Legacy de base vous offrent la possibilité de faire le saut de manière plus économique dans le monde des intermédiaires sûres grâce à leur traction intégrale.
Les versions GT affrontent des voitures haut de gamme comme les Audi A4 et Passat 4motion à moindre coût. La fiabilité des Legacy est supérieure à la moyenne, et leur taux de dépréciation est bon. En matière de collisions frontales, elles reçoivent de bonnes notes. À vous de choisir!

fiche technique

Moteur : H4 SACT 2,5 L
Puissance : 165 ch à 5600 tr/min; couple : 166 lb-pi à 4000 tr/min
Transmission de série : manuelle à 5 rapports (GT seulement)
Transmission optionnelle : automatique à 4 rapports
Freins avant : disques ventilés
Freins arrière : disques
Sécurité active de série : ABS (sauf version Brighton)
Suspension avant : indépendante
Suspension arrière : indépendante
Empattement : 265 cm
Longueur : 468 cm
Largeur : 174,5 cm
Hauteur : 141,5 cm
Garde au sol : 15,5 cm
Poids : 1501 kg à 1554 kg
0-100 km/h : 10,5 s
Vitesse maximale : 180 km/h (limitée électroniquement)
Diamètre de braquage : 10,8 m
Capacité de remorquage : 907 kg
Capacité du coffre : 795 L
Capacité du réservoir d'essence : 64 L
Consommation d'essence moyenne : BVM : 9,4 L/100 km; BVA : 9,5 bL/100 km
Pneus d'origine : 205/60R15 (L), 205/55R16 (GT et Limited)
Pneus optionnels : aucun

2e opinion

Luc Gagné — La voiture idéale pour la famille québécoise. De l'espace pour deux adultes et deux ados en pleine croissance; une aire cargo spacieuse et facile à transformer; un groupe moteur très correct avec, en prime, un rouage intégral en prise constante —quatre roues motrices tout le temps! Un prix raisonnable avec ça. Et si l'allure utilitaire d'une familiale vous rebute, il existe aussi une berline Legacy.

forces

- Très bonne traction
- Tenue de route

faiblesses

- Position de conduite difficile à trouver

Par Amyot Bachand

SUBARU

fiche d'identité

Modèle : Outback
Versions : base, Limited, H6 3.0, H6 3.0 VDC
Segment : intermédiaires
Roues motrices : traction intégrale
Portières : 4
Places : avant, 2 ; arrière, 3
Sacs gonflables : 2
Concurrence : Volvo XC Cross Country, Volkswagen Passat 4MOTION

au quotidien

Prime d'assurance moyenne : 1200 $
Garantie générale : 3 ans/60 000 km
Garantie groupe motopropulseur : 5 ans/100 000 km
Garantie corrosion/perforation : 3 ans/kilométrage illimité
Collision frontale : 4/5
Collision latérale : 4/5
Ventes du modèle l'an dernier au Québec : 2441 (incluant ventes de Legacy)
Dépréciation : 44 %

évolution

prix de base • 31 995 $

La **voiture utilitaire**

Subaru prétend que sa gamme Outback fait partie des utilitaires. À notre avis, les Outback sont avant tout des voitures qui répondent à 95 % des besoins de la clientèle des utilitaires avec une vue au ras des marguerites. Et c'est parfait ainsi. En 2001, Subaru a introduit enfin ce qui lui manquait : un moteur 6 cylindres. Réservé à la familiale lors de son apparition, il peut maintenant se retrouver dans la berline Outback.

CARROSSERIE Par définition, la Subaru Outback est une voiture conçue pour affronter plus aisément les rigueurs de l'hiver et les routes secondaires défoncées ou de gravier. On a monté la garde au sol de ces voitures et ajouté des bas de caisse pour les protéger des roches et des égratignures. Subaru a développé au fil des ans une gamme impressionnante de versions qui comprend aujourd'hui trois modèles : deux H4 et le H6, en fonction de leur motorisation. Parmi les H4, on compte une Outback Sport — une Impreza à la sauce Outback — puis une berline et une familiale Legacy à moteur 4 cylindres apprêtées de la même façon, et enfin, une berline et une familiale, encore aux dimensions de la Legacy, mais mues par le nouveau 6 cylindres. Pour la berline et la familiale, vous trouverez un nombre de versions allant du simple au très luxueux. Difficile de s'y retrouver.

MÉCANIQUE Trois motorisations : deux fidèles 4 cylindres à plat, type boxer, l'un de 2,2 litres et 142 chevaux pour l'Impreza Outback Sport, et le second, de 2,5 litres et 165 chevaux pour les Legacy H4 Outback. Le troisième est le 6 cylindres opposés horizontalement que Subaru a lancé l'an dernier. Il développe 212 chevaux et produit 210 livres-pied de couple. Seules l'Impreza Outback Sport et la Legacy H4 Outback sont équipées d'une transmission manuelle à 5 rapports. Toutes les autres viennent avec une transmission automatique à 4 rapports. Le secret et l'intérêt des Subaru résident dans leur traction intégrale à prise constante, de série sur tous les modèles Outback. Subaru a confiance en ses groupes propulseurs, puisqu'elle offre une garantie de 5 ans/100 000 km. Les nouvelles H6 peuvent pro-

nouveautés 2002

- Berline Outback H6 et nouvelles teintes

fiter également en version VDC d'un système sophistiqué de stabilité du véhicule, qui fait appel aux systèmes de gestion du moteur, du contrôle de traction et du freinage ABS. Ce système vous aide à gérer vos dérapages...
Sur le plan du freinage, toutes les Outback profitent du système ABS et de 4 freins à disque, sauf l'Impreza Outback Sport qui présente une combinaison disques-tambours.

COMPORTEMENT Dans l'ensemble, les modèles Outback présentent une tenue de route sûre dans toutes les conditions routières. Les modèles Legacy H4 et H6 offrent évidemment un meilleur confort en raison de leur empattement plus long. En matière d'accélération, les versions H4 offrent des performances moyennes. Les versions H6 rognent d'un peu plus d'une seconde les temps de dépassement de 80 à 120 km/h, soit 8,25 secondes. La H6 Outback étonne par sa douceur de roulement de même que par son confort. Moins sèche que celle de ses consœurs H4, la suspension absorbe bien les imperfections de la route. C'est au freinage que nous trouvons des faiblesses. La pédale spongieuse demande qu'on s'y adapte, et on a souvent l'impression qu'elle ne s'arrêtera pas parce qu'il faut enfoncer à fond la pédale pour sentir une réaction. Nous avons aussi constaté une usure rapide des plaquettes et des disques. Subaru devra y remédier.

HABITACLE L'habitacle de la H6 offre une bonne position de conduite et un bon confort à ses passagers. Nous avons trouvé difficile de boucler la ceinture de sécurité. Attention, si vous décidez d'allumer vos phares le jour, la lecture des cadrans et des lumières du tableau de bord s'avérera presque impossible, ce qui n'est pas rassurant. Dans la pluie et la gadoue, les glaces latérales se salissent rapidement et empêchent de voir correctement dans les rétroviseurs.

CONCLUSION Malgré nos critiques, nous croyons fermement que Subaru est un des rares constructeurs à offrir des voitures conçues pour notre pays. Les Outback ont l'avantage de rouler un peu plus haut au-dessus des bosses et des ornières. La fiabilité des Legacy est supérieure à la moyenne, et leur taux de dépréciation est bon. En matière de collisions frontales, elles reçoivent de bonnes notes.

fiche technique

SUBARU

Moteur: H4 SACT 2,5L
Autre moteur : H6 DACT 3 L
Puissance : 165 ch à 5600 tr/min et 166 lb-pi à 4000 tr/min
Autres moteurs : 212 ch à 6000 tr/min et 210 lb-pi à 4400 tr/min
Transmission de série : manuelle à 5 rapports (2,5 L)
Transmission optionnelle : automatique à 4 rapports (de série avec le 3 L)
Freins avant : disques ventilés
Freins arrière : disques
Sécurité active de série : ABS, antipatinage, système de stabilité dynamique (VDC)
Suspension avant : indépendante
Suspension arrière : indépendante
Empattement : 265 cm
Longueur : 476 cm
Largeur : 174,5 cm
Hauteur : 158 cm
Garde au sol : 18,5 cm
Poids : 1551 kg (2,5 L); 1685 kg (3 L) 1694 kg (VDC)
0-100 km/h : 9,8 s (3 L)
Vitesse maximale : 182 km/h
Diamètre de braquage : 11,2 m
Capacité de remorquage : 907 kg
Capacité du coffre : 795 L
Capacité du réservoir d'essence : 64 L
Consommation d'essence moyenne : 10,8 L/100 km (2,5 L) 12 L/100 km (3 L)
Pneus d'origine : 225/60R16
Pneus optionnels : aucun

2e opinion

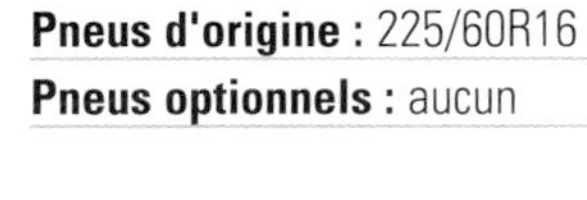

Philippe Laguë — Le concept Outback est une sacrée bonne idée, mais il lui manquait une motorisation plus puissante. Depuis l'an dernier, c'est fait. Mais ce six cylindres à plat en a laissé plus d'un(e) sur sa faim. On se demande où sont les 212 chevaux annoncés, et on déplore que la direction nage désormais dans la guimauve. Américanisation, quand tu nous tiens...

forces

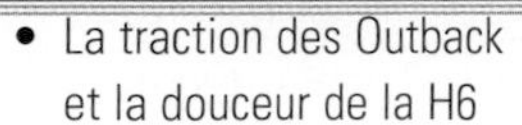

- La traction des Outback et la douceur de la H6

faiblesses

- La complication des modèles
- La résistance des freins
- La visibilité latérale sous la pluie

Par Amyot Bachand

SUZUKI

fiche d'identité

Modèle : Esteem (familiale)
Versions : GL, GLX
Segment : petites
Roues motrices : avant
Portières : 4
Places : avant, 2; arrière, 3
Sacs gonflables : 2
Concurrence : Ford Focus, Chrysler PT Cruiser, Daewoo Nubira, Hyundai Elantra, Kia Rio RX-V, Saturn SW

au quotidien

Prime d'assurance moyenne : 675 $
Garantie générale : 3 ans/80 000 km
Garantie contre la perforation : 5 ans/kilométrage illimité
Collision frontale : nd
Collision latérale : nd
Ventes du modèle l'an dernier au Québec : 2020
Dépréciation : 60%

évolution

prix de base • 16 195 $

Plus qu'une **familiale**

La Suzuki Esteem est l'une des compactes les moins connues. Ce qui ne lui enlève aucune de ses qualités : un équipement complet et un comportement routier axé sur le confort. L'ennui pour ce modèle, c'est que les consommateurs reconnaissent Suzuki comme un fabricant de petits tout-terrain et de motocyclettes, pas d'automobiles...

CARROSSERIE Pour 2002, la gamme Esteem a été amputée de sa berline — ses ventes étaient marginales de toute façon. Seule la familiale demeure. Ce modèle achève donc sa carrière sans changements notoires par rapport à la version de 2001.

L'Esteem se distingue des autres compactes par son gabarit. Son empattement est plus court que celui d'une Honda Civic ou d'une Chrysler Neon, et sa longueur hors-tout, inférieure également. Malgré tout, son habitacle se compare favorablement à celui de plusieurs autres compactes, et peut accueillir deux adultes devant et deux autres personnes de petite taille derrière. L'assise des sièges, toutefois, est basse, ce qui ne plaît pas à tous. En revanche, les dossiers des sièges baquets sont très moulants.

L'habitacle polyvalent de cette familiale, sans être vaste, s'avère pratique lorsqu'on part en voyage. On trouve même de petits compartiments de rangement sous le plancher près du hayon, où l'on peut dissimuler des outils ou des articles précieux qui resteront invisibles aux yeux des curieux...

MÉCANIQUE Le moteur de l'Esteem est dans la norme, sans plus. C'est sans doute un des attributs qui la désavantagent par rapport à ses rivales dont plusieurs proposent désormais des moteurs de 2 litres et plus. Fort de ses 122 chevaux, son quatre cylindres de 1,8 litre procure des performances raisonnables, sans plus. Comme la plupart des moteurs multisoupapes, il est plutôt morne à bas régime et s'anime à partir de 2500 tours. De plus, il est loin de briller par sa discrétion. Sa puissance parvient aux roues avant par une boîte manuelle à cinq rapports bien étagée, ou par une automatique à quatre rapports qui mise sur la douceur des changements de vitesses.

nouveautés 2002

- Berline Esteem éliminée de la gamme
- Nouvelle couleur de tissus pour les sièges

SUZUKI

COMPORTEMENT Conduire une Esteem en ville et sur les autoroutes est agréable. Sa suspension plutôt molle vise à maximiser le confort de roulement pour les passagers. Sur nos routes régionales plutôt cahoteuses, par contre, une suspension plus ferme, avec un débattement supérieur, serait appréciée.
Heureusement, la servo-direction à crémaillère est précise et bien dosée. Mais là encore, les petits pneus étroits de 14 pouces de cette voiture ne sont pas très agressifs et donnent une adhérence très moyenne lorsque le revêtement devient humide.
L'insonorisation de l'habitacle est bonne et les petits bruits éoliens parasites qu'on entend à vitesse de croisière sur une autoroute, ne sont pas vraiment gênants.
La visibilité est bonne sous tous les angles, la carrosserie de cette voiture n'étant pas dessinée en forme de trapèze comme plusieurs autres compactes.

CONCLUSION La familiale Esteem constitue un achat intéressant, compte tenu de la qualité de sa construction et de la polyvalence de son habitacle. La version de base GL présente un équipement correct. Il faut toutefois opter pour la version GLX, plus chère, pour obtenir certains équipements très populaires, comme le climatiseur et les lève-vitres électriques par exemple.
Si Suzuki ne «pousse» pas plus les ventes de cette compacte, c'est parce qu'elle prépare le lancement d'une nouvelle famille de compactes appelée Aerio (Liana en Asie), dont l'arrivée est prévue pour 2002.
Offerte d'abord sous la forme d'une petite familiale — conçue comme les Pontiac Vibe, Toyota Matrix et Chrysler PT Cruiser pour être un véhicule hyper polyvalent — l'Aerio sera proposée également, mais plus tard, sous la forme d'une berline. De plus, cette nouvelle venue sera munie d'un moteur de 2,0 litres qu'on nous promet plus performant que celui de l'Esteem.

fiche technique

Moteur : 4 cyl. en ligne DACT 1,8 L
Autre moteur : 4 cyl. DACT 1,8 L
Puissance : 122 à 6300 tr/min et 117 à 3500 tr/min
Transmission : manuelle à 5 rapports
Transmission optionnelle : automatique à 4 rapports
Freins avant : disques ventilés
Freins arrière : tambours
Sécurité active de série : aucune
Suspension avant : indépendante
Suspension arrière : indépendante
Empattement : 248 cm
Longueur : 437 cm
Largeur : 169 cm
Hauteur : 142 cm
Poids : 1055 kg
0-100 km/h : 10,7 s
Vitesse maximale : 170 km/h
Diamètre de braquage : 9,8 m
Capacité du coffre : 680 L
Capacité du réservoir d'essence : 51 L
Consommation d'essence moyenne: 8,9 L/100 km
Pneus d'origine : 185/60R14
Pneus optionnels : aucun

2e opinion

Philippe Laguë — L'Esteem en est à ses derniers milles et personne ne s'en plaindra. Par rapport à ses compatriotes japonaises, elle se situe un bon cran en-dessous. À l'intérieur, la finition est décevante, tandis que la mécanique manque de raffinement. Si vous y allez pour le prix, regardez plutôt du côté de Daewoo ou Hyundai, dont les familiales sont nettement plus attrayantes.

forces

- Intérieur polyvalent
- Mécanique robuste

faiblesses

- Assise des sièges basse
- Seuil élevé de l'aire cargo
- Manque de raffinement

Par Luc Gagné

SUZUKI

évolution

fiche d'identité

Modèle: Vitara/Grand Vitara
Versions : 4 portes et décapotable (Vitara)
Segment : utilitaires compacts
Jumeau : Chevrolet Tracker
Roues motrices : 4 x 4
Portières : 4
Places : avant, 2; arrière, 3
Sacs gonflables : 2
Concurrence : Chevrolet Tracker, Ford Escape, Honda CR-V, Hyundai Santa Fe, Jeep TJ, Kia Sportage, Mazda Tribute, Nissan Xterra, Toyota RAV4

au quotidien

Prime d'assurance moyenne : 675 $
Garantie générale : 3 ans/80 000 km
Garantie contre la perforation : 5 ans/kilométrage illimité
Collision frontale : 4/5
Collision latérale : 4/5
Ventes du modèle l'an dernier au Québec : 2020
Dépréciation : 59 %

prix de base • 18 695 $

Capable de **grimper** les **montagnes**

Suzuki, pionnière au chapitre de la fabrication des petits utilitaires sport, offre trois modèles à vocation distincte : deux de ces modèles ont un jumeau, le Chevrolet Tracker, dont vous pourrez lire les commentaires sous l'onglet Chevrolet.

CARROSSERIE Suzuki offre trois versions de son Vitara : le Vitara et le Grand Vitara, qui vous proposent la même habitabilité intérieure, et le Grand Vitara V6, un peu plus large, plus haut et plus long que le Vitara. Avec un empattement plus court de 28 centimètres, le modèle cabriolet livrable uniquement en configuration deux portes, se distingue par ses dimensions extérieures réduites. Sans son toit de toile, le cabriolet est mignon comme tout et son joli minois plaira à une clientèle jeune. Avec leur toit rigide et leurs formes équarries qui sont le propre des utilitaires, ses deux grands frères font plus sérieux. La version cabriolet à quatre roues motrices vise le marché des Jeep TJ avec des prix plus avantageux, mais aussi avec une puissance moindre, il faut bien le dire. Le Grand Vitara évolue dans le créneau des Honda CR-V et Toyota RAV4. Son jumeau, le Tracker, joue sur le même terrain, à prix fort concurrentiel.

MÉCANIQUE La version cabriolet offre deux motorisations : un petit quatre cylindres de 1,6 litre livré exclusivement avec une boîte de vitesses manuelle, ce qui en fait une championne de l'économie d'essence. Mais il ne faut pas espérer de miracles côté performances : à la place de l'indicateur de vitesse, un calendrier serait plus approprié. Le moteur de 2 litres, le même que celui du Vitara quatre portes, peut être couplé à une transmission automatique. Puis on trouve un V6 de 2,5 litres, réservé exclusivement au Grand Vitara. L'avantage des Suzuki Vitara réside dans le fait qu'ils possèdent une boîte de transfert permettant d'utiliser les quatre roues motrices au besoin et surtout, de passer en mode bas régime. Cela leur permet de franchir aisément des obstacles et des côtes abruptes. Une combinaison de freins disques/tambours, munie du système ABS, équipe tous les modèles. Côté remorquage, le ca-

nouveautés 2002

• Aucun changement majeur

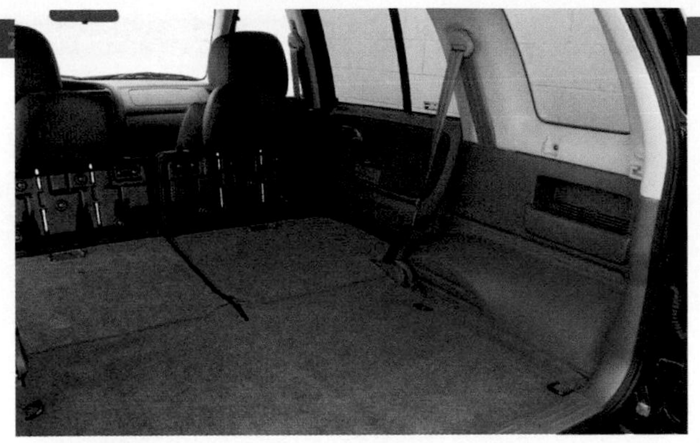

briolet se contentera de tirer une petite remorque du type 4x4 avec ses 450 kilos de capacité; ses deux grands frères pourront tracter 680 kilos.

COMPORTEMENT Le Grand Vitara que nous avons essayé se comporte bien en ville et sur les routes secondaires. Toutefois, en raison des roues de 16 pouces, il sautille constamment. On s'y fait, mais il faut avoir le coeur solide. Hors route, il démontre d'excellentes qualités de grimpeur grâce à son couple et à sa boîte de transfert. Son étroitesse constitue également un plus hors des sentiers battus.

HABITACLE Tous les modèles offrent un bon confort à l'avant. La visibilité est bonne tout autour. On atteint aisément toutes les commodités. À l'arrière, on est plus à l'étroit dans la version cabriolet, et le volume du coffre limité (280 litres) nous oblige souvent à rabattre les dossiers de la banquette arrière. Toutefois, dans tous les modèles, on compte sur une banquette rabattable 40/60, très pratique pour l'agencement des bagages. L'accès aux places arrière dans les versions à quatre portes se fait un peu difficilement, mais on assoit confortablement deux ados ou des enfants.

CONCLUSION De petits utilitaires honnêtes, de bons grimpeurs hors route, de bons citadins, voilà les qualités qui résument le tandem Vitara/Grand Vitara. La version cabriolet constitue davantage un jouet dont on peut se lasser. On accorde à ces modèles une cote de fiabilité moyenne, mais leur robustesse ne peut être mise en doute.

fiche technique

SUZUKI

Moteur : 4 cyl. DACT 2 L
Puissance : 127 à 6000 tr/min et 134 à 3000 tr/min
Autres moteurs : 4 cyl. SACT 1,6 L; V6 DACT 2,5 L
Puissance : 97 ch à 5200 tr/min et 103 lb-pi à 400 tr/min; 165 ch à 6500 tr/min et 162 lb-pi à 4000 tr/min
Transmission de série : manuelle à 5 rapports
Transmission optionnelle : automatique à 4 rapports
Freins avant : disques ventilés
Freins arrière : tambours
Sécurité active de série : ABS (optionnel)
Suspension avant : indépendante
Suspension arrière : indépendante
Empattement : 220 cm (Vitara); 248 cm (Grand Vitara)
Longueur : 388 cm (Vitara); 420 cm (Grand Vitara)
Largeur : 163 cm (Vitara); 178 cm (Grand Vitara)
Hauteur : 167 cm (Vitara); 174 cm (Grand Vitara)
Poids : 1294 kg (Vitara); 1405 kg (Grand Vitara)
0-100 km/h : 11,1 s (Grand Vitara)
Vitesse maximale : 155 km/h
Diamètre de braquage : 9,8 m
Capacité du coffre : 680 L
Capacité du réservoir d'essence : 66 L
Consommation d'essence moyenne : 8,7 L/100km (Vitara); 11,5 L/100km (Grand Vitara)
Pneus d'origine : 205/75R15, 235/60R16
Pneus optionnels : aucun

2e opinion

Michel Crépault — Vitara, Grand Vitara, XL7, j'en arrive à les confondre. Puisque Suzuki est le champion des petits camions au Japon, la compagnie nous tente avec des produits qui dérivent les uns des autres. Ils partagent la qualité d'être costauds en situation hors route, mais le boîtier de transfert s'avère coriace à froid. Sur l'asphalte, je préfère le Grand au petit Vitara, question de stabilité.

forces

- Qualités hors route
- Économie d'essence des quatre cylindres

faiblesses

- Version cabriolet trop limitée en espace
- Passage de deux à quatre roues parfois difficile

Par Amyot Bachand

SUZUKI

fiche d'identité

Modèle : XL7
Versions : base, Plus, Limited
Segment : utilitaires intermédiaires
Roues motrices : 4 x 4
Portières : 4
Places : avant, 2 ; arrière, 3
Sacs gonflables : 2
Concurrence : Chevrolet TrailBlazer, Ford Explorer, GMC Envoy, Isuzu Rodeo, Jeep Liberty, Nissan Pathfinder, Olsmobile Bravada, Toyota 4Runner

au quotidien

Prime d'assurance moyenne : 1000 $
Garantie générale : 3 ans/80 000 km
Garantie contre la perforation : 5 ans/kilométrage illimité
Collision frontale : 3/5
Collision latérale : 3/5
Ventes du modèle l'an dernier au Québec : nouveau modèle
Dépréciation : nouveau modèle

évolution

prix de base • 26 495 $

Intermédiaire court ou compact long ?

Si vous aimez la taille des utilitaires compacts, mais souhaitez en avoir un plus long, le Suzuki XL7 pourrait répondre à vos besoins.

CARROSSERIE De style classique, assez sobre, le XL7 risque de passer assez inaperçu si ce n'est qu'il retient l'attention par sa longueur. Bonne surprise en 2002 : Suzuki a tenu compte de la critique et offre une nouvelle version 5 places. Elle laisse tomber le siège arrière, gagnant ainsi sur le sens pratique puisque ce siège, difficile d'accès, ne pouvait accommoder que des petits enfants. On ajoute une version luxueuse, la Limited avec sellerie de cuir.

MÉCANIQUE Le V6 de 3,5 litres accouplé à une transmission automatique à 4 rapports passe de 170 ch à 183 ch. Le XL7 constitue un vrai 4x4 parce qu'il jouit d'une boîte de transfert qui autorise l'utilisation du mode 2 roues et 4 roues motrices et du 4 roues motrices bas régime (ou *low* pour les adeptes). Par contre, le passage de 2 roues à 4 roues motrices n'est pas toujours aussi aisé qu'on le prétend : le levier de transfert refuse parfois d'engager les 4 roues en positon HI. Dans de tels cas, il vaut mieux s'arrêter pour effectuer l'opération.

COMPORTEMENT Après avoir vécu avec un XL7 pendant trois mois, nous pouvons affirmer que la vie au quotidien se passe bien avec ce véhicule. Sa tenue de route en ville et sur les routes d'accès est sans reproche ; un peu ferme parfois, mais rien pour ennuyer sérieusement conducteur et passagers. Au démarrage, le XL7 souffre cependant d'un défaut qui étonne et qui peut devenir agaçant à la longue, voire dangereux : il est lent à démarrer! Lent à un point tel qu'on doit s'assurer, à l'aide de son rétroviseur, qu'il n'y a pas d'autres véhicules qui s'apprêtent à vous harponner par derrière. Nous vous recommandons d'enlever la surmultiplication et de ramener au besoin à la position P (pour Power) le contrôle du régime moteur. Ainsi, vous compterez sur des reprises sécuritaires. À chaque démarrage du moteur, vous devrez recommencer le même manège. Certes, la consommation en ville frôlera les 15 litres au 100 kilomètres. Sur l'autoroute, le XL7 devient sen-

nouveautés 2002

- Version à 5 places • Version Limited avec sellerie de cuir
- Nouvelles teintes et nouveaux tissus

sible aux vents latéraux et préfère, autant pour le confort que pour l'économie d'essence, se limiter à des vitesses ne dépassant pas les 117 km/h tolérés, ce qui lui convient bien. Hors route, c'est une toute autre bête: il se révèle alerte, fort, capable de grimper et de faire la barbe à des utilitaires intermédiaires chevronnés. Et ce, sans gêne! Malheureusement, nous n'avons pas souvent l'occasion de nous amuser ainsi. Si vous allez camper ou chasser «dans le bois», vous aimerez le XL7.

HABITACLE Encore ici, sa longueur le favorise. Mais oubliez l'idée des 7 passagers adultes. Quatre adultes/ados et deux jeunes enfants (8 ans ou moins) peuvent prendre place confortablement, ou 6 jeunes enfants si vous allez au ciné-parc en «gang». La troisième banquette, heureusement rabattable à 40/60, pourra accueillir bagages, sacs d'épicerie ou équipement sportif, mais prenez note du seuil élevé. Une autre chinoiserie : la porte arrière s'ouvre du mauvais côté. Étant donné sa longueur, c'est un pensez-y bien lorsqu'on doit stationner en parallèle pour prendre ou décharger du matériel. Confort honnête des fauteuils avant et arrière, et moyen de la troisième banquette. L'accès aux places avant et arrière se passe bien, mais on doit apprendre à manoeuvrer les mécanismes pour rabattre et glisser les fauteuils de la deuxième rangée. Avec le 7 places, optez pour la climatisation arrière, malgré la légère perte de dégagement. Une seule fausse note : la finition bon marché.

CONCLUSION Le XL7 est un bon utilitaire compact avec un espace cargo utile, capable de dépanner à l'occasion comme pour amener les enfants du voisinage au terrain de jeux municipal.

fiche technique

Moteur : V6 DACT 2,7 L
Puissance : 183 ch à 5500 tr/min et 180 lb-pi à 4000 tr/min
Transmission de série : manuelle à 5 rapports
Transmission optionnelle : automatique à 4 rapports
Freins avant : disques
Freins arrière : tambours
Sécurité active de série : ABS, répartiteur électronique de freinage
Suspension avant : indépendante
Suspension arrière : essieu rigide
Empattement : 280 cm
Longueur : 466,5 cm
Largeur : 178 cm
Hauteur : 172,7 cm
Garde au sol : 19 cm
Poids : 1680 kg
0-100 km/h : 11,1 s
Vitesse maximale : 180 km/h
Diamètre de braquage : 11,8 m
Capacité du coffre : 1050 L; 2070 L (sièges abaissés)
Capacité du réservoir d'essence : 64 L
Consommation d'essence moyenne : 12,1 L/100 km (manuelle), 12,5 L/100 km (automatique)
Pneus d'origine : P235/60R16
Pneus optionnels : aucun

2e opinion

Éric Descarries — Au cours d'un essai à long terme durant la saison hivernale, j'ai eu un seul problème: un petit ordinateur enclenchait les roues avant. Outre sa faiblesse contre les vents latéraux, ce véhicule affiche beaucoup de qualités, incluant une puissance mieux ajustée à ses dimensions.

forces

- Capacités hors route
- Habitabilité
- Version de base 5 places

faiblesses

- Programmation de la boîte de vitesses automatique
- Finition intérieure décevante

Par Amyot Bachand

JAPON

Toyota Will VS

Plusieurs grands groupes se sont associés pour créer Will, une marque née spécifiquement pour plaire aux jeunes. Il y a donc des bières, des rouges à lèvres ou des laveuses portant la marque Will. La voiture Will utilise une base de Yaris (ou Echo) et son design a déjà été renouvelé au bout de 15 mois. Elle peut recevoir des 1,8 litre en versions VVTi (125 ou 136 chevaux) ou VVTLi (190 chevaux). Comme bon nombre de modèles au Japon, la transmission aux 4 roues est disponible.

Honda Vamos

Une boîte à roulettes, voilà comment l'on pourrait résumer le Honda Vamos. Long de 3,39 mètres, haut de 1.77 mètre, ce microvan basé sur un châssis de midgets donne tout l'espace aux occupants (difficile d'imaginer des portes à faux plus réduits). Son moteur de base, un 0,66 litre de 46 chevaux, peut recevoir un turbo qui le « booste » à 64 chevaux. Disponible avec une boite manuelle ou automatique, elle peut recevoir une transmission intégrale.

Nissan Tino

Le Tino est monospace compact développé sur une base d'Almera (l'équivalent de notre Sentra). Fabriqué au Japon et en Espagne, il peut recevoir des motorisations essence 1,8 litre et 2,0 litres (qui peut être accouplé à une boite automatique à variation continue) et diesel 2,2 litres. Son design intérieur est aussi original qu'à l'extérieur et s'il ne propose que 5 places, il fourmille d'espaces de rangement. C'est aussi, au Japon seulement, le troisième véhicule au monde, après les Prius et Insight, à pouvoir recevoir une motorisation hybride essence-électricité.

TOYOTA

fiche d'identité

Modèle: 4Runner
Versions: Badlands, SR5, Limited
Segment: utilitaires intermédiaires
Roues motrices: 4 x 4
Portières: 4
Places: avant, 2; arrière, 3
Sacs gonflables: 2
Concurrence: Chevrolet Trail Blazer, Ford Explorer, Jeeep Grand Cherokee, Isuzu Rodeo, GMC Envoy, Nissan PathFinder, Oldsmobile Bravada

au quotidien

Prime d'assurance moyenne: 850$
Garantie générale: 3 ans/60 000 km, assistance 24 heures
Garantie groupe motopropulseur: 5 ans/100 000 km
Garantie antipollution: 8 ans/130 000 km
Garantie contre la perforation: 5 ans/kilométrage illimité
Collision frontale: 4/5
Collision latérale: 5/5
Ventes du modèle l'an dernier au Québec: 639
Dépréciation: 44,9%

évolution

prix de base • 36 250$

Un survivant

Lancé en 1985, le 4Runner fait partie de cette génération de camions 4 x 4 qui ont entraîné la prolifération des utilitaires d'aujourd'hui. Retouché en 1996, il a peu évolué depuis, si ce n'est en matière de motorisation et de finition. Il plaît encore à une clientèle qui recherche un véhicule capable de travailler dur ou d'amener son conducteur en voyage de chasse ou de pêche.

CARROSSERIE Il existe trois versions du modèle 4Runner à quatre roues motrices offert au Canada : le Badlands, le SR-5 et le Limited. Les trois se distinguent par leur équipement, leurs accessoires et leur niveau de luxe à l'intérieur. La version de base (SR5) voit son équipement de série s'améliorer d'année en année. Toyota a choisi d'offrir une version plus dénudée, le Badlands, qui sera présentée plus tard cette année.

MÉCANIQUE Le meilleur du 4Runner : son V6 de 3,4 litres, très souple et vaillant. Il développe 183 chevaux et produit un couple de 217 livres-pied. Il est couplé à une transmission automatique à quatre rapports et doté d'un boîtier de transfert pour passer du mode deux roues au mode quatre roues motrices, puis à la prise basse (*low*) des quatre roues motrices. Ce passage se fait au moyen du levier du boîtier de transfert et d'un bouton-poussoir, le système s'autobloquant automatiquement. Mais il faudra consulter le manuel pour bien saisir le fonctionnement. La boîte manuelle à cinq rapports ne figure plus à la gamme depuis l'an dernier; pourtant c'était là l'une des raisons de l'appellation de la version SR-5. Le freinage est assuré par une combinaison disques/tambours avec système ABS. Toyota a inclus de série le système de contrôle du dérapage. Des roues et des pneus de 15 pouces équipent les versions Badlands et SR-5, alors que la version Limited jouit de pneus de 16 pouces avec des roues en alliage.

COMPORTEMENT La force de ce gros tout-terrain est sa capacité de travailler efficacement et sûrement hors-route. Le 4Runner possède une bonne garde au sol et une bonne protection. C'est sur route bosselée que son comportement se gâte. Avec ses roues de 16 pouces, le 4Runner

nouveautés 2002

• Version Badlands

Limited rebondit constamment sur la route. Cela affecte le confort. Dès qu'on monte une côte, la transmission rétrograde trop rapidement, ce qui nous force à enlever la surmultiplication dans ces situations. La direction, bien que précise, transmet très peu de sensations de la route. En raison de sa taille, le 4Runner tangue facilement et demande une bonne attention dans les courbes, notamment sur les routes de gravier. Son système de contrôle du dérapage et de la traction entre en jeu rapidement pour aider à corriger la tenue de route au besoin. La capacité de freinage du 4Runner est très bonne pour un véhicule de ce gabarit : distances courtes et trajectoire droite.

HABITACLE Si l'on ne tient pas compte du comportement routier, le 4Runner offre à quatre adultes un espace raisonnable et confortable même si l'on se sent un peu à l'étroit. À l'arrière, évitez de faire grimper une grande personne, en raison de la place limitée pour les jambes. Le coffre spacieux vous permettra de mettre presque tout l'équipement de chasse et pêche. La position de conduite est bonne et, à cet égard, tout est complet. Au-dessus de 100 km/h, les bruits éoliens viennent perturber le calme relatif et ne vous permettront pas d'écouter la radio. Comme la suspension est sèche, vous ressentez les contrecoups de la route.

CONCLUSION Quand on essaie un 4Runner, on comprend vite pourquoi les consommateurs achètent des utilitaires se rapprochant plutôt des voitures que des camions d'antan. Cela n'enlève rien à la valeur du 4Runner : il a sa niche et sa fiabilité est à toute épreuve. Au chapitre de la protection en cas de collision, il obtient de très bonnes notes.

fiche technique

Moteur: V6 DACT 3,4 L
Puissance: 183 ch à 4800 tr/min et 217 lb-pi à 3600 tr/min
Transmission de série: automatique à 4 rapports
Transmission optionnelle: aucune
Freins avant: disques ventilés
Freins arrière: tambours
Sécurité active de série: ABS, contrôle de la stabilité, antipatinage
Suspension avant: indépendante
Suspension arrière: essieu rigide
Empattement: 267,5 cm
Longueur: 454 cm
Largeur: 173 cm
Hauteur: 176 cm
Garde au sol: 24,9 cm
Poids: 1783 kg
0-100 km/h: 11 s
Vitesse maximale: 170 km/h
Diamètre de braquage: 11,4 m
Capacité de remorquage: 2268 kg
Capacité du coffre: 1262 L (banquette abaissée)
Capacité du réservoir d'essence: 70 L
Consommation d'essence moyenne: 13,5 L/100 km
Pneus d'origine: 225/75R15
Pneus optionnels: 265/70R16

2e opinion

Luc Gagné — Voici un 4 x 4 pur et dur pour ces amateurs de plein-air qui affectionnent les ZEC, SÉPAQ et autres zones d'exploitation faunique du genre. La chapelle d'adorateurs abonnés au 4Runner n'est pas irritée par son plancher haut, l'assise basse des sièges baquets, le roulis important et la suspension «camion». Ils veulent un passe-partout qui les ramènera à leur point d'origine. Un 4Runner fait ça.

forces

- V6 souple
- Capacité hors-route
- Freinage

faiblesses

- Suspension sèche
- Bruits éoliens
- Prix

Par Amyot Bachand

TOYOTA

fiche d'identité

Modèle: Avalon
Versions: XL et XLS
Segment: intermédiaires
Roues motrices: avant
Portières: 4
Places : avant, 2; arrière, 3
Sacs gonflables: 2 frontaux et 2 latéraux
Concurrence: Mazda Millenia, Buick Le Sabre, Chrysler Concorde, Mercury Grand Marquis, Infiti I35

au quotidien

Prime d'assurance moyenne: 900 $
Garantie générale : 3 ans/60 000 km, assistance 24 heures
Garantie groupe motopropulseur : 5 ans/100 000 km
Garantie antipollution : 3 ans/60 000 km
Garantie contre la perforation : 5 ans/kilométrage illimité
Collision frontale: 3/5
Collision latérale: 4/5
Ventes du modèle l'an dernier au Québec: 361
Dépréciation: 50 %

évolution

prix de base • 38 365 $

La grosse **Camry** ou la **Buick de Toyota**

Lorsqu'on s'assoit dans une Avalon, on en remarque instantanément l'espace et le dégagement. On se croirait dans une bonne grosse américaine et c'est ce que vise Toyota. Avec l'Avalon, le constructeur nippon a voulu séduire les acheteurs de grosses intermédiaires américaines qui chérissent l'espace avant tout dans un confort parfois relatif... Toyota leur offre l'espace, le confort, la qualité et la fiabilité.

CARROSSERIE Quand on regarde l'Avalon, on est frappé par son immense calandre. C'est voulu. Les stylistes de Toyota devaient donner à l'Avalon un aspect imposant, lourd, malgré une partie avant assez courte. Jetez un coup d'œil à la Lexus LS 430, vous remarquerez la même approche. Les spécifications de la voiture indiquent qu'elle ne dépasse que de 8,5 cm la Camry 2001 en longueur, et de 4,1 cm en largeur. Cette différence, les ingénieurs et les stylistes l'ont appliquée à l'intérieur pour donner aux occupants une place de choix. Même si elle partage sa plateforme, l'Avalon se distingue nettement de la Camry par sa taille et son apparence.

L'Avalon se décline en deux versions, la XL et la XLS. La première offre toute la gamme d'accessoires utiles et attendus dans une voiture de luxe intermédiaire; la seconde se distingue par une panoplie d'accessoires et de commodités encore plus poussées et d'une sellerie de cuir haut de gamme. C'est d'ailleurs cette version qui se vend le plus. Bien que les propriétaires de cette voiture ne fouinent pas là souvent, le capot s'ouvre aisément grâce aux charnières à amortisseurs télescopiques. Le coffre de la voiture accueillera plusieurs sacs de golf et des valises pour vous permettre de prendre la route vers le sud.

MÉCANIQUE L'Avalon partage la même motorisation que la Camry, soit le V6 de 3 litres couplé à une transmission automatique à 4 rapports. Cette combinaison fournit des performances honnêtes pour un tel véhicule avec des temps de dépassement sous les 8 s de 80 à 120 km/h. Toyota offre une garantie de 5 ans ou 100 000 km sur son groupe propulseur.

nouveautés 2002

- Aucun changement significatif

un système d'information sur la voiture et ses déplacements. Grâce à une insonorisation poussée, vous profiterez d'une excellente chaîne audio JBL calibrée spécialement pour l'habitacle de l'Avalon.

COMPORTEMENT Malgré son poids assez imposant, l'Avalon démontre sur la route un comportement assez neutre, grâce à une suspension bien calibrée et à ses Michelin Energy XSE. Son freinage est doux, stable et progressif.

HABITACLE L'habitacle accueillera avec grand confort quatre passagers. L'arrière permet d'accueillir un cinquième passager à l'occasion, car on y a installé un troisième appuie-tête. Dans la XLS, vous trouverez aisément une très bonne position de conduite grâce aux réglages électriques du siège et des rétroviseurs que l'ordinateur peut mémoriser si vous partagez la conduite avec quelqu'un. Le tableau de bord, d'allure chic et bien dessiné, vous donne accès à une instrumentation complète et un système d'information sur la voiture et ses déplacements.

CONCLUSION Où se situe l'Avalon ? Entre la nouvelle Camry et la nouvelle Lexus ES 300. L'Avalon vous offre un peu plus d'espace que la nouvelle Camry dans le grand confort et un peu moins de luxe et de statut que la nouvelle Lexus ES 300. Plus discrète que la Lexus, elle est imposante avec son gabarit à la Camry. En deux mots : si vous avez le goût de vous gâter en toute discrétion, l'Avalon vous l'offre en toute fiabilité.

fiche technique

Moteur: V6 DACT 3 L
Puissance: 210 ch à 5800 tr/min et 220 lb-pi à 4400 tr/min
Transmission de série: automatique à 4 rapports
Transmission optionnelle: aucune
Freins avant: disques ventilés
Freins arrière: disques ventilés
Sécurité active de série: ABS et antipatinage
Suspension avant: indépendante
Suspension arrière: indépendante
Empattement: 272 cm
Longueur: 487,4 cm
Largeur: 182,1 cm
Hauteur : 146,5 cm
Poids : 1560 kg (XL); 1570 kg (XLS)
0-100 km/h: 10,1 s
Vitesse maximale: 205 km/h
Diamètre de braquage: 11,4 m
Capacité du coffre : 450 L
Capacité du réservoir d'essence : 70 L
Consommation d'essence moyenne : 11,6 L/100 km
Pneus d'origine : 205/65R15 (XL); 205/60R16 (XLS)
Pneus optionnels : aucun

2e opinion

Benoit Charette — Réplique japonaise à la Buick Le Sabre, l'Avalon, à sa septième année sur le marché, a toujours beaucoup de peine à se trouver des clients. La raison en est simple : les acheteurs de Le Sabre comptent parmi les clients les plus fidèles de l'industrie et l'Avalon est d'une platitude consommée tant à l'extérieur qu'à l'intérieur.

 forces
- Espace et confort
- Discrétion

 faiblesses
- Trop discrète ?

Par Amyot Bachand

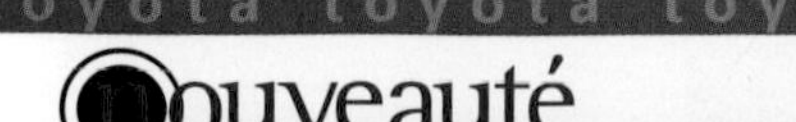

TOYOTA

fiche d'identité

Modèle : Camry
Versions : LE, LE V6, XLE, XLE V6, SEV6
Segment : intermédiaires
Roues motrices : avant
Portières : 4
Places : avant, 2; arrière, 3
Sacs gonflables : 2 frontaux et 2 latéraux
Concurrence : Chevrolet Malibu, Chrysler Sebring, Daewoo Leganza, Honda Accord, Hyundai Sonata, Kia Magentis, Nissan Altima et Maxima, Oldsmobile Intrigue, Subaru Legacy, Ford Taurus, Pontiac Grand Prix, Buick Century et Regal, Mazda 626

au quotidien

Prime d'assurance moyenne: 1200 $
Garantie générale: 3 ans/60 000 km sans déductible
Garantie groupe propulseur: 5ans/100 000 km
Garantie contre la corrosion: 5 ans/kilométrage illimité
Collision frontale: nd
Collision latérale: nd
Vente du modèle l'an dernier au Québec: 5550
Dépréciation: 43 %

5 **prix de base** • 23 765 $

Mise à jour intéressante et **réussie**

Subissant un changement plus évolutif que radical, la nouvelle Camry se veut une berline capable d'accueillir quatre passagers en tout confort, avec armes et bagages. Elle s'attaque résolument au marché des voitures intermédiaires américaines de luxe.

CARROSSERIE Malgré un empattement plus long de 5 cm, la Camry n'a pris qu'un centimètre de plus en longueur totale. Les ingénieurs ont réussi à baisser le coefficient de traînée à 0,28; cette meilleure percée du vent améliore la consommation d'essence et réduit les bruits éoliens. Avec des lignes plus élancées, des phares en pointe et une calandre plus petite, les stylistes ont rajeuni le coup d'œil de cette berline familiale. On retrouve un coffre plus vaste et plus accessible grâce à un seuil plus large et plus bas, sans compter la banquette arrière divisée et rabattable.

Une étude de marché a amené Toyota à offrir trois versions, parmi lesquelles la Camry LE, le modèle de base, ne lésine pas sur l'équipement de série.

MÉCANIQUE Côté motorisation, Toyota conserve un quatre cylindres. Pourquoi ? À notre surprise, nous avons appris que les modèles les plus vendus au Canada étaient les quatre cylindres. Devant le risque continu de la flambée des prix de l'essence et ce succès constant des ventes, cette décision paraît sage, d'autant plus que dans cette classe de voitures, on ne compte pratiquement que des V6.

Toyota a choisi un nouveau quatre cylindres de 2,4 litres à la fine pointe de la technologie, satisfaisant aux nouvelles normes fédérales des véhicules à très faibles émissions de gaz nocifs, donnant un rapport prix/puissance intéressant. Ce moteur développe 157 chevaux , soit 27 chevaux de plus que le précédent, et produit 162 livres-pied de couple. Il est le moteur de série des versions d'entrée LE et XLE.

Une toute nouvelle boîte de vitesses manuelle à cinq rapports n'est malheureusement offerte que sur la version LE. Elle permet au quatre cylindres de réaliser des cotes de consommation ville-route de 9,8 litres et 6,5 litres aux 100 kilomètres respectivement.

• Tout nouveau modèle

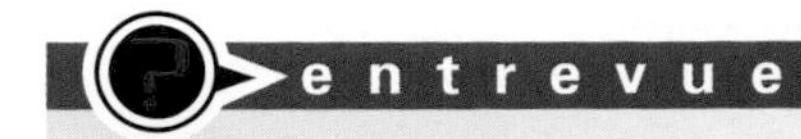

Les versions XLE et SE ne sont livrées qu'avec la transmission automatique dont les cotes de consommation ville-route sont 10,1 et 6,9 litres aux 100 kilomètres. Le V6 de 3 litres demeure inchangé et n'est jumelé qu'à l'automatique.

Toyota a raffiné la suspension pour assurer un meilleur amortissement et pour réduire les cognements et éviter un débattement excessif des roues. Une version sport, la SE, comporte une suspension plus ferme et une direction plus précise.

COMPORTEMENT La tenue de route étonne : la Camry garde cette douceur qu'on lui connaissait, mais la voiture tient mieux la route, les débattements de la suspension limités ne venant pas trop perturber le confort des passagers arrière sur les autoroutes. La tenue de route de la SE mérite une mention car elle rend la conduite plus sûre sans pour autant sacrifier une once de confort. Coincée dans une courbe raide, la nouvelle Camry SE fait montre de sous-virage, mais ne brusque rien. Les pneus Michelin Energy prouvent que, bien chaussée, une voiture fait preuve d'un comportement plus sûr.

Avec le V6, les accélérations sont modestes, mais les reprises demeurent honnêtes, soit moins de huit secondes pour passer de 80 à 120 km/h. En enlevant la surmultiplication avant de dépasser sur une route secondaire, vous gagnez une bonne demi-seconde sur ces temps.

Agréable surprise : les performances du 2,4 litres sont presque identiques à celles du V6. Ainsi, avec un chrono de 11,62 secondes pour passer de 0 à 100 km/h, et de 8,5 secondes pour un 80 à 120 km/h, la nouvelle Camry à quatre cylindres se montre plus sûre dans des situations de dépassement et en entrée sur les routes principales, ce que nous lui reprochions à l'ancien modèle.

Au chapitre du freinage, la version LE à quatre cylindres retient la combinaison disques/tambours malheureuse-

entrevue

Gilles Pelletier

directeur régional pour le Québec

Comment décrire cette nouveauté en quelques mots?
La nouvelle Camry 2002 redéfinit les standards d'excellence relatifs à la qualité, le confort et la fiabilité dans le segment de la berline intermédiaire.

Quels en sont les points forts?
Très logeable, très douce et mieux équipée, elle offre un confort et une tenue de route supérieure.

Où situer ce modèle dans votre gamme et par rapport à la compétition?
La nouvelle Camry 2002 maintiendra la première position dans sa catégorie en Amérique du Nord, établie par son prédécesseur.

Quelle est votre clientèle cible?
L'acheteur(se)-type aura un âge moyen de 48 ans, 65% hommes et 35% femmes. 95% seront mariés. 55% auront une éducation de niveau collégial et plus.

Combien de ventes en 2002?
Le plan de ventes de la région du Québec, pour 2002, n'a pas encore été défini. Il sera influencé par les tendances d'achats du 4e quart de l'année 2001.

TOYOTA

galerie

1 • Les dossiers rabattables à l'arrière permettent de charger de longs objets.

2 • Le système de son avec chargeur à six disques procure de belles heures de détente lors des longs périples.

3 • Des lignes élancées qui donnent à la Camry une allure enfin distinctive

4 • La Camry 2002 offre un coffre spacieux et d'accès facile.

5 • Les cadrans à fond argenté de la version SE V6 enjolivent le tableau de bord plus conventionnel des autres versions.

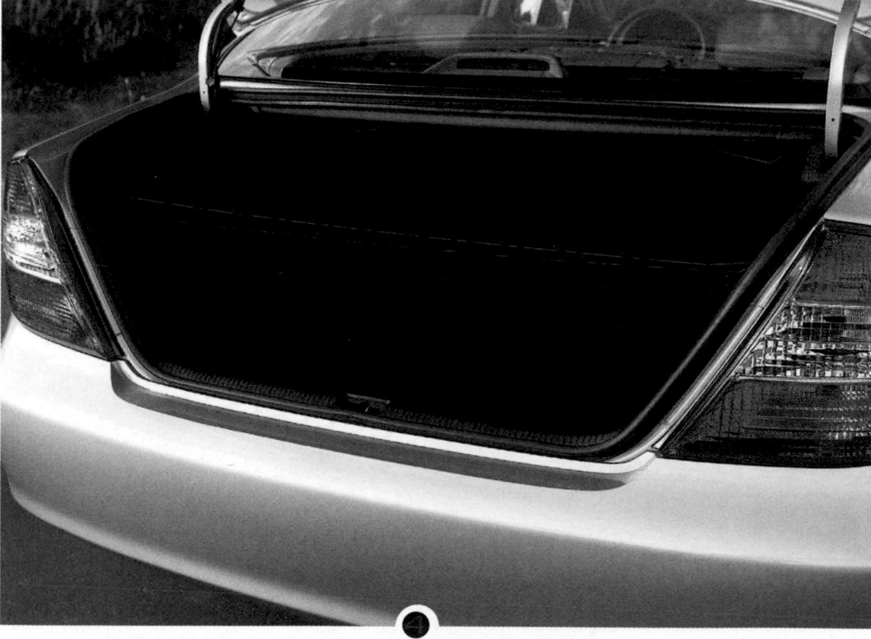

forces

- Insonorisation et espace intérieur
- Performance et économie du 24 litres

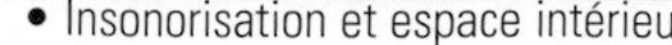

faiblesses

- Absence d'ABS de série
- Toit ouvrant de série dans la SE et la XLE

ment sans ABS, tandis que les versions équipées du V6 obtiennent les freins à disque aux quatre roues avec antiblocage et un système de répartition du freinage.

HABITACLE Dès qu'on prend place dans cette nouvelle Camry, on apprécie l'espace généreux pour les jambes, les épaules et la tête. On peut asseoir aisement quatre adultes. Le conducteur jouit d'une bonne visibilité, mais les passagers arrière doivent s'habituer à des appuie-tête avant massifs. La Camry compte plusieurs espaces de rangement pratiques et à l'avant et à l'arrière. Le tableau de bord révisé offre une bonne lecture des cadrans et une accessibilité aisées aux cadrans et aux commandes. Terne dans la version LE, le tableau de bord de la XLE offre un coup d'œil agréable avec ses appliqués de bois, tandis que celui de la SE est nettement le plus beau avec ses touches d'aluminium brossé et, surtout, ses cadrans à fond argent. L'excellente insonorisation de l'habitacle permet sur l'autoroute de parler sans élever la voix, de profiter du silence ou d'apprécier sa musique préférée. Côté confort, le conducteur et le passager avant sont très bien servis dans la série LE, alors qu'on se sent presque dans un salon dans la version XLE. Sur de belles routes, les passagers arrière jouissent de beaucoup de confort, mais sur une route trop bosselée, ils ressentiront les contrecoups des amortisseurs; la suspension de la version SE absorbe mieux le revêtement et cela, derrière, on le se ressent ! Notons par ailleurs qu'à 34 degrés Celsius, le climatiseur peinait à rafraîchir l'habitacle, lors de notre essai.

Au chapitre de la sécurité enfin, la Camry bénéficie de sacs gonflables frontaux et latéraux et, pour les versions XLE et SE, de rideaux gonflables latéraux.

CONCLUSION Toyota vient de réussir un bon coup : sa nouvelle Camry est un véhicule silencieux, équilibré, avec une tenue de route sans surprise. Son nouveau quatre cylindres étonne par ses performances et son économie. La Camry monte encore d'un bon cran. Naturellement, on ne peut que spéculer sur sa fiabilité, mais puisque c'est une Toyota...

TOYOTA

fiche technique

Moteur : 4 cyl. 2,4 L
Autre moteur : V6 3 L
Puissance: 157 ch à 5600 tr/min et 162 lb-pi à 4000 tr/min
Autre moteur : 192 ch à 5300 tr/min et 206 lb-pi à 5400 tr/min
Transmission de série: manuelle à 5 rapports
Transmission optionnelle: automatique à 4 rapports
Freins avant: disques
Freins arrière: tambours; disques (V6)
Sécurité active de série: ABS (V6)
Suspension avant: indépendante
Suspension arrière: indépendante
Empattement: 272 cm
Longueur: 480,5 cm
Largeur: 179.5 cm
Hauteur: 149 cm
Poids: 1435 kg
0-100 km/h: 9,7 s; 8,7 s (V6)
Vitesse maximale: 178km/h
Diamètre de braquage: 10,6 m
Capacité de remorquage: 907 kg
Capacité du coffre: 141 L
Capacité du réservoir d'essence: 70 L
Consommation d'essence moyenne: 9 L/100 km; 10,3 L/100 km (V6)
Pneus d'origine: 205/65R15
Pneus optionnels: 215/60R16

Par Amyot Bachand

TOYOTA

fiche d'identité

Modèle: Camry Solara
Versions: SE, SE V6, SLE, cabriolet
Segment: intermédiaires
Roues motrices: avant
Portières: 2
Places : avant, 2; arrière, 2
Sacs gonflables: 2
Concurrence: Chevrolet Monte Carlo, Chrysler Sebring , Honda Accord coupé, Oldsmobile Alero, Pontiac Grand Prix

au quotidien

Prime d'assurance moyenne: 1200 $
Garantie générale : 3 ans/60 000 km, assistance 24 heures
Garantie groupe motopropulseur : 5 ans/100 000 km
Garantie du système anti-pollution : 3 ans/60 000 km
Garantie contre la perforation : 5 ans/kilométrage illimité
Collision frontale: nd
Collision latérale: 3/5
Vente du modèle l'an dernier au Québec: 5550 (Camry et Solara)
Dépréciation: 36 % (deux ans)

évolution

prix de base • 28 175 $

Promeneuse des grands boulevards

Toyota apporte des changements intéressants à la Solara en 2002 sur le plan de sa motorisation, tout en rafraîchissant l'avant et l'arrière de ce cabriolet trop sérieux au goût de plusieurs.

CARROSSERIE La Solara se décline en deux versions : le coupé et le cabriolet. Le premier, offert dans les livrées SE et SE V6, fait plus sérieux tout en gardant un air jeune et détendu. Le second offre une image de plaisir, de liberté et de cheveux au vent à une clientèle sérieuse, voire cartésienne. On achète une Solara pour se distinguer tout en profitant des mêmes avantages d'habitabilité intérieure et de confort d'une berline. Dans le cas du coupé, on jouira également du très bon volume de chargement du coffre. Le cabriolet Solara vous permet de jouir du grand air confortablement, avec un minimum de complications, mais vous aurez à accepter un volume de coffre plus limité. Les stylistes de Toyota ont rajeuni l'avant de la Solara en modifiant la calandre et en intégrant de nouveaux phares à angles plus pointus.

MÉCANIQUE Toyota équipe le coupé Solara de son nouveau moteur à 4 cylindres de 2,4 litres permettant ainsi un rapport puissance/économie intéressant. Ce moteur développe 27 chevaux de plus que le précédent. Le coupé SE à 4 cylindres et le cabriolet SLE V6 ne sont livrés qu'avec la transmission automatique. Dans le cas du coupé à 4 cylindres, on obtient une cote de consommation idéale ville/route de 10,1/6,9 litres aux 100 km. Une toute nouvelle transmission manuelle à 5 rapports, bien étagée et agréable à utiliser, n'est malheureusement offerte qu'avec le coupé SE V6. Le coupé SE conserve sa combinaison disques-tambours; les modèles V6 profitent de quatre freins à disque. Toutes les Solara sont équipées du système ABS.

COMPORTEMENT Leur tenue de route conserve une tendance au sous-virage qui se contrôle aisément, rien de brusque ni de surprenant. Le cabriolet offre même un comportement plus neutre lorsque son toit est abaissé, puisque cela améliore la répartition du poids.

nouveautés 2002

- Nouveau moteur à 4 cylindres • Nouvelle calandre • Phares et feux arrière modifiés
- Transmission manuelle à 5 rapports

HABITACLE Nous avons aimé les trois versions pour des raisons différentes. Le coupé à 4 cylindres présente des performances presque aussi bonnes que le coupé V6 automatique et une économie d'essence supérieure. Le nouveau moteur de 2,4 litres change remarquablement les données en matière de souplesse. Par contre, si vous préférez la conduite avec une boîte manuelle, le coupé V6 vous contentera et démontrera plus de douceur en forte accélération ; l'automatique est aussi offerte avec ce dernier.

Le cabriolet nous a agréablement surpris par son silence et l'absence de retour de vent dans l'habitacle, même toutes glaces abaissées, et ce, sur route secondaire ou sur l'autoroute à vitesse de croisière. Le seul gros reproche à lui adresser est ce couvre-capote en plastique ferme qui recouvre le toit abaissé : nous aurions préféré une toile plus flexible et plus facile à manipuler, évitant ainsi de perdre un espace cargo précieux dans le coffre.

La finition intérieure des Solara est sans reproche, et les trois versions offrent de multiples accessoires et commodités. Évidemment, les deux versions V6 présentent une finition plus luxueuse. Les trois permettent de s'asseoir très confortablement à l'avant, mais on est un peu plus à l'étroit à l'arrière, dont l'accès est assez facile.

CONCLUSION Que dire de plus ? Plutôt bien tournés, les Solara constituent une niche unique de voitures deux portes mariant le coup d'œil classique et jeune. De plus, elles jouissent d'une excellente réputation au chapitre de la fiabilité.

fiche technique

TOYOTA

Moteur : 4 cyl. 2,4 L
Autre moteur : V6 3 L
Puissance : 157 ch à 5600 tr/min et 162 lb-pi à 4000 tr/min
Autre moteur : 192 ch à 5300 tr/min et 206 lb-pi à 5400 tr/min
Transmission de série : automatique à 4 rapports
Transmission optionnelle : manuelle à 5 rapports (V6)
Freins avant : disques
Freins arrière : tambours ; disques (V6)
Sécurité active de série : ABS
Suspension avant : indépendante
Suspension arrière : indépendante
Empattement : 267 cm
Longueur : 482,5 cm
Largeur : 180,5 cm
Hauteur : 140 cm /142,5 (cabriolet)
Poids : 1435 kg
0-100 km/h : 9,8 s
Vitesse maximale : 178 km/h
Diamètre de braquage : 10,6 m
Capacité de remorquage : -
Capacité du coffre : 391 L ; 249 L (cabriolet)
Capacité du réservoir : 70 L
Consommation d'essence moyenne : 10,3 L/100 km
Pneus d'origine : 205/65R15
Pneus optionnels : 205/60R16

2e opinion

Éric Descarries — La Camry Solara est peut-être une belle auto; il reste qu'elle n'est pas captivante à conduire. Sa trop grande douceur et son silence de roulement presque parfait lui enlèvent l'agrément de conduite. Puis, sa suspension très douce (trop douce) n'est pas sans rappeler la mollesse des américaines d'antan, ce que nous leur reprochions.

forces

- 4 cylindres de 2,4 litres
- Cabriolet silencieux
- Fiabilité

faiblesses

- Couvre-capote en plastique ferme
- Conduite aseptisée

par Amyot Bachand

évolution

TOYOTA

fiche d'identité

Modèle : Celica
Versions : GT, GT-S
Segment : sportives de moins de 50 000 $
Roues motrices : avant
Portières : 2
Places : avant, 2; arrière. 2
Sacs gonflables : 2
Concurrence : Ford Mustang, Hyundai Tiburon, Mercury Cougar, Chevrolet Camaro, Mazda Miata, Acura RSX, Pontiac Firebird

prix de base • 25 645 $

Curieux mélange **explosif**

au quotidien

Prime d'assurance moyenne : 1250 $
Garantie générale : 3 ans/60 000 km, assistance 24 heures
Garantie groupe motopropulseur : 5 ans/100 000 km
Garantie antipollution : 3 ans/60 000 km
Garantie contre la perforation : 5 ans/kilométrage illimité
Collision frontale : 4/5
Collision latérale : 3/5
Ventes du modèle l'an dernier au Québec : 1087
Dépréciation : 34 %

Toyota peut être considéré comme un constructeur qui fabrique des véhicules fiables et de bonne qualité. Avec une mécanique et un look qui ne détonnent pas vraiment, la gamme Toyota n'avait rien pour séduire les plus originaux. Lorsque, soudain, la nouvelle mouture de la Celica fit son apparition en l'an 2000, il y avait de quoi pérorer pour les amateurs de coupé sport. Jusqu'à ce qu'on la conduise : il y a du bon, certes, mais aussi du moins bon. Disons que le ramage n'est pas tout à fait à la hauteur du plumage.

CARROSSERIE Dans le grand schème de la vie où rares sont les voitures de moins de 30 000 dollars qui font quand même tourner les têtes, la Celica renverse sans conteste cette tendance. Sa silhouette effilée, ses arêtes bien définies et ses phares de forme triangulaire ont tôt fait d'attirer l'attention. Très basse, cette sportive se caractérise par son efficacité aérodynamique, qui l'amène à s'écraser dans les courbes, relevant ainsi d'un cran sa tenue de route.

MÉCANIQUE La Celica est livrée en deux modèles : GT et GT-S. Dans le ventre de la GT se loge un 4 cylindres de 1,8 L développant 140 chevaux tandis que le 4 cylindres de 1,8 L de la GT-S en offre pour sa part 180. On s'attendrait donc à une différence notable de comportement entre les deux, mais le couple presque similaire des deux moteurs (125 lb-pi à 4200 tr/min contre 130 à 6800 tr/min), combiné à la nécessité de rester constamment à haut régime pour apprécier le second, rend pratiquement plus agréable la conduite du premier.

Cette sensation est d'autant plus renforcée que la boîte automatique à quatre rapports offerte en option sur la GT-S vient complètement détruire toute accélération décente, anéantissant du même coup l'agrément de conduite. La commande électronique de changement de vitesses sur la boîte automatique, opérée par des boutons situés à l'avant et à l'arrière des branches du volant, aide un peu à réduire ce problème; mais c'est encore trop peu. La boîte manuelle à six rapports, de série sur cette même livrée, est toutefois très plaisante à manipuler - à haut régime, s'entend.

nouveutés 2002

• Une version TRD (*Toyota Racing Development*) sera disponible en 2002.

la main. Seul détail qui pourrait en incommoder quelques-uns, les fameux porte-gobelets qui sont logés entre les deux sièges avant sont mal situés, pour autant qu'on y insère une tasse ou un verre; cela nuit alors au maniement du levier de vitesse.

COMPORTEMENT Une fois lancée, la Celica ne souffre d'aucun complexe, sinon les accélérations peu convaincantes que procurent la boîte automatique. La tenue de route est excellente, la suspension indépendante est ferme et contribue à coller cette sportive au pavé. Quant à la direction, elle brille par sa précision et communique très bien. Le système de freins antibloquants (ABS), de série sur la GT-S et en option sur la GT, effectue un boulot irréprochable. À haute vitesse, l'insonorisation de l'habitacle est appréciable, tandis que le moteur ronronne tout doucement. Ce qui constitue une agréable surprise venant d'un engin à haut rendement.

HABITACLE

La présentation intérieure de la Celica est en harmonie avec l'allure sportive de ce coupé. Tout en rondeurs et en angles, le tableau de bord est moderne, agréable à l'œil et original, en plus d'être un modèle au chapitre de l'ergonomie, avec ses commandes à la portée de la main.

CONCLUSION La Celica est à n'en pas douter une routière qui s'apparente curieusement à la Série 3 de BMW sur certains aspects et à la Ford Mustang sur d'autres. Partageant un comportement routier semblable avec la douce allemande, elle possède les allures modernes de la fougueuse américaine. Mais là s'arrête toute comparaison. Le reste n'est que pur Toyota, confort et fiabilité en tête de liste. N'empêche, on aurait aimé un peu plus de piquant...

fiche technique

Moteur: 4 cyl. DACT 1,8 L
Autre moteur: 4 cyl. DACT 1,8 L
Puissance: 140 ch à 6400 tr/min et 125 lb-pi à 4200 tr/min
Autres moteurs: 180 ch à 7600 tr/min et 130 lb-pi à 6800 tr/min
Transmission de série: manuelle à 5 rapports
Transmissions optionnelles: manuelle à 6 rapports; automatique à 4 rapports
Freins avant: disques ventilés
Freins arrière: tambours; disques (GT-S)
Sécurité active de série: ABS (GT-S)
Suspension avant: indépendante
Suspension arrière: indépendante
Empattement: 260 cm
Longueur: 433 cm
Largeur: 173,5 cm
Hauteur: 130,5 cm
Poids: 1100 kg (GT), 1134 kg (GT-S); 1170 (GT-S auto.)
0-100 km/h: 10,3 s; 7,8 s (GT-S)
Vitesse maximale: 190 km/h ; 210 km/h (GT-S)
Diamètre de braquage: 10,4 m
Capacité du coffre: 365 L
Capacité du réservoir d'essence: 55 L
Consommation d'essence moyenne: 7,4 L/100 km (GT), 8,5 L/100 km (GT-S)
Pneus d'origine: 195/60R15 (GT), 205/50R16 (GT-S)
Pneus optionnels: aucun

2e opinion

Luc Gagné — Voici un jouet pour jeunes automobilistes et pour conducteurs d'âge mûr qui se sentent jeunes. La Celica stimule les sens, visuel et auditif, c'est sûr. Sa ligne audacieuse suggère une puissance débordante. La production d'adrénaline n'est toutefois pas aussi intense qu'on l'imaginerait, car les mécaniques proposées manquent de punch.

forces

- Confort appréciable
- Tenue de route sportive
- Design spectaculaire

faiblesses

- Accélération décevante
- Boîte automatique mal adaptée

Par Alain Mckenna

TOYOTA

fiche d'identité

Modèle : Corolla
Versions : CE, Sport, LE
Segment : petites
Roues motrices : avant
Portières : 4
Places : avant, 2; arrière, 3
Sacs gonflables : 2
Concurrence : Chevrolet Cavalier, Chrysler Neon, Daewoo Nubira, Ford Focus, Honda Civic, Hyundai Elantra, Kia Spectra, Mazda Protegé, Nissan Sentra, Saturn Série S, VW Golf

au quotidien

Prime d'assurance moyenne : 700 $
Garantie générale : 3 ans/60 000 km, assistance 24 heures
Garantie groupe motopropulseur : 5 ans/100 000 km
Garantie du système anti-pollution : 3 ans/60 000 km
Garantie contre la perforation : 5 ans/kilométrage illimité
Collision frontale : 4/5
Collision latérale : 4/5
Ventes du modèle l'an dernier au Québec : 13 046
Dépréciation : 37,3 %

évolution

prix de base • 15 765 $

Auto, boulot, dodo

Dans la grande jungle de l'automobile, la Toyota Corolla fait office de valeur sûre. Malgré son allure conservatrice, sa popularité se maintient année après année. Et pour cause, il s'agit d'un véhicule qui offre une construction et des attributs des plus attrayants. À tout le moins, si son style n'excite pas, elle demeure un excellent mode de transport pour amener la famille du point A au point B.

CARROSSERIE La Corolla de huitième génération a été lancée en 1998, et sa carrosserie retouchée l'an dernier se distingue par ses phares aux formes irrégulières. Assemblée en Ontario, sa gamme compte trois versions — CE, Sport et LE — proposées en de nombreuses variantes.

Faute de miser sur un design audacieux, la Corolla mise sur d'autres attributs. Par exemple, quatre adultes peuvent prendre place à bord confortablement. Seule la Mazda Protegé peut prétendre offrir un habitacle plus spacieux dans cette catégorie.

Les sièges baquets sont fermes, et leur dossier moulant supporte bien en courbe. Le tableau de bord regroupe l'essentiel des commandes près du conducteur.

La Corolla dispose aussi d'un coffre volumineux qui se prolonge à l'intérieur de l'habitacle grâce à un dossier divisé 60/40, particularité désormais standard pour chaque version. Précisons toutefois que l'ouverture entre le coffre et l'habitacle, que masque le dossier, n'est pas très grande.

MÉCANIQUE La Corolla dispose d'un excellent moteur : un quatre cylindres multisoupape de 1,8 litre. Bien qu'il ne produise que 125 chevaux (ce qui est déjà bien dans cette catégorie), ce moteur génère beaucoup de couple, même à bas et moyen régimes, grâce au système de calage variable des soupapes VVTi. On obtient ainsi des performances soutenues, quel que soit le régime du moteur. Cela ne transforme pas la Corolla en voiture de course, évidemment, mais le conducteur dispose d'une mécanique plus souple quelles que soient les circonstances.

Les roues avant sont entraînées par l'intermédiaire d'une transmission manuelle bien étagée, dont le maniement est précis. On

nouveautés 2002

• Dossier divisé 60/40 de la banquette arrière désormais en équipement de série; volant gainé de cuir de série (Corolla Sport) • Nouveaux équipements optionnels : volant inclinable (Corolla CE), lève-vitres électriques (Corolla Sport), toit ouvrant vitré (Corolla LE)

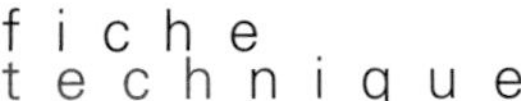

peut également obtenir une boîte automatique à quatre rapports, qui masque efficacement le passage des vitesses. Cette dernière figure parmi les options des modèles CE et Sport, alors qu'elle fait partie de l'équipement de série de la LE.

COMPORTEMENT Sur la route, toutes les Corolla se comportent de la même façon puisqu'elles partagent les mêmes composants.
Leur suspension est souple, même un tantinet molle. C'est le confort qu'on vise. Sur l'autoroute, ça va. Mais, dès qu'on aborde une route de montagne cahoteuse, le débattement de la suspension devient un peu court. Heureusement, des barres stabilisatrices montées devant et derrière limitent le roulis dans les courbes. Les pneus de 14 pouces, par ailleurs, offrent une piètre adhérence sur ce genre de route, surtout lorsqu'elle est mouillée.
La servodirection est précise et bien dosée. De plus, parmi les voitures compactes, la Corolla est sans doute l'une des mieux insonorisées. Ce à quoi le châssis très rigide contribue sûrement.
Le freinage est à la hauteur d'une vocation urbaine, mais il est dommage que l'antiblocage soit réservé à la seule version LE, et encore sur demande seulement.
De plus, la Corolla Sport fait pâle figure aux côtés de véritables compactes sportives, comme la nouvelle Nissan Sentra SE-R. Après tout, cette Corolla n'a de sport que son nom; ce n'est qu'une Corolla maquillée destinée à paraître sportive...

CONCLUSION En attendant l'arrivée de la prochaine génération de Corolla, prévue à l'automne 2002, le modèle actuel demeure un excellent achat. On ne peut que regretter les prix élevés affichés, un « défaut » commun à tous les produits Toyota d'ailleurs. C'est à ce point vrai que certains équipements populaires, qui sont standard sur certaines compactes rivales, figurent pour la Corolla parmi ses options; le climatiseur, pour n'en citer qu'un.

fiche technique

Moteur : 4 cyl. DACT de 1,8 L
Puissance : 125 ch à 5600 tr/min et 126 lb-pi à 4000 tr/min
Transmission de série : manuelle à 5 rapports
Transmission optionnelle : automatique à 4 rapports
Freins avant : disques ventilés
Freins arrière : tambours
Sécurité active de série : ABS (option)
Suspension avant : indépendante
Suspension arrière : indépendante
Empattement : 246,5 cm
Longueur : 442 cm
Largeur : 169,5 cm
Hauteur : 138,5 cm
Poids : 1095 kg
0-100 km/h : 10,9 s
Vitesse maximale : 180 km/h
Diamètre de braquage : 10,3 m
Capacité du coffre : 343 L
Capacité du réservoir d'essence : 50 L
Consommation d'essence moyenne : 6,4 L/100 km (man.); 6,7 L/100 km (auto.)
Pneus d'origine : 175/65R14; 185/65R14 (LE)
Pneus optionnels : aucun

TOYOTA

2e opinion

Amyot Bachand — La Corolla se prend pur une bonne à tout faire, fiable, économique et durable. Sa boîte manuelle demeure toujours d'une facilité déconcertante. Sa tenue de route vous rappelle qu'elle n'a pas de prétention sportive, mais si on la chausse d'excellents pneus, elle étonne. Une refonte esthétique la sortirait de l'anonymat.

forces

- Châssis rigide
- Grand choix de versions
- Fiabilité éprouvée

faiblesses

- Position de conduite basse (modèles de base)
- Certains équipements populaires optionnels

Par Luc Gagné

TOYOTA

fiche d'identité

Modèle : Echo
Versions : 2 portes, 4 portes
Segment : petites
Roues motrices : avant
Portières : 2, 4
Places : avant, 2; arrière, 3
Sacs gonflables : 2
Concurrence : Hyundai Accent, Kia Rio, Daewoo Lanos

au quotidien

Prime d'assurance moyenne : 700 $
Garantie générale : 3 ans/60 000 km, assistance 24 heures
Garantie groupe motopropulseur : 5 ans/100 000 km
Garantie antipollution : 3 ans/60 000 km
Garantie contre la perforation : 5 ans/kilométrage illimité
Collision frontale : 4/5
Collision latérale : 3/5
Ventes du modèle l'an dernier au Québec : 12 457
Dépréciation : 20 % (un an)

évolution

prix de base • 14 420 $

La puce excentrique

L'Echo est une voiture qui suscite des réactions au même titre que la Chrysler PT Cruiser parce que son esthétique ne fait pas l'unanimité. On l'aime ou on ne l'aime pas. C'est peut-être d'ailleurs la première Toyota qui suscite tant de controverse.

CARROSSERIE Dévoilée en l'an 2000, la sous-compacte Echo a remplacé un modèle qui avait été très populaire : la Tercel. Sa carrosserie aux formes étirées se distingue de celle de sa devancière qui était plutôt anonyme. L'Echo est 12,5 centimètres plus haute qu'une Tercel, et son coffre a un volume utile 46 % plus important. Malheureusement, ce dernier a une ouverture étriquée qui ne facilite pas le chargement des bagages.
Toyota propose des berlines à deux et quatre portes en plusieurs variantes. Leur habitacle respectif est spacieux, compte tenu du faible encombrement de ces voitures. Le dégagement pour la tête, devant comme derrière, est aussi très important.
Par contre, l'espace pour les épaules, les hanches et les genoux n'est pas plus généreux qu'il ne l'était dans la Tercel d'antan. Des adultes se plairont à l'avant. Les sièges baquets, habillés d'un tissu au motif jeune, sont très confortables et procurent une position de conduite haute qui est appréciée. La banquette arrière, par contre, est conçue pour de petites personnes. Et encore, pas pour des claustrophobes, du moins dans le 2 portes, à cause de ses vitres latérales arrière fixes.
L'emplacement central des cadrans sur le tableau de bord est aussi excentrique que la forme de la voiture. C'est même déroutant durant les premiers instants de conduite. Mais on s'y habitue rapidement.
De gros commutateurs rotatifs permettent de régler le chauffage et la ventilation. De plus, outre le coffre à gants double, on trouve de nombreux espaces de rangement pratiques dans l'habitacle.

MÉCANIQUE L'Echo dispose d'un petit moteur de 1,5 litre particulièrement sophistiqué. Ce multisoupape à double arbre à cames en tête est muni du système de calage variable des soupapes VVTi de Toyota. Il produit 108 chevaux, une

nouveutés 2002

• Lecteur de disques compacts désormais de série et lecteur de cassettes retiré du catalogue • Nouveaux ensembles d'équipements optionnels

puissance considérable pour cette puce de moins de 1000 kilos. De plus, le système VVTi procure beaucoup de couple quel que soit le régime.

La puissance parvient aux roues avant, soit par une boîte manuelle au maniement précis, soit par une automatique offerte en option, qui brille par ses passages fluides.

COMPORTEMENT La servodirection (de série) est légère, mais précise. Le freinage assuré par un tandem disques-tambours convient à la vocation citadine de cette sous-compacte.

L'Echo a une suspension indépendante aux roues avant et une poutre de torsion à l'arrière. Ajoutons à cela un empattement court. Le résultat est un roulement ferme avec des soubresauts parfois irritants, surtout sur les routes cahoteuses. Dans les courbes, par ailleurs, on ressent un roulis important.

Si la visibilité vers l'avant et sur les côtés est très bonne, vers l'arrière elle est limitée par le coffre très haut. Les manoeuvres de stationnement exigent donc beaucoup d'attention de la part du conducteur.

CONCLUSION Même si l'Echo n'a pas atteint le même succès au Canada que sa devancière, la Tercel, elle figure néanmoins parmi les modèles populaires, au Québec surtout.

Pendant ce temps, l'Asie et l'Europe se partagent deux autres versions de cette mini, que les Américains s'entêtent à ne pas importer — à cause de leurs goûts. Il s'agit de la Yaris, sorte de Civic hatchback des temps modernes, et de la Yaris Verso, une adorable petite familiale. Deux voitures dotées d'un habitacle polyvalent, esthétiquement excentrique comme l'Echo... mais d'une façon esthétiquement plus équilibrée!

fiche technique

TOYOTA

Moteur : 4 cyl. DACT 1,5 L
Puissance : 108 ch à 6000 tr/min et 105 lb-pi à 4000 tr/min
Transmission de série : manuelle à 5 rapports
Transmission optionnelle : automatique à 4 rapports
Freins avant : disques ventilés
Freins arrière : tambours
Sécurité active de série : aucune
Suspension avant : indépendante
Suspension arrière : semi-indépendante
Empattement : 237 cm
Longueur : 414,5 cm
Largeur : 166 cm
Hauteur : 150 cm
Poids : 923 kg à 950 kg
0-100 km/h : 9,5 s
Vitesse maximale : 185 km/h
Diamètre de braquage : nd
Capacité du coffre : 385 L
Capacité du réservoir d'essence : 45 L
Consommation d'essence moyenne : 7 L/100 km
Pneus d'origine : 155/80R13
Pneus optionnels : 175/65R14

2e opinion

Gabriel Gélinas — Où est la Yaris ? Alors que Toyota nous propose la Echo, en Europe et ailleurs les automobilistes ont droit à la Yaris, une «hatchback» beaucoup plus jolie et beaucoup plus pratique (élaborée sur la même plate-forme) qui connaîtrait un franc succès au Québec alors que l'accueil réservé à l'Echo ne peut être qualifié que de tiède. Rendez-vous manqué.

forces

- Faible encombrement
- Bon coffre
- Espace intérieur surprenant

faiblesses

- Suspension «élastique» inconfortable
- Esthétique discutable
- Prix élevés

Par Luc Gagné

nouveauté

TOYOTA

fiche d'identité

Modèle : Highlander
Versions : 2RM, 4RM et V6 4RM Limited
Segment : utilitaires moyens
Roues motrices : avant et rouage intégral
Portières : 4
Places : avant, 2; arrière, 3
Sacs gonflables : 2
Concurrence : Buick Rendezvous, Pontiac Aztek, Chevrolet TrailBlazer, GMC Envoy, Oldsmobile Bravada, Jeep Grand Cherokee, Land Rover Freelander, Subaru Forester

prix de base • 31 900 $

Le **Camry** utilitaire

au quotidien

Prime d'assurance moyenne : 900 $
Garantie générale : 3 ans/60 000 km, assistance 24 heures
Garantie groupe motopropulseur : 5 ans/100 000 km
Garantie antipollution : 8 ans/130 000 km
Garantie contre la perforation : 5 ans/kilométrage illimité
Collision frontale : nd
Collision latérale : nd
Ventes du modèle l'an dernier au Québec : nouveau modèle
Dépréciation : nouveau modèle

Lancé au printemps 2001, le Highlander représente le virage domestiqué des utilitaires. Avec sa grande expérience des camions et des voitures, Toyota a concocté deux versions complémentaires de cet utilitaire nouveau genre. En effet, le Highlander répond aux besoins d'une clientèle qui exige plus d'espace et de polyvalence d'un véhicule, mais qui n'est pas prête à sacrifier le confort d'une automobile traditionnelle.

CARROSSERIE Nous devions dire trois versions, mais dans les faits, il s'agit de deux modèles à vocations distinctes : d'abord le Highlander 4 cylindres, une traction avant plus près d'une familiale que de l'utilitaire traditionnel, puis le Highlander V6, l'utilitaire domestiqué à traction intégrale en version normale ou Limited. Les deux modèles partagent la même carrosserie. C'est sur le plan mécanique qu'ils se différencient. Les lignes du Highlander ne choqueront personne, pas plus qu'elles ne gagneront de concours de beauté. Sobres et classiques, ces lignes plaisent, mais se confondent dans la masse des véhicules. On reconnaîtra le Highlander avec son arrière à feux massifs et sa ligne de toit élancée, qui a pour effet d'éliminer l'allure de fourgonnette.

MÉCANIQUE Un 4 cylindres de 2,4 litres accouplé à une transmission automatique à 4 rapports tire le Highlander 4 ; il développe 155 chevaux et 163 livres-pied de couple. Le Highlander à traction intégrale est propulsé par un V6 de 3 litres. Ce dernier développe 220 chevaux et 222 livres-pied de couple et est accouplé lui aussi à une boîte automatique à 4 rapports. La suspension à jambe de force MacPherson est dotée d'amortisseurs calibrés. Quatre freins à disque munis de l'ABS équipent de série les deux modèles. On peut aussi se procurer en option sur le V6 à quatre roues motrices un dispositif de contrôle de dérapage et de régulation de traction. Ce dispositif électronique se rend compte que les roues patinent ou glissent et applique à une ou plusieurs roues le freinage nécessaire pour redonner la traction aux roues qui en ont besoin.

nouveautés 2002

• Légères modifications au groupe Limited

Les deux modèles offrent des capacités de remorquage limitées : 1600 livres pour le H4 et 2000 livres pour le V6. Avec l'option remorquage, ces capacités passent respectivement à 3000 et à 5000 livres.
Toyota offre une garantie de 5 ans/100 000 km sur le groupe propulseur et 8 ans/130 000km sur les éléments antipollution.

COMPORTEMENT Les Highlander 4 et V6 se comportent comme des voitures, mais offrent la visibilité d'une fourgonnette. La tenue de route du H4 est bonne, mais si vous êtes plus craintifs ou si vous roulez plus souvent sur les secondaires, le V6 à traction intégrale vous assurera une meilleure adhérence. Le freinage est stable : sur pavé sec, nous avons mesuré une distance moyenne d'arrêt de 38,1 mètres à partir de 100 km/h. Au volant de la version quatre roues motrices Limited, nous avons obtenu les performances de dépassement suivantes : 80 à 120 km/h en 8,3 secondes. Rien de brusque, tout se passe en douceur avec le Highlander. Avec une garde au sol de 17,5 centimètres pour le H4 et de 18,5 centimètres pour le V6 à quatre routes motrices, vous passerez aisément dans la neige après une bonne bordée.

HABITACLE L'intérêt du Highlander réside dans son habitabilité et son aménagement. L'équipement de série des deux versions mérite que l'on s'y arrête. Toyota a bien compris les besoins de la clientèle visée. Pour le conducteur, un fauteuil capitaine, un volant réglable, une instrumentation lisible et des rétroviseurs télécommandés. On regrette que seule la version V6 reçoive les rétros chauffants. Le tableau de bord est bien dessiné et doté d'une bonne accessibilité. La version Limited reçoit des appliques de bois pour en rehausser l'apparence.
On peut compter sur un bon nombre de commodités et de places de rangement comme des vide-poches à l'arrière des

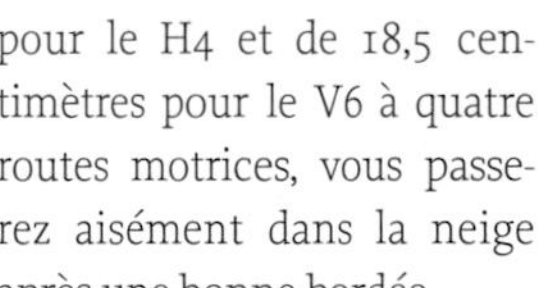

TOYOTA

Tony Wearing,

directeur du Marketing chez Toyota Canada

Comment décrivez-vous cette nouveauté?
Toyota a conçu le Highlander pour répondre aux besoins d'une clientèle nouvelle ou déjà propriétaire d'un utilitaire sport camion qui exige l'espace et la fonctionnalité d'une fourgonnette, la traction du véhicule sport utilitaire à quatre roues motrices, mais qui veut la tenue de route et le confort d'une berline. Ainsi on peut choisir entre un 4 cylindres économique ou un V6 efficace. De plus, l'intérieur spacieux et luxueux du Highlander satisfera les plus exigeants.

Où situez-vous ce modèle?
Au sein de la gamme Toyota, le Highlander se situe entre le RAV4 et le camion 4Runner. De par sa finition intérieure, ses lignes extérieures, le Highlander se rapproche davantage d'une voiture que ses concurrents le MDX, l'Oldsmobile Bravada, le Jeep Grand Cherokee.

Quelle est la clientèle cible?
De jeunes professionnels qui possèdent une famille d'un ou deux enfants et qui aiment les activités de plein-air.

Combien de vente en 2002?
Toyota prévoit vendre 8000 Highlander au Canada dont 1500 au Québec.

TOYOTA

g a l e r i e

1 • La sellerie cuir fait partie des gâteries de la version Limited.

2 • Des phares très efficaces encadrent une calandre discrète et bien intégrée.

3 • Au coeur de cet utilitaire, on retrouve le même V6 que dans les Camry, Lexus ES300 et RX300.

4 • Non, ce n'est pas ce que vous pensez ! C'est le pneu de secours qui se cache là-dessous !

nouveauté

5 • Tout comme dans le Lexus RX300, le levier de vitesse est situé au bas du tableau de bord pour offrir plus d'espace entre les sièges.

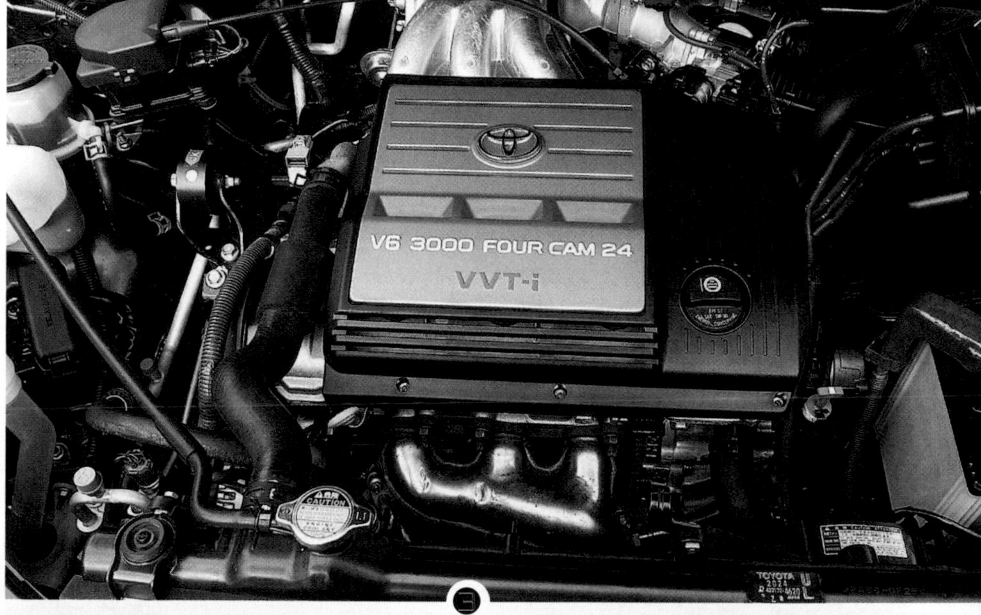

f o r c e s

- Confort
- Espace
- Douceur

f a i b l e s s e s

- Prix des versions V6 à quatre roues motrices

fauteuils, des porte-gobelets un système d'accueil sans clé ainsi que des prises de courant avant et arrière pour les accessoires.

On peut y asseoir cinq personnes. Quatre le seront très confortablement grâce à la suspension douce du Highlander. Vous n'avez pas besoin de grimper pour accéder à bord grâce à sa ceinture de caisse abaissée. En matière de sécurité, on compte cinq appuie-tête et deux sacs gonflables à déploiement contrôlé.

L'espace cargo permettra à une famille de partir pour un week-end de ski avec tous leurs bagages. En se tassant un peu ou en rabattant la petite partie de la banquette 60/40, on partira en camping pour une semaine. Souhaitons que les enfants s'aiment bien et que le voyage ne prenne pas trop de temps. Si vous avez besoin de la fonction camion, vous serez heureux car avec sa banquette rabattable et l'espace libre entre les fauteuils capitaine, vous pourrez loger 2,3 mètres cubes de matériaux. Il y a aussi le porte-bagages de toit pour vous dépanner.

Pour le mélomane en vous, le Highlander offre un système radio, cassette et DC à six haut-parleurs de bonne qualité. La troisième version, la Limited, s'adresse aux acheteurs qui privilégient une version luxueuse. Vous y trouverez sellerie de cuir, climatiseur/chauffage à commande automatique, et ainsi de suite...

CONCLUSION La version H4 conviendra à la majorité des familles avec sa traction avant, son espace de chargement, son habitabilité et son économie d'essence. La version à traction intégrale constitue un utilitaire pratique, tout en étant bien docile. Vous pouvez l'habiller avec tout le luxe désiré dans sa version Limited. Toyota sait joindre l'utile à l'agréable.

fiche technique

Moteur : 4 cyl. DACT 2,4 L
Autre moteur : V6 DACT 3 L
Puissance : 155 ch à 5600 tr/min et 163 lb-pi à 4000 tr/min
Autres moteurs : 220 ch à 5800 tr/min et 222 lb-pi à 4400 tr/min
Transmission de série : automatique à 4 rapports
Transmission optionnelle : aucune
Freins avant : disques
Freins arrière : disques
Sécurité active de série : ABS et antipatinage
Suspension avant : indépendante
Suspension arrière : indépendante
Empattement : 271,5 cm
Longueur : 468,5 cm
Largeur : 182,5 cm
Hauteur : 173,5 174,5 (V6)
Garde au sol : 17,5 cm (4 cyl.) et 18,5 cm (V6)
Poids : 1580 kg (4 cyl.) 1760 kg (V6)
0-100 km/h : 11,8 s (4 cyl.) 9,6 s (V6)
Vitesse maximale : 178 km/h (V6)
Diamètre de braquage : 12,4 m
Capacité de remorquage : 680 kg (4 cyl.) 1587 kg (V6)
Capacité du coffre : 909 L; 2304 L (banquette abaissée)
Capacité du réservoir d'essence : 75 L
Consommation d'essence moyenne : 9,3 L/100 km (4 cyl.), 11,35 L/100 km (V6)
Pneus d'origine : 225/70R16
Pneus optionnels : aucun

2e opinion

Benoit Charette — Vous avez le choix : une familiale grand format ou un utilitaire de ville. Chose certaine, le Highlander offre un confort remarquable, une insonorisation très réussie et un moteur V6 d'une grande souplesse. Comme la majorité de ses produits, Toyota offre une ligne très discrète.

Par Amyot Bachand

TOYOTA

f i c h e d' i d e n t i t é

Modèle : Prius
Version : unique
Segment : petites
Roues motrices : avant
Portières : 4
Places : avant, 2; arrière, 3
Sacs gonflables : 2
Concurrence : Honda Insight, Volkswagen Golf TDi

a u q u o t i d i e n

Prime d'assurance moyenne : 850 $
Garantie générale: 3 ans/60 000 km, assistance 24 heures
Garantie groupe motopropulseur : 5 ans/100 000 km
Garantie du système anti-pollution : 3 ans/60 000 km
Garantie contre la perforation : 5 ans/kilométrage illimité
Collision frontale : 4
Collision latérale : nd
Ventes du modèle l'an dernier au Québec : 31
Dépréciation : nouveau modèle

prix de base • 29 990 $

L'écolomobile

C'est en décembre 1997 que Toyota a mis en vente sa première automobile à propulsion hybride: la Prius. Depuis l'an 2000, et 35 000 Prius plus tard, les Canadiens peuvent aussi s'offrir cette petite voiture très spéciale, mais en quantité extrêmement limitée, tout comme c'est le cas, d'ailleurs, avec sa seule rivale, la Honda Insight...

CARROSSERIE La Prius ressemble à toutes les autres compactes. Elle est plus étroite qu'une Corolla et plus courte aussi, mais voilà tout. Son habitacle convient à quatre personnes et elle dispose même d'un coffre de volume raisonnable : ce sont là deux particularités importantes qui la distingue de l'Insight, cette biplace qui manque cruellement d'espace à bagages.

L'intérieur de la Prius est tout aussi audacieux. Comme pour la petite Echo, l'ensemble de ses indicateurs se logent dans le haut de la partie centrale du tableau de bord. Plus bas, flanqué des buses de ventilation, un écran cathodique affiche le rendement énergétique du groupe moteur, son mode de fonctionnement ou, plus simplement, les réglages du système audio. Un gadget plutôt fantaisiste qui attire trop l'attention du conducteur...

MÉCANIQUE Ce qui distingue la Prius des autres compactes n'est pas visible de l'extérieur. Son duo de moteurs (un à essence et l'autre, électrique) est dirigé par un répartiteur électronique de puissance. Ce système est entièrement autonome et n'a jamais besoin d'être rechargé par une source extérieure d'électricité.

Lorsqu'on fait démarrer la Prius, c'est d'abord le moteur électrique qui entraîne les roues avant, à l'aide d'une transmission automatique (il n'y a pas de transmission manuelle). Puis, lorsqu'on souhaite réaliser une accélération plus forte, pour obtenir plus de puissance, le moteur thermique (un petit quatre cylindres de 1,5L) entre en action et combine ses 70 chevaux aux 33 kW du moteur électrique. À mesure que se stabilise la vitesse du véhicule, lorsqu'on atteint 100 km/h par exemple, le moteur électrique cesse de fonction-

n o u v e a u t é s 2 0 0 2

- Aucun changement majeur

ner. Il n'entrera en action que pour recharger la batterie; il se transforme alors en génératrice et récupère l'énergie générée par un ralentissement ou un freinage.
Résultat : la Prius devient une championne de l'économie d'essence. Selon Transports Canada, la Prius aurait une consommation moyenne de 4,5 litres aux 100 kilomètres, mais en conduite normale, et au terme d'un essai d'environ 1000 km, nous avons réalisé une moyenne d'environ 5,5 à 6,0 litres aux 100 kilomètres.

COMPORTEMENT Ce petit bijou de technologie n'offre pas une conduite de tout repos. Sa servodirection s'avère lourde et manque de précision. De plus, les pneus à faible résistance au roulement manquent naturellement d'adhérence. Aussi, le freinage n'est pas dosé de façon progressive; il exige une période d'adaptation. Enfin, à vitesse de croisière sur l'autoroute ou dans des régions vallonneuses, les interventions irrégulières mais fréquentes du moteur thermique deviennent irritantes. On constate là que le milieu naturel pour la Prius, c'est la ville.
La transmission automatique à variation continue est, par ailleurs, agréable à utiliser. À part le léger contrecoup qu'on ressent au départ, elle apporte un certain confort aux passagers.

CONCLUSION On n'achète pas une Prius parce qu'on est «granola». On l'achète pour réduire ses dépenses en carburant et sans doute aussi pour être... différent. Après tout, elle n'est pas donnée, la Prius. Elle est même beaucoup plus chère qu'une Volkswagen Golf TDI qui, avec son moteur diesel, consomme à peu près aussi peu de carburant. Qui plus est, la Golf a une autonomie beaucoup plus grande et son habitacle transformable est nettement plus spacieux et dénué de tout gadget superflu.
Naturellement, la Prius conserve un précieux avantage sur la Golf TDI : elle n'empestera jamais personne avec un nuage parfumé au diesel!

fiche technique

TOYOTA

Moteur : 4 cyl. DACT 1,5 L et moteur électrique
Puissance: 70 ch à 4500 tr/min et 82 lb-pi à 4200 tr/min; 44 ch entre 1040-5060 tr/min et 259 lb-pi à 400 tr/min
Transmission de série : CVT (transmission à variation continue)
Transmission optionnelle : aucune
Freins avant : disques
Freins arrière : tambours
Sécurité active de série : ABS
Suspension avant : indépendante
Suspension arrière : semi-indépendante
Empattement : 255 cm
Longueur : 430,5 cm
Largeur : 169,5 cm
Hauteur : 146,5 cm
Poids : 1255 kg
0-100 km/h : 15,6 s
Vitesse maximale : 165 km/h
Diamètre de braquage : 9,4 m
Capacité du coffre : 354 L
Capacité du réservoir à essence : 45 L
Consommation d'essence moyenne : 4,5 L/100 km
Pneus d'origine : 175/65R14
Pneus optionnels : aucun

2e opinion

Gabriel Gélinas — Tour de force sur le plan technique, la Prius fait la démonstration des compétences de Toyota et de son engagement envers l'environnement. Toutefois, une Volkswagen à moteur TDI (New Beetle, Golf ou Jetta) rend essentiellement les mêmes cotes de consommation à prix moindre.

forces

- Habitacle relativement spacieux
- Moins d'émanations toxiques
- Faible consommation

faiblesses

- Prix exorbitant
- Diffusion restreinte
- Pneus peu adhérents

Par Luc Gagné

TOYOTA

fiche d'identité

Modèle : RAV4
Versions : groupes A, B, C, D
Segment : utilitaires compactes
Roues motrices : traction intégrale
Portières : 4
Places : avant, 2; arrière, 2
Sacs gonflables : 2
Concurrence : Chevrolet Tracker, Ford Escape, Honda CR-V, Hyundai Santa Fe, Kia Sportage, Mazda Tribute, Nissan Xterra, Subaru Forester, Suzuki Vitara et Grand Vitara

au quotidien

Prime d'assurance moyenne : 800 $
Garantie générale : 3 ans/60 000 km, assistance 24 heures
Garantie groupe motopropulseur : 5 ans/100 000 km
Garantie antipollution : 3 ans/60 000 km
Garantie contre la perforation : 5 ans/kilométrage illimité
Collision frontale : 4/5
Collision latérale : 4/5
Ventes du modèle l'an dernier au Québec : 970
Dépréciation : 45,4 %

évolution

prix de base • 23 265 $

Un **utilitaire** compact au **goût du jour**

Le RAV4 demeure inchangé en 2002 et pour de bonnes raisons: il a encore tout pour plaire.

CARROSSERIE Le RAV4 offre une silhouette dynamique, résolument moderne. Dans le créneau des utilitaires compacts, c'est le plus beau. Hiromi Ikehata, l'ingénieur en chef du projet, nous avait confié qu'il avait privilégié l'esthétique tant à l'extérieur qu'à l'intérieur. Pas de doute, il y est parvenu. Les stylistes du centre de design californien de Toyota (CALTY) ont su donner au RAV4 une apparence attrayante, plus virile que celle de son prédécesseur, tout en gardant sa simplicité. Le RAV4 vient en quatre versions : de base, puis les groupes d'équipements A, B et C. Le A se limite à offrir le système ABS, le second, des roues de 16 pouces et une finition extérieure de couleur homogène; le groupe C propose, en sus, un intérieur luxueux en cuir.

MÉCANIQUE Le RAV4 possède un système de traction intégrale. Il est motorisé par un 4 cylindres de 2 litres développant une puissance de 148 chevaux et un couple de 142 livres-pied. À l'accélération, ce moteur demeure bruyant, mais a suffisamment de puissance pour vous mener où bon vous semble. Nous privilégions la transmission manuelle, car elle est bien étagée et agréable à manier. La boîte automatique ne démérite pas car elle possède cette fluidité qui est le propre des transmissions de ce constructeur. Ne vous attendez pas à des performances excitantes : 0 à 100 km/h en 11 secondes et un temps de dépassement de 9,3 secondes (entre 80 et 120 km/h)

COMPORTEMENT Sa tenue de route inspire confiance, que ce soit sur pavé sec ou mouillé, sur des routes de gravier ou dans le verglas. Ses réactions prévisibles permettent de corriger tout écart de trajectoire. L'hiver dernier, à une température de moins de 30 °C, nous avons dû nous rendre de Montréal à Québec en affrontant pluie, neige et verglas. Contrairement à bon nombre de véhicules qui ont fini dans le fossé, nous nous sommes rendus sans encombre et n'avons eu aucun problème à grimper dans les bancs de neige et à affronter la

nouveautés 2002

- Les caractéristiques du RAV4 restent inchangées en 2002.

glace de Québec pour stationner. Les ingénieurs ont volontairement maintenu un comportement sous-vireur parce que dans une situation délicate, la majorité des conducteurs lèveront le pied, ce qui aidera le véhicule à reprendre sa trajectoire. En situation hors route, le RAV4 se tire très bien d'affaire. La combinaison disques-tambours procure un freinage efficace, avec une distance d'arrêt de 38 mètres entre 100 et 0 km/h.

HABITACLE Les stylistes japonais responsables de l'intérieur ont su l'aménager avec goût et sens pratique. Le RAV4 offre beaucoup de rangement et d'habitabilité pour sa taille. Trois adultes pour un gros week-end d'hiver au Carnaval de Québec avaient amplement de place pour une quatrième personne et ses bagages. Nous aurions pu enlever un des sièges arrière grâce à leur mécanisme simple et à leur poids de moins de 17 kilos.
On trouve aisément une position de conduite confortable. Les passagers arrière peuvent régler le dossier de leur siège, mais cela requiert un peu de gymnastique. Sur la route, à moins de 3500 tr/min, vous obtiendrez une conduite plus agréable et un silence de roulement supérieur.

CONCLUSION Vous l'aurez deviné, nous avons aimé le RAV4. Le groupe A nous apparaît comme la version à se procurer, le B offrant toutefois un look plus joli.

fiche technique

Moteur : 4 cyl. DACT de 2 L
Puissance : 148 ch à 6000 tr/min et 142 lb-pi à 4000 tr/min
Transmission de série : manuelle à 5 rapports
Transmission optionnelle : automatique à 4 rapports
Freins avant : disques ventilés
Freins arrière : tambours
Sécurité active de série : ABS (option)
Suspension avant : indépendante
Suspension arrière : indépendante
Empattement : 249 cm
Longueur : 419,5 cm
Largeur : 173,5 cm
Hauteur : 168 cm
Garde au sol : 17 cm
Poids: 1310 kg
0-100 km/h : 10,4 s
Vitesse maximale : 185 km/h
Diamètre de braquage : 10,7 m
Capacité de remorquage : 680 kg
Capacité du coffre : 678 L 1909 L (sièges abaissés)
Capacité du réservoir à essence : 56 L
Consommation d'essence moyenne : 9,1 L/100 km
Pneus d'origine : 215/70R16
Pneus optionnels : 235/60R16

2e opinion

Luc Gagné — Ce *Hot Wheels* grandeur nature pour *Baby Boomers* devenus parents aime les chemins cahoteux autant que l'autoroute. L'intérieur convient à quatre personnes et le coffre a un volume de chargement impressionnant, en raison du plancher très bas. La mécanique est raffinée et les transmissions agréables à utiliser. À l'achat, il faudra parlementer toutefois pour obtenir un prix intéressant.

forces
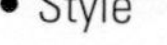

- Style
- Aménagement
- Habitabilité

faiblesses
- Moteur bruyant
- 5e porte ouvrant à droite

Par Amyot Bachand

TOYOTA

fiche d'identité

Modèle : Sequoia
Versions : SR5, Limited
Segment : utilitaires grand format
Roues motrices : 4 x 4
Portières : 4
Places : avant, 2 ; arrière, 5
Sacs gonflables : 2 frontaux ; 2 latéraux
Concurrence : Chevrolet Tahoe, Dodge Durango, Ford Expedition et Excursion, GMC Yukon et Denali

au quotidien

Prime d'assurance moyenne : 1500 $
Garantie générale : 3 ans/60 000 km, assistance 24 heures
Garantie groupe motopropulseur : 5 ans/100 000 km
Garantie antipollution : 3 ans/60 000 km
Garantie contre la perforation : 5 ans/kilométrage illimité
Collision frontale : 5/5
Collision latérale : 5/5
Ventes du modèle l'an dernier au Québec : 90
Dépréciation : nouveau modèle

évolution

prix de base • 58 205 $

La **réponse** de Toyota à Ford et à Chevrolet

Décidément, Toyota explore toutes les avenues pour s'imposer dans le lucratif marché d'Amérique du Nord. Pour ce faire, le géant japonais a décidé de s'attaquer au marché des utilitaires grand format, l'an dernier. Plutôt que d'y aller avec son vénérable Land Cruiser, Toyota a choisi de lancer un nouveau modèle, mieux adapté à notre réalité. Ainsi naquit le Sequoia, conçu à partir de la plate-forme de la camionnette pleine grandeur Tundra.

CARROSSERIE Même si le Sequoia est plutôt bien tourné, ses lignes ne se démarquent pas des autres véhicules du genre. Il reprend l'avant de la Tundra. Les pare-chocs sont peints de la couleur de la caisse. Il s'agit d'un véhicule à quatre portes avec hayon arrière relevable. Les flancs ne présentent pas de sculptures remarquables, mais les passages de roue sont ornés de rallonges bien dessinées. Le Sequoia est offert en deux livrées, SR-5 et Limited.

MÉCANIQUE Le compartiment-moteur du Sequoia abrite un V8 de 4,7 litres à double arbre à cames en tête (le même qu'on trouve sous le capot de la Tundra) qui lui permet de bien concurrencer les Ford et GM du même calibre. Il fait 240 chevaux et 315 livres-pied de couple, des chiffres qui plairont aux amateurs de caravaning. Le Sequioa est capable de tirer des remorques de 6200 livres avec la motricité aux quatre roues. En plus d'afficher de belles performances, ce V8 est étonnamment silencieux. Il est aussi très peu polluant, selon son constructeur.

COMPORTEMENT Les plus belles qualités du Sequoia sont la douceur et le silence. Il a tout ou presque pour bien concurrencer les américains, y compris une puissance suffisante pour la traction et les excursions hors-route (ce que très peu de propriétaires feront !). Les accélérations sont satisfaisantes (environ 10,5 secondes pour atteindre les 100 km/h), et les reprises, rassurantes. Une chose est certaine, la finition et la fiabilité de Toyota sont incluses dans ce produit typiquement « américain ». La consommation de carburant est, par contre, aussi élevée que celle des

nouveautés 2002

• Nouvelles couleurs • Phares antibrouillard

utilitaires américains du genre. Il faut s'y attendre avec un tel gabarit.

HABITACLE Encore une fois, le Sequoia emprunte des éléments de la Tundra en commençant par le tableau de bord. Son instrumentation à cadrans ronds est bien placée devant le conducteur, alors que la plupart des commandes et des buses d'aération sont placées en plein centre dans une sorte de console ovalisées. Les commandes de la climatisation et du chauffage nous ont semblé un peu basses. La console centrale retient le levier de la boîte de transfert, quelques rangements et les porte-gobelets (deux pour l'avant, et deux pour l'arrière). Les fauteuils et les garnitures sont de la même couleur, que ce soit avec les tissus ou le cuir. On voit deux baquets à l'avant et une banquette 60/40 à l'arrière. La troisième banquette arrière est, on s'en doute, plus utile pour des enfants ou des adultes de petite taille. L'espace de chargement a, lui aussi, de petits compartiments de rangement. En passant, on peut enlever la troisième banquette pour plus de chargement. Replier la banquette centrale permet d'obtenir encore plus de place. Évidemment, le Sequoia se présente avec des coussins gonflables à l'avant et sur les côtés. Les huit places ont toutes des ceintures à trois points.

CONCLUSION Pour sa première incursion dans cette chasse gardée des constructeurs américains, Toyota n'a pas manqué son coup. Aux qualités de ses rivaux, le Sequoia ajoute une douceur de roulement et un raffinement qui ont fait la réputation des Toyota. Sans parler de la fiabilité...

fiche technique

Moteur : V8 DACT de 4,7 L
Puissance : 240 ch à 4800 tr/min et 315 lb-pi à 3400 tr/min
Transmission de série : automatique à 4 rapports
Transmission optionnelle : aucune
Freins avant : disques
Freins arrière : disques
Sécurité active de série : ABS, antipatinage
Suspension avant : indépendante
Suspension arrière : essieu rigide
Empattement : 300 cm
Longueur : 518 cm
Largeur : 191 cm
Hauteur : 192,5 cm
Garde au sol : 27 cm
Poids : 2390 kg
0-100 km/h : 9,3 s
Vitesse maximale : 180 km/h
Diamètre de braquage : 12,9 m
Capacité de remorquage : 2812 kg
Capacité du coffre : 834 L
Capacité du réservoir d'essence : 100 L
Consommation d'essence moyenne : 20,5 L/100 km
Pneus d'origine : 265/70R16
Pneus optionnels : aucun

2e opinion

Amyot Bachand — Ce gros utilitaire nous a plu pour son confort, son habitabilité et sa tenue de route sûre sur des petites routes glacées et son freinage phénoménal. Nous sommes partis toute la famille (4) pour les vacances de Noël avec cadeaux, skis, vêtements et bouffe pour une semaine sans encombre.

forces

- Belle construction
- Fiabilité reconnue
- Moteur V8 bien adapté

faiblesses

- Allure anonyme
- Consommation notable
- Gabarit important en ville

Par Éric Descarries

TOYOTA

fiche d'identité

Modèle : Sienna
Versions : CE, LE et XLE
Segment : minifourgonettes
Roues motrices : avant
Portières : 4
Places : avant, 2; arrière, 5
Sacs gonflables : 2
Concurrence : Chevrolet Venture, Chrysler Town & Country, Dodge Caravan, Ford Windstar, Honda Odyssey, Kia Sedona, Mazda MPV, Oldsmobile Silhouette

au quotidien

Prime d'assurance moyenne : 800 $
Garantie générale : 3 ans/60 000 km, assistance 24 heures
Garantie groupe motopropulseur : 5 ans/100 000 km
Garantie du système anti-pollution : 3 ans/60 000 km
Garantie contre la perforation : 5 ans/kilométrage illimité
Collision frontale : 5/5
Collision latérale : 4/5
Ventes du modèle l'an dernier au Québec : 1701 voitures
Dépréciation : 45,5 %

évolution

prix de base • 29 355 $

Fiabilité et polyvalence

À l'image des berlines Toyota, la Sienna offre confort, habitabilité et fiabilité.

CARROSSERIE De style plutôt sobre, cette minifougonnette peut accueillir jusqu'à 7 personnes. Elle possède 5 portes dont 2 coulissantes : l'accès à l'avant comme au centre s'effectue avec aisance. L'ouverture du hayon offre un dégagement sécuritaire pour la tête. Pour 2002, Toyota offre 3 versions : CE, LE et XLE.
La qualité d'assemblage est supérieure à la moyenne. Certains coloris avantagent ce modèle à notre avis : le bleu aqua et le stratosphère mica. Au niveau de la sécurité, la Sienna a obtenu 5 étoiles lors de tests de collision simulant une collision frontale. Malgré son empattement de 290 cm, elle se classe parmi les fourgonnettes de taille moyenne, comme la Dodge Caravan, la Ford Windstar ou la Hoda Odyssey.

MÉCANIQUE Son V-6 de 210 ch demeure un des plus économes dans cette classe et convient bien à cette camionnette de 2380 kilogrammes comme en témoigne une consommation moyenne de 11 litres au 100 km. L'accès mécanique y est facile pour vérifier l'huile et y ajouter du lave-glace. Le passage des vitesses se fait avec douceur et efficacité. La Sienna peut tracter une remorque de 1587 kg. Elle possède un système de freinage disque/tambour avec ABS de série. On compte une distance de 44 mètres pour arrêter à 100 km/h. Ce freinage s'effectue efficacement et en ligne droite. Sur la version XLE, on profitera d'un système de régulateur de traction. Ce dernier, permettra une meilleure adhérence sur les routes glissantes de gravier ou bosselées. La Sienna possède un pneu de secours pleine grandeur. Toyota offre 5 ans / 100 000 km de garantie sur groupe propulseur et 8 ans/130 000 km sur son système antipollution.

COMPORTEMENT La Sienna jouit d'un comportement assez neutre sur la route. La direction transmet peu les sensations. Assez agile en ville et en campagne, sa tenue de route est stable et confortable. En virage serré,

nouveautés 2002

• Aucun changement majeur

elle ne tangue pas et garde sa trajectoire. Son freinage est doux et progressif. Sa suspension indépendante absorbe bien les inégalités du revêtement, mais on ressentira à l'arrière les contrecoups du débattement.

HABITACLE Les sièges avant procurent une bonne position de conduite et les contrôles sont à portée de la main. Seule la version XLE offre une sellerie de cuir, et c'est tant mieux pour nos hivers! La climatisation prend un peu de temps à atteindre sa pleine efficacité. Les deuxième et troisième rangées offrent des sièges séparés; la troisième permet d'asseoir une troisième personne au centre, mais le confort est limité. On accède d'ailleurs plus difficilement à cette rangée. Une des forces de la Sienna est la polyvalence de son habitacle : on peut rabattre chacun des sièges de la troisième rangée pour y empiler sacs d'épicerie ou autres marchandises. Le poids de 25 kilogrammes et un mécanisme aisé permet à un adulte d'enlever aussi les 4 sièges arrière pour fournir ainsi un bon espace de chargement. Toutefois, on devra garder le hayon ouvert pour transporter un contreplaqué de 4 sur 8.
Au-delà de 110 km/h, les bruits éoliens deviennent évidents et troublent la quiétude d'une bonne randonnée de même que la qualité d'audition du système audio. Sur autoroute, c'est ennuyeux.

CONCLUSION Cotée supérieure à la moyenne, la Sienna est une fourgonnette fiable qui durera bien des années. C'est une Toyota, direz-vous, et dans ce cas, c'est vrai. Son style n'emballe peut-être pas, mais elle est pratique et fiable et démontre un comportement routier sain.

fiche technique

Moteur : V6 DACT 3 L
Puissance : 210 ch à 5800 tr/min et 220 lb-pi à 4400 tr/min
Transmission de série : automatique à 4 rapports
Transmission optionnelle : aucune
Freins avant : disques ventilés
Freins arrière : tambours
Sécurité active de série : ABS
Suspension avant : indépendante
Suspension arrière : essieu rigide
Empattement : 290 cm
Longueur : 493 cm
Largeur : 186,5 cm
Hauteur : 171 cm
Poids : 1775 kg
0-100 km/h : 10,3 s
Vitesse maximale : 180 km/h
Diamètre de braquage : 12,2 m
Capacité du coffre : 507 L
Capacité du réservoir d'essence : 79 L
Consommation d'essence moyenne : 11,7 L/100 km
Pneus d'origine: 205/70R15
Pneus optionnels: 215/65R15

2e opinion

Luc Gagné — Sienna est la minifourgonnette efficace et confortable par excellence. La plus inconnue du lot, aussi. Un modèle à la diffusion parcimonieuse et aux prix relativement élevés. Elle satisfait sa clientèle pourtant: des conducteurs qui ne jurent que par la marque Toyota.

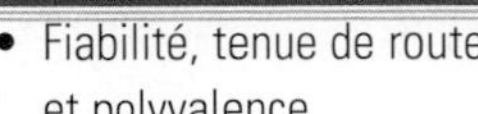

forces

- Fiabilité, tenue de route et polyvalence

faiblesses

- Calandre un peu terne
- Bruits éoliens dérangeants

Par Amyot Bachand

TOYOTA

évolution

f i c h e d' i d e n t i t é

Modèle : Tacoma
Versions : Xtracab, PreRunner, V6, Doublecab
Segment : camionnettes
Roues motrices : arrière, 4 x 4
Portières : 2 ou 4
Places : avant, 2 ; arrière, 3
Sacs gonflables : 2
Concurrence : Chevrolet S-10, Nissan Frontier, Ford Ranger, Mazda Série B, Dodge Dakota, GMC Sonoma

a u q u o t i d i e n

Prime d'assurance moyenne : 850 $
Garantie générale : 3 ans/60 000 km, assistance 24 heures
Garantie groupe motopropulseur : 5 ans/100 000 km
Garantie antipollution : 3 ans/60 000 km
Garantie contre la perforation : 5 ans/kilométrage illimité
Collision frontale : 3/5
Collision latérale : 4/5
Ventes du modèle l'an dernier au Québec : 276
Dépréciation : 57,7 %

prix de base • 21 920 $

La **camionnette** **ignorée** de Toyota

Si Toyota veut accéder au rang du plus important constructeur d'automobiles du Canada, elle devra s'occuper de certains de ses produits ; la petite camionnette Tacoma est l'un de ces produits. La plus récente livrée de Tacoma connaît un certain succès dans le sud-ouest des États-Unis, mais on en voit très peu chez nous. Pourquoi ? On nous donne toujours la même excuse, la disponibilité du produit. Pourtant, il est assemblé en Amérique.

CARROSSERIE Lorsqu'on regarde la Tacoma attentivement, on peut aimer ou ne pas aimer son allure générale. Sa calandre est exagérée, et ses sculptures latérales prononcées font 1950. Disons que la calandre au contour chromé est plus jolie. Mais c'est là matière de goûts. La Tacoma se présente en version de base avec cabine allongée « Xtracab » et caisse régulière (qui peut être changée pour la forme « Step Side ») ou encore en version à quatre portes et caisse courte.

MÉCANIQUE Les moteurs de Toyota ont une réputation enviable de durabilité. Le quatre cylindres de 2,4 litres développant 142 chevaux est approprié à la version de base, sans plus. Le quatre cylindres de 2,7 litres faisant 150 chevaux est nettement préférable, mais c'est le V6 de 3,4 litres et 190 chevaux qui sied le mieux à ce véhicule, surtout dans sa version à cabine à quatre portes et à quatre roues motrices. La quatre portes est proposée avec la finition « PreRunner » ou en quatre roues motrices. La Tacoma « Xtracab » de base est une camionnette à propulsion de conception très traditionnelle. Une boîte de vitesses manuelle à cinq rapports est livrée d'usine, à moins qu'on profite de l'automatique à quatre rapports en équipement facultatif. Le freinage est à disques à l'avant et à tambours à l'arrière. Quant à la direction, elle est à crémaillère. Évidemment, la Tacoma est livrable avec la motricité aux quatre roues sur demande.

HABITACLE L'intérieur des Tacoma n'est peut-être pas des plus excitants, mais il est quand même bien assemblé. Le tableau de bord fait très « Toyota » avec une planche de bord courbée au-dessus de son instrumentation. Cette derniè-

n o u v e a u t é s 2 0 0 2

• Nouveaux groupes d'équipements facultatifs • Lancement du modèle « Step Side »

re, très traditionnelle, est également facile à lire. Cependant, certaines commandes de la radio et de la climatisation et chauffage nous ont semblé un peu éloignées du conducteur. Le point le plus négatif à noter sur ces produits Toyota est la carence de choix des couleurs intérieures. Malgré les efforts des designers de la marque, tout semble terne.

La version « Xtracab » allongée est plus utile jusqu'à un certain point. Elle comporte les même défauts que la concurrence avec des places étroites et peu accessibles (il n'y a pas de version avec battants ouvrables). Par contre, l'arrivée de la Double Cab à quatre portes règle bien des problèmes. Cependant, on y perd sur la longueur de la caisse. En passant, la banquette arrière de la Double Cab est divisible 60/40.

COMPORTEMENT Évidemment, peu de gens opteront pour une version de base utilitaire (il est même préférable de passer directement au quatre cylindres 2,7 litres). La version Double Cab est certainement celle qui répondra aux besoins de bien des automobilistes. Son aménagement intérieur est plus vaste que celui de la plupart des berlines alors que Toyota a vu à lui donner plus de confort qu'auparavant. En effet, dans le passé, les camionnettes Toyota 4x4 étaient considérées très rudes au chapitre de la suspension. Pour obtenir ce résultat, il faudra désormais commander les équipements ou les accessoires de la division TRD (Toyota Racing Development).

CONCLUSION La Tacoma demeure un véhicule recommandable, ne serait-ce que par la fiabilité de ses éléments mécaniques. Cependant, on devra redoubler un peu d'effort pour mieux la commercialiser chez nous. On n'en voit vraiment pas assez au Québec.

fiche technique

Moteur : 4 cyl. DACT 2,4 L
Autres moteurs: 4 cyl. DACT 2,7 L; V6 DACT 3,4 L
Puissance: 142 ch à 5000 tr/min et 160 lb-pi à 4000 tr/min
Autres moteurs : 150 ch à 4800 tr/min et 177 lb-pi à 4000 tr/min; 190 ch à 4800 tr/min et 220 lb-pi à 3600 tr/min
Transmission de série : manuelle à 5 rapports
Transmission optionnelle : automatique à 4 rapports
Freins avant : disques ventilés
Freins arrière: tambours
Sécurité active de série : ABS
Suspension avant : indépendante
Suspension arrière : essieu rigide
Empattement : 309,5 cm
Longueur : 501 cm (Xtracab 4 x 2); 513,5 cm (Xtracab 4 x 4)
Largeur : 169 cm
Hauteur : 172 cm
Poids : 1252 kg
0-100 km/h : 12,2 s; 11,5 s (V6)
Vitesse maximale : 165 km/h
Diamètre de braquage : 13,5 m
Capacité de remorquage : 1587 kg; 2268 kg (V6)
Capacité du réservoir d'essence : 68 L
Consommation d'essence moyenne : 9,5 L/100 km (2,4); 10,1 L/100 km (2,7); 12,6 L/100 km (3,4)
Pneus d'origine : 205/75R15
Pneus optionnels : 225/75R15, 265/70R16

2e opinion

Amyot Bachand — Ce camion commence à dater. À moins d'être bien chargé, sa tenue de route demande du doigté en virage à cause de sa suspension trop ferme. La mobilité de la banquette limite le confort à l'avant et à l'arrière l'espace est trop étroit pour des adultes.

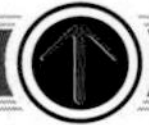

forces

- Fiabilité reconnue
- Version Double Cab plus utile
- Moteur V6 approprié

faiblesses

- Disponibilité limitée
- Seuil élevé (4x4)
- Allure discutable

Par Éric Descarries

évolution

TOYOTA

fiche d'identité

Modèle : Tundra
Version : DLX et SR5
Segment : camionnettes pleine grandeur
Roues motrices : 4 x 2 et 4 x 4
Portières : 2 ou 4
Places : avant, 2; arrière, 3
Sacs gonflables : 2
Concurrence : Chevrolet Silverado, Dodge Ram et Dakota, Ford F-150, GMC Sierra

prix de base • 23 520 $

Le nemesis des américaines

au quotidien

Prime d'assurance moyenne : 1100 $
Garantie générale : 3 ans/60 000 km
Garantie groupe motopropulseur : 5 ans/100 000 km
Garantie contre la perforation : 5 ans/kilométrage illimité
Collision frontale : 3/5
Collision latérale : 3/5
Ventes du modèle l'an dernier au Québec : 398
Dépréciation : 20 % (un an)

Le constructeur japonais Toyota voudrait battre presque tous les constructeurs du monde sur leur propre terrain, surtout les Américains. Il y a quelques années, il se lançait à la conquête du très lucratif marché des grandes camionnettes, sur le terrain même des Ford F, Chevrolet Silverado et Dodge Ram. Le modèle que Toyota lançait était le T-100.
Chez nous, cette camionnette n'était livrable qu'avec un V6. Évidemment, ce ne fut pas un succès. Toyota récidivait plus récemment en redessinant sa camionnette et en la rebaptisant Tundra. Cette fois-ci, un moteur V8 faisait partie de la gamme.

CARROSSERIE Pour concurrencer les grosses américaines, Toyota a donné à sa Tundra des dimensions en conséquence. En fait, la Tundra se place plutôt à mi-chemin entre une grande camionnette et une Dodge Dakota. Elle est livrable avec la cabine régulière et la caisse longue ou la cabine à quatre portes et la caisse courte. Cependant, pour se mesurer à ses cibles américaines, la Tundra devrait être proposée en plusieurs autres versions ! La camionnette est jolie, mais elle manque d'originalité. Elle ressemble trop aux anciennes Tacoma. Enfin, la Tundra devra adopter une cabine à quatre vraies portes (à la « *Crew Cab* ») pour mieux concurrencer les américaines. C'est la nouvelle mode !

MÉCANIQUE Ce qui manque aussi à la Tundra, c'est un plus grand choix de moteurs. On ne peut en effet se procurer que le V6 de 3,4 litres (semblable à celui de la Tacoma) d'une puissance de 190 chevaux et le V8 de 4,7 litres de 245 chevaux. Ce sont d'excellentes pièces de mécanique qui jouissent de la réputation de fiabilité du fabricant, mais nous sommes d'avis que le V6 n'est pas très approprié à la tâche, même s'il peut s'en acquitter. Les autres composants mécaniques de la Tundra sont très semblables à ce qu'on peut trouver chez la concurrence. La seule transmission disponible en 2002 est une automatique à quatre rapports, alors que la propulsion arrière est standard. Évidemment, il est possible de se procurer la motricité aux quatre roues sur demande.

nouveautés 2002

• Version « Access Cab » V6 4 x 4 supprimée • Nouveaux groupes d'équipements facultatifs révisés

HABITACLE Comme pour les autres camionnettes de Toyota, la Tundra se présente avec un intérieur bien aménagé, mais dont les couleurs sont fades.

Le tableau de bord n'a rien de fascinant, mais il est fonctionnel, sauf pour certains accessoires placés trop bas dans la console centrale, la montre, à titre d'exemple.

Les baquets avant sont confortables, mais la banquette arrière de la cabine « Accès » à deux portes et deux battants a un dossier très droit et un coussin trop court, ce qui est nettement inconfortable.

COMPORTEMENT Bien construite, bien assemblée et très agréable à conduire, la Tundra vous offre un moteur V8 silencieux et efficace. En la comparant à des produits américains, la Tundra marque plusieurs points, mais son aménagement intérieur lui en fait perdre. Les performances du V8 sont très bonnes. Il se mesure d'ailleurs avantageusement à bien des V8 américains.

En fait, je crois que Toyota aurait un excellent véhicule pour se mesurer à la concurrence, sauf que la diversité du produit est faible, et que sa diffusion est limitée.

CONCLUSION Si Toyota se vante de connaître un grand succès avec la Tundra, où sont donc les camionnettes ? On n'en voit pas beaucoup sur nos routes ?

Et c'est encore une fois la même réponse, les concessionnaires ne peuvent pas en avoir comme ils en voudraient. C'est dommage car c'est un bon produit. Mais là encore, les constructeurs américains produisent tellement de versions de leurs camionnettes qu'il est presque impossible pour Toyota de jouer sur tous les tableaux en proposant autant de choix, du moins à court terme.

Il faut aussi admettre que la tradition est forte chez nos voisins américains d'acheter des produits purement « *Made in U.S.A.* » Patriotisme (ou chauvinisme?) oblige...

fiche technique

Moteur : V6 DACT 3,4 L
Autre moteur : V8 DACT 4,7 L
Puissance : 190 ch à 4800 tr/min et 220 lb-pi à 3600 tr/min
Autre moteur : 245 ch à 4800 tr/min et 315 lb-pi à 3400 tr/min
Transmission de série : automatique à 4 rapports
Transmission optionnelle : aucune
Freins avant : disques ventilés
Freins arrière : tambours
Sécurité active de série : ABS (option)
Suspension avant : indépendante
Suspension arrière : essieu rigide
Empattement : 326 cm
Longueur : 540,5 cm
Largeur : 191 cm
Hauteur : 180 cm
Poids : 1751 kg à 2064 kg
0-100 km/h : 11 s ; 8,5 s (V8)
Vitesse maximale : 170 km/h
Diamètre de braquage : 13,5 m
Capacité de remorquage : 3265 kg
Capacité du réservoir d'essence : 100 L
Consommation d'essence moyenne : 12 L/100 km ; 13,5 L/100 km (V8)
Pneus d'origine : 245/70R16
Pneus optionnels : 265/70R16 (Limited)

2e opinion

Amyot Bachand — Confortable, bonne position de conduite, tout tombe dans la main. Comme un bon V8 américain, le moteur ne demande qu'à ronronner. Le Tundra se laisse diriger et se rattrape bien. Son système ABS rend le freinage efficace et sûr. Du pur plaisir à conduire. La version cabine allongée offre peu d'espace à l'arrière.

forces

- Fiabilité reconnue
- Bel assemblage
- Moteur V8 remarquable

faiblesses

- Faible disponibilité
- Gamme peu variée
- Tableau de bord à réviser

Par Éric Descarries

nouveauté

VOLKSWAGEN

fiche d'identité

Modèle : EuroVan
Versions : GLS, MV, MV Weekender
Segment : minifourgonnettes
Roues motrices : avant
Portières : 3
Places : avant, 2; arrière, 5
Sacs gonflables : 2
Concurrence : Ford Econoline, Chevrolet Express et GMC Savana, Dodge Ram Van

au quotidien

Prime d'assurance moyenne : 1000 $
Garantie générale : 4 ans/80 000 km
Garantie groupe motopropulseur : 5 ans/100 000 km
Garantie contre la corrosion : 12 ans/kilométrage illimité
Garantie contre la perforation : 12 ans/kilométrage illimité
Collision frontale : nd
Collision latérale : nd
Ventes du modèle l'an dernier au Québec : 16
Dépréciation : nd

prix de base • 41 795 $

Le **retour** de la **maxi-minifourgonnette**

Trois aspects de ce renouveau de l'EuroVan retiennent notre attention : une nouvelle motorisation, la version Multivan avec option Weekender et une baisse significative des prix.

CARROSSERIE L'EuroVan occupe une niche particulière. Plus spacieuse et plus grande que les fourgonnettes intermédiaires, l'Eurovan constitue une alternative intéressante aux grosses fourgonnettes du type Econoline de Ford ou Savana de GM.
Cette année, L'EuroVan sera offerte en quatre versions. La GLS constitue le minibus sept places que nous connaissions. Puis vient la Multivan, ou MV pour les intimes. La MV peut servir de fourgonnette de travail avec son aménagement intérieur ou de fourgonnette de week-end à un couple ou une famille qui aime le camping avec tente. S'ajoute à la version MV une option que VW nomme Weekender.
L'EuroVan devient alors un «camper» de fin de semaine offrant quatre places pour dormir. Son toit, une fois déployé, compte un lit à deux places et sa banquette arrière se convertit en lit double. On trouve aussi des moustiquaires aux deux vitres coulissantes latérales, un fauteuil du conducteur pivotant vers l'arrière (avec réfrigérateur sous le coussin du siège relevable), des rideaux pour les vitres coulissantes, une moustiquaire de hayon, deux tables à réglages multiples, une batterie auxiliaire et un alternateur haute puissance. Tout ce qu'il faut pour permettre à une petite famille de profiter d'un long weekend. La version Winnebago existe toujours et remplace l'ancien Westfalia.
L'ouverture du hayon donne accès à un coffre volumineux qu'un cache-bagages permet de diviser. Si vous souhaitez transformer l'EuroVan en fourgonnette de transport, vous devrez enlever la banquette et les deux fauteuils, un exercice qui demande deux personnes.

MÉCANIQUE Le changement tant attendu porte sur la motorisation. On passe du 5 cylindres à un V6 de 2,8 litres avec 201 chevaux et 181 livres-pied de couple. Une surprise : on doit utiliser de l'essence super. L'Eurovan n'est pourtant pas une BMW.
Ce moteur est accouplé à une transmission automatique à 4 rapports avec un système

nouveautés 2002

- Modèles MV et Weekender
- V6 plus performant

antipatinage de série. Un irritant majeur, ce levier de changement de vitesses au plancher: il est difficile à utiliser et on se demande souvent si l'on a engagé la bonne vitesse. La suspension indépendante aux quatre roues possède un système de stabilité électronique et de traction asservie. On compte sur quatre freins à disque avec système antipatinage.

COMPORTEMENT Le V6 montre une bonne accélération même si à froid la transmission émet un sifflement. Le passage des vitesses se fait bien, mais on l'entend. L'EuroVan n'a aucun problème à soutenir le trafic et se faufile aisément. En virage, même serré, l'EuroVan maintient sa trajectoire, et le système de contrôle ne se fait pas sentir. Cette fourgonnette fait quand même preuve d'un roulis important.

HABITACLE L'accès aux places avant exige des acrobaties, notamment du côté du conducteur, où on aurait souhaité profiter d'une poignée de maintien au niveau du toit plutôt que de devoir s'agripper au volant. La position de conduite ressemble à celle qu'on retrouve dans un camion. Sur des sièges fermes et confortables, les passagers profitent d'un très bon espace pour les jambes. Pour 575 $, on peut se procurer des sièges chauffants à l'avant: un luxe économique dans notre pays. Toutes les places possèdent des appuie-tête.

CONCLUSION Malgré ses quelques éléments mal conçus, l'EuroVan nous a plu, et nous estimons que VW possède là une fourgonnette qui mérite de l'attention, notamment ses nouvelles versions Multivan et Weekender. Avec la réduction de prix annoncée par le fabricant allemand, la polyvalence des multiples versions de la minifourgonnette et la qualité de sa motorisation font de l'EuroVan une fourgonnette attrayante.

fiche technique

VOLKSWAGEN

Moteur : V6 de 2,8 L
Puissance : 201 ch à 6200 tr/min et 181 lb-pi de 2500 à 5500 tr/min
Transmission de série : automatique à 4 rapports
Transmission optionnelle : aucune
Freins avant : disques ventilés
Freins arrière : disques
Sécurité active de série : ABS, ASR (dispositif antipatinage), ESP (Programme de stabilité électronique), EDL (verrouillage électronique du différentiel)
Suspension avant : indépendante
Suspension arrière : indépendante
Empattement : 292 cm
Longueur : 478,9 cm
Largeur : 184 cm
Hauteur : 194 cm
Garde au sol : 18 cm
Poids : 1972 kg
0-100 km/h : 11,8 s
Vitesse maximale : 190 km/h
Diamètre de braquage : 13,2 m
Capacité du coffre : 500 L
Capacité du réservoir d'essence : 80 L
Consommation d'essence moyenne : 13,9 L/100 km
Pneus d'origine : 205/65R15
Pneus optionnels : aucun

2e opinion

Michel Crépault — C'est la plus logeable des minifourgonnettes, mais, justement, est-ce toujours une «minivan»? J'ai plutôt l'impression de conduire un minibus. Et l'étrange aménagement derrière est plus ou moins justifiable. Le V6 est néanmoins ce qu'il fallait à ce gros gabarit. Mais, je le répète, à qui au juste s'adresse l'actuelle EuroVan?

forces

- Habitabilité
- Moteur V6
- Tenue de route

faiblesses

- Levier de changement de vitesses
- Arrimage des sièges
- Essence super requise
- Rareté

Par Amyot Bachand

évolution

prix de base • 19 230 $

VOLKSWAGEN

fiche d'identité

Modèle : Golf
Versions : GL, GL TDI, GLS, GLS TDI, GLS 1.8T, GLX VR6
Segment : compactes
Roues motrices : avant
Portières : 2, 4
Places : avant, 2; arrière, 3
Sacs gonflables : 4 (2 frontaux et 2 latéraux)
Concurrence : Acura RSX, Chrysler Neon, Ford Focus, Mazda Protegé, Nissan Sentra, Honda Civic, Subaru Impreza, Toyota Corolla, Hyundai Elantra, Kia Spectra

au quotidien

Prime d'assurance moyenne : 850 $
Garantie générale : 4 ans/80 000 km
Garantie groupe motopropulseur : 5 ans/100 000 km
Garantie contre la corrosion : 12 ans/kilométrage illimité
Garantie contre la perforation : 12 ans/kilométrage illimité
Collision frontale : 5/5
Collision latérale : nd
Ventes du modèle l'an dernier au Québec : 2750
Dépréciation : 46 %

Plus **sportive**

Dans les années 80, peu de voitures ont autant marqué les esprits que la Golf. La GTI, la sportive de la famille, a également connu une grande cote de popularité. Et pour ne pas faire oublier son caractère initial, Volkwagen a redonné un second souffle à la Golf pour 2002.

CARROSSERIE La beauté de la Golf réside en grande partie dans le côté intemporel de sa carrosserie. Depuis le début de sa commercialisation en Europe en 1975 (début des années 80 au Canada) la voiture demeure facilement reconnaissable. Pour 2002, l'équipement de série de la GTi inclut une suspension sport, des phares antibrouillard ainsi que des roues de 16 pouces en alliage et des phares assombris à l'arrière, question de bien distinguer le modèle. En option, un ensemble de luxe qui comprend notamment des roues de 17 pouces.

MÉCANIQUE Les véritables changements pour 2002 se cachent sous le capot. Si la version 2 litres demeure le modèle d'entrée de gamme avec ses 115 chevaux qui souffrent d'anémie chronique depuis plusieurs années et si l'on ajoute le turbodiesel toujours plaisant et très économique, pas beaucoup de changements pour ces deux modèles. Toutefois la version GTi a des visées plus sportives. La 1.8T passe de 150 à 180 chevaux. Les ingénieurs de Volkswagen ont greffé à quelques détails près la mécanique de l'Audi TT dans la Golf pour un sérieux surplus de puissance. Plus tard au printemps 2002, le VR6 de 174 chevaux sera remplacé par le VR6 européen qui développe 201 chevaux avec une boîte manuelle à six rapports. Pour ce qui est du moteur 1,8T, les acheteurs ont le choix entre deux boîtes, manuelle à cinq rapports ou automatique avec Tiptronic.

COMPORTEMENT Dès les premiers coups d'accélérateur, on sent la puissance des 180 chevaux du nouveau moteur 1,8T.
Les accélérations sont franches, même s'il existe un léger temps de réponse du turbo sous la barre des 2000 tr/min. Ce sont les reprises qui sont les plus intéressantes. Et pour une des très rares fois, la boîte automatique à cinq rapports ne con-

nouveautés 2002

• Nouveau moteur 1,8 litre de 180 chevaux • Nouvelle transmission automatique à cinq rapports • Moteur V6 de 201 chevaux au printemps 2002

cède que très peu d'avantages à la boîte manuelle en ce qui concerne le temps d'accélération et les reprises. Notre modèle d'essai équipé de pneus de 17 pouces offrait un atout considérable pour la tenue de route, qui est de surcroît excellente même si la direction manque de précision. Pour ceux qui considèrent la performance comme secondaire, la version de base renferme assez de qualités pour rendre de bons services pendant plusieurs années et le diesel demeure encore le seul de sa catégorie.

HABITACLE. Depuis quelques années, Volkswagen a fourni des efforts pour améliorer l'atmosphère qui règne à l'intérieur des modèles de la famille : des textures et des couleurs de plastique plus agréables, un éclairage de nuit violet apaisant. Le confort du conducteur est assuré par un fauteuil haut, ferme et bien rembourré. La qualité de la chaîne audio a été rehaussée; elle offre maintenant un lecteur DC de série et huit haut-parleurs. Le volant télescopique à hauteur variable permet de régler sa position de conduite avec précision. Fini les appliques de bois à bord de la Golf, question d'économie et de ne pas confondre les genres avec la Jetta.

CONCLUSION Un mot en terminant sur la nouvelle garantie de VW. Pour l'année-modèle 2002, tous les véhicules neufs de Volkswagen seront offerts avec une garantie complète de 4 ans/ 80 000 kilomètres (tout comme Audi) y compris une assistance routière 24 heures. Le groupe motopropulseur est garantie pour 5 ans/100 000 km, et VW offre une garantie de 12 ans, kilométrage illimité, contre la perforation. Une très bonne nouvelle. La Golf conserve son joli minois et sa tenue de route réputée, ce qui en fera pour une autre année une favorite des Québécois.

fiche technique

VOLKSWAGEN

Moteur : 4 cyl. en ligne 2 L
Autres moteurs : 4 cyl. en ligne 1,9 L turbodiesel; 4 cyl. en ligne 1,8 L turbocompressé; V6 2,8 L
Puissance : 115 ch à 5200 tr/min et 122 lb-pi à 2600 tr/min
Autres moteurs : 90 ch à 3750 tr/min et 155 lb-pi à 1900 tr/min (TDI); 180 ch à 5700 tr/min et 174 lb-pi de 1950-5000 tr/min (1,8T); 174 ch à 5500 tr/min et 181 lb-pi à 3200 tr/min (VR6); 201 ch à 6200 tr/min et 200 lb-pi à 3200 tr/min (VR6 printemps 2002)
Transmission de série : manuelle à 5 rapports
Transmission optionnelle : automatique à 4 rapports
Freins avant : disques ventilés
Freins arrière : disques
Sécurité active de série : ABS, antipatinage
Suspension avant : indépendante
Suspension arrière : indépendante
Empattement : 251,1 cm
Longueur : 418,9 cm
Largeur : 173,5 cm
Hauteur : 143,9 cm
Poids : 1226 kg (GL) 1262 kg (TDI) 1329 kg (VR6) 1330 kg (1,8T)
0-100 km/h : 2 L, 10,1 s; 1,9 L TDI, 14,5 s; 1,8 L T, 7,5 s
Vitesse maximale : 220 km/h (1,8T et VR6)
Diamètre de braquage : 10,7 m
Capacité du coffre : 330 L
Capacité du réservoir d'essence : 55 L
Consommation d'essence moyenne : 8,4 L/100 km; 5 L/100 km (TDI); 10,8 L/ 100 km (1,8T); 10,1 L/100 km (VR6)
Pneus d'origine : 195/65R15 (TDI); 205/55R16 (1,8 T); 225/45ZR17 (VR6)
Pneus optionnels : aucun

2e opinion

Philippe Laguë — La Golf est une voiture à personnalités multiples, et c'est sa principale force. Dans cette catégorie, aucun modèle concurrent n'offre un tel éventail de versions, de configurations et de motorisations. Et cette année, elle est enfin offerte avec une garantie digne de ce nom.

forces

- Performances (GTi)
- Tenue de route
- Format très pratique
- Freinage efficace

faiblesses

- Direction un peu floue
- Moteur 2 litres anémique
- Fiabilité inégale

Par Benoit Charette

VOLKSWAGEN

fiche d'identité

Modèle : Jetta
Versions : GL, GL TDI, GLS, GLS TDI, GLS 1.8T, GLS VR6, GLX VR6
Segment : compactes
Roues motrices : avant
Portières : 4
Places : avant, 2 ; arrière, 3
Sacs gonflables : 4 (2 frontaux et 2 latéraux)
Concurrence : Chevrolet Cavalier, Chryler Neon, Daewoo Nubira, Honda Civic, Hyundai Elantra, Mazda Protegé, Nissan Sentra, Subaru Impreza, toyota Corolla

au quotidien

Prime d'assurance moyenne : 900 $
Garantie générale : 4 ans/80 000 km
Garantie groupe motopropulseur : 5 ans/100 000 km
Garantie contre la corrosion : 12 ans/kilométrage illimité
Garantie contre la perforation : 12 ans/kilométrage illimité
Collision frontale : 5/5
Collision latérale : 4/5
Ventes du modèle l'an dernier au Québec : 8811
Dépréciation : 42 %

évolution

prix de base • 21 490 $

Autres **pays**, autres **mœurs**

Alors qu'en Europe, les ventes de Golf déclassent celles de la Jetta à sept contre un, c'est tout le contraire qui se produit chez nous. En effet, il s'est vendu au Québec en 2000 un peu plus de 8800 Jetta contre seulement 3500 Golf. La différence est encore plus marquée chez les Américains qui, au cours de cette même année 2000, ont acheté 144 853 Jetta contre aussi peu que 7377 Golf. Quand on avance que nos voisins du sud n'aiment pas les voitures *hatchback*, admettez qu'il est difficile de trouver preuve plus éloquente.

CARROSSERIE La silhouette est encore une des plus sexy de la catégorie et son format pratique n'a d'égal que sa tenue de route très affirmée. C'est une petite voiture qui offre plusieurs avantages que l'on retrouve dans les grandes voitures : amplement d'espace pour quatre adultes, un immense coffre pour le rangement des bagages, un châssis très rigide et une qualité de fabrication enviable et sans reproche.

MÉCANIQUE Tout comme la Golf, la Jetta propose une version révisée du 4 cylindres 1,8T qui développe maintenant 180 chevaux. Suivra, au printemps prochain, le VR6 européen à 201 chevaux. Les versions GL et GLS sont toujours offertes avec un moteur 4 cylindres 2 litres de 115 chevaux et le 1,9 litre diesel. Le 1,8T est offert uniquement en version GLS, et le VR6, en GLS et GLX. Vous me suivez toujours ? La mécanique qui offre la meilleure harmonie avec le châssis est sans contredit le 1,8T qui file le parfait bonheur. Le diesel suit de près. Nous n'avons pas eu l'occasion d'essayer le V6 (prometteur) et je ne sais pas ce que Volks attend pour reléguer le 2 litres aux oubliettes.

COMPORTEMENT Grâce à son surcroît de puissance, la Jetta 1,8T peut franchir un 0 à 100 km/h en 7,7 secondes. De plus, elle est bien équipée pour la conduite fougueuse. Des freins à disque avec ABS aux quatre roues avec un dispositif antipatinage et un verrouillage électronique du différentiel donnent beaucoup d'assurance au volant. La transmission manuelle est toujours aussi agréable à utiliser et la nouvelle transmission automatique à cinq rapports est

nouveautés 2002

- Moteur 1,8T de 180 chevaux
- Moteur 2,8 litres de 201 chevaux (au printemps)
- Rideau gonflable (en équipement facultatif)

d'une vivacité surprenante. La suspension pèche encore par une certaine mollesse lorsque l'on pousse un peu fort, spécialement avec les pneus de 15 pouces de base. Les pneus de 17 pouces combinés à la suspension sport en équipement facultatif vous garderont en meilleur contact avec le bitume. Pour sa part, le moteur turbodiesel offre beaucoup de couple, mais plusieurs amateurs aimeraient bien voir les versions européennes de 115 et de 150 chevaux qui sévissent déjà en Europe se présenter chez nous. Volks n'a pas donné de date encore pour ses nouveaux moteurs d'un agrément de conduite impressionnant.

HABITACLE Outre leurs performances, les Jetta sont très sûres. En plus des coussins gonflables frontaux et latéraux offerts en équipement de série, la Jetta offre aussi en équipement facultatif un rideau gonflable qui protège la tête des passagers avant et arrière en cas de collision latérale. À l'arrière, on trouve des appuie-tête verrouillables pour les trois passagers. Le tableau de bord, bien agencé, est pourvu d'un lecteur DC (sauf pour la version GL). Ceux qui désirent les fauteuils en cuir chauffants avec réglage électrique devront opter pour la VR6 GLX qui les offre en équipement de série. Les versions GLS les offrent contre supplément.

CONCLUSION Les Jetta ont toujours exercé beaucoup de charme auprès des acheteurs québécois, mais la période noire du début des années 90, jointe à une garantie boiteuse, voire douteuse, ont grandement ralenti les ardeurs de plusieurs clients potentiels. Cette période étant révolue, on peut avancer sans crainte maintenant qu'en ce début du troisième millénaire la Jetta demeure une des voitures compactes les plus intéressantes sur le marché de l'automobile.

fiche technique

VOLKSWAGEN

Moteur : 4 cyl. en ligne 2 L
Autres moteurs : 4 cyl. en ligne 1,9 L turbodiesel ; 4 cyl. en ligne 1,8 L turbocompressé ; V6 2,8 L
Puissance : 115 ch à 5200 tr/min et 122 lb-pi à 2600 tr/min
Autres moteurs : 90 ch à 3750 tr/min et 155 lb-pi à 1900 tr/min (TDI); 180 ch à 5700 tr/min et 174 lb-pi de 1950-5000 tr/min (1.8T); 174 ch à 5500 tr/min et 181 lb-pi à 3200 tr/min (VR6); 201 ch à 6200 tr/min et 200 lb-pi à 3200 tr/min (VR6 printemps 2002)
Transmission de série : manuelle à 5 rapports
Transmission optionnelle : automatique à 4 rapports
Freins avant : disques ventilés
Freins arrière : disques
Sécurité active de série : ABS, antipatinage (sauf GL)
Suspension avant : indépendante
Suspension arrière : indépendante
Empattement : 251,3 cm
Longueur : 437,6 cm
Largeur : 173,5 cm
Hauteur : 144 cm
Poids : 1331 kg ; 1378 kg (1,8T)
0-100 km/h : 10,5 s, 7,7 s (1,8T), 8 s (VR6)
Vitesse maximale : 185 km/h ; 180 km/h (TDI) ; 210 (1,8T et VR6)
Diamètre de braquage : 10,9 m
Capacité du coffre : 400 L
Capacité du réservoir d'essence : 55 L
Consommation d'essence moyenne : 8,4 L/100 km
Autres moteurs : 5 L/100 km (TDI); 10,5 L/100 km (1.8T); 10,6 L/100 km (VR6)
Pneus d'origine : 195/65R15
Pneus optionnels : 205/55R16 (GLX)

2e opinion

Luc Gagné — Voici un best seller allemand à la Heinz : 57 variétés, vous pigez? Volkswagen propose des Jetta pour tous les goûts : quatre moteurs très typés, une variété d'aménagements et, bientôt, une familiale très désirable. Il ne manque qu'un rouage intégral et plus d'espace à l'arrière. Seul hic, les prix ne sont plus ce qu'ils étaient à l'époque des Coccinelle de mon père. C'était hier...

forces

- Moteur 1,8T très performant
- Une garantie digne de ce nom
- Un confort général et une tenue de route affirmée

faiblesses

- L'intérieur un peu triste
- L'assise du fauteuil du conducteur un peu courte

Par Benoit Charette

VOLKSWAGEN

fiche d'identité

Modèle : New Beetle
Versions : GL, GLS, GLS TDI, GLS 1.8T
Segment : petites voitures
Roues motrices : avant
Portières : 2
Places : avant, 2 ; arrière, 3
Sacs gonflables : 2 frontaux et 2 latéraux
Concurrence : BMW Mini, Honda Civic coupé

au quotidien

Prime d'assurance moyenne : 625 à 900 $
Garantie générale : 4 ans/80 000 km
Garantie groupe motopropulseur : 5 ans/100 000 km
Garantie contre la corrosion : 12 ans/kilométrage illimité
Garantie contre la perforation : 12 ans/kilométrage illimité
Collision frontale : 4/5
Collision latérale : 5/5
Ventes du modèle l'an dernier au Québec : 1884
Dépréciation : 30,8 %

Évolution

prix de base • 21 950 $

Voiture à **réaction**

Elle évoque la Coccinelle de notre jeunesse mais elle ne s'adresse pas à tous. La New Beetle est devenue la « voiture du peuple aisé ». Cette compacte à saveur néo-rétro vise les automobilistes nostalgiques et s'adresse à ceux qui aspirent à se distinguer de la masse. Avis aux acheteurs de voitures bon marché : tournez la page !

CARROSSERIE Outre ses formes arrondies caractéristiques, la Coccinelle des temps modernes a conservé un attribut de son ancêtre : elle n'existe que sous la seule forme d'une berline deux portes désormais dotée d'un hayon. Un hayon étroit, d'ailleurs, qui épouse la forme en « V » de l'arrière et qui découvre, une fois soulevé, un tout petit coffre au seuil plutôt élevé. Heureusement, il est transformable, mais on constate à regret que la banquette arrière a un dossier monopièce qui oblige parfois à choisir entre un passager et des bagages encombrants...

Quatre personnes peuvent prendre place à bord. Si les places avant peuvent accueillir de très grandes personnes, les places arrière s'adressent surtout à des adultes de petite taille ou à des enfants, en raison du dégagement vertical limité. Une sorte de 2+2 en somme.

La New Beetle bénéficie, par contre, d'un aménagement intérieur hyper fonctionnel, avec un tableau de bord où toutes les commandes sont à la portée du conducteur. Les sièges baquets sont particulièrement confortables et procurent une position de conduite élevée. De plus, ils basculent loin devant pour libérer l'accès à la banquette arrière et, surtout, ils reprennent leur position initiale. Super ! Toutefois, des espaces de rangement plus généreux et des porte-gobelets plus efficaces seraient fort appréciés.

MÉCANIQUE Faute d'avoir le choix de la carrosserie (bien qu'un cabriolet soit promis pour bientôt...), le constructeur allemand propose un choix très intéressant de mécaniques. Au menu, trois moteurs 4 cylindres très typés. Tous sont partagés par les Golf et Jetta, et ils entraînent les roues avant : un 2 litres atmosphérique à essence, un turbodiesel TDI de 1,9 litre, avare en carburant comme pas un, et

nouveautés 2002

• Mécanisme intérieur d'ouverture du coffre • Voyant de fonctionnement du régulateur de vitesse • Système Immobilizer III • Ensemble Sport pour la New Beetle GLS

un fougueux 1,8T, le moteur turbocompressé de l'Audi A4.

La mécanique annonce les couleurs. Le 2 litres affiche des performances «correctes» pour une petite berline de tourisme. Le TDI, par ailleurs, produit beaucoup de couple, ce qui le rend très souple dans le trafic à l'heure de pointe, et son autonomie autorise trois aller-retour Montréal-Québec avant d'imposer un arrêt à la station-service.

Le 1,8T, enfin, a des accélérations stimulantes, mais le fonctionnement intempestif du turbo accentue l'effet de couple et rend ce moteur désagréable.

COMPORTEMENT

Conduire une New Beetle impose l'adoption de nouveaux schèmes de pensée, que ce soit à cause du pare-brise bombé, qui place le conducteur devant un tableau de bord profond, où des montants du pare-brise qui empiètent sur le champ de vision lorsqu'on aborde une grande courbe. La surface vitrée latérale généreuse — qu'un soleil plombant aime réchauffer — donne une bonne visibilité latérale à l'encontre des minuscules rétroviseurs latéraux qui, eux, sont toujours trop petits. La servo-direction est bien dosée alors que le freinage, qui est assuré par quatre disques et un ABS pour tous les modèles, s'avère progressif. Heureusement qu'il en est ainsi, car la New Beetle reste sous-vireuse.

La transmission manuelle a ce flou caractéristique des produits VW, et la course de l'embrayage est vraiment trop longue. La boîte automatique apporte plus de confort.

CONCLUSION La New Beetle constitue une solution pour ceux qui souhaitent sortir de l'anonymat. Idéale pour une personne seule ou un couple sans enfant, elle constitue une solution attrayante pour les grands voyageurs, si l'on opte pour la version TDI. Une solution qui ne sera pas donnée. Pas plus d'ailleurs qu'aucun autre produit de cette marque allemande.

fiche technique

Moteur : 4 cyl. en ligne 2 L
Autres moteurs : 4 cyl. en ligne 1,9 L turbodiesel ; 4 cyl. en ligne 1,8 L turbocompressé
Puissance : 115 ch à 5200 tr/min et 122 lb-pi à 2600 tr/min
Autres moteurs : 90 ch à 3750 tr/min et 155 lb-pi à 1900 tr/min ; 150 ch à 5800 tr/min et 162 lb-pi de 2200 à 4200 tr/min
Transmission de série : manuelle à 5 rapports
Transmission optionnelle : automatique à 4 rapports
Freins avant : disques ventilés
Freins arrière : disques
Sécurité active de série : ABS, antipatinage (1.8T)
Suspension avant : indépendante
Suspension arrière : indépendante
Empattement : 250,8 cm
Longueur : 409,1 cm
Largeur : 172,4 cm
Hauteur : 149,8 cm
Poids : 1283 kg ; 1304 kg (1,8T) 1320 kg (1,9 TDI)
0-100 km/h : 2 L, 10,2 s ; 1,9 TDI, 14,1 s ; 1,8T, 8,2 s
Vitesse maximale : 170 km/h
Diamètre de braquage : 10 m
Capacité du coffre : 300 L
Capacité du réservoir d'essence : 54,9 L
Consommation d'essence moyenne : 10,1 L/100 km ; 5 L/100 km (TDI); 10,2 L/100 km (1.8T)
Pneus d'origine : 205/55R16
Pneus optionnels : aucun

VOLKSWAGEN

2e opinion

Michel Crépault — Ce n'est plus la Beetlemania, mais, au moins, le succès ne fut pas éphémère; les rondeurs modernes ont fait des adeptes. VW tente maintenant de viriliser le véhicule avec une version turbo. Les 150 chevaux se font sentir, mais ça s'arrête là. La New Beetle reste mignonne et un brin excentrique, mais l'aspect mange-bitume est artificiel.

forces

- Esthétique réussie
- Version TDI très désirable
- Habitacle convenable en 2+2

faiblesses

- Lecteur DC offert en option!
- Embrayage «long»
- Manque d'espace de rangement

Par Luc Gagné

nouveauté

VOLKSWAGEN

fiche d'identité

Modèle : Passat
Versions : GLS 1.8T, V6; GLX
Segment : intermédiaires
Roues motrices : avant, traction intégrale (4Motion)
Portières : 4
Places : avant, 2; arrière, 3
Sacs gonflables : 4
Concurrence : Acura 3,2 TL, Honda Accord, Mazda 626, Nissan Altima, Toyota Camry, Subaru Legacy

au quotidien

Prime d'assurance moyenne : 1100 $
Garantie générale : 4 ans/80 000 km
Garantie groupe motopropulseur : 5 ans/100 000 km
Garantie contre la corrosion : 12 ans/kilométrage illimité
Garantie contre la perforation : 12 ans/kilométrage illimité
Collision frontale : 5/5
Collision latérale : 4/5
Ventes du modèle l'an dernier au Québec : 1527
Dépréciation : 42 %

prix de base • 29 550 $

Ne pas s'attendre à de gros changements

Chez Volkswagen, on affirme que l'âge moyen de l'acheteur moyen d'une Passat moyenne se situe entre la jeune trentaine et la quarantaine avancée. En somme, deux groupes d'âge qui sont bien desservis, car la nouvelle Passat cache sous ses nouvelles formes deux voitures qui se ressemblent si peu sur la route selon ce qu'elles ont dans le ventre : un quatre ou un six cylindres.

Pour 2002, les changements visuels sont les principales modifications qu'a subies le populaire modèle, qui devrait se vendre à 12 000 exemplaires au Canada en 2002, selon les estimations du constructeur.

CARROSSERIE La berline a subi quelques retouches apparentes : formes plus arrondies, touches de chrome subtiles autour des vitres, phares arrière redessinés et plus d'importance au logo de la marque dans la calandre et sur le coffre. En fait, on a raffiné l'apparence de la berline pour que le client comprenne qu'il achète un véhicule qui se veut luxueux.

Après tout, quand on vise un tel marché, troquer son blouson sport pour un veston-cravate est une chose tout à fait recommandée.

Côté pratique, les portières arrière sont de bonnes dimensions et permettent un accès à la banquette du même nom qui n'est pas aussi limité que sur certains autres modèles de la marque.

Outre la berline, la Passat est aussi offerte en modèle familial ou avec le système de rouage intégral 4Motion, ou les deux. Ainsi, les amateurs de la Subaru Legacy Outback n'ont qu'à bien se tenir, car la version familiale 4Motion de la Passat est particulièrement agréable à conduire.

MÉCANIQUE Le moteur 1,8T à quatre cylindres en ligne développant 170 chevaux, qui est livré sur la Passat, est aussi le même que sur la A4. Il a la particularité d'être nerveux et de répondre rapidement aux besoins d'un conducteur plus porté sur la vitesse. Normal, me direz-vous, car après tout il fonctionne à des régimes habituellement plus élevés, ou du moins plus près de son niveau optimal de poussée.

Le plus costaud, le V6, dont la

nouveautés 2002

• La Passat a subi une refonte sous l'année-modèle 2001,5; en 2002, des modifications au niveau de l'échappement la rendent désormais conforme aux normes environnementales en vigueur aux États-Unis.

puissance est de 190 chevaux, pourrait faire bon usage d'une vingtaine de chevaux de plus pour rivaliser avec la concurrence. La boîte automatique n'est pas parfaite non plus, mais la patience est le mot d'ordre, l'accélération n'étant pas la force de ce modèle.

On appréciera plutôt sa conduite, une fois la vitesse de croisière atteinte. Son freinage est moins prononcé et les reprises n'ont pas le mordant qu'on leur souhaiterait, peut-être en raison d'un léger embonpoint. On parle d'une différence de 182 kilos entre le modèle GLS 1.8T et GLS V6 4Motion, ce qui représente plus de 10 % du poids total de l'auto.

Autre chose qu'on remarque : la rigidité du châssis a été accrue pour accueillir le nouveau moteur à 8 cylindres en W, un monstre. Celui-ci est attendu d'ici la fin de 2002. La Passat est aussi équipée de freins à disque ABS aux quatre roues qui répondent très bien à la demande.

COMPORTEMENT La conduite de la Passat est particulière. Toute personne ayant déjà conduit une Volkswagen sait qu'il s'agit d'une marque à part à ce chapitre, mais s'il était possible qu'un véhicule soit devenu l'archétype de la conduite à la Volks, ce serait sans doute la Passat. Du moins en ce qui concerne le sentiment de déjà vu qu'on ressent lorsqu'on met la main gauche sur le volant et la droite sur le pommeau du levier de vitesse.

En ce qui a trait à la tenue de route, on a toutefois procédé à certains compromis pour ne pas offusquer les nouveaux adhérents à la philosophie VW. On ressent la douceur d'une grosse américaine en ligne droite, la rigidité à l'européenne de la suspension sur un parcours accidenté et la mollesse typique d'une voiture aux prétentions luxueuses dans les courbes. Le résultat est pourtant étonnant !

HABITACLE Une finition luxueuse signifie par défini-

Patrice Attanasio
Directeur des Relations publiques

Comment décrire cette nouveauté en quelques mots?
La nouvelle Passat est une version rajeunie et améliorée de sa devancière. Elle combine l'ingénierie allemande au sang latin pour offrir un niveau ultime de raffinement, de performance et de sécurité.

Quels en sont les points forts?
Les principales améliorations touchent notamment la performance du moteur 4 cylindres turbo de 1,8 litre, qui développe dorénavant 170 chevaux. La rigidité torsionnelle de la caisse, déjà très élevée, a été accrue d'un autre 10 %, et lui confère une tenue de route améliorée. Le dispositif d'antipatinage ASR est offert en équipement de base, et vous pouvez vous procurer en option le système 4Motion à rouage intégral. Très bientôt, un noveau moteur W8 de huit cylindres sera aussi disponible.

Comment situez-vous ce modèle dans votre gamme et par rapport à la concurrence?
Nous croyons que la Passat offre un niveau de raffinement que l'on trouve uniquement dans les grandes berlines européennes, à un prix qui se compare avantageusement à la concurrence.

Quelle est votre clientèle cible?
La clientèle cible visée par la Passat au Québec est la jeune famille au style de vie actif, qui aime la vie et « qui n'a pas accroché ses patins ».

Combien de ventes en 2002?
Volkswagen prévoit vendre en 2002 plus de 5000 Passat au Canada, dont près de 2000 au Québec.

galerie

1 • Plus rondes, les nouvelles formes de la Passat camouflent à merveille l'existence du pare-chocs avant!

2 • Les cadrans, qui scintillent la nuit en un bleu légèrement violacé, sont admirables.

3 • Elle, c'est la nouvelle Passat V6 4MOTION, c'est-à-dire à rouage intégral.

4 • En 2002, la Passat va être offerte avec ce double 4 cylindres en angle isocèle baptisé «W8».

5 • Difficile à dire que ce n'est pas une Volkswagen, avec le proéminent logo de la marque bien en évidence sur la calandre.

forces

- Moteur 1,8T très nerveux
- Intérieur confortable
- W8 très attendu

faiblesses

- V6 un peu paresseux
- Suspension incertaine
- Prix relativement élevé

tion une attention spéciale apportée aux petits détails qui rendent la vie plus agréable à bord.

Grâce au coefficient aérodynamique de 0,27 et à la rigidité accrue du châssis, on obtient un roulement silencieux. La chaîne audio devient alors une pièce importante de la voiture. Dans le cas qui nous préoccupe, c'est une bonne chose puisque la radio Monsoon avec chargeur de six disques compacts dans le coffre est assortie d'un réseau de huit haut-parleurs ; c'est une petite merveille pour les oreilles. L'ergonomie des instruments est efficace, et la sobriété qui s'en dégage rehausse l'impression de confort sans tomber dans le clinquant offert par d'autres marques de voitures importées.

Le confort est un sujet fort discutable, et sa conception varie d'une personne à l'autre. Alors ma proposition, fort simple, tient en deux phrases. Imaginez un croisement entre une Jetta et une BMW. Très allemand, c'est à vous de décider si vous aimez...

CONCLUSION Avec un PDSF en hausse de 450 et 805 $ respectivement pour les versions GLS de base et GLX V6 manuelle, il y a enfin des questions à poser à votre vendeur de voitures populaires (Volks Wagen). Pourquoi payer plus cher pour une voiture qui est somme toute la même que celle qui l'a précédée ? Bonne question. Pour Ferdinand Piëch, le président de Volkswagen, l'ancienne version de la Passat représentait le nec plus ultra de ce modèle qui existe depuis 1970 et qui s'appelait alors la Dasher. Il est difficile de faire mieux, et les concepteurs de Volkswagen l'ont compris. Résultat ? Une Passat qui n'a véritablement subi que des changements mineurs, afin de ne pas déplaire au public américain, le marché visé par la Passat.

fiche technique

Moteur : 4 cyl. en ligne 1,8 L turbocompressé
Autres moteurs : V6 2,8 L ; W8 4 L
Puissance : 170 ch à 5900 tr/min et 166 lb-pi à 1950 tr/min
Autres moteurs : 190 ch à 6000 tr/min et 206 lb-pi à 3200 tr/min ; 275 ch à 6000 tr/min et 273 lb-pi à 2750 tr/min
Transmission de série : manuelle à 5 rapports
Transmission optionnelle : automatique à 5 rapports
Freins avant : disques ventilés
Freins arrière : disques
Sécurité active de série : ABS, EDL (vérouillage électronique du différentiel), ASR (dispositif antipatinage)
Suspension avant : indépendante
Suspension arrière : indépendante
Empattement : 270,3 cm
Longueur : 470,3 cm 468,2 cm (fam.)
Largeur : 174,6 cm
Hauteur : 146,2 cm 149,8 (fam.)
Poids : 1452 kg 1496 kg (fam.)
0-100 km/h : 7,9 s ; 8,3 s (V6) ; 6,5 s (W8)
Vitesse maximale : 210 km/h (limitée électroniquement)
Diamètre de braquage : 11,4 m
Capacité du coffre : 400 L ; 1100 L (familiale)
Capacité du réservoir d'essence : 62 L
Consommation d'essence moyenne : 10,5 L/100 km ; 12,5 L/100 km (V6)
Pneus d'origine : 195/65R15
Pneus optionnels : 205/55R16 ; 225/45R17 (W8)

2e opinion

Michel Crépault — À force de s'embourgeoiser, la Passat va finir par cannibaliser des ventes à Audi, si ce n'est pas déjà commencé. Elle est très spacieuse pour les passagers et leurs bagages, et sa suspension passe sans crier gare de la fermeté à la douceur, question de ne pas totalement renier ses gènes allemands tout en plaisant à nos cousins du Sud.

Par Alain Mckenna

VOLVO

fiche d'identité

Modèle : C70
Versions : coupé (HT), cabriolet (LT, HT)
Segment : de luxe, entre 50 000$ et 100 000$
Roues motrices : avant
Portières : 2
Places : avant, 2; arrière, 2
Sacs gonflables : 4 (2 frontaux et 2 latéraux)
Concurrence : Audi TT, BMW Série 3, Mercedes-Benz CLK et SLK, Porsche Boxster, Saab 9-3

évolution

prix de base • 49 995$

VOLVO

Mauvais *timing*

au quotidien

Prime d'assurance moyenne : 1215$
Garantie générale : 4 ans/80 000 km
Garantie antipollution : 5 ans/80 000 km
Garantie contre la corrosion : 8 ans/kilométrage illimité
Collision frontale : nd
Collision latérale : nd
Ventes du modèle l'an dernier au Québec : nd
Dépréciation : 30 %

Depuis les beaux jours de la P1800, qui fut produite de 1959 à 1973, Volvo ne comptait plus de coupé sport au sein de sa gamme. Il y eut par la suite les 262 et 780, dessinées par Bertone, mais ils privilégiaient avant tout le luxe et le confort. Lancée il y a cinq ans, le C70 se révèle un heureux compromis entre ces deux approches.

CARROSSERIE Le C70 se veut donc un croisement entre un coupé sport et un coupé de luxe. Collons-lui l'étiquette de «coupé sport de luxe». Ce n'est pas le charme qui fait défaut à cette suédoise, dont les lignes à la fois modernes et épurées intègrent le style Volvo, notamment l'incontournable calandre. Beau sous tous les angles, le C70 est un digne héritier de la splendide P1800.

MÉCANIQUE Le cabriolet C70 propose deux moteurs à cinq cylindres, dont le plus musclé reçoit un turbocompresseur à haute pression qui fait grimper la puissance à 236 chevaux. Le moteur de base est un 2,4 litres avec turbo à basse pression qui développe 190 chevaux. Le coupé a seulement droit au moteur de 236 chevaux. Ça va, vous suivez toujours ?
Étrangement, le moins puissant des deux moteurs ne peut être jumelé qu'à une boîte automatique adaptative qui, comme son nom l'indique, s'adapte au style de conduite de celui ou de celle qui est derrière le volant. Cette transmission est, par ailleurs, offerte en équipement facultatif sur les coupés C70, qui reçoivent une boîte manuelle de série. Les deux boîtes comptent cinq rapports.

COMPORTEMENT Ce coupé fort bien tourné serait cependant mieux servi par un V6 atmosphérique. Il y a d'abord le grondement sourd, qui est le propre de cette configuration moteur et qui n'est pas ce qu'il y a de plus doux à l'oreille ; il y a également ce satané temps de réponse qui afflige les moteurs turbocompressés. Dans ce cas-ci, il se manifeste davantage à bas régime, et c'est encore plus évident si on le jumelle à une boîte automatique. Pour couronner le tout, le C70 prouve une fois de plus que la puissance ne fait pas bon ménage avec les roues motri-

nouveautés 2002
• Aucun changement majeur

ces avant. Comme effet de couple, on a vu pire, c'est vrai, mais on le sent quand même et il convient de se montrer vigilant. Dommage, parce que ce moteur n'a pas que des défauts : en plus d'être performant, il est très souple.

HABITACLE Le coupé et le cabriolet brillent par leur habitabilité, ce qui est l'exception plutôt que la règle dans cette catégorie. L'habitacle propose quatre véritables places. Les fauteuils se placent parmi ce qui se fait le mieux dans l'industrie de l'automobile, tandis que l'ambiance à bord n'est pas sans rappeler les voitures de luxe anglaises, avec une présentation intérieure cossue, mais d'une classe indéniable, rehaussée par un heureux mariage de boiseries et de cuir. Il est vrai qu'il y a une petite touche *british* dans le C70, influence probable du concepteur anglais Peter Horbury, grand responsable des nouvelles rondeurs des produits Volvo.

CONCLUSION On ne peut reprocher grand chose au C70, qui se démarque des autres coupés et cabriolets par son habitabilité, en plus d'afficher un comportement routier qui, sans être sportif à proprement parler, est loin de démériter. Les puristes auraient préféré la propulsion à la traction, mais les esprits pratiques répliqueront que l'hiver, c'est très bien ainsi. Et ne négligeons pas la sécurité qui, comme on le sait, est la marque de commerce de Volvo. Quant à son demi-succès, il peut s'expliquer par une conjoncture défavorable aux coupés, la mode étant aux minifourgonnettes, aux utilitaires et aux hybrides de tout poil.

fiche technique

VOLVO

Moteur : 5 cyl. DACT 2,4 L turbo
Autre moteur : 5 cyl. DACT 2,3 L turbo
Puissance : 190 ch à 5100 tr/min, 199 lb-pi à 1600 tr/min
Autre moteur : 236 ch à 5400 tr/min, 244 lb-pi à 2400 tr/min
Transmission de série : manuelle à 5 rapports
Transmission optionnelle : automatique à 5 rapports
Freins avant : disques
Frein arrière : disques
Sécurité active de série : ABS, et antipatinage
Suspension avant : indépendante
Suspension arrière : indépendante
Empattement : 266,4 cm
Longueur : 472 cm
Largeur : 182 cm
Hauteur : 141 cm (coupé); 143 cm (cabrio)
Poids : 1453 kg (coupé), 1465 kg (cabrio)
0-100 km/h : 7 s (2,3T); 7,8 (2,4T)
Vitesse maximale : 235 km/h
Diamètre de braquage : 11,7 m
Capacité du coffre : 370 L; 223 L (cabriolet)
Capacité du réservoir d'essence : 68 L
Consommation d'essence moyenne : 9,8 L/100 km (2,4T) 10 L /100 km (2,3T)
Pneus d'origine : 205/55VR16, 225/50VR16
Pneus optionnels : 225/45ZR17

2e opinion

Benoit Charette—Drôle de croisement entre une voiture au coeur d'athlète et un intérieur «Chesterfield». La mécanique turbo très ambitieuse n'a pas le support de la suspension qui préfère les ballades paresseuses. C'est dommage, car l'ergonomie et le confort figurent parmi ses grandes qualités. Le coeur y est, mais les jambes ne suivent pas.

forces

- Physique agréable
- Habitacle confortable et spacieux
- Présentation intérieure cossue
- Sécurité poussée

faiblesses

- Mécanique qui manque de raffinement
- Effet de couple
- Temps de réponse

Par Philippe Laguë

évolution

VOLVO

fiche d'identité

Modèle : S40/V40
Versions : S40, V40
Segment : de luxe de moins de 50 000 $
Roues motrices : avant
Portières : 4
Places : avant, 2 ; arrière, 3
Sacs gonflables : 2 frontaux
Concurrence : Audi A4, BMW Série 3, Cadillac CTS, Lexus ES300 et IS300, Mazda Millenia, Hyundai XG 300, Infiniti G35, Oldsmobile Intrigue, Mercedez-Benz Classe C, Saab 9-3, Acura 3.2TL

prix de base • 31 495 $

La note de passage

au quotidien

Prime d'assurance moyenne : 1000 $
Garantie générale : 4 ans/80 000 km
Garantie antipollution : 5 ans/80 000 km
Garantie contre la corrosion : 8 ans/kilométrage illimité
Collision frontale : nd
Collision latérale : nd
Ventes du modèle l'an dernier au Québec : 711
Dépréciation : nouveau modèle

Dire que l'arrivée des Volvo S40 et V40 était attendue de pied ferme est un doux euphémisme. Après tout, les « petites Volvo », introduites en 1995, se sont fait attendre : elles ont mis quatre longues années à traverser l'océan et encore, nos voisins du Sud en ont profité un an avant nous. L'année dernière, c'était à notre tour, mais pas pour longtemps : la prochaine génération de S40 doit faire ses débuts l'an prochain.

CARROSSERIE Ceux et celles qui sont familiers avec la nomenclature de ce constructeur auront compris que le modèle d'entrée de la gamme Volvo se décline en deux configurations, une berline et une familiale. Mais en une seule livrée, que les options se chargeront de distinguer.

Une Volvo ne serait pas une Volvo sans sa panoplie de dispositifs de sécurité, active comme passive. Du système de protection contre l'impact latéral (SIPS), en passant par la protection anticontrecoup (WHIPS) en cas de collision arrière sans oublier le système de distribution électronique du freinage (EBD), ainsi que le régulateur de stabilité dynamique (DSA), dont le mandat est de maximiser l'adhérence sur un revêtement glissant. Contrairement aux deux premiers, ce dispositif est offert en option.

MÉCANIQUE Les rivales de la S40 ont pour nom Audi A4 1.8 T, BMW 320, Mercedes C240, Volkswagen Passat et Saab 9-3. Tant par son prix que par sa puissance, la petite Volvo se situe dans le milieu du peloton. Son 4 cylindres turbocompressé de 1,9 litres, bon pour 160 chevaux, ne peut être couplé qu'à une boîte automatique, ce qui lui confère des prestations honnêtes, sans plus. Une boîte manuelle lui permettrait, par exemple, de tirer un meilleur profit du moteur à bas régime. Par contre, ce moteur est d'une rare souplesse, en plus de se montrer discret. C'est de la belle et bonne mécanique, pas de doute là-dessus. Fiable ? Mmm... Avant de nous prononcer, laissons le temps faire son œuvre. Disons seulement que les turbos de la marque n'ont pas la meilleure des réputations.

COMPORTEMENT Le véritable point fort des S40/V40,

nouveautés 2002

• Aucun changement majeur

c'est la douceur de roulement. Ceux et celles pour qui cela rime avec agrément de conduite seront comblés, pas d'erreur. Mais les autres — plus rares il est vrai — qui aiment ça plus mordant devront regarder ailleurs. Stable à haute vitesse comme dans les grandes courbes, la petite Volvo est moins à l'aise sur un trajet sinueux, où se manifeste un sous-virage qui n'a rien de dangereux, mais rien de sportif non plus. Mais surtout, elle pèche par son roulis en virage. Remarquez, s'il se trouve quelques anciens propriétaires de Jetta parmi les acheteurs, ils ne seront pas dépaysés...

HABITACLE Calqué sur celui des S60 et S80, le tableau de bord est une réussite. Les gros cadrans sont faciles à consulter, parce que lisibles et bien disposés. Idem pour la partie centrale, dans laquelle se nichent le système de climatisation/chauffage et l'excellente chaîne stéréo, dont la sonorité ravira les oreilles expertes. L'ergonomie se place à l'abri de toute critique. Les commandes sont à portée de la main et, contrairement à certaines allemandes, leur apprentissage ne nécessite pas un cours de plusieurs heures. On apprécie également la présence de nombreux espaces de rangement. À cette présentation réussie et cet aménagement fonctionnel s'ajoute une finition soignée que vient rehausser l'emploi de matériaux qui respirent la qualité. Le confort n'est pas en reste, avec des sièges qui se situent parmi les meilleurs dans l'industrie, rien de moins. Et il y a l'insonorisation franchement impressionnante. C'est à l'arrière que ça se gâte... la place est inexistante pour les jambes. Volvo dit privilégier les couples sans enfants, ben voyons !

CONCLUSION Tout ça pour dire que malgré leurs qualités intrinsèques, les S40 et V40 se méritent la note de passage. Pas plus, pas moins. Le manque d'espace à l'arrière ne peut être passé sous silence; tandis qu'à près de 40 000$ pour une version «toute garnie», on peut difficilement parler d'aubaine. On attendait plus.

fiche technique

Moteur : 4 cyl. DOHC de 1,9 L turbo
Puissance : 160 ch à 5250 tr/min, 177 lb-pi à 1800 tr/min
Transmission de série : automatique à 5 rapports
Transmission optionnelle : aucune
Freins avant : disques
Freins arrière : disques
Sécurité active de série : ABS, distribution électronique du freinage, régulateur de stabilité dynamique
Suspension avant : indépendante
Suspension arrière : indépendante
Empattement : 256 cm
Longueur : 454,1 cm
Largeur : 171,6 cm
Hauteur : 142,2 cm (S40), 142,5 cm (V40)
Poids : 1295 kg (S40), 1300 kg (V40)
0-100 km/h : 9 s
Vitesse maximale : 215 km/h
Rayon de braquage : 10,6 m
Capacité du coffre : 471 L (S40) ; 413/751/1421 (V40)
Capacité du réservoir d'essence : 60 L
Consommation d'essence moyenne : 9,2 L/100 km
Pneus d'origine : 195/60VR15
Pneus optionnels : aucun

VOLVO

2e opinion

Gabriel Gélinas — La moins Volvo des Volvo puisque les S et V 40 partagent plusieurs éléments avec une voiture de marque Mitsubishi (co-entreprise). Manque de rigidité du châssis et espace arrière limité pour ces voitures dont le look de la berline peut être qualifié de fade et sans éclat alors que la familiale se distingue par l'élégance de ses lignes.

forces

- Excellents fauteuils
- Insonorisation poussée
- Voitures ultra-sûres
- Moteur souple et silencieux

faiblesses

- Places arrière étriquées
- Pas de boîte manuelle
- Une seule motorisation
- Roulis en virage

Par Philippe Laguë

VOLVO

évolution

prix de base • 36 395 $

fiche d'identité

Modèle : S60
Versions : 2.4, 2.4T, T5, AWD
Segment : de luxe de moins de 50 000 $
Roues motrices : avant et 4 roues motrices
Portières : 4
Places : avant, 2 ; arrière, 3
Sacs gonflables : 2
Concurrence : Audi A4, BMW Série 3, Cadillac CTS, Lexus ES300 et IS300, Mazda Millenia, Hyundai XG350, Infiniti G35, Oldsmobile Aurora, Mercedez-Benz Classe C, Saab 9-3, Acura 3.2TL

VOLVO

Le compromis

au quotidien

Prime d'assurance moyenne : 1300 $
Garantie générale : 4 ans/80 000 km
Garantie antipollution : 5 ans/80 000 km
Garantie contre la corrosion : 8 ans/kilométrage illimité
Collision frontale : 5/5
Collision latérale : 5/5
Ventes du modèle l'an dernier au Québec : 87
Dépréciation : nouveau modèle

Lorsqu'il est question d'une berline sport, le nom Volvo vient rarement à l'esprit. On pense plutôt aux allemandes, BMW en tête de liste. La Volvo S60, qui a pris le relais de la S70 l'année dernière, entend bien jouer les trouble-fête dans ce créneau en pleine effervescence. Une seule version de la S60 aura droit aux quatre roues motrices (une nouveauté pour 2002), soit la 2.4T. Une décision pour le moins saugrenue, qui en décevra plus d'un.

CARROSSERIE Ses rivales ont pour nom Audi (A4 et S4), BMW (Série 3), Mercedes (Classe C), Lexus (IS 300), Cadillac (CTS) et Saab (9-3). Pour affronter cette concurrence relevée, la marque suédoise a conçu la nouvelle S60 à partir de la plate-forme des grandes Volvo (V70 et S80). La S60 est cependant offerte en une seule configuration, soit une berline à quatre portes pouvant accueillir quatre passagers (cinq si l'on insiste). Ses formes élancées et sa ligne de toit surbaissée lui donnent cependant l'allure d'un coupé à quatre portes. Très réussi.

MÉCANIQUE La S60 de base est animée par un 5 cylindres de 2,4 litres, qui génère 168 chevaux. L'ajout d'un turbocompresseur à basse pression se traduit par un gain d'une trentaine de chevaux pour la version 2.4T. La plus sportive, la T5, hérite du 5 cylindres de 2,3 litres muni d'un turbocompresseur à haute pression à refroidisseur intermédiaire. D'une puissance de 247 chevaux, il peut être jumelé à des boîtes manuelle ou automatique bimodale à 5 rapports Gearshift. Entre vous et moi, cette dernière ne vaut pas une bonne vieille boîte manuelle. Même avec un léger temps de réponse du turbo, le 5 cylindres turbocompressé de la T5 est vif comme l'éclair, comme en témoigne un chrono plus que respectable de 6,3 secondes pour effectuer le 0-100 km/h. Ce moteur a du caractère, mais on lui a appris les bonnes manières. Et quelle souplesse ! Une beauté de voir ça.

COMPORTEMENT La S60 repose sur une plate-forme très saine, ce que confirme un comportement qui l'est tout autant. Ce n'est qu'à la limite que l'on perçoit un début de sous-virage. Cela ne suffit pas à faire de la S60 T5 une berline sport à

nouveautés 2002

• Nouvelle version : S60 AWD, une traction intégrale de bonne facture

proprement parler. La suspension, par exemple, est trop souple pour être qualifiée de sportive. Le roulis est bien maîtrisé, mais le débattement des amortisseurs est trop important, de sorte que plus le revêtement se dégrade, plus la caisse tangue. À titre de comparaison, on est plus près d'une Audi que d'une BMW. On aurait également apprécié une direction plus ferme et, surtout, un rayon de braquage plus court.

HABITACLE Ceux et celles qui privilégient plutôt le confort au détriment de l'agrément de conduite seront comblés par la S60. Sauf ceux qui prennent place à l'arrière, en raison d'un manque de dégagement pour les jambes. Voilà le genre de chose qui surprend dans une Volvo. Ce qui me fait dire que ce que la S60 a gagné en beauté, elle l'a perdu en espace. Pour le reste, la tradition de la maison a été respectée : les fauteuils se situent parmi les plus confortables de l'industrie, et la finition comme l'insonorisation, a fait l'objet d'une attention particulière. Et comme elle trône au sommet de la gamme S60, la T5 est équipée d'une chaîne stéréo de qualité supérieure, dont le rendement impressionnera les mélomanes.

CONCLUSION Comprenons-nous bien : la S60 est l'une des meilleures voitures à avoir porté l'écusson Volvo. Mais elle ne fera pas l'unanimité : ceux qui voyaient en la T5 une menace pour la BMW 330i ou l'Audi S4 resteront sur leur appétit, tandis que les plus rationnels regretteront l'exiguïté des places arrière. Voyons-la plutôt comme un compromis, fort intéressant ma foi, entre une berline sport à la sauce européenne et les fades japonaises, trop aseptisées au goût de plusieurs.

fiche technique

VOLVO

Moteur : 5 cyl. DACT de 2,4 L
Autres moteurs : 5 cyl. DACT de 2,4 L Turbocompressé à basse pression; 5 cyl. DACT de 2,5 L turbocompressé à haute pression
Puissance : 168 ch à 5900 tr/min et 170 lb-pi à 4500 tr/min
Autres moteurs : 197 ch à 6000 tr/min et 210 lb-pi à 1800 tr/min (2,4T); 242 ch à 6000 tr/min et 238 lb-pi à 2400 tr/min (T5)
Transmission de série : manuelle à 5 rapports
Transmission optionnelle : automatique à 5 rapports
Freins avant : disques
Freins arrière : disques
Sécurité active de série : ABS, 4 roues motrices (AWD), antipatinage
Suspension avant : indépendante
Suspension arrière : indépendante
Empattement : 272 cm
Longueur : 458 cm
Largeur : 180 cm
Hauteur : 143 cm
Poids : 1440 kg
0-100 km/h : 6,8 s (T5 man.); 7,6 s (2,4 T man.) 8,7 s (2,4 auto.)
Vitesse maximale : 250 km/h (T5); (2,4 et 2,4T)
Diamètre de braquage : 11,8 m
Capacité du coffre : 400 L
Capacité du réservoir d'essence : 70 L
Consommation d'essence moyenne : 9,4L/100 km (2 4 man.), 9,6 L/100 km (2,4 auto., 2,4T, T5 man.), 10 L/100 km (T5 auto.)
Pneus d'origine : 195/65 R15
Pneus optionnels : 205/55 R16, 215/55 R16, 235/45R17

2e opinion

Gabriel Gélinas — Enfin une Volvo qui a de la gueule, et qui tient bien la route. Nouvelle approche pour le constructeur suédois qui joue sur d'autres tableaux et non pas exclusivement sur celui de la sécurité. N'égale pas une BMW pour le comportement routier, mais demeure agréable à piloter.

forces

- Performances de haut niveau (T5)
- Comportement sain
- Confort exceptionnel
- Habitacle bien insonorisé

faiblesses

- Temps de réponse (T5)
- Accélérateur spongieux
- Suspension trop souple (T5)
- Rayon de braquage excessif

Par Philippe Laguë

évolution

VOLVO

fiche d'identité

Modèle : S80
Versions : 2.9, T6
Segment : de luxe entre 50 000 $ et 100 000 $
Roues motrices: avant
Portières: 4
Places : avant, 2 ; arrière, 3
Sacs gonflables : 6 (frontaux, latéraux et rideaux gonflables)
Concurrence : Acura 3,5 RL, Audi A6, BMW Série 5, Jaguar S-Type, Lexus GS, Mercedes Benz Classe E, Saab 9-5

au quotidien

Prime d'assurance moyenne : 1400 $
Garantie générale : 4 ans/80 000 km
Garantie antipollution : 5 ans/80 000 km
Garantie contre la corrosion : 8 ans/kilométrage illimité
Collision frontale : 5/5
Collision latérale : 5/5
Ventes du modèle l'an dernier au Québec : 634
Dépréciation : 32 % (2 ans)

prix de base • 54 895 $

Un changement d'orientation réussi

Alors que, par le passé, elle a toujours privilégié la sécurité, la fiabilité et le caractère utilitaire de ses véhicules, au détriment d'une esthétique plutôt rudimentaire, Volvo s'attaque au segment haut de gamme en misant sur ce qui a toujours été considéré comme sa faiblesse, les lignes de ses voitures. Toutefois, la sécurité n'est pas mise au rancart. Ainsi la S80 a été la première voiture de tourisme à mériter une cote cinq étoiles dans les tests de collision latérale effectuées par la NHTSA (National Highway Traffic Safety Administration). Le *Insurance Institute for Highway Safety* a accordé à la S80 le titre de « voiture la plus sûre » parmi les véhicules de luxe de série intermédiaires en 2001. Le style va maintenant de pair avec la sécurité.

CARROSSERIE Depuis une dizaine d'années, Volvo n'arrête pas de se renouveler. La S80 avait remporté, lors de son lancement mondial au salon de Genève 1998, le prix du design. On retrouve effectivement des éléments du style traditionnel comme le capot en V, mais aussi des éléments radicalement nouveaux, comme les larges feux arrière. Et ses nouvelles courbes inspirées du crayon de Peter Horbury ont servi de base pour la S 60 et le renouvellement de la V 70.

MÉCANIQUE Volvo propose deux motorisations : un 6 cylindres en ligne de 2,8 litres biturbo de 268 chevaux qui anime sa T6 et un 6 cylindres atmosphérique de 2,9 litres de 197 chevaux plus que convenable, pour la version de base. Cependant, Volvo éprouve un problème agaçant et difficile à expliquer en 2002 : un brutal effet de couple émane du moteur turbo quand on appuie franchement sur l'accélérateur. Ce qui est curieux, c'est que SAAB, l'autre fabricant de voitures suédois, éprouve exactement le même problème avec ses moteurs turbo. On devrait organiser une réunion au sommet chez les fabricants suédois.

COMPORTEMENT Il est clair que la Volvo S80 se présente comme une alternative aux grandes routières allemandes. Son silence de roulement et son espace intérieur sont incontestablement des atouts qui la positionnent avantageusement

nouveautés 2002

• Pas de changements majeurs

sur ce marché. De plus, la S80 propose une coque rigide et un châssis parfaitement isolé qui lui confèrent une tenue de route très saine sur les parcours sinueux. Elle se révèle très orientée vers la famille avec de nombreux équipements de sécurité adaptés aux enfants.

HABITACLE Fidèle à la tradition Volvo, l'équipement de la S80 est particulièrement complet. L'ergonomie et la sécurité font partie intégrante de la conception de la S80. Les fauteuils demeurent à mon avis les plus confortables de l'industrie (avec Saab), et l'équipement de base en matière de sécurité est révélateur : ABS, coussins gonflables côtés conducteur et passager, coussins latéraux à l'avant, rideau gonflable sur le ciel de toit, fauteuils avant avec protection pour le cou, renforcement latéral des portes, cage de sécurité à zones d'absorption d'énergie, bref un véritable char d'assaut. Mais depuis quelques années, Volvo a ajouté le style à la sécurité. La S80 a aussi été la première voiture à recevoir une déclaration de produits respectueux de l'environnement pour l'Europe. La belle scandinave dispose en plus d'un système électrique d'avant-garde, fonctionnant en réseau et disposant de la technologie Multiplex relié à 18 ordinateurs qui gèrent pratiquement tout sur la voiture. Bref, un exemple à suivre.

CONCLUSION La S80 privilégie le confort et la sécurité au détriment de la pure performance. La T6 vous déplacera aussi rapidement que la concurrence allemande, mais enveloppé dans un gant de velours. Volvo avec la S80 est plus près de la philosophie Jaguar que de celle de BMW.

fiche technique

Moteur : 6 cyl. DACT en ligne de 2,9 L
Autre moteur : 6 cyl. DACT de 2,8 L biturbo
Puissance : 197 ch à 6000 tr/min et 207 lb-pi à 4200 tr/min
Autre moteur : 268 ch à 5400 tr/min et 280 lb-pi à 2100 tr/min
Transmission de série : automatique à 4 rapports
Transmission optionnelle : aucune
Freins avant : disques ventilés
Freins arrière : disques ventilés
Sécurité active de série : ABS, antipatinage, répartition électronique du freinage (EBD)
Suspension avant : indépendante
Suspension arrière : indépendante
Empattement : 279 cm
Longueur : 482 cm
Largeur : 183 cm
Hauteur : 143 cm
Poids : 1641 kg (2,9); 1696 kg (T6)
0-100 km/h : 8,2 s (2,9); 7,2 s (T6)
Vitesse maximale : 235 km/h (2,9); 250 km/h (T6)
Diamètre de braquage : 12 m
Capacité du coffre : 403 L et 882 L (sièges abaissés)
Capacité du réservoir d'essence : 80 L
Consommation d'essence moyenne : 10,2 L/100 km (2,9), 11,3 L/100 km (T6, T6 Exec)
Pneus d'origine : 215/55/HR16; 225/50/HR17 (T6)
Pneus optionnels : aucun

2e opinion

Luc Gagné — La S80 n'a rien à envier aux Audi A6 et BMW Série 5 en raffinement. Ironique, toutefois, de penser que Volvo, qui met tant d'accent sur la sécurité de ses véhicules, ait créé une berline haut de gamme avec un si mauvais champ de vision arrière, défaut particulièrement évident dans les manœuvres de stationnement. Après tout, même les gens riches doivent garer leur voiture à l'occasion...

forces

- Style inspiré
- Fauteuils super confortables
- Performances du moteur de la T6
- Freinage puissant et endurant

faiblesses

- Direction trop assistée
- Rayon de braquage défavorable
- Effet de couple (T6)

Par Benoit Charette

évolution

VOLVO

fiche d'identité

Modèle : V70
Versions : base, T5, XC
Segment : de luxe de moins de 50 000 $
Roues motrices : avant et intégrale
Portières : 5
Places : avant, 2 ; arrière, 3
Sacs gonflables : 6 (frontaux, latéraux et rideaux gonflables)
Concurrence : Audi A6 Avant, BMW Série 5 Touring, Mercedes-Benz Série E familiale Saab 9-5 familiale

prix de base • 37 920 $

Des chiffres et des lettres

au quotidien

Prime d'assurance moyenne : 1400 $
Garantie générale : 4 ans/km 80 000 km
Garantie antipollution : 5 ans/80 000 km
Garantie contre la corrosion : 8 ans/km illimité
Collision frontale : 5/5
Collision latérale : 5/5
Ventes du modèle l'an dernier au Québec : 1270
Dépréciation : 20 %

Les nouvelles appellations alphanumériques causent un certain nombre de maux de tête et ne plaisent pas à tous. Volvo semble avoir un problème avec les appellations de ses modèles récents. Après un conflit avec Audi qui avait interdit l'utilisation de la dénomination S4 pour la petite berline du constructeur (qui est devenu S40), le changement d'état civil de la 850 (un numéro déjà utilisé par BMW) en S et V70, voilà maintenant que, depuis l'an dernier, la V70 est construite sur la plate-forme modifiée de la S80. Vous me suivez...

CARROSSERIE Même si la V70 n'est offerte qu'en version familiale, la ressemblance (spécialement de face) avec la S80 est flagrante et porte à confusion pour les noms choisis. Des lignes plus raffinées, les courbes sont à l'honneur, et nous sommes loin de la boîte carrée des années 80. Seule la V70 XC offerte en finition deux tons brise son allure très citadine pour des lignes à la Indiana Jones.

MÉCANIQUE Sous le capot, trois mécaniques à cinq cylindres sont offertes. Un 2,4 litres générant 168 chevaux se cache sous le capot de la V70 de base. Coiffez cette même mécanique d'un turbo à basse pression et vous obtenez 197 chevaux pour la V70 Cross Country et la V70 2.4T. Pour ceux qui aime un surplus de puissance, le cinq cylindres de 2,3 litres turbo d'une puissance de 247 chevaux a élu domicile dans la T5. Relativement souple, mais remarquablement amortie, la suspension de la Volvo V70 isole efficacement ses passagers des inégalités du revêtement même lorsque celui-ci est franchement dégradé. Côté sécurité active, outre l'inévitable ABS complété par un répartiteur électronique, la Volvo V70 peut être équipée d'un dispositif de contrôle de la stabilité appelé DSTC corrigeant dans une certaine mesure les écarts de trajectoire du véhicule.

COMPORTEMENT À l'usage, la T5 se distingue surtout par des montées en régime plus vigoureuses. Moins explosif, mais présent à tous les régimes, le 2,4 litres semble plus en accord avec la vocation de la voiture. Quel que soit le

nouveautés 2002
• Pas de changement majeur

modèle considéré, le compromis retenu pour les liaisons au sol et le confort est idéal. La V70 fait donc mieux que remplir son contrat en n'oubliant pas d'être pratique à vivre au quotidien avec des rangements multiples et bien pensés et, bien sûr, la capacité de chargement légendaire.

HABITACLE Volvo a été le premier constructeur du monde à introduire le système PremAir™ en vertu duquel le radiateur de la voiture est recouvert d'un catalyseur qui «avale» l'ozone au niveau du sol. Jusqu'à 75 % de l'ozone qui traverse le radiateur est transformé en oxygène. Un filtre à particules et un système de ventilation avec un filtre au charbon actif très efficace font que l'air qui entre dans la voiture est toujours plus propre que l'air extérieur. Il serait long de faire l'énumération de tous les éléments de sécurité active et passive de ces familiales. Mais parlons des innovations les plus récentes. La protection contre le coup de lapin (introduit dans la S80) permet de retenir le buste et la tête en douceur en cas d'impact arrière, réduisant les risques de lésions cervicales. Le rideau gonflable protège la tête lors d'impact latéral. Le coussin gonflable à déclenchement différencié possède un capteur qui mesure la force de l'impact et adapte le niveau de gonflage en fonction de la gravité de l'impact en coordination avec la ceinture de sécurité. De plus, il y un fauteuil pour enfant, qui grandit avec lui.

CONCLUSION Pratique, logeable, sûre et d'une construction irréprochable, la V70 représente un choix réfléchi pour ceux qui savent apprécier les voitures familiales.

fiche technique

Moteur : 5 cyl. en ligne DACT de 2,4 L
Autre Moteur : 5 cyl. DACT de 2,3 L turbo
Puissance : 197 ch à 6000 tr/min, 210 ch à 1800-5000 tr/min
Autre moteur : 242 ch à 5200 tr/min, 243 lb-pi à 2400-5200 tr/min
Cote : LEV
Transmission de série : automatique à 4 rapports
Transmission optionnelle : manuelle à 5 rapports (T5)
Freins avant : disques ventilés
Freins arrière : disques
Sécurité active de série : ABS, antipatinage, répartition électronique du freinage (EBD)
Suspension avant : indépendante
Suspension arrière : indépendante
Empattement : 276 cm
Longueur : 471 cm ; 473,3 cm (XC)
Largeur : 180 cm ; 186 cm (XC)
Hauteur : 149 cm ; 156,2 cm (XC)
Poids : 1528 kg ; 1630 kg (XC)
0-100 km/h : 8,8 s (base et XC) 7,1 s (T5)
Vitesse maximale : 210 km/h (limitée électroniquement)
Diamètre de braquage : 10,9 m ; 11,9 (XC, T5)
Capacité du coffre : 485 L et 1641 L (sièges abaissés)
Capacité du réservoir d'essence : 80 L ; 70 L (XC)
Consommation d'essence moyenne : 11,5 L/100 km
Pneus d'origine : 205/55/R15 ; 215/65R16 (XC) ; 225/50/HR17 (T5)
Pneus optionnels : aucun

VOLVO

2e opinion

Michel Crépault — Une familiale qui nous installe dans des sièges aussi confortables remporte a priori mon vote. Le format est bon, tout comme le look. La sécurité et la robustesse ne peuvent être questionnées. Le dilemme, c'est l'engin: lequel choisir parmi les trois offerts? La T5 pour la maman ultra pressée? Contradictoire. Le turbo à basse pression est suffisant.

forces

- Sécurité active et passive parmi les meilleures de l'industrie
- Véhicule logeable et infiniment pratique

faiblesses

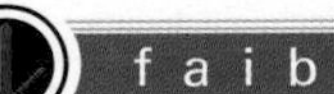

- Boîte automatique un peu saccadée
- La suspension trop sèche de la version T5

Par Benoit Charette

JAPON

Mitsubishi Lancer Evo VII GSR

Vous avez peut-être pu voir une Lancer Evolution VI l'année dernière dans le film *Taxi 2*. Mitsubishi a lancé son programme Evolution en 1992 pour pouvoir homologuer une voiture en championnat du monde des rallyes. Neuf ans, quatre titres mondiaux et deux générations de Lancer plus tard, nous voici à l'Evolution VII dont la version de route se nomme GSR. Son châssis allégé, son moteur 2 L développant 280 chevaux (mais on soupçonne que cela est plutôt au-delà de 300 chevaux) et ses quatre roues motrices en font une voiture incroyablement efficace.

Suzuki Wagon R+

Court, haut sur pattes, le Wagon R+ fait partie de la catégorie des midgets dont il est le meilleur vendeur. Long de 3,39 mètres, il peut asseoir 5 personnes et offre de nombreux espaces de rangement. Il peut être décliné dans une version sportive (ah bon ?), la RR qui utilise un 3 cylindres 0,66 L turbocompressé de 64 chevaux. La version C2 a des phares ronds et une décoration plus rétro. A l'extérieur du Japon, une version R+, longue de 3,50 mètres est disponible. Enfin, Opel le vend en Europe sous le nom d'Agila, avec ses propres moteurs.

Toyota bB Opendeck

Imaginez un engin issu du croisement d'une Echo, d'une Saturn SL2, d'un Chevrolet Avalanche et vous obtenez le bB OpenDeck. Une Echo, car elle repose sur son châssis et reprend sa mécanique(1,5 L de 110 chevaux). Une Saturn SL2, car elle propose un système de troisième porte similaire. Et enfin, un Avalanche car la benne arrière peut aussi s'ouvrir sur l'habitacle, permettant de transporter des objets longs. Elle peut recevoir un système de navigation par satellite. Le tout en moins de quatre mètres!

Toyota Crown

Savez-vous qu'au Japon, pays du High Tech, il existe des voitures qui datent d'un autre âge, comme la Crown Victoria? C'est le cas, et d'ailleurs elle s'appelle aussi Crown. Présentée en 1983 sous sa version actuelle, elle regroupe toutes les caractéristiques d'une berline traditionnelle américaine (propulsion, châssis séparé et coffre immense entre autres). Et comme en Amérique, elle ne se vend pratiquement plus qu'à des parcs de véhicules. Elle reste une des favorites des chauffeurs de taxis là-bas.

Toyota Yaris Verso

La version européenne de l'Echo s'appelle Yaris. Sa gamme est composée de modèles 3 et 5 portes ainsi que d'une sympathique version que l'on imaginerait issue du croisement d'une familiale et d'une minivan : la Verso. Vingt huit centimètres plus court que l'Echo, elle offre une excellente habitabilité tout en reprenant les qualités de sa cousine, l'allure en plus! Des motorisations 1,3 L 86 chevaux et 1,5 L 106 chevaux sont disponibles. Elle ferait belle figure au Québec.

Nissan Skyline GT-R

La GT-R est traditionnellement un dérivé ultra-performant de la paisible Skyline. Avec la disparition de la 300ZX, c'est le modèle le plus sportif de la gamme Nissan. Dans son évolution R34, elle embarque un 6 cylindres 2,6 L turbocompressé de 280 chevaux couplé à une boîte 6 Getrag. La puissance passe par 4 roues motrices. Des diffuseurs d'air en carbone sont placés sous la voiture, comme sur les formules 1. Tout simplement bestial!

PALMARÈS DU J8

Nous aurions pu nous réunir autour d'une table, devant une falaise de cannettes de... jus de canneberge (juré !), pour délibérer longtemps sur les meilleurs véhicules de 2002. Mais, dans le cas de certaines catégories, nous serions encore en train de discuter...

Benoît Charette

Luc Gagné

Gabriel Gélinas

Éric Descarries

Michel Crépault

Alain Mckenna

Philippe Laguë

Amyot Bachand

Alors, pour couper court aux interminables palabres, et pour faire preuve d'un libre-arbitre à l'abri des influences (des membres du J8 sont plus costauds que d'autres...), il fut décidé que chacun d'entre nous irait voter dans la solitude de son bungalow (« Un penthouse dans mon cas », tient à préciser Gabriel).

Autrement dit, si le même modèle revient plusieurs fois (et cela se produit !), dites-vous bien que c'est arrivé sans qu'il y ait eu consultation, encore moins collusion. Par ailleurs, chacun d'entre nous avait la possibilité de se retirer d'une catégorie s'il ne croyait pas avoir une assez bonne vue d'ensemble de tous les modèles en concurrence.

Nous avons ensuite compilé le fruit de nos réflexions. Le véhicule qui a obtenu le plus de votes est sorti gagnant de sa catégorie, et voilà !

Nous vous invitons à prendre connaissance du verdict du jury. Une plaidoirie qui ne devrait surtout pas vous empêcher d'émettre votre propre opinion. Et cette opinion, elle nous intéresse énormément. Nous ne prétendons absolument pas détenir LA vérité (quoique Philippe, parfois...). Faites-nous donc parvenir votre propre sélection.

Par la poste :
L'Annuel de l'automobile 2002,
a/s Palmarès
2312, chemin Herron
Dorval (Québec) H9S 1C5
Par télécopieur : (514) 631-0591
Ou par Internet :
info@.lannueldelauto.com
Au plaisir de vous lire... et d'argumenter !

PETITES

BMW Mini - Chevrolet Cavalier - Chrysler Neon - Chrysler PT Cruiser - Daewoo Lanos - Daewoo Nubira - Ford Focus - Honda Civic – Honda Insight - Hyundai Accent - Hyundai Elantra - Kia Spectra - Kia Rio - Mazda Protegé - Nissan Sentra - Pontiac Sunfire - Saturn Série S - Subaru Impreza - Suzuki Esteem - Toyota Corolla - Toyota Echo - Toyota Prius - VW New Beetle.

Alain : La Mazda Protegé est mon choix. Je pense en particulier à la Protegé5, qui comble à la fois les familles et les jeunes qui se cherchent une première voiture. Et pour l'ado qui sommeille en chacun de nous, ne négligeons pas la version MP3.

Amyot : La Protégé accommode une vraie famille de quatre (ados inclus). Plaisante à conduire, économique avec son 1,6 L, performante avec son 2 L, elle possède une bonne tenue de route et un bon freinage. Elle est aussi fiable et durable.

Benoit : Dollar pour dollar, la Mazda Protegé est l'une des meilleures voitures que vous pouvez acheter en ce moment. Son caractère bon enfant procure beaucoup d'agrément au fil des kilomètres. Difficile de lui reprocher quoi que ce soit.

Éric : Puisqu'il y a tant de gens qui se disent satisfaits de leur Protegé, je ne vois même pas pourquoi on discute! Ce véhicule est si superbement conçu qu'il est devenu une référence.

Gabriel : La Mazda Protegé, parce qu'elle a d'excellents pneus d'origine, une boîte manuelle amusante et un lecteur de disques compacts ne gâte rien. J'ajoute que la Protegé5 est l'une des voitures excitantes à conduire, même si c'est une petite familiale.

Luc : Mazda Protegé : bons prix, multiples versions, habitacle spacieux et châssis très rigide. Un succès mérité!

Michel : Par nostalgie, je pencherais vers la Mini; par souci d'économie (du point A ou point B, c'est tout), j'opterais pour une Rio. Mais je choisis l'Impreza à cause de sa mécanique robuste, de sa traction intégrale et de son design cent fois amélioré.

Philippe : Entre la Subaru Impreza et la Protegé, mon coeur balance. La traction intégrale, quand on y a goûté, c'est difficile de s'en passer. Mais si on s'attarde au rapport qualité/prix, la Protegé s'impose. De justesse.

ET LA GAGNANTE EST...

LA MAZDA PROTEGÉ

COMPACTES

Acura 1.7EL - Chevrolet Malibu – Chrysler PT Cruiser - Mazda 626 - Nissan Altima - Oldsmobile Alero - Pontiac Grand Am - VW Golf - VW Jetta.

Alain : Malgré une hausse régulière du prix de cette berline, la Jetta demeure un joyau dans la couronne de Volkswagen et l'une des rares de sa catégorie à présenter un style qui lui est propre.

Amyot : Pour son renouveau, sa taille, ses motorisations et le choix de ses versions : l'Altima. Enfin, Nissan se retrouve.

Benoit : Je donne un coup de chapeau à Nissan. La firme franco-nipponne a mis fin à ses années de torpeur en produisant une Altima différente, performante et qui ose sortir des sentiers battus. Elle récoltera, je l'espère, les fruits de son audace.

Éric : Y a-t-il un constructeur qui a créé une voiture aussi originale, aussi pratique et aussi intelligente que la PT Cruiser? Il ne reste plus à Chrysler qu'à en construire davantage.

Gabriel : La Nissan Altima. Elle est tout simplement la meilleure du lot.

Luc : Arrière ouvrant et habitacle transformable très spacieux; moteur TDI superbe et avare en carburant; version GTI qui a du mordant. Le choix est là! Je parle de la VW Golf.

Michel : Je sais bien que l'Altima a fait un bond gigantesque dans la bonne direction, au point de menacer la Maxima (ce qui n'est pas peu dire) mais j'ai un faible pour la Acura EL depuis son lancement. Plus qu'une Civic endimanchée, elle est harmonieuse.

Philippe : Parce que c'est une championne de la fiabilité, et parce qu'elle n'a jamais été aussi agréable à conduire, l'Altima obtient mon vote. Un bon mélange de raison et de passion, encore une fois. Et quel duo de moteurs!

ET LA GAGNANTE EST...

LA NISSAN ALTIMA

INTERMÉDIAIRES

Buick Century - Buick Regal - Chevrolet Monte Carlo - Chrysler Sebring - Daewoo Leganza - Ford Taurus - Honda Accord - Hyundai Sonata - Kia Magentis - Nissan Maxima - Pontiac Grand Prix - Saturn Série L - Subaru Legacy - Subaru Outback - Toyota Avalon - Toyota Camry - Toyota Camry Solara - VW Passat.

Amyot : Je retiens la Camry pour son prix, son excellent 4 cylindres à la fois économique et performant, l'aménagement du tableau de bord de la version «Sport». Toyota a su la renouveler intelligemment.

Benoit : Je choisis la Maxima, qui offre le meilleur équilibre entre la performance, le confort et le plaisir de conduire. Sous la ligne discrète, voire effacée, cette berline dissimule 260 chevaux et offre en plus une boîte manuelle 6 rapports quasi diabolique.

Éric : Je ne suis pas un grand fan de la Camry, car elle ne correspond pas à mes goûts, mais je dois admettre qu'il s'agit d'une berline très fiable et offerte à un prix raisonnable. Un exemple à suivre, sauf pour la ligne trop ordinaire.

Gabriel : Je n'arrive pas à me décider entre la

Maxima et l'Accord. J'aime beaucoup le moteur de la Nissan, mais j'apprécie aussi la qualité et la fiabilité de l'Accord. Bon, ok, j'y vais avec la Maxima.

Luc : La Subaru Legacy est idéale pour la famille québécoise, avec son rouage intégral en prise constante, beaucoup d'espace pour quatre adultes et un habitacle (familiale) transformable et spacieux. Et de bons prix.

Michel : La plus difficile des catégories, à mon avis. On se rend compte que les constructeurs veulent de plus en plus en offrir pour l'argent des consommateurs. En ce sens-là, la Sonata rafle les honneurs.

Philippe : La Maxima l'emporte pour les mêmes raisons que sa sœur l'Altima, dans l'autre segment. Toutes catégories confondues, il s'agit d'un des meilleurs rapports qualité/prix sur le marché à l'heure actuelle. Dommage qu'elle ne soit pas un peu plus jolie...

ET LA GAGNANTE EST...

LA NISSAN MAXIMA

GRANDES

Buick LeSabre – Buick Park Avenue – Chrysler Concorde - Chrysler Intrepid - Chevrolet Impala - Ford Crown Victoria – Mercury Grand Marquis - Pontiac Bonneville.

Alain : J'irai à l'encontre des courants anti-américains pour déclarer mon affection envers la grosse Bonneville qui représente la Pontiac la plus agréable à conduire.

Amyot : Une GM qui sait survivre avec grâce et efficacité : la Park Avenue. Son style classique pas trop torturé se distingue de ses rivales. On reconnaît une Buick.

Benoit : Une mal aimée qui offre pourtant espace, confort et performance, la Chrysler Intrepid n'a pas, selon moi, tout le mérite qui lui revient. Sa ligne différente en fait une voiture unique et son prix très raisonnable la rend accessible.

Éric : La Chrysler Concorde affiche une ligne encore plus agressive cette année et elle offre un intérieur des plus spacieux. Son choix de moteur est intéressant et c'est une traction très capable sur la neige.

Gabriel : La qualité de la Buick Park Avenue se voit à sa construction. L'Intrepid est sans doute plus amusante à conduire, mais elle est moins solide.

Luc : La Mercury Grand Marquis propose un coffre gargantuesque, l'habitacle d'un taxi et un comportement routier quelque peu amélioré par rapport aux versions antérieures. J'espère néanmoins qu'il existera quelque chose de mieux lorsque j'aurai 60 ans !

Michel : Tant qu'à conduire un transatlantique, aussi bien qu'il soit élégant, pas trop pantouflard, spacieux et surtout pas du genre trampoline. Je vote ainsi pour la Buick Park Avenue.

Philippe : Franchement, je me vois mal au volant de l'un de ces monstres sur une base régulière mais, bon, s'il le fallait, j'opterais pour l'Intrepid, afin de ne pas mourir d'ennui.

ET LA GAGNANTE EST...

LA BUICK PARK AVENUE

DE LUXE DE MOINS DE 50 000$

Acura 3.2CL et 3.2CL Type-S - Acura 3.2TL - Audi A4 & S4 - BMW Série 3 - Cadillac CTS - Hyundai XG 350 - Lexus ES 300 - Lexus IS 300 - Mazda Millenia - Infiniti G35 - Oldsmobile Aurora - Mercedes-Benz Classe C - Saab 9-3 - Volvo S60 - Volvo S40/V40.

Alain : J'ai quand même pris le risque de surnommer la sympathique Série 3 de BMW la meilleure berline sur le marché, si ça se trouve. N'allez pas me faire dire le contraire..!

Amyot : Les versions Premium et Limited de la Lexus ES 300 offrent confort, silence et luxe de bon goût. L'habitacle est généreux, tandis que la suspension réglable permet une tenue de route efficace sur parcours sinueux.

Benoit : Hum, choix ardu... Mais puisqu'il faut se mouiller, je donne l'avantage à la Classe C de M-Benz pour la variété de la gamme, la palette de prix intéressants et un agrément de conduite en forte hausse depuis quelques années.

Éric : Selon moi, la Audi A4 1.8T a plus de charisme que ses concurrentes. Il y a encore des points à améliorer mais cette berline fait l'envie de tant de conducteurs qu'on ne peut l'ignorer.

Gabriel : La A4. Personne ne réussit des intérieurs aussi bien que Audi. Quant à moi, c'est un critère important dans la catégorie des voitures de luxe. De plus, Audi innove avec la transmission *Multitronic*, qui sera offerte au printemps.

Luc : La Mazda Millenia est luxueuse, performante, confortable et discrète, parce que méconnue. Parfaite, donc, pour ne pas laisser paraître ma richesse nouvellement constituée !

Michel : La A4 est la plus aérodynamique du lot, celle dont le gabarit se rapproche le plus d'une voiture de rallye, donc maniable à souhait. Le moteur turbocompressé est costaud.

Philippe : À la Série 3, il ne manquait que la traction intégrale. Depuis l'an dernier, c'est fait. De là à dire qu'il s'agit d'une des meilleures voitures du monde à l'heure actuelle, il n'y a qu'un pas, que je n'hésite pas à franchir.

ET LA GAGNANTE EST...

AUDI A4

DE LUXE ENTRE 50 000$ et 100 000$

Acura 3.5RL - Audi A6 & S6 - Audi Allroad - BMW Série 5 - Cadillac DeVille - Cadillac Eldorado - Cadillac Seville - Chrysler 300M - Chrysler LHS - Ford Thunderbird - Infiniti I35 - Infiniti Q45 - Jaguar S-Type - Jaguar X-Type - Lexus GS300 /GS430 - Lexus LS430 - Lincoln Continental - Lincoln LS - Lincoln Town Car - Mercedes-Benz Classe E - Saab 9-5 - Volvo S80 - Volvo V70.

Alain : La Série 5 de BMW est le « plus-que-parfait » de l'automobilisme. La conduite au superlatif (surtout en version M, mais ça, c'est une autre catégorie!).

Benoit : Conservatrice de nature, la Série 5 de BMW demeure une référence en matière de mécanique et de plaisir au volant. Grande routière, bien construite, silencieuse, efficace, il lui manque seulement un peu de place à l'arrière.

Éric : Je sais que la Jaguar X-Type n'est pas aussi rapide que l'on espérait, mais regardons-la dans son ensemble. Enfin, une « Jag » à prix abordable (ou presque); une ligne superbe; et la traction intégrale en prime!

Gabriel : Encore Audi, mais cette fois la Allroad. C'est le *fun*, cette voiture-là. De toutes les bagnoles qui sont dans notre bouquin, en voilà une que je conduirais tous les jours. Parce que j'aime la Quattro et que je trouve son look particulièrement bien réussi.

Michel : Que voulez-vous, j'aime les gadgets! Je suis tombé en amour avec la Infiniti Q45 quand je me suis amusé avec les commandes à reconnaissance vocale. Plus la finition luxueuse, plus un V8 qui ronronne ou rugit, au choix.

Philippe : Dans le genre « classique réinventé », on peut difficilement faire mieux que la Thunderbird, qui était un élégant cabriolet, confortable et rapide, lors de sa naissance, en 1955. C'est toujours vrai.

ET LA GAGNANTE EST...

LA BMW SÉRIE 5

DE LUXE DE PLUS DE 100 000$

Audi A8 & S8 - Bentley Arnage Red Label - Bentley Azure - Bentley Continental R – BMW M5 - BMW Série 7 - Jaguar XJ8 - Mercedes-Benz CL - Mercedes-Benz Classe S - Rolls-Royce Corniche - Rolls-Royce Park Ward - Rolls-Royce Silver Seraph.

Amyot : Abstention (bien que mon instinct me ferait opter pour la Bentley Continetal R en raison de sa gueule, son luxe et ses performances.

Benoit : Laissons de côté les Bentley, Rolls et Aston-Martin qui s'adressent à des multimillionnaires pour qui l'opinion d'un journaliste importe peu. La meilleure voiture, dollar pour dollar, est la A8, avec en bonus la seule traction intégrale du lot.

Éric : Quant à mettre beaucoup d'argent sur un véhicule, allons-y gaiement et offrons-nous une Bentley Arnage Red Label, une automobile qui sort vraiment de l'ordinaire.

Gabriel : Je viens tout juste de conduire la BMW 745i, à Rome. La tenue de route, le moteur et la boîte de vitesses sont extraordinaires. Par contre, la carrosserie et l'intérieur sont controversés, tandis que le système *i-Drive* est inutilement complexe. Ça va prendre des mois au conducteur pour s'y habituer!

Michel : Le prestige, quant à moi, est ce nirvana du luxe où se combinent l'élégance, la haute technologie, la puissance et l'exclusivité. La Audi A8 réunit tous ces attributs. Peu importe l'humeur de son conducteur, elle a ce qu'il faut pour le combler.

Philippe : Les déboursés faramineux que commandent une Bentley, une Rolls ou une Aston Martin me jettent par terre. Les superbes coupés CL de Mercedes coûtent une fraction du prix tout en étant plus avancés sur le plan technologique.

ET LA GAGNANTE EST...

LA AUDI A8

SPORTIVES DE MOINS DE 50 000$

Acura RSX - Chevrolet Camaro - Ford Mustang - Hyundai Tiburon – Impreza WRX - Mazda Miata - Mercury Cougar - Toyota Celica.

Alain : La Miata possède toujours ce je-ne-sais quoi de plus que la concurrence. Bon, ce n'est pas une traction intégrale, mais il faut savoir vivre dangereusement, parfois...

Amyot : J'adore la Miata (je fais de la course solo à son bord) mais je dois retenir la Subaru Impreza WRX, ou la passion de conduire à un prix abordable. Même la familiale répond à presque tous mes besoins. Un coup de maître de Subaru.

Benoit : La WRX est une incontournable dans cette catégorie. Un rouage intégral efficace jumelé aux 227 chevaux de son moteur turbo offre un combinaison qui vous donne la chair de poule. Ajoutez une petite route en lacets, et vous avez la recette du bonheur.

Éric : Il y a belle lurette qu'une automobile comme la WRX avait impressionné autant de monde. Je n'ai pas aimé la version avec la boîte automatique mais la manuelle m'a emballé. Subaru assemble dorénavant une auto de course légale...

Gabriel : A part le look, qui est raté selon moi, les performances de la Subaru WRX sont époustouflantes. Il s'agit d'une Audi S4 pour ceux qui n'en ont pas les moyens.

Luc : Inutile de chercher ailleurs, la Miata réunit le meilleur de deux mondes – l'époque glorieuse des MG (nostalgie) et notre époque contemporaine avec ses véhicules fiables. Voiture merveilleusement équilibrée et juste assez puissante.

Michel : Entre la RSX et la WRX ? Le pilote qui ne craint pas de déchaîner les révolutions se tournera vers la Acura. Celui qui a envie de participer à un rallye à chaque trajet jusqu'au dépanneur appréciera davantage la Subaru. Moi aussi.

Philippe : La Miata est une de mes *all-time favorite*, car elle incarne le plaisir de conduire à l'état pur. Mais elle perd des plumes à cause de son côté pratique inexistant. Pour le prix, la seule qui l'approche au niveau du plaisir (ou presque), c'est la nouvelle RSX.

ET LA GAGNANTE EST...

LA SUBARU IMPREZA WRX

SPORTIVES ENTRE 50 000$ ET 100 000$

Audi TT - BMW M3 - BMW Z3 - BMW M Coupé - Chevrolet Corvette – Chrysler Prowler - Honda S2000 - Lexus SC430 - Mercedes-Benz CLK - Mercedes-Benz SLK - Porsche Boxster - Volvo C70.

Amyot : Quand on essaie une M3, on comprend pourquoi cette BMW est la référence.

Puissante, rapide, elle colle littéralement à la route et sa capacité de freinage est phénoménale. C'est la passion de conduire avec un vrai sentiment de sécurité.

Benoit : Depuis son apparition en 1985 (en Europe), la M3 a toujours exprimé la quintessence en matière de voiture Grand Tourisme. Il s'agit de la voiture la plus excitante qu'il m'ait été donné de conduire. Vraiment extraordinaire.

Éric : Pas facile de se mesurer à la BMW M3. C'est presque une auto de course avec des pare-chocs, un bolide de compétition sans numéros sur les portes. La M3 n'est peut-être pas pour tout le monde mais tout le monde se doit de l'admirer.

Gabriel : La Porsche Boxster est LA référence de la catégorie, surtout au chapitre de la tenue de route. La version régulière ou la S, peu importe.

Luc : La Honda S2000 est parfaite sur la route et sur la piste. Moteur qui chante à haut régime, une conduite aussi agréable qu'avec la Boxster, un habitacle seyant et un prix raisonnable (quand on a les sous).

Michel : J'aime beaucoup la M3 (bel équilibre) et la Corvette (furieuse puissance) mais je choisis la Honda S2000 pour son format et sa fougue. Et son bouton « Start Engine » !

Philippe : J'ai des atomes crochus avec les gens entiers, tout d'un bloc. Ces observations s'appliquent mot pour mot à la Honda S2000 et la Chevrolet Corvette. Mais la première l'emporte à cause de ses dimensions réduites et de l'agilité qui en découle.

ET LA GAGNANTE EST...

EX-AEQUO, LA BMW M3...

ET LA HONDA S2000

SPORTIVES DE PLUS DE 100 000$

Acura NSX - Aston Martin BD7 - Aston Martin Vanquish -BMW Z8 - Dodge Viper - Ferrari 456GT - Ferrari F360 Modena - Ferrari F550 Maranello - Jaguar XK8 - Lamborghini Murciélago - Lotus Esprit - Mercedes-Benz Classe SL - Porsche 911.

Benoit : Aussi simple à conduire qu'une petite sportive, la 911 est capable d'exploits remarquables et affiche le meilleur prix de base. Précisons qu'aucune route au Québec ne peut réellement exploiter le potentiel de cette montagne de chevaux-vapeur.

Éric : La Jaguar XK8, en plus d'être une sportive, est livrable en cabriolet et présente un intérieur des plus somptueux. C'est aussi l'une des toutes dernières grandes anglaises à se balader avec un nom légendaire.

Gabriel : La Porsche 911, une voiture facile à conduire tous les jours ou sur un circuit. D'ailleurs, les clubs Porsche comptent énormément de membres qui utilisent leur 911 sur les circuits : elle est la voiture la mieux construite pour ce genre de traitement.

Luc : Puisqu'on peut rêver, je rêve à une BMW Z8...

Michel : Les Ferrari, la Vanquish et la nouvelle Lamborghini manquent à mon vécu, c'est vrai, mais à chaque fois que je mets la main sur une Porsche 911, je suis comblé. Elle me fait vibrer, sans me faire passer pour un incompétent au volant.

Philippe : La voiture (sport) parfaite existe : je l'ai conduite. À l'heure actuelle, aucune autre sportive ne se rapproche autant d'une voiture de course que la Ferrari 360 Modena. Aucune, je vous dis.

ET LA GAGNANTE EST...

LA PORSCHE 911

UTILITAIRES COMPACTS

Chevrolet Tracker - Ford Escape - Honda CR-V - Hyundai Santa-Fe - Kia Sportage - Land Rover Freelander - Mazda Tribute - Nissan Xterra - Subaru Forester - Suzuki Vitara/Grand Vitara - Toyota RAV4.

Alain : La cuvée 2002 du Honda CR-V en surprendra plusieurs, peut-être par son apparence un peu plus orientale. Mais pour une fois que Honda ose sur un véhicule de masse! Et puis : mécanique fiable, freins solides et tenue de route exceptionnelle.

Amyot : Ça se joue entre le CR-V et le RAV4. Je tranche en faveur du Toyota : 4 cylindres puissant mais économique, spacieux, autant citadin que marathonien. Et la force de caractère pour traverser nos hivers sans broncher.

Benoit : Dans une catégorie où les véhicules n'oseront jamais s'aventurer bien loin hors route, la Subaru Forester offre à la fois le confort d'une berline et un rouage intégral efficace. Que demander de mieux?

Éric : Je choisis le Freelander car j'ai toujours préféré un utilitaire qui sait se débrouiller dans les sentiers exigeants. Et puis, il s'agit d'un produit Land Rover. Cette référence devrait suffire.

Gabriel : La Mazda Tribute offre le meilleur ensemble, dont un V6 de 200 chevaux pour ceux qui en ont besoin, ou un 4 cylindres pour ceux qui cherchent l'économie de carburant. Sa tenue de route est légèrement supérieure à celle du Ford Escape.

Luc : Robuste, belle allure, polyvalent et spacieux, le Nissan Xterra n'est pas une pseudo-auto, ni un Hummer, mais un tout-terrain pur et dur bien habillé.

Michel : Land Rover s'apprête à surprendre bien du monde dans cette catégorie avec un véhicule intelligent. De plus, le Freelander exhibe un emblème qu'on pourra enfin se payer.

Philippe : Dans mon cas, les hybrides, qui se rapprochent le plus d'une automobile, me rebutent moins. Dans le genre, le Forester m'a toujours plu, ne serait-ce que parce que sa conduite s'apparente à celle des berlines de la marque.

ET LE GAGNANT EST...

EX-AEQUO, LE LAND ROVER FREELANDER

ET LE SUBARU FORESTER

UTILITAIRES INTERMÉDIAIRES

Acura MDX - BMW X5 – Buick Rendezvous - Chevrolet Blazer - Chevrolet TrailBlazer - Dodge Durango - Ford Explorer - GMC Envoy – GMC Jimmy - Infiniti QX4 - Isuzu Rodeo - Jeep Grand Cherokee - Jeep Liberty - Jeep TJ - Land Rover Discovery - Lexus RX300 - Mercedes-Benz Classe M - Nissan Pathfinder - Oldsmobile Bravada - Pontiac Aztek - Saturn VUE - Suzuki XL7 - Toyota 4Runner - Toyota Highlander.

Amyot : Le TrailBlazer est un vrai camion civilisé qui ne prétend pas être autre chose. Bien fini, bien aménagé, il accomplit son boulot. Son 6 en ligne possède un couple efficace et travaille main dans la main avec la transmission pour monter et tirer.

Benoit : Le Jeep Liberty, en plus d'offrir un confort et une aménagement fortement à la hausse, est toujours capable de prouesses hors route. Un classique renouvelé suggéré à un prix très concurrentiel.

Éric : Il faut conduire le Liberty sur la route pour en constater la douceur de roulement. Puis, il faut surtout l'essayer en situation hors route pour se rendre compte de ses capacités. Son style est à la fois moderne et traditionnel.

Gabriel : Le Acura MDX est le véhicule qui, dans une catégorie où on retrouve des utilitaires plus chers et d'autres moins chers, représente le meilleur rapport qualité-prix.

Luc : Le Chevrolet TrailBlazer représente une nette amélioration par rapport au Blazer. Il est plus confortable que les Explorer et Grand Cherokee, et sa gamme comporte des modèles « abordables ».

Michel : J'ai beaucoup aimé le Buick RendezVous (même si je ne suis pas golfeur...). Accès facile, sièges confortables, visibilité excellente, moteur vivant et silhouette agréable.

Philippe : Le Highlander représente le meilleur compromis, avec son confort remarquable, jumelé à ses qualités pratiques que lui confèrent ses dimensions et son rouage intégral. De plus, il est moins cher que son clone de chez Lexus, le RX 300.

ET LE GAGNANT EST...

EX-AEQUO, LE CHEVROLET TRAILBLAZER

ET LE JEEP LIBERTY

UTILITAIRES GRAND FORMAT

Cadillac Escalade /EXT - Chevrolet Suburban/Suburban XL - Chevrolet Tahoe - Ford Excursion - Ford Expedition - Freightliner Unimog - GMC Yukon, Denali et Yukon XL - HUMMER H1 - HUMMER H2 - Isuzu Trooper - Land Rover Range Rover - Lexus LX470 - Lincoln Navigator - Mercedes-Benz Classe G - Toyota Sequoia.

Amyot : Je retiens le Toyota Sequoia : sophistiqué, spacieux, tenue de route sur la glace excellente. Les enfants l'ont adoré, mon épouse l'a aimé autant pour son confort que sa conduite. Même ma mère de 81 ans pouvait y grimper sans difficulté.

Benoit : Un vote de confiance à GM qui est à son meilleur dans le domaine des camions. La famille de Tahoe/Yukon/Denali et, par la bande, le Cadillac Escalade ont fait un pas de géant depuis le renouvellement du châssis et des mécaniques.

Éric : Le Cadillac Escalade. Quoi! Un gros Caddy? Et pourquoi pas? Il s'agit ici d'un utilitaire sport de très grand luxe incorporant une foule d'innovations technologiques qui pourraient surprendre plus d'un conducteur expérimenté.

Luc : Le Toyota Sequoia est un impressionnant mastodonte doté d'un habitacle pour deux familles nucléaires, très bien insonorisé, et aussi efficace sur route que hors route.

Michel : Le Toyota Sequoia combine le fort gabarit à la souplesse, la puissance à la qualité de finition. Et il ne consomme pas le carburant de manière indécente et polluante. C'est un monstre, mais un monstre convivial.

Philippe : Je choisis l'Expedition, en raison du savoir-faire de Ford en matière de camions et de la fiabilité de ses organes mécaniques. Chez les Américains, c'est plutôt rare.

ET LE GAGNANT EST...

LE TOYOTA SEQUOIA

CAMIONNETTES COMPACTES

Chevrolet S10 - Chevrolet SSR - Dodge Dakota - Ford Ranger - GMC Sonoma - Mazda Série B - Nissan Frontier - Toyota Tacoma.

Benoit : Le format du Dakota est idéal. Il peut accomplir le même travail qu'une grande camionnette (spécialement si vous optez pour le V8) tout en étant aussi facile à conduire. Cette capacité de faire de gros travaux le rend très attrayant.

Éric : J'hésite entre le Dakota et le Ford Ranger. Ce dernier est plus petit et plus maniable mais le Dakota offre plus de possibilités avec ses cabines à quatre portes et son V8 optionnel plus puissant. Seul bémol au sujet du Dakota : sa consommation (brrr!).

Luc : Le Dodge Dakota parce qu'il est légèrement plus spacieux que les autres compacts, que sa gamme est complète et que ses moteur s sont performants (mais gloutons).

Philippe : Le souvenir que je garde du Tacoma est celui d'une camionnette solide, assemblée avec soin et servie par une mécanique de haut niveau. Bref, c'est une Toyota!

ET LE GAGNANT EST...

LE DODGE DAKOTA

CAMIONNETTES PLEINE GRANDEUR

Chevrolet Avalanche - Chevrolet Silverado - Dodge Ram - Ford Série F - GMC Sierra - Toyota Tundra.

Amyot : Le Chevrolet Avalanche parce qu'il ose se démarquer et offrir quelque chose de différent. En version 1500 et 2500, il tient bien la route que ce soit sur pavé ou gravier. La possibilité de moduler l'intérieur constitue un atout indéniable.

Benoit : Le Chevrolet Silverado est le nouveau roi de la catégorie; avec son châssis hydroformé, et ses mécaniques éprouvées, il est devenu l'étalon.

Éric : Avez-vous déjà vu un véhicule aussi polyvalent que le Chevrolet Avalanche? Si la mécanique est déjà connue, les multiples possibilités qu'offre l'Avalanche sont tout simplement impressionnantes.

Luc : Le Dodge Ram, à mon avis, est l'équivalent camion des Tupper Ware, pour la versatilité de son habitacle, et des Tonka, pour la robustesse de sa construction. Gourmand à la pompe, toutefois.

Michel : J'étais sur le trottoir quand j'ai vu pour la première fois mon collègue Benoît s'amener au bureau avec un Chevrolet Avalanche rouge pompier. Le coup de cœur! Son aspect modulaire m'a achevé. J'en veux un!

Philippe : Le confort et la douceur de roulement des camionnettes Ford me surprennent à chaque fois. Leur finition et leur qualité d'assemblage se situent par ailleurs dans une classe à part, côté américain. D'où mon choix.

ET LE GAGNANT EST...

LE CHEVROLET AVALANCHE

FOURGONNETTES

Chevrolet Express - Dodge Ram Van - Ford Econoline - Freightliner Sprinter - GMC Savanna.

Alain : La Savana a ceci de mieux que ses concurrentes que même son modèle à empattement long se conduit presque comme une voiture, jusque dans les rues étroites du centre-ville.

Amyot : La Ford Econoline, pour ses variantes; sa continuité, sa fiabilité raisonnable, ses motorisations. L'Econoline demeure la référence des grosses fourgonnettes : polyvalente, elle passe de la simplicité au luxe, sans oublier les conversions camping, caravaning ou bureau mobile.

Benoit : Mon choix se porte sur l'Econoline pour des raisons purement pratiques, notamment en raison du nombre incalculable de moteurs et de configurations. Chacun peut trouver chaussure à son pied.

Éric : Ici, on n'a pas le choix. L'Econoline est presque une légende dans son créneau. D'ailleurs, elle offre beaucoup plus de possibilités que ses concurrentes grâce à son grand choix de moteurs et son éventail de modèles et de capacités.

Luc : Le duo Chevrolet Express/GMC Savana est, de loin, le plus moderne du lot.

ET LA GAGNANTE EST...

LA FORD ECONOLINE

MINIFOURGONNETTES

Chevrolet Astro - Chevrolet Venture - Chrysler Town & Country - Dodge Caravan/Grand Caravan - Ford Windstar - GMC Safari Honda Odyssey - Kia Sedona - Mazda MPV -Nissan Quest - Oldsmobile Silhouette - Pontiac Montana - Toyota Sienna - VW EuroVan.

Alain : J'ai traversé le continent d'est en ouest (et vice-versa) avec une Odyssey et mon dos ne s'en porte que mieux. Paradoxe? Non. J'appelle ça une minifourgonnette qui remplit son mandat adéquatement.

Amyot : La Honda Odyssey mérite le prix pour son luxe et son confort, mais l'EuroVan MV offre plus avec sa version Weekender : l'aspect pratique d'une fourgonnette avec la possibilité d'escapades les week-ends.

Benoit : Honda a mis les efforts nécessaires pour produire la meilleure minifourgonnette sur le marché. La qualité de fabrication de la Odyssey brille, sa conduite est irréprochable et les dimensions de son habitacle sont généreuses.

Éric : Regardez bien la Kia Sedona à deux fois! À ce prix, il n'y a peu de minifourgonnettes qui offrent autant de puissance et d'équipement. La Sedona répondra certainement aux besoins de plus d'un acheteur. Trop nouvelle? Ça ne m'inquiète pas!

Gabriel : Pour moi, la Honda Odyssey est le standard de la catégorie. Le prix est un peu élevé comparativement aux autres, mais la qualité est là. La fiabilité aussi.

Luc : Une nouvelle venue étonnante, performante et abordable : la Kia Sedona.

Michel : À moins que la Kia Sedona soit équipée pour agréablement me surprendre au cours des prochains mois, la Honda Odyssey demeure ma favorite. Son moteur, son aménagement, son ingéniosité.

Philippe : Ce type de véhicule, très peu pour moi. Néanmoins, s'il m'en fallait une, j'opterais pour la Honda Odyssey. Parce qu'elle est japonaise, donc fiable; et parce qu'elle n'est pas désagréable à conduire. Et elle a de la pédale, en plus.

ET LA GAGNANTE EST...

LA HONDA ODYSSEY

LISTE DE GAGNANTS PAR CATÉGORIE

PETITES : Mazda Protegé
COMPACTES : Nissan Altima
INTERMÉDIAIRES : Nissan Maxima
GRANDES : Buick Park Avenue
DE LUXE DE MOINS DE 50 000$: Audi A4
DE LUXE ENTRE 50 000$ et 100 000$: BMW Série 5
DE LUXE DE PLUS DE 100 000$: Audi A8
SPORTIVES DE MOINS DE 50 000$: Subaru WRX
SPORTIVES ENTRE 50 000$ ET 100 000$: ex-aequo, Honda S2000 et BMW M3
SPORTIVES DE PLUS DE 100 000$: Porsche 911
MINIFOURGONNETTES : Honda Odyssey
UTILITAIRES COMPACTS : ex-aequo, Land Rover Freelander et Subaru Forester
UTILITAIRES INTERMÉDIAIRES : ex-aequo, Chevrolet TrailBlazer et Jeep Liberty
UTILITAIRES GRAND FORMAT : Toyota Sequoia
CAMIONNETTES COMPACTES : Dodge Dakota
CAMIONNETTES PLEINE GRANDEUR : Chevrolet Avalanche
FOURGONNETTES : Ford Econoline

PAYS-BAS

Spyker C8 Spyder et Laviolette

Au pays des Hollandais, deux voitures ont retenu notre attention. La première est une des très nombreuses répliques de Lotus Seven : la Donkervoort D8 est probablement l'une des plus intéressantes (malheureusement, nous cherchons encore la bonne photo...). La D8 reste fidèle à l'originale dans son esprit et dans son allure. Elle fait appel à des technologies modernes, comme la turbocompression, les matériaux composites ou une suspension indépendante aux quatre roues. Si au cours de sa carrière, elle a connu différents moteurs, elle utilise aujourd'hui des blocs Audi développant de 150 à 210 chevaux. Les accélérations de la D8 sont normalement réservées à des modèles bien plus chers.

Parlons maintenant de la Spyker C8 Spyder (les deux photos à côté, c'est elle !). Présentée en 2000, la C8 Spyder reprend le nom d'une marque néerlandaise du début du siècle. Ce cabriolet à portes papillon embarque un V8 Audi 4,2 L en position centrale arrière poussé à 400 ou 450 chevaux. Le châssis et la carrosserie sont en aluminium. Une version coupé, appelée Laviolette (en bas), avec un toit transparent est aussi disponible. Le dernier salon de Francfort a vu la présentation de la C8 Double 12, une version compétition conçue pour courir les 24 heures du Mans en classe GT.

BOULE DE CRISTAL

C'est déjà 2003, voire 2004 pour les constructeurs automobiles qui «planchent» déjà sur leurs nouvelles créations, dont certaines ne manqueront pas de vous étonner. Présentées ici en «avant-première», ces nouveautés seront commentées en détail dans notre édition de l'an prochain, avant de se retrouver sur une route près de chez vous...

Audi **A4 Cabriolet**

Quand elle a remplacé la 80, la A4 première génération n'avait pas eu droit à sa version cabriolet. Oubli réparé pour la nouvelle mouture. Dotée d'une capote conventionnelle, mais pouvant accueillir quatre personnes, elle recevra les motorisations V6 essence de pointe ainsi qu'un diesel. Tradition Audi, le rouage intégral Quattro sera disponible.

BMW **Série 6**

Après le semi-échec de la série 8, BMW ressucite la mythique série 6. Basée sur le concept Z9, elle recevra des V8 3,5L (270 chevaux) et 4,5L (340 chevaux). Viendront plus tard une M6 de 430 chevaux ainsi qu'un six cylindres. Le système informatique iDrive sera au menu. Un convertible est prévu

Audi **A8 W12**

Afin de concurrencer Mercedes et BMW, la A8 accède maintenant à la catégorie suprême des douze cylindres avec un original W12. Issu de l'accouplement de deux VR6, il développe 420 chevaux et replace l'Audi en tête de la course à la puissance. Pour le reste, c'est châssis en aluminium et transmission Quattro.

BMW Z3

L'ex roadster de James Bond s'approche de la retraite. Son successeur sera plus grand et arborera des lignes plus sculptées, entrevues sur le concept X-Coupé. Les moteurs disponibles seront des quatre et six cylindres de 140 à 230 chevaux. Une version M sera aussi disponible alors que le coupé ne sera pas reconduit.

Cadillac XLR

Le nouveau porte-drapeau de Cadillac, le coupé cabriolet à toit dur rétractable XLR (accélère?) reprend les lignes du prototype Evoq. Basé sur le châssis de la prochaine Corvette (il sera d'ailleurs produit dans la même usine), il reçoit un V8 4,6L Northstar. Cadillac possède aussi un V12 dans ses cartons.

Chevrolet Cavalier 2004

La prochaine Chevrolet Cavalier 2004 ressemblera quasiment trait pour trait à l'Opel Astra européenne, prévue pour 2003. Basée sur la plate-forme Delta, elle ne devrait s'en différencier que par les logos et les pare-chocs. Le quatre cylindres L850 de nouvelle génération assurera la motorisation. La voiture mondiale est de retour!

Honda Civic SiR

La Civic SiR est de retour ... et elle n'est pas contente, comme on dirait sur une affiche cinématographique! Avec les 160 chevaux du i-VTEC, il y a de quoi. Basée sur la Civic européenne, elle en reprend le levier au centre de la planche de bord. Elle sera fabriquée en Angleterre.

Ferrari F60

La prochaine voiture anniversaire de Ferrari sera encore plus exclusive que les précédentes F40 et F50. Dorénavant, elle utilisera davantage les technologies de la Formule 1 : coque en fibre de carbone, moteur à admission variable, suspension active... Le moteur, un V12 6 litres, développera cette fois entre 600 et 650 chevaux.

Dodge **Viper 2003**

Difficile de remplacer une voiture de la stature de la Viper. Pour ce faire, les ingénieurs de Chrysler ont adopté le principe du plus : plus de centimètres cubes (V10 8,3L), plus de chevaux (506), plus vite (354 km/h) et certainement ... plus cher! L'ABS sera cette fois disponible.

Pontiac **Vibe** et Toyota **Matrix**

Ce duo américano-nippon de familiales sport compactes ultra-polyvalentes a été conçu pour les férus de sport et de plein air, dans une ligne de pensée similaire à l'Aztek de Pontiac. Le design de l'habitacle est signé GM, et l'engineering de la plate-forme et du groupe moteur, par Toyota. Une plate-forme qui provient d'ailleurs d'une nouvelle Corolla.
Les moteurs proposés seront deux quatre cylindres : le 1,8 litres de 130 chevaux, de l'actuelle Corolla, et le Yamaha VVT-i de 180 chevaux qui équipe la Celica GT-S.
La Pontiac Vibe sera assemblée en Californie, à l'usine NUMMI que se partagent GM et Toyota, alors que la Matrix sera assemblée à Cambridge en Ontario, à l'usine de Toyota. Lancement prévu pour le début de 2002.

Daewoo **Tacuma**

Présenté en 1999 en Asie, le monospace compact Tacuma offre une belle modularité sur 4,35 mètres, soit à peine plus qu'une Lanos. C'est grâce à cinq sièges individuels que l'on peut organiser l'habitacle à l'envie. Véhicule intéressant dans la gamme Daewoo, il n'aurait pas de concurrent direct pour l'instant sur le marché canadien.

Daewoo **Leganza 2003**

La Leganza montera en gamme lorsque sa remplaçante sera présentée. Déjà vendue en Corée sous le nom de Magnus, elle mesure 10 cm de plus que l'actuelle. Elle devrait combler l'une des lacunes du modèle actuel en proposant un nouveau V6 de 2,5L. Les quatre cylindres resteront disponibles.

Infiniti **G35**

Dotée d'une esthétique plus agressive que par le passé, la prochaine Infiniti, la G35 ou Nissan Skyline (au Japon), s'annonce une redoutable concurrente de la Lexus IS 300. Comme elle, et dans le même but de concurrencer BMW et Mercedes, elle est une propulsion. Le moteur sera le déjà connu V6 3,5L.

Honda **Stream**

Basé sur une plate-forme de Honda Civic, ce véhicule monocorps peut accueillir sept personnes à bord. Long de 4,57 mètres, il est plus court de 54 cm que son grand frère, l'Odyssey. La banquette arrière se rabat dans le plancher pour libérer le coffre. Seuls des quatre cylindres seront disponibles.

Hyundai **Tiburon**

Moins extravagant que celui qu'il remplace, le nouveau coupé Tiburon va monter en gamme. Une nouvelle motorisation V6 2.7L, que l'on a déjà vue dans le Santa Fé, sera introduite ainsi qu'une boîte semi-automatique 5 vitesses, développée par Porsche. Le V6 pourra aussi recevoir une boîte manuelle 6 vitesses.

Diamante

Lancer

Mitsubishi

Après deux tentatives avortées, Mitsubishi va finalement arriver sur le marché canadien pour l'année-modèle 2003. Avec 50 concessionnaires au pays et pas moins de 7 modèles dans sa gamme, la marque aux trois diamants débarque fort.

Parmi les modèles proposés dès la première année, citons la Lancer, une concurrente directe des Focus, Protegé et Sentra. Elle recevra un 2 litres de 120 chevaux. Des boîtes manuelle 5 vitesses et automatique 4 vitesses sont au programme. La Lancer devrait se démarquer dans sa finition OZ-Rally.

À l'autre bout de la gamme, on trouve la Diamante qui s'attaquera aux ES 300, Maxima et autres 300M. Son équipement s'annonce excellent et un V6 de 3,5 accouplé à une boîte 4 automatique sont prévus.

Dans le créneau des voitures de taille moyenne, Mitsubishi opposera sa Galant aux Altima, Camry, Accord, Taurus et autres du genre. Renouvelée pour 2002, elle sera dotée d'un quatre cylindres de 2,4 litres jumelé à une boîte automatique. Un V6 de 3 litres figurera également au catalogue.

Enfin, dans les sport utilitaires, le Montero avec son allure de baroudeur et son châssis monocoque sera proposé avec une suspension indépendante et un rouage intégral. Il concurrencera entre autres les Pathfinder et Explorer, et sera doté d'une V6 de 3,5 litres.

Galant

Montero

Porsche Carrera 550 GT

Parlons peu, parlons bien : V10 de 5,5L, 558 chevaux, boîte six vitesses, freins en céramique, 1250 kilos, 330 km/h en pointe, le 0 à 100 km/h en moins de 4 secondes et le 0 à 200 km/h en moins de 10. Voilà le menu impressionnant que Porsche proposera en 2003!

Jaguar F-Type

Coïncidence? Au moment où la Type E fête ses 40 ans, la Type F vient de recevoir le feu vert pour passer en production! Basée sur l'étude style du même nom, elle recevra une plate-forme spécifique et un moteur 6 cylindres. Jaguar laisse d'ores et déjà entendre l'existence d'une version R à compresseur.

Mercedes

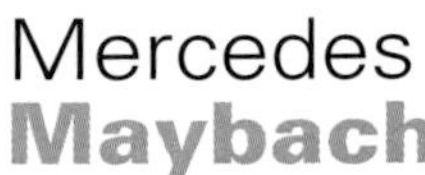

Maybach

Pour ceux qui trouvent la S600 encore un peu trop roturière, Mercedes proposera bientôt la Maybach, faisant ainsi revivre un nom du passé. Le V12 recevra deux turbos, et un modèle chauffeur sera disponible. Plus d'options, les équipements, forcément pléthoriques, seront définis pour chaque voiture avec l'aide d'un conseiller personnel (!?).

Nissan Z

Le retour d'un mythe, cette fois dans une version conforme à l'esprit de l'originale. Finis les doubles turbos et la transmission intégrale. Au menu, un V6 3.5L de 260 chevaux, des roues arrières motrices, boîte six manuelle ou cinq automatique et une ligne à couper le souffle. Un cabriolet est déjà prévu.

Mazda 6

La 626 n'est plus. Il faudra dorénavant l'appeler Mazda 6. Un nom plus court pour une auto plus longue dont la plate-forme servira à la prochaine Ford Taurus. Seule une version quatre portes sera disponible en Amérique du Nord (il existera ailleurs des versions cinq portes et familiale) avec des moteurs 2,3L et 3L.

Mazda RX8

La RX7 est morte, vive la RX8! La tenacité de Mazda envers le moteur rotatif fait vraiment plaisir à voir. Issu d'une toute nouvelle génération, appelée Renesis, le moteur est donné pour 250 chevaux ... sans suralimentation! C'est un coupé 4 portes avec des ouvertures similaires au coupé Saturn S.

Porsche Cayenne

Un sport utilitaire chez Porsche, c'est une première! Basé sur une toute nouvelle plate-forme, développée en commum avec Volkswagen (pour amortir les coûts), il devrait recevoir un inédit V8 4,5L ainsi qu'un VR6. Concurrent sérieux des ML et autres X5, Porsche espère en vendre 25 000 par an.

Volkswagen D1

Après la présentation de la Passat W8, Volkswagen continuera sa montée en gamme avec la D1. Elle devrait utiliser les moteurs les plus pointus du groupe VW (W8, W12, V10 TDI), se positionnant alors comme la plus farouche concurrente de la prochaine Audi A8. Qui voudrait d'une Volkswagen à 100 000 $?

Subaru ST-X

Subaru continue dans le mélange des genres. Après l'Outback, mi-familiale mi-sport utilitaire, voici la ST-X, mi-sport utilitaire mi-camionnette, dotée d'un look encore plus démonstratif. La partie mécanique est connue : elle reprend les caractéristiques de la Legacy. Subaru espère en produire un minimum de 24 000 chaque année.

Suzuki Aerio

Déjà disponible au Japon et en Europe, l'Aerio devrait arriver chez nous pour 2003. Basé sur la prochaine plate-forme d'Esteem, il mesure 4.23 mètres. Pour l'Amérique du Nord, plusieurs motorisations devraient être proposées, incluant un possible quatre cylindres turbo de 220 chevaux, ainsi que le choix entre deux ou quatre roues motrices.

Volkswagen Colorado

Développé en même temps que le Porsche Cayenne, l'ex-Colorado (le nom appartient à GM) est le premier sport utilitaire de Volkswagen. Il devrait recevoir une palette de moteurs plus étendue que le Porsche incluant un VR6, les récents W8 et W12 ainsi qu'un inédit V10 TDI de plus de 300 chevaux.